小児内分泌学

Pediatric Endocrinology

改訂第3版

日本小児内分泌学会 [編]
The Japanese Society for Pediatric Endocrinology

診断と治療社

口絵

- 本項「口絵」は，本書本文中にモノクロ掲載した写真のうち，カラーで呈示すべきものを，本文出現順にならべたものである．
- 本項「口絵」に示したページは当該写真の本文掲載ページを表す．

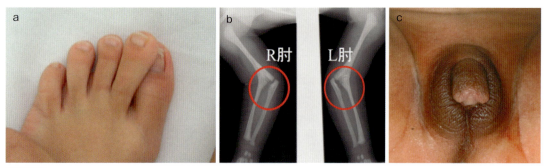

口絵1 疾患に特異的な所見〔p.16 参照〕
a：第2，第3趾の合趾症（SLO 症候群），b：腕橈関節癒合（Antley-Bixler），c：副腎過形成女児の特徴的な所見．性腺は触れない，陰核肥大，色素沈着

口絵2 亜鉛欠乏，セレン欠乏〔p.18 参照〕
a：成長障害や皮膚所見．粘膜皮膚の移行部に好発する湿潤した皮膚炎，b：爪床部白色変化，c：脱色，縮れ毛

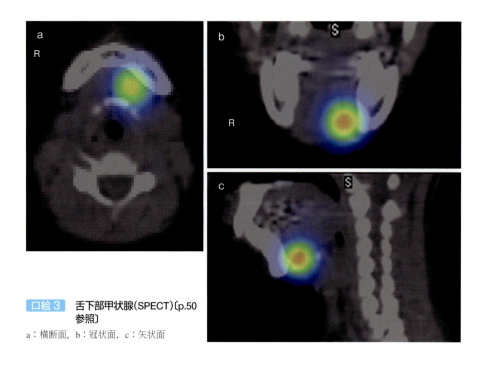

口絵3 舌下部甲状腺（SPECT）〔p.50 参照〕
a：横断面，b：冠状面，c：矢状面

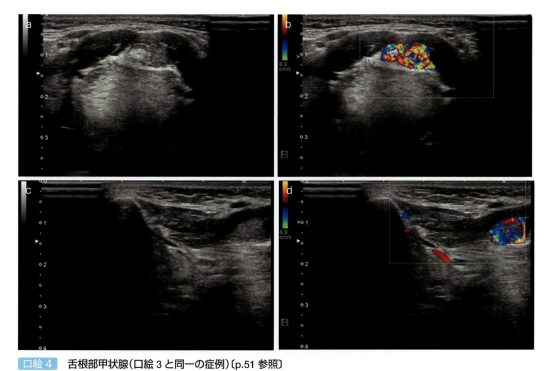

口絵4 舌根部甲状腺（口絵3と同一の症例）〔p.51 参照〕
a：横断面Bモード，b：横断面カラードプラ像，c：矢状面Bモード，d：矢状面カラードプラ像

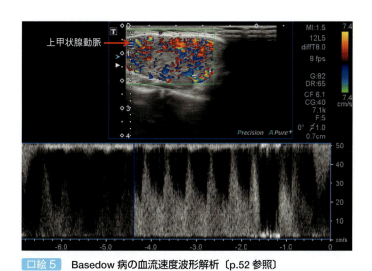

口絵5 Basedow病の血流速度波形解析〔p.52 参照〕
STA-PSVは45 cm/s

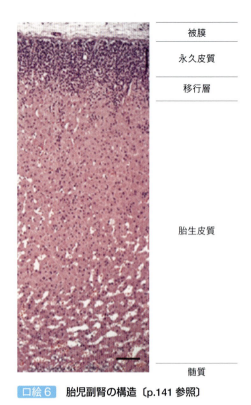

口絵6 胎児副腎の構造〔p.141 参照〕

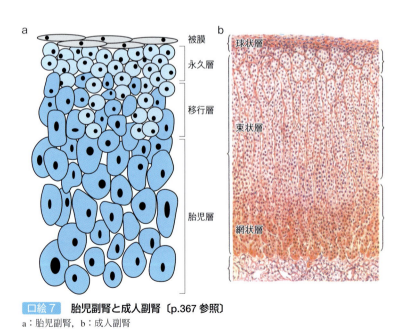

口絵7 胎児副腎と成人副腎〔p.367 参照〕
a：胎児副腎，b：成人副腎

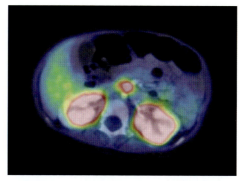

口絵8　18F-DOPA PETによる局所型病変の描出〔p.566参照〕

本例では膵鉤部に病変が存在した

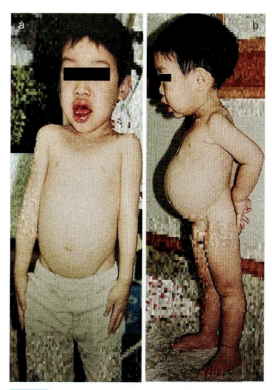

口絵9　MEN2Bの粘膜神経腫に起因する身体所見〔p.609参照〕

a：厚い口唇（bumpy lips）
b：腹部膨満

◆◆◆ 改訂第3版序文 ◆◆◆

　日本小児内分泌学会編の「小児内分泌学」の初版が発刊されてから約12年，第2版が発刊されて約5年となりました．この間，小児内分泌の教科書である「小児内分泌学」は，小児内分泌学の普及，発展に大きく貢献してきたと思います．このことは，ひいては内分泌疾患に罹患した小児患者さんの役に立ってきたと言えます．このような大きな貢献ができたのも，初版の編集主幹の故藤枝憲二先生，第2版の編集主幹の横谷　進先生のリーダーシップのもと，日本小児内分泌学会会員が力を合わせて，教科書としてわかりやすく公正な記述を心掛けた結果と思います．発行部数は，日本小児内分泌学会会員数を遥かに超え，本書「小児内分泌学」が多くの医師に頼りにされていることが伺えます．
　このような教科書としての質を担保するためには，小児内分泌学の進歩に合わせた定期的な改訂が必要です．このような認識から，日本小児内分泌学会の理事を中心とする第3版の改訂チームが立ち上がりました．編集主幹として，私のほか，緒方　勤先生，長谷川奉延先生と，連続3代の日本小児内分泌学会理事長が，その任にあたり，第3版の企画段階から，各章の担当の理事の選定，執筆者の確定，原稿内容のチェックを行いました．
　最近の小児内分泌分野の発展としては，診療ガイドラインの充実，診断および治療に関する遺伝医学の進歩，トランスレーショナルリサーチや患者レジストリを基盤とした新規治療法の開発，生殖医学・胎児医学・トランジションなどの移行期医療を含めた小児内分泌分野の守備範囲の拡大などがあげられます．これらを取り入れ，また，専門医制度などの教育面での変化にも対応して，日本小児内分泌学会の評議員を中心として，120名近い執筆者が，力を注いで執筆しました．第3版が初めての執筆となるような，若い執筆者も多く登場しています．第3版をお手にとって読んでいただければわかると思いますが，小児内分泌の教科書として，Updateされた内容となっております．
　本書は，小児内分泌学の幅広い領域をカバーし，簡便に内容を理解できるようにエッセンスに絞って，記述しております．しかしながら，小児内分泌学の面白さを十分に感じていただけるように，図表や表現に工夫もしております．多くの情報をインターネットで得ている現状から，参考文献として多くのWeb siteを記載しております．さらに，今後，日本小児内分泌学会編の「小児内分泌疾患の治療」を発行する予定であり，本書とともに読んでいただければ，小児内分泌領域の診療の実践ができるように配慮しております．「小児内分泌疾患の治療」にもご期待ください．
　最後に，本書に執筆いただいた先生および編集を担当された日本小児内分泌学会理事の方々に深く感謝申し上げます．不慣れな私たちを色々とサポートしていただきました「診断と治療社」の坂上昭子さん，松田和貴さんに感謝します．

令和3年12月

編集主幹を代表して

一般社団法人　日本小児内分泌学会前理事長
大薗恵一

改訂第2版序文

　日本小児内分泌学会編の「小児内分泌学」（初版）が発刊されてから6年余りが過ぎました．この間の学問の進歩や医療をめぐる環境の変化は目覚ましく，それに対応した新しい第2版の刊行がぜひ必要になってきました．小児内分泌の領域における変化をあげれば，①遺伝学的研究の成果が新たな疾患の発見や病態の解明にますます結実し，②トランスレーショナル・リサーチなどによる治療方法の開発も急速に進み，超稀少疾患にも有効な薬剤が使用できるようになってきており，③標準的診療のガイドラインや患者向けツールの開発も進んできて，④小児期発症内分泌疾患の成人期医療へのトランジションや生涯管理が注目されて臨床内分泌学がさらに深化してきました．本書はこのような変化を敏感に反映すべく，初版に引き続いて100人近い学会員の力を結集して制作されました．

　幸いにして，初版は日本小児内分泌学会会員数の2〜3倍を超えた部数が販売されました．小児内分泌学を専門とする医師だけでなく，内分泌疾患に触れ，内分泌学の知識を診療に役立てている小児科医，成人を主に診療している内分泌専門医の方々にも読まれているのではないかと思います．第2版も，自信をもってこのような読者に新たな知識を提供できるものと信じます．

　本書の制作には，日本小児内分泌学会のすべての理事が本書の構成・目次を検討して新たなものとしました．各理事は自らが担当する章について執筆者から受け取った原稿を校閲しました．横谷も原稿を読み，章担当理事の意見と合わせて執筆者にフィードバックし，最終原稿を完成しました．この過程で，他項目との重複を最小限にし，一貫性を図るように努力しました．編集のこのような過程は，本書が教科書としての堅実さをもつことに貢献したものと考えます．個人的には，こうした作業を通じて改めて勉強し，内分泌学の奥深さを痛感する結果となりました．

　本年2016年は，日本小児内分泌学会が誕生してから50周年という特別な年に当たり，その年に第2版を刊行できることは大きな喜びです．ここに至るまで学会と小児内分泌学を支えて下さった数々の優れた先輩，とりわけ，初版を企画してその刊行から3か月を経ずに亡くなられた故藤枝憲二元理事長に深く感謝し，謹んで本書を捧げます．

　最後に，本書に執筆いただいた学会員，編集を担当された日本小児内分泌学会理事の方々に深く感謝申し上げます．細部までよく読み，全巻の整合性をとるために日夜尽力していただいた「診断と治療社」の坂上昭子さんに感謝します．

平成28年5月

編集主幹を代表して

一般社団法人　日本小児内分泌学会前理事長
横谷　進

初版序文

 この度,日本小児内分泌学会では,小児内分泌学・糖尿病学・代謝学の研究を通じて科学の進歩に貢献すること,また小児内分泌,小児糖尿病を専門とする医師を養成することを目的として,『小児内分泌学』を発行することになった.本書の著者として80人を超える学会員が参画し,それぞれの専門としている事項を担当し執筆した.

 本書は,日本小児内分泌学会が総力を挙げて作成したテキストである.このようなテキストは,欧米には古くは,世界の小児内分泌学の始祖といえる Lawson Wilkins の小児内分泌学テキストをはじめ,いくつかのテキストがあるが,わが国には今までこのような網羅的な小児内分泌学テキストはなかった.したがって,本書が刊行できた意義は極めて大きいと感じている.

 本書は,総論と各論に分け,現在の小児内分泌学の最新の知識が記載されている.総論は,生体におけるホルモンの役割からはじまり,内分泌疾患患者の診察,診断,検査法,主要症候から診断へのアプローチ,内分泌救急疾患の処置を含んでいる.この部分を読むだけでも,実地診療にも役立つ内容である.各論は,14章に分け,従来小児内分泌学分野で取り上げられなかった分野も加えてあり,新生児内分泌学,成長障害,視床下部・下垂体障害による内分泌疾患,水・電解質代謝異常,思春期発来異常をきたす疾患,性分化・性発達異常を伴う疾患,副腎疾患,甲状腺疾患,カルシウムとビタミンD関連疾患,糖・脂質代謝異常症,肥満・メタボリックシンドローム,尿細管異常,多腺性内分泌疾患,疾患(神経性食欲不振症,critical illness,小児がん経験者)と内分泌異常という項目立てにした.できるだけ理解しやすくするために,図表を多くするとともに,内容は分子内分泌という最新先端的な情報も入れ込んである.

 内分泌学は,一般的にむずかしい分野と思われ敬遠されがちであるが,本書を通読されると内分泌学のおもしろみが理解でき,日常診療にいかに重要な分野であるか理解されると思う.また,本書は,専門医には知識の確認,辞書的な使い方もできる.本書が,小児内分泌学を専門とする医師だけではなく,内分泌疾患患者を診る小児科医,内科医に幅広く利用されることを願っている.

 最後に,忙しい中,本書に執筆された先生方に感謝申し上げるとともに,編集を担当された日本小児内分泌学会の理事の先生方に厚く御礼申し上げる.

平成21年12月

日本小児内分泌学会理事長
旭川医科大学小児科教授
藤枝憲二

執筆者一覧

■ 編集主幹
		【編集担当】
大薗恵一	大阪大学大学院医学系研究科小児科学	総論第1章
緒方 勤	浜松医療センター小児科	総論第2章
長谷川奉延	慶應義塾大学医学部小児科学教室	総論第1章

■ 編集協力
横谷 進	福島県立医科大学ふくしま国際医療科学センター甲状腺・内分泌センター	

■ 編集（50音順）
石井智弘	慶應義塾大学医学部小児科学教室	各論第6章
伊藤純子	虎の門病院小児科	付録
伊藤善也	日本赤十字北海道看護大学臨床医学領域	各論第2章
井原健二	大分大学医学部小児科学講座	各論第13章
浦上達彦	日本大学病院小児科	各論第10章
菊池 透	埼玉医科大学病院小児科	各論第11章
田島敏広	自治医科大学とちぎ子ども医療センター	各論第7章
長崎啓祐	新潟大学医歯学総合病院小児科	各論第14章
難波範行	鳥取大学医学部周産期・小児医学分野	各論第9章
長谷川行洋	東京都立小児総合医療センター内分泌・代謝科	総論第7, 8章
深見真紀	国立成育医療研究センター研究所分子内分泌研究部	総論第3章
藤原幾磨	仙台市立病院小児科	各論第15章
堀川玲子	国立成育医療研究センター内分泌代謝科	各論第5章
水野晴夫	藤田医科大学医学部小児科学	各論第4, 12章
皆川真規	千葉県こども病院内分泌科	各論第8章
南谷幹史	帝京大学ちば総合医療センター小児科	各論第1章
室谷浩二	神奈川県立こども医療センター内分泌代謝科	総論第4, 5, 6章
依藤 亨	大阪市立総合医療センター小児代謝・内分泌内科	各論第3章

■ 分担執筆者（50音順）
会津克哉	埼玉県立小児医療センター代謝内分泌科
麻生敬子	東邦大学医療センター大森病院小児科
安達昌功	昭和大学医学部小児科学講座
阿部裕樹	新潟市民病院小児科
天野直子	さいたま市立病院小児科
有阪 治	那須赤十字病院小児科
有安大典	川崎市立川崎病院小児科
安藏 慎	東京都立大塚病院小児科
池側研人	東京都立小児総合医療センター内分泌・代謝科
井澤雅子	あいち小児保健医療総合センター内分泌代謝科
石井加奈子	九州大学病院小児科
石井智弘	慶應義塾大学医学部小児科学教室
磯島 豪	帝京大学医学部小児科学講座
位田 忍	大阪母子医療センター臨床検査科
市川 剛	獨協医科大学小児科
伊藤純子	虎の門病院小児科
伊藤順庸	金沢医科大学小児科学
伊藤善也	日本赤十字北海道看護大学臨床医学領域
糸永知代	大分大学医学部小児科学講座
稲田 浩	西宮すなご医療福祉センター小児科
井ノ口美香子	慶應義塾大学保健管理センター
井原健二	大分大学医学部小児科学講座
宇都宮朱里	県立広島病院小児科
浦上達彦	日本大学病院小児科
大薗恵一	大阪大学大学院医学系研究科小児科学
大幡泰久	大阪大学大学院医学系研究科小児科学
岡田 賢	広島大学大学院医系科学研究科小児科学
緒方 勤	浜松医療センター小児科

執筆者一覧

小川洋平	新潟大学医歯学総合病院小児科
荻原康子	東京都立小児総合医療センター内分泌・代謝科
鬼形和道	島根大学医学部附属病院卒後臨床研修センター
鏡　雅代	国立成育医療研究センター研究所分子内分泌研究部
鹿島田健一	東京医科歯科大学発生発達病態学分野（小児科）
數川逸郎	千葉県こども病院内分泌科
鎌﨑穂高	札幌医科大学医学部小児科
川井正信	大阪母子医療センター骨発育疾患研究部門／消化器・内分泌科
河井昌彦	京都大学医学部小児科
鞍嶋有紀	島根大学医学部小児科
川村智行	大阪市立大学大学院発達小児医学
神﨑　晋	川崎医科大学総合医療センター
菅野潤子	東北大学大学院医学系研究科発生・発達医学講座小児病態学分野
菊池　清	兵庫県立リハビリテーション中央病院子どものリハビリテーション・睡眠・発達医療センター
菊池　透	埼玉医科大学病院小児科
北中幸子	きたなかこども成長クリニック
木下　香	君津中央病院小児科
窪田拓生	大阪大学大学院医学系研究科小児科学
郷司克己	神戸百年記念病院健康管理センター
小山さとみ	獨協医科大学小児科学
今野麻里絵	東京都立小児総合医療センター内分泌・代謝科
佐々木悟郎	東京歯科大学市川総合病院小児科
佐々木掌子	明治大学文学部心理社会学科臨床心理学専攻
佐藤聡子	東京女子医科大学八千代医療センター小児科
佐藤武志	慶應義塾大学医学部小児科学教室
佐藤真理	東邦大学医療センター大森病院小児科
佐野伸一朗	静岡県立こども病院内分泌代謝科
志村和浩	慶應義塾大学医学部小児科学教室
庄司保子	日本大学病院小児科
神野和彦	県立広島病院小児科
菅原大輔	自治医科大学附属さいたま医療センター小児科
杉原茂孝	和洋女子大学大学院総合生活研究科
鈴木　滋	旭川医科大学小児科
髙木優樹	糀谷こどもクリニック
高澤　啓	東京医科歯科大学発生発達病態学分野（小児科）
高谷具純	千葉大学大学院医学研究院小児病態学
高橋郁子	秋田大学医学部附属病院小児科
田久保憲行	順天堂大学医学部小児科学講座
竹本幸司	愛媛県立新居浜病院小児科
田島敏広	自治医科大学とちぎ子ども医療センター
伊達木澄人	長崎大学大学院医歯薬学総合研究科小児科学
棚橋祐典	市立稚内病院小児科
土橋一重	山梨大学医学部小児科
内木康博	国立成育医療研究センター内分泌・代謝科
長崎啓祐	新潟大学医歯学総合病院小児科
永松扶紗	熊本大学病院小児科
中村明枝	北海道大学病院小児科
鳴海覚志	国立成育医療研究センター研究所分子内分泌研究部
難波範行	鳥取大学医学部周産期・小児医学分野
西　美和	広島赤十字・原爆病院小児科
沼倉周彦	山形大学医学部附属病院小児科
長谷川高誠	岡山大学病院小児科
長谷川奉延	慶應義塾大学医学部小児科学教室
長谷川行洋	東京都立小児総合医療センター内分泌・代謝科
蜂屋瑠見	東京歯科大学市川総合病院小児科
花木啓一	鳥取大学医学部保健学科
濱島　崇	あいち小児保健医療総合センター内分泌代謝科
樋口真司	大阪市立総合医療センター小児代謝・内分泌内科
深見真紀	国立成育医療研究センター研究所分子内分泌研究部

藤澤泰子	浜松医科大学小児科
藤原幾磨	仙台市立病院小児科
母坪智行	さっぽろ小児内分泌クリニック
堀川玲子	国立成育医療研究センター内分泌代謝科
松井克之	滋賀医科大学小児科学講座
松下理恵	京都大学大学院医学研究科社会健康医学系専攻健康解析学講座薬剤疫学分野
間部裕代	間部病院小児科
丸尾良浩	滋賀医科大学小児科学講座
水野晴夫	藤田医科大学医学部小児科学
道上敏美	大阪母子医療センター研究所骨発育疾患研究部門
皆川真規	千葉県こども病院内分泌科
南谷幹史	帝京大学ちば総合医療センター小児科
都 研一	福岡市立こども病院内分泌・代謝科
宮田市郎	東京慈恵会医科大学小児科
三善陽子	大阪樟蔭女子大学健康栄養学部健康栄養学科臨床栄養発育学研究室
向井徳男	旭川赤十字病院小児科
虫本雄一	九州大学病院小児科
室谷浩二	神奈川県立こども医療センター内分泌代謝科
望月 弘	埼玉県立小児医療センター代謝内分泌科
望月美恵	峡南医療センター富士川病院小児科
森 潤	京都府立医科大学大学院医学研究科小児科学
森川俊太郎	北海道大学病院小児科
矢ケ崎英晃	山梨大学医学部小児科
八ツ賀秀一	飯塚病院小児科
山中忠太郎	天理よろづ相談所病院小児科
山本幸代	産業医科大学医学部医学教育担当教員
横田一郎	四国こどもとおとなの医療センター小児内分泌・代謝内科
横谷 進	福島県立医科大学ふくしま国際医療科学センター甲状腺・内分泌センター
吉井啓介	国立成育医療研究センター内分泌代謝科
依藤 亨	大阪市立総合医療センター小児代謝・内分泌内科

小児内分泌学　改訂第3版

目　次

口絵 ii
改訂第3版序文 vi
改訂第2版序文 vii
初版序文 viii
執筆者一覧 ix
凡例 xvii

I　総　論

第1章　内分泌総論

- A　内分泌系の役割 3
- B　ホルモンの種類 3
- C　ホルモンの作用機序 4
- D　ホルモンの分泌調節 6
- E　ホルモンの生合成と代謝 9

第2章　内分泌疾患の原因・種類と診察法

- A　内分泌疾患の原因と分類 13
- B　診察法 15
- C　体格と成長の評価 18

第3章　内分泌関連疾患の遺伝学と遺伝学的検査

- A　内分泌疾患のジェネティックス ... 23
- B　内分泌疾患のエピジェネティクスと
　　インプリンティング 29
- C　遺伝学的検査 33

第4章　内分泌学的検査

- A　ホルモンの測定法 37
- B　内分泌検査の実際と評価 38

第5章　画像診断

- A　視床下部－下垂体系 47
- B　甲状腺，副甲状腺 49
- C　副腎 54
- D　性腺 56

第6章　その他の検査

- A　下錐体(海綿)静脈洞サンプリング ... 63
- B　副腎静脈サンプリング 64
- C　細胞診 65
- D　骨密度 67

第7章　内分泌疾患患者にみられる所見，主要症候から診断へのアプローチ

- A　低身長 71
- B　高身長 73
- C　やせ 76
- D　肥満 79
- E　思春期早発 82
- F　思春期遅発症 84

G	月経異常	87	M	電解質異常 Ca	106
H	非典型的外性器	92	N	電解質異常 IP	109
I	口渇／多飲	94	O	甲状腺クリーゼ	111
J	高血糖	97	P	副腎不全	114
K	低血糖	99	Q	糖尿病性昏睡	116
L	電解質異常 Na／K	102			

第8章　内分泌救急処置

A	甲状腺クリーゼ	121	D	低血糖	131
B	副腎クリーゼ	124	E	低カルシウム血症	133
C	糖尿病性昏睡	127			

II 各論

第1章　新生児内分泌学

- A　胎児期・新生児期の内分泌機能 …… 139
  - ① 間脳・下垂体機能 … 139
  - ② 副腎皮質機能 … 140
  - ③ 甲状腺機能 … 143
  - ④ 糖代謝機能 … 146
  - ⑤ 腎機能・電解質 … 147
  - ⑥ カルシウム代謝 … 149
  - ⑦ 性腺機能・内性器外性器の分化と成長 … 151
- B　内分泌疾患を有する母体と児の管理 … 152
  - ① 糖尿病 … 152
  - ② 甲状腺機能関連 … 155
  - ③ 尿崩症（妊娠尿崩症を含む） … 158
  - ④ 副腎皮質機能関連 … 159
- C　新生児マススクリーニングシステム … 161
  - ① 先天性副腎過形成症 … 161
  - ② 先天性甲状腺機能低下症 … 164
- D　新生児医療と内分泌疾患 … 166
  - ① 急性期離脱後循環不全（晩期循環不全） … 166
  - ② 早産児低サイロキシン血症 … 169
  - ③ 新生児甲状腺機能亢進症 … 170
  - ④ 新生児に対するステロイドホルモン治療 … 172
  - ⑤ 未熟児代謝性骨疾患（未熟児骨減少症，未熟児くる病） … 174
  - ⑥ 新生児期に診断可能な小児内分泌疾患 … 175

第2章　成長障害

- A　視床下部－下垂体系の発生・分化 … 177
- B　成長の機構とその制御 … 181
- C　成長障害の鑑別と診断の進め方 … 187
- D　成長障害にかかわる遺伝子とその分子基盤 … 192
  - ① GHRH 受容体遺伝子異常症 … 192
  - ② GH1 遺伝子異常症 … 193
  - ③ GH 不応症 … 194
  - ④ IGF-I 異常症 … 196
  - ⑤ IGF-I 受容体遺伝子異常症 … 198
  - ⑥ SHOX 異常症 … 200
- E　成長ホルモン分泌不全性低身長症と成人成長ホルモン分泌不全症 … 201
  - ① 成長ホルモン分泌不全性低身長症 … 201
  - ② 成人成長ホルモン分泌不全症 … 203
- F　Turner 症候群における成長障害 … 204
- G　軟骨無形成症・低形成症 … 206
- H　Noonan 症候群 … 210
- I　Prader-Willi 症候群 … 214
- J　SGA 性低身長症 … 217
- K　その他の低身長（先天異常症候群を含む） … 220
- L　高身長と過成長 … 228

第3章　視床下部・下垂体障害による内分泌疾患

- A　視床下部下垂体ホルモン … 233
- B　複合型下垂体ホルモン欠損症 … 234

C	間脳-下垂体近傍腫瘍 238	G	下垂体性巨人症などの下垂体腺腫 249
D	視床下部-下垂体近傍の炎症・感染症 242	1	下垂体性巨人症 249
E	外傷性下垂体機能低下症 244	2	その他の下垂体腺腫 252
F	高プロラクチン血症 245	H	リンパ球性下垂体炎 254

第4章 水・電解質代謝異常

A	水・電解質代謝の生理学 259	F	乳幼児習慣性多飲多尿 277
B	中枢性尿崩症 264	G	低浸透圧症候群 278
C	Wolfram 症候群 268	1	抗利尿ホルモン不適切分泌症候群 (SIADH) 280
D	口渇中枢障害を伴う高ナトリウム血症（本態性高ナトリウム血症）270	2	中枢性塩喪失症候群（CSWS）283
E	腎性尿崩症 272	H	夜尿症 284

第5章 思春期発来異常

A	視床下部-下垂体-性腺系の発生・分化 289	c	McCune-Albright 症候群 304
		3.	内分泌疾患に伴う続発性思春期早発症 306
B	思春期の生理学 292	4.	部分型思春期早発症 307
1	思春期発来の内分泌機構 292	2	体質性思春期遅発症と性腺機能低下症 308
2	二次性徴の発現機序 295	1.	体質性思春期遅発症 308
C	思春期発来異常をきたす疾患 297	2.	低ゴナドトロピン性性腺機能低下症 311
1	思春期早発症 297	a	Kallmann 症候群 311
1.	ゴナドトロピン依存性思春期早発症 (GDPP) 299	b	Kallmann 症候群以外の先天性低ゴナドトロピン性性腺機能低下症 319
2.	ゴナドトロピン非依存性思春期早発症 302	c	先天性複合型下垂体ホルモン欠損症に伴う性腺機能低下症 321
a	hCG 産生腫瘍 302	d	器質性性腺機能低下症 321
b	家族性男性思春期早発症 (familial testotoxicosis) 303	3.	高ゴナドトロピン性性腺機能低下症 323

第6章 性分化疾患と性発達異常を伴う疾患

A	性の分化機構 331	F	その他の性染色体異常による性分化疾患 354
B	46,XY DSD 335	G	機能性無月経 355
C	46,XX DSD 342	H	多嚢胞性卵巣症候群（PCOS）357
D	Turner 症候群 348	I	トランスジェンダーと性別違和 363
E	Klinefelter 症候群 352		

第7章 副腎疾患

A	副腎の発生・分化 367	e	sphingosine-1-phosphate lyase insufficiency syndrome 380
B	副腎ホルモン産生・作用 369	2.	先天性副腎過形成症 382
C	副腎皮質機能低下症 373	a	21 水酸化酵素欠損症 382
1	先天性原発性副腎皮質機能低下症 373	b	先天性リポイド副腎過形成症 389
1.	先天性副腎低形成症 373	c	コレステロール側鎖切断酵素欠損症 393
a	DAX1 異常症 373	d	17α 水酸化酵素欠損症 395
b	SF1 異常症 375	e	11β 水酸化酵素欠損症 398
c	IMAGe 症候群 376		
d	MIRAGE 症候群 378		

		f	3β水酸化ステロイド脱水素酵素欠損症 401

- f 3β水酸化ステロイド脱水素酵素欠損症 401
- g P450酸化還元酵素欠損症 405
- h 先天性副腎過形成患者の生殖能力 408
- 3. グルココルチコイド単独欠損症 410
  - a ACTH不応症 410
  - b NNT遺伝子異常症 412
  - c TXNRD2遺伝子異常症 413
- 4. 副腎白質ジストロフィー 415
- 5. アルドステロン合成酵素欠損症 417
- 6. 偽性低アルドステロン症 418
  - a 偽性低アルドステロン症Ⅰ型（PHA Ⅰ） 418
  - b 偽性低アルドステロン症Ⅱ型（PHA Ⅱ） 420
  - c 二次性偽性低アルドステロン症 421
- ② 後天性原発性副腎皮質機能低下症 422
- ③ 二次性副腎皮質機能低下症 425
- D Cushing症候群（Cushing病を含む） 427
- E 高血圧を特徴とする疾患 433
  - ① グルココルチコイド奏効性アルドステロン症 433
  - ② 見かけの鉱質コルチコイド過剰症候群 434
  - ③ 原発性アルドステロン症 437
- F 褐色細胞腫 438

第8章　甲状腺疾患

- A 甲状腺の発生・分化 443
- B 甲状腺ホルモンの産生・代謝・作用 445
- C 先天性甲状腺機能低下症 449
  - ① 原発性甲状腺機能低下症 449
    1. 永続性先天性甲状腺機能低下症 449
    2. 一過性甲状腺機能低下症 453
  - ② 中枢性（下垂体性，視床下部性）甲状腺機能低下症 455
- D 後天性甲状腺機能低下症 457
  - ① 頭蓋内病変による甲状腺機能低下症 457
  - ② 放射線性甲状腺機能低下症 459
- E 甲状腺炎 459
  - ① 橋本病（慢性甲状腺炎） 459
  - ② 萎縮性甲状腺炎 461
  - ③ 亜急性甲状腺炎 463
  - ④ 急性化膿性甲状腺炎 463
- F 甲状腺中毒症 463
  - ① Basedow病 463
  - ② 中毒性腺腫，中毒性多結節性甲状腺腫 467
  - ③ 無痛性甲状腺炎 467
- G 薬剤による甲状腺機能異常 468
- H 甲状腺ホルモン不応症とTSH不応症 469
  - ① 甲状腺ホルモン不応症 469
  - ② 甲状腺ホルモン代謝異常症 471
    1. MCT8異常症 471
    2. SBP2異常症 472
    3. Consumptive hypothyroidism 473
  - ③ TSH不応症 474
- I 甲状腺結節・甲状腺癌 475
  - ① 甲状腺結節の診療方針 475
  - ② 腺腫様甲状腺腫 477
  - ③ 甲状腺良性腫瘍 477
  - ④ 甲状腺悪性腫瘍（甲状腺癌） 478

第9章　カルシウムとビタミンD関連疾患

- A 副甲状腺などカルシウム代謝に関与する臓器の発生・分化 481
- B カルシウム・リン代謝調節と骨代謝 485
- C 副甲状腺機能亢進症 492
  - ① 原発性副甲状腺機能亢進症 492
  - ② 二次性副甲状腺機能亢進症 495
- D 副甲状腺機能低下症 496
  - ① PTH分泌不全性副甲状腺機能低下症 497
  - ② 偽性副甲状腺機能低下症 501
- E くる病 504
  - ① ビタミンD欠乏性くる病 504
  - ② 低リン血症性くる病 508
  - ③ その他のくる病 511
- F 骨系統疾患 515

第10章　糖代謝異常症

- A 膵臓の発生・分化・生理学 521
- B 糖尿病 525
  - ① 1型糖尿病 525
    1. 病因 525

2. 治療 ……………………………… 530
　⬜ 2型糖尿病 …………………………… 534
　　1. 病因と病態 …………………… 534
　　2. 治療 ……………………………… 539
　⬜ その他，特定の機序・疾患によるもの … 543
　　1. 遺伝因子として遺伝子異常が同定された
　　　もの（単一遺伝子異常糖尿病）………… 543
　　2. 他の疾患・条件に伴うもの ………… 546
　　3. 妊娠糖尿病 …………………………… 551

C 糖尿病コントロールと合併症 ………… 555
　⬜ 糖尿病関連指標 …………………… 555
　⬜ 小児・思春期発症糖尿病合併症 …… 559
　　1. 慢性血管合併症 ………………… 560
　　2. その他の合併症 ………………… 562
D 低血糖症 ……………………………………… 563
　⬜ 先天性高インスリン血症 …………… 563
　⬜ インスリノーマ ……………………… 567
　⬜ ケトン性低血糖症 …………………… 568

第11章　肥満，メタボリックシンドロームと脂質異常症

A 肥満の生理学 ……………………………… 571
B DOHaD ……………………………………… 576
　⬜ 胎内環境と小児肥満 ………………… 576
　⬜ アディポシティリバウンド ………… 577

C 肥満症 ……………………………………… 578
D 小児のメタボリックシンドローム …… 583
E 脂質異常症 ………………………………… 586

第12章　尿細管異常

A 尿細管の生理 ……………………………… 589
B 腎尿細管性アシドーシス ………………… 592
　⬜ 遠位型 RTA …………………………… 593
　⬜ 近位型 RTA …………………………… 595

C Bartter 症候群および Gitelman 症候群
　……………………………………………… 597
D 腎性糖尿 …………………………………… 602

第13章　多腺性内分泌疾患

A 多発性内分泌腫瘍症 ……………………… 605
　⬜ 多発性内分泌腫瘍症1型（MEN1）… 605
　⬜ 多発性内分泌腫瘍症2型（MEN2）… 608
B 自己免疫性多内分泌腺症候群 …………… 612
　⬜ 自己免疫性多内分泌腺症候群1型
　　（APS1 または PGA1）………………… 612

　⬜ 自己免疫性多内分泌腺症候群2型
　　（APS2 または PGA2）………………… 614
　⬜ 免疫チェックポイント阻害薬による
　　内分泌系の免疫関連有害事象 ………… 616

第14章　疾患と内分泌異常

A 神経性食欲不振症にみられる内分泌異常
　……………………………………………… 623
B Critical illness でみられる内分泌異常 … 626

C 小児がん経験者（CCS）における晩期
　内分泌合併症 ……………………………… 631

第15章　小児内分泌疾患の成人診療へのトランジション

A トランジションの基本的考え方と課題
　……………………………………………… 637

B 移行期支援の実際 ………………………… 639
C 円滑な移行期医療を進めるために ……… 642

■付録
    A　日本人の食事摂取基準（2020 年版）…… 647
    B　標準身長・体重曲線，疾患特異的標準成長曲線，肥満度判定曲線 …………………… 653

■索引 ……………………………………………… 661

凡例
1) 専門用語は，原則として，日本小児科学会用語集第 2 版，日本内分泌学会用語集および小児慢性特定疾病の告示疾病名等に準拠した．また，必要な場合に誤解を避けるなどの配慮を編集委員にて加えた．
2) 遺伝子名については文脈により蛋白名を含めた意味である場合もあることから，本書ではすべて正体にて表記した．
3) 専門用語には適宜，和文，欧文フルスペル，略語等を本書目次項目ごとの本文初出個所に併記し，後続の文章は，和文あるいは略語あるいは欧文フルスペルのみで記載した．ただし汎用されているホルモンについては初出より略語にて記載した．
4) 文献は，"文献"と"参考文献"に分けて示した．本書でいう"文献"とは本文の一部に引用した文献であり，"参考文献"とは当該項目全体において参考にした文献である．
5) 文献番号は，項目ごとあるいは執筆者ごとに適宜通し番号とした．図表番号は章ごとに通し番号とした．
6) 本文中にモノクロ掲載した図のうち，カラーで掲示すべきものを順に巻頭の「口絵」にカラーで掲載し，各口絵直下に当該図の本文掲載ページを示し，本文中のモノクロ掲載図直下には口絵掲載ページを記載した．
7) 本書における薬物の用法・用量などの情報は，変更・改訂される可能性がある．また，記載した薬剤の選択，使用法，および治療方法は必ずしも学会の推奨や方針を示すものではない．実際の治療にあたっては，最新の薬剤情報，診療ガイドライン・診療指針などを参照していただきたい．

I 総論

- 第 1 章　内分泌総論
- 第 2 章　内分泌疾患の原因・種類と診察法
- 第 3 章　内分泌関連疾患の遺伝学と遺伝学的検査
- 第 4 章　内分泌学的検査
- 第 5 章　画像診断
- 第 6 章　その他の検査
- 第 7 章　内分泌疾患患者にみられる所見，主要症候から診断へのアプローチ
- 第 8 章　内分泌救急処置

第1章　内分泌総論

内分泌総論

A　内分泌系の役割

1）内分泌およびホルモン

内分泌とは，ある細胞から分泌される生理活性物質（ホルモン）が他の細胞や自己の細胞に情報を伝達する機構である．ホルモン(hormone)は，"刺激する"ことを意味するギリシャ語の"hormaein"に由来する．1905年にイギリスの生理学者Starlingは著書「Principles of Human Physiology」のなかでホルモンの概念を確立し，"hormone"と命名した．

2）内分泌系の役割

内分泌系は，ホルモンを産生分泌する細胞あるいは臓器（内分泌腺とも総称される），ホルモンが運ばれる体液（おもに血液），およびホルモンの標的となる受容体が存在する細胞あるいは臓器から構成される．内分泌系の役割は，総論的には内部環境の恒常性の維持，および外部環境に対する反応である．各論的には，小児の特徴である成長，発達，成熟（表1）のすべてが内分泌系により調節されている．

ホルモンを産生分泌する臓器は，視床下部，下垂体，甲状腺，副甲状腺，膵臓，副腎，性腺（精巣および卵巣）のみならず，松果体，胎盤，肝臓，心臓，血管，腎臓，消化管，骨，脂肪組織なども含む．

なお，受容体に特異的に結合する物質（ホルモンもその代表である）を総称してリガンドとよぶ．

3）ホルモンによる情報伝達様式

ホルモンによる情報伝達様式は3種類に分類される（図1）．すなわち，endocrine（狭義の内分泌，あるいは古典的内分泌）ではホルモンは血液などの体液を介して遠隔に存在する細胞に作用する．代表はTSH産生細胞から分泌されるTSH（血液を介して遠隔の甲状腺に作用する）である．paracrineではホルモンは細胞隔壁を介して隣接するあるいはごく近くの細胞に作用する．代表は胎児期精巣Sertoli細胞から分泌される抗Müller管ホルモン（血液を介さずに近傍のMüller管に

表1　成長・発達・成熟

	概念	具体例
成長	からだが大きくなること	身長，体重，頭囲の増加
発達	機能を獲得すること	できなかった運動機能あるいは精神機能を獲得すること
成熟	生殖能力を獲得すること	精子形成あるいは卵子形成により受精能力を獲得すること

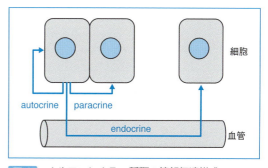

図1　ホルモンによる3種類の情報伝達様式
endocrine：狭義の内分泌，あるいは古典的内分泌
paracrine：傍分泌
autocrine：自己分泌

作用する）である．autocrineではホルモンは分泌する細胞自身に作用する．代表はある種の腫瘍細胞から分泌されるIGF-Ⅰ（IGF-Ⅰを分泌する細胞自身に作用する）である．

（長谷川奉延）

B　ホルモンの種類

1）構造からみたホルモンの分類

ホルモンは構造的に4種類に分類される．第一はペプチドホルモンである．ペプチドホルモンはそのほとんどがDNA-RNA-蛋白質というセントラルドグマに従って合成される．蛋白質合成後に糖鎖修飾などを受

表2 小児内分泌学的に重要と考えられるホルモン

分泌臓器	ホルモン（略称）	分泌臓器	ホルモン（略称）
視床下部	成長ホルモン放出ホルモン（GHRH） 副腎皮質刺激ホルモン放出ホルモン（CRH） 甲状腺刺激ホルモン放出ホルモン（TRH） ゴナドトロピン放出ホルモン（GnRH） ソマトスタチン（SRIF） オレキシン α-メラノサイト刺激ホルモン（α-MSH） メラニン濃縮ホルモン（MCH）	卵巣	エストラジオール プロゲステロン
		胎盤	ヒト絨毛性ゴナドトロピン（hCG）
		肝臓	インスリン様成長因子-I（IGF-I）
		膵臓	インスリン グルカゴン ソマトスタチン（SRIF）
下垂体	成長ホルモン（GH） 副腎皮質刺激ホルモン（ACTH） 甲状腺刺激ホルモン（TSH） 黄体形成ホルモン（LH） 卵胞刺激ホルモン（FSH） プロラクチン（PRL） アルギニン・バゾプレシン〔AVP；抗利尿ホルモン（ADH）〕 オキシトシン	心臓	心房性ナトリウム利尿ペプチド（ANP） 脳性ナトリウム利尿ペプチド（BNP）
		血管	C型ナトリウム利尿ペプチド（CNP） エンドセリン
		腎臓	レニン エリスロポエチン 活性型ビタミンD
		消化管	グレリン グルコース依存性インスリン分泌刺激ポリペプチド（GIP） グルカゴン様ペプチド-1（GLP-1） セクレチン ガストリン コレシストキニン 血管作動性腸管ペプチド（VIP）
松果体	メラトニン		
甲状腺	甲状腺ホルモン（サイロキシン；T_4およびトリヨードサイロニン；T_3） カルシトニン（CT）		
副甲状腺	副甲状腺ホルモン（PTH）		
副腎	コルチゾール アルドステロン アドレナリン ノルアドレナリン	骨	線維芽細胞増殖因子23（FGF23） オステオカルシン
		脂肪組織	レプチン アディポネクチン
精巣	テストステロン 抗Müller管ホルモン（AMH）		

けてから分泌されることも多い．下垂体から分泌されるホルモンを含む多くのホルモンがペプチドホルモンであり，おもにendocrine作用を示す．

　第二はステロイドホルモンである．副腎皮質，性腺，胎盤などでコレステロールから特異的な酵素により産生・分泌される．副腎皮質から分泌されるコルチゾールはこの代表である．おもにendocrine作用を示す．

　第三はチロシン誘導体ホルモンである．すなわち，副腎髄質ではチロシンからアドレナリンが，甲状腺ではサイログロブリン内のチロシンとヨウ素から甲状腺ホルモンが産生・分泌される．

　第四はその他のホルモンである．たとえば様々な細胞で脂肪酸からシクロオキシゲナーゼによりプロスタグランジンが産生・分泌される．おもにparacrine作用を示す．

2）ヒトのホルモン

　ヒトには100種類以上のホルモンが存在する．表2はそのうち，特に小児内分泌学的に重要と考えられるホルモンである．ヒトの全身に働く多くのホルモン血中濃度はnmol/L単位である（実際にはこの1/1,000～1,000倍までのオーダで存在する）．1 nmol/Lという濃度は，オリンピックサイズのプールに小さじ1/2杯分のホルモンを入れた程度である．

（長谷川奉延）

C ホルモンの作用機序

　ホルモンの作用は，各々のホルモンが特異的な受容体に結合して発揮される．ホルモン（あるいは広義のリガンド）受容体は細胞膜表面に存在する受容体と核内に存在する受容体の2種類に大別される．

1）細胞膜表面に存在する受容体

　ペプチドホルモン，一部のアミノ酸由来ホルモン，その他のリガンドは細胞膜表面に存在する受容体（細胞膜型受容体）に結合する．細胞膜型受容体は4種類に大別される．

a．G蛋白共役型受容体（GPCR）（図2）

　ACTH，TSH，LH，FSHを含む多くのペプチドホルモンの受容体はG蛋白共役型受容体（G protein coupled receptor：GPCR）である．GPCRは細胞外にN端を，細胞内にC端を出し，細胞膜を7回貫通する（GPCRが

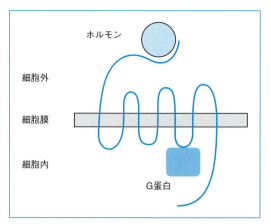

図2 G蛋白共役型受容体（7回膜貫通型受容体）の模式図

G蛋白は4種類（Gs，Gi，Gq，Go）に大別される
Gsはアデニル酸シクラーゼを活性化し，Giはアデニル酸シクラーゼを抑制する．アデニル酸シクラーゼはATPをcyclic adenosine monophosphate（cAMP）に変換する．cAMPはプロテインキナーゼA（protein kinase A：PKA）を活性化し，情報伝達が進む．なお，生成されたcAMPはホスホジエステラーゼの作用により迅速に分解される
GqとGoはホスホリパーゼC（phospholipase C：PLC）を活性化する．PLCはホスホイノシチド（phosphoinositide：PIP2）をイノシトール3リン酸（inositol triphosphate：IP3）とジアシルグリセロール（diacylglycerol：DAG）に加水分解する．IP3はイオン化カルシウム濃度を上昇させ，DAGとともにプロテインキナーゼC（PKC）を活性化することで情報伝達が進む

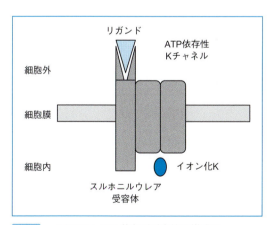

図4 イオンチャネル共存型受容体の模式図

代表的なイオンチャネル共存型受容体であるスルホニルウレア受容体の模式図を示す．スルホニルウレア受容体はATP依存性Kチャネルと共存している．スルホニルウレアがスルホニルウレア受容体に結合すると，Kチャネルが閉鎖し，Kの細胞外への流出が抑制され，細胞膜は脱分極する

7回膜貫通型受容体ともよばれるゆえんである）．ホルモンがGPCRに結合すると，GPCRは立体構造の変化を起こし，細胞内で三量体G蛋白と共役する．

　従来GPCRは細胞膜表面で単量体として存在していると考えられてきた．しかし，オリゴマーとして存在するGPCR，単量体と二量体の動的平衡状態にあるGPCRも存在する．

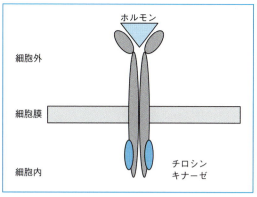

図3 膜1回貫通型受容体の模式図

代表的な膜1回貫通型受容体であるインスリン受容体（チロシンキナーゼ型受容体）の模式図を示す．インスリン受容体は細胞質内にチロシンキナーゼを内蔵している．ホルモン（インスリン）が結合すると受容体は二量体を形成する．さらにチロシンキナーゼの活性化・自己リン酸化により細胞内の情報伝達物質が進む

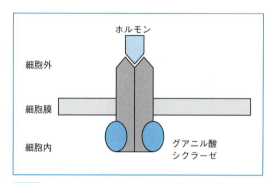

図5 グアニル酸シクラーゼ型受容体の模式図

グアニル酸シクラーゼ型受容体は二量体として働く．ホルモンがグアニル酸シクラーゼ型受容体に結合すると，受容体の細胞内領域に存在するグアニル酸シクラーゼが活性化され，グアノシン3リン酸（guanosine triphosphate：GTP）から環状グアノシン1リン酸（cyclic guanosine monophosphate：cGMP）が産生され，情報伝達が進む

b．膜1回貫通型受容体（図3）

　インスリン，GH，レプチンなどの受容体は膜1回貫通型受容体である．インスリン受容体はチロシンキナーゼを内蔵する．

c．イオンチャネル共存型受容体（図4）

　糖尿病の治療薬であるスルホニルウレア，およびアセチルコリンなどのリガンド受容体はイオンチャネル共存型受容体である．

d．グアニル酸シクラーゼ型受容体（図5）

　心房性ナトリウム利尿ペプチド（atrial natriuretic peptide：ANP），脳性ナトリウム利尿ペプチド（brain natriuretic peptide：BNP），C型ナトリウム利尿ペプチド（C-type natriuretic peptide：CNP）などの受容体は細胞内領域にグアニル酸シクラーゼを有する．

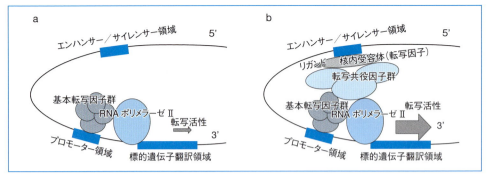

図6　核内受容体の模式図
a：核内受容体がDNAに結合していない状態．標的遺伝子の5'側に存在するプロモーター領域に基本転写因子群が結合し，RNAポリメラーゼIIがリクルートされ，標的遺伝子の転写が起こる．この状態の転写は"基本転写"ともよばれる．マニュアル車の運転にたとえると，"クラッチの状態で走行する"ことに相当する
b：核内受容体がDNAに結合した状態．リガンドが結合した核内受容体(転写因子)は，標的遺伝子のエンハンサー/サイレンサー領域(通常プロモーター領域の，より5'側に存在)に結合する．さらに複数の転写共役因子がリクルートされ，結果的にリガンド―核内受容体―転写共役因子群からなる複合体が形成される．この複合体は基本転写因子群と相互作用し，標的遺伝子の発現を調節(転写の活性化，あるいは抑制)する．マニュアル車の運転にたとえると，"アクセルあるいはブレーキを踏みこむ"ことに相当する

2) 核内に存在する受容体(図6)

脂溶性のステロイドホルモン，一部のアミノ酸由来ホルモン，その他のリガンドは核内に存在する受容体(核内受容体)に結合する．核内受容体は転写因子である．リガンドが結合した核内受容体(転写因子)は，標的遺伝子のエンハンサー/サイレンサー領域のDNAに直接結合する．さらに複数の転写共役因子がリクルートされ，結果的にリガンド―核内受容体―転写共役因子群からなる複合体が形成される．この複合体は標的遺伝子の発現を調節する．核内受容体は3種類に大別される．

a. ホモ二量体を形成して作用

グルココルチコイド受容体，アルドステロン受容体，エストロゲン受容体，アンドロゲン受容体などはホモ二量体を形成し，パリンドローム配列とよばれる特定のDNAの配列〔例：AGGTCAXXXTGACCT(Xは任意の塩基)〕に結合する．

b. ヘテロ二量体を形成して作用

甲状腺ホルモン受容体，ビタミンD受容体などはレチノイン酸X受容体(RXR)とヘテロ二量体を形成し，ダイレクトリピート配列とよばれる特定のDNAの配列〔例：AGGTCAXXXXAGGTCA(Xは任意の塩基)〕に結合する．

c. 単量体として作用

NR5A1(SF1)，NR0B1(DAX1)などはリガンド未知あるいはリガンドのない核内受容体である．これらは単量体としてハーフサイトとよばれる特定のDNAの配列(例：AGGTCA)に結合する．

(長谷川奉延)

D ホルモンの分泌調節

ホルモンは，生体のホメオスターシスの維持に必須の働きを担っているが，そのためには，ホルモン分泌が精密に調節されていなければならない．一般的に，このためには，多段階のホルモン分泌を介する階層的な分泌調節機構とホルモン分泌細胞における分泌調節機構およびフィードバック機構が重要である．

1) 階層的な分泌調節(図7)

通常，階層(tier)1は視床下部，階層2は下垂体，階層3は末梢内分泌腺からなる3段階の分泌調節機構がある．階層1からは下垂体ホルモン分泌細胞に対する刺激ホルモン(一部は抑制ホルモン)，階層2の下垂体からは末梢内分泌腺に対するホルモン分泌刺激ホルモンが分泌され，甲状腺，副腎，性腺などから，それぞれ固有のホルモンが分泌される．視床下部―下垂体系を結ぶのは，下垂体門脈系(一次毛細血管叢から下垂体門脈，そして二次毛細血管叢)であり，下垂体―末梢組織を結ぶのは全身の循環系である．このほか，下垂体後葉では，視床下部に存在する内分泌神経細胞が神経突起を伸ばして軸索輸送(axonal transport)を行うことで，後葉ホルモンが運ばれてくる．

階層的な分泌の代表的な分泌調節系をあげると，TRHは下垂体からのTSHの分泌を刺激し，TSHは甲状腺を刺激して甲状腺ホルモン(T_4，T_3)の合成分泌を促進する．一方，これらの甲状腺ホルモンが視床下部・下垂体に対してネガティブフィードバックをかけることで，常に生体内のホルモンバランスが保たれて

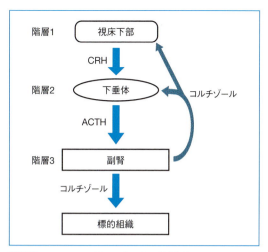

図7 ホルモン分泌の階層的調節機構とフィードバック機構（CRH-ACTH-cortisol axis を例として）

いる．CRH-ACTH-cortisol, GnRH-LH/FSH-エストラジオール/テストステロン，GHRH-GH-IGF-Ⅰなどの階層的分泌機構も存在する．これらの調節系を軸（axis）とよび，たとえばTRH-TSH-T_3/T_4 axis などと表現する．GHはIGF-Ⅰを介さない末梢組織への直接作用も知られるので，2段階調節機構も存在する．

視床下部におけるホルモン分泌調節も重要であり，研究が進んでいる．TRHに対してはノルアドレナリンは促進性，ドパミンは抑制性の作用，セロトニンは両方の作用を有する．フィードバック機構のところで示すように甲状腺ホルモンによる抑制もある（long negative feedback）．

GHについては，GHRH以外の調節系が古くから知られ，人工的なGH放出促進因子（GH secretory substance：GHS）がGH分泌細胞（ソマトトロフ）の表面にある特異的受容体（GHSR）に結合してGH分泌を促すことが報告されていた．GHSの内在性のホルモンとしてグレリンが発見された．すなわち，グレリン-GH-IGF-Ⅰ系という調節系も存在する．成長ホルモン負荷テストに用いられるGHRP2はGHSの一つである．

一方，このような多階層の分泌機構を示さないホルモン調節機構も存在する．たとえば，PTHは多段階調節機構に該当せず，PTHが骨，腎に作用して上昇した血清カルシウム（Ca）が，副甲状腺に直接作用して（言い換えると，副甲状腺分泌細胞がイオン化Ca濃度を感知して），PTH分泌が抑制される．抗利尿ホルモン（antidiuretic hormone：ADH）も血漿浸透圧を調節するとともに，血漿浸透圧による分泌調節を直接受けている．

比較的新しく古典的な内分泌腺以外から分泌されるホルモンである利尿ペプチド〔心房性ナトリウム利尿ペプチド（atrial natriuretic peptide：ANP），脳性ナトリウム利尿ペプチド（brain natriuretic peptide：BNP）〕なども階層的な分泌調節機構ではなく，その作用効果〔ナトリウム（Na）利尿〕による直接の分泌調節機構となっている．レプチンもこれに該当する．

ホルモン作用効果が複数のホルモンで調節されている場合には，複数のホルモン間の相互調節作用を検討しなければならない．たとえば，血糖に対して，インスリンとグルカゴン，コルチゾール，アドレナリン，GHは逆の作用を有する．インスリン過剰分泌あるいはインスリン投与による低血糖誘導時にはグルカゴン，コルチゾール，アドレナリン，GH分泌が誘導される．

レニン（腎臓の傍糸球体装置から分泌），アンギオテンシンⅡ（レニンによりアンギオテンシノーゲンからアンギオテンシンⅠに変換され，次に血管内皮のアンギオテンシン変換酵素により産生される），アルドステロン（副腎皮質）は末梢臓器間の調節機構といえる．

2）細胞からの分泌調節

細胞からの分泌調節には，ホルモンの生合成も密接にかかわるので，**本章E**も参照していただきたい．ペプチドホルモンの場合は，分泌顆粒にホルモンが蓄積，貯蔵されるので，その放出の制御機構が重要である．分泌顆粒からホルモンが分泌される方法は開口分泌とよばれる機構による．細胞内情報伝達系や細胞膜の脱分極を介して，細胞内Caイオン濃度が上昇することにより，開口分泌が誘導される．

ステロイドホルモンは，分泌顆粒に蓄積せず，細胞膜を通過可能なので，ペプチドホルモンより生合成量に分泌量が依存している．

ノルアドレナリンやアドレナリンは神経末端ではシナプス小胞に蓄積される．副腎髄質ではクロマフィン顆粒に蓄積される．クロマフィン顆粒は胃および腸管のクロム親和性細胞においてもみられ，セロトニン，ヒスタミンを貯蔵する．メラトニンは蓄積されない．

甲状腺ホルモンの貯蔵は特異的で，甲状腺ホルモンは甲状腺濾胞腔に存在するサイログロブリンがヨウ素化されて合成される．その後，濾胞細胞に取り込まれ，リソソームにより分解されてサイログロブリンから遊離して分泌される．濾胞腔内ではコロイドとして観察される．

3）促進と抑制

ホルモン分泌を促進するホルモンとしては，刺激ホルモンがある．また，ホルモン自身が保つ作用の効果（血糖，Ca，血漿浸透圧など）による調節も受ける．ホ

ルモン分泌を抑制するホルモンとしては，SRIF（GH分泌抑制，TSH分泌抑制），ドパミン（プロラクチン分泌抑制）などがある．PRLは視床下部からの抑制調節が主たる調節系なので，視床下部障害あるいは下垂体茎の断裂の際には高値となる．ドパミンは，LH，FSH，TSHに対しても分泌抑制効果をもつ．

　ゴナドトロピン刺激ホルモンは，内因性のように脈動的(間欠性)に分泌される場合は，LH，FSHの分泌を促進するが，外因性に持続的に注入された場合や持続効果をもつアナログを投与された場合には，ゴナドトロピン刺激ホルモン受容体のダウンレギュレーションが起こり，LH，FSHの分泌は抑制される．

　インスリン分泌では基礎分泌と追加分泌の2相がみられる．基礎分泌は食事摂取と関係しない持続的なインスリン分泌のことで，グルカゴン，コルチゾール，アドレナリン，GHなどによる血糖上昇作用に拮抗する作用がある．血糖はGLUT2により細胞内に取り込まれて，代謝される．この代謝により増加した細胞内ATPが，細胞膜に存在するATP感受性カリウム（K）チャネルが閉鎖し，細胞膜電位が上昇し，電位依存性Caチャネルが開いて細胞内にCaイオンが流入し，分泌顆粒（β顆粒）の開口を促し，インスリン分泌が起こる．

4）ネガティブフィードバック，ポジティブフィードバックによるホルモン分泌調節

　ネガティブフィードバック（負のフィードバック）は，血中のホルモン濃度が正常より上昇すると，分泌されたホルモン自身によって上位の視床下部（long feedback），下垂体（short feedback）に作用し，ホルモン分泌を抑制する．その結果，ホルモン濃度は正常範囲内に保たれる．上位ホルモンが存在しない，PTH，ADHなどでは，ホルモンの効果（血清Ca値上昇，血漿浸透圧上昇）による負の制御を直接受けて，ホルモン分泌は抑制され，ホルモン濃度は正常範囲内に保たれる．このようにネガティブフィードバック機構は，ホルモンとその効果を正常範囲内に保つ基本的な機序である．

　一方，ポジティブフィードバック（正のフィードバック）は，ホルモン濃度の上昇がそれ自身あるいは他のホルモンの分泌を促す作用であり，特殊な状況で観察される．たとえば排卵においては，エストロゲン上昇が視床下部に作用しGnRHの分泌を促し，階層的分泌に従って，下垂体からLHを分泌させ，LHの大量分泌となり，卵巣に作用して排卵を誘発する．これをLHサージとよぶ．このほか，子宮の頸部伸展刺激が視床下部／下垂体後葉に伝わり，オキシトシンが分泌

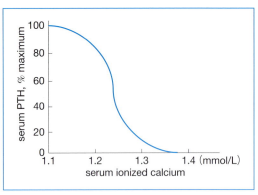

図8 血中イオン化Ca濃度とPTH分泌
［著者作成の概念図］

され，子宮平滑筋の収縮につながり，分娩が誘発される．

5）分泌様式

a．比例応答としきい値

　ホルモン分泌は，種々の因子の刺激により，促進または抑制される．刺激の程度に応じてホルモンが分泌されるが，刺激とホルモン分泌の関係は直線的なこともあるが，比例的（直線的）ではない場合もある（図8）．また，ある程度以上の刺激を受けてはじめてホルモン分泌が起こる場合があり，この値をしきい値とよぶ．PTHと血清Caイオン，ADHと血漿浸透圧の関係では，ホルモン分泌が誘導されないしきい値が存在する．

b．脈動的分泌

　脈動的分泌はpulsatile, rhythmicと表現される，分泌期と休止期を繰り返す分泌様式のことである．多くの視床下部ホルモンで脈動的分泌がみられる．脈動的分泌の場合，ホルモンの絶対量のみならず頻度が，効果に及ぼす影響が大きい．思春期におけるGnRHの脈動的分泌頻度の増加などが一例である．GHの脈動的分泌は，GHRHの脈動的分泌とSRIFの相互作用により引き起こされる．

c．日内リズム

　基本的には周期の長さでリズムは分類される．概日リズム，概年リズムなどである．リズムの高低が一定の範囲内に収まることも，フィードバック機序で説明可能である．生体リズムは光や食事および睡眠の影響を大きく受けるので，概日リズム（日内リズム）の調節は重要である．個々の例としては，コルチゾールは，早朝で高く，深夜で低くなる．GHも概日リズムがある．小児では徐波ノンレム睡眠で分泌が増加する．PRLは睡眠で増加し，覚醒で低下する．甲状腺ホルモンは夜間睡眠時に高く，昼前は低下する．メラトニン

は暗くなると松果体から分泌され，睡眠を誘導する．

d．性周期

　性周期は，3周期に分けられる．増殖期（卵胞期）は月経が終わってから排卵までの10日間で，LHサージにより排卵が引き起こされる．次に，分泌期（黄体期）となるが，排卵から月経がはじまるまでの14日間である．プロゲステロン濃度の上昇，基礎体温の上昇がみられる時期である．妊娠が成立しないと，黄体の退縮が起こり，3〜7日間の月経期となる．

6）結合蛋白質

　脂溶性の高いステロイドホルモン，チロシン誘導体ホルモンは，特異結合蛋白質やアルブミンと結合して，血中を流れる．また，血中半減期が長くなる．結合していない遊離型ホルモンは，標的細胞に取り込まれ，その作用を発揮する．甲状腺ホルモンでは，T_4結合蛋白が主要な結合蛋白質であり，その他，T_4結合プレアルブミン，アルブミンと結合している．遊離型はT_3では0.3％，T_4では0.03％程度とされる．

❖ 参考文献

- Melmed S, *et al.*（eds）：*Williams Textbook of Endocrinology*. 14th ed., Elsevier, Philadelphia, 2020
- Sperling MA：*Pediatric Endocrinology*. 4th ed., Elsevier, Philadelphia, 2014
- Rodwell VW, *et al.*（eds）：*Harper's Illustrated Biochemistry*. 31st ed., McGraw-Hill Education, New York, 2018
- Thyroid Disease Manager. http://www.thyroidmanager.org/（2021年8月19日アクセス）

〈大薗惠一〉

E　ホルモンの生合成と代謝

　ホルモンはステロイドホルモン，ペプチドホルモン，チロシン誘導体に大別されるが，生合成や代謝も大きく異なるので，それぞれに分けて解説する．ホルモンは微量あるいは低濃度（ペプチドホルモンでnmol/L程度）で作用を発揮するが，一般的に半減期は比較的短く，必要量に応じて，細胞内での生合成が絶えず行われていることは重要である．

1）ステロイドホルモン

　ステロイドホルモンは，副腎皮質，性腺（精巣，卵巣）および胎盤で合成される．基本は，コレステロールからの代謝により合成されることで，水酸化や側鎖の切断などを行う酵素の働きが重要である．貯蔵型のコレステロールエステルからエステラーゼの作用で遊離型のコレステロールがつくられ，ミトコンドリアに運ばれるのが第一段階である．その後は，合成を行う場所のミトコンドリアとサイトゾルの，どちらかで，段階的な産生が進んでいく．酵素はチトクロムP450に属するものが複数みられる．また，コレステロールから合成されるものとしては，活性型ビタミンDもあり，これはステロイド骨格の一部であるA環が開環している構造（セコステロイド）をもつ．

　ステロイド核（骨格）は正式にはシクロペンタノペルヒドロフェナントレン構造であり，6環構造三つ（A，B，C環）と5環構造一つ（D環）とメチル基二つからなり，炭素原子（C）数でいえば19個からなる．コレステロールはステロイド核と8個の炭素原子を有する側鎖からなる．P450ccにより側鎖は断裂され，21個の炭素原子からなる，合成中間体のプレグネノロンとなる．その後の代謝については**各論第7章**の項を参照されたい．テストステロン，エストラジオールでは，側鎖がなくなり，19個の炭素原子を有する．

　合成ステロイドホルモンは，天然型のヒドロコルチゾンあるいはコルチゾンを基本構造として，種々の修飾を加えることにより，その作用，動態などを変化させたものである．たとえばフッ素の導入により代謝を受けにくい構造となれば，より強力な作用を発揮することができるし，受容体への親和性が変化すれば，ミネラルコルチコイドおよびグルココルチコイド作用の比率を変化させることができる．

2）ペプチドホルモン

　ペプチドは，遺伝子にコードされ，転写，翻訳過程を経て細胞内で合成される．ペプチドホルモンは分泌蛋白質であるので，N末端側にシグナルペプチドとよばれる，数十アミノ酸程度の長さの配列をもち，粗面小胞体に侵入する（プレプロホルモン）．プレプロホルモンはシグナルペチドが切断されプロペプチドとなる．プロペプチドは，小胞体およびゴルジ装置内で翻訳後修飾を受ける．その後，分泌顆粒内に蓄積し，エクソサイトーシス機構で細胞外に放出される．

　一つの遺伝子から一つのホルモンが産生されるとは限らず，プロオピオイドメラノコルチン（proopiomelanocortin：POMC）からは，ACTH，メラノサイト刺激ホルモン（MSH）などの複数のホルモンが産生される（**図9**）[1]．これは，遺伝子内の領域を分けてコードされていることや，場合によっては，切断部位の相違や選択的スプライシング（ホルモンより受容体の合成時により用いられる）によって違うペプチドホルモンが産生される．

　翻訳後修飾としては，代表例として糖鎖付加があり，TSH，LH，FSH，ACTHなどが糖鎖修飾を受ける．

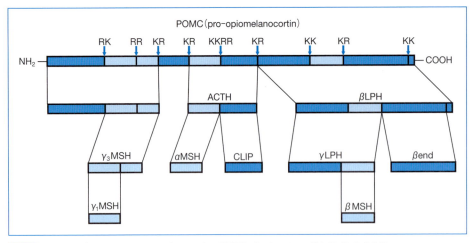

図9 プロオピオメラノコルチン（POMC）の翻訳後プロセッシングと生成ペプチド

CLIP：corticotropin-like intermediate lobe peptide, LPH：lipotropin, end：endorphin, MSH：melanocyte stimulating hormone, K：lysin, R：arginine
➡はプロホルモン変換酵素の切断点を示す
〔後藤由貴也：メラノコルチンと食欲．Annual Review．中外医学社, 17, 1999〕

インスリンでは，プロセッシングがさらに行われることで，二つの鎖（α鎖，β鎖）となり，二つの鎖の間がS-S結合することで活性をもつホルモンとなる．グレリンでは，脂肪酸の一種であるn-オクタン酸修飾を受け活性型となる．このほか，アミノ酸の環状化が行われるホルモンも複数ある〔TRH，C型ナトリウム利尿ペプチド（C-type natriuretic peptide：CNP），オキシトシンなど〕．

プロセッシングを受けてできたペプチドあるいはプロセッシングを受ける前のペプチドは，ホルモンと等モル産生されるので，血中濃度の指標ともなる〔脳性ナトリウム利尿ペプチド（brain natriuretic peptide：BNP）とNTproBNP，CNPとNTproCNP，抗利尿ホルモン（antidiuretic hormone：ADH）とコペプチン〕．

3）チロシン誘導体（低分子ホルモン）

T_4はすべて甲状腺から分泌されており，血中で大部分はT_4結合蛋白をはじめとする甲状腺ホルモン結合蛋白（thyroxine binding protein：TBP）と結合している．TBPと結合せずに生物活性を有するFT_4は，総T_4の約0.03%にすぎない．T_3は，生物活性がT_4の数倍強く，その約20%が甲状腺から直接分泌され，残りの約80%は末梢組織（おもに肝臓や腎臓）においてT_4の5'の部位がtype 1 monodeiodinase（D1）により脱ヨウ素化を受けて産生される．このT_4からT_3への変換によって一定量のT_3が産生されるように調節されており，軽度の甲状腺機能低下症においてはT_4が低下してもT_3は正常値にとどまることが多いため，T_4のほうがより鋭敏な指標となりうる．T_3もその大部分は血中でTBPと結合しており，生物活性を有するFT_3は約0.3%のみである．サイロキシン結合グロブリン（thyroxine binding globulin：TBG）のレベルに異常をきたす病態による検査値（total T_4，total T_3）の異常を避けるために，現在は遊離型ホルモン（FT_4，FT_3）の測定が第一選択である．血中から細胞内に入ったFT_4（およびFT_3）はFT_3へ変換された後に核内に存在する甲状腺ホルモン受容体（thyroid hormone receptor：TR）に結合し，その複合体が標的遺伝子の転写活性を調節し，蛋白合成を促進して作用を表す．リバースT_3（reverse T_3：rT_3）は，末梢組織でT_4の5の部位がtype 3 monodeiodinase（D3）により脱ヨウ素化されて産生されるが，生物活性を有していない．

モノアミン類としては，アドレナリン（エピネフリン），ノルアドレナリン（ノルエピネフリン），ドパミン，セロトニン，メラトニンなどがある．合成酵素には組織特異的発現があり，交感神経末端ではノルアドレナリンが最終カテコラミンで，副腎髄質，心臓などではアドレナリンまで合成される（図10）[2]．これらは図10に示すようにチロシン由来であるが，メラトニンはトリプトファン由来である．

4）代謝，分解

血中からホルモンが消失する過程（クリアランス）には，血中での分解，肝臓や腎臓などの代謝排泄臓器への取り込み，標的細胞での受容体を介した取り込みなどがある．共通の過程で代謝されることが多いが，ホルモン特異的な代謝分解経路もある．甲状腺ホルモンでは，脱ヨウ素反応が重要であり，グルクロン酸や硫

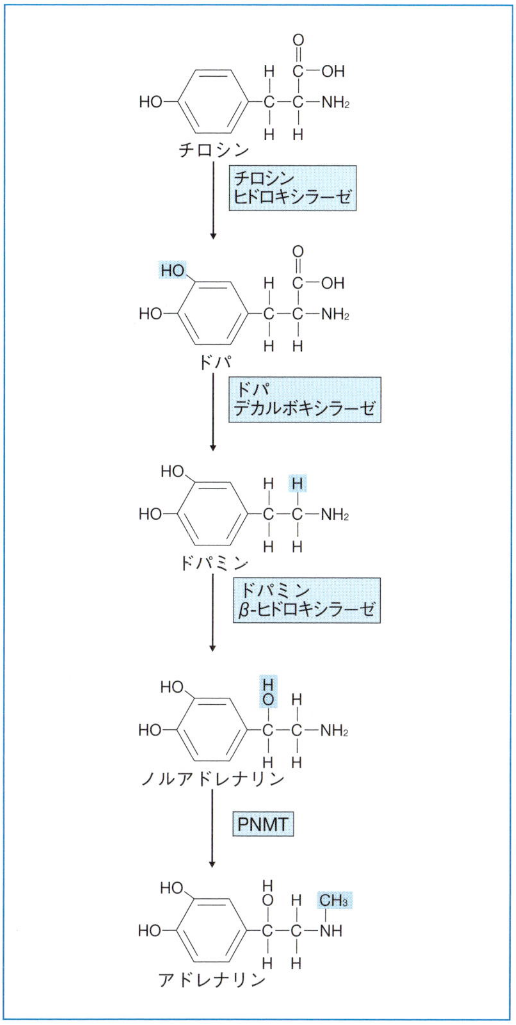

図10 カテコラミンの合成経路

〔Granner DK：内分泌系の多様性．上代淑人（監訳），ハーパー・生化学．丸善，445-467，2003〕

酸との抱合体が形成され胆汁排泄されるか，腎において脱アミノ酸や脱炭酸化などを受けて分解され，尿中に排泄される．腎における代謝は重要であるため，尿中のヨウ素量は，甲状腺ホルモン産生の指標あるいはヨウ素の摂取量の目安となる．ステロイドホルモンの多くは，グルクロン酸および硫酸抱合体となって水溶性となり尿中に排泄される．ホルモンにおいては，分泌過程が厳密に調整されているのに比して，分解過程の制御は乏しいとされるが例外もある．たとえば，活性型ビタミンDである$1,25(OH)_2D$は，24位が水酸化され不活化されるが，これを担う24水酸化酵素は活性型ビタミンDにより誘導されるので，この部分でネガティブフィードバック制御を受け，不活化経路が厳密に調節されている．

近年は，合成ステロイドホルモンで試みられたように，いわゆる長期間作動性（long acting）といわれるような，ペプチドホルモンの半減期を伸ばすような製剤の開発が進んでいる．ペプチダーゼの作用を減らすためにペプチドホルモンをたとえばアルブミンのような物質と結合し，遊離型の血中濃度を減らして，分解速度を抑えるようなことが方法として採用されている．また，受容体との親和性をやや低下させることで，細胞内取り込みを減少させるような方法もある．あるいは分解酵素の反応を低下させるために，アミノ酸配列を一部置換する方法もある．

◆ **文献**
1) 後藤由貴也：メラノコルチンと食欲．Annual Review．中外医学社，17，1999
2) Granner DK：内分泌の多様性．上代淑人（監訳），ハーパー・生化学．丸善，445-467，2003

◆ **参考文献**
- 田苗綾子，他（編）：専門医による新小児内分泌疾患の治療．診断と治療社，157-180，2007
- Sperling MA：*Pediatric endocrinology*. 4th ed., Elsevier, Philadelphia, 2014
- Thyroid Disease Manager. http://www.thyroidmanager.org/（2021年8月19日アクセス）
- Bianco AC, *et al.*：Deiodinases：implications of the local control of thyroid hormone action. *J Clin Invest* 116：2571-2579, 2006
- 田島敏広，他：萎縮性甲状腺炎．小児科臨床60：167-172, 2007
- Basaria S, *et al.*：Amiodarone and the thyroid. *Am J Med* 118：706-714, 2005
- Littley MD, *et al.*：Radiation-induced hypopituitarism is dose-dependent. *Clin Endocrinol*（*Oxf*）31：363-373, 1989
- Surks MI, *et al.*：Normal serum free thyroid hormone concentrations in patients treated with phenytoin or carbamazepine. A paradox resolved. *JAMA* 275：1495-1498, 1996
- Dumitrescu AM, *et al.*：A novel syndrome combining thyroid and neurological abnormalities is associated with mutations in a monocarboxylate transporter gene. *Am J Hum Genet* 74：168-175, 2004
- Yanagisawa T, *et al.*：Rapid differential diagnosis of Graves' disease and painless thyroiditis using total T3/T4 ratio, TSH, and total alkaline phosphatase activity. *Endocr J* 52：29-36, 2005
- 小川英伸：甲状腺機能亢進症．小児科診療67：1637-1641, 2004
- Cooper DS：Antithyroid drugs. *N Eng J Med* 352：905-917, 2005
- Shiroozu A, *et al.*：Treatment of hyperthyroidism with a small single daily dose of methimazole. *J Clin Endocrinol Metab* 63：125-128, 1986

（大薗恵一）

第2章 内分泌疾患の原因・種類と診察法

A 内分泌疾患の原因と分類

本項では内分泌疾患を原因により分類し,それぞれの代表的な疾患の病因・病態について概説する(表1).

1) ホルモン作用の不足

a. 内分泌腺のホルモン分泌低下

①内分泌腺の形成異常

先天的な内分泌腺の形成異常の原因として器官発生にかかわる遺伝子(群)の異常が多数報告されているが,臓器発生・分化の過程において障害が発生する原因の大部分は不明である.先天性下垂体機能低下症の原因として,下垂体の形成にかかわる転写調節因子をコードする遺伝子(POU1F1,PROP1,HESX1,LHX3,LHX4,OTX2など)の異常が多数報告されている.甲状腺形成異常(無形成,低形成,異所性甲状腺)による先天性甲状腺機能低下症のごく一部で甲状腺の発生にかかわる遺伝子(PAX8,NKX2-5,FOXE1)の異常が同定されているが,大部分の症例は孤発例で原因は不明である.

②内分泌腺の破壊

破壊の機序は様々である.自己免疫(炎症),腫瘍,医原性(放射線照射後,化学療法後,外科手術後),内分泌細胞内への異常物質の蓄積,外傷,血流障害などである.自己免疫機序によるものが比較的多く,代表的な疾患は1型糖尿病(膵β細胞の破壊によるインスリン分泌不全)である.腫瘍浸潤による内分泌腺の破壊で起こる機能低下症は,視床下部─下垂体系のような小さな内分泌腺で起こりやすく,脳胚細胞腫による中枢性尿崩症が代表的である.医原性の内分泌腺破壊は,小児がん経験者(childhood cancer survivor:CCS)でよくみられる放射線治療や化学療法の晩期障害である.ヘモクロマトーシスでは,内分泌腺細胞への鉄沈着により下垂体機能低下症や糖尿病を引き起こす.副腎皮質機能低下症は自己免疫,副腎出血・梗塞,感染症(結核,真菌症,髄膜炎菌などによる敗血症)など様々な病態によって起こる.

③ホルモンの構造あるいはホルモン合成系の異常

多くは遺伝子異常による.ホルモンそのものをコードする遺伝子の異常による疾患としては,GH1遺伝子異常によるGH分泌不全などがある.ホルモン合成系

表1 内分泌疾患の原因

1) ホルモン作用の不足	a. 内分泌腺のホルモン分泌低下:①内分泌腺の形成異常 　　　　　　　　　　　　　　　②内分泌腺の破壊 　　　　　　　　　　　　　　　③ホルモンの構造あるいはホルモン合成系の異常 　　　　　　　　　　　　　　　④ホルモン合成・分泌調節機構の異常
	b. ホルモン不応症
	c. ホルモンの異化亢進
	d. 医原性・薬剤性
2) ホルモン作用の過剰	a. 内分泌腺のホルモン分泌過剰:①内分泌腺の腫瘍・過形成 　　　　　　　　　　　　　　　②内分泌腺の破壊 　　　　　　　　　　　　　　　③ホルモン合成・分泌調節機構の異常
	b. 異所性ホルモン産生腫瘍
	c. ホルモンの異化減少
	d. 外因性ホルモン投与
	e. 薬剤性
3) 内分泌機能異常がみられない内分泌疾患	a. 内分泌腺に発生する非機能性腫瘍

の異常は，合成にかかわる酵素，共役因子，トランスポーターの異常がある．先天性副腎過形成症の病態はホルモン合成系の様々なタイプの異常が原因となっている．21水酸化酵素欠損症（CYP21A2遺伝子異常症）はホルモン合成酵素そのものの異常である．P450酸化還元酵素欠損症はマイクロゾーム分画に存在するすべてのチトクロムP450に電子伝達を行う補酵素の欠損で，17α水酸化酵素欠損，21水酸化酵素欠損，副腎以外でアロマターゼの機能が阻害される．また，先天性リポイド副腎過形成症の大部分はステロイドホルモンの基質となるコレステロールのミトコンドリアの外膜から内膜への輸送にかかわる steroidogenic acute regulatory protein (StAR) をコードするSTAR遺伝子の異常によって起こる．

④ホルモン合成・分泌調節機構の異常

分泌調節機構の異常としては，Ca感知受容体の恒常活性型変異による副甲状腺ホルモン機能低下症（常染色体顕性低カルシウム血症）があげられる．

b. ホルモン不応症

ホルモン不応症は，ホルモン受容体前・ホルモン受容体の構造異常，ホルモン受容機構にかかわる因子・エフェクター因子の異常によって引き起こされる．

ホルモン受容体前の異常は，ホルモンと受容体の結合を阻害する異常物質の存在やホルモントランスポーターの異常である．前者の代表が阻害型TSH受容体抗体による甲状腺機能低下症であり，後者にはMCT8異常症などがある．MCT8はT_3を神経細胞に取り込む蛋白であり，MCT8異常症ではT_3が核内受容体に到達できないために神経細胞に甲状腺ホルモン作用が不足する病態である．

受容体の構造異常が原因となっているのは，GH受容体異常によるLaron症候群，バゾプレシンV_2受容体遺伝子の変異による腎性尿崩症である．

受容機構にかかわる因子の機能低下が原因となっているのは，偽性副甲状腺機能低下症である．本疾患の原因はPTH受容体と細胞内シグナル伝達に介在する因子である$G_s\alpha$蛋白の機能低下であり，GNAS遺伝子のコード領域の変異（IA型）あるいはエピ変異（IB型）によって生じる．

腎性尿崩症の原因のうちAQP2遺伝子異常は水トランスポーターの異常であり，エフェクター因子の機能低下である．

c. ホルモンの異化亢進

乳児肝血管腫に伴う甲状腺機能低下症は血管腫の血管内皮細胞に発現している3型脱ヨウ素酵素の過剰による甲状腺ホルモン異化（T_4，T_3からreverse T_3，T_2への変換促進）亢進が原因である．

d. 医原性・薬剤性のホルモン分泌抑制

医原性の内分泌腺の広範な破壊による機能低下以外にも薬剤によるホルモン分泌抑制がみられる．通常は原因薬剤投与の中止により回復する．ヨウ素剤（造影剤）やヨウ素高含有薬剤（アミオダロンなど）による甲状腺機能低下症がある．ステロイドホルモンのwithdrawalによる副腎皮質機能低下症も医原性である．最近，がん免疫療法として免疫チェックポイント阻害薬が用いられるようになっているが，有害事象として免疫機序を介した炎症によるものと推測される内分泌腺機能障害がクローズアップされている．多くは機能低下症となるが，甲状腺機能障害では機能低下症と甲状腺中毒症が認められている．

2）ホルモン作用の過剰

ホルモン作用の過剰は自己免疫機序や腫瘍性病変による後天的に発生するもののほうが多いが，分泌抑制機構の破綻が先天的な要因（おもに遺伝子異常）によって生じているものもある．

a. 内分泌腺のホルモン分泌過剰

①内分泌腺の腫瘍・過形成

内分泌腺の腫瘍性病変によるホルモン産生過剰は，下垂体腺腫による下垂体性巨人症（末端巨大症），Cushing病，褐色細胞腫などである．

②内分泌腺の破壊

リザーブからのホルモンの大量放出が原因であるためホルモンリザーブの大きい内分泌腺の破壊によって生じることが多い．ホルモンの合成亢進を伴わないので中毒症は一過性である．亜急性甲状腺炎，無痛性甲状腺炎の経過中にみられる破壊性甲状腺炎による甲状腺中毒症（機能亢進症ではないことに注意）が代表的な疾患である．

③ホルモン合成・分泌調節機構の異常

Basedow病では抗TSH受容体抗体が甲状腺濾胞細胞を刺激し続けることによって過形成とホルモン産生亢進が生じる．CASR遺伝子異常が原因であるCa感知受容体の機能喪失型変異では，血中Ca濃度が正常範囲を超えていてもPTH分泌が抑制されず，新生児重症副甲状腺機能亢進症，家族性低カルシウム尿性高カルシウム血症を引き起こす．乳児持続性高インスリン血性低血糖症は膵β細胞のインスリン分泌制御にかかわるK_{ATP}チャネルを構成する二つの遺伝子，ABCC8とKCNJ11の異常が原因である．

b. 異所性ホルモン産生腫瘍

異所性ACTH・CRH産生腫瘍は，肺小細胞癌，気管支カルチノイドなどのカルチノイド，悪性上皮胸腺

腫，膵臓Langerhans島癌，甲状腺髄様癌などが原因になることがある．

c．ホルモンの異化減少

見かけの鉱質コルチコイド過剰症候群（apparent mineralocorticoid excess syndrome：AME症候群）はミネラルコルチコイド過剰症状がみられるがアルドステロンは増加していない病態である．コルチゾールとアルドステロンは同程度にミネラルコルチコイド受容体に結合するが，生理的な状態では腎臓遠位尿細管で11β水酸化ステロイド脱水素酵素II型（11βHSD2）によりコルチゾールは不活性型のコルチゾンに変換されミネラルコルチコイド受容体には結合できない．AME症候群ではHSD11B遺伝子の異常により11βHSD2活性が低下するためにコルチゾールを不活化できない．11βHSD2活性抑制は薬剤によっても引き起こされ，偽性アルドステロン症とよばれる．

d．外因性ホルモン投与

代表的なものは各種疾患の治療のために投与されるグルココルチコイド過剰によるCushing症候群である．

e．薬剤性

高プロラクチン血症は，胃腸薬，血圧降下薬，向精神薬によって引き起こされる．偽性アルドステロン症は，漢方薬，サイアザイド系利尿薬（11βHSD2活性抑制作用）などの薬剤性に起こることが多い．

3）内分泌腺に発生する非機能性腫瘍

甲状腺腫瘍の多くは非機能性であり甲状腺機能亢進症はきたさない．下垂体腺腫にも非機能腺腫がある．

❖ 参考文献

- 西　美和：内分泌疾患の原因と種類．日本小児内分泌学会（編），小児内分泌学．診断と治療社，15-23，2009
- Melmed S, et al.：Principles of Endocrinology. In：Melmed S, et al.(eds), Williams Textbook of Endocrinology. 14th ed., Saunders, Elsevier, Philadelphia, 2-12, 2019
- 日本内分泌学会：免疫チェックポイント阻害薬による内分泌障害の診療ガイドライン．日内分泌会誌 94（Suppl. November）：1-11，2018

（皆川真規）

B　診察法

内分泌疾患は多彩な症状や全身の所見を示す．子どもの特徴である成長（発育・発達・性発育）に内分泌分泌機構は直接に影響を及ぼす．栄養は内分泌系にも影響を与え，実際に成長の指標であるIGF-Iは，栄養評価指標でもある．

主訴に対して診察情報から鑑別診断のための検査を選択することになる．

年齢によっても発症頻度が異なり鑑別診断時に念頭におく．内分泌疾患の診察に当たって，成長に関係する計測値と成長曲線，特徴的な皮膚所見や骨所見は診断の手がかりとして重要である．いくつかの点を詳述する．

1）身長体重頭囲の計測と成長曲線

身体計測（身長－長さ，体重，頭囲）を行って成長曲線をつける．わが国で作成されている成長曲線として，標準の成長曲線（**本章C参照**），肥満度判定曲線，BMI曲線，成長速度曲線があり，また疾患別のものとしてTurner症候群，Down症候群，Prader-Willi症候群，Noonan症候群用がある．

また，これらの計測をもとに，kaup指数（BMI），Rohrer指数，肥満度などの体格指数が求められる．また，四肢短縮を評価するためアームスパンを測定する．通常は身長と一致する．

2）新生児期～乳児早期に注意を要する診察所見

生後から日齢28未満の新生児期は，胎内の影響や染色体や遺伝子異常により起こる疾患を鑑別する時期である．症状的には低血糖，嘔吐，腹満，黄疸の遷延，排便異常，外性器異常，体重増加不良，呼吸障害などを呈する場合，内分泌疾患を鑑別する必要がある．①副腎疾患／性分化疾患，②先天性甲状腺機能低下症（新生児マススクリーニングでTSHが高値の精査の症例，後にクレチン症状で判明する症例），③下垂体機能障害，④糖代謝疾患-低血糖，高血糖，⑤電解質異常，⑥染色体異常／先天異常症候群，⑦small for gestational age（SGA）などを特に鑑別する（図1，2）．

3）外性器にかかわる計測と診察所見

外性器に関してPrader分類（尿道と腟の合流部がどこにあるか，それに伴って尿道口の位置と陰核の大きさによる分類；図3）[1)]に従って外性器を観察する．外陰部のoutletは通常，肛門，腟口，尿道口の3個であるが，診察時にはoutletの数と位置を観察する．

正常新生児の陰茎は2.9±0.5 cmであり，一般に2.5 cm以下を小陰茎とする．陰茎背側基部の恥骨から陰茎を伸展して測定する．陰核は横径長径ともに7 mmが上限とされている．鼠径部，陰嚢内あるいは陰唇内に構造物を触れると精巣の可能性が高いが，卵精巣の可能性もある．触診では，精巣は弾力性があり，卵巣は硬い．精巣様構造があれば，大きさを精巣計で測定する．思春期前までは1～2 mLである．色素沈着はACTHの高値を考える所見で，先天性副腎過形成（congenital adrenal hyperplasia：CAH）や副腎低形成など副

Ⅰ 総　論

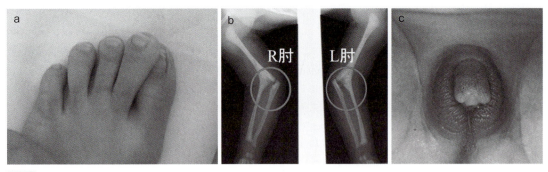

図1　疾患に特異的な所見〔口絵1；p.ii〕
a：第2，第3趾の合趾症（SLO症候群），b：腕橈関節癒合（Antley-Bixler症候群），c：副腎過形成女児の特徴的な所見．性腺は触れない，陰核肥大，色素沈着

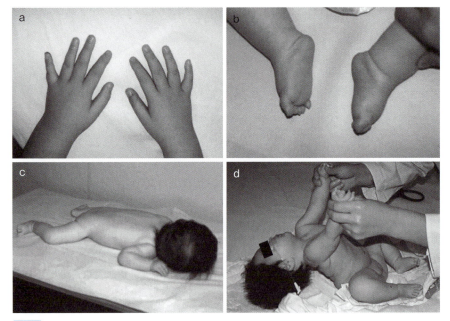

図2　Prader-Willi症候群の診断
a，b：小さな手足，c，d：フロッピー，頸定の遅れ

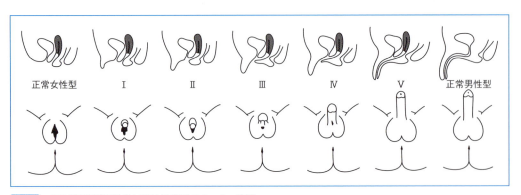

図3　先天性副腎過形成女児の外性器のPrader分類
図のようにTypeⅠの前には正常女性型，TypeⅤのあとには正常男性型が入る
〔Prader A：Der Genitalbefund bein Pseudohermaphroditismus feminitus des kongenitalen adrenogenitalen Syndroms. *Helv Paediatr Acta* 9：231-248, 1954〕

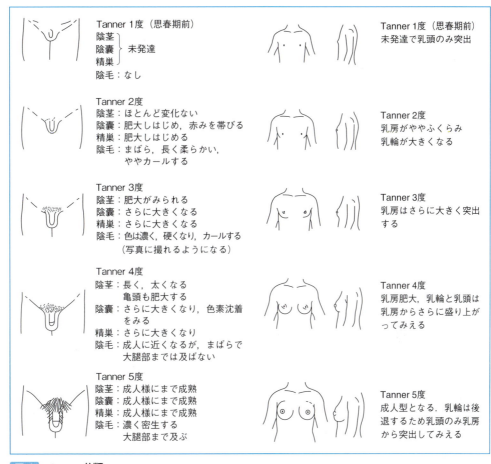

図4 Tanner分類
[Tanner JM : *Growth at Adolescence.* 2nd ed., Oxford, Blackwell Science Ltd, 1963 より引用改変]

腎不全をきたす疾患を疑う所見で，外陰部のほかに口唇，乳頭部，腋窩に強く現れ，全身の皮膚も黒ずむ．

4) Tannerによる二次性徴の成熟度の評価法（Tanner分類）(図4)[2]

男女別の陰毛の発育，女児の乳房の発育，男児の精巣と陰茎の発育を思春期前の1度〜成人期の5度までに分類している．精巣容量に関しては，Praderの精巣計(orchid meter)を用いて測定する．4 mL以上で色が異なり思春期発来を示しているが，わが国の検討では，片側3 mL，両側合計6.5 mL以上で，思春期に入ったと考えられる．

男児で精巣容量が3 mL以上になる時期は平均10.8歳，陰毛発生は12.5歳，女児の乳房の発育は10歳，陰毛発生は11.7歳，初経年齢は12.3歳である．

5) 骨年齢

骨年齢は，骨の成熟の程度を年齢によって表している．主として手根骨の出現骨核数やその化骨度をX線から読みとり，アトラスと比較して評価する．主たる評価法に，Greulich & Pyle(GP)法とTanner-Whitehouse 2(TW2)法がある．

GP法の図譜は，6か月〜1年ごとの年齢別の男女別の標準的な手根骨のX線を集めたもので，最も類似した年齢を患者の骨年齢とする．この方法は，簡便であり，外来診察時の大まかな判定に役立つ．

TW2法はTannerらの基準に従って手の20個の骨核の化骨度をステージAからHあるいはIまでの8〜9段階に分けて評価する．骨核のステージごとに定めた骨成熟度スコアをつけて，20個全部のスコアを合計して，合計スコアに対応した骨年齢を表から読みとり骨年齢とする．さらに，TW2法には，20個全部を評価する20 bones，手根骨を用いずに橈骨，尺骨，中手骨，指骨から13個を用いるRUS(radius, ulna and short finger bones)法，手根骨7個を用いるcarpal法がある．骨成熟は個人差とともに人種差がある．日本人小児の骨成熟は白人に比べて早いため，日本人のデータに基づいた日本人用のTW2法がつくられ，現在は日本人用で

I 総論

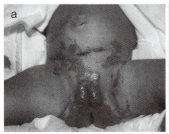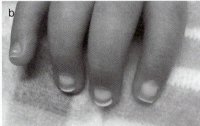

図5 亜鉛欠乏，セレン欠乏〔口絵2；p.ii〕
a：成長障害や皮膚所見．粘膜皮膚の移行部に好発する湿潤した皮膚炎，b：爪床部白色変化，c：脱色，縮れ毛

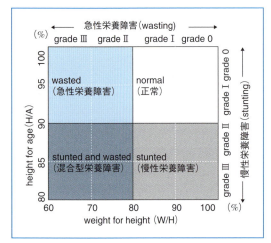

図6 小児の低身長は慢性栄養障害の指標：Waterlowの小児の栄養障害分類

〔Waterlow JC：Note on the assessment and classification of protein-energy malnutrition in children. *Lancet* 2：87-89, 1973〕

評価されている．また，日本人の指骨の骨端核のデータを基準として，患者のX線所見を取り込み比較するgrowth potentialの解析ソフトを用いて解析するCAS-MAS（computer aiked skeletal maturity assessment system）法もある．

6）特徴的な皮膚所見(図1，5)

全身の色素沈着，舌の黒色斑は副腎不全を疑う所見，カフェオレ斑はMcCune-Albright症候群を疑う．またセレン欠乏の白い爪，亜鉛欠乏症の湿潤した皮膚炎なども特徴的である．

7）特徴的な四肢，手足の指，関節所見

アームスパンを評価する．通常は身長と一致する．短ければ四肢短縮であり骨系統疾患を疑う．新生児期の足の甲の浮腫や外反肘はTurner症候群，腕橈関節癒合でAntley-Bixler症候群(図1)では，P450酸化還元酵素欠損症を疑う．また，第2，3趾の合趾（図1），多指症などでは，Smith-Lemli-Opitz症候群を疑う．半身肥大と巨舌は，Beckwith-Wiedemann症候群を疑う．詳細は各論各章を参照されたい．

8）その他の所見

副腎不全，尿崩症，糖尿病などで脱水徴候から診断されることもあり初診時にこれらの急性疾患を鑑別する．また発育障害は栄養障害の指標であることもつねに念頭におく(図6)[3]．体重増加不良や成長障害では，皮膚や爪，毛髪の色や性状から亜鉛欠乏，セレン欠乏をはじめとする栄養障害がないか，扁桃腺肥大により摂取不足が生じる可能性がないかも，観察する．虐待の可能性も念頭において，傷や出血斑，火傷のあとや骨折がないか診察する．

❖ 文献

1) Prader A：Der Genitalbefund bein Pseudohermaphroditismus geminitus des kongenitalen adrenogenitalen Syndrome. *Helv Paediatr Acta* 9：231-248, 1954
2) Tanner JM：*Growth at Adolescence*. 2nd ed., Oxford, Blackwell Science Ltd, 1963
3) Waterlow JC：Note on the assessment and classification of protein-energy malnutrition in children. *Lancet* 2：87-89, 1973

❖ 参考文献

- Bouvattier C：Disorder of sex development：Endocrine Aspects. In：Gearhart J, *et al.*（eds）, *Pediatric Urology*. 2nd ed., Saunders, Elsevier, Philadelphia, 459, 2009
- Greulich WW, *et al.*：*Radiographic Atlas of Skeletal Development of the Hand and Wrist*. 2nd ed., Stanford, Stan-ford University Press, 1959
- 日本成長学会，他（編）：日本人小児TW2骨年齢—骨成熟評価マニュアルとアトラス．メディカルレビュー社，2018

（位田 忍）

C 体格と成長の評価

身体計測値は所見として記録し，評価することにより臨床的価値が高まる．評価においては基準となる集団のなかでどこに位置するかと時間経過のなかで評価

が変化するかが重要な視点である．このような体格評価は標準値に基づいて行う．日本では乳幼児身体発育調査(厚生労働省)と学校保健統計調査(文部科学省)の調査結果より算出した基準値を標準値とする．2011年に日本小児内分泌学会・日本成長学会合同標準値委員会は2000年度の調査に基づくものを標準値として使用することとした[1]．

1) 日本人小児の体格の評価に関する基本的な考え方[1]

身体計測値の標準値は本来，その個体にとって生物学的に最もふさわしい身体計測値と定義されるが，実際にそれを定めることはむずかしい．そこで対象集団を設定し，その対象者の身体計測値の分布から基準値を定める．さらにその基準値を用いて成長曲線が制作される．

世界的に汎用されている成長曲線にはWHOとCDCのものがある．WHOが制作したものはgrowth standardであり，対象者を厳格に選定して基準値を定めたものである．世界の6か所(東アジアは含まれていない)から8,412人の小児が選定されているが，最終的に基準値を求めるために適格性を満たしたものは乳児で17%，幼児で31%であった．一方，CDCの基準は1963年から1994年に実施された六つの調査を統合して求められたものである．この点，日本では定期的に実施されている発育調査(乳幼児身体発育調査と学校保健統計調査)を利用すれば基準値が得られる状況にある．しかし，調査のたびに基準値を変更することは実用的ではないので，日本小児内分泌学会・日本成長学会合同標準値委員会が現在の小児に適応できる基準値を作成した．

先に述べた発育調査の結果から以下の4条件を満たすような年度の身長および体重の基準値を採用することが最も妥当である．①小児全年齢にわたる男女別，年齢別身体測定値を入手することができる年度であること，②成人身長のsecular trendが終了した以降の年度であること，③成熟のsecular trendが終了した以降の年度であること，④肥満増加傾向が明らかとなる以前の年度であること．

実際にはこの4点をすべて満たす年度はない．そこで，①を必要条件とし，④よりも②および③を重視して，2000年度計測値をもとに算出した基準値を標準値として用いることにした．当面はこの2000年度調査に基づく基準値を用いることとしている．

2) 測定と評価方法

身体計測によって得られた測定値は統計学的手法により標準化して表記すべきである．また各指標をチャート(グラフ)化したものに描画することを通じて視覚的に把握することも重要である．これらの評価方法は電子機器にその計算式やグラフなどを組み込むとその有用性はさらに高まる．また日本小児内分泌学会のホームページにはその計算式を組み込んだ，体格指数の計算用ファイルと成長曲線を描画するためのファイル(Microsoft Excel®で作成)やグラフのPDFファイルがアップロードされているので利用するとよい[2]．

a. 身長

身長は，2歳未満は臥位で，2歳以上は立位で測定するのが原則である．それぞれを日本では"身長"とするが，英語圏では前者を"length"，後者を"height"としている．また同時に両者を測定した場合，7 mm程度，lengthがheightよりも長い．また立位においては早朝が最も高く，立位1時間で1 cm，6時間で2 cm程度，低くなる．

臥位での測定は測定器に乳児を仰向けにして寝かせ，頭を固定板につけ，耳眼面が台板と垂直になるように頭部を保持する．乳児の両膝を軽く押さえて下肢を伸展させ，移動板を乳児の裏に当てて計測値を読み取る．立位での測定は眼耳水平位を保ち，踵，臀部，胸背部が一直線に尺柱に接するようにして測定する．

身長計測値は平均値と標準偏差(SD)値を用いて標準化し[3]，SDスコアにより個々の測定値を評価する．一般的には－2 SD以下を低身長と定義する．

身長の計測値をグラフ上に描く場合は成長曲線(横断的標準身長・体重曲線)を利用する．従来から使用されていた成長曲線は体重が平均値と各SDの値で表現されている点が適切ではなかった．そこで日本小児内分泌学会は2015年11月，LMS法により成長曲線[4]を作成した(**巻末付録Bの図1～4参照**)．

これらの成長曲線は横断的調査結果に基づくものである．しかしながら，臨床の場では縦断的な資料としてこれらを用いることが多い．横断的なデータに基づく成長曲線に縦断的な身体計測値をプロットすると思春期の前後で，プロットを結んだ線は各SD曲線を横切ることがあることには注意を要する．すなわち，成長を示す軌跡は成長曲線の各SD曲線よりも立ち上がりが急峻で，思春期後半は逆に各SD曲線よりも先に水平に近づく．

b. 体重

乳児の場合は授乳直後の計測は避ける．また，幼児以降ではあらかじめ排便，排尿をすませておく．基本的には全裸での測定が望ましい．2歳未満の乳幼児は仰向けか座位で秤の台かかごにのせる．おむつを敷いたり，乳児を布で包んで計測するときは，その重量を

I 総　論

表2　標準体重を表す式

性別年齢別身長別標準体重を表す式

係数	男児		女児		係数	男児		女児	
	a	b	a	b		a	b	a	b
5歳	0.386	23.699	0.377	22.750	12歳	0.783	75.642	0.796	76.934
6歳	0.461	32.382	0.458	32.079	13歳	0.815	81.348	0.655	54.234
7歳	0.513	38.878	0.508	38.367	14歳	0.832	83.695	0.594	43.264
8歳	0.592	48.804	0.561	45.006	15歳	0.766	70.989	0.560	37.002
9歳	0.687	61.390	0.652	56.992	16歳	0.656	51.822	0.578	39.057
10歳	0.752	70.461	0.730	68.091	17歳	0.672	53.642	0.598	42.339
11歳	0.782	75.106	0.803	78.846					

標準体重＝a×身長(cm)－b

性別身長別標準体重を表す式

		男児	女児
幼児期　6歳未満，身長70 cm以上120 cm未満		$0.00206X^2-0.1166X+6.5273$	$0.00249X^2-0.1858X+9.0360$
学童 6歳以上	身長101 cm以上140 cm未満	$0.0000303882X^3-0.00571495X^2+0.508124X-9.17791$	$0.000127719X^3-0.0414712X^2+4.8575X-184.492$
	身長140 cm以上149 cm未満	$-0.000085013X^3+0.0370692X^2-4.6558X+191.847$	$-0.00178766X^3+0.803922X^2-119.31X+5885.03$
	身長149 cm以上 男児は184 cm未満 女児は171 cm未満	$-0.000310205X^3+0.151159X^2-23.6303X+1231.04$	$0.000956401X^3-0.462755X^2+75.3058X-4068.31$

X：身長(cm)

〔日本小児内分泌学会：日本人小児の体格の評価．http://jspe.umin.jp/medical/taikaku.html〕

差し引く．2歳以上の小児は計測器に正しく立たせて計測する．

体重は正規分布しないので，LMS法により分布の歪みを補正して標準化する．年齢群ごとに求められたL値，M値とS値[4]から，パーセンタイルとSDスコアを求めることができる．測定値のSDスコアは $\{(測定値/M)^L-1\}/LS$ で表される．またSDスコアはMicrosoft Excel® を用いるならば関数 normsdist により変換できる．なお，この場合，軸をBox-Cox変換しているので，1 SDの幅が各SD間で同等にはならないことに注意が必要である．

体重はそれのみで評価しても体格を質的には評価できない．体重は身長に依存して変化するからである．体格を評価するときは，後述する体格指数である肥満度あるいはBMIを用いる．

c. 頭囲

計測者は一方の手に巻尺の0点を持ち，他方の手で後頭部の一番突出しているところを確認して当て，左右の高さを同じくらいになるようにしながら前頭部にまわして交差し，前頭部の左右の眉の直上を通る周径を計測する．

日本小児内分泌学会で制作した乳幼児用の成長曲線には頭囲曲線を掲載している[2]（巻末付録B の図3, 4参照）ので，測定点をグラフ上にプロットして描くとよい．ただし，頭囲については2010年の調査に基づくものである．

d. 肥満度

肥満度は実測体重と標準体重の差を標準体重で除してパーセント表示したものである．幼児期は肥満度+15％以上を肥満とし，+15〜+20％を軽度，+20〜+30％を中等度，+30％以上を高度肥満とする．学童期以降は肥満度+20％以上を肥満とし，+20〜+30％を軽度，+30〜+50％を中等度，+50％以上を高度肥満とする．ただし，これらの数値は歴史的に定義されたもので，明確な科学的根拠があるわけではない．

標準体重がいかにあるべきかについては議論が多い[1]が，疫学調査など肥満度を計算するときは性別年齢別身長別標準体重（表2）[5]を基準とすることが多い．フォローアップや低身長者・高身長者の評価には性別身長別標準体重（表2）[5]のほうが向いている．特にフォローアップの際には肥満度判定曲線を用いるとよい[2]（巻末付録B の図6〜9参照）．

e. BMI

BMIは体重(kg)を身長(m)の2乗で除して算出す

る．BMIもLMS法により計測値からSDスコアおよびパーセンタイル値を求めることができる[6]．肥満の基準をどのパーセンタイルとするかについては一定の見解はない．たとえば3パーセンタイル以下が「痩せ」で，97パーセンタイルより大きいものを「肥満」とすることもある．17.5歳におけるBMI 25に相当するパーセンタイル値以上を過体重(あるいは肥満)と定義すれば[1,2]，これはほぼ90パーセンタイルに相当する．

国際的にはBMI(およびそのパーセンタイルとSDスコア)を用いて体格を評価することが多い．男児6～13歳，女児6～12歳では，BMIパーセンタイル値による肥満の評価は，標準的な身長の小児においては肥満度による評価とよく一致する．しかし，高身長では過大評価，低身長では過小評価する傾向にある．

f. 疾患特異的成長曲線を用いた評価

対象児に何らかの基礎疾患がある場合にはその疾患に特異的な成長曲線を用いて，評価する．日本ではTurner症候群[2]（**巻末付録B**の**図5**参照），Down症候群，Prader-Willi症候群，Noonan症候群[2]や軟骨無形成症などの成長曲線がある．

❖ 文献

1) 田中敏章，他：日本人小児の体格の評価に関する基本的な考え方．日小児会誌 115：1705-1709，2011
2) 日本小児内分泌学会：成長評価用チャート・体格指数計算ファイル　ダウンロードサイト．http://jspe.umin.jp/medical/chart_dl.html（2021年1月7日アクセス）
3) 伊藤善也，他：小児慢性特定疾患治療研究事業において採用された身長基準に準拠した2000年度版「標準長表」および「標準成長曲線」．小児診療 68：1343-1351，2005
4) Isojima T, *et al*.：Growth standard charts for Japanese children with mean and standard deviation (SD) values based on the year 2000 national survey. *Clin Pediatr Endocrinol* 25：71-76, 2016
5) 日本小児内分泌学会：日本人小児の体格の評価．http://jspe.umin.jp/medical/taikaku.html（2021年1月7日アクセス）
6) Kato N, *et al*.：The cubic functions for spline smoothed L, S, and M values for BMI reference data of Japanese children. *Clin Pediatr Endocrinol* 20：47-49, 2011

〈伊藤善也〉

内分泌関連疾患の遺伝学と遺伝学的検査

A 内分泌疾患のジェネティックス

小児内分泌疾患も他の疾患と同様，環境要因と遺伝的要因の相互作用の結果引き起こされる．特に遺伝的要因が発症に大きく関与する疾患は，染色体異常，単一遺伝子疾患，多因子疾患に分類される．

1) 染色体異常

染色体異常は数的異常と構造異常に分類される．

a. 染色体の数的異常

染色体の減数分裂時の不分離が関連した特定の常染色体全体に及ぶ量的異常で，生存可能な非モザイク型の染色体異常は，21トリソミー，18トリソミー，13トリソミーしか知られていない．Down症候群の染色体核型は，大部分が21トリソミーであるが(95%)，不均衡型転座による転座型(3~4%)やモザイク型(1~2%)も存在し，次子再罹患率は異なるため，両親も含めた染色体検査が重要である．Down症候群は低身長（男児平均145 cm，女児平均141 cm）であり，成人期には肥満傾向を示すことが多い．甲状腺疾患（先天性甲状腺機能低下症，橋本病，Basedow病），糖尿病（1型糖尿病，2型糖尿病），高尿酸血症，脂質異常症などを合併するリスクが高いことが知られており，定期的な血液検査が必要である．先天性甲状腺機能低下症の合併頻度は1~2%，一般集団に比べ28~40倍のリスクがあるため，新生児マススクリーニングにて異常がなかった場合も，乳児期は定期的な検査を行うべきである．また，橋本病やBasedow病のリスクも一般集団より高いことが知られている．

一方，性染色体の量的異常による染色体異常には，核型45,Xに代表されるTurner症候群，核型47,XXYに代表されるKlinefelter症候群が知られている．Turner症候群は出生女児の2,000人に1人程度，Klinefelter症候群は出生男児の500~600人に1人程度と比較的頻度の高い疾患であり，小児内分泌の診療においても重要な疾患である．性染色体上の遺伝子SHOXの遺伝子量の不均衡，つまり，Turner症候群ではSHOX遺伝子が1コピー，Klinefelter症候群ではSHOX遺伝子が3コピー存在することにより，Turner症候群では低身長，Klinefelter症候群では高身長をきたしていると考えられる．

両疾患の詳細については，**各論第6章D，E**を参照いただきたい．

b. 染色体の構造異常

染色体構造の再構成は，染色体の切断，再結合，交換によって異常な組み合わせが生じて引き起こされる．染色体の構造異常は，ゲノムに正常な染色体構成要素が完全に揃っている，つまり，遺伝子量の変化を認めない均衡型と，過剰や欠失がある不均衡型に分類される．また，解析に用いる手法の解像度により発見できるかどうかが変わってくる．例えば，G分染法では均衡型にみえても，アレイcomparative genomic hybridization (CGH)法によりコピー数異常がみつかるという可能性がある．

欠失では，欠失領域に存在する遺伝子がモノソミーとなりハプロ不全，つまりコピー数減少によりその機能が喪失してしまうことにより臨床症状が引き起こされる．一方，重複は欠失に比べて臨床的影響は少ないと考えられる．遺伝子そのものではなく，エンハンサーやプロモーターなどの遺伝子発現に関与する領域の染色体構造異常が疾患の原因となる場合もある．

campomelic dysplasiaでは，多くはSOX9遺伝子の翻訳領域内の遺伝子変異により生じるが，SOX9遺伝子の上流のエンハンサー領域の欠失によりSOX9の発現が障害され性腺異形成を生じる症例も報告されている．また，CYP19A1遺伝子のプロモーター領域のタンデム重複により，アロマターゼが過剰発現し，男性の女性化乳房が生じるアロマターゼ過剰症をきたす．さらに，CYP19A1遺伝子の近傍にある別の遺伝子のプロモーターに逆位が生じた結果，CYP19A1のプロモーターとして作用してアロマターゼの過剰発現をき

たす症例も報告されている．

染色体の構造異常の発症機序は，組み換え異常とDNA複製エラーの二つに大別される．組み換え異常には，反復配列を介した非対立遺伝子間相同組み換え（non-allelic homologous recombination：NAHR）とDNA二重鎖切断修復過程における非相同末端結合（non-homologous end joining：NHEJ）が含まれる．DNA複製エラーでは，数塩基の相同性によって誘導されるmicrohomology-mediated break-induced replication（MMBIR）が知られている．

配偶子（精子，卵子）の減数分裂時に，相同染色体間で組み換えが生じることで，配偶子の多様性が生じる．しかし，組み換えが生じる部位に類似した比較的長い反復配列が存在する場合，間違えた配列で組み換えが生じることにより欠失や重複を生じる．反復配列は染色体の特定部位に集中しており，22q11.2欠失症候群，Williams症候群，Sotos症候群などでは，両親に染色体異常がなく，突然変異にて生じたにもかかわらず，共通した特定の領域で欠失が生じる．一方，NHEJやMMBIRが生じる部位はゲノム上に幅広く分布する．また，アレイCGH法により，健常人においても多彩なコピー数多型（copy-number variation：CNV）が存在することが見い出されている．

2) 単一遺伝子疾患

ヒトは約3万個の遺伝子を有するが，そのうち，数百の遺伝子が小児内分泌疾患の原因遺伝子として報告されている（表1）．遺伝形式は，常染色体顕性遺伝，常染色体潜性遺伝，X連鎖性遺伝に分類され，さらに，ミトコンドリアDNAの変異によるミトコンドリア遺伝が存在する．遺伝子変異には，ミスセンス変異，ナンセンス変異，フレームシフト変異，スプライシング異常，数塩基の欠失または挿入（indelと称される）がある．アミノ酸置換を伴わない塩基置換はサイレント変異とよばれ，疾患に関与しないことが多いが，まれにスプライシング異常を引き起こすことがある．また，次世代シークエンス解析の進歩により，翻訳領域のみならず，イントロン深部領域の解析が行われるようになり，深部イントロン領域の変異がスプライシング異常を引き起こす症例もみつかっている．

a. 常染色体顕性遺伝性疾患

二つ存在する遺伝子のうち，一方の遺伝子に異常があるだけで疾患の発症に関与する場合，①ハプロ不全による機能喪失，②変異によって生じる変異蛋白が，正常蛋白の作用も障害する，つまり，ドミナントネガティブ効果，あるいは，③変異によって本来有する機能が亢進するような変異，機能獲得型変異が疾患の発症に関与すると想定される．

患者は*de novo*変異もしくはいずれかの親由来の変異を一方のアリルに有する．変異を有する親は疾患に一致する表現型を有するが，浸透率が低い疾患では，症状が明らかでない場合もある．親が変異を有する場合，次子再発率は50%である．*de novo*変異を有する患者の家系では，次子再発率は理論上一般集団とほぼ同等である．しかし，両親とも変異を有していないにもかかわらず，複数の常染色体顕性遺伝疾患の患者が生まれた場合，生殖細胞系列の一部に変異を有する性腺モザイクが疑われる．

b. 常染色体潜性遺伝性疾患

患者はホモ接合性あるいは複合ヘテロ接合性に変異を有する．常染色体潜性遺伝疾患では，大部分の両親がヘテロ接合性変異を有する保因者である．常染色体潜性遺伝疾患を引き起こす変異は，通常，遺伝子産物の機能が減じるか消失する，機能喪失型変異によって引き起こされる．ヘテロ接合性で変異を有する保因者では，残りの正常蛋白が機能を補うことで発症せず無症状である．変異を有することは非常にまれであるため，常染色体潜性遺伝疾患はホモ接合性ではなく，複合ヘテロ接合性に変異を有することが多い．しかし，近親婚で，両親が共通の祖先から伝達した同じ変異を有する場合はホモ接合性に変異を認める．また，新しい集団がつくられた際，もとの集団とは異なる遺伝子頻度の集団ができることを創始者効果（founder effect）とよぶが，創始者が偶然有していた比較的まれな変異が，新しい集団ではその頻度が明らかに上昇する場合がある．P450酸化還元酵素欠損症の日本人患者に多く認められるp.Arg457His変異は，欧米人患者では極めてまれであり，このような人種特異的変異の存在は創始者効果で説明できる．よって，近親婚ではないにもかかわらず，p.Arg457His変異をホモ接合性に有する日本人のP450酸化還元酵素欠損症患者が存在する．

一部の疾患では，軽度の臨床症状を呈することがある．しかし，一部，片親性ダイソミーによる潜性遺伝疾患の顕在化により，保因者ではない親から常染色体潜性遺伝疾患の患者が生まれる場合がある．たとえば，代表的な常染色体潜性遺伝性疾患である21水酸化酵素欠損症では，患者の0.9%が片親性ダイソミーであり，1.9%は*de novo*変異に起因することが報告されている[1]．一般的に常染色体潜性遺伝疾患家系における次子再発率は25%と推測されるが，片親性ダイソミーや*de novo*変異に起因する症例の再発率は著しく低下する．

第 3 章　内分泌関連疾患の遺伝学と遺伝学的検査

表 1　主要な小児内分泌疾患の責任遺伝子

	遺伝子名	遺伝形式	疾患名／主要症状	随伴症状	OMIM
GH 関連疾患・特発性低身長	GH1	AD/AR	成長障害		139250
	GHR	AD/AR	Laron 症候群		600946
	GHRHR	AR	成長障害		139191
	IGF1	AR	子宮内発育不全，成長障害	難聴，精神発達遅滞	147440
	IGF1R	AD/AR	子宮内発育不全，成長障害，小頭症		147370
	IGFALS	AR	成長障害，思春期遅発		601489
	PAPP-A2	AR	成長障害	骨格異常	
	STAT5B	AR	成長障害	免疫異常	604260
	SHOX	AD	Leri-Weill 症候群	四肢骨変形（Madelung 変形）	312865
	NPR2	AD	成長障害	骨異形成	108961
	ACAN	AD	成長障害	骨年齢促進	155760
	HMGA2	AD	子宮内発育不全，成長障害	Silver-Russell 症候群	600698
	IGF2	AD（父由来）	子宮内発育不全，成長障害	Silver-Russell 症候群	147470
視床下部・下垂体機能異常	HESX1	AD	複合型下垂体ホルモン欠損症	septo-optic dysplasia	601802
	PROP1	AR	複合型下垂体ホルモン欠損症		601538
	POU1F1（PIT1）	AD/AR	複合型下垂体ホルモン欠損症		173110
	LHX3	AR	複合型下垂体ホルモン欠損症	頸部可動域制限	600577
	LHX4	AR	複合型下垂体ホルモン欠損症		602146
	SOX3	XL	複合型下垂体ホルモン欠損症	精神発達遅滞	313430
	OTX2	AD	複合型下垂体ホルモン欠損症	眼球形成異常	600037
	GLI2	AD	複合型下垂体ホルモン欠損症	全前脳胞症	165230
	TBX19	AR	ACTH 欠損症		604614
	POMC	AR	ACTH 欠損症	肥満	176830
	GPR54（KISS1R）	AR / AD	（機能低下）低ゴナドトロピン性性腺機能低下 （機能亢進）思春期早発症		604161
	KAL1	XL	低ゴナドトロピン性性腺機能低下症	嗅覚障害	300836
	PROK2	AD/AR	低ゴナドトロピン性性腺機能低下症	嗅覚障害	607002
	PROKR2	AD	低ゴナドトロピン性性腺機能低下症	嗅覚障害	607123
	FGFR1（KAL2）	AD/AR	低ゴナドトロピン性性腺機能低下症	嗅覚障害	136350
	CHD7	AD	低ゴナドトロピン性性腺機能低下症	CHARGE 症候群	608892
	GNRH1	AR	低ゴナドトロピン性性腺機能低下症		152760
	GNRHR	AR	低ゴナドトロピン性性腺機能低下症		138850
	KISS1	AR	低ゴナドトロピン性性腺機能低下症		603286
	LHB	AR	低ゴナドトロピン性性腺機能低下症		152780
	TAC3	AR	低ゴナドトロピン性性腺機能低下症		162330
	TACR3	AR	低ゴナドトロピン性性腺機能低下症		162332
	LEP	AR	低ゴナドトロピン性性腺機能低下症	肥満	164160
	LEPR	AR	低ゴナドトロピン性性腺機能低下症	肥満	601007
	WDR1	AR	低ゴナドトロピン性性腺機能低下症		604734
	HS6ST1	AD	低ゴナドトロピン性性腺機能低下症		604846
	SPRY4	AD	低ゴナドトロピン性性腺機能低下症		607984
	NELF	AD	低ゴナドトロピン性性腺機能低下症		608137
	FSHB	AR	低ゴナドトロピン性性腺機能低下症		136530
	IL17RD	AD/AR	低ゴナドトロピン性性腺機能低下症		606807
	MKRN3	AD（父由来）	中枢性思春期早発症		603856

（次ページにつづく）

I 総　論

	遺伝子名	遺伝形式	疾患名/症状	随伴症状	OMIM
	DLK1	AD（母由来）	中枢性思春期早発症		176290
	TRHR	AR	中枢性甲状腺機能低下症		188545
	TSHB	AR	中枢性甲状腺機能低下症		188540
	IGSF1	XL	中枢性甲状腺機能低下症 GH分泌不全 プロラクチン分泌不全	巨大精巣，思春期遅発，ADHD LGA（large for gestational age）	300137
中枢性／ 腎性尿崩症	AVP	AD	中枢性尿崩症		192340
	AQP2	AD/AR	腎性尿崩症		107777
	AVPR2	XL	（機能低下）腎性尿崩症 （機能亢進）抗利尿ホルモン不適切分泌症候群		300538
	WFS1	AR/(AD)	中枢性尿崩症	Wolfram症候群，難聴，糖尿病	606201
甲状腺 機能異常	NKX2-1	AD	甲状腺形成異常	呼吸障害，舞踏病様アテトーゼ	600635
	FOXE1	AD	甲状腺形成異常	口蓋裂，後鼻腔閉鎖	602617
	NKX2-5	AD	甲状腺形成異常		600584
	PAX8	AD	甲状腺形成異常	腎泌尿器形成異常	167415
	TSHR	AR/AD AD	（機能低下）TSH不応症 （機能亢進）甲状腺機能亢進症		603372
	CDCA8	AD	甲状腺形成異常		609977
	JAG1	AD	甲状腺形成異常	Alagille症候群	601920
	SLC5A5	AR	甲状腺ホルモン合成障害		601843
	SLC26A5	AR	甲状腺ホルモン合成障害	感音難聴	604943
	SLC26A7	AR	甲状腺ホルモン合成障害		608479
	TG	AR	甲状腺ホルモン合成障害		188450
	TPO	AR	甲状腺ホルモン合成障害		606765
	DUOX2	AR/AD	甲状腺ホルモン合成障害		606759
	DUOXA2	AR	甲状腺ホルモン合成障害		612772
	DEHAL1 (IYD)	AR	甲状腺ホルモン合成障害		612025
	THRB	AD/AR	甲状腺ホルモン作用不全	頻脈，ADHD，精神運動発達遅滞	190160
	THRA	AD	甲状腺ホルモン作用不全	成長障害，便秘，精神運動発達遅滞	190120
	SLC16A2	XL	甲状腺ホルモン作用不全	重度な精神発達遅滞	300095
	SECISBP2	AR	甲状腺ホルモン作用不全	精神運動発達遅滞	607693
副甲状腺 機能異常・ カルシウム・ リン代謝異常	GCM2	AD	副甲状腺機能低下症		603716
	TBX1	AD	副甲状腺機能低下症	22q11.2欠失症候群	602054
	GATA3	AD	副甲状腺機能低下症	HDR症候群，難聴，腎形成異常	131320
	TBCE	AR	副甲状腺機能低下症	成長障害，精神発達遅滞 Kenny-Caffey症候群（HRD症候群）	604934
	FAM111A	AD	副甲状腺機能低下症	子宮内発育不全，顔面形成異常 Kenny-Caffey症候群（HRD症候群）	615292
	PTH	AD/AR	副甲状腺機能低下症		168450
	CASR	AD/AR	（機能喪失）家族性低カルシウム尿性高カルシウム血症（ヘテロ） 新生児副甲状腺機能亢進症（ホモ） （機能亢進）家族性低カルシウム血症		601199
	AP2S1	AD	家族性低カルシウム尿性高カルシウム血症		602242
	GNA11	AD	家族性低カルシウム尿性高カルシウム血症		139313
	AIRE	AD/AR	副甲状腺機能低下症（CASRに対する抗体）	自己免疫性多腺性内分泌症候群1型	607358
	MEN1	AD	原発性副甲状腺機能亢進症	多発性内分泌腫瘍症1型 （膵／消化管腫瘍，下垂体腺腫）	613733

（次ページにつづく）

第3章　内分泌関連疾患の遺伝学と遺伝学的検査

	遺伝子名	遺伝形式	疾患名/症状	随伴症状	OMIM
	RET	AD	原発性副甲状腺機能亢進症	多発性内分泌腫瘍症2型（甲状腺髄様癌，褐色細胞腫）	164761
	CDC73	AD	原発性副甲状腺機能亢進症	顎腫瘍	607393
	GNAS	AD（母由来）	偽性副甲状腺機能低下症	Albright徴候，TSH不応	139320
	STX16	AD（母由来）	偽性副甲状腺機能低下症		603666
	CLDN16	AR	原発性低マグネシウム血症	高カルシウム尿症	603959
	CLDN19	AR	原発性低マグネシウム血症	高カルシウム尿症	610036
	TRPM6	AR	原発性低マグネシウム血症		607009
	CYP24A1	AR	乳児特発性高カルシウム血症		126065
	SLC34A1	AR	乳児特発性高カルシウム血症		182309
	CYP27B1	AR	ビタミンD依存性くる病1A型		609506
	CYP2R1	AR	ビタミンD依存性くる病1B型		608713
	VDR	AR	ビタミンD依存性くる病2型		601769
	PHEX	XL	X連鎖性低リン血症性くる病		300550
	FGF23	AD	常染色体顕性低リン血症性くる病		605380
	DMP1	AR	常染色体潜性低リン血症性くる病1		600980
	ENPP1	AR	常染色体潜性低リン血症性くる病2		173335
	SLC34A3	AR	高カルシウム尿症を伴う低リン血症性くる病		609826
副腎機能異常	DAX1（NR0B1）	XL	X連鎖性先天性副腎低形成症	低ゴナドトロピン性性腺機能低下症　精巣形成障害	300473
	SF1（NR5A1）	AD	先天性副腎皮質低形成症	46,XY DSD	601516
	CDKN1C	AD（母由来）	（機能亢進）先天性副腎皮質低形成症	IMAGe症候群	600856
	SAMD9	AD	先天性副腎皮質低形成症	MIRAGE症候群	610456
	CYP21A2	AR	21水酸化酵素欠損症		613815
	HSD3B2	AR	3β水酸化ステロイド脱水素酵素欠損症		613890
	CYP17A1	AR	17α水酸化酵素欠損症		609300
	STAR	AR	先天性リポイド副腎過形成症		600617
	CYP11A1	AR	P450scc欠損症		118485
	CYP11B1	AR	11β水酸化酵素欠損症		610613
	CYP11B2	AR	アルドステロン合成酵素欠損症		124080
	POR	AR	P450酸化還元酵素欠損症		124015
	MC2R	AR	先天性ACTH不応症		607397
	MRAP	AR	先天性ACTH不応症		609196
	MCM4	AR	先天性ACTH不応症		602638
	NNT	AR	先天性ACTH不応症		607878
	AAAS	AR	先天性ACTH不応症	triple A症候群	605378
	TXNRD2	AR	先天性ACTH不応症		606448
	ABCD1	XL	原発性副腎機能低下症	副腎白質ジストロフィー	300371
	PRKAR1A	AD	Cushing症候群	Carney複合	188830
	NR3C2	AD	偽性低アルドステロン症I型		600983
	SCNN1A	AR	偽性低アルドステロン症I型		600228
	SCNN1B	AR	偽性低アルドステロン症I型		600760
	SCNN1G	AR	偽性低アルドステロン症I型		600761
	CUL3	AD	偽性低アルドステロン症II型		603136
	KLHL3	AD/AR	偽性低アルドステロン症II型		605775
	WNK4	AD	偽性低アルドステロン症II型		601844
	WNK1	AD	偽性低アルドステロン症II型		605232

（次ページにつづく）

	遺伝子名	遺伝形式	疾患名/症状	随伴症状	OMIM
性分化疾患	SF1（NR5A1）	AD/AR	性腺形成障害	先天性副腎低形成症	601516
	WT1	AD	性腺形成障害	Fraiser症候群, Danys-Drash症候群 WAGR症候群	607102
	SRY	YL	精巣形成障害		480000
	SOX9	AD	精巣形成障害	campomelic dysplasia	608160
	DMRT1	AD	精巣形成障害		602424
	DAX1（NR0B1）	XL	精巣形成障害, 低ゴナドトロピン性性腺機能低下症	先天性副腎低形成	300473
	AMH	AR	Müller管遺残症候群		600957
	AMHR2	AR	Müller管遺残症候群		600956
	AR	XL	アンドロゲン不応症		313700
	SRD5A2	AR	5α還元酵素欠損症		607306
	MAMLD1	XL	Leydig細胞機能不全, 尿道下裂		300120
	FOXL2	AD	卵巣形成障害		605597
	RSPO1	AR	卵巣形成障害	手掌角化症	609595
	WNT4	AD	Müller管形成障害, Rokitansky症候群		603490
	CYP19A1	AD	（機能低下）アロマターゼ欠損症 （過剰発現）アロマターゼ過剰症		107910
	LHCGR	AR AD	（機能低下）精巣機能不全（Leydig細胞低形成） （機能亢進）思春期早発症		152790
肥満, 糖・脂質代謝異常	LEP	AR	肥満	低ゴナドトロピン性性腺機能低下症	164160
	LEPR	AR	肥満	低ゴナドトロピン性性腺機能低下症	601007
	POMC	AR	肥満	ACTH欠損症	176830
	MC4R	AD/AR	肥満		155541
	PCSK1	AR	肥満		162150
	PPARG	AD	肥満		601487
	INSR	AR	インスリン受容体異常症	Donohue症候群	147670
	ABCC8	AR/AD	先天性高インスリン性低血糖症 新生児糖尿病		600509
	KCNJ11	AR/AD	先天性高インスリン性低血糖症 新生児糖尿病		600937
	HNFA4	AD	MODY1 先天性高インスリン性低血糖症		600281
	GCK	AD	MODY2 先天性高インスリン性低血糖症		138079
	HNF1A	AD	MODY3		142410
	PDX1	AD AR	MODY4 膵無形成		600733
	NEUROD1	AD	MODY5	腎嚢胞	601724
	WFS1	AR	Wolfram症候群	中枢性尿崩症, 難聴	606201

AD：常染色体顕性遺伝形式，AR：常染色体潜性遺伝形式，XL：X連鎖性遺伝形式，YL：Y連鎖性遺伝形式
OMIM（Online Mendelian Inheritance in Man）（https://omim.org）

c. X連鎖性遺伝性疾患

X連鎖性潜性遺伝性疾患は古典的には，ヘミ接合性変異を有する男性にのみ症状が出現する．しかし，次の状況下では，女性が臨床症状を呈する場合が考えられる．一つは，変異をホモ接合性あるいは複合ヘテロ接合性に有する場合である．しかし，X連鎖性遺伝疾患は非常にまれであるため，ほとんど考えられない．もう一つは，X染色体の不活化が不均衡に起こる場合である．女性が有する2本のX染色体のうち1本が不活化されるが，通常，不活化はランダムに起こる．

しかし，保因女性の組織で，活性化される細胞と不活化される細胞の比が偏っており（skewed X inactivation），野生型アリルを有する細胞が多く不活化された場合，臨床症状が出現することがある．母親が保因者である場合，生まれてくる男児は50%の確率で変異が伝達して患者となる．生まれてくる女児は，50%の確率で保因者となる．X連鎖性潜性遺伝性疾患では，父親から男児に変異が伝達することはないが，女児は原則として保因者となる．

d. oligogenic disorder

oligogenic disorderという概念が提唱されており，これは，1人の患者がある疾患の異なる原因遺伝子に複数の遺伝子変異を有することによって，疾患を発症するという概念である．oligogenic disorderの関与が推測されている疾患として，中枢性性腺機能低下症[2]，先天性甲状腺機能低下症[3]などがあげられる．中枢性性腺機能低下症の疾患責任遺伝子は約30個同定されているが，一部の患者ではoligogenic変異を有することによって思春期遅発を発症する．

e. ミトコンドリア異常症

ミトコンドリアゲノム（mtDNA）は37の遺伝子からなり，これらの遺伝子は細胞の正常な機能，特にエネルギー産生に重要であり，mtDNAの変異によりエネルギー産生が障害されることにより多くの異なる組織に影響を及ぼす．特にエネルギー需要が高い中枢神経，骨格筋，心筋症状が前景に出ることが多い．内分泌異常としては，糖尿病が重要である．mtDNAの特徴は母系遺伝であり，母親のmtDNAは子どもに伝達されるが，父親のmtDNA変異は伝達されない．変異mtDNAと野生型mtDNAを両方有する細胞を有する場合（ヘテロプラスミー），子どもに伝達される変異頻度は様々であり，組織においても変異mtDNAの割合は大きなばらつきが生じる．よって，同一家系内においても，様々な疾患の表現型が生じる．

3）多因子疾患

多因子疾患の発端者の一卵性双生児や近親者の発症頻度が一般集団の発症頻度に比べて明らかに高く，遺伝的要因が関与していることは確実であるが，典型的な単一遺伝子疾患形式に当てはまらない．

多くの異なる遺伝子に含まれるバリアントの複合的な影響の結果であり，ある疾患の発症に保護的に働いたり，逆に罹患しやすくなる素因として働いたりしており，環境要因と相互的に作用したり，環境要因が発症の引き金として作用したりしている．多因子疾患として発症する小児内分泌疾患には，非症候性低身長，1型糖尿病，肥満，思春期早発症などがある．身長の約70～80%程度は遺伝的要因によって決定され，残りが環境要因によって決定されると推測されている．多因子疾患の環境要因としては，感染，栄養，化学物質などが含まれる．特に一部の化学物質は，生体内においてホルモン様作用を発揮することが知られている．このような反応性は，個人の遺伝学的形質によって決定されると推測される．1型糖尿病発症におけるHLA多型は疾患感受性多型として知られている．

❖ 文献

1) Finkielstin GP, et al.：Comprehensive genetic analysis of 182 unrelated families with congenital adrenal hyperplasia due to 21-hydroxylase deficiency. *J Clin Endocrinol Metab* 96：E161-E162, 2011
2) Sykiotis GP, et al.：Oligogenic basis of isolated gonadotropin-releasing hormone deficiency. *Proc Natl Acad Sci U S A* 107：15140-15144, 2010
3) Yamaguchi T, et al.：Targeted next-generation sequencing for congenital hypothyroidism with positive neonatal TSH screening. *J Clin Endocrinol Metab* 105：dgaa308, 2020

（中村明枝）

B 内分泌疾患のエピジェネティクスとインプリンティング

エピジェネティクスは1958年にDavid Nanneyが「DNA塩基配列の違いによって説明できないものについての研究」と定義した．遺伝子の配列によらないエピジェネティック制御機構としては，DNAメチル化，DNAが巻きついているヒストン蛋白質への様々な化学修飾，ノンコーディングRNAがある．エピジェネティック調節機構は，個体の発生，分化の過程での遺伝子発現制御，組織における遺伝子発現調節にて大きな役割をはたす．

1）エピジェネティクスと疾患

DNAメチル化はウイルスやトランスポゾンの攻撃からゲノムDNAを守る機構として多くの真核生物に備わっている．真核生物のDNAメチル化はおもにシトシン-グアニン（CpG）が多く存在する配列のシトシンのメチル化を意味する．このシトシンのメチル化にはde novo DNAメチル化（メチル化の新規挿入）と維持DNAメチル化がある．de novo DNAメチル化をつける酵素（ライター酵素）はDNMT3A，DNMT3Bである．これらの酵素はメチル基供給源であるS-アデノシルメチオニン（SAM）のメチル基をシトシンのピリミジン環の5位の炭素原子に転移し，5メチルシトシン

I 総論

表2 エピジェネティクス機構の異常に関連する先天性疾患

疾患名	OMIM ID 番号	原因遺伝子	生化学的機能	おもな症状	遺伝形式
ライター遺伝子に変異がある先天性疾患					
Heyn-Sproul-Jackson 症候群	618724	DNMT3A	de novo DNA メチル化	小頭,低身長	AD
Tatton-Brown-Rahman 症候群	615879	DNMT3A	de novo DNA メチル化	過成長,特徴的顔貌,精神遅滞	AD
ICF 症候群 1 型	242860	DNMT3B	de novo DNA メチル化(ペリセントロメアの維持 DNA メチル化)	免疫不全,特徴的顔貌,栄養吸収不全,精神運動発達遅滞,成長障害	AR
ICF 症候群 2 型	614069	ZBTB24	de novo DNA メチル化(セントロメア・ペリセントロメアの維持 DNA メチル化)	免疫不全,特徴的顔貌,栄養吸収不全,精神運動発達遅滞,成長障害	AR
ICF 症候群 3 型	616910	CDCA7			AR
ICF 症候群 4 型	616911	HELLS			AR
Rubinstein-Taybi 症候群 1 型	180849	CREBBP	H3 および H4 のアセチル化	精神運動発達遅滞,特徴的顔貌,幅広い母指趾,成長障害	AD
Rubinstein-Taybi 症候群 2 型	613684	EP300	H3 および H4 のアセチル化	精神運動発達遅滞,特徴的顔貌,幅広い母指趾,成長障害	AD
Young-Simpson 症候群	603736	KAT6B	ヒストンアセチル化	特徴的顔貌,精神運動発達遅滞,眼症状:眼瞼裂狭小を必須として付随する弱視・鼻涙管閉塞など,骨格異常:内反足など,内分泌学的異常:甲状腺機能低下症,外性器異常	AD
Sotos 症候群	606681	NSD1	H3K36 のジメチル化	過成長,特徴的顔貌,精神遅滞	AD
Wolf-Hirschhorn 症候群	194190	WHSC1	H3K36 トリメチル化	特徴的顔貌,子宮内発育遅延/出生後の成長障害,精神遅滞,筋緊張低下,けいれん/特有の脳波異常,摂食障害	AD
Weaver 症候群	277590	EZH2	H3K27 のメチル化	出生前からの過成長,特徴的顔貌,骨年齢促進,軽度〜中等度の発達の遅れ	AD
Kabuki 症候群 1 型	147920	KMT2D	H3K4 のトリメチル化	特徴的顔貌,低身長,精神発達遅滞	AD
イレイサー遺伝子に変異がある先天性疾患					
Kabuki 症候群 2 型	300867	KDM6A	H3K27me3 の脱メチル化	特徴的顔貌,低身長,精神発達遅滞	XLD

OMIM:Online Mendelian Inheritance in Man, AD:常染色体顕性遺伝形式,AR:常染色体潜性遺伝形式,XLD:X 連鎖性遺伝形式
〔鵜木元香,他:もっとよくわかる!エピジェネティクス—環境に応じて細胞の個性を生むプログラム.羊土社,141, 151 を引用一部改変〕

(5mC)を生成する.付加されたメチル基は維持メチル化酵素である DNMT1 により,細胞分裂を経ても維持される.

ゲノム DNA は,様々な蛋白質と関連して,幾重にも折りたたまれている.ゲノム DNA が核内で蛋白質と結合したものをクロマチンとよび,密にたたまれた領域をヘテロクロマチンといい,遺伝子の転写活性は低いことが多い.一方,ゆるくたたまれた領域をユークロマチンといい転写活性は高い.クロマチン構造を変化させることにより遺伝子の転写を調節する機構がエピジェネティクス機構といえる.ゲノム中の DNA メチル化やヒストン蛋白質の様々な化学修飾は転写すべきか否かのマークとなる.ライター(writer)はマークをつける蛋白質で,DNA メチル化酵素,ヒストン修飾酵素がこれに相当する.イレイサー(eraser)はマークを消す蛋白質でヒストン脱修飾酵素などがこれに相当する.リーダー(reader)はマークを読み取る蛋白質で DNA のメチル化やヒストン修飾領域に結合し読み取る蛋白質が相当する.これらの酵素の機能不全は,先天性疾患を引き起こす.表2[1]にエピジェネティクス機構の異常を原因とする先天性疾患のうち,成長の異常,内分泌学的異常を示す疾患を示す.これらの疾患は,成長障害に加え,精神運動発達遅滞や特徴的顔貌を伴うことが多い.

2) インプリンティングと内分泌疾患

遺伝子は通常両アリルから発現するが,哺乳類や有袋類において,インプリンティング遺伝子とよばれる親由来依存性に片親性に発現する遺伝子が計 150 遺伝子以上同定されている.インプリンティング遺伝子は,精子もしくは卵子の形成過程でつけられるエピジェネティックなマーキング(ゲノムインプリンティング)に基づいて発現する.

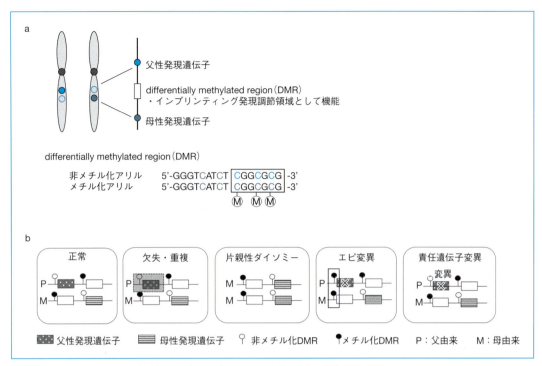

図1 インプリンティング領域およびインプリンティング異常症の遺伝学的原因
a：インプリンティング遺伝子とDMR，b：インプリンティング異常症の遺伝学的原因

a. インプリンティング遺伝子の発現制御

ゲノムインプリンティングはエピジェネティクスの特殊なパターンである．インプリンティング遺伝子は染色体上にクラスターをつくって存在しており，その領域内の父由来アリルおよび母由来アリルでCpG配列のシトシンのメチル化修飾が異なる領域であるdifferentially methylated region（DMR）がその領域内のインプリンティング遺伝子の発現を制御する（図1a）．遺伝子発現制御には，DNAメチル化に加え，ヒストン修飾，ノンコーディングRNAも関与しているが，詳細についてはまだ不明な点が多い．

b. インプリンティング異常症

インプリンティング領域を含む欠失や重複，インプリンティング遺伝子がのっている染色体が片親に由来する片親性ダイソミー，DMRのメチル化異常によりインプリンティング遺伝子の発現パターンが変わってしまうエピ変異，責任遺伝子変異によりインプリンティング遺伝子の発現異常が生じ（図1b），インプリンティング異常症が発症する（表3）．インプリンティング異常症はsmall for gestational age（SGA）性低身長や過成長といった成長障害を示す疾患が多い（表3）．加えて，一過性新生児糖尿病，思春期早発症，偽性副甲状腺機能低下症といった内分泌学的異常を示すインプリンティング異常症もある．

①SGA性低身長

インプリンティング遺伝子は胎児や胎盤の発育と関係している．多くの父性発現遺伝子は，成長促進作用をもつことから，父性発現遺伝子の発現消失はSGA性低身長を引き起こすことが多い．SGA性低身長を示す代表的なインプリンティング異常症であるSilver-Russell症候群（SRS）は臨床診断基準に基づいて診断される．近年，Netchine-Harbison clinical scoring system（NH-CSS）が感受性，特異性に優れていることから臨床診断基準として推奨されている[2]．NH-CSSは，①SGA（出生体重 and/or 出生身長≦-2SD），②出生後の低身長（2歳児身長≦-2SD），③出生時の相対的大頭，④前額突出，⑤体の左右非対称，⑥哺乳不良 and/or 低BMI（≦-2SD）の6項目のうち4項目を満たすとSRSと診断される．Fukeらは，出生身長と出生体重がともに10パーセンタイルを下回り，-2SD以下の低身長を示すSGA性低身長症例におけるインプリンティング異常症の関与について検討した（表4）[3]．SRSの診断基準を満たす症例において，SRSの主要な原因以外の様々なインプリンティング異常症が14％に同定された．SRSの診断基準を満たさない頭囲正常もしくは相対的大頭を示すSGA性低身長症例や相対的小頭を

表3 おもなインプリンティング異常症

疾患責任DMR	染色体位置	高メチル化	低メチル化
H19/IGF2：IG-DMR	11p15	**Beckwith-Wiedemann症候群(BWS)**	Silver-Russell症候群(SRS)
KCNQ1OT1：TSS-DMR	11p15	UPD(11)mat	**BWS**
MEST：alt-TSS-DMR	7q32.2	SRS(UPD(7)mat)	UPD(7)pat
PEG10：TSS-DMR	7q21.3	SRS(UPD(7)mat)	UPD(7)pat
MEG3/DLK1：IG-DMR, MEG3：TSS-DMR,	14q32.2	**Kagami-Ogata症候群(KOS14)**	Temple症候群(TS14)
PLAGL1：alt-TSS-DMR	6q24	UPD(6)mat	一過性新生児糖尿病(TNDM)
SNURF：TSS-DMR	15q11-13	Prader-Willi症候群(PWS)	Angelman症候群
ZNF597：TSS-DMR	16p13.3		UPD(16)matおよび類縁疾患
GNAS A/B：TSS-DMR	20q13.3	UPD(20)mat	偽性副甲状腺機能低下症(PHP)

DMR：differentially methylated region, UPD(11)mat：11番染色体母性片親性ダイソミー, UPD(7)mat：7番染色体母性片親性ダイソミー, UPD(7)pat：7番染色体父性片親性ダイソミー, UPD(6)mat：6番染色体母性片親性ダイソミー, UPD(16)mat：16番染色体母性片親性ダイソミー, UPD(20)mat：20番染色体母性片親性ダイソミー
太字：過成長を示す疾患，下線：SGA性低身長を示す疾患

表4 SGA性低身長におけるインプリンティング異常症の頻度

	SRSの診断基準を満たす症例 n=148	SGA性低身長で頭囲は正常か相対的大頭の症例 n=94	SGA性低身長で相対的小頭の症例 n=7
SRSの主要な遺伝学的原因	45(30.4%)	13(13.8%)	0
H19LOM	38	9	0
UPD(7)mat	7	4	0
H19LOM, UPD(7)mat以外のインプリンティング異常症	21(14.2%)	7(7.4%)	1(14.3%)
Temple症候群	8	3	
UPD(20)mat	4	1	
UPD(6)mat	1	2	
Prader-Willi症候群	2		1
11p15母アリル重複	2	1	
UPD(16)mat	2		
全染色体母性片親性ダイソミー	1		
UPD(11)matモザイク	1		
原因不明	82(55.4%)	74(78.7%)	6(85.7%)

SRS：Silver-Russell症候群, H19LOM：H19/IGF2, IG-DMR, UPD(7)mat：7番染色体母性片親性ダイソミー, UPD(20)mat：20番染色体母性片親性ダイソミー, UPD(6)mat：6番染色体母性片親性ダイソミー, UPD(16)mat：16番染色体母性片親性ダイソミー, UPD(11)mat：11番染色体母性片親性ダイソミー

[Fuke T, et al.：Role of imprinting disorders in short children born SGA and Silver-Russell syndrome spectrum. J Clin Endocrinol Metab 106：802-813. 2021]

示すSGA性低身長症例においても，様々なインプリンティング異常症がそれぞれ20%以上，15%近くで同定され，原因不明SGA性低身長におけるインプリンティング異常症の一定の関与を示している．

②過成長

過成長を示す代表的なインプリンティング異常症としてBeckwith-Wiedemann症候群(BWS)が知られている．BWSは出生前後の過成長，巨舌，腹壁の異常，耳垂の線状溝，新生児期の低血糖，半身肥大，悪性腫瘍の合併などを示す[4]．遺伝学的原因としては，11p15領域のインプリンティング遺伝子の発現異常を引き起こすKCNQ1OT1：TSS-DMRの低メチル化，H19/IGF2：IG-DMRの高メチル化，11番染色体父性片親性ダイソミー，母アリルCDKN1C遺伝子の機能喪失型変異による．加えて，最近，7番染色体父性片親性ダイソミーが過成長の原因となることが報告された[5]．

③一過性新生児糖尿病

一過性新生児糖尿病(transient neonatal diabetes mellitus：TNDM)は生後1週間以内に糖尿病を発症し，ほとんどは3〜4か月以内に遅くても18か月以内に自然軽快するが，50%以上で糖尿病を再発する．95%以上に子宮内胎児発育遅延(intrauterine growth retardation：IUGR)を併発する．TNDMの発症原因の約70%が6q24インプリント領域の遺伝子発現異常による[6]．

④思春期早発症

近年，14番染色体インプリンティング異常症であるTemple症候群で思春期早発症を約70%に合併することが報告された[7]．Temple症候群は，出生前後の成長障害，小さな手，新生児期・乳児期の筋緊張低下，哺乳不良，思春期早発症といった非特異的臨床像であるため未診断例が存在する可能性がある．

⑤偽性副甲状腺機能低下症

20q13.11にはGNASインプリンティング領域が存在する．$G_s\alpha$蛋白は，大部分の組織では両親性に発現するが，尿細管，甲状腺，下垂体などの一部組織で母性発現する．7回膜貫通型受容体にホルモンが結合後，$G_s\alpha$蛋白を介してadenylyl cyclaseを活性化し，cAMPを生成する．$G_s\alpha$蛋白の機能低下を示す偽性副甲状腺機能低下症（pseudohypoparathyroidism：PHP）ではPTH抵抗性による低カルシウム血症，PTH高値が認められる．母アリルGNAS遺伝子変異によるPHP1aと，GNAS領域DMRエピ変異や20番染色体父性片親性ダイソミーによるPHP1bがある．PHP1aは両親性発現組織でも$G_s\alpha$蛋白の発現が低下することから，PTH抵抗性に加え，Albright遺伝性骨異栄養症（Albright hereditary osteodystrophy：AHO）とよばれる低身長，肥満，円形顔貌，異所性骨化，第4中手骨の短指症，知能障害などの所見を認めることが多い．PHP1bでは両親性発現組織での$G_s\alpha$発現低下はなくPTH抵抗性のみを示すことが多いが，AHOを認める場合もある．遺伝学的原因と臨床像が一致しない症例が存在することから，新しい分類が最近提唱された[8]．

❖ 文献

1) 鵜木元香，他：もっとよくわかる！エピジェネティクス―環境に応じて細胞の個性を生むプログラム．羊土社，2020
2) Wakeling EL, et al.：Diagnosis and management of Silver-Russell syndrome：first international consensus statement. Nat Rev Endocrinol 13：105-124, 2017
3) Fuke T, et al.：Role of imprinting disorders in short children born SGA and Silver-Russell syndrome spectrum. J Clin Endocrinol Metab 106：802-813, 2021
4) Weksberg R, et al.：Beckwith-Wiedemann syndrome. Eur J Hum Genet 18：8-14, 2010
5) Nakamura A, et al.：A case of paternal uniparental isodisomy for chromosome 7 associated with overgrowth. J Med Genet 55：567-570, 2018
6) 鏡　雅代：インプリント異常症．佐々木裕之（監），中尾光善，他（編）：エピジェネティクスと病気．メディカルドゥ，205-206，2013
7) Kagami M, et al.：Temple syndrome：comprehensive molecular and clinical findings in 32 Japanese patients. Genet Med 19：1356-1366, 2017
8) Mantovani G, et al.：Diagnosis and management of pseudohypoparathyroidism and related disorders：first international Consensus Statement. Nat Rev Endocrinol 14：476-500, 2018

（鏡　雅代）

C 遺伝学的検査

内分泌疾患の遺伝学的診断を目的として，臨床検体のゲノム・エピゲノム検査が行われる．遺伝学的検査は，染色体異常や単一遺伝子疾患の確定診断に極めて有用である．また，遺伝学的異常の同定は，当該患者の予後予測と治療方針決定に役立ち，遺伝カウンセリングを可能とする場合がある．現在行われている代表的な内分泌疾患の遺伝学的検査について下記に述べる[1~3]．

これまで遺伝学的解析はもっぱら研究として行われていたが，近年一部の遺伝学的検査が臨床検査の一つに位置づけられた．しかし，臨床遺伝学的検査を行う場合には，適応を考慮し，また各検査法の限界について理解する必要がある．また，しばしば病的意義が不明なバリアント（variant of uncertain significance：VUS）が検出されるため，患者や家族に混乱を招かないように配慮が必要である．臨床遺伝学的検査は，インフォームドコンセントと検査前後の遺伝カウンセリングの実施を前提として，関連学会などのガイドラインに沿って適切に実施する．なお，疾患との関連が明らかではない遺伝子の解析や網羅的変異スクリーニングは研究として行われる．

1) 用語

遺伝学的検査では様々な塩基置換や染色体変化が同定されるが，それらが疾患に関与するか否かの判定は必ずしも容易ではない．そのため，「変異」や「多型」という語ではなく，「バリアント」という語を使用することが推奨される[4]．

2) 染色体数的異常／構造異常の検出

染色体の数的異常（モノソミーとトリソミー）および構造異常（欠失，重複，逆位，転座）は，内分泌疾患を含む先天性疾患の原因として重要である．特に，単一遺伝子異常では説明できない多彩な合併症を呈する症例では，染色体異常が検出される率が高い．

a. 染色体分染による核型解析

染色体の数的異常および比較的大きな構造異常を同定する方法である．特に，逆位や転座の検出において有用性が高い．末梢血や絨毛細胞などから得られた分裂中期の細胞を用いて染色体標本を染色し，バンドパ

ターンから異常の有無を判定する．一般にはG分染法（おおむね5〜10 Mb以上の変化が検出される）が実施されるが，より詳細な解析を必要とする場合は高精度分染法（おおむね1〜3 Mb以上の変化が検出される）が実施される．通常20個程度の細胞を解析することが多いが，モザイクを疑う場合には多くの細胞を解析する．

b. array comparative genomic hybridization（アレイCGH）

ゲノムコピー数異常（染色体の一部もしくは全体の欠失や増幅）を検出する方法である．細胞遺伝学的検査法の一つとして近年急速に普及した．多数のプローブを固定したマイクロアレイに，標識した患者ゲノムDNAとコントロールゲノムDNAを競合的にハイブリダイズさせ，各プローブのシグナル強度から患者ゲノムDNAにおけるゲノムコピー数を判定する．使用するアレイの選択により，全染色体の網羅的解析もしくは特定領域の解析が可能である．アレイの種類により解像度が異なるが，通常数十kbから数百kb以上の欠失や増幅が検出可能である．しかし，コピー数異常を伴わない転座や逆位を同定することはできない．

c. fluorescence *in situ* hybridization（FISH）解析

染色体標本を用いて特定領域の欠失，転座，増幅などを同定する手法である．解析対象領域の塩基配列に相補的な標識DNAプローブをハイブリダイズさせ，蛍光シグナルの位置と強度から異常を判定する．核型解析と組み合わせたり，異なる色素で標識した複数のプローブを用いることにより，転座や逆位などの情報が得られる．

d. multiple ligation-dependent probe amplification（MLPA）

1〜30程度の特定ゲノム座位のコピー数を判定する方法である．ゲノムDNAを鋳型として標的座位特異的なプローブのハイブリダイゼーションと蛍光プライマーを用いた増幅を行い，PCR産物の相対量からコピー数異常を判定する．様々な疾患原因遺伝子やゲノム座位を対象とするMLPAキットが市販されている．

e. 次世代シークエンス（next generation sequencing：NGS）によるゲノム解析

近年，NGSが遺伝子解析に広く用いられるようになった．現在，NGSは主として塩基置換の検出に用いられているが，そのデータを染色体構造解析に使用することも理論上可能である．しかし，NGSによるゲノム構造解析は臨床検査としての実績が少なく，今後の技術改良が期待される．

3）塩基置換および数塩基の欠失・挿入（indel）の検出

遺伝子エクソンや発現制御領域の塩基置換とindelは，単一遺伝子疾患の原因の多くを占める．これらはシークエンス解析（塩基配列決定）によって検出される．バリアントの病的意義の検討には，バリアントデータベースの照会，蛋白機能予測，一般集団データベースを用いたアリル頻度の検討などが行われる．American College of Medical Genetics and Genomics（ACMG）ガイドライン[4]に詳細な手法が示されている．

a. 直接塩基配列決定（ダイレクトシークエンシング，サンガーシークエンス）

特定ゲノム領域の塩基置換およびindelを検出する方法である．当該領域に対応するプライマーを用いたPCRでゲノムDNAの対象領域を増幅し，キャピラリーシーケンサーで読み取る．1回の解析で数百bp程度の範囲の解析が可能である．対象領域内バリアントの検出率は高いが，まれにプライマー内の一塩基多型（single nucleotide polymorphism：SNP）などによりバリアントが見逃されることがある．

b. NGSを用いた塩基配列解析

1回の検査で広い範囲の塩基配列決定をする方法である．これには，特定遺伝子群を解析する遺伝子パネル解析，全既知遺伝子蛋白コード領域を標的とするエクソーム解析，全ゲノムシークエンスが含まれる．臨床遺伝子診断のためには，主要な既知疾患責任遺伝子を対象とする遺伝子パネルが使用されることが多い．なお，NGSは塩基置換の検出において信頼性が高いが，シークエンスエラーやバリアントの見落としがありうることに注意が必要である．

4）エピジェネティック異常の検出

ヒトには100以上のインプリンティング遺伝子が存在する．これらの発現は，主として近傍のメチル化可変領域のDNAメチル化状態によって制御されている．このようなDNAメチル化（エピジェネティック制御）の異常は，インプリンティング疾患を招き，成長障害や内分泌疾患の原因となる場合がある．

a. DNAメチル化解析

①バイサルファイト処理法を用いたDNAメチル化解析

ゲノムDNAにバイサルファイト処理を行うと，通常シトシンはウラシルに変換されるが，メチル化されているシトシンは不変である．この原理を用いて対象領域のDNAメチル化比率を評価する．バイサルファイト処理後のゲノムDNAをパイロシークエンサーなどにより解析する．

②**メチル化特異的(methylation specific:MS)-MLPA**

1回の解析でDNAメチル化状態とコピー数異常を同時に判定する手法である．ゲノムDNAをメチル基感受性制限酵素で処理したのちにMLPAを行う．既知インプリンティング異常症についてMS-MLPAキットが市販されている．なお，MS-MLPAでは同定不可能なインプリンティング疾患のエピジェネティック異常が存在することに注意が必要である．

b．片親性ダイソミーの検出

①**CGH＋SNPアレイ解析**

SNPプローブを搭載した特殊なアレイを使用したアレイCGHでは，ゲノムコピー数解析と片親性ダイソミーの検出を同時に行うことができる．1染色体上の数Mb以上にわたるヘテロ接合性消失(loss of heterozygosity:LOHあるいはruns of homozygosity)は，片親性アイソダイソミーの可能性を示す所見である．なお，ヘテロダイソミーはこの方法では検出できない．

②**マイクロサテライトマーカー解析**

染色体上に散在する反復配列多型を用いて当該染色体の親由来を調べる方法である．両親と患者のDNAの反復配列多型を含む領域をPCR法で増幅し，PCR産物のサイズおよびピークの高さを比較する．アイソダイソミーとヘテロダイソミーの両者の検出が可能である．

③**NGSを用いた片親性ダイソミーの検出**

両親と患者のエクソーム解析データや全ゲノムシークエンスデータにおけるSNPを比較することにより，アイソダイソミーおよびヘテロダイソミーを検出することが可能である．

❖ **文献**

1) Eggermann T, *et al.*:Genetic testing in inherited endocrine disorders:joint position paper of the European reference network on rare endocrine conditions(Endo-ERN). *Orphanet J Rare Dis* 15:144, 2020
2) Fukami M, *et al.*:Next generation sequencing and array-based comparative genomic hybridization for molecular diagnosis of pediatric endocrine disorders. *Ann Pediatr Endocrinol Metab* 22:90-94, 2017
3) Lalonde E, *et al.*:Genomic diagnosis for pediatric disorders:revolution and evolution. *Front Pediatr* 8:373, 2020
4) Richards S, *et al.*:Standards and guidelines for the interpretation of sequence variants:a joint consensus recommendation of the American College of Medical Genetics and Genomics and the Association for Molecular Pathology. *Genet Med* 17:405-424, 2015

〔深見真紀〕

第4章 内分泌学的検査

内分泌学的検査

A ホルモンの測定法

20世紀後半以降, ホルモンの化学的構造が同定され, 定量測定できるようになったことは, 内分泌学の発展に大きく寄与した. 内分泌疾患の臨床におけるホルモン測定法には以下のようなものがある.

1) 免疫学的測定法

a. Competitive binding immunoassay(図1)

1950年代にYallowらによって確立された. 被検ホルモンを含む検体(血清, 尿など), 標識した被検ホルモン, 被検ホルモンに対する特異抗体の三者をインキュベーションしたあと, 抗体と結合した標識ホルモン(bound＝B)と非結合の標識ホルモン(free＝F)を分離し, B/F比を測定する. B/F分離には, 二次抗体, 遠心, 沈殿などが用いられてきたが, 最近では, プレートや微粒子に固相化された抗体と標識ホルモンの結合を利用することが多い. 標識ホルモンと非標識ホルモンは競合的に抗体へ結合するので, 標識ホルモンが一定であればB/F比はサンプルに含まれる非標識ホルモンの量によって決定される. 一定濃度に調整した被検ホルモンの標準品をサンプルとした際のB/F比と比較することにより, 検体中のホルモンを定量できる. 従来, 標識として^{125}Iなどの放射性同位元素を用いる方法(radioimmunoassay：RIA)が用いられてきたが, 今日では安全性, 簡便性への配慮から, 基質で発色可能な酵素で標識する方法(enzyme immunoassay：EIA), 化学発光物質や蛍光物質で標識する方法が主流になりつつある. 大半の測定系では, 抗原特異性の高いモノクローナル抗体が用いられるようになり, 測定精度の向上と標準化に寄与している.

b. Epitope-specific immunometric assay(図2)

本法では, 別々の抗原決定基に結合する2種(図2において抗体A, Bとして示す)のモノクローナル抗体が用いられる. まず, 被検ホルモンに対する抗体Aを固相化したプレートやチューブに, 被検ホルモンを含む検体を加え, さらに, 過剰量の標識抗体Bで被検ホルモン(＝抗原)を挟み込む(サンドイッチ法). 非結合標識抗体を除去し, プレート上に残った標識を測定することにより被検ホルモンを定量する. Competitive binding immunoassayに比べ, より低濃度域(高感度)で, より特異的な測定が可能で, 多くのペプチドホルモンの

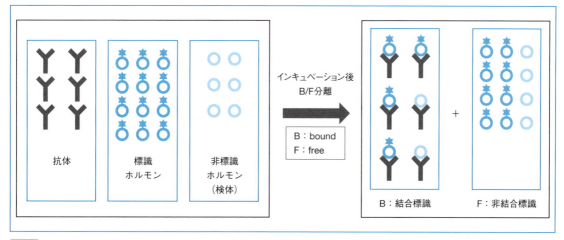

図1 competitive binding immunoassay

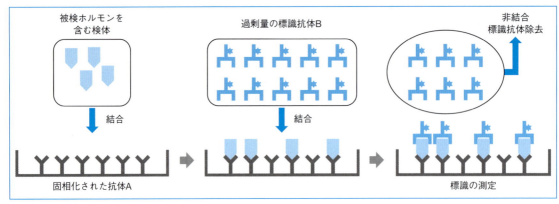

図2　Epitope-specific immunometric assay

測定に用いられている．抗体の標識に放射能を用いたものは immunoradiometric assay（IRMA），化学発光を用いたものは immunochemiluminometric assay（ICMA）とよばれる．

2）radioreceptor assay

検体中の被検ホルモンと標識ホルモンの，特異的受容体への結合における競合を利用した方法である．原理は competitive immunoassay と同様であるが，受容体への結合を測定するので，免疫学的測定法を用いるよりも，生理活性を反映した評価が可能である．従来から TSH 受容体抗体（TRAb）の測定に利用されてきた．

3）質量分析を用いた測定

ステロイドホルモンなどの測定において，クロマトグラフィーで各成分を分離後に質量分析器で検出する方法が用いられている．最近では，高速液体クロマトグラフィーとタンデム型質量分析器の組み合わせ（LC-MS/MS 法）も用いられるようになった．多数のステロイドホルモンやその代謝産物を一挙に定量できるので，生理機能や病態をパターンとして検討（steroidomics）することが可能である．

4）bioassay

検体を系に添加した際の生理活性そのものの測定方法で，*in vivo* の反応，あるいは培養細胞を用いたものなど，種々の方法が用いられる．ホルモンの定量測定と bioassay の結果（生理活性）に解離が生じた場合は，臨床的に有意味なこともある．たとえば，前記の免疫学的測定法で高値と測定されたのに生理活性が低い場合は，ホルモン構造の異常や阻害物質の存在が想定される．TSH 刺激性自己抗体（TSAb）は，被検血清をブタ甲状腺細胞培養系に添加し，反応した cAMP 産生量を測定して甲状腺刺激活性を評価する bioassay である．

❖ 参考文献

- Sluss PM, *et al.*：Laboratory techniques for recognition of endocrine disorders. In：Melmed S, *et al.*（eds），*Williams Textbook of Endocrinology E-Book*. 14th ed., Saunders, Elsevier, Philadelphia, 307-424, 2019
- 高木　康，他：検体の基礎．高木　康，他（編），標準臨床検査医学．第4版，医学書院，2-15，2013

〈稲田　浩〉

B　内分泌検査の実際と評価

1）サンプリングと保存

血液検体では，多くの場合，分離した血清を測定に用いるが，ACTH，レニン活性，バゾプレシン，カテコラミンの測定では，EDTA 添加処理された血漿を用いる．さらに，PTHrP，グルカゴン，hANP の測定では EDTA およびプロテアーゼ阻害薬（アプロチニン）による処理が必要である．尿ホルモン検査では，蓄尿した検体を用いることが多い．腎臓での濾過と再吸収の状況にもよるが，蓄尿検体には，その期間におけるホルモン動態が積分値として反映されるからである．なお，カテコラミン測定においては酸性蓄尿が推奨される．

検体チューブには取り違えのないよう採取日時と本人を特定できる複数の情報を記載する．最近の電子カルテシステムでは，検査のオーダーから，結果の参照まで，すべて端末機器からオンラインで行えるようになり，検査検体管理にもバーコードシステムが使われている．血清，血漿を分離したあとは凍結保存可能であるが，凍結・解凍の繰り返しによる検体の劣化を避けるため，測定項目が多数の場合は少量ずつ分割保存する．

表1　ホルモンの分泌に影響する因子

① 経時的変化(概日リズム,性周期,季節変動)
② ストレスおよび心理状態
③ 生活状況(運動,姿勢,食事,睡眠)
④ 年齢(発育発達段階)
⑤ 薬剤

2) ホルモンの値に影響する因子

表1に種々の因子を示した．たとえば，コルチゾールはカテコラミンやGHと同様，ストレスにより分泌が増え，一般に早朝高く，午後から夜間にかけて低くなる概日リズムを示す．ゴナドトロピンや性ホルモンの値は思春期以後の性周期に合致したリズムを描き，甲状腺ホルモンの必要量はゆるやかな季節変動を示す．また，GHは運動や睡眠と，レニンは体位と，インスリンやグルカゴンは食事のタイミングと，それぞれの分泌は生活状況と密接な関係をもつ．詳細は各論を参照されたい．

3) 検査の特性

以下に示すような，各検査のもつ特性を知っておくことは，結果の評価において重要である．

a. 正確度(accuracy)

測定された値が，いかに真の値に近いかという度合いのことで，妥当性(validity)ともよばれる．正常値や参考値が的確であれば，少々のずれがあっても臨床判断に対する影響は少ない．しかしながら，複数のキット間の差が大きい(各々に正常値があり，どのキットが正確かわからない)場合は，結果の解釈に注意を要する．

b. 精度(precision)

同一検体を複数回測定した際の結果のばらつきのことで，再現性(reproducibility)とほぼ同義である．測定値の標準偏差を平均値で除して100を乗じた変動係数(CV)が小さいほど精度が高いといえる．単一回測定におけるばらつきをintra-assay variation，複数の測定機会におけるばらつきをinter-assay variationと称する．

正確度と精度にかかわるイメージを，的あてをモデルにして図3に示す．

c. 検出限界(detection limit)

被検ホルモンを検出可能な最低濃度のこと．特に定量可能な最低濃度は定量限界(quantification limit)と称され，これの低い測定法は高感度測定法とよばれている．最新のimmunometric assayでは，原理的には数分子〜数十分子の極めて微量のホルモンが測定可能とされている．

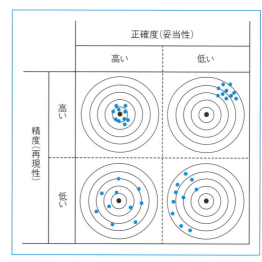

図3　正確度と精度に関するイメージ

d. 免疫学的測定における抗体の特異性

免疫学的測定法に用いる抗体が，類似構造をもつ複数のホルモンに対して交差反応を示すことがある．このような場合は単一のホルモンを正確に定量できない．また，抗体の認識部位によっては，活性型と非活性型など微妙な高次構造の差異を弁別することが困難な場合がある．

e. 遊離型ホルモンの測定

甲状腺ホルモンやステロイドホルモンでは，血中ではその多くが結合蛋白と結合して存在し，少数の遊離ホルモンが生理活性の大部分を担っている．遊離型甲状腺ホルモン測定のため，過去には平衡透析法や濾過で遊離型を分離する方法が用いられてきた．しかしながら，これらは煩雑で再現性に乏しいため，遊離型ホルモンへの特異性の高い標識抗体を用いた測定法が実施されている．

f. 干渉物質

被検血清中に，測定系で用いられる異種動物の抗体に対する抗体(異好性抗体)が存在した場合は，ホルモン測定値が実際より高くなることがある．代表的なものとして，抗ヒトマウス抗体(HAMA)の影響が報告されている．通常，検体を希釈して測定すれば，希釈倍数と測定値との間に線形的比例関係が認められるが，干渉物質の存在下や抗体の特異性に問題がある場合は，線形性は認められなくなる(希釈試験)．

4) 検査の意義と基準値

検査は疾患による変調を客観的に明らかにすることにより，正常や他疾患との鑑別をする手段となり，また，診断確定後は当該疾患の病勢や治療効果を判断す

I 総論

る指標にもなる．性別，年齢，生活状況など種々の条件を一定にした場合，非疾病集団において多くの検査値は一定の範囲内に分布する．正規分布の場合は中央部95%を含む部分，すなわち平均値±1.96×標準偏差を基準値とする．分布が偏っている場合は，対数変換などで正規化するか，パーセンタイル法によって基準値を設定する（上限97.5パーセンタイル，下限2.5パーセンタイル）．基準値は必ずしも"正常値"と一致するものではなく，検査値が"異常"であるとの判断は，当該分野に精通した臨床医が諸種の状況を鑑みてなすべきである．ある検査値が異常と判断された場合，その検査と診断過程との間に以下に示すような関係性が想定される（ⅰ～ⅲ）．

ⅰ）当該の検査自体が主たる診断根拠となっているもの．たとえば，症状のない軽度甲状腺機能低下症における甲状腺ホルモン低値（またはTSH値上昇）や，低身長者におけるGH分泌刺激試験頂値の低値がこれにあたる．

ⅱ）診断が当該の検査のみならず，臨床症状や徴候，他の検査結果，およびその経時的変化をもとに総合的になされているもの．多くの疾患の診断がこのプロセスでなされる．

ⅲ）当該の検査以外に（たとえば遺伝子，病理，病原体，画像，生理，他の内分泌検査など），診断を担保するに十分な標準的評価結果（gold standard）が存在する場合．

このうちⅱ）とⅲ）においては，後述のように検査の運用とその評価を臨床疫学の文脈に位置づけて考察することが可能である．

5）臨床疫学における検査とその評価

a．臨床疫学の各パラメータについて（図4）

ある検査の陽性・陰性と，疾患Dの有無の組み合わせにて，以下のようなパラメータを設定することができる（a，b，c，dは図4に一致）．

①有病率（prevalence）＝(a+c)/(a+b+c+d)：全体のなかで疾患Dをもつ人の割合．

②検査陽性率（test positive rate）＝(a+b)/(a+b+c+d)：検査Tにおいて定められたカットオフ値（検査結果が異常値かどうかの境界の値）を外れ，陽性（異常）となった人の割合．

③感度（sensitivity）＝a/(a+c)：疾患Dをもつ人のなかで，検査Tが陽性の人の割合．

④特異度（specificity）＝d/(b+d)：疾患Dをもたない人のなかで，検査Tが陰性の人の割合．

⑤偽陽性率（false positive rate）＝b/(b+d)：疾患Dをもたない人のなかで，検査Tが陽性の人の割合．（1－

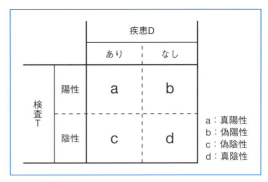

図4 疾患Dの有無と検査Tの結果にかかわる2×2分割表

特異度）で計算することができる．

⑥偽陰性率（false negative rate）＝c/(a+c)：疾患Dをもつ人のなかで，検査Tが陰性の人の割合．（1－感度）で計算することができる．

⑦陽性反応的中率（positive predictive value）＝a/(a+b)：検査Tの陽性者のうち，疾患Dをもつ人の割合．

⑧陰性反応的中率（negative predictive value）＝d/(c+d)：検査Tの陰性者のうち，疾患Dをもたない人の割合．

b．感度と特異度の考え方

感度の高い検査は偽陰性率が低いので，見逃してはいけない重大な疾患の診断に有用である．一方，特異度の高い検査は偽陽性率が低いので，患者に無駄な負担をかけたくない場合に有用である．新生児マススクリーニングに用いられる指標のように，感度，特異度の双方とも高い検査がある一方，双方とも低い検査もある．しかしながら，ある疾患や病態に対する単一の検査において，カットオフ値の関数として感度と特異度を変化させれば，両者はトレードオフの関係にある．すなわち，感度を高くすれば，特異度が低くなり，特異度を高くすれば，感度が低くなる．図5にこの関係について示した．図6に示した受信者動作特性曲線（receiver operating characteristic curve：ROC曲線）は，横軸に偽陽性率（＝1－特異度），縦軸に感度をとり，カットオフ値の変化に伴う両者の関係を示したものである．ROC解析では曲線上，左上方隅あたりの点に対応するカットオフ値を採用する．

c．ベイズ的アプローチによる検査結果の評価

ベイズ統計学理論の観点から，臨床検査は「"検査前確率"～すなわち特定母集団における有病率や主観的に設定した鑑別診断の正答率～を，得られた情報によって，より正しい診断に近似した"検査後確率"に

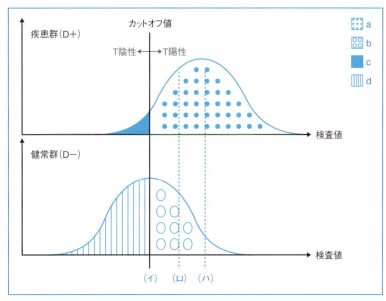

図5 カットオフ値の変化による感度と特異度のトレードオフ関係

検査値がカットオフ値より大のとき検査Tが陽性，小のとき陰性とする．本図のなかで示したa, b, c, dの面積（分布曲線下の積分値）はそのまま図4におけるa, b, c, dに対応する．感度，特異度はa〜dを用いて計算可能である．カットオフ値を変化させた場合，感度，特異度の双方は互いにトレードオフの関係にある

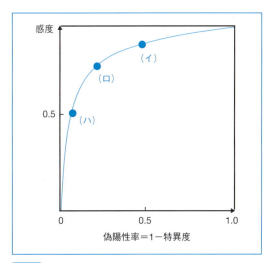

図6 ROC曲線

カットオフ値を連続的に変化させた場合の，偽陽性率と感度の関係を二次元グラフにプロットしたものである．図5におけるカットオフ値の(イ), (ロ), (ハ)における偽陽性率と感度が，本図ROC曲線における(イ), (ロ), (ハ)に対応する

置き換えていくこと」と意味づけることができる．このような考え方は今世紀になってから，医学分野のみならず多くの応用科学分野や社会現象の解析に用いられるようになった．検査後確率としての陽性反応的中率は，検査結果の評価においても，検査自身の有用性を検討する際にも，最も重要な指標で，検査前確率（有病率）と特異度の関数として定義できる．したがって，この指標の評価においては，検査前確率（有病率）の影響に配慮する必要がある．たとえば，有病率の低い（まれな）疾患や病態の場合は，特異度が著しく高いのでなければ，検査後確率（陽性反応的中率）は低値で，検査陽性例の多くは偽陽性となる．この事実に意識的であることは，認知バイアスによる過剰診断，過剰治療を避けるために重要である．

6）情報伝達物質としてのホルモンと時系列検査

標的に到着したホルモンは受容体で信号変換され，細胞内機能や遺伝子やその転写因子のスイッチングに関与する．多くのホルモン〜特にペプチドホルモンは，単なる作用物質ではなく，情報伝達物質と考えることができる．これらは，時系列信号の担い手として脈動的に分泌されることが多い．たとえば，GHでは振幅の高さによって（amplitude modulation：AM），GnRHでは周波数によって（frequency modulation：FM），信号を伝達すると考えられている．後者（FM）の情報量は多く，系統発生的には神経系に近い．このような動態を検討するためには，頻回の経時的なホルモン定量と，時系列変化の解析技術が必要である．後者においては，従来のフーリエ解析や自己回帰分析に加え，複雑系解析やビッグデータ解析に用いられるようなデータサイエンスの手法も期待される．しかしなが

ら，実際の臨床現場でこのような時系列評価を行うのは現実的には困難な場合が多い．また，重大な病態の多くは，微妙な分泌動態の変化より，むしろ分泌の不全や過剰に起因することが多く，基礎値や負荷試験（後述）で評価が可能である．

7）負荷試験の意義とその方法
a．負荷試験の意義

律動的な分泌動態を示すホルモンでは，ある一点で採取した検体の値を臨床的に評価するのは困難な場合も多い．そこで，当該のホルモン分泌系に何らかの刺激（または抑制）を与え，一定期間における分泌の経時的挙動を検討する方法，すなわち負荷試験が考案された．負荷試験では，分泌不全が疑われる場合は分泌刺激に対して低反応であることを，逆に，過剰分泌が疑われる場合は抑制刺激を加えても高反応であることを確認する．負荷試験とその結果の評価は，生体というブラックボックスをハンマーで打診して，反響した音を手がかりに中身を推定し構築する作業である．したがって，負荷試験の結果は，内分泌系の変調をそのまま表現したものとはなりえない．症状，経過，すべての検査所見を参考にした総合的な判断要素の一つと捉えるべきであろう．

前述のように負荷試験は生体にストレスや刺激を与えるので，生じうるリスクについて十分な予測と本人，保護者への説明と同意が必要である．負荷により有害事象が生じた場合～たとえばインスリン負荷による低血糖症状～は速やかに検査の中止と対応（この場合ブドウ糖補充）を要する．この際，中止時点の血液検体を，"クリティカルサンプル"として検査を行えば評価に有用である．

b．負荷試験の具体的方法

患者血管に留置針を挿入し，一方向のコック付きカテーテルを設置して，そこから負荷薬剤の注入と採血を行い，終了すればヘパリン生食でロックして留置できる．

また，延長チューブを挟んで二つの三方活栓を設置する方法もある．この場合，回路にはシリンジポンプまたは，通常の点滴セットでヘパリン生食をゆっくり流しておく．遠位側の三方活栓は，負荷薬剤の注入とデッドスペースの吸引に使用する．デッドスペース分が十分引けたら，近位側の三方活栓より必要量の血液を採取する．

いずれの方法でも，血栓形成と感染リスクの低減に留意する必要がある．閉鎖式プラグ（プラネクタ®）を組み込んだ回路を使えば，デッドスペースが極小で，清潔レベルの高い操作が可能であり，従来型の三方活栓は徐々に使われなくなる傾向にある．

施設によって，回路の組み立て方や手技にはかなりの違いがあるが，小さな工夫の積み重ねによって，デバイスや手技がより効率的で安全なものに進化しつつある．

c．負荷試験の概要

おもな負荷試験の概要とその評価について表2に示した．できるだけ標準的な方法，評価値を記したが，測定キットの違いや，施設ごとの負荷量やサンプリング時間の運用の違いを考慮し，詳細については本書の各論や，厚生労働省，学会などのガイドラインも参考にされたい．

❖ **参考文献**
- Fletcher RH, et al.：Diagnosis. In：Fletcher RH, et al.(eds), *Clinical Epidemiology*. 5th ed., Williams & Wilkins, Baltimore, 108-131, 2012
- 小島寛之：完全独習 ベイズ統計学入門．ダイヤモンド社, 2015
- Matthews DR, et al.：Hormone pulsarity. In：Brook CGD, et al.(eds), *Clinical Paediatric Endocrinology*. 4th ed., Blackwell Science Inc, Massachusetts, 17-26, 2001
- 阿波彰一：負荷試験に内在するシステム生理学的発想．小児内科 32：600-605, 2000
- 稲田 浩, 他（編著）：小児における内分泌検査マニュアル．第2版，メディカルレビュー社, 2002

（稲田　浩）

第4章　内分泌学的検査

表2　小児内分泌診療における負荷試験の概要

負荷試験	検査項目	評価対象の疾患・病態	負荷内容	負荷量	負荷方法	サンプリング	採取時間 D：日，その他は（分）							評価（測定キットにより補正を要する場合もあり）	おもな副作用	備考
GH分泌刺激試験（診断と治療適応の詳細は厚労省研究班の手引き参照）	GH	GH分泌不全	アルギニン	0.5 g/kg BW	0〜30分で点滴（最大30 g）	採血	0	30	60	90	120			頂値6 ng/mL以下：分泌不全（頂値3 ng/mL以下：重症分泌不全）	低血糖，ショック，アシドーシス	同時に血糖モニターも必要
			インスリン	0.05〜0.1 U/kg BW	静注		0	15（血糖）	30	60	90	120			低血糖	血糖値50 mg/dL以下または前値の半分で有意な刺激
			クロニジン	0.1〜0.15 mg/m²SA	経口（最大0.15 mg）		0	30	60	90	120				低血圧	
			L-DOPA	10 mg/kg BW	経口（最大500 mg）		0	30	60	90	120				悪心	
			グルカゴン	0.03 mg/kg BW	筋肉（最大1 mg）注射（皮下）	採血（絶食必要）	0	30	60	90	120	150	180		反応性低血糖	
			GRH	1〜2 μg/kg BW	静注（18歳以上100 μg）		0	15	30	60	90	120		頂値9 ng/mL以下で低反応	顔面紅潮，悪心	GH分泌不全低身長の診断には用いられない
			GHRP-2	2 μg/kg BW	静注（最大100 μg）		0	15	30	45	60			頂値16 ng/mL以下（頂値10 ng/mL以下：重症分泌不全）	熱感，腹鳴	ACTH分泌促進作用もあり
			睡眠		自然入眠		20分ごと180分まで							全測定値平均3 ng/mL以上で正常分泌		GH分泌不全性低身長症の診断には用いられない
GH分泌抑制試験	GH	GH分泌過剰	ブドウ糖	経口糖負荷試験に準じる		採血	0	30	60	90	120			1 ng/mL未満に抑制されなければ過剰分泌	特記なし	TRHに対する奇異性反応も参考になる
TSH分泌刺激試験	TSH	TSH分泌不全	TRH	7〜10 μg/kg BW	ゆっくり静注	採血	0	30	60	90	120			下垂体性甲状腺機能低下症では30分での頂値<5 μU/mL．視床下部性甲状腺機能低下症では頂値が60分以後となる遅延反応や過剰反応を示す	悪心嘔吐	
		原発性甲状腺機能低下												正常では30分で頂値5〜35 μU/mLであるが，高反応，過剰反応となる		
PRL分泌刺激試験	PRL	PRL分泌異常，視床下部障害	TRH	7〜10 μg/kg BW	ゆっくり静注	採血	0	(15)	30	60	90	120		正常は15〜30分で前値の3〜4倍となる	悪心嘔吐	年齢による差，正常パリエーション大きい

（次ページにつづく）

I 総論

負荷試験	検査項目	評価対象の疾患・病態	負荷内容	負荷量	負荷方法	サンプリング	採取時間 (D：日, その他は〈分〉)					評価(測定キットにより補正を要する場合もあり)	おもな副作用	備考
ゴナドトロピン分泌刺激試験 (LHRH負荷試験)	LH	思春期ステージの評価 原発性および二次性性腺機能低下、思春期早発症等の診断	LHRH	2.0～2.5 μg/kg BW or 100 μg/m²SA	静注（最大100 μg）	採血	0	30	60	90	120	LH頂値＞約10 mIU/mLにて思春期反応と考える 低反応で二次性性腺機能低下 高反応で原発性性腺機能低下	特記なし	測定キット間の差に配慮
	FSH													
CRH負荷試験	ACTH	視床下部下垂体性副腎機能低下	CRH	1.5～2.0 μg/kg BW	静注（成人100 μg）	採血	0	15	30	60	120	正常では30分で基礎値の数倍以上 正常では60分で基礎値の数倍以上	顔面紅潮	機能低下診断における偽陽性率高い
	コルチゾール													
インスリン負荷試験	ACTH	視床下部下垂体副腎軸の評価（機能低下）	インスリン	0.05～0.1 U/kg BW	静注	採血（絶食必要）	0	15 (血糖)	30	60	90	正常では、前値の1.5倍以上または50 pg/mL以上となる 正常では前値の数倍以上または20 μg/dL以上となる	低血糖、副腎不全	同時に血糖モニター必要 血糖値50 mg/dL以下または前値の半分で有意な刺激と考える
	コルチゾール													
水制限試験 血漿浸透圧 ADH	尿浸透圧	尿崩症の有無、ADH分泌	水制限	乳幼児4～8時間、年長児12～16時間絶飲食		採血、採尿	0	水制限中		制限終了時		正常では血漿浸透圧＜295 mOsm/L 尿浸透圧は3倍または＞750 mOsm/Lとなる DDAVP反応あれば中枢性、なければ腎性を考える	脱水に注意（体重、電解質モニター）	乳幼児では尿カテーテル挿入を考慮
rapid ACTH試験	コルチゾール	（原発性）副腎不全	ACTH（コートロシン®）	0.25 mg/m²SA	ゆっくり静注（最大250 mg）	採血	0	30	60			デキサメタゾン投与後 正常では、前値の数倍または10 μg/dL以上上昇、または頂値20 μg/dL以上となる	ショック（事前の皮内テスト推奨も、臨床的意義は不明）	下垂体性、原発性副腎不全鑑別不能
デキサメタゾン抑制試験(overnight簡便法)	コルチゾール	Cushing症候群	デキサメタゾン	20 μg/kg BW(最大1 mg) 小児0.3 mg/m²SA	23時頃経口投与	採血	服薬日 8：00			翌朝 8：00		翌朝低値(＜5 μg/dL)で抑制あれば、Cushing症候群を一応除外できる	ステロイドの一般的副作用	肥満におけるCushing症候群のスクリーニングにも用いる
デキサメタゾン抑制試験	コルチゾール	Cushing症候群	デキサメタゾン	1回30 μg/kg BW（最大0.5 mg）を1日4回6時間おき経口投与	1Dに2Dに合計8回の経口投与(8時,14時,20時,2時)	採血	-1D	1D 8：00	2D	3D 8：00		負荷後に＜1.8 μg/dLに抑制されなければ、Cushing症候群と考える	ステロイドの一般的副作用	陽性の場合はさらに負荷量を増やして鑑別に進む
尿中遊離コルチゾール試験(48 hr low dose法)	尿中遊離コルチゾール					24 hr 蓄尿		1D	2D	3D		負荷後に正常値以下に抑制されれば、Cushing症候群と考える		陽性の負荷量を増やして別に進む

（次ページにつづく）

第4章　内分泌学的検査

負荷試験	検査項目	評価対象の疾患・病態	負荷内容	負荷量	負荷方法	サンプリング	採取時間 D：日，その他は〈分〉		評価（測定キットにより補正を要する場合あり）	おもな副作用	備考
hCG負荷試験	テストステロン	（原発性）精巣機能低下	hCG	2,000～4,000単位 or 3,000単位/m²SA	連続3日筋肉注射	採血	前	最終投与24時間後（または数日後）	前思春期でも150 ng/dL以上，乳児期，思春期，成人期ではより高反応	精巣緊満感を訴えることがある	類似検査で，女性ではhMG負荷があるが，卵巣破裂のリスクもあり，超音波モニター下など，婦人科と連携して行うほうがよい
経口ブドウ糖負荷試験	血糖 インスリン	糖尿病	ブドウ糖	1.75 g/kg BW（標準体重）［乳児（低血糖の鑑別など）では2.5 g/kg BW］	経口（最大75 g）	採血	0　30　60　120　(180)		日本糖尿病協会診断基準前血糖≧126 mg/dLまたは2時間値≧200 mg/dLで糖尿病　前値＜110 mg/dLかつ2時間値＜140 mg/dLで正常　上記以外は境界型	糖尿病患者における高血糖	そのほかの診断基準およびインスリン値の評価については各論参照　腎性糖尿の鑑別には採尿も参考になる
グルカゴン負荷試験	Cペプチド	内因性インスリン分泌	グルカゴン	0.03 mg/kg BW	静脈注射（最大1 mg）	採血	0	以後15分まで数分おき採血（特に6分値が重要）	6分前後でのピークが2～3 ng/mL以上であれば，内因性のインスリン分泌ありと判断する	遷延性低血糖	血糖値モニター必要
絶食試験	血糖 インスリン 血中ケトン 乳酸 そのほかのホルモン	低血糖の有無と鑑別	絶食（水分は可）			採血	0	低血糖出現時または規定時間	通常は血糖の低下とともに，インスリン低下，GHやコルチゾールの上昇がみられる．乳酸の上昇はない．いわゆるケトン性低血糖では，絶食後短時間でケトン体が上昇する場合もある	低血糖（検査中数時間ごとの血糖および尿ケトンおよび体重チェック必要）	特異性低く，鑑別診断には不適切
Ellsworth-Howard試験	尿Ca 尿P 尿Cr 尿cAMP	偽性副甲状腺機能低下症鑑別	テトラパラチド酢酸塩	100 U/m²SA（最大100 U）	30分で点滴	方法と評価の詳細については，各論を参照				ショック	乳幼児では尿カテーテル挿入を考慮

第5章 画像診断

A 視床下部—下垂体系

　視床下部—下垂体系の画像診断には，任意の断層面が選択できること，コントラスト分解能が良好であること，骨によるアーチファクトがないことから，MRIが第一選択となる．一方，MRIは骨や石灰化の抽出に劣るため，頭蓋咽頭腫など石灰化を伴う腫瘍性病変の描出のためにはX線CTの併用が望まれる．単純X線では石灰化やトルコ鞍の拡大，平皿状などの変形により，間接的に下垂体の病変を知ることができる．

1）MRIによる視床下部—下垂体系の評価
a．正常下垂体

　正常の視床下部と下垂体のMRI（T1強調像，矢状断）を図1に示す．矢状断では，下垂体前葉，後葉，下垂体茎だけでなく，脳梁，脳幹，視神経を同一平面上に描出できる．冠状断は，下垂体茎や近傍の海綿静脈洞との関係性の描出に優れている．またKallmann症候群の診断で重要となる嗅球，嗅溝の評価にも有用である．通常，下垂体前葉は，T1・T2強調像ともに脳実質と等信号を示す．一方，下垂体後葉はT1強調像における高信号域として認められる．これはニューロフィジンと結合したバゾプレシンを反映している．

b．年齢による変化[1,2]

　生後2か月までの下垂体は，T1強調像において前葉の信号強度が高く，また，比較的大きく，球状となる．その後，下垂体前葉の信号強度は月齢とともに低下し，1歳以降は成人と同様に脳実質程度になる．一般的に下垂体前葉の高さは，MRI矢状断におけるトルコ鞍底からの最大高で計測される．思春期前の下垂体サイズ（高さ）の基準値は，3〜6 mmとされている．思春期になると，特に女児では，下垂体サイズが増大し（男児7〜8 mm，女児10〜12 mm），球状，上に凸状となる．中枢性思春期早発症では，年齢不相応に下垂体前葉の腫大がしばしば認められる（図2）．また，萎縮性甲状腺炎では，TSH分泌細胞の過形成のため下垂体サイズは大きくなることがある（図3）．これらを下垂体腺腫として誤診しないよう注意が必要である．

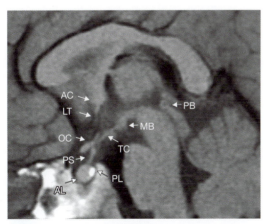

図1　正常の視床下部と下垂体のMRI（T1強調像，矢状断）

AL：下垂体前葉，PL：下垂体後葉，PS：下垂体茎，OC：視神経交叉，MB：乳頭体，TC：灰白質隆起，LT：終板，AC：前交連，PB：松果体

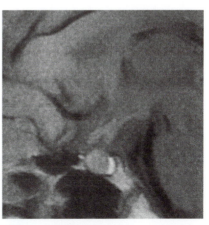

図2　中枢性思春期早発症のMRI所見（T1強調像，矢状断）

初診時6歳の女児．トルコ鞍を超える球状の大きな下垂体前葉を認める

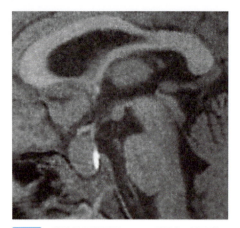

図3 萎縮性甲状腺炎のMRI所見（T1強調像，矢状断）

成長率の低下を契機に診断に至った4歳女児．下垂体前葉はTSH分泌細胞過形成を反映し，著明に腫大している

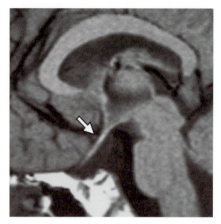

図4 先天性下垂体機能低下症のMRI所見（T1強調像，矢状断）

下垂体低形成，異所性後葉（⇨）を認める
[Dateki S, et al.：Heterozygous OTX2 mutations are associated with variable pituitary phenotype. *J Clin Endocrinol Metab* 95：756-764, 2010]

表1 下垂体機能異常をきたすおもな遺伝子異常症と画像所見

遺伝子	遺伝形式	画像所見			
		下垂体低形成	異所性後葉	invisible PS	その他
POU1F1	AR/AD	+/−	−	−	
PROP1	AR	+/−*	−	−	
HESX1	AR/AD	+/−	+/−	+/−	SOD
LHX3	AR	+/−*	−	−	
LHX4	AD	+/−	+/−	+/−	Chiari奇形
OTX2	AD	+/−	+/−	+/−	無・小眼球症，SOD
SOX2	AD	+/−	+/−	+/−	無・小眼球症，過誤腫，SOD
SOX3	XL	+/−	+/−	+/−	
GLI2	AD	+/−	+/−	+/−	
ROBO1	AD/AR	+/−	+/−	+/−	脳梁低形成，脳幹低形成（ARの場合）

AR：常染色体潜性，AD：常染色体顕性，XL：X連鎖性，PS：pituitary stalk，SOD：septo-optic dysplasia
＊：下垂体腫大をきたすこともある
[Gregory LC, et al.：The molecular basis of congenital hypopituitarism and related disorders. *J Clin Endocrinol Metab* 105：dgz184, 2020/Dateki S, et al.：Heterozygous OTX2 mutations are associated with variable pituitary phenotype. *J Clin Endocrinol Metab* 95：756-764, 2010/Dateki S, et al.：A homozygous splice site ROBO1 mutation in a patient with a novel syndrome with combined pituitary hormone deficiency. *J Hum Genet* 64：341-346, 2019]

c．造影MRIによる評価

dynamic MRIは，経静脈性造影剤を投与し，引き続き短時間の撮像を繰り返す方法である．この方法は下垂体内の微小病変の診断や血行動態の把握に役立つ．下垂体前葉，後葉と下垂体茎には血液脳関門が存在しないため，MRI造影剤のガドリニウム製剤を投与すると著明に造影される．下垂体後葉は動脈から直接血流を受ける．一方，下垂体前葉は下垂体門脈から血流を受ける．そのため，下垂体後葉は造影剤投与後，前葉より先んじて早期に造影される．

2）おもな疾患のMRI所見
a．先天性下垂体機能低下症[3〜5]

先天性下垂体機能低下症では，下垂体無・低形成，異所性後葉，invisible pituitary stalkをしばしば認める（図4）[4]．GH単独分泌不全に比して，複合型下垂体ホルモン欠損症では，これらの異常を合併する頻度が高い．また，下垂体外の中枢神経系の異常（脳梁形成異常，視神経低形成，無・小眼球症，Chiari奇形など）を合併することがある．下垂体機能低下症の原因となる各遺伝子異常症と画像的特徴を表1[3〜5]に示す．

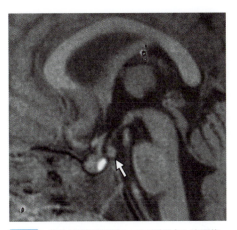

図5 視床下部過誤腫のMRI所見（T1強調像,矢状断）

3歳発症の中枢性思春期早発症の女児．視床下部につながる有茎性の円形腫瘤（脳実質と等信号）を認める（⇨）

異所性後葉は，正位置から外れて，視床下部正中隆起から下垂体茎の間に後葉が存在する状態を示す．その原因には，下垂体発生分化の異常に加えて，骨盤位分娩による下垂体茎断裂，外傷，腫瘍，下垂体後葉炎などの炎症性疾患が含まれる．異所性後葉の場合でもバゾプレシンの分泌は保たれていることが多く，尿崩症に至ることは少ない．一方，異所性後葉が存在すると，GH分泌不全の合併率が高いとする報告がある[6]．MRI検査にて，偶発的に下垂体低形成を認めることがあるが，下垂体低形成があるからといって，必ずしも下垂体前葉ホルモン分泌異常が存在するわけではない．

b．中枢性尿崩症[1]

中枢性尿崩症の原因は，先天性（遺伝性，後葉形成異常），後天性（腫瘍，外傷，炎症など），特発性に分類される．多くの中枢性尿崩症では，T1強調像における後葉の高信号域は消失する．本症と鑑別を要する習慣性多飲多尿では，後葉の高信号は正位置に認められる．

MRIは原因となる器質的疾患の鑑別にも有用である．胚細胞腫など一部の腫瘍性疾患やリンパ球性漏斗下垂体後葉炎では，初期には画像上発見されないことがあるため，反復してMRI検査をするなど，慎重な経過観察が必要である．

c．視床下部過誤腫[1]

中枢性思春期早発症の原因となる視床下部過誤腫は，鞍上槽から有茎性に突出する円形状の腫瘍として認められる（図5）．灰白質と同程度の信号強度を呈し，造影効果を示さない．数mm程度の小さなものも多く，若年発症の本症を強く疑う症例では，薄いスライスで繰り返し撮像する必要がある．

その他，下垂体近傍腫瘍，炎症疾患の画像的特徴に関しては，別項を参照されたい．

❖ 文献

1) Di Iorgi N, et al.：The use of neuroimaging for assessing disorders of pituitary development. Clin Endocrinol（Oxf）76：161-176, 2012
2) Tsunoda A, et al.：MR height of the pituitary gland as a function of age and sex：especially physiological hypertrophy in adolescence and in climacterium. AJNR Am J Neuroradiol 18：551-554, 1997
3) Gregory LC, et al.：The molecular basis of congenital hypopituitarism and related disorders. J Clin Endocrinol Metab 105：dgz184, 2020
4) Dateki S, et al.：Heterozygous OTX2 mutations are associated with variable pituitary phenotype. J Clin Endocrinol Metab 95：756-764, 2010
5) Dateki S, et al.：A homozygous splice site ROBO1 mutation in a patient with a novel syndrome with combined pituitary hormone deficiency. J Hum Genet 64：341-346, 2019
6) Choudhri AF, et al.：Twenty-five diagnoses on midline images of the brain：From fetus to child to adult. Radiographics 38：218-235, 2018

（伊達木澄人）

B 甲状腺，副甲状腺

1）甲状腺の画像診断法

a．甲状腺超音波

形態，内部構造，血流分布，結節の構造・弾性を評価する．穿刺吸引細胞診（fine needle aspiration cytology：FNAC）の適応を判断するうえで重要である．

リアルタイム超音波診断装置を用い，リニア型高周波プローブ（10.0 MHz以上）によりBモード，ドプラ法で観察する．画像の上部が頸部前面，下方が頸椎側，横断像では画像の左側が被検者の右側，縦断像では画像の左側が頭側となるように表示する．

カラードプラ法では流速レンジ5〜7 cm/sを基本とし，クラッターノイズが消失するまでゲインを調節する．

①甲状腺の形状，大きさ

図6のとおり各径を計測し，各葉体積＝（A×B×C）×π/6を測定する[1]．年齢別，体表面積別，身長別の基準値も設定されている[1,2]．

②腫瘤性疾患の形状

整，不整を評価する．

③境界，辺縁，周辺

辺縁（腫瘤内の外側域で境界の近傍），境界（腫瘤と組織の境），周辺（腫瘤周囲で腫瘤の近傍）を評価する．

I　総　論

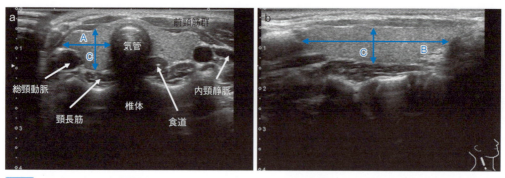

図6　頸部超音波：基本構造
a：横断面，画像の左側が被検者の右側，b：縦断面，画像の左側が被検者の頭側

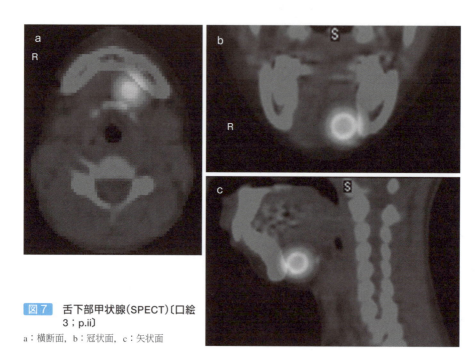

図7　舌下部甲状腺（SPECT）〔口絵3；p.ii〕
a：横断面，b：冠状面，c：矢状面

境界は明瞭か否か，平滑か粗雑か，境界部低エコー帯（腫瘤の被膜に相当）の有無を評価する．

④内部エコー，構造

エコーレベル（輝度）を前頸筋群，正常甲状腺と比較し，相対的に評価する．均質性，充実性，囊胞性を評価する．

⑤後方エコー

囊胞では増強し（アーチファクト），多重反射により「コメットサイン」を呈することもある．石灰化では減弱する（音響陰影）．

⑥血流

分布（辺縁部，内部），腫瘤内の陥入血管，血流波形：pulsatility index（PI），resistance index（RI），血流速度（peak systolic velocity：PSV）を評価する

⑦組織弾性イメージング：エラストグラフィ

悪性度が高いと硬く（strain ratio≦0.4）表示される．

b．甲状腺シンチグラフィ[3]

シンチグラフィは甲状腺の機能を反映し，Basedow病と破壊性甲状腺炎の鑑別，自律性機能性甲状腺結節の診断や異所性甲状腺の探索，甲状腺分化癌における甲状腺全摘後の全身の転移巣の検索などに有用である．異所性甲状腺の場合，single photon emission CT（SPECT）撮像も加えると解剖学的関係がわかりやすい（図7）．

^{99m}Tc-pertechnetate（^{99m}TcO$_4$）と^{123}Iが用いられる．前者は甲状腺内へ取り込まれるのみだが，後者はサイログロブリンに有機化されて甲状腺ホルモン合成に利用される．

^{99m}Tcはヨウ素制限食を必要とせず，静注後30分で

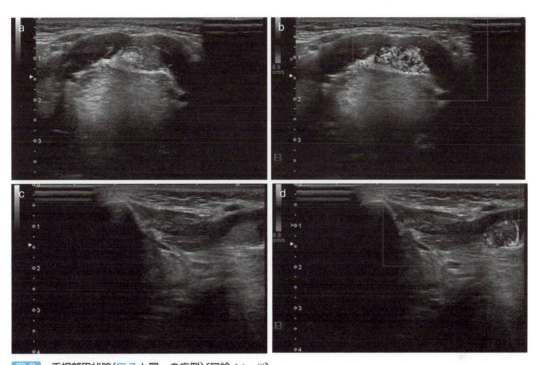

図8 舌根部甲状腺（図7と同一の症例）〔口絵4；p.iii〕
a：横断面Bモード，b：横断面カラードプラ像，c：矢状面Bモード，d：矢状面カラードプラ像

イメージと摂取率が得られる．異所性甲状腺など小さな甲状腺の検出を目的とした場合はノイズが少ない^{123}Iがすぐれている．

^{123}Iは1週間以上のヨウ素制限食後に経口内服し，3時間と24時間でシンチグラムと摂取率を得る．3時間の時点で唾液，血清採取によりヨウ素唾液/血清比を求め，ヨウ素濃縮障害を評価する．甲状腺内のヨウ素濃度はNa$^+$/I$^-$シンポーター（Na$^+$/I$^-$ symporter：NIS）により血液の20～40倍に濃縮される．唾液腺もヨウ素濃縮力を有している．24時間の撮像後，パークロレイト20 mg/kgを経口投与し，1時間後の摂取率の減少率から有機化障害を評価する．有機化障害では摂取率が20％以上低下する．

甲状腺ホルモン薬で加療中の小児の病型診断の際には1か月の休薬を必要とする．

c．CT，MRI

CTやMRIは腫瘍や化膿性甲状腺炎と周辺臓器との関連を評価するのにすぐれている．

2）各種甲状腺疾患の特徴
a．先天性甲状腺機能低下症

超音波にて甲状腺の形状，大きさを観察し，甲状腺無形成，甲状腺低形成，異所性甲状腺などの形成異常と正所性に腫大したホルモン合成障害を評価する．

甲状腺無形成，甲状腺低形成では内部構造や総頸動脈間距離の評価，ドプラ法を用いることにより，結合組織と甲状腺組織を鑑別する．新生児期に超音波にて異所性甲状腺を探索することは容易ではない．年長児では描出可能である（図8）[4]が，シンチグラフィのほうがすぐれている．

NIS欠損症では超音波にて甲状腺腫大を認めてもシンチグラフィでは描出されない．ヨウ素有機化障害は^{123}Iシンチグラフィ，パークロレイト放出試験により診断される．正所性に腫大した甲状腺を同定した場合，ヨウ素過剰による一過性甲状腺機能低下症なども鑑別する．

b．Basedow病

未治療のBasedow病患者の甲状腺では血管内皮増殖因子（vascular endothelial growth factor：VEGF）およびVEGF受容体の発現が増強し，血管内皮細胞が増殖，融合して血管内腔が拡大し，血流が増加する[5]．

甲状腺は全体的に腫大し，エコーレベルは正常～低下している．ドプラ法では全体的に血流増加を認める．甲状腺断面像でregion of interestを設定し，血流ピクセル/総ピクセルを計算する半定量的方法（50％未満を基準値）や[6]，上下甲状腺動脈のドプラ血流速度波形解析によりPSVを測定する（カットオフ値：45 cm/秒）方法で[7]（図9），客観的に評価する．

カラードプラ法による血流量，血流速度の評価，甲

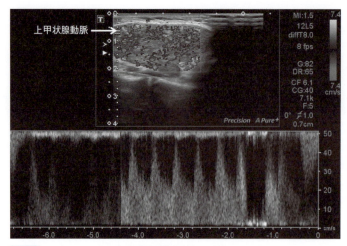

図9 Basedow 病の血流速度波形解析〔口絵5；p.iii〕
STA-PSV は 45 cm/s

状腺シンチグラフィによる集積亢進，摂取率増加の有無により無痛性甲状腺炎と鑑別する．

甲状腺機能の正常化に伴い甲状腺は徐々に縮小し，エコーレベル，血流状態も回復する．無機ヨウ素治療により急速に血流は減少する[8]．

c．橋本病

甲状腺は峡部を含め，びまん性に腫大し，辺縁は鈍化し，分葉化する．リンパ球浸潤，濾胞構造の破壊，間質の線維化を反映し，エコーレベルは低下し，粗雑で，不均質となり，線状～索状エコーを認める．

橋本病では血清 VEFG 濃度は低下しており[9]，カラードプラ法では血流は正常～低下していることが多い．一方で，TSH は VEFG を増加させるため[5]，甲状腺機能低下が進行し TSH が高値となっている橋本病では血流が増加する．

萎縮性甲状腺炎では濾胞の破壊と間質の線維化が著明なため，TSH は上昇していても血流は増加しない．

d．無痛性甲状腺炎

自己免疫性甲状腺炎に様々な誘因が加わり一過性に炎症が活性化され，甲状腺濾胞の破壊とリンパ球浸潤が起こり，甲状腺濾胞腔内容物が血中に漏出する．

中等度のびまん性腫大を認め，内部エコーは低エコーで不均質である．甲状腺中毒症を呈するが，カラードプラ法では血流量は著明に低下する．

甲状腺シンチグラフィでは集積は低下し，摂取率も抑制される．

e．急性化膿性甲状腺炎

口腔内病原体が下咽頭梨状窩瘻を通じて甲状腺内に達し化膿性炎症を引き起こす．90％が左葉に生じる．

甲状腺側葉内とその周囲組織に炎症や膿瘍形成と一致した境界不明瞭で内部不均質な低エコー領域を認める．膿瘍を形成し，空気や囊胞形成を認めることもある．正常甲状腺は炎症病変の周辺に確認される．甲状腺被膜は不明瞭となり，周囲のリンパ節は腫脹する．

炎症の範囲を解剖学的に評価するには造影 CT のほうがすぐれている．

f．亜急性甲状腺炎

非化膿性，非自己免疫性破壊性甲状腺炎である．

甲状腺の疼痛，硬結部に一致して境界不明瞭で内部不均質な低エコー領域を認める．低エコー領域は経過とともに移動（creeping 現象）することがある．周辺のリンパ節腫脹を認める．カラードプラ法では病変部の血流は低下する．臨床症状の改善後も低エコー領域は残存する．回復期には TSH 上昇に伴い甲状腺の血流は回復する．

g．甲状腺囊胞

甲状腺濾胞にコロイドが充満，拡張して生じるものと，出血や退行変性によって囊胞化するものとがある．日常診療では頻繁に遭遇し，小児でも約 57％ に囊胞が発見される[10]．

形状整，境界明瞭平滑，内部無エコー，後方エコー増強を認める．内壁の一部に充実性部分が存在することがある．充実性部分を伴わない 20 mm 以下の囊胞は経過観察でよい．内溶液中にコレステリン結晶などの固形成分が浮遊する像が確認されることがある．囊胞内部に後方に多重エコーを伴う点状高エコーが認められることがある（コメットサイン）（図10）．これは濃縮したコロイドやフィブリンの凝集塊と考えられ，穿刺にて粘稠な液が引ける．カラードプラ法では血流を認めない．

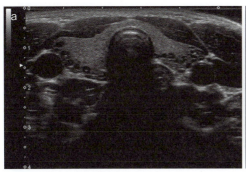
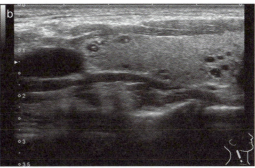

図10 コロイド囊胞（コメットサイン）
多数の囊胞を認める

h. 多結節性甲状腺腫（腺腫様甲状腺腫），甲状腺結節（腺腫様結節）

甲状腺濾胞上皮細胞の非腫瘍性過形成で，大小様々な濾胞が増生し，囊胞形成，線維化，石灰化をきたす．

境界明瞭で平滑な円形〜楕円形な低〜高エコー腫瘤を認める．内部は囊胞性〜充実性，均質性も様々であるが，類似構造をもつ結節が多発する．囊胞部ではコメットサインを伴う高エコースポットを認めることがある．カラードプラ法では結節周辺に籠状血流パターンを認める．

内部に出血や壊死を伴う場合は，囊胞性変化，器質性変化をきたし，高エコースポットや粗大で卵殻状の石灰化を伴うことがある．この場合は内部に血流シグナルを認めない．

充実性結節や境界部低エコー帯を伴う場合は濾胞腺腫との鑑別はむずかしい．境界不明瞭，充実性で低エコー結節や高エコースポット，石灰化，結節内血流増加を伴うものは FNAC により甲状腺癌を鑑別する．

i. 自律性機能性結節

甲状腺結節が自律性に甲状腺ホルモンを分泌する疾患で，病理組織像は腺腫様甲状腺腫，腺腫様結節，濾胞腺腫である．

円形〜楕円形，形状は整，内部エコーは均質で，整な境界部低エコー帯を認める．囊胞形成することがある．カラードプラ法では結節内血流シグナルは増加している．エラストグラフィでは軟らかく描出される．

確定診断は甲状腺シンチグラフィにて結節への集積の亢進（hot nodule）および周囲の集積の抑制からなされる．

j. 濾胞性腫瘍

濾胞腺腫は濾胞細胞のモノクローナル増殖による単発性の良性腫瘍である．微少浸潤型濾胞癌との鑑別は臨床，画像診断では困難なことが多く，濾胞癌の確定診断は術後の病理標本からなされる．

濾胞腺腫は辺縁平滑な単発性，円形〜楕円形で整，内部エコーレベルは均質で，等〜低な充実性腫瘍である．境界部に厚い被膜を有し，全周性に均一な低エコー帯を認める．腫瘍増大に伴い，囊胞性変化を認める．カラードプラ法では血流は辺縁部に多い．血流速度解析では PI，RI は低値となる．

①形状不整，境界不明瞭・粗雑，境界部低エコー帯不整で内部エコーレベルが低く不均質，微細高エコーを認めるもの，②被膜下にあり結節内部の血流が増加しているもの，③屈曲蛇行する貫通血管を認め，PI（1.0以上），RI（0.75以上）が高いものは悪性の可能性が高い．エラストグラフィでは濾胞癌は腫瘍の辺縁部が硬い組織として表示される．

k. 乳頭癌

甲状腺癌の約9割を占める．硬く，可動性がない腫瘍で，頸部リンパ節腫脹を伴う．

腫瘍は形状不整，不均質，低エコーで，境界は不明瞭，粗雑，内部に微細多発石灰化（砂粒体）を反映した微細高エコーを認める．カラードプラ法では充実部に貫通する血流シグナルを認める．エラストグラフィでは青く硬く表示される．転移リンパ節は円形，辺縁は不整形で，微細多発の高エコーがみられる．

^{123}I シンチグラフィでは cold nodule を呈する．

l. その他

甲状腺内迷入胸腺（0.99％，図11）を観察することがある[11]．

3）副甲状腺の画像診断[12]

副甲状腺機能亢進症の局在診断，多発性内分泌腫瘍症1型，2A型の副甲状腺腫探索として超音波，シンチグラフィ，造影 CT を行う．頸部超音波スクリーニング検査での偶発腫としてみつかることもある．

a. 副甲状腺超音波

正常の副甲状腺は30〜40 mg と小さく，脂肪組織との鑑別がむずかしい．100 mg 以上に腫大した腺腫や過

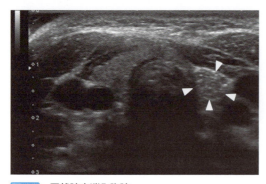

図11　甲状腺内迷入胸腺
甲状腺左葉に胸腺組織を認める

形成では明瞭な被膜構造を有し，細胞成分が増加して鑑別可能となる．

内部均質な充実性の低エコー腫瘤として描出され，ドプラ血流の亢進を認める．石灰化，囊胞変性，脂肪変性を伴うこともある．リンパ節との鑑別が重要である．リンパ節では明瞭な栄養血管を認めない．

気管後面，縦隔内，甲状腺内副甲状腺腫の診断はむずかしく，血中 Ca，P，intact PTH，尿中 Ca 排泄などの生化学検査，FNAC，シンチグラフィを併用する必要がある．

b．副甲状腺シンチグラフィ

^{99m}Tc-methoxy-isobutyl-isonitrile(MIBI)シンチグラフィはミトコンドリアが豊富な好酸性細胞に集積し，副甲状腺病変を検出するのに有用である．15分後と3時間後に撮像する．後期像では甲状腺集積が洗い流され，副甲状腺結節が明瞭に描出される．SPECT撮像も加えると周囲との関係がわかりやすい．

❖ 文献

1) Ueda D : Normal volume of the thyroid gland in children. *J Clin Ultrasound* 18 : 455-462, 1990
2) Suzuki S, et al. : Systematic determination of thyroid volume by ultrasound examination from infancy to adolescence in Japan : the Fukushima Health Management Survey. *Endocr J* 62 : 261-268, 2015
3) Clerc J : Imaging the thyroid in children. *Best Pract Res Clin Endocrinol Metab* 28 : 203-220, 2014
4) Ohnishi H, et al. : Color Doppler ultrasonography : diagnosis of ectopic thyroid gland in patients with congenital hypothyroidism caused by thyroid dysgenesis. *J Clin Endocrinol Metab* 88 : 5145-5149, 2003
5) Sato K, et al. : Stimulation by thyroid-stimulating hormone and Grave's immunoglobulin G of vascular endothelial growth factor mRNA expression in human thyroid follicles in vitro and flt mRNA expression in the rat thyroid in vivo. *J Clin Invest* 96 : 1295-1302, 1995
6) Kamijo K : Study on cutoff value setting for differential diagnosis between Graves'disease and painless thyroiditis using the TRAb(Elecsys TRAb)measurement via the fully automated electrochemiluminescence immunoassay system. *Endocr J* 57 : 895-902, 2010
7) Uchida T, et al. : Superior thyroid artery mean peak systolic velocity for the diagnosis of thyrotoxicosis in Japanese patients. *Endocr J* 57 : 439-443, 2010
8) Erbil Y, et al. : Effect of lugol solution on thyroid gland blood flow and microvessel density in the patients with Graves' disease. *J Clin Endocrinol Metab* 92 : 2182-2189, 2007
9) Vural P, et al. : The relationship between transforming growth factor-beta1, vascular endothelial growth factor, nitric oxide and Hashimoto's thyroiditis. *Int Immunopharmacol* 9 : 212-215, 2009
10) Hayashida N, et al. : Thyroid ultrasound findings in children from three Japanese prefectures : Aomori, Yamanashi and Nagasaki. *PLoS One* 8 : e83220, 2013
11) Fukushima T, et al. : Prevalence of ectopic intrathyroidal thymus in Japan : the Fukushima health management survey. *Thyroid* 25 : 534-537, 2015
12) Vitetta GM, et al. : Role of ultrasonography in the management of patients with primary hyperparathyroidism : retrospective comparison with technetium-99 m sestamibi scintigraphy. *J Ultrasound* 17 : 1-12, 2014

❖ 参考文献

・日本乳腺甲状腺超音波医学会甲状腺用語診断基準委員会（編）：甲状腺超音波診断ガイドブック．改訂第3版，南江堂，2016
・日本甲状腺学会（編）：甲状腺結節取扱い診療ガイドライン2013．南江堂，2013

（南谷幹史）

C　副腎

1）超音波[1,2]

超音波の最大の利点は，被ばくがなく，ベッドサイドで比較的簡便に行えることである．この点において，新生児には有用な検査手法である．不利な点は，描出される画像とその評価が検査を行う側の技能に依存していることである．

a．正常新生児

新生児期に副腎は生理的に肥厚し，その体格に比して大きいため，描出が容易である．線状の高エコーの副腎髄質を，厚い低エコーの副腎皮質および胎生皮質が取り巻く形態を呈する(図12)．右副腎は肝右葉を音響窓とすることにより容易に描出され，新生児期の描出率は100％という報告もある．一方，左副腎は消化管（特に胃）の空気などの影響で描出が比較的困難で，新生児期の描出率は81.5％，生後1か月の描出率は38.7％と報告されている．形態は通常Y字型やV字型であり，図13の計測法による計測値は表2のとお

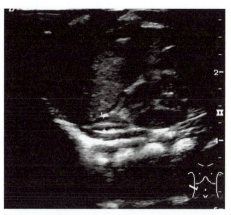

図12 正常新生児(日齢3男児)副腎超音波像(右)

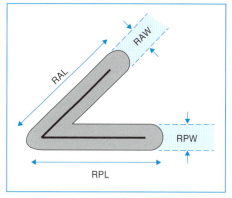

図13 副腎の長さと幅の計測法
RAL：右副腎前脚長径，RPL：右副腎後脚長径
RAW：右副腎前脚幅，RPW：右副腎後脚幅

表2 正常新生児副腎の描出可能率と計測値

日齢	右副腎					左副腎	
	描出率(%)	RAL(cm)	RAW(cm)	RPL(cm)	RPW(cm)	描出率(%)	LPW(cm)
0[1]	97.4	2.35±0.41	データなし	1.61±0.28	0.36±0.06	94.6	0.34±0.06
2～5[2]	100	2.53±0.28	0.29±0.06	1.82±0.31	0.36±0.08	82	0.34±0.05
26～40[2]	96	0.93±0.39	0.21±0.05	1.42±0.27	0.21±0.06	39	データなし

りである．新生児期以降，胎生皮質の退縮に伴い副腎サイズは急速に小さくなり，生後6週までに40～50％縮小し，生後6か月頃には髄質・皮質の区別が困難となる．

b．先天性副腎過形成症(21水酸化酵素欠損症)[3]，図14）

先天性副腎過形成症の補助診断として超音波は有用である．無治療の先天性副腎過形成症の診断において，超音波の感度・特異度はいずれも100％という報告もある．さらに副腎腫大だけでなく，「渦巻き状(coiled)」もしくは「脳回様(cerebriform pattern)」などと表現される特徴的な形態異常を認める．副腎腫大の程度は重症度と相関し，塩喪失型では腫大するが，単純男性型では腫大が軽度のことがある．

c．先天性副腎低形成症

臨床症候および内分泌学的評価により原発性副腎皮質機能低下症を有する新生児において，右副腎が同定不可能な場合には，副腎低形成の可能性が極めて高い．

2）CT[4,5]

副腎腺腫の検出には，感度の点で2.5～5 mm程度のスライド厚でのCTが推奨される．副腎腺腫(コルチゾール産生腺腫)において，一般的にCT値は低く，造影効果は弱く，ACTH分泌抑制に伴い対側副腎は萎縮する．副腎癌は一般的に腺腫よりもサイズが大きく，腫瘍の辺縁が不規則で，内部が不均一に造影され，時として石灰化を認めるとされる．ただし，小児では，

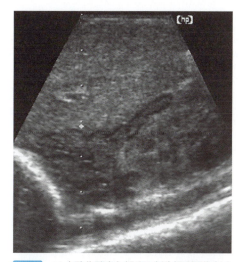

図14 21水酸化酵素欠損症の新生児副腎像(右)
副腎は腫大し，cerebriform patternを呈する

画像診断のみで良性・悪性腫瘍の鑑別は困難である．なお褐色細胞腫・パラガングリオーマの画像評価で，CTの造影剤使用は原則禁忌である．

3）MRI[4,5]

褐色細胞腫は一般的にT1強調像で低信号を，T2強調像で高信号を呈することが特徴とされる．ただし，30％の症例ではT2強調像で不均一や中～低信号を呈する．パラガングリオーマも褐色細胞腫同様，T1強調像で低信号を，T2強調像で高信号を呈する．

4）シンチグラム[4,5]

a．副腎皮質シンチグラム

本検査に用いられるヨウ化メチルノルコレステノール（^{131}I）注射液（アドステロール®-I131 注射液；Adosterol®，^{131}I-6β-iodomethyl-19-norcholesterol）はコレステロール誘導体で，LDL 受容体を介して副腎皮質細胞に取り込まれ，ステロイドホルモン生合成の基質として利用される．一般的に，静注後 7 日目に撮影を行う．甲状腺の被ばく防止（甲状腺ブロック）のため，ルゴール液などのヨウ素剤を検査 2～3 日前から 1 週間程度投与する．Cushing 症候群（コルチゾール産生腺腫）の場合，腺腫の集積が亢進し，ACTH 分泌抑制に伴い対側副腎の集積は低下する．下垂体腺腫（Cushing 病），異所性 ACTH 産生腫瘍および CRH 産生腫瘍の場合は，両側副腎の集積が亢進する．

b．副腎髄質シンチグラム

グアニジンの誘導体である ^{123}I-metaiodobenzylguanidine（^{123}I-MIBG）が用いられる．分子構造がノルアドレナリンに類似しているため，アドレナリン作動性ニューロンを経てクロム親和性細胞（副腎髄質細胞や交感神経終末端）に特異的に取り込まれる．甲状腺ブロックを行い，静注後 24 時間を目安に撮影する．褐色細胞腫で腫瘍に集積し，局在診断に有用である．特異度は 100％ であるが，感度は 84％ という報告もあり，positron emission tomography（PET）-CT の併用が勧められる．なお，悪性褐色細胞腫では転移巣の検索にも有用である．パラガングリオーマも褐色細胞腫と同様に，腫瘍に集積する．

5）ポジトロン断層撮影法（PET）

PET は，放射性薬剤を使用して生体の機能を画像化する核医学検査である．CT を組み込んだ撮影装置（PET-CT）により，形態および位置情報も同時に評価可能である．^{18}F-fluorodeoxyglucose（FDG）はブドウ糖のアナログで，細胞のブドウ糖代謝が活発な部位，すなわち細胞増殖が亢進している部位によく集積する．褐色細胞腫の診断感度は約 96％ と報告されており，強力な画像診断法である．さらに，転移病変検索の手段としても ^{18}F-FDG PET-CT は非常に有用である．

❖ 文献
1) 竹下誠一郎，他：新生児副腎の超音波学的研究．日児誌 94：286-290，1990
2) 有賀明子，他：超音波検査による正常新生児および生後 1 カ月児の副腎計測の検討副腎の大きさの正常値設定の試み．小児科臨床 45：1662-1665，1992
3) Hernanz-Schlman M, et al.：Sonographic findings in infants with congenital adrenal hyperplasia. Pediatr Radiol 32：130-137, 2002
4) Hanafy AK, et al.：Imaging features of adrenal gland masses in the pediatric population. Abdom Radiol 45：964-981, 2020
5) Sargar KM, et al.：Imaging of nonmalignant adrenal lesions in children. Radiographics 37：1648-1664, 2017

❖ 参考文献
・日本内分泌学会（監），日本内分泌学会「悪性褐色細胞腫の実態調査と診療指針の作成」委員会（編）：褐色細胞腫・パラガングリオーマ診療ガイドライン 2018．診断と治療社，2018

（天野直子）

D 性腺

1）精巣

a．基本的知識

精巣は，男児において，通常出生時に陰嚢内に下降している．また，左側が右側に比してやや下位に位置する．精巣の観察で注意すべきことは，位置，左右差の有無，サイズ，硬さである．精巣のサイズや内部の性状，血流を評価するためには，画像検査が欠かせない．超音波検査が第一選択となる．

精巣は，思春期以降に下垂体からのゴナドトロピンの刺激を受け，急速に容量を増す．これは，精細管の発育によるところが大きい．

性分化疾患の患者において，体表から触知できる位置に性腺が認められる場合，この性腺は，精巣成分を有する（精巣ないしは卵精巣である）可能性が高い[1]．

b．超音波検査

精巣の観察には，高周波（7～10 MHz 程度）のリニアプローブが適している．正常の精巣は，乳幼児期には均一な低～中等度のエコー輝度を示す．エコー輝度は，思春期の進行に伴って徐々に上昇する[2]．時に，精巣縦隔が，精巣中央部に線状の高エコーとして描出される．精巣上体は，その頭部が精巣の上極に隣接しており，半円形～三角形の腫瘤状に描出される．体部および尾部は，しばしば描出が困難である．

精巣は，回転楕円形として，$\pi/6$（近似的に 1/2）×長径×短径×厚みで容積を計算するが，プローブの圧迫による変形の影響を考慮し，長径で評価することが多い．超音波検査による精巣長径の計測値（表 3）がわが国から報告されている[3,4]．いずれの報告においても，各年齢で，精巣サイズの左右差を認めていない．

c．MRI 検査

精巣は，T2 強調像で特徴的な高信号を呈する．T1 強調像では，筋層よりやや高信号を呈する．萎縮した精巣では，高信号が失われ，周囲組織との鑑別が困難となる．

表3 超音波検査による精巣長径の計測値（日本人小児）

年齢	文献3	文献4*
0歳	13.1±2.20($n=7$)	
1歳	14.9±1.53($n=28$)	15±2.1($n=4$)
2歳	15.0±2.67($n=24$)	15±1.4($n=14$)
3歳	14.7±2.13($n=21$)	16±1.6($n=16$)
4歳		16±1.4($n=16$)
5歳		17±1.4($n=7$)
6歳	15.3±2.12($n=12$)#	17±2.0($n=9$)
7歳		17±2.2($n=11$)
8歳		19±2.1($n=14$)
9歳		19±1.6($n=20$)
10歳		23±3.8($n=20$)
11歳		26±5.5($n=22$)
12歳		31±5.0($n=25$)
13歳		34±3.3($n=19$)
14歳		38±4.1($n=9$)
15歳		40±3.0($n=9$)
16歳		41±3.5($n=10$)
17歳		41±3.1($n=7$)
18歳		43±3.1($n=15$)
19歳		44±4.2($n=11$)

平均±SD(mm)，#：4〜8歳の計測値を示す
*：左右差を認めないため，右側の計測値のみ呈示

d. 各種疾病と画像診断

①停留精巣，非触知精巣

鼠径部に位置する停留精巣の場合，触診では認識がむずかしいことが多く，特に，サイズが小さい場合には，腫大したリンパ節との鑑別が困難である．停留精巣に対する精巣固定術に際して，術前に正確な部位診断ができていれば，術式の選択に有用である．この点で，画像診断の意義が大きく，超音波検査が第一選択となる．一方，非触知精巣（腹腔内精巣やvanishing testisなど）では，超音波検査で精巣を同定することは困難である．

日本小児泌尿器科学会の作成した「停留精巣診療ガイドライン」[5]によれば，超音波検査で同定できない非触知精巣の場合，次のステップとしてただちに手術（腹腔鏡検査あるいは鼠径部試験切開）を選ぶか，MRI検査に進むかは議論のあるところである，と記されている．

MRI検査は，肥満例の停留精巣の診断に特に有用である．非萎縮精巣を検出する感度は，70〜90%とされる[6〜8]．しかし，上述のようにMRI検査の有用性が確立したとは言い切れない．

②性分化疾患

非特異的な外性器を呈する児が生まれた場合，性別決定は心理社会的emergencyである．性別決定に際しては，染色体を含む遺伝学的検査に加え，性腺，外性器および内性器の状態を正確に評価することが重要である．このうち，性腺に関しては，体表から触知できるか，すなわち陰嚢構造内もしくは鼠径部に認められるか，左右差がないか，という点が重要である[1]．画像検査では，超音波検査が第一選択となる．

Kallmann症候群に代表される中枢性性腺機能不全の患者では，しばしば両側の停留精巣を認め，（精巣固定後も）精巣サイズが小さくとどまり，柔らかい触感を呈する（図15）．同様に小児がん経験者(childhood cancer survivors：CCS)患者でも，小さく，柔らかい触感の精巣を認めることがある．精細管機能の障害によって精巣容積が小さいままであっても，Leydig細胞の機能は保たれることが多く，思春期以降に，血中テストステロン値と精巣容積とのギャップを認める．

③精巣微石症 (testicular microlithiasis)

精細管内腔にリン酸カルシウムが沈着し，精巣内に高エコー小結節がみられるようになったもので，超音波検査で偶然発見されることが多い（図16）．原因不明とされているが，精巣機能の障害を反映していると推測される[9]．

中等度〜高度の尿道下裂を有する患者に対する超音波検査の結果，微石症の頻度は，高度の患者で高く，また，停留精巣合併例で高かった[9]．さらに，微石症と精巣悪性腫瘍（精巣上皮腫など）との関連が指摘されている[10]．したがって，精巣微石症と診断された場合，年1回程度の経過観察が推奨される．

2) 卵巣・子宮

a. 基本的知識

女児の卵巣・子宮は，腹腔内に位置するため，それらの評価に画像検査が欠かせない．超音波検査が第一選択となる．MRI検査は，年少児の場合，鎮静が必要となる．その点，超音波検査は鎮静が不要で，ベットサイドでも検査が可能である．ただし，超音波のビームは消化管のガスによって妨げられるため，卵巣・子宮の描出は，他の臓器に比して容易とはいえない．有用な情報を得るためには，検査実施者（医師や技師）の習熟と，検査時の工夫が不可欠である．

卵巣・子宮は，新生児期，乳児期・幼児期，思春期と成長・成熟とともに形態やサイズの変化が起こる．特に思春期の変化は，個人差が大きいことから，成長曲線やTanner分類を正しく評価することが大切である．

b. 超音波検査

女児の内性器（子宮，卵巣）の画像診断は，超音波検査が第一選択である．周波数3.75〜5MHz程度のコン

Ⅰ 総　論

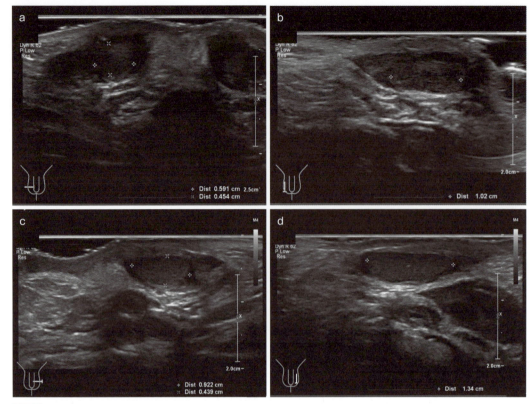

図15　停留精巣の超音波画像（自験例）
Prader-Willi症候群の2歳9か月男児．両側精巣固定術後の超音波検査結果を示す．右精巣（a, b）はやや小さく，内部エコー輝度が低い．低形成ないし萎縮が疑われる．左精巣（c, d）は内部エコーの明らかな異常を認めない

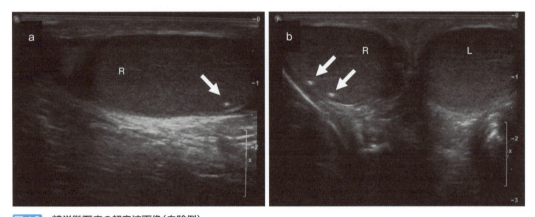

図16　精巣微石症の超音波画像（自験例）
思春期早発症で紹介された3歳男児．右精巣実質辺縁に1mm程度の高輝度病変を4～5か所認める

ベックス型プローブが適している．膀胱に十分尿を貯めた状態で，体表からプローブを走査して観察する[11]．小児では，原則として経腟プローブは使用しない．体表の小さい新生児，乳児では，甲状腺などの表在臓器で有用な高分解能の特徴をもつ，体表用のリニア型高周波プローブも使用可能である[11]．

　子宮は膀胱の背側に位置するため，膀胱に尿を充満させると消化管ガスが消失し，描出が容易となる．縦方向にスキャンすると子宮が描出され，左右にプローブを移動させることにより，卵巣の描出を試みる．卵巣は思春期以前でも小さな無エコーの卵胞を有するため，これを確認できれば卵巣の同定が可能である．一方，骨盤壁に沿って卵巣がある場合には，消化管ガスの背側に隠れてしまい，両側の卵巣が同定困難なこと

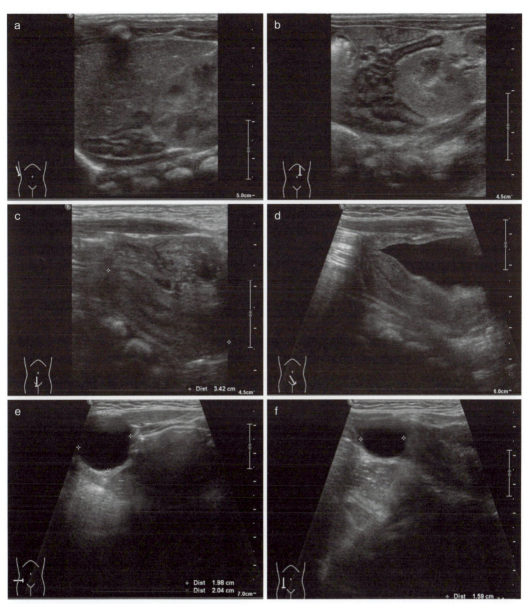

図17 新生児期女児の内性器の超音波画像（自験例）

先天性副腎過形成症と確定した女児．日齢5の画像（a〜c），生後1か月の画像（d〜f）．腫大した副腎（a：右，b：左），管状構造の子宮（c, d），右卵巣嚢腫（e, f）．先天性副腎過形成症の女児では，新生児早期から，あるいは治療後に卵巣嚢腫が出現することがあるため，注意を要する

もある[11]．

①子宮

新生児期には，矢状断で管状構造を呈する．母体エストロゲン曝露の影響で子宮頸部が発育し，しばしば中央部に高エコーの子宮内膜が描出される（図17）．新生児期を過ぎると，母体エストロゲンの影響がなくなるため，高エコーの内膜は消失し，子宮サイズが小さくなる．その後，思春前までは子宮サイズはほとんど変化せず，頸部の前後径が体部の前後径と同じかやや長い形状を示すため，管状ないしスペード状と形容される構造を呈する．また，体部と頸部の境界は不明瞭である．

思春期には，子宮が発育し，初経後に成人型の洋梨状の構造（子宮底・頸部比が2〜3：1）となる．思春期中期から後期にかけて，体部が頸部より優位に発達し，高エコーの内膜が再び出現する（図18）．二次性徴の開始時期には個人差が大きいことから，Tanner分類や血中エストラジオール値を参考に子宮形態やサイズを評価することが重要である．初経後しばらくすると，月経周期による変化を認めるようになる．すなわ

I 総　論

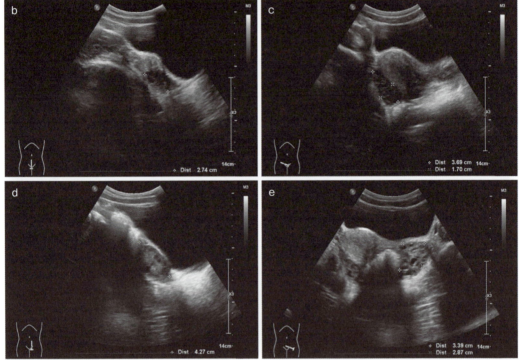

図18　成熟した女児の内性器の超音波画像（自験例）
月経不順で紹介された14歳女児．子宮(a)，右卵巣(b, c)，左卵巣(d, e)．子宮は成熟した洋梨状の構造をとり，両側卵巣に異常なし．左卵巣には，卵胞を示す小さな囊胞構造が複数認められる

ち，月経期は，内膜が薄い一層の高エコー像として認められるが，増殖期，分泌期と内膜の厚みが増していく．

子宮のサイズに関して，わが国からの報告は乏しい．子宮を回転楕円形と仮定して計算した容積，断面積，子宮底・頸部比が海外から報告されている[12～14]．Tanner分類に応じた計測値であるため，参考値として利用可能と考える（表4）．

②卵巣

新生児期には，母体エストロゲンの影響で，小囊胞像が認められる．新生児期を過ぎると，母体エストロゲンの影響がなくなるが，小さな卵胞が楕円形の低エコー領域として認められる．卵巣の基本構造は，成長に伴って変化しないが，思春期以降，サイズが増大す

る（図18）．14歳以降では，成人女性同様，月経周期による変化を認める．

卵巣のサイズに関しても，わが国からの報告は乏しい．卵巣を回転楕円形と仮定して計算した容積が海外から報告されている[12～14]．Tanner分類に応じた計測値であるため，参考値として利用可能と考える（表5）．

卵巣の超音波像は，その形態から，①solid（卵胞を欠き均一），②microcystic（4 mm未満の卵胞が1個以上），③paucystic（4～9 mmの卵胞が6個未満），④multicystic（4～9 mmの卵胞が6個以上），⑤macrocystic（9 mm以上の卵胞が1個以上），⑥major isolated cyst（20 mm以上）の6種に分類されている[14～16]．卵胞形態の多様性の理解と，用語の統一という点で有用な分類と考えら

表4　超音波検査で評価した，子宮の計測値(非日本人小児)

文献12		文献13			
Tanner 分類	*容積(mL)	Tanner 分類	#容積(mL)	#子宮長(cm)	#子宮底・頸部比
B1 (n=44)	1.6 [0.7〜7.9]	B1 (n=41)	1.43±0.95	3.00±0.68	1.21±0.23
B2 (n=13)	2.8 [1.3〜8.1]	B2 (n=15)	5.05±3.71	4.11±0.90	1.36±0.26
B3 (n=12)	8.0 [2.0〜18]	B3 (n=11)	13.7±12.7	5.22±0.90	1.36±0.28
B4 (n=28)	37 [11〜56]	B4 (n=17)	20.5±12.3	5.58±1.00	1.55±0.46
B5 (n=46)	43 [12〜82]	B5 (n=6)	27.3±5.88	6.28±0.52	1.55±0.25
成人 (n=23)	61 [37〜130]				

文献14		
年齢	#容積(mL)	#子宮長(cm)
1歳 (n=9)	0.87±0.43	2.29±0.56
2歳 (n=14)	1.29±0.70	2.96±0.47
3歳 (n=21)	1.38±0.46	3.09±0.45
4歳 (n=14)	1.48±0.79	2.96±0.50
5歳 (n=11)	1.82±0.43	3.01±0.42
6歳 (n=17)	1.85±1.08	3.44±0.32
7歳 (n=13)	2.28±1.24	3.36±0.56

*：中央値と範囲，#：平均±SD

表5　超音波検査で評価した，卵巣容積の計測値(非日本人小児)

文献12		文献13		文献14	
Tanner 分類	*容積(mL)	Tanner 分類	#容積(mL)	年齢	#容積(mL)
B1	1.2 [0.5〜5.1] (n=44)	B1	1.01±0.88 (n=41)	1歳	0.26±0.12 (n=9)
B2	2.2 [1.0〜4.6] (n=13)	B2	2.60±1.54 (n=15)	2歳	0.38±0.11 (n=14)
B3	4.1 [1.9〜8.6] (n=12)	B3	4.01±3.28 (n=11)	3歳	0.37±0.11 (n=21)
B4	6.2 [1.3〜28] (n=28)	B4	5.86±3.29 (n=17)	4歳	0.46±0.14 (n=14)
B5	7.3 [1.9〜23] (n=46)	B5	7.42±3.53 (n=6)	5歳	0.52±0.22 (n=11)
成人	7.6 [2.9〜37] (n=23)			6歳	0.65±0.23 (n=14)
				7歳	0.59±0.25 (n=13)

*：中央値と範囲，#：平均±SD

れる．健常な年少女児では，未熟な形態(分類の①〜③)を示すことが多い．分類④の multicystic pattern は，ゴナドトロピンの分泌増加を反映しており，思春期発来直前から頻度が高くなる．

c．MRI 検査

卵巣は，T2強調像で卵胞が高信号に描出され，詳細な卵巣像が得られる．卵巣の容積は，経腟超音波検査で求めた容積と比較した場合，MRI 検査での評価のほうが小さく測定されたと報告されており[17]，自由な断面が得られる超音波検査のほうがより正確と推測されている．また，MRI では，スライス厚により卵胞数のカウントに変化が生じる点に注意が必要である．

d．各種疾病と画像診断

①思春期早発症

早期の乳房腫大を認める女児において，中枢性思春期早発症と早発乳房発育の鑑別は重要である．画像診断は有用であるが，画像診断のみで思春期早発症の診断・鑑別ができるわけではない．成長曲線，Tanner 分類を含む身体所見，内分泌検査，骨年齢などと併せて総合的に診断していくことが必要であり，画像診断はあくまで補助的と考えるべきものである．

②性分化疾患

非特異的な外性器を呈する児において，体表から性腺を触知できるとは限らない．腹腔内の性腺や内性器の状態を正確に評価するために，超音波検査に加えて，しばしば腹部 MRI 検査が必要となる．並行して染色体検査や内分泌検査を実施し，適切かつ可及的速やかに社会的性別(養育上の性別)を決定することが重要である[1]．いったん性別が決定された後，選択された性別に不一致な構造は，基本的に手術によって摘出・修正する．図19 には非特異的な外性器で出生し，混合性腺異形成症と確定した男児の MRI 所見を提示する．

❖ 文献

1) 室谷浩二：性分化の仕組みと鑑別診断．思春期学 35：263-270，2017
2) 島貫義久，他：精巣(総論・疾患)．小児科診療 71(Supple)：343-354，2008
3) 大浜和憲，他：陰嚢水腫は精巣の発育に影響を与える

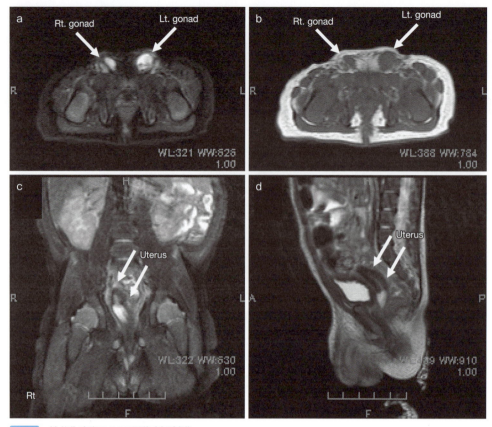

図19 性分化疾患のMRI画像（自験例）
混合性性腺異形成症（47,XXY/45,X）の男児．両側鼠径部に性腺を認めた．左性腺は小指頭大のサイズで，T2強調像で特徴的な高信号を呈した（a）．右性腺は小豆大のサイズで，内性器は，右片角子宮様のMüller管遺残を認めた（c, d）．性腺生検の結果，左は精巣構造，右は索状性腺であった

か？―エコーによる精巣の大きさ測定―．小児外科 45：237-242，2013
4）宮下由紀恵：加齢に伴う精巣の大きさについて　超音波検査とオルヒドメーターによる比較検討．思春期学 16：108-114，1998
5）日本小児泌尿器科学会（編）：停留精巣診療ガイドライン https://jspu.jp/download/guideline/guideline_1.pdf（2021年11月8日アクセス）
6）Nguyen HT, et al.：Cryptorchidism：strategies in detection. Eur Radiol 9：336-343, 1999
7）Kanemoto K, et al.：Accuracy of ultrasonography and magnetic resonance imaging in the diagnosis of non-palpable testis. Int J Urol 12：668-672, 2005
8）上垣内崇行，他：非触知精巣診療におけるMRI診断．泌尿器科紀要 54：107-109，2008
9）Nakamura M, et al.：Prevalence and risk factors of testicular microlithiasis in patients with hypospadias：a retrospective study. BMC Pediatr 18：179, 2018
10）Konstantinos S, et al.：Association between testicular microlithiasis, testicular cancer, cryptorchidism and history of ascending testis. Int Braz J Urol 32：434-438, 2006
11）久住浩美，他：卵巣，子宮（総論・疾患）．小児科診療 71（Supple）：355-364，2008

12）Holm K, et al.：Pubertal maturation of the internal genitalia：an ultrasound evaluation of 166 healthy girls. Ultrasound Obstet Gynecol 6：175-181, 1995
13）Ersen A, et al.：Ovarian and uterine ultrasonography and relation to puberty in healthy girls between 6 and 16 years in the Turkish population：a cross-sectional study. J Pediatr Endocrinol Metal 25：447-451, 2012
14）Herter LD, et al.：Ovarian and uterine findings in pelvic sonography：comparison between prepubertal girls, girls with isolated thelarche, and girls with central precocious puberty. J Ultrasound Med 21：1237-1246, 2002
15）Buzzi F, et al.：Pelvic ultrasonography in normal girls and in girls with pubertal precocity. Acta Paediatr 87：1138-1145, 1998
16）Eksioglu AS, et al.：Value of pelvic sonography in the diagnosis of various forms of precociouspuberty in girls. J Clin Ultrasound 41：84-93, 2013
17）Hagen CP, et al.：Circulating AMH reflects ovarian morphology by magnetic resonance imaging and 3D ultrasound in 121 healthy girls. J Clin Endocrinol Metab 100：880-890, 2015

〈室谷浩二〉

第6章 その他の検査

A 下錐体(海綿)静脈洞サンプリング

下錐体静脈洞サンプリング(inferior petrosal sinus sampling：IPSS)は，下垂体のACTH産生腫瘍(Cushing病)と下垂体以外のACTH産生腫瘍(異所性ACTH症候群)の鑑別検査のgold standardとされている．小児報告例での両者鑑別における感度および特異度は，それぞれ83.3～98%[1〜4]，100%[1]である．

1) 適応

臨床症状や生化学的検査からグルココルチコイド過剰が疑われる症例であることが前提である．本検査が適応となるのは，①画像検査で明らかな下垂体腫瘍が見出されない，②高用量デキサメタゾン抑制試験やCRH負荷試験で判定困難な成績が得られた，③経蝶形骨洞下垂体切除術後もグルココルチコイド過剰の症状が続く，の三つの場合である[5]．

2) 手技

左右の大腿静脈からSeldinger法により4～7Fのカテーテルをそれぞれ対側の内頸静脈に挿入する．カテーテル挿入時には，血栓症予防のためにヘパリン静注を行う．左右内頸静脈に挿入されたカテーテルをガイドにマイクロカテーテルを下錐体静脈洞へと進めて留置する．少量の造影剤をカテーテルから注入してカテーテルの先端の位置を確認した後，ACTH濃度測定用に末梢静脈およびカテーテルからのサンプリングを開始する．サンプリングは，末梢静脈からCRHを$1\mu g$/kg(最大$100\mu g$)注入する前，3分後，5分後，10分後，15分後に行う(採血するタイミングは施設により異なる)．サンプリングが終了したらカテーテルを抜去し，圧迫止血を確認する．CRHの代わりに，デスモプレシン酢酸塩水和物$10\mu g$を投与するプロトコルもある．デスモプレシン酢酸塩水和物には血中von Willebrand因子を増加させる作用があり，血栓症が懸念される．今のところデスモプレシン酢酸塩水和物による副作用報告はない[4,5]．

3) 判定

左または右下錐体静脈洞血漿ACTH濃度をC，同時に採取された末梢静脈血漿ACTH濃度をPとすると，C/P比が2以上(CRH負荷後では3以上)のときに，Cushing病が疑われる．一部の施設では，カテーテルをさらに海綿静脈洞まで挿入し，海綿静脈洞サンプリングが行われている．この場合はC/P比が3以上(CRH負荷後では5以上)のときに，Cushing病が疑われる[6]．

4) 問題点

a. 合併症

最も多い合併症は大腿部血腫(4%)で，その他の重篤な合併症の頻度は1%よりはるかに少ない[5]．

b. IPSSの限界

コルチゾール過剰分泌状態にないときにサンプリングが行われると，CRH投与により正常の下垂体ACTH産生細胞からACTHが産生されるため，判定が困難になる．さらに，下錐体静脈洞の形態の個人差のため，ACTHのC/P比上昇が捉えられないことがある[7]．

また，小児では異所性ACTH症候群は極めてまれであり，かつその多くはCRHも分泌している[8]．IPSSにより異所性CRH症候群とCushing病を鑑別することはできないため，IPSSを行っても小児の異所性ACTH症候群はCushing病と誤診される可能性がある．

最後に，IPSSによる腺腫の下垂体内局在と手術時の局在の一致率は，42.9～91%と報告により大きな差があり[1〜4]，現時点ではIPSSによる下垂体内局在推定は実用的ではない．

❖ 文献

1) Magiakou MA, et al.：Cushing's syndrome in children and adolescents. Presentation, diagnosis, and therapy. N Engl J Med 331：629-636, 1994
2) Lienhardt A, et al.：Relative contributions of inferior petrosal sinus sampling and pituitary imaging in the investigation of children and adolescents with ACTH-dependent Cushing's syn-

drome. *J Clin Endocrinol Metab* 86：5711-5714, 2001
3) Batista D, et al.：An assessment of petrosal sinus sampling for localization of pituitary microadenomas in children with Cushing disease. *J Clin Endocrinol Metab* 91：221-224, 2006
4) Chen S, et al.：The effects of sampling lateralization on bilateral inferior petrosal sinus sampling and desmopressin stimulation test for pediatric Cushing's disease. *Endocrine* 63：582-591, 2019
5) Zampetti B, et al.：Bilateral inferior petrosal sinus sampling. *Endocr Connect* 5：R12-R25, 2016
6) 厚生労働科学研究費補助金難治性疾患等政策研究事業「間脳下垂体機能障害に関する調査研究」班：クッシング病の診断と治療の手引き（平成30年度改訂）．日内分泌会誌 95（Suppl.）：8-11, 2019
7) Lau JH, et al.：The current role of venous sampling in the localization of endocrine disease. *Cardiovasc Intervent Radiol* 30：555-570, 2007
8) Karageorgiadis AS, et al.：Ectopic adrenocorticotropic hormone and corticotropin-releasing hormone co-secreting tumors in children and adolescents causing Cushing syndrome：a diagnostic dilemma and how to solve it. *J Clin Endocrinol Metab* 100：141-148, 2015

〈安藏　慎〉

B 副腎静脈サンプリング

副腎静脈サンプリング（adrenal venous sampling：AVS）は，主として原発性アルドステロン症（primary aldosteronism：PA）において，両側性に副腎過形成をきたす特発性アルドステロン症（idiopathic hyperaldosteronism：IHA）と，多くの場合片側の副腎に局在するアルドステロン産生腺腫（aldosterone-producing adenoma：APA）の鑑別に用いられる．

1) 背景

小児のPAの原因は，成人とは異なり，IHAであることが多い[1]が，成人に多いAPAの症例も散見される．
腹部CT検査によるPA局在診断能力には限界がある．APAの腫瘍径は10 mm以下の小さな例が多く，5 mm以下の腫瘍はCTでは検出できない[2]．成人の成績だが，腹部CT検査の片側性APA診断における感度は78％，特異度は75％といわれている[3]．

2) 適応

AVSは，臨床症状や各種検査所見からPAと診断され，外科的処置が可能な身体状況にあり，外科的治療を希望するすべての症例に適応となりうる．例外的に，35歳未満，低カリウム血症（＜3.5 mmol/L），血漿アルドステロン濃度（PAC）高値（≧200 pg/mL，RIA法），腹部CTで片側副腎に腫瘍を検出する場合，十分なインフォームドコンセントのうえでAVSを省略してよいとされる[4]．そのような症例は，全体の約10％足らずである[5]．また，小児例では成人例に比し，胚細胞変異による家族性高アルドステロン症の頻度が高い．家族性高アルドステロン症のⅠ型・Ⅲ型では，通常両側性パターンを示すため，AVSは原則として不要である[5]．

3) プロトコル

AVSの統一化されたプロトコルは確立されていない．経験豊富な術者のいる専門医療施設での標準化されたプロトコルに従うことが推奨されている[4]．

a. 前処置[6]

降圧剤のうち，α遮断薬は検査直前まで使用可能であるが，その他の薬剤は副腎からのアルドステロン分泌に影響を与える可能性がある．特に，利尿薬とアルドステロン拮抗薬は検査前には使用しない．α遮断薬で降圧不十分な場合には，カルシウム拮抗薬の投与も許容される．また，デキサメサゾン抑制アドステロール副腎シンチ施行後にAVSを行う場合には，デキサメサゾンによるコルチゾール分泌抑制の影響を避けるため，3週間以上間隔を空ける．

b. 手技[4]

右副腎静脈から左副腎静脈へ連続して行う連続法と，2本のカテーテルを用い，左右副腎静脈からの採血を同時に行う同時法がある．術前にマルチスライスCTにより副腎静脈の解剖所見を確認することが推奨されている．術中迅速コルチゾール測定と術中造影による副腎静脈へのカテーテル挿入の確認は，カテーテル挿入の成否判定に有用である．

ACTH負荷は，術中のカテーテル挿入の成否判定を容易にする．静注法，点滴静注法，併用（静注後点滴）法の3種類の負荷方法があり，術者がAVSの手技に習熟している場合は静注法が，習熟しておらず採血に時間を要する場合は点滴静注法または併用法が推奨される．静注法ではACTH 250 μgを，点滴静注法ではACTH 250 μgを50～80 μg/時で投与する．ACTH負荷から採血までの時間は15～30分とし，静注法の場合45～60分経過しても採血ができない場合は点滴静注を追加する．

4) 判定[4]

a. 副腎静脈へのカテーテル挿入の成否の判定

副腎静脈へのカテーテル挿入の成否の判定には，副腎静脈と下大静脈または末梢静脈での血中コルチゾール濃度の比（selectivity index：SI）を用いる．ACTH負荷前はSI≧2，ACTH負荷後はSI≧5の場合に成功と判定する．

b. 病巣の局在の判定

病巣の局在の判定には，左右副腎静脈での血中アル

ドステロン(A)／コルチゾール(C)濃度比(A/C)の比([A/C]高値側／[A/C]低値側, lateralized ratio：LR)と, 副腎静脈の低値側の A/C と下大静脈または末梢静脈での A/C の比([A/C]低値側／[A/C]下大静脈または末梢静脈, contralateral ratio：CR)を用いる. ACTH 負荷後 LR＞4 の場合, 病巣は高値側に局在と判定する. ACTH 負荷後 LR＞4 かつ CR＜1 の場合, 局在判定精度が向上する. ただし, コルチゾールの同時産生を認める場合は, A/C による局在判定に影響がある可能性があり, LR に加えて副腎静脈血中 PAC やその左右比などを考慮した総合的判断が必要となる.

5) 問題点

a. 合併症

AVS のおもな合併症は, 副腎静脈破裂である. 近年の全世界の本検査に熟練した施設における調査によると, その頻度は 0.61％ である[7].

b. AVS 成功率の施設間差

AVS の成功率は術者の手技の熟練度に依存する. 日本における AVS 成功率は 79～90％ であり, 施設間で差がある[8].

❖ 文献

1) Abasiyanik A, *et al.*：Conn syndrome in a child, caused by adrenal adenoma. *J Pediatr Surg* 31：430-432, 1996
2) 柴田洋孝：原発性アルドステロン症の最近の進歩. 日内会誌 106：319-326, 2017
3) Funder JW, *et al.*：The management of primary aldosteronism：case detection, diagnosis, and treatment：an endocrine society clinical practice guideline. *J Clin Endocrinol Metab* 101：1889-1916, 2016
4) 日本内分泌学会「原発性アルドステロン症診療ガイドライン策定と診療水準向上」委員会：原発性アルドステロン症診療ガイドライン 2021. 日内分泌会誌 97(Suppl.)：26-31, 2021
5) Buffolo F, *et al.*：Subtype diagnosis of primary aldosteronism：Is adrenal vein sampling always necessary？ *Int J Mol Sci* 18：848, 2017
6) 西川哲男, 他：原発性アルドステロン症の診断治療ガイドライン―2009―. 日内分泌会誌 86(Suppl.)：1-19, 2010
7) Rossi GP, *et al.*：An expert consensus statement on use of adrenal vein sampling for the subtyping of primary aldosteronism. *Hypertension* 63：151-160, 2014
8) Fujii Y, *et al.*：Historical changes and between-facility differences in adrenal venous sampling for primary aldosteronism in Japan. *J Hum Hypertens* 34：34-42, 2020

〔安藏　慎〕

C 細胞診

穿刺吸引細胞診(fine needle aspiration cytology：FNAC)は体表臓器(甲状腺, 乳腺, 耳下腺, 顎下腺, 表在リンパ節皮下組織など)が対象となり, 内分泌領域ではその主たる臓器は甲状腺である. 甲状腺の FNAC は, 比較的簡便に実施でき, 侵襲や合併症も少なく繰り返し行うことが可能で, しかも診断精度が高い手法であることから, 結節性病変の診断には頸部超音波とともに欠かせない[1]. 通常は超音波ガイド下にて行う. 超音波ガイド下 FNAC のメリットは針先が目的部位に刺入されたことを目視しながら細胞を採取できることである. 検体採取後の固定までの迅速な操作も重要である.

1) 小児の結節性甲状腺疾患の特性[2]

超音波による小児の結節性甲状腺疾患の頻度は学童期で 1～1.5％, 青年期では 13％, 囊胞保有率は 57％ といわれている. 1 cm 以上の甲状腺結節の悪性率は成人より高く 22～26％ であり, 乳頭癌は頸部リンパ節や腺外浸潤, 肺転移しやすく病勢は強いが, 長期予後は成人より良好で致死率は 2％ 以下である. 甲状腺結節への対応は成人に準じる.

一般的に FNAC の甲状腺悪性腫瘍の陽性的中率は 99％ 以上, 良性結節の陰性的中率は 95％ 以上である. 小児甲状腺結節の良性, 悪性の鑑別における感度は 94％, 特異度は 81％, 陽性的中率は 55.3％, 陰性的中率は 98.2％ と報告されている.

2) 適応

①甲状腺：20 mm を超える囊胞, 20 mm 以下の囊胞内で内部に充実性部分(結節)がある場合, 5 mm 以下の結節で頸部リンパ節転移や被膜外浸潤, 遠隔転移が疑われた場合, 5～10 mm の結節で悪性(形状不整, 境界不明瞭粗雑, 内部低エコー, 微細高エコー多発, 血流豊富)を疑う場合, 10 mm 以上の結節(明らかな過形成結節は除外)[3,4].

②リンパ節：病的腫脹の鑑別.

③腫瘤性病変：良悪性の鑑別.

④炎症性病変：質的診断をつける必要がある場合や膿の培養目的.

3) 禁忌

甲状腺機能亢進症, 副甲状腺癌が疑われる場合, 皮膚が汚染している場合, である.

4) 手技手順[3,4]

あらかじめ, 検査目的, 検査手順, 合併症に関して十分に説明を行い, 同意を得る必要がある.

①消毒.

②プローブ(カバーを装着)に穿刺用金具を装着.

③超音波装置で病変部を描出.

④穿刺(22～25 G, 90 mm の硬膜外用針を使用)・無

麻酔：針先をガイドラインに沿って進め，結節内の充実性低エコー部や微細多発高エコー部を穿刺する．

⑤細胞採取：吸引ピストルを装着したシリンジで軽く陰圧をかけ吸引し，細胞塊を採取する．陰圧をかけすぎると血液の混入が多くなり，検体処理が困難となる．

⑥陰圧解除，抜針，穿刺部の圧迫止血．

⑦穿刺吸引検体の処理：穿刺針をシリンジから外し，穿刺吸引細胞塊をスライドグラスに吹き出す．圧挫法で塗抹後，1枚は95%エタノールで固定，もう1枚は急速冷風で乾燥させる．

5）合併症

FNACは一般的には局所疼痛以外に合併症は少ない．

①出血（0.5%以下）：臓器内や臓器周囲に血腫を形成することがあるが，ほとんどは自然に吸収される．まれに出血による気道閉塞をきたすことがある[5]．

②感染（0.1%以下）：穿刺部位に感染を起こすことがある[6]．

③播種（ごくまれ）：穿刺ルートに播種をきたす可能性がある．

④急性甲状腺腫大（ごくまれ）：FNACで偶然に甲状腺内の神経を刺激し，血管拡張，血管透過性亢進物質が放出されて，甲状腺の急激なびまん性腫大をきたすことがある．その場合は頸部の圧迫，冷却を行い，改善しなければ出血部位，腫脹部位を画像で確認後，入院のうえステロイド投与を行い慎重に経過を観察する[7]．

6）細胞診断

細胞診断は結節の一部から採取した細胞による形態学的診断法であり，あくまでも推定診断である．確定診断は手術材料あるいは生検検体に基づく組織診断が大原則である．

細胞診断の結果はベセスダシステム（The Bethesda System for Reporting Thyroid Cytopathology：BSRTC）を一部改変し，Ⅰ：検体不適正，Ⅱ：囊胞液，Ⅲ：良性，Ⅳ：意義不明，Ⅴ：濾胞性腫瘍，Ⅵ：悪性の疑い，Ⅶ：悪性，と分類される[8]．

甲状腺癌の約90%は乳頭癌である．乳頭癌はすりガラス状核，核内細胞質封入体，核溝，核重畳，微細粒状クロマチンなどの特有な核所見を呈する濾胞上皮由来腫瘍であり，高い精度で悪性と診断される[4,8]．

濾胞癌と濾胞腺腫をあわせて濾胞性腫瘍とよび，細胞診断では鑑別できない（「Ⅴ」）．濾胞癌と濾胞腺腫ではともに単調な小型濾胞構造の細胞集塊が観察され，浸潤，転移の有無により鑑別される．

リンパ節ではreactive hyperplasiaや悪性腫瘍の転移，壊死性リンパ節炎，悪性リンパ腫を診断する．

炎症性病変では，亜急性甲状腺炎，慢性甲状腺炎などを診断する．

7）検査の限界

細胞診には特有の診断根拠とその限界がある．わずかな細胞で悪性と判定できることもあれば，細胞を十分に採取できたにもかかわらず「Ⅳ：意義不明」となることもある．FNACを実施しても，15%前後が検体不良のため「Ⅰ：検体不適正」となる．微小な病変，部位的に穿刺が困難な病変，石灰化や線維化が強い病変などは十分な検体採取がむずかしく，「Ⅳ：意義不明」となる．間隔をおいて再検する．

甲状腺濾胞癌は組織学的に構造異型（脈管浸潤や被膜浸潤）によって診断されるため，細胞異型，核異型を判定する細胞診では診断できない[4,8]．また，浸潤がなくても転移があれば濾胞癌と診断される．したがって，濾胞性腫瘍では反復してFNACを行っても「Ⅴ：濾胞性腫瘍」の判定は変わらない．「Ⅴ」には腺腫様結節，腺腫様甲状腺腫，濾胞腺腫，濾胞癌，乳頭癌，副甲状腺腺腫が含まれる．濾胞癌は画像診断や細胞診で確実な診断をすることはできず，血清サイログロブリン高値，遠隔転移など臨床的悪性所見に基づいて診断することになる．

悪性リンパ腫は細胞診で診断できる場合もあるが，結果が良性でも否定はできず，画像上悪性リンパ腫が疑われる場合には生検が必要となる．

形態学的診断に加えて遺伝子変異の検索も行われる．小児甲状腺乳頭癌では成人とは異なりBRAF，RAS，GNAS，TP53遺伝子の点突然変異は少なく，RET/PTC，NTRK1，AKAP9/BRAF，PAX8/PPARGなどの遺伝子再配列の頻度が高い．

8）結果の解釈と対応

BSRTCでは悪性の危険度はⅠ：1～4%，Ⅱ・Ⅲ：0～3%，Ⅳ：5～15%，Ⅴ：15～30%，Ⅵ：60～75%，Ⅶ：97～99%としている[1]．対応としてはⅠ：再検，Ⅱ・Ⅲ：経過観察，Ⅳ：再検，Ⅴ：組織診を目的に外科的切除，Ⅵ・Ⅶ：準全摘術，を勧めている[2]．

❖ 文献

1) Olson M, *et al.*：Thyroid fine-needle aspiration and cytological diagnosis. In：Jameson Jr L, *et al.*(eds), *Endocrinology*：*adult and pediatric*. 7th ed., Saunders, Elsevier, Philadelphia, 1417-1422, 2016

2) American Thyroid Association guidelines task force：Management guidelines for children with thyroid nodules and differentiated thyroid cancer. *Thyroid* 25：716-759, 2015

3) 日本乳腺甲状腺超音波医学会甲状腺用語診断基準委員会（編）：甲状腺超音波診断ガイドブック．改訂第3版，南江

堂，2016
4) 日本甲状腺学会（編）：甲状腺結節取扱い診療ガイドライン 2013．南江堂，2013
5) Roh JL：Intrathyroid hemorrhage and acute upper airway obstruction after fine needle aspiration of the thyroid gland. Laryngoscope 116：154-156, 2006
6) Ünlütürk U, et al.：Acute suppurative thyroiditis following fine-needle aspiration biopsy in an immunocompetent patient. J Clin Ultrasound 42：215-218, 2014
7) Polyzos SA, et al.：Acute transient thyroid swelling following needle biopsy：an update. Hormones (Athens) 11：147-150, 2012
8) 日本内分泌外科学会，他（編）：甲状腺癌取扱い規約 第8版．金原出版，2019

（南谷幹史）

D 骨密度

骨密度（bone mineral density：BMD）は骨粗鬆症患者や低骨量患者の診療において必要な評価項目である．成人のWHOの分類では，骨密度のSDによって骨粗鬆症，骨量減少，正常に分けられている．骨密度の評価には定量性のある dual energy X-ray absorptiometry（DXA）が最も頻用されている．DXAは優れた正確度と精度を有し，被ばく放射線量が低い．さらに，DXAによる骨密度は骨強度や骨折リスクと強い相関がある[1]．DXAによる骨密度（単位：g/cm^2）は，面積当たりの骨塩量（bone mineral content）であるため，成長とともに体格（骨格）が変化する小児では，その解釈に注意を要する．

1）小児期の骨密度と骨量

骨は静的な臓器ではなく，動的な臓器である．骨形成と骨吸収が常に行われ，小児期は，骨形成が骨吸収を上回るために，骨量（bone mass）や骨密度は成長とともに増加する．思春期前までは骨量の男女差はほとんどない．思春期において女児のほうが男児より骨量増加が早く高まる[2〜4]．男女ともに，骨量増加のピーク時の年齢は成長速度のピーク時の年齢より遅れる．成長が終了した後も，骨量増加はしばらく続き，若年成人期に最大骨量を獲得する．閉経後や老年期の骨粗鬆症予防のためには最大骨量をできるだけ高めておくことが望ましい．

2）DXA
a．測定方法

DXAは放射線源，放射線検出器，ソフトウェアからなっている．ソフトウェアは骨や軟部組織の画像を描出し，データを分析し数値として提供する．DXAでは，放射線源が二つの異なるエネルギーをもつX線を照射し，体組織を通過する二つのX線の減衰率の相違から，骨密度と軟部組織の値を算出する．放射線量は非常に低く，成人では椎体や股関節当たり1〜10μSvであり，自然放射線量（〜7μSv/日）と同程度もしくはそれ以下である[1]．

b．精度

DXAは非常に信頼性が高いが，DXAに精通した技師による校正用ファントムの定期的な測定が推奨されている．測定値の誤差は1.5%以内にすべきであり，技師による腰椎骨密度の最小有意変動（least significant change：LSC）は5.3%以内にすべきである．したがって，腰椎骨密度を経時的に測定する場合，5%以上の数値変化を有意な変化と考える．

c．小児における骨密度測定
①測定部位

国際臨床デンシトメトリー学会（International Society for Clinical Densitometry：ISCD）から2007年に小児のDXAに関する公式見解が発表され，2013年にその改定版が発表されている．DXAは骨塩量と面積当たり骨密度（areal BMD：aBMD）の評価に適した方法であり，腰椎と頭部を除いた全身骨（total body less head：TBLH）の骨塩量とaBMDが多くの小児患者の評価に適している[5,6]．腰椎は海綿骨をより反映し，全身骨は皮質骨をより反映する．わが国では腰椎骨密度はL1〜L4またはL2〜L4の平均値が用いられている（図1）．海外ではL1〜L4の報告が多いが，L2〜L4の報告もある．全身骨スキャンは軟部組織（脂肪量や除脂肪量）の評価に用いることも可能である．他の部位は臨床的必

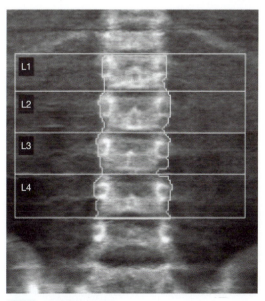

図1　腰椎骨密度測定

要性に応じて撮影されるかもしれないが，成人でよく撮影される股関節は推奨されていない．5歳以下の乳児では腰椎の骨塩量とaBMDが推奨されている．TBLHの骨塩量とaBMDは3歳以上で実施可能で再現性があるとされている[5]．測定誤差を考慮し，DXAの測定間隔として最低6～12か月はあけるべきである．

②測定データの評価方法

得られたデータを評価するための参照データには，性別，年齢，人種，民族が一致した一般集団を用いるべきであるとされている[5]．一方で，アフリカ系アメリカ人小児は，コーケイジアン，ヒスパニック系，アジア系アメリカ人小児よりaBMDが高いが，コーケイジアン，ヒスパニック系，アジア系の間での差は小さい．したがって，アフリカ系と非アフリカ系の2群として5～20歳の参照データを示されている[2,3]．さらに，1～36か月の参照データも報告されている．この年齢では，アフリカ系とコーケイジアンアメリカ人の間で，aBMDの差がなかった[7]．DXAの報告書にはTスコア（若年成人の平均値に対するSD），骨量減少（osteopenia），骨粗鬆症（osteoporosis）を用いるべきではない．骨塩量もしくはaBMDのZスコアが−2.0 SD以下のときは低骨量もしくは低骨密度と記載すべきである．日本人の6～19歳までの小児の腰椎骨密度（L2～L4）の年齢別，男女別の基準値データ（平均値と偏差）が作成されている（表1）[4]．低身長のある小児では骨の大きさの影響を考慮する必要がある．腰椎の骨塩量とaBMDは身長Zスコアもしくはbone mineral apparent density（BMAD）で調整される．TBLHの骨塩量とaBMDは身長Zスコアで調整される．BMADは骨の大きさを考慮し，体積当たり骨密度を推定する方法である．Carterらは腰椎を直方体とみなし，aBMDを推定の椎体の深さ（腰椎面積の1.5乗）で割った値をBMADとしている[8]．BMADはperipheral quantitative computed tomography（pQCT）によって直接測定された体積当たり骨密度と相関する．Krögerらは腰椎を円筒とみなし，aBMDに（4/［π×腰椎測定面積の幅］）を掛けた値をBMADとしている[9]．なお，小児の骨粗鬆症の診断には，低骨量や低骨密度だけではなく，臨床的に有意な骨折を有することが必要である[10]．

③他の測定部位

小児のDXAにおいて，腰椎やTBLH以外の測定についても検討されている．ISCDの2019年の公式見解では，前腕遠位部，大腿骨近位部，大腿骨遠位部側面の測定は，腰椎やTBLHが測定できない場合や特定の部位の測定の有用性が高い場合，参照データがあれば有用である可能性があるとしている[11]．しかしながら

表1　日本人小児の腰椎L2-4 BMDの基準値

年齢	男児		女児	
	平均	偏差	平均	偏差
6	0.625	0.054	0.618	0.045
7	0.627	0.050	0.645	0.055
8	0.650	0.050	0.670	0.052
9	0.659	0.057	0.700	0.068
10	0.679	0.066	0.748	0.077
11	0.702	0.057	0.748	0.052
12	0.740	0.059	0.839	0.050
13	0.799	0.820	0.914	0.109
14	0.867	0.068	0.934	0.114
15	0.935	0.093	1.039	0.152
16	0.958	0.077	1.048	0.111
17	1.019	0.093	1.016	0.109
18	1.053	0.097	1.077	0.123
19	1.039	0.091	1.036	0.123

［西山宗六，他：日本人小児の骨密度と体組成の年齢別推移．日小児会誌 103：1131-1138，1999］

ら，さらなる参照データの蓄積と有用性の検討が必要である．さらに，椎体側面スキャンによる椎体骨折評価（vertebral fracture assessment）は症候性もしくは無症候性の椎体圧迫骨折の評価に有用である可能性がある．

3）DXA以外の骨量評価方法

quantitative computed tomography（QCT），pQCT，high resolution（HR）-pQCTは，体積当たりの骨密度，骨微細構造，海綿骨と皮質骨の情報が得られるため，骨をより詳細に評価できる測定方法である[11]．しかし，放射線被ばくや参照データ，測定プロトコルの問題のため，まだ研究段階であり，実臨床での利用は推奨されていない．小児の骨の評価におけるquantitative bone ultrasound（QUS）やMRIの有用性の研究も進められているが，日常診療での利用には至っていない．

4）小児における骨密度測定の意義

骨密度測定は，中年期以降の成人のみならず，小児においても骨脆弱性や骨量の評価に有用である．一方で，小児の骨密度は体格の影響を強く受けること，参照データが十分ではないこと，小児の骨粗鬆症の診断には低骨密度のみならず臨床的に有意な骨折を有することなどに留意する必要がある．

❖ 文献

1) Lewiecki EM, et al.：Standard techniques of bone mass measurement in adults. In：Bilezikian JP, et al.（eds）：Primer on the metabolic bone diseases and disorders of mineral metabolism. 9th ed., John Wiley & Sons, Hoboken, 252-259, 2018
2) Weaver CM, et al.：The National Osteoporosis Foundation's

position statement on peak bone mass development and lifestyle factors : a systematic review and implementation recommendations. *Osteoporos Int* 27 : 1281-1386, 2016
3) Zemel BS, *et al*. Revised reference curves for bone mineral content and areal bone mineral density according to age and sex for black and non-black children : results of the bone mineral density in childhood study. *J Clin Endocrinol Metab* 96 : 3160-3169, 2011
4) 西山宗六,他：日本人小児の骨密度と体組成の年齢別推移 日小児会誌 103：1131-1138, 1999
5) Gordon CM, *et al*.：2013 Pediatric Position Development Conference : executive summary and reflections. *J Clin Densitom* 17 : 219-224, 2014
6) Crabtree NJ, *et al*.：Dual-energy X-ray absorptiometry interpretation and reporting in children and adolescents : the revised 2013 ISCD Pediatric Official Positions. *J Clin Densitom* 17 : 225-242, 2014
7) Kalkwarf HJ, *et al*.：Bone mineral content and density of the lumbar spine of infants and toddlers : influence of age, sex, race, growth, and human milk feeding. *J Bone Miner Res* 28 : 206-212, 2013
8) Carter DR, *et al*.：New approaches for interpreting projected bone densitometry data. *J Bone Miner Res* 7 : 137-145, 1992
9) Kröger H, *et al*.：Development of bone mass and bone density of the spine and femoral neck—a prospective study of 65 children and adolescents. *Bone Miner* 23 : 171-182. 1993
10) Bishop N, *et al*.：Fracture prediction and the definition of osteoporosis in children and adolescents : the ISCD 2013 Pediatric Official Positions. *J Clin Densitom* 17 : 275-280, 2014
11) Weber DR, *et al*.：The utility of DXA assessment at the forearm, proximal femur, and lateral distal femur, and vertebral fracture assessment in the pediatric population : 2019 ISCD Official Position. *J Clin Densitom* 22 : 567-589, 2019

〔窪田拓生〕

第7章 内分泌疾患患者にみられる所見，主要症候から診断へのアプローチ

A 低身長

1) 定義，概念

同性・同年齢の標準身長と比較して，身長が−2 SD以下，または3パーセンタイル以下を低身長と定義することが一般的である．

2) 病因・病態からの分類

低身長の原因は多岐にわたり，内分泌的異常に起因する低身長はそのなかの一部を占めるに過ぎない．低身長の病因・病態（図1）[1]，分類（表1）の1例を示す．

3) 診断へのアプローチ

a. 問診

一般的事項に加え，特に注意して問診すべき点を示す（表2）．問診と成長曲線だけでもかなりの情報が得られるため，問診はできる限り詳細にとるべきである．

b. 成長曲線

母子健康手帳，保育所や幼稚園，学校での記録を持参してもらい，できるだけ詳細に成長曲線を記載する．その記載に当たっては，□歳△か月まで考慮してプロットすべきであり，2歳までの場合には，□歳△か月○日まで考慮すべきである．また，身長だけでなく成長全体を把握するため同時に体重も記載する（2歳までは頭囲の記録も行う）．

内分泌疾患に起因する低身長では，成長率（身長増加率）の低下を伴うことが多い．身長増加率の低下は，成長速度が標準値の−1.5 SD以下とされることが多く，「成長ホルモン分泌不全性低身長症の診断の手引き」（厚生労働科学研究費補助金難治性疾患等政策研究事業「間脳下垂体機能障害に関する調査研究」班 平

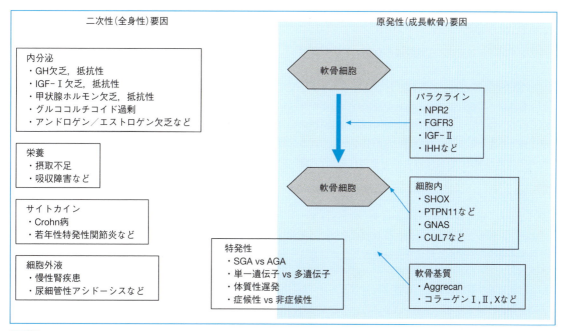

図1 低身長の病因・病態

〔Jorge A, *et al.*：Disorders of childhood growth. In：Sperling MA（ed），*Sperling Pediatric Endocrinology*. 5th ed., Elsevier, Philadelphia, 315, 2020 より一部改変〕

I 総論

表1 低身長の分類

内分泌的異常に起因するもの
1. GH-IGF 系の異常（GHD など）
2. 甲状腺ホルモンの異常（橋本病など）
3. グルココルチコイド過剰（Cushing 症候群など）

その他
1. 特発性低身長症
   特発性低身長症には以下 1）〜3）も含まれる
   1）家族性低身長
   2）体質性思春期遅発症
   3）1）と 2）の両方にあてはまるもの
2. SGA 性低身長
3. 先天異常
   1）染色体異常（Turner 症候群，Down 症候群など）
   2）多発形態異常（Silver-Russell 症候群，Noonan 症候群など）
   3）胎内感染（TORCH 症候群など）
4. 骨系統疾患（軟骨無形成症，軟骨低形成症など）
5. Ca/P，ビタミン D の異常（くる病など）
6. 先天代謝異常（糖原病，ミトコンドリア病など）
7. 愛情遮断症候群
8. 慢性疾患（腎，心臓，腸，血液，炎症性疾患など）
9. 低栄養
10. 薬物（ステロイドなど）
11. 放射線療法

表2 問診時に確認しておくべき事項

家族歴
1. 両親の身長，体重
   target height
   　男児＝（父の身長＋母の身長＋13）×1/2
   　女児＝（父の身長＋母の身長−13）×1/2
   target range（target height の 95% 信頼区間）
   　男児＝target height±9 cm
   　女児＝target height±8 cm
2. 同胞の身長，体重
3. 両親，同胞の思春期開始時期
   母親の初経の時期，父親の最も身長が伸びた時期
4. 流早産歴，血族結婚の有無

既往歴（周産期情報を含む）
1. 出生時の在胎週数，身体計測値（SGA の有無，頭囲を忘れずに），胎位，分娩様式
2. 仮死，低血糖，遷延・重症黄疸の有無
3. 新生児マススクリーニングの結果
4. 精神運動発達の有無
5. 中耳炎の反復，新生児期の手背・足背浮腫の有無
   →Turner 症候群の可能性
6. 長期に使用した内服薬，健康食品

現病歴
1. 多飲，多尿
2. 頭痛，嘔吐，視野狭窄
3. 便秘，寒がり
4. 内服薬，健康食品

表3 確認すべき身体所見

頭・顔	頭髪，口蓋，眼間距離，前額部突出，鼻根部平低，鞍鼻（GH/IGF-I 欠乏を疑わせる所見）
頸部	甲状腺腫，翼状頸
胸腹部・体幹	楯状胸，脊椎側彎，肝脾腫
四肢	arm span（軟骨無形成症，低形成症など） 左右差（Silver-Russell 症候群など） 外反肘，内反膝 第 4 中手骨短縮（Turner 症候群，偽性副甲状腺機能低下症など） 第 5 指内彎（Silver-Russell 症候群など） finger pad（Kabuki 症候群など） 幅広い第 1 指趾（Rubinstein-Taybi 症候群など）
皮膚	色素性母斑（Turner 症候群で多い） 皮膚線条，カフェオレ斑，色素沈着 外傷跡（虐待）
外陰部	小陰茎，停留精巣，陰核肥大，色素沈着
二次性徴	乳房，精巣，陰嚢，陰茎，陰毛，腋毛

成 30 年度改訂）では，「成長速度が（2 年以上にわたって）標準値の−1.5 SD 以下であること」とされている．実際の臨床の場では，まず成長曲線をみて判断することになるが，乳児期，思春期を除き，成長曲線が 1〜2 本以上シフトする場合は何らかの異常があると判断し，必ずその原因を追究すべきである．ある時点から上記のような急激な成長率低下を認める場合に鑑別すべきポイントとしては，①脳腫瘍の存在，②甲状腺疾患の存在，③Cushing 症候群の存在（体重は増加している），④虐待の存在などを念頭におくことである．また，脳腫瘍でも低身長以外の症状を認めない症例が存在したり，狭小化した下垂体茎（invisible stalk）を認める症例も存在するので，身長増加率の低下がみられる症例では頭部 MRI（脳全体および下垂体に焦点）も確認しておくべきである．

体質性思春期遅発症では，思春期の成長スパートが遅れるため，思春期年齢では見かけ上，身長 SD スコアの低下を認める．思春期年齢に低身長を主訴に外来受診する児のなかに，比較的多く存在するため注意する必要がある．GH 分泌不全症などとの鑑別が困難な場合もあるが，骨年齢相当の成長率は正常なこと，思春期遅発症の家族歴をもつ場合が多いことなどが参考になる．

c．身体所見

低身長を主訴とする患者では，内分泌疾患のほかにも，骨系統疾患，多発形態異常，先天代謝異常症なども念頭におき診療にあたるべきである．特に注意すべき所見を示す（表 3）．

d．検査

①骨年齢

左手の単純 X 線写真を用いて評価する．Greulich &

Pyle 法(GP 法)，Tanner Whitehouse 2 法(TW2 法)が臨床の場では，よく用いられる．ただし，GP 法はアメリカ人，TW2 法はイギリス人を基準にした方法であり，日本人は欧米人と比較し，骨年齢が早く進行する傾向がある点を考慮する必要がある．TW2 法では日本人用に標準化された日本人標準 TW2 法を用い，RUS 法(radius, ulna and short finger bones)で評価することが勧められる．

②血液検査・尿検査

一般的検査に加え，IGF-Ⅰ，TSH，FT$_3$，FT$_4$，血液ガス，尿(電解質，β$_2$ミクログロブリンも)を検査する．IGF-Ⅰが低値であれば GH 分泌不全が存在する可能性が高くなり，逆に正常であれば GH 分泌不全は考えにくくなる．ただし，IGF-Ⅰの値は低栄養状態，全身状態不良時は低値を示すため注意する必要がある．年齢にもよるが，可能であれば，LH，FSH，テストステロン(男児)，エストラジオール(女児)も検査しておくとよい，性腺機能や思春期の進行を知るうえで参考となる．また，低身長以外の所見が目立たない Turner 症候群が存在するため，女児では全例，染色体検査(G 分染法)あるいは SHOX をプローブとする FISH 検査も行うべきであるという専門家が多い．低身長に加え発達遅滞を伴っている例では，先天代謝異常のスクリーニングとして，乳酸，ピルビン酸，アンモニア，血漿アミノ酸分析なども行っておくとよい．

e. 診断

以上の情報をもとに診断を考える．診断のためのフローチャートは**各論第 2 章 C の図 9**を参照．

前述したように，特に注意すべきは，身長増加率低下を認める症例の鑑別診断である．体質性思春期遅発症のように通常は治療を要しないものから，脳腫瘍のように生命予後にかかわる疾患も存在するため，慎重に鑑別診断をする必要がある．

❖ 文献

1) Jorge A, et al.：Disorders of childhood growth. In：Sperling MA(ed)，*Sperling Pediatric Endocrinology*. 5th ed., Elsevier, Philadelphia, 315, 2020

❖ 参考文献

・長谷川行洋：小児内分泌疾患を楽しく学ぶ．改訂第 3 版，診断と治療社，53-68，2003

(濱島　崇)

B 高身長

1) 定義および病態

身長の評価は，日本人の同性同年齢における平均身長と標準偏差(SD)値より SD スコアを計算して評価する．＋2 SD 以上を高身長(tall stature)，－2 SD 以下を低身長(short stature)と判定する．また，パーセンタイル表示では，97 パーセンタイル以上を高身長，3 パーセンタイル以下を低身長とする．さらに，1 年間での身長の伸び(身長増加率)としては，－1.5 SD 以下を身長増加率の低下とよぶのに対して，身長増加率の上昇の明確な基準はないが，同様に＋1.5 SD 以上を成長率の増加として判断するのが妥当と思われる．低身長に比して，高身長が主訴となることは少ないが，ほかの主訴を有する患者の診療時も，高身長および成長率の増加は見逃さないようにすることが必要である．成長障害は一般的には低身長ならびに成長率の低下を意味するが，広義には高身長および成長率の増加も含まれる．成長障害は，臨床的には低身長が問題となることが多いが，高身長も同様に重要な疾患が原因となるので注目すべきである．過成長(overgrowth)という用語も使われるが，これは過剰な成長を意味し，高身長とともに，体重・頭囲の増加，内臓肥大，骨格徴候などを含むことがある疾患を意味することが多い．

身長の増加がみられる時期は，ICP モデル(**各論第 2 章 B 図 5** 参照)によると 3 つの時期に分けられる．成長率が増加する思春期が早くはじまると同性，同年齢の小児に比して身長が高くなる．身長増加率の上昇については思春期早発症の一つの症候として注意が必要である．

成長を促進するホルモンとしては，成長ホルモン，甲状腺ホルモン，性ホルモンがある．したがって，それらの過剰分泌は高身長あるいは成長率の増加をきたす．最近，C 型利尿ペプチド(C-type Natriuretic Peptide：CNP)が成長にかかわるホルモン(あるいは局所因子)として発見され，CNP の過剰分泌あるいはその受容体の機能亢進により高身長を呈することが報告されている[1,2]．

小児の成長を担うのは，長管骨の成長軟骨帯での軟骨細胞の分化増殖である．近年，軟骨細胞の分化増殖にかかわる重要な分子が明らかにされてきているが，その異常は多くの場合，軟骨無形成症などの骨系統疾患となる．また，細胞分裂全般にかかわる分子の異常は，高身長をもたらすことが多い．大頭や内臓肥大も伴うことが多く過成長をきたす．さらに，これらは体細胞変異で起こることもあり，その場合は，非対称性

の骨格異常を伴う．また，インプリンティング遺伝子は，胎児の成長にかかわることが多く，インプリンティングの異常は過成長（もしくは子宮内発育遅延）にかかわることが多い．

身長を規定する遺伝子が複数のゲノムワイド関連解析（genome-wide association study：GWAS）により報告されている．700以上の遺伝子が身長にかかわるが，最新の文献では，新たに83遺伝子が追加され，そのうち，低身長に寄与する遺伝子バリアントは軟骨の分化成熟にかかわるものが多かったが，身長が増加する遺伝子としては，GHの代謝にかかわるSTC2（stanniocalcin 2）が最もインパクトが強かった[3]．STC2産物は，蛋白分解酵素であるPAPP-A（pregnancy associated plasma protein-A）と結合することで，その作用を阻害する．PAPP-AはIGFBP-4（insulin growth factor binding protein-4）を分解し，その結果，活性型のフリーのIGF-Ⅰが増加する．したがって，STC2の活性低下は，フリーのIGF-Ⅰの上昇を介して，身長増加に作用すると考えられる．

2）原因疾患

a．内分泌異常

下垂体性巨人症（GH過剰分泌），甲状腺機能亢進症，思春期早発症などがある（それぞれの各論を参照）．

b．染色体異常症

Klinefelter症候群，XXX，XYYなどの核型で高身長がみられることがある．XおよびY染色体の短腕の擬常染色体に存在し，身長の増加にかかわるSHOX遺伝子の量的効果と考えられる．

c．Beckwith-Wiedemann症候群（BWS）

BWSは，臍帯ヘルニア，巨舌，巨人症を三主徴とする先天異常症候群である．胎児期から過成長がみられ，胎盤重量も重い．その他，新生児期の低血糖，耳垂の線状溝，内臓肥大，片側肥大などを伴う．また，BWSでは三主徴とする症候群であり，Wilms腫瘍，肝芽種，横紋筋肉腫など胎児性腫瘍の発生に注意が必要である[4]．11番染色体短腕15.5領域のゲノムインプリンティング異常により発症することが知られている．2つあるインプリングセンターの低メチル化により発症することが多く，CDKN1C遺伝子，IGF2遺伝子が発症にかかわる．

d．Sotos症候群

Sotos症候群は，過成長，大頭，発達遅滞を3主徴とし，心臓や尿路系の形態異常を伴うこともある．過成長は乳幼児期に明らかであるが，次第に成長速度は減速して，成人身長は正常であることも多い[5]．NSD1が責任遺伝子であるが，日本人では片アリルにおけるこの領域のmicrodeletionが原因であることが多く，fluorescence in situ hybridization（FISH）で診断可能な症例がある．NSD1はヒストンメチルトランスフェラーゼの複合体形成分子をコードする．過成長症候群と腫瘍発生は臨床的に問題となることがあり，Sotos症候群では3％くらいにみられるとされる．

e．Weaver症候群

Weaver症候群は出生時からの過成長，特徴的顔貌，骨年齢促進，発達遅滞などを特徴とし，成人期も高身長であることが多い．EZH2が原因遺伝子である（ハプロ不全）．EZH2はSET領域を含むヒストンメチルトランスフェラーゼをコードする．

f．Tatton-Brown-Rahman症候群（TBRS）

TBRSは，知的障害と特異的顔貌を特徴とする最近確認された過成長症候群である．DNAメチルトランスフェラーゼDNMT3A遺伝子変異が本疾患の原因である[6]．DNAのメチル化は，胚発生と腫瘍形成の両方で重要な役割をはたすことが知られているが，本症候群と腫瘍発生のリスクは明らかではない．

g．Marfan症候群

FBN1遺伝子などのハプロ不全（常染色体顕性遺伝）を原因とする全身の結合組織が脆弱になる遺伝性疾患で，頻度は5,000人に1人とまれではない．主要症状は，高身長，大動脈基部拡大，水晶体脱臼である．その他，骨格異常（漏斗胸・側彎），大動脈瘤や大動脈解離，クモ状指，自然気胸などがみられる．細胞骨格の構成物質であるフィブリリン1の異常により，全身の結合組織が脆弱になるとともに，TGF-βの過剰活性化も病態に関与する．

h．Loeys-Dietz症候群

Loeys-Dietz症候群はMarfan syndrome typeⅡともよばれ，Marfan様体型は呈するが，水晶体の亜脱臼は示さず，動脈瘤を発症しやすいなどの特徴を有し，常染色体顕性遺伝である．一般的には，クモ状指は呈するが，高身長を呈さないとされるが，鑑別すべき疾患と思われる．本症候群の責任分子は，TGF-β受容体1（TGFBR1）あるいは2（TGFBR2）である．

i．神経線維腫症1型（Neurofibromatosis type 1）

NF1遺伝子（17q11.2）の変異を原因とする常染色体性顕性遺伝性の母斑症で，頻度は3,000人に1人とまれではない．主要症状は，カフェオレ斑，神経線維腫で，その他，骨異常（骨欠損，骨変形，胸郭変形），巨頭，高身長を呈する症例もある．頭部MRIでUnidentified bright object（UBO）がみられる．

j．Simpson-Golabi-Behmel症候群

GLC3遺伝子変異による過成長症候群で，男児にみ

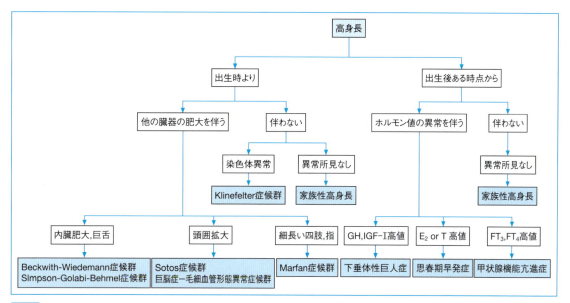

図2 高身長の鑑別のフローチャート
〔参考文献に基づき著者作成〕

られ，X染色体連鎖性遺伝である．出生時および出生後の過成長・大頭症，巨舌，多指症，副乳，爪低形成，正中線上の形態異常，高腫瘍発生率などがみられる．

k. CNP受容体機能獲得型異常症（epiphyseal chondrodysplasia, Miura type）

CNPはナトリウム利尿ペプチドファミリーに属し，ANP，BNPに続き同定され，内軟骨性骨化に重要な因子であることが2000年代に入り証明された．CNPはナトリウム利尿ペプチド受容体B（natriuretic peptide receptor B：NPRB）と結合し，グアニル酸シクラーゼ領域が活性化されcGMPを産生し，cGMP依存性protein kinase（PKGⅡ）を介してFGFR3シグナル系のMAP kinase伝達を抑制することにより軟骨の分化・増殖を調整している．低身長を呈するMaroteaux型のacromesomelic dysplasiaは，NPRBの機能喪失型変異であり，常染色体潜性遺伝である[7]．またCNP染色体転座t(2；7)によりCNP過剰産生をきたし高身長となる症例が2007年に報告された[8]．さらにNPRBの機能獲得型変異による高身長家系が報告され[3]，その後の症例とあわせて，三浦型 epiphyseal chondrodysplasiaと命名された[3]．このようにCNP-NPRB-cGMP系は内軟骨性骨形成に重要な役割をはたすことがヒトでも示され，軟骨無形成症に対する身長促進治療薬としてCNPアナログの開発も行われた[9]．

l. 巨脳症—毛細血管形態異常症候群（megalencephaly-capillary malformation）

巨脳症—毛細血管形態異常症候群は，大頭に加えて多小脳回，毛細血管形態異常，過成長，指趾形態異常，結合組織異常などを認める症候群である．てんかんや精神運動発達遅滞，自閉スペクトラム症の症状を呈する．細胞増殖に関与するmTORシグナル伝達系（AKT3，PIK3R2，PIK3CA）が責任遺伝子であることが同定された．

m. Luscan-Lumish症候群

大頭，知的障害，発語遅延，社会性の低下，行動異常を特徴とする症候群で，SETD2を責任遺伝子とする．

n. Kosaki overgrowth症候群

骨格過成長，特徴的顔貌，過伸展性皮膚，白質病変を呈する．責任遺伝子はPDGFRBで，その座位は5q32である[10]．

o. Perlman症候群

過成長，内臓肥大，特徴的顔貌，腎形成異常，Wilms腫瘍などを特徴とする常染色体潜性遺伝性症候群である．3'-5'エクソリボヌクレアーゼをコードするDIS3L2が責任遺伝子である．

p. Malan症候群

過成長，大頭，特徴的顔貌，発達遅滞などを特徴とする常染色体顕性（実際は突然変異）遺伝性症候群である．転写因子をコードするNF1Xが責任遺伝子である．

3）診断へのアプローチ

過成長をきたす疾患の鑑別診断としては，胎児期からの過成長であるかどうか，骨格徴候を伴うかどうかが，キーポイントとなる（図2）．鑑別診断のためのポイントを表4に示す．また，今後は，さらに遺伝子診

断が活用されると思われる(表5)．これらのほかに，高身長を示す疾患としてCLOVES症候群，PTEN過誤腫症候群，Klippel-Trenaunay症候群，Proteus症候群，Cohen-Gibson症候群など多数知られるが，紙面の都合上割愛する．

表4 高身長を呈する疾患

過成長症候群(大頭，発達遅滞，出生時高身長を伴うことが多い)
・Beckwith-Wiedemann症候群
・Sotos症候群
・Weaver症候群
・Tatton-Brown-Rahman症候群
・Simpson-Golabi-Behmel症候群
・巨脳症─毛細血管形態異常症候群
・Luscan-Lumish症候群
・Kosaki overgrowth症候群
・Perlman症候群
・Malan症候群
Marfan体型(Marfanoid)あるいは骨格変形を示す疾患
・Marfan症候群
・Loeys-Dietz症候群
・ホモシスチン尿症
・神経線維腫症1型
内分泌異常を基礎とする疾患
・下垂体性巨人症
・思春期早発症(成長途中)
・甲状腺機能亢進症
・CNP過剰あるいはNPRB活性化
染色体異常症
・Klinefelter症候群

表5 高身長をきたす疾患と責任遺伝子

疾患	責任遺伝子
Beckwith-Wiedemann症候群	CDKN1C, IGF2(imprinting)
Sotos症候群	NSD1
Weaver症候群	EZH2
Tatton-Brown-Rahman症候群	DNMT3A
Simpson-Golabi-Behmel症候群	GLC3
巨脳症─毛細血管形態異常症候群	AKT3, PIK3R2, PIK3CA
Luscan-Lumish症候群	SETD2
Kosaki overgrowth症候群	PDGFRB
Perlman症候群	DIS3L2
Malan症候群	NF1X
Marfan症候群	FBN1
Loeys-Dietz症候群	TGFBR1, TGFBR2
ホモシスチン尿症	CBS
神経線維腫症1型	NF1
下垂体性巨人症	GNAS1, GPR101
CNP受容体機能獲得型異常症	NPRB

❖ 文献

1) Yasoda A, et al.：Overexpression of CNP in chondrocytes rescues achondroplasia through a MAPK-dependent pathway. Nat Med 10：80-86, 2004
2) Miura K, et al.：An overgrowth disorder associated with excessive production of cGMP due to a gain-of-function mutation of the natriuretic peptide receptor 2 gene. PLoS One 7：e42180, 2012
3) Marouli E, et al.：Rare and low-frequency coding variants alter human adult height. Nature 542：186-190, 2017
4) Commarata-Scalisi F, et al.：Beckwith-Wiedemann syndrome：Clinical and etiopathogenic aspects of a model genomic imprinting entity. Arch Argent Pediatr 116：368-373, 2018
5) Sotos JF：Sotos syndrome 1 and 2. Pediatr Endocrinol Rev 12：2-16, 2014
6) Tatton-Brown K, et al.：Mutations in the DNA methyltransferase gene DNMT3A cause an overgrowth syndrome with intellectual disability. Nat Genet 46：385-388, 2014
7) Bartels CF, et al.：Mutations in the transmembrane natriuretic peptide receptor NPR-B impair skeletal growth and cause acromesomelic dysplasia, type Maroteaux. Am J Hum Genet 75：27-34, 2004
8) Bocciardi R, et al.：Overexpression of the C-type natriuretic peptide(CNP)is associated with overgrowth and bone anomalies in an individual with balanced t(2；7)tranlocation. Hum Mutat 28：724-731, 2007
9) Savarirayan R et al.：C-type natriuretic analogue therapy in children with achondroplasia. N Engl J Med 381：25-35, 2019
10) Takenouchi T, et al.：Novel overgrowth syndrome phenotype due to recurrent de novo PDGFRB mutation. J Pediatr 166：483-486, 2015

❖ 参考文献

・Edmondson AC, et al.：Overgrowth syndromes. J Pediatr Genet 4：136-143, 2015
・Lui JC, et al：Regulation of body growth. Curr Opin Pediatr 27：502-510, 2015

(大薗恵一)

C やせ

1) 定義・概念

やせとは，一般的に，①身長に対して体重が著しく少ない状態，あるいは，②体重が減少あるいは増加不良である状態を示す．①の状態は，わが国ではおもに肥満度−20%以下(幼児では−15%以下)を基準として判定される．一方，②の状態は，出生時からの身長，体重の計測値を成長曲線上にプロットして評価する．乳幼児期早期および思春期を例外として，身長は標準成長曲線上の基準線のカーブに沿って増加することが比較的多く，体重も身長ほどではないが同様とされている．それをもとに体重増加不良は，体重増加が標準成長曲線上のカーブに沿わずにシフトダウンする場合

に判定する．シフトダウンの程度に明確な定義はないが，通常2チャネル以上のシフトダウンは明らかな異常とされる．ただし，早期診断・介入の観点からは，1チャネル以上のシフトダウンは要注意と判定するのがよいと考える[1]（図3）[2]．

小児のやせは，従来，国際的には body mass index（BMI）や weight for length/height の基準値に基づくカットオフを用いて評価されてきた．国際的に用いられる代表的な評価法の例として，Center for Disease Control and Prevention（CDC）による「BMI 基準値の5パーセンタイル未満」[3]，あるいは World Health Organization（WHO）の「weight for length/height 基準値の－2 SD 未満」[4] などがある．しかしこれまで小児のやせは評価法だけでなく，その概念を含め完全な統一に至っていなかった．一方，failure to thrive（FTT）も重要な小児のやせの概念の一つであったが，おもに乳幼児を対象としていた．近年，アメリカを中心に小児のやせに関する用語を"malnutrition（低栄養）"に統一し，人体計測値に基づく明確に定義された分類で記述することが推奨されており，現在，生後1か月から18歳までの小児のやせの評価に利用可能な具体的な指標として8種類が示されている．人体計測値のデータポイントが一つの場合（横断的評価）だけでなく，二つ以上の場合（縦断的評価）の指標が明確に示されていることが特徴

的である[5,6]（表6）[5]．しかしこれらの指標についての有効性，信頼性に関する情報はまだ不足しており，今後さらなる検証の必要がある[7]．

2）病因・病態からの分類

やせは，症候性やせ，および体質性やせに大別され

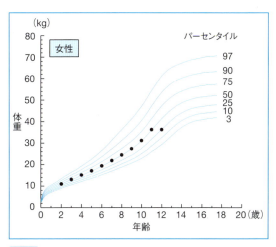

図3　体重の成長曲線上のシフトダウンの例

本例（女性）では体重の絶対値の減少はないが，11歳から12歳にかけて成長曲線上50パーセンタイルから25パーセンタイルへの1チャネルのシフトダウンを認める

〔体重の標準成長曲線：Isojima T, et al.：Growth standard charts for Japanese children with mean and standard deviation（SD）values based on the year 2000 national survey. Clin Pediatr Endocrinol 25：71-76, 2016 のデータをもとに作成〕

表6　アメリカを中心に推奨される小児の"malnutrition（低栄養）"の評価のための指標

おもな指標	低栄養の程度		
	軽度[*1]	中等度[*2]	重度[*3]
データが一つの場合			
weight for length/height（身長別体重）	－1～－1.9 Z スコア	－2～－2.9 Z スコア	＜－3 Z スコア
BMI	－1～－1.9 Z スコア	－2～－2.9 Z スコア	＜－3 Z スコア
身長	―	―	＜－3 Z スコア
上腕周囲長	－1～－1.9 Z スコア	－2～－2.9 Z スコア	≦－3 Z スコア
データが二つ以上の場合			
体重増加速度（＜2歳）	標準的体重増加（WHO 基準）の＜75%	標準的体重増加（WHO 基準）の＜50%	標準的体重増加（WHO 基準）の＜25%
体重減少（2～20歳）	通常の体重[*4]の5%	通常の体重[*4]の7.5%	通常の体重[*4]の10%
Weight for height（身長別体重）Zスコアの低下	1 Z スコア	2 Z スコア	3 Z スコア
不十分な栄養摂取（エネルギー・たんぱく質）	推定必要量の51～75%	推定必要量の26～50%	推定必要量の≦25%

*1　軽度：意図しない体重減少，あるいは体重増加速度が予想よりも少ない状態．通常，経済状況あるいは急性疾患のいずれかによる急性事象の結果として生じる
*2　中等度：正常範囲を下回る weight for length/height 値あるいは年齢別BMI値をもたらす有意な期間の低栄養の結果として生じる
*3　重度：発育の阻害を引き起こすような成長率の低下により定量化される長期間にわたる低栄養の結果として生じる
*4　通常の体重：明確な定義はないが何らかの栄養状態の変化が起こる前の体重を示す

〔Becker PJ, et al.：Consensus statement of the Academy of Nutrition and Dietetics/American Society for Parenteral and Enteral Nutrition：Indicators recommended for the identification and documentation of pediatric malnutrition（undernutrition）. J Acad Nutr Diet 114：1988-2000, 2014 より引用一部改変〕

表7　小児のやせにおけるおもな鑑別疾患

心理社会性・行動性障害	貧困，育児スキルの欠如，親子相互作用の障害，食事拒否，反芻，親の認知・精神保健的障害，虐待・ネグレクト（愛情遮断症候群），神経性食欲不振症，薬物乱用
神経疾患	脳性麻痺，中枢神経系腫瘍（間脳症候群），神経筋疾患，神経変性疾患
腎疾患	反復性尿路感染症，尿細管アシドーシス，腎不全
内分泌疾患	糖尿病，尿崩症，甲状腺機能低下症・甲状腺機能亢進症，GH分泌不全症，副腎不全
遺伝性・代謝性・先天性疾患	鎌状赤血球症，先天代謝異常症（アシドーシス・高アンモニア血症・蓄積病），胎児性アルコール症候群，骨異形成，染色体異常，多発性先天性形成異常症候群（VATER，CHARGE）
消化器疾患	幽門狭窄症，胃食道逆流，気管食道瘻の修復，腸回転異常症，吸収不全症候群，セリアック病，牛乳不耐症，膵機能不全症候群（嚢胞性線維症），慢性胆汁うっ滞，炎症性腸疾患，慢性先天性下痢症，短腸症候群，仮性閉塞症，Hirschsprung病，食物（ミルク）アレルギー
心疾患	チアノーゼ性心疾患，うっ血性心不全，血管輪
呼吸器疾患	重症気管支喘息，嚢胞性線維症（気管支拡張症），慢性呼吸不全，気管支肺異形成，アデノイド・扁桃肥大，閉塞性睡眠時無呼吸
感染性疾患	周産期感染症（TORCHES），不顕性・慢性感染症，寄生虫感染症，結核，HIV
その他	膠原病，悪性疾患，原発性免疫不全症

〔Mclean HS, et al.：Failure to Thrive. In：Kliegman RM, et al. (eds)：Nelson Textbook of Pediatrics, 20th ed., Elsevier, Amsterdam, 249-252, 2015 より引用一部改変〕

る．

a．症候性やせ

症候性やせは，原疾患が存在するやせ（原因が特定できる場合のやせ）である．原則としてやせによる健康障害を示唆する所見（徐脈，低血圧，低体温，末梢冷感，顔色不良，脱毛，浮腫，皮膚ツルゴールの低下，活動性の低下など），および成長速度の異常（体重減少・体重増加不良，あるいは身長増加不良）を伴う．すなわち冒頭の②の状態のやせは，症候性やせである可能性が高い[1]．症候性やせの原疾患（病因）は多岐にわたる（表7）[8]．病態別では，①摂取エネルギーの不足，②摂取エネルギーの喪失，③代謝の亢進・異常（摂取エネルギーの利用障害あるいは消費エネルギーの過剰）に分類できる（図4）[1,9,10]．

b．体質性やせ

体質性やせは原因が特定できない場合のやせであり，病的意義がないやせを示す．体質性やせは，種々の症候性やせを否定した際に診断されるべきであるが，実際には上述の健康障害を示唆する所見，および成長速度の異常を伴わないやせと同義と考えてよい[1]．

3）診断へのアプローチ[10]

症候性やせの原疾患の診断（図4）においては，病歴（成長曲線の作成を含む）や身体所見などからある程度疑わしい疾患に絞ったうえで，一般臨床検査（スクリーニング検査），およびさらに必要な臨床検査を段階的に進めていくのがよい．特に摂取エネルギーの有無の評価は，診断の第一歩として重要である．

a．病歴

最近の体調や環境の変化だけでなく，既往歴，成育歴，家族歴なども詳細に聴取する．特に慢性的な経過の場合には成長曲線により発症の時期を特定し，その前後での体調および環境の変化を詳細に聴取する．

b．身体所見

やせによる健康障害を示唆する所見（先述）だけでなく，原疾患による一次的な異常所見（原疾患により様々）に注目して身体所見を確認する．なお前者は低栄養状態に基づく二次的な異常所見であるため，多くの場合，症候性やせの原疾患の鑑別には役立たない．

c．一般臨床検査（スクリーニング検査）

原疾患を絞りにくい場合に，診断への糸口を見つけるために役立つことがある．血液検査（血算，炎症反応，一般生化学，甲状腺ホルモン，IGF-Ⅰなど），尿検査，便検査（潜血・脂肪・培養など），画像検査（胸腹部単純X線・腹部エコーなど）を行う．消化管造影および内視鏡検査などは必要に応じて追加する．

d．摂取エネルギーの評価

問診（普段の飲食に関する聴取）だけでなく，3日間の食事のメニュー分析などが有用である．また必要に応じて，短期入院による食事摂取量の観察を行う．なお，虐待，神経性食欲不振症および薬物乱用などによる場合，通常の問診やメニュー分析のための食事調査において真実が語られない場合があることにも注意が必要である．摂取エネルギーの不足があり，摂取エネルギーを増加させることでやせが改善する場合には，神経性食欲不振症，虐待などを強く疑う．一方，摂取エネルギーの不足があるが摂取エネルギー増加を試みてもやせの改善がない場合，あるいは摂取エネルギーの不足がない場合には，虐待や神経性食欲不振症など以外の器質的疾患の存在を疑い，やせ以外の各症状に注目した臨床検査を積極的に進めていく必要がある．

e．器質的疾患を明らかにできない場合

一般臨床検査などで明らかな異常所見を認めず，器質的疾患を明らかにできない場合でも，成長曲線上，成長速度の異常を伴う場合には，「症候性やせの疑い」

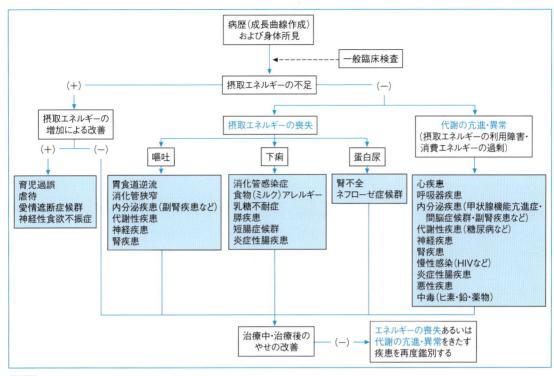

図4 症候性やせの原疾患診断へのフローチャート
〔井ノ口美香子, 他：やせ. 小児科診療 70（増刊）：235-237, 2007/Weston JA：Growth deficiency/Failure to thrive. In：*Pediatric Decision Making*（Berman S ed）. 3rd ed. Mosby, St Louis, 218-223, 1996 より引用一部改変〕

として，経過観察を行う必要がある．経過とともに，やせ以外の臨床症状や臨床検査の異常などが明らかになり，のちに診断に至る場合があるためである．

❖ 文献

1) 井ノ口美香子, 他：やせ. 小児科診療 70（増刊）：235-237, 2007
2) Isojima T, et al.：Growth standard charts for Japanese children with mean and standard deviation（SD）values based on the year 2000 national survey. Clin Pediatr Endocrinol 25：71-76, 2016
3) Centers for Disease Control and Prevention.：Recommended BMI-for-age cutoffs. https://www.cdc.gov/nccdphp/dnpao/growthcharts/training/bmiage/page4.html（accessed 2021-01-07）
4) Malnutrition in children. In：*Nutrition Landscape Information System（NLIS）country profile indicators：interpretation guide*. World Health Organization, Geneva, 1-3, 2010
5) Becker PJ, et al.：Consensus statement of the Academy of Nutrition and Dietetics/American Society for Parenteral and Enteral Nutrition：Indicators recommended for the identification and documentation of pediatric malnutrition（undernutrition）. J Acad Nutr Diet 114：1988-2000, 2014
6) Lo L, et al.：Malnutrition. In：Kliegman RM, et al.（eds）*Nelson textbook of pediatrics*, 21st ed., Elsevier, Amsterdam, 343-345, 2019
7) Becker PJ, et al.：Validity and Reliability of Pediatric Nutrition Screening Tools for Hospital, Outpatient, and Community Settings：A 2018 Evidence Analysis Center Systematic Review. J Acad Nutr Diet 120：288-318. e2, 2020
8) Mclean HS, et al.：Failure to Thrive. In：Kliegman RM, et al（eds）：*Nelson Textbook of Pediatrics*, 20th ed., Elevier, Amsterdam, 249-252, 2015
9) Weston JA：Growth deficiency/Failure to thrive. In：*Pediatric Decision Making*（Berman S ed）. 3rd ed., Mosby, St Louis, 218-223, 1996
10) 井ノ口美香子：やせ（学童期・思春期）．日本小児栄養消化器肝臓学会（編），小児臨床栄養学．改訂第2版，診断と治療社，126-128，2018

（井ノ口美香子）

D 肥満

1）定義・概念

肥満は，「個体において脂肪組織が過剰に蓄積した状態」と定義される．実臨床の現場では脂肪量をすぐに測定することはむずかしいため，成人での肥満の診断においては，一般的に body mass index（BMI）の絶対値が用いられる．一方，小児・思春期での肥満の診断においては，BMIの絶対値は肥満を過小評価する可能性が高いため，わが国では統計的な根拠のある標準体

表8 肥満の評価

肥満度		BMI パーセンタイル値	
6〜17 歳		過体重	85≦，＜95
軽度肥満	20％以上	肥満　クラス1	95≦
中等度肥満	30％以上	クラス2	120≦，＜140
高度肥満	50％以上	クラス3	140≦
幼児			
太り気味	15％以上		
やや太り過ぎ	20％以上		
太り過ぎ	30％以上		

重をもとにした肥満度が用いられる（表8）．しかし，肥満度は日本独自のものであり英文雑誌への投稿や国際学会での発表など国際比較をする際には注意が必要である．また，諸外国ではBMIパーセンタイル値が用いられる（表8）が，BMIパーセンタイル値も，身長や年齢が大きくなるほど肥満を過小評価し，また肥満が高度であるほど肥満の程度の差がわかりにくい，などの問題点が指摘されている．

脂肪蓄積の判定には体脂肪率を用いる．測定法には，生体電気インピーダンス法，皮脂厚法（キャリパー法），水中体重秤量法，dual-energy X-ray absorptiometry（DEXA）法（二重エネルギーX線吸収法）などが用いられる．いずれの方法でも18歳未満の男児では25％，11歳未満の女児では30％，11歳以上18歳未満の女児では35％で過脂肪状態と判定する．

内臓脂肪蓄積の評価には腹部CTを用いる．臍レベルでの断面像を指標とし，60 cm^2 以上であれば内臓脂肪蓄積と評価する．ほかにウエスト周囲長≧80 cm，ウエスト／身長比≧0.5で内臓脂肪蓄積の疑いとする．

脂肪組織（白色脂肪組織）は，以前は単なる脂肪を蓄える貯蔵庫だと考えられてきた．しかし，レプチンの発見以降，様々なアディポカインとよばれる脂肪由来のサイトカインを分泌する内分泌臓器であると考えられている．レプチンは，視床下部腹内側核に作用して食欲を抑える以外にも，末梢組織において糖の利用や脂肪酸酸化の亢進作用がある．レプチン以外にもアディポネクチン，レジスチン，TNF-α，PAI-1，アンギオテンシノゲンなどが知られており，インスリン感受性，炎症，食欲などおもにエネルギー代謝にかかわる調節を行う[1]．

成人の肥満では脂肪の蓄積のメインは内臓脂肪であるが，小児の場合は脂肪の蓄積は皮下脂肪がメインである．内臓脂肪は，皮下脂肪よりも遊離脂肪酸の放出能が高い一方，レプチンやアディポネクチンの産生能は低い．そのために各臓器での脂肪酸酸化能が低くなり過剰な脂肪が蓄積する．肝臓に蓄積すると非アルコール性脂肪肝疾患（nonalcoholic fatty liver disease：NAFLD），骨格筋に蓄積すると全身の糖取り込み能の低下，膵臓β細胞への蓄積でインスリン分泌能低下が生じる．これらの脂肪組織以外の臓器への脂肪蓄積によるインスリン作用障害は異所性脂肪として知られている[2]．小児2型糖尿病の発症頻度は日本を含む世界中で増加しているが，これは現代の高カロリーの食事への変化に伴う肥満の増加により，内臓脂肪を含む各種臓器（肝臓，骨格筋，膵臓）への（異所性）脂肪蓄積が関連していると考えられている．

2）病因・病態からの分類

肥満は，大きく分けて基礎疾患のない原発性肥満と基礎疾患のある二次性肥満に分けられる．原発性肥満は，基本的にはエネルギー摂取量がエネルギー消費量に比べて相対的に多くなっていることが原因と考えられる[3]．一方で，二次性肥満は①内分泌疾患，②視床下部障害，③薬剤性，④染色体異常，⑤単一遺伝子疾患などに由来する．①内分泌疾患には，甲状腺機能低下症，性腺機能低下症，GH分泌不全症，Cushing症候群などがあげられる．単純性肥満は，思春期開始を早め骨年齢の促進を生じることが多く成長率の上昇を伴うが，内分泌疾患による肥満は成長障害を合併することが多い．②視床下部障害には，腫瘍治療後（手術，放射線治療），頭部外傷後，脳症後の視床下部障害が原因となる．既往歴や治療歴を詳細に聴取する必要がある．③薬剤性には，ステロイド，抗甲状腺薬，抗精神病薬などがあげられる．服薬の確認が必要である．④染色体異常には，Down症候群，Klinefelter症候群，Prader-Willi症候群などがあげられる．⑤単一遺伝子疾患は精神発達遅滞を伴うものと伴わないものに大別される（表9）．乳幼児期からの高度肥満では遺伝子疾患による肥満を鑑別にいれる必要がある．また多くの症例が過食や内分泌異常を伴うことが多いのも特徴である．

上述したように肥満には様々な原因が想定されるが，単純に原因を同定することはむずかしいことが多い．原発性肥満においても，多くの弱い遺伝因子と環境因子など多数の因子がかかわっていると考えられている（ポリジェニックモデル）．現在ゲノムワイド関連解析（genome wide association study：GWAS）を用いて国際コンソーシアムによる体重のメタアナリシスが行われ，70万人のメタアナリシスで941もの感受性座位が報告されている[4]．パスウェイ解析で，中枢神経系，Bリンパ球系，脂肪組織の関与が大きいという結果であった．

また胎生期や出生直後の栄養状態も肥満を含む代謝

表9　単一遺伝子異常による肥満

精神発達遅滞(＋)			
顕性遺伝形式	Prader-Willi症候群	筋緊張低下，低身長，過食，低ゴナドトロピン性性腺機能低下症	
	Albright遺伝性骨異栄養症	低身長，嗅覚障害，PTHなどのホルモン抵抗性	
	SIM1欠損症	過食，低血圧，言語発達の遅延，神経行動異常	
	BDNF/TrkB欠損症	注意欠陥／多動性障害	
潜性遺伝形式	Bardet-Biedl症候群	網膜色素変性症，慢性腎障害，性腺機能低下症，多指症・合指症	
	TUB欠損症	視覚障害，聴覚障害	
精神発達遅滞(－)			
顕性遺伝形式	MC4R欠損症	過食，過成長，高インスリン血症（潜性遺伝形式を取る場合もある）	
	SH2B1欠損症	過食，高インスリン血症，攻撃性などの行動異常	
	KSR2欠損症	過食，徐脈，基礎代謝低下，インスリン抵抗性	
潜性遺伝形式	Alström症候群	糖尿病，心筋症，視覚障害，聴覚障害，性腺機能低下症，呼吸器感染症	
	レプチン欠損症	過食，低ゴナドトロピン性性腺機能低下症，GH分泌不全症，中枢性甲状腺機能低下症，T細胞性免疫異常症	
	レプチン受容体欠損症	過食，低ゴナドトロピン性性腺機能低下症	
	POMC欠損症	ACTH欠損症，中枢性甲状腺機能低下症，赤毛	
	PCSK1欠損症	食後低血糖，低ゴナドトロピン性性腺機能低下症，ACTH欠損症，中枢性甲状腺機能低下症，重度の下痢	

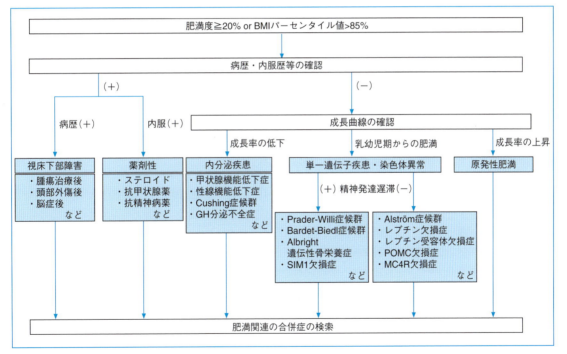

図5　肥満での診断アプローチ

異常の原因になる(developmental origins of health and disease〈DOHaD〉仮説). 男児では2,500 g未満の低出生体重児あるいは4,000 g以上の高出生体重児では, 成人後の肥満が約2倍, 女児では低出生体重だと成人後の肥満は1.7倍増える[5]. わが国では出生体重2,500 g以下の低出生体重児の出生率が増えている. その原因は多岐にわたると考えられるが, 生殖補助医療による多胎児の増加, 若年女性のやせの増加, 妊娠中の栄養問題などが一因としてあげられる.

3）診断へのアプローチ

　肥満の診断は肥満度やBMIパーセンタイル値を用いて容易に可能であるが，原疾患の鑑別にはむずかしいことがある（図5）．自閉スペクトラム症やAsperger症候群などの発達障害児でも肥満の頻度は高いが，遺伝子異常による二次性肥満でも発達障害を伴うことがある．まず成長曲線を可能な限り幼少期まで遡ってつけて体重増加開始時期を確認し，病歴や基礎疾患・内服の有無などを詳細な問診により確認し，体重増加開始時期のタイミングとの因果関係の有無を確認する．原発性肥満では，体重増加とともに身長も伸び，思春期も早い傾向になる．一方，二次性肥満では成長障害を伴うことが多い．成長障害を伴わない場合は，原因の鑑別としての検査は推奨されないが，合併症検索のための検査は考慮されなければいけないことには注意が必要である．過食を伴う5歳未満の乳幼児期発症の高度肥満症例や両親が血族結婚の症例であれば積極的に二次性肥満を疑い随伴症状の有無の確認が必要である．二次性肥満では性腺機能低下症を伴うことも多く外性器を含めた診察も重要である．幼少期発症の肥満の単一遺伝子疾患による肥満の頻度は5%以下といわれているが，過小評価をされており特定の集団では30%に達するという報告もあり，肥満を診察するうえでは単純性肥満と決めつけることなく何らかの基礎疾患の存在を念頭に診察を行う．

　肥満は，前述したようなGWASなどの研究結果から体質が大きく関与していることがわかってきている．しかし，依然社会においては肥満に対する知識不足や偏見によるスティグマが存在している．さらに，小児の肥満は家庭の低収入や保護者のストレスなど社会経済的な影響との関連も指摘されており，単なる食べ過ぎや怠惰な生活と小児の責任と押し付けられるものではない．小児の肥満は高頻度に成人肥満につながり，将来的に2型糖尿病，心血管障害，高脂血症，高血圧などのいわゆるメタボリックシンドローム，発がんや骨折のリスク増大など様々な疾患罹患との関連が報告されている．小児の肥満は社会を写す鏡であり，将来的な社会経済的な問題につながるという認識をもち対応をしていく必要がある．

❖ 文献

1) Antuna-Puente B, et al.：Adipokines：the missing link between insulin resistance and obesity. *Diabetes Metab* 34：2-11, 2008
2) Szendroedi J, et al.：Ectopic lipids and organ function. *Curr Opin Lipidol* 20：50-56, 2009
3) Hill JO, et al.：Energy balance and obesity. *Circulation* 126：126-132, 2012
4) Yengo L, et al.：Meta-analysis of genome-wide association studies for height and body mass index in ～700000 individuals of European ancestry. *Hum Mol Genet* 27：3641-3649, 2018
5) Eriksson J, et al.：Size at birth, childhood growth and obesity in adult life. *Int J Obes Relat Metab Disord* 25：735-740, 2001

（森　潤）

E　思春期早発

1）定義・概念

　思春期早発症とは，何らかの原因で二次性徴が早期に出現する状態である．二次性徴とは，男子における精巣容量の増大と外性器の成熟・陰毛の発生・腋毛やひげの発生，変声が，また女子における乳房発育，陰毛発生と外性器の成熟および腋毛の発生・月経が起こり，順次進行していくことである．一般に，二次性徴の開始時期には個人差があり，平均開始年齢からほぼ正規分布を示すと考えられている（表10）[1]．二次性徴が平均から2～2.5 SDまたは97～99パーセンタイルよりも早期に開始したものは，標準的な幅を超えていると考えられ，これを思春期早発症と定義する．

　診断基準としては，2018年厚生労働省研究班による「中枢性思春期早発症の診断の手引き」（表11）[2]が用いられていることが多いが，女児においては運用に注意が必要である[3]．すなわち，①健常女児の1～2%以上が7歳6か月以下で乳腺発育が生じること，②この基準を満たす女児のなかには，思春期の進行が緩徐であり治療介入を必要としない一群がいること[4]，に留意する必要がある．

2）病因・病態からの分類（表12）[5]

　通常の思春期発来と同様に視床下部-下垂体-性腺軸の活性化により生じるゴナドトロピン依存性思春期早発症と，この軸とは別の機構により起こるゴナドトロピン非依存性思春期早発症に大別される．

　ゴナドトロピン依存性思春期早発症では，男女それぞれの二次性徴の症候の出現順序や間隔は通常と同じ

表10　日本人小児の二次性徴発現時期

男子	精巣容量3 mL以上	10.8±1.3
	陰毛2度	12.5±1.8
女子	乳房2度	10.0±1.4
	陰毛2度	11.7±1.6
	初経	12.3±1.3

平均±SD（歳）

［Matsuo N：Skeletal and sexual maturation in Japanese children. *Clin Pediatr Endocrinol* 2（Suppl. 1）：1-4, 1993］

であることを特徴とし，原因は，特発性と器質性，遺伝子変異に伴うものの三つに分けられる．本症の頻度には性差があり，男女比は1：5である．また，本症は女児例では80～90％が特発性であるが，男児では特発性は25～60％にとどまり，器質的異常によるものが多いため，原因疾患の検索が不可欠である[5]．近年いくつかの遺伝子変異とゴナドトロピン依存性思春期早発症との関連が報告されており，家族歴がある場合には考慮する[6]．

ゴナドトロピン非依存性思春期早発症は，性腺，副腎，または外因性の性ステロイド（エストロゲン，アンドロゲン）の過剰分泌，もしくはゴナドトロピン産生腫瘍などが原因となる．さらに，臨床症状から，二次性徴が性別に合ったものであるか（同性化），性別と合わないものであるか（異性化：女児の男性化／男児の女性化）に分類され，原因疾患の検索の糸口となる．

3）診断のアプローチ（図6）[5,7]

①思春期早発症がゴナドトロピン依存性か非依存性か，②二次性徴の進行がどのくらい早いか，③二次性徴が男性化なのか女性化なのか（アンドロゲンの過剰かエストロゲンの過剰か），に留意しつつ器質的疾患の有無の検索を行う．他の疾患を除外して初めて特発性と診断できる．

a．問診

出生時の状況（在胎週数や身長・体重），二次性徴の発来時期を確認し，成長曲線の作成を行う．既往歴（中枢神経疾患，頭部外傷，放射線治療）や両親と同胞の思春期のタイミングや性ステロイドが含まれている薬剤・食品の摂取がないか，随伴症状として，頭痛，視野異常，けいれん，行動や感情の変化，腹痛などの症状の有無を確認する．

b．身体診察

Tanner分類に沿って二次性徴の評価を行う．女児では乳腺組織や乳輪の発育を視診触診で評価し，男児ではオーキドメーターを用いて精巣容量の測定を行い，左右差の有無も確認する．男児の陰茎長の評価は正確

表11　中枢性思春期早発症診断の手引き

Ⅰ．主症候
1. 男児の主症候
   1) 9歳未満で精巣，陰茎，陰嚢等の明らかな発育が起こる．
   2) 10歳未満で陰毛発生をみる．
   3) 11歳未満で腋毛，ひげの発生や声変わりをみる．
2. 女児の主症候
   1) 7歳6ヶ月未満で乳房発育が起こる．
   2) 8歳未満で陰毛発生，または小陰唇色素沈着等の外陰部成熟，あるいは腋毛発生が起こる．
   3) 10歳6ヶ月未満で初経をみる．

［厚生労働科学研究費補助金難治性疾患等政策研究事業「間脳下垂体機能障害に関する調査研究」班：中枢性思春期早発症の診断と治療の手引き（平成30年度改訂），日本内分泌会誌 95（Suppl.）：25-28, 2019］

表12　思春期早発症の分類

ゴナドトロピン依存性思春期早発症	特発性		
	器質性	中枢神経腫瘍	視床下部過誤腫，視神経膠腫（NF1），視床下部星細胞腫
		中枢神経疾患	脳炎・脳症，脳膿瘍，サルコイドーシス，頭部外傷，水頭症，くも膜嚢胞，髄膜瘤，放射線頭部照射
		性ホルモン曝露歴	先天性副腎過形成の治療開始後など
	遺伝子変異によるもの		KISS1/KISS1R機能獲得型変異，MKRN3機能喪失型変異，DLK1機能喪失型変異
ゴナドトロピン非依存性思春期早発症	同性化	男児	hCG産生腫瘍（絨毛上皮腫，胚腫，テラトーマ，肝芽腫，絨毛癌）
			未治療の先天性副腎過形成（21水酸化酵素欠損症，11β水酸化酵素欠損症），男性化副腎腫瘍，Leydig細胞腫，testotoxicosis
		女児	機能性卵巣嚢腫，エストロゲン産生卵巣／副腎腫瘍，Peutz-Jeghers症候群
		男女児	McCune-Albright症候群，甲状腺機能低下症，医原性あるいは外因性性ステロイド曝露（食品，薬剤，化粧品）
	異性化	男児での女性化	副腎腫瘍，絨毛上皮腫，未治療の11β水酸化酵素欠損症，Sertoli細胞腫（Peutz-Jeghers症候群），医原性・外因性エストロゲン
		女児での男性化	未治療の先天性副腎過形成（21水酸化酵素欠損症，11β水酸化酵素欠損症，3β水酸化ステロイド脱水素酵素欠損症），副腎腫瘍，卵巣腫瘍，医原性・外因性アンドロゲン，アロマターゼ欠損症
思春期早発症の亜型	早発乳房，早発陰毛，早発月経，男児での女性化乳房		

［Styne DM：Physiology and disorders of puberty. In：Melmed S, et al.（eds），Williams textbook of Endocrinology. 14th ed., Elsevier, Piladelphia, 1023-1164, 2019 をもとに作成］

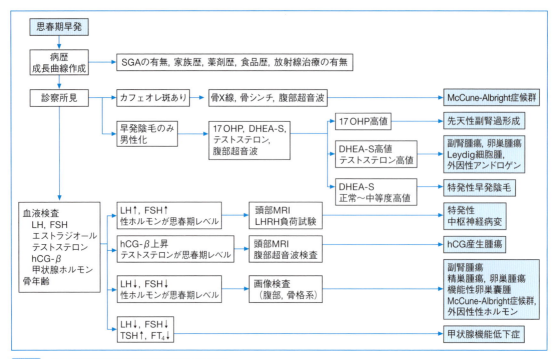

図6 思春期早発症の診断手順のアルゴリズム

[Styne DM：Physiology and disorders of puberty. In：Melmed S, et al.(eds), Williams textbook of Endocrinology. 14th ed., Elsevier, Piladelphia, 1023-1164, 2019/Pomeranz A, et al., Pediatric Decision-Making Strategies. 2nd ed., Elsevier, Philadelphia, 264-269, 2015 を参考に作成]

な評価がむずかしく，思春期の閾値もはっきりしていないため，精神的負担を避ける点からもすべての症例で行う必要はない．カフェオレ斑などの皮膚所見や腹部腫瘤の有無，女児では多毛や陰核肥大，声の低音化，ざ瘡などの男性化徴候を，男児では女性化乳房を確認する．

c．検査

X線による骨年齢の評価は，鑑別診断と最終身長への影響の評価の両方に有用である．問診と身体診察で二次性徴の進行が明らかである場合，LH，FSH，性ホルモン（エストラジオールおよび/またはテストステロン）を測定する．男性化の徴候がある場合は，副腎皮質ホルモン（17OHP，DHEA-S）とその関連ホルモンであるACTHを評価する．男児ではhCG-βを測定し，hCG産生腫瘍の可能性を評価する必要がある．随時のLH，FSH，性ホルモンの値のみで，病巣の診断ができない場合は，LHRH負荷試験を追加する．ゴナドトロピン依存性か非依存性かの判断がついたら，画像診断を進めていく．

❖ 文献

1) Matsuo N：Skeletal and sexual maturation in Japanese children. Clin Pediatr Endocrinol 2(Suppl. 1)：1-4, 1993
2) 厚生労働科学研究費補助金難治性疾患等政策研究事業「間脳下垂体機能障害に関する調査研究」班：中枢性思春期早発症の診断と治療の手引き（平成30年度改訂），日本内分泌会誌 95(Suppl.)：25-28, 2019
3) 長谷川行洋：LHRH依存性思春期早発症．たのしく学ぶ小児内分泌．診断と治療社，262-264, 2015
4) 田中敏章：女児の思春期早発症の診断における年齢基準．日本生殖内分泌学会雑誌 8：67-69, 2003.
5) Styne DM：Physiology and disorders of puberty. In：Melmed S, et al.(eds), Williams textbook of Endocrinology. 14th ed., Elsevier, Philadelphia, 1023-1164, 2019
6) Roberts SA, et al.：GENETICS IN ENDOCRINOLOGY：Genetic etiologies of central precocious puberty and the role of imprinted genes. Eur J Endocrinol 183：R107-R117, 2020
7) Pomeranz A, et al., Pediatric Decision-Making Strategies. 2nd ed., Elsevier, Philadelphia, 264-269, 2015

〔糸永知代〕

F 思春期遅発症

1) 定義・概念

思春期徴候の出現が遅い場合に思春期遅発と考えるが，明確な線引き・定義はいわば人為的である．思春期徴候は男児では精巣腫大（4 mL以上：3 mLと記載されているものもある）から開始し，陰茎増大，陰毛出現

と進行する．女児では乳腺腫大が最初にみられ，陰毛出現，初経へと進行する．現在の日本人の思春期開始年齢の平均は男児で11歳頃，女児で10歳頃である（表13）[1,2]．思春期の1 SDは1年に相当するため，平均から2〜2.5 SD遅延した状態を異常とすると，男児で14歳，女児で13歳になっても思春期徴候を認めない場合は思春期遅発症と考えることができる．また，思春期が開始しても進行が遅れる場合も精査を考慮すべきである．一般的には二次性徴が開始してから約3年で思春期が完成するため，男児で思春期開始から4.5年以内に性成熟が完了しない場合，女児では5年以内に月経が開始しない場合は異常と考える．

2）病因・病態からの分類

「思春期が遅い」ことを主訴に来院する場合，思春期開始が遅れるがその後性成熟が完了する体質性思春期遅発症と，思春期が開始しない，もしくは完了しない性腺機能低下症に大別される．後者は中枢性（低ゴナドトロピン性）性腺機能低下症と，原発性（高ゴナドトロピン性）性腺機能低下症に分類される（表14）．

a．体質性思春期遅発症

本症の原因はいまだ，解明されていないが，GnRHパルスジェネレーターの活性化遅延により生じ，遺伝的な要因が大きいと考えられる．7割に家族歴があるという報告もある[3]．思春期遅発症の原因では最も頻度が高く，思春期遅発症と判断された男児の63%，女児の30%が体質性思春期遅発症であったとの報告もある[4]．性腺機能低下症をきたす他の器質的疾患を否定することが重要である．特に低ゴナドトロピン性性腺機能低下症との鑑別は容易でないことが多く，数年の経過観察のあと，はじめて確定診断が可能になることもある．

b．低ゴナドトロピン性性腺機能低下症（中枢性性腺機能低下症）

ゴナドトロピン分泌の異常による二次性徴の遅延あるいは欠如による疾患である．Kallmann症候群をはじめとするゴナドトロピン単独欠損症，複合型下垂体ホルモン欠損症，中枢神経系の器質的障害，Prader-Willi症候群などの症候群性の疾患が相当する．慢性疾患や長期のステロイド使用，代謝・栄養障害により二次性にゴナドトロピン分泌低下をきたす機能性の性腺機能低下症もこれに含まれる．

c．高ゴナドトロピン性性腺機能低下症（原発性性腺機能低下症）

性腺からの性ステロイド分泌不全により思春期徴候が認められない．先天性の要因では男児はKlinefelter症候群や精巣分化異常，女児ではTurner症候群が重要である．後天性の要因としては外傷や精巣炎の後遺

表13 日本人の二次性徴発現年齢

		Matsuo 1993[1]	田中ら2005[2]
男児	精巣容量3 mL	10.8±2.6 (8.2〜13.4)	
	陰毛Ⅱ度	12.5±1.8 (10.7〜14.3)	
女児	乳房Ⅱ度	10.0±2.8 (7.2〜12.8)	9.49±2.18 (7.31〜11.67)
	陰毛Ⅱ度	11.7±3.2 (8.5〜14.9)	
	初経	12.3±2.5 (9.8〜14.8)	12.24±1.86 (10.38〜14.1)

平均±2 SD（±2 SDの範囲）を示す

表14 思春期遅発症の分類

1. 体質性思春期遅発症
2. 低ゴナドトロピン性性腺機能低下症
    1）ゴナドトロピン単独欠損症
        Kallmann症候群
        Kallmann症候群以外の先天性低ゴナドトロピン性性腺機能低下症
    2）複合型下垂体ホルモン欠損症
    3）中枢神経系の器質的障害
        腫瘍（頭蓋咽頭腫，胚細胞腫瘍など）
        下垂体炎
        血管障害，外傷
        放射線治療，CNS感染症の後遺症
    4）症候群性の疾患
        Prader-Willi症候群
        Laurence-Moon-Biedl症候群
    5）機能性の低ゴナドトロピン性性腺機能低下症
        慢性消耗性疾患
        長期のステロイド使用
        栄養障害
        高プロラクチン血症
        その他，内分泌疾患に伴うもの〔甲状腺機能低下症，Cushing症候群，糖尿病，高度肥満（BMI＞30）など〕
3. 高ゴナドトロピン性性腺機能低下症
    1）先天性
        Klinefelter症候群
        Turner症候群
        Noonan症候群
        精巣退縮症候群
        性腺異形成症
        LH/hCG受容体異常症
        FSH受容体異常症
        テストステロン合成の障害（アンドロゲン受容体異常症アロマターゼ欠損症など）
    2）後天性
        化学療法，性腺への放射線治療など

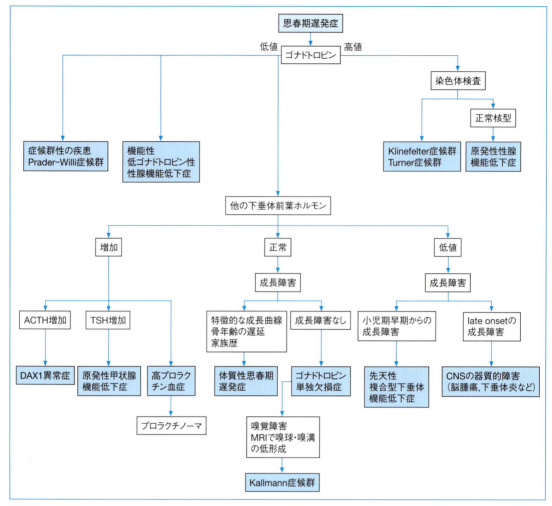

図7 診断のフローチャート

症，化学療法や性腺への放射線療法の既往などが考えられる．

3) 診断へのアプローチ

鑑別疾患を念頭に置いた問診・診察・検査所見をもとに診断を進める(図7)．

a．問診

周産期歴，発達・発育歴，家族歴，既往歴，二次性徴の成熟段階と出現時期，臨床症状などを確認する．嗅覚障害の有無はKallmann症候群の鑑別に重要である．また，頭痛・嘔吐・視力障害・多飲多尿など頭蓋内病変を示唆する症状の有無なども確認する．体質性思春期遅発症の典型例の多くで家族歴を認めるため，両親や同胞の思春期発来時期の聴取は診断の参考になる．両親の身長が一番伸びた時期，母の初経年齢を聴取する．一般的に成長率がピークとなるのは男児で平均13歳，女児で12歳であるため，父親であれば高校生以降，母親であれば中学生後半以降に一番身長が伸びている場合，母親の初経年齢が14～15歳以降の場合は，思春期は遅かったと判断できる[5]．

b．体格・体型の評価，成長曲線

体質性思春期遅発症の典型例では特徴的な成長曲線を示し，低身長を主訴に受診することも多い．乳児期には正常な身長増加を示すが2～3歳頃から成長率が低下し−2 SD以下になることもまれではない．二次性徴が出現すればスパートが到来し，最終的には多くが正常身長に達するが，思春期前の成長率低下が目立つ例では正常身長まで達しないこともある[3]．

c．診察

思春期段階はTanner分類によって評価する．男児ではオーキドメーターを用いて精巣容積の計測を行う．
全身診察から，性腺機能低下症をきたす基礎疾患を疑わせる所見がないか確認する．口唇口蓋裂などの顔

貌異常，骨格異常，顔面の非対称，耳介の形態異常，甲状腺腫大，皮膚の異常，Cushing 徴候の有無，女児では Turner 徴候にも注意する．男児では胎生期の男性ホルモン作用不全を疑わせる症状（小陰茎，小精巣，停留精巣など）も重要である．

d．生化学的検査

血液検査でゴナドトロピン（LH，FSH），テストステロン，エストラジオール，プロラクチン，IGF-I，甲状腺機能などを評価する．

e．画像検査

骨年齢は日本人小児標準化 TW2-RUS 法のアトラスなどを用いて評価する．骨年齢は暦年齢から 2 年以上遅延するものを明らかな遅延とすることが多い．

低ゴナドトロピン性性腺機能低下症が疑われる時は，頭部 MRI 検査を行い，視床下部―下垂体の形態異常や腫瘍性病変の有無を確認する．Kallmann 症候群の鑑別には嗅球・嗅溝の所見が重要である．高ゴナドトロピン性性腺機能低下症が疑われるときは腹部超音波検査や骨盤部 MRI を行い，性腺・子宮の形態や腎臓の形態の異常の有無などを評価する．

f．染色体検査

高ゴナドトロピン性性腺機能低下症が考えられる場合，染色体検査を行い，Klinefelter 症候群，Turner 症候群などの鑑別を行う．

g．負荷試験

LH，FSH の基礎値のみで判断がむずかしい場合には LHRH 負荷試験を考慮する．男児で精巣機能評価が必要な場合には hCG 負荷試験を行うが，低ゴナドトロピン性性腺機能低下症でも通常の 3 日間の hCG 負荷試験では低反応となることがある．

h．その他

Kallmann 症候群を疑う場合は，より客観的な検査として，アリナミンテストによる嗅覚試験を行うことも可能である．また，近年，特に先天性低ゴナドトロピン性性腺機能低下症では，原因となりうる遺伝子変異が数多く同定されているため必要に応じて遺伝子検査が考慮される．

性ホルモンの分泌低下が考えられるときは治療前の骨密度検査を行う．

❖ 文献

1) Matsuo N：Skeletal and Sexual Maturation in Japanese Children. *Clinical Clin Pediatr Endocrinol* 2（Suppl. 1）：1-4；1993
2) 田中敏章，他：縦断的検討による女児の思春期の成熟と初経年齢の標準化．日児誌 109：1232-1242, 2005
3) Wehkalampi K, et al.：Patterns of inheritance of constitutional delay of growth and puberty in families of adolescent girls and boys referred to specialist pediatric care. *J Clin Endocrinol Metab* 93：723-728, 2008
4) Sedlmeyer IL, et al.：Delayed puberty：analysis of a large case series from an academic center. *J Clin Endocrinol Metab* 87：1613-1620, 2002
5) 長谷川行洋：思春期遅発．はじめて学ぶ小児内分泌．改訂第 2 版，診断と治療社，54, 2021

（佐藤聡子）

G 月経異常

1) 定義・概念

a．月経の機序―消退出血，破綻出血

正常な月経はエストロゲンとプロゲステロンの周期的な分泌により起こる．子宮内膜は増殖期にエストロゲンの作用で増殖し，排卵後（分泌期）にエストロゲン・プロゲステロンの作用で分化する．エストロゲン・プロゲステロンの急激な減少により子宮内膜が剥脱し出血することをエストロゲン消退出血およびプロゲステロン消退出血という．エストロゲン消退出血は卵巣摘出後などの際にみられる．正常な月経はプロゲステロン消退出血により起こる．

これに対し破綻出血とは，エストロゲンもしくはプロゲステロンにより子宮内膜が増殖し，表層部の血管増生が追いつかなくなると，表層部が壊死し出血するものである．エストロゲン破綻出血およびプロゲステロン破綻出血がある．エストロゲン破綻出血は多囊胞性卵巣症候群（polycystic ovary syndrome：PCOS）や初経後早期の無排卵性出血の一部でみられる．プロゲステロン破綻出血は不適切に高用量のプロゲスチンを服用した際にみられる[1,2]．

b．月経の周期

正常な月経とは次のとおりである．月経周期日数：25〜38 日，周期日数の変動：±6 日以内，出血持続日数：3〜7 日，経血量（月経期間中合計）：20〜140 mL[1]．初経の平均年齢は 12.2〜12.3 歳である[3,4]．一方で月経異常の種類と定義について表 15[1,5]に示す．

初経後早期は視床下部―下垂体―卵巣系が未熟といわれている．しかし初経後 2 年以内でも月経の半分は正常に排卵が起きており[6]，初経後早期に月経周期が確立した場合，その日数は生殖可能年齢の成人女性と比べてわずかに違うのみである[5]．初経後 1 年以内の 75% で月経周期は 21〜45 日であり，さらに 5% は初経後 3 年以内にこの周期に落ち着く．この変化にあわせて海外では希発月経を初経からの年数ごとに定義している（表 15）[1,5]．

表15 月経異常の種類と定義

月経開始の異常			
原発性無月経	満18歳を過ぎても初経の発来していないもの		無月経の鑑別へ
初経遅延	15歳以上18歳未満で初経の発来していないもの		
遅発初経	15歳以上で初経の発来したもの		
月経周期の異常			
続発性無月経	それまでみられていた月経が3か月以上停止したもの		
希発月経	初経から1年以内	月経周期が90日以上のもの	無月経以外の月経異常の鑑別へ
	初経から2年以内	月経周期が60日以上のもの	
	初経から3年以内	月経周期が45日以上のもの	
	初経から3年以上〜成人	月経周期が39日以上3か月以内のもの	
頻発月経	月経周期が24日以内のもの		
出血持続日数の異常			
過長月経	出血持続日数が8日以上のもの		
過短月経	出血持続日数が2日以内のもの		
経血量の異常			
過多月経	月経期間中の合計出血量が140 mL以上のもの		
過少月経	月経期間中の合計出血量が20 mL以下のもの		

〔日本産科婦人科学会(編):産科婦人科用語集・用語解説集.改訂第4版.2018/Rosenfield RL, et al.:Puberty in the female and its disorders. In:Sperling MA(ed), *Sperling Pediatric Endocrinology.* 5th ed., Elsevier, Philadelphia, 2020より一部改変〕

c. 月経困難症

月経期間中に月経に随伴して起こる病的症状をいう.下腹部痛,腰痛,腹部膨満感,悪心,頭痛,疲労・脱力感,食欲不振,イライラ,下痢および憂うつなどの症状がみられる.月経困難症は無排卵性月経には通常みられない.

本症は機能性と器質性に大別される.機能性月経困難症は頸管狭小やプロスタグランジンなどの内因性生理活性物質による子宮の過収縮が原因で起こり,月経の1〜2日目頃に症状が出現する.一方,器質性月経困難症は子宮内膜症などの器質的疾患が原因で起こり,月経前4〜5日から月経後まで続き,持続性の鈍痛のことが多い[1].

2) 病因・病態からの分類

a. 無月経の原因

原発性無月経は18歳以上で定義されているが,15歳を過ぎても初経がない場合には初経遅延として精査を進めるべきである.海外では初経年齢の95パーセンタイルが14.5歳であり[7],原発性無月経の基準を15〜16歳としている.わが国でも初経年齢の+2 SD,+3 SDはそれぞれ14.1歳,15.0歳であり[4],18歳以前での介入を促すため2017年に「初経遅延」,「遅発初経」の用語が新設された.

原発性無月経に対して続発性無月経はそれまでみられていた月経が3か月以上停止したものである.ここでは原発性無月経,初経遅延,遅発初経,続発性無月経を「無月経」とまとめて鑑別を述べる.

視床下部─下垂体─卵巣系の機能,子宮・腟の形態,そのほかの疾患により無月経が起きる(表16)[5].子宮性無月経(生殖器構造異常),すなわち子宮欠損や性分化疾患などは原発性無月経を呈することが多いが,それ以外の疾患では原発性無月経,続発性無月経のいずれの種類も呈しうる.

b. 無月経以外の月経異常,不正性器出血の原因

無月経以外の月経異常や,月経以外に子宮・腟・外陰部から出血をきたす不正性器出血の原因を表17に示す[2,5].前述の無月経の原因としてあげた視床下部─下垂体─卵巣系の異常の一部は,無排卵性出血もしくは黄体機能不全をきたし,無月経以外の月経異常の原因となる.無排卵性出血とは,卵胞が発育しエストロゲン産生はあるものの,排卵が障害されることで起きるエストロゲン消退出血やエストロゲン破綻出血をいう.黄体機能不全とは,黄体からのエストロゲンとプロゲステロンの分泌不全により,子宮内膜の分泌期変化が正常に起こらないものをいう.

思春期年齢では無排卵性出血を起こすことが多く,黄体機能不全を起こすことはまれである.特に視床下部─下垂体─卵巣系の未熟性による初経後早期の生理的な無排卵性出血(いわゆる機能性子宮出血)が月経異常の原因として最多である[2].

表16 無月経の原因

視床下部性無月経 下垂体性無月経	機能性視床下部性無月経（著明な体重減少，著明な肥満，過度の運動，身体的・心理的ストレス，慢性消耗性疾患） 体質性思春期遅発症 ゴナドトロピン分泌不全 　先天性：Kallmann 症候群，先天性複合型下垂体ホルモン欠損症，Prader-Willi 症候群，Laurence-Moon-Biedl 症候群，遺伝子異常（DAX1，KISS1，GnRH1） 　後天性：視床下部・下垂体腫瘍，下垂体炎，放射線療法，中枢神経損傷
卵巣性無月経	先天性：性腺形成異常（Turner 症候群，混合性腺異形成症，21 トリソミー，13 トリソミー，18 トリソミー，Denys-Drash 症候群），先天性副腎過形成症の一部（リポイド副腎過形成症，17α 水酸化酵素欠損症），ゴナドトロピン受容体異常 後天性：放射線療法，化学療法，卵巣摘出，自己免疫疾患 早発卵巣不全，特発性
子宮性無月経 （生殖器構造異常）	子宮欠損・腟欠損（Mayer-Rokitansky-Küster-Hauser 症候群），子宮形態異常，処女膜閉鎖，子宮内膜癒着（子宮内膜症，炎症），性分化疾患（アンドロゲン受容体異常症，5α 還元酵素欠損症）
その他	妊娠，高プロラクチン血症（脳腫瘍，中枢神経損傷，腎不全，肝不全，薬剤，特発性），甲状腺機能低下症，Cushing 症候群，糖尿病，アンドロゲン過剰〔多嚢胞性卵巣症候群，先天性副腎過形成症の一部（21 水酸化酵素欠損症，11β 水酸化酵素欠損症など），アンドロゲン産生腫瘍〕，薬剤（向精神薬，麻薬）

〔Rosenfield RL, et al.：Puberty in the female and its disorders. In：Sperling MA（ed），*Sperling Pediatric Endocrinology*. 5th ed., Elsevier, Philadelphia, 2020 より一部改変〕

表17 無月経以外の月経異常，不正性器出血の原因

子宮からの出血			
	生理的		初経後早期，周閉経期
視床下部—下垂体—卵巣系の異常	視床下部—下垂体機能不全	機能性（体重減少，肥満，過度の運動，慢性消耗性疾患）	
		器質性（腫瘍）	
	早発卵巣不全		
	高プロラクチン血症	下垂体腫瘍	
		甲状腺機能低下症	
	アンドロゲン過剰	多嚢胞性卵巣症候群	
	エストロゲン過剰	エストロゲン産生腫瘍	
	薬剤	経口避妊薬	
		GnRH アゴニスト	
子宮の器質的疾患		腫瘍，ポリープ，感染	
凝固異常		Von Willebrand 病	
妊娠関連疾患		流産，子宮外妊娠	
子宮以外からの出血			
腟・外陰部からの出血		感染，外傷，異物	

〔Bulun SE：Physiology and pathology of the female reproductive axis. In：Melmed S, et al.（ed），*Williams Textbook of Endocrinology*. 14th ed., Elsevier, Philadelphia, 2019/Rosenfield RL, et al.：Puberty in the female and its disorders. In：Sperling MA（ed），*Sperling Pediatric Endocrinology*. 5th ed., Elsevier, Philadelphia, 2020 より一部改変〕

また，月経異常のなかでも過多月経など出血が多くなるものでは子宮の器質的疾患，凝固異常が鑑別にあがる．生殖可能年齢では妊娠関連疾患による月経異常や不正性器出血が最多であり，思春期年齢でも妊娠の可能性はまず念頭におく必要がある．

3）診断へのアプローチ

a．無月経の鑑別（図8）[5]

①問診

両親の二次性徴（成長率ピークの年齢，母親の初経年齢），嗅覚障害（Kallmann 症候群の一症状），甲状腺機能低下症状，既往歴および薬剤使用歴（慢性消耗性疾患，悪性腫瘍に対する化学療法・放射線療法，手術歴），性交の有無について聴取する．続発性無月経の原因として機能性視床下部性無月経が最も多く，食事摂取状況，体重の増減・過度な運動・ストレスの有無についても聴取する．問診内容から機能性視床下部性無月経が疑わしい場合も，他の器質的疾患の除外を行う．

②身体診察

身長・体重測定，BMI 算出，成長曲線作成を行う．乳房・陰毛の Tanner 分類，外性器の形態（陰核肥大），鼠径〜陰唇の腫瘤（精巣成分をもつ性腺），Turner 徴候（翼状頸，外反肘），色素沈着（ACTH 過剰の一症状），多毛（アンドロゲン過剰の一症状），乳汁漏出，甲状腺腫大，神経学的所見などの診察をする．

③検査

図8のアルゴリズムに示すように，まず乳房発育がある症例では尿中 hCG 定性検査（妊娠の有無）を検討する．次に超音波検査で子宮・腟の形態，子宮内膜の有無，瘤血腫の有無を評価し，子宮性無月経（生殖器構造異常）を診断する．また卵巣病変，卵胞，多数の小卵胞所見の有無についてもあわせて評価しておくと，卵巣性無月経や PCOS の診断の手がかりとなる．子宮内膜の厚みがあり卵胞が認められればエストロゲン分泌は保たれていることが多い[8]．

I 総論

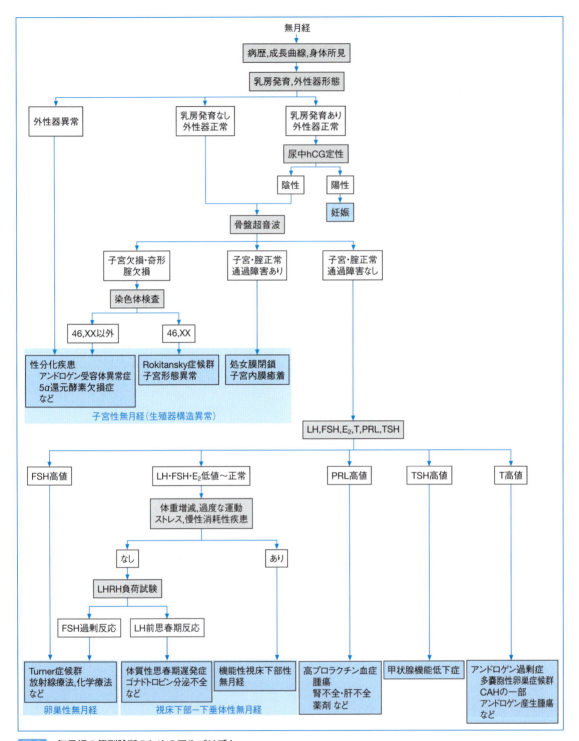

図8 無月経の鑑別診断のためのアルゴリズム
〔Rosenfield RL, et al.：Puberty in the female and its disorders. In：Sperling MA（eds）, *Sperling Pediatric Endocrinology*. 5th ed., Elsevier, Philadelphia, 2020 より一部改変〕

血液検査ではLH，FSH，エストラジオール，テストステロン，PRL，TSHを測定する．FSH基礎値高値や，LHRH負荷試験でFSH過剰反応を認めた場合は卵巣性無月経を疑う．卵巣性無月経のうち，原発性無月経をきたす原因はTurner症候群が最多である．LHRH負荷試験でLHが前思春期反応であれば体質性思春期遅発症やゴナドトロピン分泌不全を疑う．なお，体重減少に伴い生じる機能性視床下部性無月経に対してLHRH負荷試験を行うと原則的にはゴナドトロピンの分泌を確認できるが，長期にわたる低栄養などの重症例では低反応を示す場合がある[8]．

追加の検査として，視床下部—下垂体性無月経や高プロラクチン血症と判断した場合は，頭部MRIを行う．卵巣性無月経，アンドロゲン過剰と判断した場合は，染色体検査，副腎機能の精査を行う．

④重症度分類

現在では血中ホルモン値により重症度を評価することが一般的であるが[8]，古典的な無月経の重症度分類としてプロゲスチンおよびエストロゲンを負荷する方法がある．プロゲスチンの負荷のみによって消退出血を起こしうるものを第1度無月経，プロゲスチンにエストロゲンを併用してはじめて消退出血を起こしうるものを第2度無月経，いずれの負荷でも消退出血を認めないものを子宮性無月経と分類する．視床下部性無月経，下垂体性無月経，卵巣性無月経のいずれもエストロゲン分泌の程度によって第1度・第2度無月経の原因となりうる．また，第1度無月経でも血中エストロゲン低値であったり，第2度無月経でも血中エストロゲン正常値であったりする場合がある[9,10]．

b．無月経以外の月経異常，不正性器出血の鑑別

①問診

月経状況，出血開始の時期，出血部位，出血量，出血の持続期間，疼痛など随伴症状の有無，薬剤使用歴，凝固異常の家族歴，年齢によっては性交の有無について聴取する[8]．凝固異常の場合，初経以降ずっと過多月経の経過をとり，手術や外傷での出血歴を有する場合を除いて過多月経が唯一の症状であることもある．子宮の器質的疾患，凝固異常は過多月経はみられても，周期は正常であることが多い[2]．

②身体診察

腟・外陰部からの出血の可能性を念頭におき，可能な限り出血部位の確認を行う．性感染症などの腟炎，外傷，異物（特にこれらの再発）を疑う場合は，必ず性虐待の可能性を念頭に置き，産婦人科での診察を検討する．

③検査

緊急性・治療の必要性を判断するため貧血の有無を確認する．初経後早期の生理的な無排卵性出血（いわゆる機能性子宮出血）の診断にはその他の器質的疾患の除外が必要である．器質的疾患の検索として尿中hCG定性検査，血小板数，プロトロンビン時間（PT），活性化部分トロンボプラスチン時間（APTT），出血時間，von Willebrand因子，LH，FSH，エストラジオール，テストステロン，PRL，甲状腺機能評価および骨盤超音波検査を行う．月経がある場合，LH，FSH，エストラジオール，テストステロンの測定は卵胞期初期に行う[8]．

視床下部—下垂体—卵巣系の異常が疑われる場合には，無月経の鑑別に準じて診断を行う．必要に応じて基礎体温の評価を行う．無排卵性出血や黄体機能不全の場合，周期的なプロゲスチンもしくはエストロゲン・プロゲスチン配合薬などのホルモン治療により出血をコントロールでき診断的価値がある．ホルモン治療でコントロールできない出血は，子宮の器質的疾患，凝固異常やエストロゲン産生腫瘍などを疑う[2,5]．

❖ 文献

1) 日本産科婦人科学会（編）：産科婦人科用語集・用語解説集．改訂第4版，2018
2) Bulun SE：Physiology and pathology of the female reproductive axis. In：Melmed S, et al.（ed）, *Williams Textbook of Endocrinology*. 14th ed., Elsevier, Philadelphia, 2019
3) Matsuo N：Skeletal and sexual maturation in Japanese children. *Clin Pediatr Endocrinol* 2（Suppl. 1）：1-4, 1993
4) 田中敏章，他：縦断的検討による女児の思春期の成熟と初経年齢の標準化．日児誌 109：1232-1242，2005
5) Rosenfield RL, et al.：Puberty in the female and its disorders. In：Sperling MA（ed）, *Sperling Pediatric Endocrinology*. 5th ed., Elsevier, Philadelphia, 2020
6) Rosenfield RL：Clinical review：Adolescent anovulation：maturational mechanisms and implications. *J Clin Endocrinol Metab* 98：3572-3583, 2013
7) Styne DM：Physiology and disorders of puberty. In：Melmed S, et al.（ed）, *Williams Textbook of Endocrinology*. 14th ed., Elsevier, Philadelphia, 2019
8) 日本産科婦人科学会，他（編）：産婦人科診療ガイドライン婦人科外来編2020．97-132，2020
9) Rarick LD, et al.：Cervical mucus and serum estradiol as predictors of response to progestin challenge. *Fertil Steril* 54：353-355, 1990
10) Nakamura S, et al.：Relationship between sonographic endometrial thickness and progestin-induced withdrawal bleeding. *Obstet Gynecol* 87：722-725, 1996

〔今野麻里絵〕

H 非典型的外性器

1）定義・概念

DSD（disorders/differences of sex development）は，性染色体や性腺，内外性器の分化が非典型である先天的な状態であり[1]，しばしば非典型的外性器を伴う．非典型的外性器を示す症例の一部では，出生後に性別決定をする際，医療チームの診療が重要な意味をもつ．

非典型的外性器は，家族への精神的負担が大きく，社会的緊急性を要する状態である．また，副腎過形成のような治療開始の遅れが生命予後にかかわる疾患の可能性もある．このような迅速かつ適切な評価とともに，家族への心理的サポートも必要であり，経験の豊富な施設で対応すべきである．

2）病因・病態からの分類

DSDの病因別分類は性分化の分子遺伝学的観点によって行う[1]．表18のように①性染色体異常によるもの，②46,XY DSD，③46,XX DSDの大きく三つに分けられる[1]．①には45,X/46,XYモザイク〔混合性性腺異形成（mixed gonadal dysgenesis：MGD）〕や46,XX/46,XYモザイクが含まれる．②には精巣分化障害（性腺異形成など），アンドロゲン合成障害（StAR異常症，5α還元酵素欠損症など）及び作用障害（アンドロゲン受容体異常症など）が，③にはアンドロゲン過剰（副腎過形成など），卵巣分化障害（卵精巣性DSDなど）が含まれる．

3）診断へのアプローチ（図9）[2]

非典型的外性器では，性別決定を可能な限り速やかに行う必要がある．確定診断が性別決定の際に重要な場合もあるが，社会的な時間制限を考慮し，確定診断の前に性別決定を行う場合も少なくない．

以下に，性別決定，診断のために必要な情報をあげる．

a．家族歴，周産期情報

DSDや副腎疾患の家族歴を確認する．アンドロゲン受容体異常症はX連鎖性遺伝であり，叔父，叔母のDSDや不妊などの家族歴が重要となる．また，母体の合併症や服薬歴を確認する．P450酸化還元酵素欠損症の場合，妊娠中に，顔貌変化や変声などの男性化を母体に認めることがある．

b．全身所見，合併症状

色素沈着や脱水，循環不全など，副腎不全を疑う所見がないかをまず確認する．腎不全合併の場合はWT1異常症を疑う．低血糖や中枢性甲状腺機能低下症を合併する場合は複合型下垂体ホルモン欠損症が疑われるが，その場合は小陰茎や停留精巣を認めるものの，尿道下裂や二分陰嚢は生じない．P450酸化還元酵素欠損症では，顔面中央低形成，多発関節拘縮などが生じ，SOX9異常症ではcampomelic dysplasia（四肢短縮や彎曲）を認める．鎖肛を認める場合は，VACTERL連合を疑う[3]．

c．外性器

性腺位置，陰茎／陰核長および幅，尿道口の位置，会陰部の腟開口の有無，二分陰嚢もしくは大陰唇癒合の有無，陰嚢／大陰唇のしわや色素沈着の状態を確認する．

鼠径から陰嚢部に性腺と思われる腫瘤を触れる場合は，ほぼ精巣であると考えてよい．陰茎長は，陰茎を進展させた状態で恥骨結合基部から亀頭先端を測定する．日本人の正期産新生児では，2.4 cm未満を小陰茎とする[4]．陰核サイズは包皮を含めた幅で評価し，7

表18 性分化疾患の分類

性染色体異常に伴うDSD	46,XY DSD	46,XX DSD
（A）45,X（Turner症候群） （B）47,XXY（Klinefelter症候群） （C）45,X/46,XY（混合性性腺異形成） （D）46,XX/46,XY（卵精巣性DSD）	（A）性腺（精巣）分化障害 　1．完全型性腺異形成（Swyer症候群） 　2．部分型性腺異形成 　3．精巣退縮症候群 　4．卵精巣性DSD （B）アンドロゲン合成あるいは作用障害 　1．アンドロゲン合成障害（StAR異常症，5α還元酵素欠損症など） 　2．アンドロゲン作用障害（アンドロゲン受容体異常症など） 　3．LH受容体異常（Leydig細胞低形成） （C）その他 　AMHあるいはAMH受容体異常（Müller管遺残症候群） 　尿道下裂，総排泄腔外反	（A）性腺（卵巣）分化障害 　1．卵精巣性DSD 　2．精巣性DSD（SRY陽性，SOX9重複） 　3．性腺異形成 （B）アンドロゲン過剰 　1．胎児性（21OHD，11OHD） 　2．胎児胎盤性（アロマターゼ欠損症，P450酸化還元酵素欠損症） 　3．母体性（luteoma，外因性） （C）その他 　総排泄腔外反，MURCS

［Hughes IA, et al.：Consensus statement on management of intersex disorders. Arch Dis Child 91：554-562, 2006 より一部改変］

mm を超えれば陰核肥大と考える[5]．アンドロゲン作用が弱いほど，尿道口位置は会陰部に近くなり，二分陰嚢も認める．腟口を認めない場合は共通尿生殖洞の存在を考慮する．大陰唇にしわや色素沈着を認める場合，アンドロゲンの影響を示唆する．性腺位置や外性器所見に左右差を認める場合，MGD や卵精巣性 DSD のような性腺モザイクを疑う．

d．生化学的検査

まず確認すべき項目は，17 ヒドロキシプロゲステロン（17OHP），電解質，テストステロン，LH/FSH である[3]．抗 Müller 管ホルモン（anti-Müllerian hormone：AMH）は保険適用外ではあるが，精巣成分の有無の評価に有用である．17OHP は，生後 36 時間以内の評価が困難であることに注意が必要である[3]．テストステロンは，生後 7～14 日に低値となり，その後生後 2～3 か月にかけ上昇するため，評価は測定時期に留意が必要である．

染色体が 46,XX の場合，17OHP 上昇を認めれば副腎過形成，頻度からは 21 水酸化酵素欠損症（21OHD）を疑う．アンドロゲン，AMH が上昇する場合は卵精巣性 DSD を，アンドロゲンのみ上昇する場合はアロマターゼ欠損症を疑う．

染色体に Y 成分がある場合，AMH，テストステロンが低値であれば性腺異形成を，AMH は正常，テストステロンが低値であればステロイド合成障害を疑う．AMH，テストステロンともに正常の場合はアンドロゲン受容体異常症，非内分泌疾患を疑う．

さらなる情報を得る方法として，hCG 負荷試験，ACTH 負荷試験，尿ステロイドプロフィル分析も有用である．

e．画像検査，組織学的検査

内性器の評価には画像検査が必須である．また，性腺（特に非触知の場合）の評価にも有用である．

画像検査としてまず行うのは，超音波検査，骨盤部 MRI である．Müller 管由来構造物である子宮は，多くの場合これらで確認できる．また，46,XX の 21OHD のような正常卵巣を有する疾患では，腹腔内に卵胞構造のある性腺を確認できる．

尿道・腟造影や膀胱・腟内視鏡検査は，共通尿生殖洞や子宮口の確認に有用である．さらに，腹腔鏡検査で，内性器形態の直接的な確認や，性腺の生検による組織学的評価が可能となる．これらは，非常に有用な情報を得られる一方，熟練した技術が必要で，実施可能な施設は限られる．

f．遺伝学的検査

染色体検査は，DSD の診療に不可欠である．G 分析

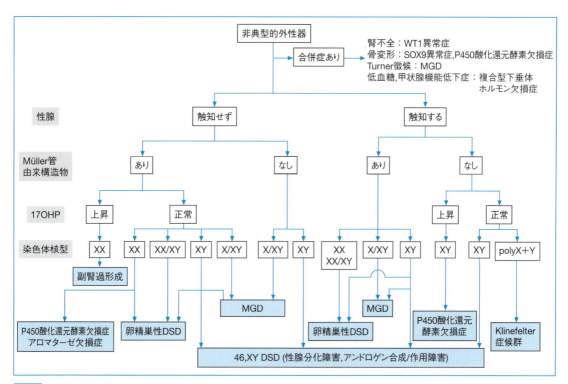

図9　非典型的外性器の診断アルゴリズム
［日本小児内分泌学会性分化委員会，他：性分化疾患初期対応の手引き（平成 23 年 1 月），2011 より一部改変］

法による核型診断が基本であるが，fluorescence in situ hybridization（FISH）による性染色体検出や，PCRによるSRY遺伝子検出のような，より短時間で結果がわかる方法を用いることもある．

遺伝子解析は，性別決定時には必ずしも必要ではない．しかし，完全女性型に近い外性器であるものの子宮が存在しない場合は，5α還元酵素欠損症が鑑別となり，新生児期では，この診断には遺伝子解析が唯一の検査である．本症では遺伝子バリアントがほぼ全例見つかる．また，本疾患単位では，外性器所見が完全女性型でも，思春期年齢に外性器の男性化が進むこと，その多くは養育性にかかわらず，性自認が男性として報告されていること，男性として生殖能力が期待できることを考えると，迅速な本症の遺伝子検査が理想的である[6]．

g．性別決定に関する事項
①性別決定の要因
染色体・性腺・内性器・外性器のそれぞれが，どちらの性に分化しているか確認する必要がある．さらに，性自認の予測，生殖能力，性ホルモン分泌，形成術の内容，社会的背景を含め，家族の意向も尊重して性別を決定する．

このプロセスは，可能な限り，小児内分泌科のみならず，小児外科，小児泌尿器科，精神科，看護師，臨床心理士などのチーム医療体制で行うことが望ましい．

②家族へのサポート
家族にとって，外性器の形態が典型的でないこと，児の性別が決まらないことは大きな心理的負担となりうるため，心理的配慮は重要である．特に言葉遣いには注意し，「男か女かわからない」「異常」という言葉は使わず，「外性器の成熟が遅れている」という表現が望ましい[2]．また，その場で最も可能性のある性を安易に告げないようにする[2]．出生届は出生日から14日以内に，名前と性別を記入し提出することが義務づけられており，可能な限り期限内に性別決定を行う．むずかしい場合は性別保留での提出も可能であるが，「補完」の記載が残る．また性別変更も可能だがその記録も残ることに注意が必要である．行政へ事前に連絡することで，出生届提出期限を延長できる場合もある．

性別決定後も，その後の養育に対するサポートや，本人の性別違和を含めた心理的サポートなどの長期的なフォローが重要である．上述のようなチーム医療体制により行うことが望ましい．

❖ 文献
1) Hughes IA, et al.：Consensus statement on management of intersex disorders. *Arch Dis Child* 91：554-563, 2006
2) 日本小児内分泌学会性分化委員会，他：性分化疾患初期対応の手引き（平成23年1月）．2011 http://jspe.umin.jp/pdf/seibunkamanual_2011.1.pdf（2021年8月16日アクセス）
3) Lee PA, et al.：Global Disorders of Sex Development Update since 2006：Perceptions, Approach and Care. *Horm Res Paediatr* 85：158-180, 2016
4) Matsuo N, et al.：Reference standard of penile size and prevalence of buried penis in Japanese newborn male infants. *Endocr J* 61：849-853, 2014
5) 横谷 進，他：未熟児・新生児・乳児・幼児における陰茎および陰核の大きさの計測―先天性内分泌疾患の早期発見にそなえて―．ホルモンと臨床 31：1215-1220, 1983
6) 長谷川行洋：5α-還元酵素欠損症．たのしく学ぶ小児内分泌学．診断と治療社，384-389，2015

（永松扶紗）

口渇／多飲

1）定義・概念
細胞外張度（浸透圧）および容積（血圧）を狭い幅で保つことは，正常な細胞構造を維持するために重要である[1]．その調整には，生体内の様々な系が関与するが，主要な張度調節物質として，下垂体後葉から分泌されるアルギニン・バゾプレシン（arginine vasopressin：AVP）があげられる[2]．AVPの分泌は，①浸透圧の低下（視床下部前部で感知），②循環血液量減少（大動脈弓，心房，肺静脈で感知）によって促され，自由水の排出は抑制される[1,2]．また，AVP分泌開始に遅れて口渇が生じ，自由水の摂取が通常される．飲水は血漿浸透圧の恒常性を保つために重要な行動であり，2,000 mL/m²/日以上の飲水を多飲と定義することもある[1]．

2）病因・病態からの分類
多飲は，原発性多飲と二次性多飲に大別される．原発性多飲には，心因性多飲，習慣性多飲などが含まれる[3]．心因性多飲の背景には，精神疾患が存在していることも多い[3]．習慣性多飲は乳幼児の多飲の原因として頻度が多い[4]．二次性多飲は，口渇のみ伴うものと多尿も伴うものに分類される．前者には，Sjögren症候群などの唾液減少をきたす疾患や抗うつ薬などの薬剤による副作用が含まれる[5]．後者の原因は多様であるが，代表的なものとして，糖尿病をはじめとした浸透圧利尿によるもの，中枢性尿崩症（**各論第4章B**参照）および腎性尿崩症（**各論第4章E**参照）のような自由水喪失によるものがあげられる[5]．

3）診断へのアプローチ（図10参照）
口渇／多飲を呈する場合には，まず1日尿量を測定

第7章　内分泌疾患患者にみられる所見，主要症候から診断へのアプローチ

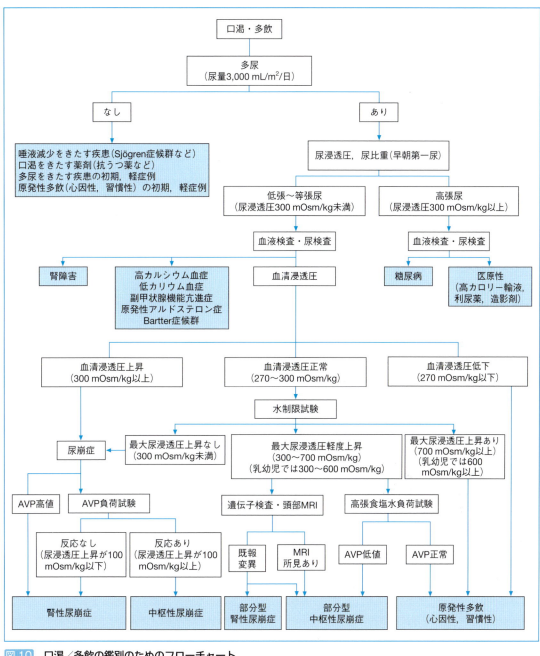

図10　口渇／多飲の鑑別のためのフローチャート

し，多尿（尿量 3,000 mL/m²/日以上）の有無を検討する．また，以下の検査を行い，鑑別を進める．ただし，病初期や軽症の場合には，多尿の基準に合致しないこともあるため，慎重に経過をみていく必要がある[5]．

a．問診[1,4,5]

①1日尿量・尿回数
②飲水量
③口渇／多飲の発症年齢
④夜間の排尿や飲水の有無
　夜間尿がない場合には，原発性多飲の可能性が高い．
⑤好む飲水の種類
　尿崩症では，真水の冷水を好む．
⑥倦怠感，頭痛，意識障害，けいれんなど
　倦怠感，頭痛，意識障害，けいれんなどの症状がある場合には，頭蓋内腫瘍を想起する．
⑦間欠的発熱の症状（特に乳児期）

I 総　論

尿崩症など長期間の経過にみられる高張性脱水を示唆する．

⑧既往歴

頭部外傷・脳神経外科手術など，複合型下垂体ホルモン欠損症をきたしうる既往や心因性多飲を生じうる精神疾患の既往を確認する．

⑨服用歴

抗うつ薬（口渇をきたす），利尿薬，リチウム製剤などの服用歴を確認する．

⑩家族歴

多飲・多尿の家族歴（X連鎖性遺伝）がある場合には，V2受容体遺伝子の異常による先天性腎性尿崩症を疑う．

⑪生活歴

原発性多飲を疑うような環境要因を確認する．

⑫成長曲線

成長率の低下，体重増加不良がないか確認する．

b．身体所見[5]

脱水症状の有無，神経学的所見の有無，高血圧の有無（ある場合には慢性腎不全を疑う）を確認する．

c．検査

①尿検査[1,4,5]

1日尿量を測定する．また，早朝第一尿にて尿比重・尿浸透圧を測定し，浸透圧利尿（糖尿病など）か自由水喪失（尿崩症など）かを大別する．さらに尿糖・尿蛋白・尿中β2MG・尿中NAGを測定し，糖尿病・尿細管障害などがないか確認する．

②血液検査

血清浸透圧，電解質（Na，K，Ca，IP），BUN，クレアチニン，血液ガス，血糖，血漿AVPを検査する．血液検査結果から，電解質異常（低カリウム血症や高カルシウム血症はAVP作用不全をきたしうる）や腎障害，糖尿病を鑑別することができる[5,6]．尿浸透圧低値（300 mOsm/kg 未満）かつ血清浸透圧高値（300 mOsm/kg 以上）であれば，AVPの分泌不全もしくは作用不全による尿崩症が疑われる[5]．血漿AVP濃度は血清浸透圧や血清Na値に規定されるため，同時に採取し解釈する必要がある[2]．無治療時の血清浸透圧が低値（270 mOsm/kg 未満）であれば尿崩症は否定的である．血清浸透圧が正常であれば次項に示す負荷試験を行う．中枢性尿崩症が疑われるときには脳腫瘍を否定するために，下垂体前葉ホルモンを検査する．近年，コペプチン（AVPのプロホルモンからprocessingにより切り離される糖ペプチド）が，腎性尿崩症，中枢性尿崩症，原発性多飲の鑑別に有用であると報告されており[7]，今後の発展が期待される．

③負荷試験

i）水制限試験，AVP負荷試験

水制限試験は程度の軽い尿崩症の診断目的に行う検査であり，前項のいわばスクリーニングの血液検査・尿検査で尿崩症など診断可能な場合には行う必要はない[8]．たとえば，頭部MRIで下垂体腫瘍が確認され，3,000 mL/m^2/日以上の多尿も認めているような場合には水制限試験は不要である．方法は，試験開始までは自由飲水とし，採血・採尿・体重測定後に禁飲食を開始する．その後は30〜60分ごとに採尿・体重測定を行う[8]．検査終了の基準は，ⓐ尿浸透圧がプラトーに達したとき（連続した4検体の尿浸透圧の変動が100 mOsm/kg 以内，もしくは連続した検体の尿浸透圧の差が30 mOsm/kg 未満），ⓑ体重が3〜5％減少したとき，ⓒ検査開始から4〜7時間が経過したとき，など様々であるが，ⓐが最も重要である[4,5,8]．検査終了時には，血清Na値，血清浸透圧および血漿AVP値を測定する[4,5,8]．

AVP負荷試験はAVPに対する腎臓での反応性をみる検査であり，通常は水制限試験から引き続き行う．水溶性ピトレシン® 0.1 U/kgもしくは5 U/m^2（最大5 U）を皮下注射し，30分ごとに採血・採尿・体重測定を行う[4,5,8]．

水制限試験では，尿量が減少し，尿浸透圧が血清浸透圧の2倍以上，700 mOsm/kg（乳幼児では600 mOsm/kg）以上に濃縮できるときには尿崩症は否定的である[5,8]．最大尿浸透圧の上昇がない（300 mOsm/kg 未満）場合には，尿崩症を強く疑う．AVP負荷試験で尿浸透圧の上昇（上昇幅として100 mOsm/kg 以上）を認める場合には中枢性尿崩症，認めない場合には腎性尿崩症であると判断する[4,8]．

ii）高張食塩水負荷試験

高張食塩水負荷試験は，多飲・多尿を認める患者でAVPの分泌不全を疑う場合に行う検査である[9]．特に水制限試験で最大尿浸透圧軽度上昇（300〜700 mOsm/kg）を認め，原発性多飲と部分型尿崩症との鑑別が臨床経過・検査結果からも困難な場合に有用とされる[9]．試験開始30分前までは自由飲水とし，以降を禁飲食とする．2本のルートを確保し，一方を点滴静注用，もう一方を採血用とする．点滴静注用のルートから高張食塩水（5％NaCl水溶液）を0.05 mL/kg/分の速度で，血清Na値が150 mEq/L以上，もしくは血清浸透圧が295 mOsm/kg 以上に達するまで点滴静注する試験であり，児への負荷は大きい[4,5,9]．試験開始後は30分ごとに血清Na値，血清浸透圧および血漿AVP値を測定する[9]．得られた測定値は頻用されている図上に

プロットすると判断しやすい（図は文献8, 9を参照されたい）．採血時の血清Na値に対応する血漿AVP値が正常範囲のもとにプロットされれば，AVP分泌不全があることが示唆される[9]．

④画像検査

中枢性尿崩症が疑われる場合には必ず頭部MRIを行い，原因疾患の検索を行う．胚細胞腫瘍などの下垂体茎部の腫瘍，リンパ球性漏斗下垂体後葉炎などが原因となりうる[1,4]．これらの疾患が疑われる際には，最初のMRI検査で異常が認められなくても，1～3か月以内に再度検査を実施すべきである[4,5]．

⑤遺伝子検査

中枢性尿崩症では，先天性の頻度は後天性と比較して低い．さらに，先天性のうち遺伝性の頻度は高くないが，その大部分はニューロフィジンIIの遺伝子領域の異常であると報告されている[2,10]．ニューロフィジンIIはAVPのプロホルモンである巨大分子に含まれている蛋白で，AVPとともにprocessingにより切り離される[7]．AVPのV2受容体抵抗性を伴う腎性尿崩症に関しても先天性の頻度は後天性と比較して高くはないが[1]，先天性の大部分でAVPの尿細管での受容体（AVPR2）遺伝子の異常が確認されるため，また，一部の遺伝子変異では酢酸デスモプレシン（DDAVP）製剤が有効であることが知られている[11]ため，遺伝子検査は重要である[5]．

❖ 文献

1) 遠藤 彰：尿崩症．衞藤義勝（監修），ネルソン小児科学．原著第19版，エルゼビア・ジャパン，2182-2184，2015
2) Tompson CJ, et al.：Posterior Pituitary. In：Melmed S, et al.(eds)，Williams Textbook of Endocrinology. 14th ed., Elsevier, Piladelphia, 303-329, 2020
3) Ahmadi L, et al.：Primary polydipsia：Update. Best Pract Res Clin Endocrinol Metab 34：101469-101485, 2020
4) 長谷川行洋：水代謝異常．たのしく学ぶ小児内分泌学．診断と治療社，86-105，2015
5) 西 美和：多飲・多尿・頻尿．小児科診療 83（増刊）：152-156, 2020
6) 厚生労働科学研究費補助金難治性疾患等政策研究事業間脳下垂体機能障害に関する調査研究班：バソプレシン分泌低下症（中枢性尿崩症）の診断と治療の手引き（平成30年度改訂）．日内分泌会誌 95（増刊）：1-60, 2019
7) Christ-Crain M, et al.：New diagnostic approaches for patients with polyuria polydipsia syndrome. Eur J Endocrinol 181：R11-R21, 2019
8) 原田大輔，他：水制限試験およびバソプレシン負荷試験．小児内科 51：472-474, 2019
9) 内木康博：高張食塩水負荷試験．小児内科 51：475-477, 2019
10) 伊藤純子：中枢性尿崩症．小児内科 49：208-212, 2017
11) Fujimoto M, et al.：Clinical overview of nephrogenic diabetes insipidus based on a nationwide survey in Japan. Yonago Acta Med 57：85-91, 2014

〔池側研人〕

高血糖

1）定義・概念

血液中では糖質は主としてブドウ糖として存在し，各臓器や組織に運搬される．健常な状態では，血糖値はおおむね一定の範囲内で調節維持されている．

生体内に血糖値を低下させる作用があるホルモンは，インスリンとIGF-Iのみであるが，インスリン作用に拮抗し血糖を上昇させる作用があるホルモンは，グルカゴン，カテコラミン，グルココルチコイド，GHなど多数存在する．何らかの原因でインスリン作用不足が生じると，血糖維持機構が破綻し，血糖値が上昇し高血糖をきたす．

2）病因・病態からの分類

インスリンの作用不足により引き起こされる高血糖の原因は，①インスリン産生・分泌低下，②組織におけるインスリン感受性の低下，③過剰なインスリン拮抗ホルモンに分類される．さらに，高血糖は一過性高血糖と持続性高血糖に分けられる．

健常児においても，感染症の急性期や外傷，手術などによる侵襲がストレスとなり，生体防御反応として，インスリン拮抗ホルモンであるグルココルチコイドやアドレナリンなどの分泌増加に伴い，一過性に高血糖を生じることがある．この場合，ストレスの軽減に伴い血糖値は正常化する．一方，糖尿病は，インスリンの作用不足により慢性的な高血糖状態をきたす疾患群である．

糖尿病の成因分類を示す（表19）[1]．インスリンの絶対的欠乏による1型糖尿病，インスリンの相対的欠乏とインスリン抵抗性による2型糖尿病，遺伝子異常や他疾患合併による糖尿病，妊娠糖尿病に分類される．急性／慢性膵炎，自己免疫性膵炎などの膵外分泌疾患では，膵内分泌機能も障害されインスリン分泌不全による糖尿病を合併することがある．また，インスリン拮抗ホルモンを過剰に分泌する疾患は糖尿病を引き起こす可能がある．グルココルチコイド過剰によるCushing症候群，甲状腺ホルモン過剰となるBasedow病，カテコラミン過剰による褐色細胞腫，GH過剰をきたす巨人症（末端肥大症）などが耐糖能異常をきたす可能性がある．ただし，Basedow病は自己免疫疾患として1型糖尿病を合併する症例も存在するため注意を

表19 糖尿病の成因分類

1. 1型糖尿病：β細胞の破壊に伴い，通常絶対的インスリン欠乏に至る
   A：自己免疫性
   B：特発性
2. 2型糖尿病：インスリン抵抗性が主体でインスリンの相対欠乏を伴うものから，インスリン分泌不足が主体でインスリン抵抗性を伴うもの，あるいは伴わないものまで幅広く分泌する
3. その他の特定の機序，疾患によるもの
   A：遺伝因子として遺伝子異常が同定されるもの
     ①膵β細胞機能にかかわる遺伝子異常
        MODY，ミトコンドリア遺伝子異常など
     ②インスリン作用の伝達機構にかかわる遺伝子異常
        インスリン受容体異常症など
   B：他の疾患，条件に伴うもの
     ①膵外分泌疾患
     ②内分泌疾患：インスリン拮抗ホルモンの過剰に伴うもの
     ③肝疾患
     ④薬剤や化学物質によるもの
     ⑤感染症
     ⑥免疫機序によるまれな病態
     ⑦他の遺伝的症候群で糖尿病の合併が多いもの
        Down症候群，Prader-Willi症候群，Turner症候群など
4. 妊娠糖尿病

〔日本糖尿病学会，他（編著）：診断基準．小児・思春期糖尿病コンセンサス・ガイドライン．南江堂，2-9，2015〕

要する．耐糖能に影響を及ぼす薬剤として，グルココルチコイド，インターフェロン，シクロスポリン，タクロリムス水和物，L-アスパラギナーゼ，βアドレナリン刺激薬，サイアザイド利尿薬などがあげられる．

3）診断へのアプローチ

a．糖尿病の臨床診断

糖尿病の診断基準は，糖代謝異常の判定区分による慢性的な高血糖状態の確認と臨床症状の有無に基づく．糖尿病の症状がない場合や症状が軽度の場合，偶

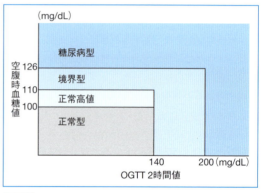

図11 空腹時血糖値および75gOGTTによる判定区分

〔日本糖尿病学会，他（編著）：診断基準．小児・思春期糖尿病コンセンサス・ガイドライン．南江堂，2-9，2015〕

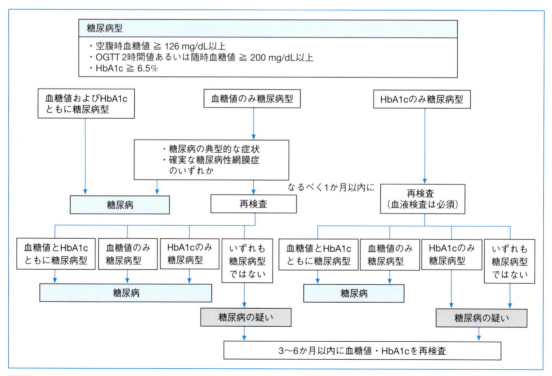

図12 糖尿病の鑑別フローチャート

〔日本糖尿病学会，他（編著）：診断基準．小児・思春期糖尿病コンセンサス・ガイドライン．南江堂，2-9，2015〕

然発見された感染症，外傷などのストレスに伴う一過性の高血糖も多いため，1回の血糖測定に基づいて糖尿病の診断を行ってはならない．糖代謝異常の判定区分(図11)[1]と糖尿病診断のフローチャート(図12)[1]を示す．

小児における糖尿病診断基準は成人の判定区分を用いる．糖尿病の診断には，空腹時および／または随時血糖値の測定，および／または経口ブドウ糖負荷試験（oral glucose tolerance test：OGTT）を含めた継続的な経過観察が必要である．なお，空腹時，随時血糖で糖尿病と診断できる場合，OGTTによって過剰な高血糖を引き起こす可能性があるため，OGTTを行うべきではない．

判定区分により，糖尿病型，境界型，正常型に区分される．診断が確定されない場合，周期的に再検査を行うべきである．

1型糖尿病，2型糖尿病，その他の疾患に伴うものを鑑別するために以下の点に注意する．①家族歴：常染色体顕性遺伝形式が想定されるような家族歴の聴取，②合併症：聴力障害や視神経萎縮，③身体所見：肥満，黒色表皮腫（アカントーシス），先天異常症候群を疑わせる特異顔貌，④血液検査：膵島関連自己抗体，空腹時インスリン，血清Cペプチド測定によるインスリン抵抗性の評価，インスリン拮抗ホルモンの測定などが重要である．

b．新生児期・乳児期の高血糖

新生児期・乳児期の高血糖については明確な基準はないが，一般的に血糖値150 mg/dL以上と定義されていることが多く，浸透圧利尿という観点から，血糖値180〜200 mg/dL以上では介入を考慮すべきである．特に早産児は高血糖をきたしやすく，極低出生体重児の1/3が生後早期に180 mg/dL以上の高血糖をきたすという報告も存在する[2]．早産児の膵β細胞では，プロインスリンからインスリンを分離することができず，相対的なインスリン機能不全であり，さらに肝臓での糖新生が抑制されず，インスリン感受性組織が未発達であるなど，インスリン抵抗性も認めるため，早産児では高血糖をきたしやすいと考えられる．ただし，まれな疾患ではあるが，新生児期から慢性的な高血糖症をきたす新生児糖尿病の可能性も考慮する必要がある．

❖ 文献

1) 日本糖尿病学会，他（編著）：診断基準．小児・思春期糖尿病コンセンサス・ガイドライン．南江堂，2-9，2015
2) Beardsall K, *et al*.：Prevalence and determinants of hyperglycemia in very low birth weight infants：cohort analyses of the NIRTURE study. *J Pediatr* 157：715-719, 2010

（中村明枝）

K 低血糖

1）定義・概念

本項ではおもに乳児期以降の低血糖について述べる．小児での低血糖の定義はいまだ統一されていない．54 mg/dL（3.0 mmol/L）が最も妥当との考えが普及しはじめている．なお，糖尿病での低血糖は70 mg/dLとされている[1]．脳でのATP産生の材料としてブドウ糖以外にはケトン体，乳酸がある[1]．以上からブドウ糖，ケトン体，乳酸がともに不足すると致命的になる．

2）病因・病態からの分類

a．生理的な血糖上昇機序と血糖下降機序

血糖上昇には重要な三つの経路がある．すなわち，（i）食事からのブドウ糖吸収，（ii）グリコーゲン分解，（iii）糖新生，である．糖新生はアラニンからピルビン酸を経て，ブドウ糖産生する経路と中性脂肪からグリセリンを経てブドウ糖産生する経路がある．メインは前者である．GH，コルチゾール，アドレナリン，グルカゴンが（ii）と（iii）の経路を促進し血糖上昇させる．一方でインスリンが（ii）と（iii）の経路を抑制し血糖下降させる（図13）[1]．その他，血糖下降には，生活，運動などの消費による血糖下降がある．以上の結果，血糖値が決定される．低血糖はこの機構の破綻により生じる．

b．病的低血糖の原因

本項では，内分泌疾患，先天代謝疾患，その他に分類して述べる．

①内分泌疾患

病的低血糖に関与するホルモンとして，GH，コルチゾール，インスリンが知られている．GH分泌不全症，GH受容体異常症では，病的低血糖が報告されている．コルチゾールが欠乏する疾患には，原発性副腎皮質機能低下症，視床下部・下垂体性副腎皮質機能低下症，医原性副腎皮質機能低下症があり，これらではやはり低血糖を発症しうる．一方，インスリン分泌が過剰になる疾患(先天性高インスリン性低血糖症，インスリノーマ），インスリン受容体異常症，インスリン下流のシグナル伝達が過剰になる疾患（AKT2とPI3K遺伝子異常症）でも病的低血糖が生じる．また，インスリン自己免疫異常症では，自己抗体により低血糖，高血糖ともに起こりうる．アドレナリン，グルカゴンでは，単独欠乏で低血糖を引き起こした報告がない．

②先天代謝疾患

病的低血糖を生じる先天代謝疾患は，直接的に糖の利用，グリコーゲン分解，糖新生が障害される疾患と，

I 総論

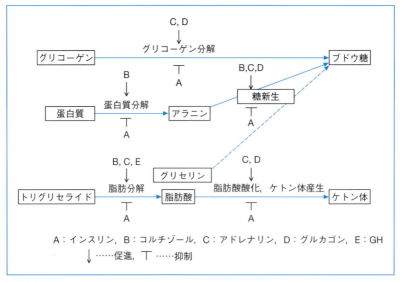

図13 各種ホルモンと血糖調節機構の関係
〔Joseph IW, et al.：Hypoglycemia in the toddler and child. In：Mark AS, et al.(eds), *Sperling Pediatric Endocrinology*. 5th ed., Elsevier, Philadelphia, 904-938, 2020 より作図〕

間接的に有機酸などの代謝産物が糖新生を抑制，あるいはβ酸化異常により糖新生が抑制される疾患に大別される．各種酵素の代謝経路は先天代謝疾患の成書に譲る．

③その他

薬剤(外因性インスリン，スルホニル尿素薬，ピボキシル基含有抗菌薬やバルプロ酸によるカルニチン欠乏，β遮断薬による糖新生障害)，消費(運動，全身性疾患，虐待)，症候群(Beckwith-Wiedemann症候群，Sotos症候群，Kabuki症候群)による高インスリン血症などがその他の原因である[1]．

3) 診断へのアプローチ

a. 低血糖症状

症状は大別して，神経系のエネルギー欠乏由来(意識レベル低下，判断力低下，感情変化，易刺激性，視力障害，複視，自動症，失調，麻痺，言語障害，けいれん)と拮抗ホルモン過多由来(不安，動悸，頻脈，顔面蒼白，寒気，感覚鈍麻，発汗，空腹感，腹鳴，悪心，嘔吐，腹部症状，頭痛)がある．また，新生児の低血糖では，無呼吸，低体温，チアノーゼ，筋緊張低下を認めることがある．

症状・状態として最重症なものとして低血糖性脳症がある．5歳未満の低血糖性脳症で，新生児期から生後6か月では，おもに後頭葉白質，6か月から22か月では大脳基底核，22か月以降では頭頂・側頭葉に生じたという報告がある[2]．成人低血糖脳症の患者で，治療開始1週間後の神経学的予後不良因子として，①よ

り低い低血糖，②より長い持続時間，③正常あるいは高体温，④血中乳酸値低値，が報告されている[3]．

b. 鑑別

問診，症状，身体所見，検査が重要である．鑑別に参考となる飢餓時間ごとの脳のエネルギー源の模式図を示す(図14)[4]．チャートどおりにいかない場合もあるので，どのカテゴリーに入りそうかなど総合的に診断する．

①問診

年齢，食事内容，食後経過時間，症状，食癖，既往歴(特に新生児期や低血糖のエピソード)，家族歴(同一症状，突然死，死産)，成長・発達歴，経管栄養，内服，手術歴(小腸移植，Nissen噴門形成術など)，感染症の有無を聴取する．食事からの時間によりおもにどの経路が障害されているか推測できる(図14)[4]．およそ食後1～3時間は食事によるブドウ糖不足，食後4～6時間はグリコーゲン分解によるブドウ糖供給不足，食後12時間以上はβ酸化障害や糖新生障害が考えられる．なお，インスリン過剰はどの時間帯でも発生しうる(図15)[1]．

②症状，身体所見

成長率低下，正中顔面・頭蓋骨欠損，小陰茎があれば，複合型下垂体ホルモン欠損症の可能性がある．高出生体重児，多毛は高インスリン性低血糖症を疑う．爪部，陰部，口唇の色素沈着は原発性副腎皮質機能低下症に随伴する．肝腫大は糖原病Ⅰ(最多)，Ⅲ，Ⅵ，Ⅸ型，ミトコンドリア病，糖新生系異常に特徴的である．

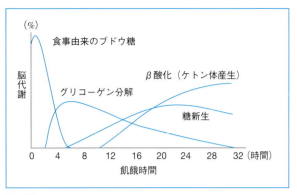

図14 飢餓時間と脳におけるエネルギー源の推移

〔Ghosh A, et al.: Recognition, assessment and management of hypoglycaemia in childhood. *Arch Dis Child* 101：575-580, 2016 より引用改変〕

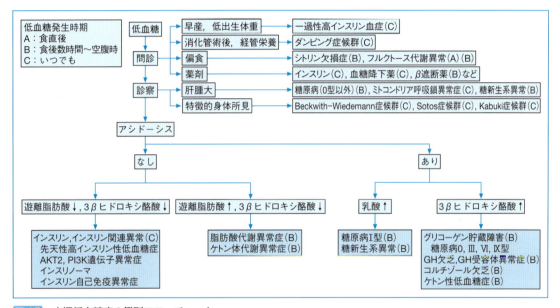

図15 小児低血糖症の鑑別フローチャート

〔Joseph IW, et al.: Hypoglycemia in the toddler and child. In: Mark AS, et al.(eds), *Sperling Pediatric Endocrinology*. 5th ed., Elsevier, Philadelphia, 904-938, 2020 より引用改変〕

③検査

クリティカルサンプルの採取が重要である．測定項目は先天性高インスリン血症診療ガイドラインに記載されている[5]．血糖は80～85 mg/dL以下になると，インスリン分泌が低下しはじめ，65～70 mg/dL以下になると，GH，グルカゴン，コルチゾール，アドレナリン分泌が増加する[1]．血糖50 mg/dL未満の検体がよい検体である．少しでも糖分負荷すると，インスリンが検出されうる．先天性高インスリン性低血糖症を疑う所見として，血中インスリン>1 μU/mLが目安である[5]．表20[6]に参考となる飢餓時の健常者データを掲載した．

④pitfall

i）血糖測定

動脈血>毛細管血>静脈血の順に高くなる．血糖自己測定器は毛細管血を測定している．食後毛細管血は静脈血より10～20 mg/dL高くなる．全血を放置すると，赤血球内に解糖系酵素があり血糖値が低下する．解糖阻止剤入りの容器を用いる．

ii）けいれん，意識障害

無熱性けいれんをきっかけに，先天性高インスリン性低血糖症が診断されることがあり，この場合，けいれん時の検査が重要である．また，意識障害のまれな鑑別にはインスリン過剰に高アンモニア血症を認める

表20 飢餓時間と各種検査値の推移

	生後1か月～1歳(n=12)			1～7歳(n=27)			7～15歳(n=9)		
	15時間	20時間	24時間	15時間	20時間	24時間	15時間	20時間	24時間
血糖 (mg/dL)	70.2～95.4	63.0～82.8	48.6～81.0	63.0～86.4	50.4～77.4	50.4～68.4	79.2～88.2	68.4～88.2	54.0～77.4
遊離脂肪酸 (mmol/L)	0.5～1.6	0.6～1.3	1.1～1.6	0.6～1.5	0.9～2.6	1.1～2.8	0.2～1.1	0.6～1.3	1.0～1.8
総ケトン体 (mmol/L)	0.1～1.5	0.6～3.2	1.5～3.9	0.15～2.0	0.6～3.2	2.2～5.8	<0.1～0.5	0.1～1.3	0.7～3.7
3βヒドロキシ酪酸 (mmol/L)	0.1～1.0	0.5～2.3	1.1～2.8	<0.1～0.9	0.8～2.6	1.7～3.2	<0.1～0.3	<0.1～0.8	0.5～1.3
遊離脂肪酸/総ケトン体	0.6～5.2	0.3～1.4	0.3～0.7	0.7～4.0	0.4～1.5	0.4～0.9	1.9～10.0	0.7～4.6	0.5～2.0

〔Bonnefont JP, et al.: The fasting test in paediatrics: Application to the diagnosis of pathological hypo- and hyperketotic states. Eur J Pediatr 150:80-85, 1990 より引用改変〕

GLUD1遺伝子異常症がある．

iii) ダンピング症候群

　本症では，測定するタイミングによっては，血糖自己測定(self-measurement of blood glucose：SMBG)の値が正常の場合がある．低血糖での保険適用はないが，リアルタイムブドウ糖測定〔リアルタイムCGM (continuous glucose monitoring)〕，フラッシュグルコースモニタリング(flash glucose monitoring：FGM)が低血糖の確認に有用な場合がある．

❖ 文献
1) Joseph IW, et al.: Hypoglycemia in the toddler and child. In: Mark AS, et al. (eds), Sperling Pediatric Endocrinology. 5th ed., Elsevier, Philadelphia, 904-938, 2020
2) Gataullina S et al.: Topography of brain damage in metabolic hypoglycaemia is determined by age at which hypoglycaemia occurred. Dev Med Child Neurol 55:162-166, 2013
3) Ikeda T, et al.: Predictors of outcome in hypoglycemic encephalopathy. Diabetes Res Clin Pract 101:159-163, 2013
4) Ghosh A, et al.: Recognition, assessment and management of hypoglycaemia in childhood. Arch Dis Child 101:575-580, 2016
5) 日本小児内分泌学会，他(編著)：先天性高インスリン血症診療ガイドライン．1-41, 2016
6) Bonnefont JP, et al.: The fasting test in paediatrics: Application to the diagnosis of pathological hypo- and hyperketotic states. Eur J Pediatr 150:80-85, 1990

❖ 参考文献
・van Veen MR, et al.: Metabolic profiles in children during fasting. Pediatrics 127:e1021-1027, 2011

(樋口真司)

L 電解質異常 Na／K

■低ナトリウム血症

1) 定義・概念

　血清Na濃度が135 mEq/L以下を低ナトリウム血症という[1]．

2) 病因・病態からの分類

　細胞外液の浸透圧はほとんどNaとClで形成され，Na濃度は細胞外液の浸透圧の指標で，例外を除けば低ナトリウム血症は低浸透圧血症を意味する[1,2]．通常低ナトリウム血症は低浸透圧血症を伴うが，以下の2つの病態では低浸透圧血症とならない[2,3]．

a. 高浸透圧血症を伴う低ナトリウム血症(著明高血糖やマンニトール投与時)

　ブドウ糖や高張性物質のため細胞内から細胞外へ水が移動し希釈性低ナトリウム血症となる．著明高血糖時はブドウ糖100 mg/dLの上昇につき2.4 mEq/LのNa低下と考える[2,4]．

b. 血漿浸透圧正常の低ナトリウム血症(著明な脂質異常症，高蛋白血症)

　血清中の大部分が脂質，蛋白で占められ，Na濃度が見かけ上低値となる(偽性低ナトリウム血症)．

3) 診断へのアプローチ(図16)

　病態により補正法が異なるため病態の鑑別が重要である．低浸透圧血症を伴わない低ナトリウム血症は低ナトリウム血症の治療の必要はないためまず除外する．低浸透圧血症を伴う低ナトリウム血症の鑑別のため，体液量の評価と尿中Na濃度の評価を行う[3]．

a. 体液量の評価

　Ht，TP，BUN，Cr，レニン活性，BNPなど，エコーでの下大静脈径の測定が体液量の評価に有用である．

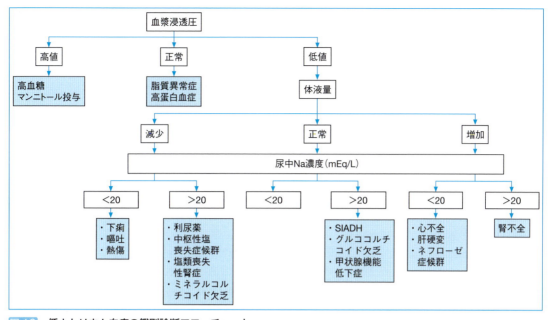

図16 低ナトリウム血症の鑑別診断フローチャート
[椙村益久：SIADH（バゾプレシン分泌過剰症）．肥塚直美（編），内分泌臨床検査マニュアル．日本医事新報社，81-86，2017]

体液量減少の所見は，ツルゴールの低下，皮膚・口腔粘膜・舌の乾燥，腋窩の乾燥，頻脈，起立性低血圧，体液量増加の所見は，下腿前脛部・足背部の浮腫，腹水，頸静脈の怒張などである．

b．尿中 Na 濃度の評価

体液量減少の低ナトリウム血症で尿中 Na 濃度が＞20 mEq/L の場合は腎性，＜20 mEq/L の場合は腎外性喪失である．体液量正常の場合は，原因として抗利尿ホルモン不適切分泌症候群（syndrome of inappropriate secretion of antidiuretic hormone：SIADH）が多いためほとんどの例で尿中 Na は＞20 mEq/L である．

体液量と尿中 Na 濃度を評価後，低浸透圧血症を伴う低ナトリウム血症の鑑別を行う．

①体液量減少の低ナトリウム血症

腎性の Na 喪失の原因は利尿薬やミネラルコルチコイド欠乏，中枢性塩喪失症候群（cerebral salt wasting syndrome：CSWS）などである．CSWS では中枢神経疾患に伴う近位尿細管障害により尿中 Na 排泄亢進が増加し低ナトリウム血症となる．腎外性喪失の原因は，下痢，嘔吐，熱傷，急性膵炎，外傷などである．

②体液量正常の低ナトリウム血症

原因として SIADH が最も多い．通常，体液量正常（減少を伴なわない状態）の低ナトリウム血症ではアルギニン・バゾプレシン（arginine vasopressin：AVP）が抑制されて Uosm が 100 mOsm/kg 以下になるため，それ以上の尿浸透圧は AVP の不適切な過剰分泌の状態である[3,5]．SIADH では Na 利尿が持続するため，尿中 Na は＞20 mEq/L であるが，食欲不振などで塩分摂取低下時は尿中 Na 濃度が低下しうる[5]．グルココルチコイド欠乏，重度の甲状腺機能低下症，心因性多飲なども原因となる．グルココルチコイド欠乏では AVP 分泌の抑制が減弱される．粘液水腫のような重度の甲状腺機能低下症では，有効循環血液量低下による AVP 分泌刺激の関与が考えられる[2]．

③体液量増加の低ナトリウム血症

浮腫，胸腹水や溢水の所見があれば，体液量増加の低ナトリウム血症を疑う[2]．尿中 Na 濃度は，急性腎不全では＞20 mEq/L，肝硬変や心不全，ネフローゼ症候群では＜20 mEq/L となる[2]．

SIADH と CSWS の鑑別が困難なことがある[6]．両者の差異は，尿中 Na 排泄亢進と循環血漿量の低下が低ナトリウム血症発症前か発症後かによる[3]．CSWS では，尿中 Na 排泄亢進の結果，循環血漿量が減少して二次的に AVP の分泌亢進が起こる．鑑別困難な場合は，頻回 Na 測定下での生理食塩水投与で，体液量欠乏では低ナトリウム血症が改善，SIADH では尿中 Na 排泄は増加し，血清 Na 濃度は不変または低下することで鑑別できる[3]．くも膜下出血の患者における低ナトリウム血症の原因で，SIADH が 71.4％，CSWS の頻度は高くないとの報告のように[7]，このような病態では SIADH の頻度がより高い．

低ナトリウム血症は最も頻度の高い電解質異常

I 総　論

で[8]，入院中の小児の 30% 以上で生じるという報告もある[9]．肺炎，髄膜炎，外傷など様々な疾患が浸透圧以外の抗利尿ホルモン(antidiuretic hormone：ADH)刺激の原因となるほか，低張液の輸液は，より低ナトリウム血症のリスクを上昇させる[9]．

■高ナトリウム血症
1) 定義・概念
血清 Na 濃度が 150 mEq/L 以上を高ナトリウム血症という[1]．

2) 病因・病態からの分類
高ナトリウム血症では常に血漿浸透圧は高い．血漿浸透圧の上昇により，ADH の分泌の刺激，口渇感が生じ，水分摂取量の増加，腎での自由水貯留により，血漿浸透圧の低下が起こる．よって，高ナトリウム血症の発症には口渇の異常な抑制や飲水ができない状況か尿自由水再吸収(尿濃縮)に異常があることが多い[2]．

a. 高ナトリウム血症の成因による分類[1]
①水分喪失
②Na の過剰負荷
③Na 貯留：ミネラルコルチコイド過剰(軽度の高ナトリウム血症)

b. 高ナトリウム血症の病態による分類[2]
①口渇感刺激による自由水飲水刺激の障害：高齢者，乳幼児，意識障害時
②尿細管における Na 再吸収障害：浸透圧利尿，利尿薬の使用，腎不全
③尿濃縮における ADH 作用低下：ADH 分泌障害(中枢性尿崩症)，ADH 作用不全(腎性尿崩症，高カルシウム血症，低カリウム血症，腎不全)

3) 診断へのアプローチ
まず，体液量減少を伴わない高ナトリウム血症を除外する．体液量が増加しているものは海水溺水や高 Na 輸液(特に重炭酸 Na 投与)の過剰投与による．体液量の変化がないものは，横紋筋融解やけいれんによる細胞崩壊による細胞外から細胞内への水のシフトによる[2]．

体液量減少を伴う高ナトリウム血症では，尿量減少の有無と尿中電解質による尿自由水の排泄の程度をみる．尿量と尿自由水の排泄が減少していれば，尿濃縮・ADH 作用は正常で消化管や皮膚からの腎外性の水分喪失である．尿量減少がなく，尿の自由水の排泄も多ければ，尿濃縮や ADH の作用に問題がある．尿浸透圧が高いときは利尿薬や浸透圧利尿が原因，低いときは尿崩症や本態性高ナトリウム血症である．ADH への反応がみられれば腎性尿崩症である[2]．

■低カリウム血症
1) 定義・概念
血清 K 濃度が 3.5 mEq/L 以下を低カリウム血症という[1]．

2) 病因・病態からの分類
a. 偽性低カリウム血症
室温で検体を放置すると，細胞の K 取り込みが起こる．白血病などによる著明な増殖のさかんな白血球の増加の状態でみられることが多い．室温が高いときは顕著である[10～12]．

b. K 摂取不足
K 欠乏に対し腎は K 排泄をできる限り低下させるが，Na 再吸収に伴う皮質集合管での K 排泄により，最低でも 1 日 5～15 mEq(約 0.2 mEq/kg/日)の K の喪失が起こる．このことに起因し神経性食欲不振症，飢餓，痴呆，完全静脈栄養法(total parenteral nutrition：TPN)などによる K 摂取不足が長期化すると低カリウム血症が生じる[10～12]．

c. 細胞外から細胞内への K のシフト
アルカリ血症アルカローシス，β 刺激薬(Na/K-ATPase の活性化)，インスリン(リフィーディング症候群や大量投与時)などによる[10～12]．

d. K 排泄亢進
尿 K が <20 mEq/日であれば，腎外性や利尿剤の影響，>20 mEq/日では腎性喪失が考えられる[10～12]．

3) 診断へのアプローチ
高度低カリウム血症(<2 mEq/L または症候性)による緊急事態がないかを確認し，あれば対処する[12]．高度低カリウム血症では心室頻拍や心室細動などの危険な不整脈の頻度が特に増加する[13]．心電図は治療中，必ずモニタリングする．<1.5 mEq/L では筋麻痺を生じることもあり，呼吸筋麻痺もきたしうる[12]．低カリウム血症では近位尿細管でのアンモニア産生が亢進するため，肝不全では留意する[12]．

高度の低カリウム血症には迅速な鑑別診断が必要であり，血液ガスと血圧測定，Mg の測定でかなりの鑑別が可能である(図 17)．高度低カリウム血症の対応後，摂取不足と細胞内シフトを起こすものを除外後，血液ガス分析と血圧と Mg 値，尿中 K 排泄量，尿中 K 排泄率で鑑別を進める．

低カリウム血症ではアルドステロン作用が減弱するので TTKG(Transtublar K gradient)は <2 となるが，腎性の喪失のうち，低カリウム血症にもかかわらず TTKG が高い場合は，レニンアルドステロン系の亢進が疑われる[12]．Bartter 症候群や Gitelman 症候群では高アルドステロン症候を示すが，血圧は正常で浮腫など

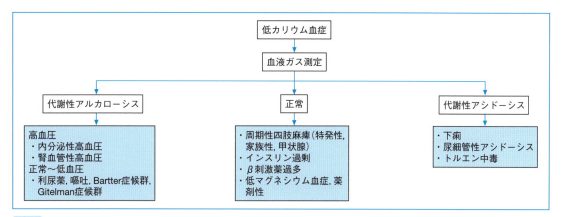

図17 高度低カリウム血症の診断のアルゴリズム
[柴垣有吾：カリウム代謝異常の診断と治療．体液電解質異常と輸液．中外医学社，88-119，2007より一部改変]

の体液量増加の所見を認めない[12]．

高カリウム血症

1) 定義・概念

血清K濃度が5.0 mEq/L以上を高カリウム血症という[1]．

2) 病因・病態からの分類

a. 偽性高カリウム血症

採血した血液サンプルに溶血があるとき（赤血球から多量のKが細胞内から放出される）や白血球や血小板数が多いときにみられる[10〜12]．

b. K摂取過多

K摂取の過多が単独で高カリウム血症になることはまれであり，他の原因を伴う．生肉，野菜，くだもの，穀類，代用塩（Naの代わりにKを使用）を用いた食品などがK供給源となる．薬剤性では，カリウム剤の過剰投与，TPNや経管栄養でのK供給過剰，輸血，ペニシリンGなどが原因となる[12]．

c. 細胞内から細胞外へシフト[10〜12]

①代謝性アシドーシス：特に下痢や尿細管性アシドーシスなどのアニオンギャップ正常のアシドーシス
②浸透圧利尿：高血糖，マンニトール・高張食塩水・造影剤投与時
③過度の運動，横紋筋融解，溶血など
④相対的インスリン欠乏：絶食，糖尿病
⑤薬剤性：β遮断薬・ジゴキシン（Na/K-ATPase阻害），アミノ酸製剤（浸透圧利尿），サクシニルコリン（細胞脱分極）

d. K排泄の低下

高カリウム血症の最大の原因は腎臓でのK排泄低下である．腎機能低下による高カリウム血症はGFRが15 mL/min以下で起こるため，GFRが保たれていれば他の原因が関与している．排泄低下としては低アルドステロン血症による副腎不全をきたす副腎疾患，偽性低アルドステロン症，高カリウム血症性尿細管アシドーシス，糖尿病などでの低レニン性低アルドステロン症，急激な塩分制限などが原因となる．薬剤性では，スピロノラクトン，非ステロイド性抗炎症薬（NSAIDs），アンギオテンシン変換酵素（ACE）阻害薬，アンギオテンシン受容体拮抗薬，シクロスポリン，タクロリムス，ST合剤，ヘパリンなどが原因となる．

3) 診断へのアプローチ[10〜12]

高度の高カリウム血症は致命的であり，心電図異常があったり，K濃度が6.0 mEq/L以上の場合は，すぐに治療に移るべきである．偽性高カリウム血症では，白血球や血小板数が多い場合は，血漿Kの同時採血で否定できる[1]．K摂取の過剰，細胞内から細胞外へシフト，K排泄の低下の有無を評価し，おのおのの原因を鑑別する．

❖ 文献

1) 黒川　清：水・電解質代謝．SHORT SEMINARS水・電解質と酸塩基平衡．改訂第2版，南江堂，7-117，2004
2) 柴垣有吾：水代謝・ナトリウム代謝異常の診断と治療．体液電解質異常と輸液．中外医学社，7-87，2007
3) 椙村益久：SIADH（バゾプレシン分泌過剰症）．肥塚直美（編），内分泌臨床検査マニュアル．日本医事新報社，81-86，2017
4) Hiller TA, et al.：Hyponatremia：evaluating the correction factor for hyperglycemia. Am J Med 106：399-403, 1999
5) Verbalis JG, et al.：Diagnosis, evaluation, and treatment of hyponatremia：expert panel recommendations. Am J Med 126（Suppl. 1）：S1-42, 2013
6) Verbalis JG.：The Curious Story of Cerebral Salt Wasting：Fact or Fiction? Clin J Am Soc Nephrol 15：1666-1668, 2020
7) Hannon MJ, et al.：Hyponatremia following mild/moderate subarachnoid hemorrhage is due to SIAD and glucocorticoid deficiency and not cerebral salt wasting. J Clin Endocrinol Metab 99：291-298, 2014

8) Feld LG, et al.：Clinical Practice Guideline：Maintenance Intravenous Fluids in Children. Pediatrics 142：e20183083, 2018
9) Carandang F, et al.：Association between maintenance fluid tonicity and hospital-acquired hyponatremia. J Pediatr 163：1646-1651, 2013
10) Unwin RJ, et al.：Pathophysiology and management of hypokalemia：a clinical perspective. Nat Rev Nephrol 7：75-84, 2011
11) Viera AJ, et al.：Potassium Disorders：Hypokalemia and Hyperkalemia. Am Fam Physician 92：487-495, 2015
12) 柴垣有吾：カリウム代謝異常の診断と治療. 体液電解質異常と輸液. 中外医学社, 88-119, 2007
13) Macdonald JE, et al.：What is the optimal serum potassium level in cardiovascular patients? J Am Coll Cardiol 43：155-161, 2004

（菅野潤子）

 電解質異常 Ca

1）定義・概念

カルシウム（Ca）は，リン（P）と同様に，生体での恒常性調節機構が働いている．食物からCaを吸収する腸管，近位尿細管での再吸収を行う腎，骨形成，骨吸収のバランスによりCa，Pの貯蔵を行う骨，これらの組織での出納のバランスにより細胞外液（Caプール）として血清Ca値は調節されている．これらを調節するホルモンとしてはPTHおよび活性型ビタミンDがそれぞれ作用する．したがって，血清Ca，Pの値をみる際（特に異常値である場合）はそれぞれの組織でCaやPがどのように変動しているかを考えることが診断するうえで大切である．

血清Ca濃度にはいくつか異なる記載法があり，血清総Ca（mg/dL）なのか，イオン化Caの（mEq/L）表示あるいは（mM）表示なのかにより正常値も異なるため注意が必要である．

血中Caの約40%は蛋白に結合しているため，血清総Ca濃度は血清アルブミン（蛋白）値により，見かけ上低値や高値あるいは正常値になったりすることがある．下記の式により補正Ca濃度を算出する．

$$Ca（補正値）＝Ca（mg/dL，測定値）－アルブミン（g/dL）＋4.0$$

また，尿中Ca排泄の評価には尿中Ca/Cr比が簡便だが，より正確な評価が必要な場合には，以下の分画Ca排泄率（FE_{Ca}）を用いる．

$$FE_{Ca}＝[尿Ca（mg/dL）/尿Cr（mg/dL）]×[血清Cr（mg/dL）/血清Ca（mg/dL）]×100$$

a．低カルシウム血症

低カルシウム血症とは，血漿蛋白濃度が正常範囲内にある場合に血清Ca濃度が8.8 mg/dL（2.20 mmol/L）未満であること，または血清イオン化Ca濃度が4.7 mg/dL（1.17 mmol/L）未満となった状態である．低カルシウム血症は，神経・筋の興奮性亢進によるテタニーを主症状とし，重症例では無熱性全身性けいれんをきたす場合もある．PTH作用の低下，ビタミンD作用の低下，腎不全，腎からの喪失や骨への蓄積などによりもたらされる．

b．高カルシウム血症

高カルシウム血症は，血清Caが10.3 mg/dL以上の状態とされる．血清Caが12 mg/dL以下の軽症例ではほとんど症状を認めないか，あっても脱力感，易疲労感，集中力の低下，頭痛，口渇，食欲不振，悪心，便秘などの非特異的症状が主体である．血清Caが14 mg/dL前後を超える重症例では記憶障害，傾眠や昏迷などの中枢神経障害，腎機能障害から高カルシウム血症クリーゼをきたし，昏睡や急性腎不全に陥る場合もある．

成人例では原発性副甲状腺機能亢進症，悪性腫瘍に伴う高カルシウム血症のいずれかによるものが多いが，小児において高カルシウム血症は比較的まれである．

2）病因・病態からの分類

a．低カルシウム血症

小児期にみられる低カルシウム血症は様々な病態によって起こるため，鑑別が必要である．鑑別には，血清P（詳しくは**本章Nの項を参照**）の年齢別の正常か異常かの判断が重要である．さらに，血中PTH値およびビタミンD充足度を示す25水酸化ビタミンD（25OHD）の測定が鑑別に有用である．

低カルシウム血症に高リン血症を伴う場合は血清PTHを測定する．PTH分泌低下が原因で低値を示す場合（intact PTHで30 pg/mL未満），22q11.2欠失症候群やHDR症候群などの原発性副甲状腺機能低下症をきたす疾患を合併症などから鑑別する．

低カルシウム血症，高リン血症があり，腎機能が正常でPTH高値の場合（intact PTHで30 pg/mL以上）はPTH不応性によるものであり，偽性副甲状腺機能低下症を考える．Ellsworth-Howard試験および臨床徴候（Albright遺伝性骨異栄養症）により診断する．またacrodysostosis（PRKAR1A，PED4D異常）でもPTH不応性により低カルシウム血症，高リン血症を認めることがある．

低カルシウム血症に低リン血症を伴う場合は，ビタミンD作用不全を考慮する．この際，くる病を合併することが多く，アルカリホスファターゼ（ALP）および骨くる病変化をX線写真で検査すべきである．ビタミ

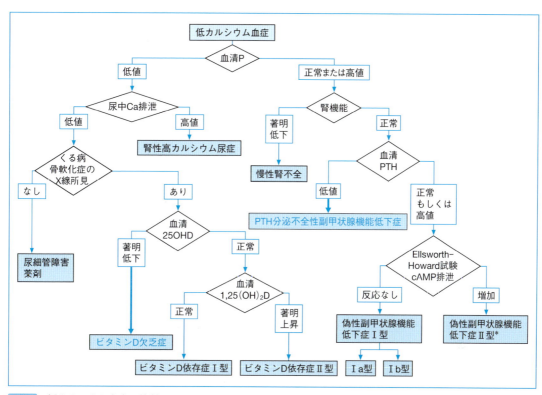

図18 低カルシウム血症の診断フローチャート
血清Pの正常値は年齢により変化するため留意が必要
*：この病型の存在は一部否定的な見方もある
[厚生労働省ホルモン受容機構異常に関する調査研究班：副甲状腺機能低下症の分類，2003より一部改変]

ンD欠乏性くる病は血中25OHDの測定により診断できる．25OHDは近年保険適用となり，容易に測定できるようになった．ビタミンD依存症I型（1α水酸化酵素欠損）およびII型（ビタミンD受容体遺伝子異常）では25OHDは正常であり，血中$1,25(OH)_2D$の測定により鑑別できる．

また，ビスホスホネートなどの骨吸収抑制作用のある薬剤投与により低カルシウム血症をきたすこともある．

b．高カルシウム血症

ビタミンD過剰摂取，ビタミンA中毒，サイアザイド系利尿薬などの薬剤投与で起こることがある．これらは病歴聴取により診断可能であり，このとき血清PTHは低値となり，尿中Ca排泄は増加する．また重症心身障害児で寝たきりである場合，不動により血清Ca上昇を認めることがある．

成人における高カルシウム血症の原因疾患として多くみられるものには，原発性副甲状腺機能亢進症と悪性腫瘍に伴う高カルシウム血症（humoral hypercalcemia of malignancy：HHM）がある．これらは小児において頻度は少ないものの，鑑別としては重要であり，PTHとPTH関連ペプチド（para-thyroid hormone-related peptide：PTHrP）の測定が必要である．いずれの値も低値で血中$1,25(OH)_2D$が高値であれば，サルコイドーシス，結核などの肉芽腫性病変あるいは悪性リンパ腫の可能性がある．肉芽組織のマクロファージには1α水酸化酵素が存在し，ビタミンDを活性化することが高カルシウム血症の原因である．

PTH，PTHrP，$1,25(OH)_2D$のいずれも高値でない場合は，腫瘍による骨破壊病変，甲状腺中毒などが考えられる．骨周囲腫瘍あるいは骨転移した腫瘍が骨吸収を促進するサイトカインなど（IL-1，IL-6，PTHrP）を産生し，局所での骨融解を進めることで血清Caを上昇させることがある．甲状腺ホルモン過剰では骨吸収が亢進するが，血清Caの上昇は軽度である

また，高カルシウム血症で尿中Ca排泄が少ない（$FE_{Ca}≦1\%$）場合，家族性低カルシウム尿性高カルシウム血症（familial hypocalciuric hypercalcemia：FHH）が考えられる（CaSR，GNA11，AP2S1遺伝子の異常による）．ただし，特発性乳児高カルシウム血症（CYP24AI遺伝子異常）では尿中Ca排泄は多くなる．

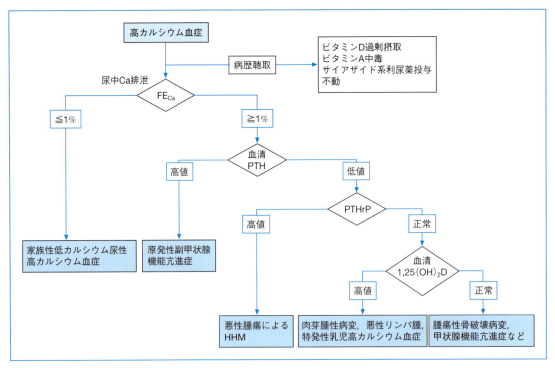

図19 高カルシウム血症の診断フローチャート
[松本俊夫：高カルシウム血症．1361専門家による 私の治療［2019-20年度版］．日本医事新報社，2017（電子コンテンツ）より一部改変］

3）診断へのアプローチ

a. 低カルシウム血症の診断へのアプローチ

図18[1]に低カルシウム血症の際の診断フローチャートを示す．日常診療で出合う頻度の高いもの（太線で示した）はビタミンD欠乏症とPTH分泌不全性副甲状腺機能低下症である．両者は血清PTH値で容易に鑑別がつく．ビタミンD欠乏症を疑う場合には，X線所見でくる病の所見の有無を検索すると同時に生化学的な所見（ALP高値など）と血清PTH高値および25OHDの著明低値が示されれば，すぐに診断しうる．

PTH分泌不全性副甲状腺機能低下症の場合は，**各論第9章D**の**図10**に示すように，合併所見などの有無から，それぞれの疾患，症候群を診断できうる．場合によっては遺伝子学的検索が必要になる場合がある．

b. 高カルシウム血症の診断へのアプローチ

小児では比較的まれではあるが，高カルシウム血症の際の診断フローチャートを図19[2]に示す．Caの尿中排泄を評価することとPTHとPTHrPの測定が有用である．成人では原発性副甲状腺機能亢進症，HHMのいずれかによるものが多い．

高カルシウム血症患者では，まずビタミンD過剰摂取やビタミンA中毒症の存在，長期臥床や不動状態にないかを確認する．さらに，FHHでは，尿細管Ca再吸収が亢進しているため，尿中Ca分画排泄率（FE$_{Ca}$）が1%未満の低値を示す．それ以外の高カルシウム血症患者で，血清intact PTH濃度が30 pg/mL未満に抑制されていなければ，原発性副甲状腺機能亢進症が疑われる．

悪性腫瘍では，一般的には進行例の場合，血清intact PTHが低値で，かつPTHrPが測定感度以上であれば，悪性腫瘍からのPTHrP過剰産生によると考えられる．

❖ **文献**
1) 厚生労働省ホルモン受容機構異常に関する調査研究班：副甲状腺機能低下症の分類，2003
2) 松本俊夫：高カルシウム血症．猿田享男，他（監修），1361専門家による 私の治療［2019-20年度版］．日本医事新報社，2017（電子コンテンツ）

❖ **参考文献**
・Bove-Fenderson E, *et al*.：Hypocalcemic disorders. *Best Pract Res Clin Endocrinol Metab* 32：639-656, 2018
・Walker MD, *et al*.：Primary hyperparathyroidism. *Nat Rev Endocrinol* 14：115-125, 2018
・難波範行：低カルシウム・高カルシウム血症を伴う内分泌疾患．別冊日本臨牀 領域別症候群シリーズ4 内分泌症候群（第3版）Ⅳ．日本臨牀，563-570, 2019

（棚橋祐典）

N 電解質異常 IP

1) 定義・概念

生体内においてリン(P)は，無機リン(inorganic phosphate：IP)あるいは有機リン(organic phosphate)として存在する．Pは骨や細胞膜の成分であり，かつエネルギー貯蔵やシグナル伝達を担うATPやcAMPなどの構成成分でもある．生体内Pの85%は骨や歯に，10～15%は骨格筋に存在し，細胞外液に分布しているPは，1%未満である．成人のPの出納はゼロバランスであるが，成長している小児においては，生体に取り込まれるPが排泄されるPを上回りポジティブバランスとなっている．通常臨床の場では血清IPを測定している．血清IPは食事の影響を受けるため朝低く，夜間高くなる明確な日内リズムがある．そのため空腹時採血が望ましい．生体内P貯蔵の程度は，間接的に血清P濃度に反映されるが，細胞内P欠乏の状態であっても血清Pは正常～高値を示すことがある．

血清IPは年齢ごとに正常値が異なり小児では成人より高値を示す．

①年齢別正常値

日齢0～5：4.8～8.2 mg/dL，生後1～3歳：3.8～6.5 mg/dL，4～11歳：3.7～5.6 mg/dL，12～15歳：2.4～5.4 mg/dL，16～19歳：2.7～4.7 mg/dL．

2) 病因・病態からの分類

a. 低リン血症

尿細管でのP再吸収低下による尿中P排泄増加によるもの，あるいは急速な細胞外から細胞内(あるいは骨)へのPのシフトを考える(表21)．まれではあるが経口摂取したPが消化管で十分吸収されない状態(制酸薬内服など)でも発症する．PTHは強力なP利尿作用があり，同時に血清Ca上昇作用を有する．線維芽細胞増殖因子(fibroblast growth factor：FGF)23は腎臓でのP再吸収を抑制し，1,25(OH)$_2$D合成を阻害することにより腸管からのP吸収を減少させる．したがってPTHやFGF23増加により尿細管におけるP再吸収，ビタミンDの活性化が妨げられる病態では低リン血症をきたす．小児集中治療室(pediatric intensive care unit：PICU)などでの呼吸器管理中の患者では，過換気によりアルカローシスをきたすと低リン血症に至りやすい．糖尿病性ケトアシドーシス(diabetic ketoacidosis：DKA)では，治療直前まで経口摂取低下および尿中P排泄が増加しており，急速輸液やインスリン投与，それに続くブドウ糖投与により血清Pが急速に低下することがある．

一方，細胞内には，十分なP貯蔵があるため，長期にわたる経口摂取不良が原因で低リン血症に至ることは少ない．しかし飢餓状態からの急な栄養補給によるリフィーディング症候群(refeeding syndrome)では低リン血症に至りやすい．

①低リン血症の重症度

重度：<1～1.5 mg/dL，中等度：1.5～2.2 mg/dL，軽度：2.2～3.0 mg/dL．

b. 高リン血症

腎障害などによるP排泄低下と細胞外P増加に分けて考える(表22)．

前者はおもに，急性あるいは慢性腎障害によるP排

表21 低リン血症の病態と分類

尿細管でのP再吸収低下	
過剰なPTHによるもの	(原発性，続発性)副甲状腺機能亢進症 ビタミンD欠乏症，ビタミンD抵抗性くる病(Type1，2)
過剰なFGF23によるもの	家族性低リン血症性くる病(XLH) 顕性遺伝性低リン血症性くる病(ADHR) 潜性遺伝性低リン血症性くる病(ARHR) 腫瘍性軟骨症(TIO) McCune-Albright症候群
腎疾患に起因するもの	Fanconi症候群や尿細管障害をきたす疾患 高カルシウム尿症を伴う低リン血症性くる病 腎臓移植後
その他の原因によるもの	糖尿病，高アルドステロン症
薬剤性によるもの	利尿薬，グルココルチコイド，ビスホスホネート，アルコールなど
細胞外から細胞内や骨へのシフト	
急激な細胞内へのシフトをきたすもの	ブドウ糖，インスリン，フルクトース，グリセロール カテコラミン，呼吸性アルカローシス，リフィーディング症候群 敗血症，肝機能障害，サリチル酸中毒

表22　高リン血症の病態と分類

腎からの排泄低下	腎不全 副甲状腺機能低下症 偽性副甲状腺機能低下症 先端巨大症，甲状腺中毒症 familial tumoral calcinosis
細胞外リンの増加	P供給過剰：経口，輸液，P含有浣腸剤・注腸剤の乱用，ビタミンD中毒 細胞からの放出：溶血性貧血，腫瘍崩壊症候群，横紋筋融解，悪性高熱症，クラッシュ症候群 アシドーシス：DKA，乳酸アシドーシス，呼吸性アシドーシス
偽高値	高ビリルビン血症，高脂血症，パラプロテイン症 長時間の放置検体，溶血した検体 薬物：ヘパリン，アンホテリシンB，tissue plasminogen activator

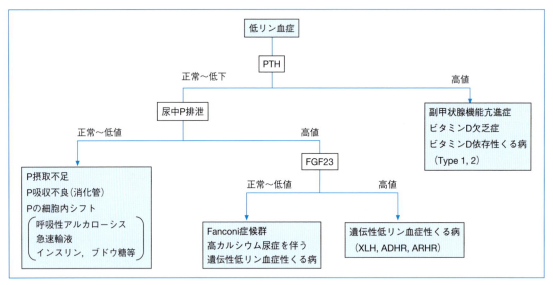

図20　低リン血症の診断フローチャート

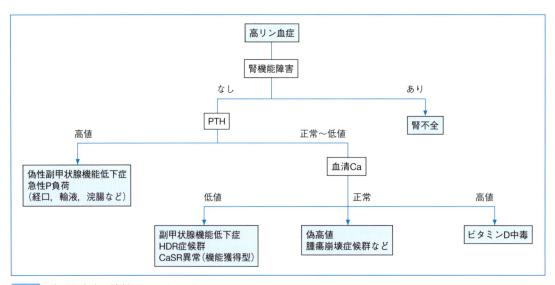

図21　高リン血症の診断フローチャート

泄低下によるものが多い．また副甲状腺機能低下症によるPTH分泌低下や偽性副甲状腺機能低下症によるPTH作用低下（PTH抵抗性）によりP排泄が低下すると高リン血症をきたす．

後者としては，代謝性アシドーシス（DKA，乳酸アシドーシス）による細胞内から細胞外へのPのシフトを考える．また腫瘍崩壊症候群，横紋筋融解症，全身麻酔に伴う悪性高熱症などの細胞が崩壊し多量のPが細胞外に放出される病態も存在する．Pを含有する薬物（一部の浣腸・注腸製剤など）やP吸収促進作用のある薬物乱用により高リン血症に至ることもある．

さらに長時間放置した検体や採血時に溶血した検体，ヘパリン含有検体を測定した際などでは偽高値を示すことがある．

3）診断へのアプローチ

血中Pレベルは腸管からの再吸収，腎での再吸収と排泄，細胞内外でのP移動により複雑に維持されており，そのホメオスタシスはおもにPTH，$1,25(OH)_2D$，FGF23が関与している．したがって血清IP異常の診断に際しては，血清P，Caおよびそれらを制御するホルモンを同時に測定し評価するのが適切である．さらに尿細管でのP再吸収障害を評価するため%TRP（尿細管P再吸収率），TmP/GFR（尿細管P再吸収閾値）を測定する．

低リン血症および高リン血症の診断フローチャートを図20，21に示す．

◆ 参考文献

- Leung J, et al.：Disorders of phosphate metabolism. *J Clin Pathol* 72：741-747, 2019
- Haffner D, et al.：Clinical practice recommendations for the diagnosis and management of X-linked hypophosphataemia. *Nat Rev Nephrol* 15：435-455, 2019
- Christov M, et al.：Phosphate homeostasis disorder. *Best Pract Res Clin Endocrinol Metab* 32：685-706, 2018
- P Manghat, et al.：Phosphate homeostasis and disorders. *Ann Clin Biochem* 51：631-656, 2014
- Bringhurst FR, et al.：Hormones and Disorders of Mineral Metabolism. In：Melmed S, et al.(eds), *Williams Textbook of Endocrinology*. 14th ed., Elsevier, Philadelphia, 5436-5628, 2020

（佐野伸一朗）

O 甲状腺クリーゼ

甲状腺クリーゼ（thyroid storm，またはthyroid crisis）は，生命が脅かされるほどの著しい甲状腺中毒症を呈する病態で，頻度はまれであるが致命率が高く，見逃してはならない重要な内分泌救急疾患である[1,2]．

1）定義・概念

甲状腺中毒症の原因となる未治療ないしコントロール不良の甲状腺疾患が存在し，これに感染，手術，ストレスなどが誘因となり，甲状腺ホルモン作用過剰に対する生体の代償機構の破綻により複数臓器が機能不全に陥った結果，生命の危機に直面した緊急治療を要

表23 甲状腺クリーゼ診断のためのBurch-Wartofskyポイントスケール

項目		ポイント	項目	ポイント
体温調節機能障害			消化器・肝機能障害	
体温（℃）	37.2〜37.7	5	なし	0
	37.8〜38.3	10	中等度（下痢，腹痛，悪心，嘔吐）	10
	38.4〜38.8	15	重度（黄疸）	20
	38.9〜39.3	20	中枢神経症状	
	39.5〜39.9	25	なし	0
	≧40.0	30	軽度（不穏）	10
心血管系障害			中等度（せん妄，精神病，嗜眠）	20
脈拍（回/分）	90〜109	5	重度（けいれん，昏睡）	30
	110〜119	10	誘因となる病歴	
	120〜129	15	なし	0
	130〜139	20	あり	10
	≧140	25		
心房細動	なし	0		
	あり	10		
			合計ポイント	
うっ血性心不全	なし	0	≧45：甲状腺クリーゼを強く疑う	
	軽度	5	25〜44：切迫状態を疑う	
	中等度	10	<25：甲状腺クリーゼの可能性なし	
	重度	15		

[Burch HB, et al.：Life-threatning thyrotoxicosis. Thyroid storm. *Endocrinol Metab Clin North Am* 22：263-277, 1993 を一部改変]

表24 甲状腺クリーゼの診断基準（第2版）

定義 　甲状腺クリーゼ（thyroid storm or crisis）とは，甲状腺中毒症の原因となる未治療ないしコントロール不良の甲状腺基礎疾患が存在し，これに何らかのストレスが加わった時に，甲状腺ホルモン作用過剰に対する生体の代償機構の破綻により複数臓器が機能不全に陥った結果，生命の危機に直面した緊急治療を要する病態をいう． **必須項目** 　甲状腺中毒症の存在（遊離 T_3 および遊離 T_4 の少なくとも一方が高値） **症状**（注1） 　1. 中枢神経症状（注2） 　2. 発熱（38℃以上） 　3. 頻脈（130回/分以上）（注3） 　4. 心不全症状（注4） 　5. 消化器症状（注5） **確実例** 　必須項目および以下を満たす（注6） 　a. 中枢神経症状＋他の症状項目1つ以上 　b. 中枢神経症状以外の症状項目3つ以上 **疑い例** 　a. 必須項目＋中枢神経症状以外の症状項目2つ 　b. 必須項目を確認できないが，甲状腺疾患の既往・眼球突出・甲状腺腫の存在があって，確実例条件のaまたはbを満たす場合（注6）
（注1）明らかに他の原因疾患があって発熱（肺炎，悪性高熱症など），意識障害（精神疾患や脳血管障害など），心不全（急性心筋梗塞など）や肝障害（ウイルス性肝炎や急性肝不全など）を呈する場合は除く．しかし，このような疾患の中にはクリーゼの誘因となるものがあるため，クリーゼによる症状か単なる併発症か鑑別が困難な場合は誘因により発症したクリーゼの症状とする．このようにクリーゼでは誘因を伴うことが多い．甲状腺疾患に直接関連した誘因として，抗甲状腺薬の服用不規則や中断，甲状腺手術，甲状腺アイソトープ治療，過度の甲状腺触診や細胞診，甲状腺ホルモン剤の大量服用などがある．また，甲状腺に直接関連しない誘因として，感染症，甲状腺以外の臓器手術，外傷，妊娠・分娩，副腎皮質機能不全，糖尿病ケトアシドーシス，ヨード造影剤投与，脳血管障害，肺血栓塞栓症，虚血性心疾患，抜歯，強い情動ストレスや激しい運動などがある． （注2）不穏，せん妄，精神異常，傾眠，痙攣，昏睡，Japan Coma Scale（JCS）1以上または Glasgow Coma Scale（GCS）14以下． （注3）心房細動などの不整脈では心拍数で評価する． （注4）肺水腫，肺野の50％以上の湿性ラ音，心原性ショックなど重度な症状．New York Heart Association（NYHA）分類Ⅳ度または Killip 分類クラスⅢ以上． （注5）嘔気・嘔吐，下痢，黄疸（血中総ビリルビン＞3 mg/dL） （注6）高齢者は，高熱，多動などの典型的クリーゼ症状を呈さない場合があり（apathetic thyroid storm），診断の際注意する．

〔（出典：http://www.japanthyroid.jp/doctor/img/crisis2.pdf）「日本甲状腺学会，日本内分泌学会編：甲状腺クリーゼ診療ガイドライン2017，p.26，2017，南江堂」より許諾を得て転載〕

する病態をいう[1,2]．代表的な症状は，中枢神経症状（不穏，せん妄，精神症状，傾眠，けいれん，昏睡），発熱（38℃以上），頻脈（130回/分以上），心不全症状（肺水腫，ショック），消化器症状（悪心・嘔吐，下痢，黄疸）である．

2）病因・病態からの分類

明確な発症機序は不明であるが，①急激な甲状腺ホルモン放出，②甲状腺ホルモン結合蛋白の低下または結合阻害因子の存在，③交感神経の活性化状態，④甲状腺ホルモン標的細胞の感受性亢進または耐容性低下，⑤相対的副腎不全，⑥感染症を契機とする場合には炎症性サイトカイン（IL-18など）の関与，⑦中枢神経症状には甲状腺ホルモンの脳細胞への直接作用，セロトニンなどの神経伝達物質への影響などが考えられている[1,3]．

発症頻度はまれで，わが国の疫学調査によると，年間発症率は0.21人/10万人，全甲状腺中毒症患者の0.22％，入院甲状腺中毒症患者の5.4％とされる．年齢は40代に多いが，小児から高齢者まで報告されている．死亡率は10.7％と高く，最多の死因は多臓器不全と心不全である[1]．

甲状腺クリーゼにおける甲状腺基礎疾患は Basedow 病が97％と最多であるが，破壊性甲状腺炎や機能性甲状腺結節，TSH産生腫瘍，外因性甲状腺中毒症でも起こりうる．20％が甲状腺中毒症未治療であり，45％がBasedow 病発症から1年未満である[1]．

甲状腺クリーゼを呈した患者のうち70％で誘因が観察される．抗甲状腺薬服用の不規則が最多で，感染症が2番目に多い．感染症では上気道感染症が最も多い．その他，非甲状腺手術，外傷，妊娠・分娩，アイソトープ治療などが多い[1]．

小児における年間発症率は0.1〜3.0人/10万人と報

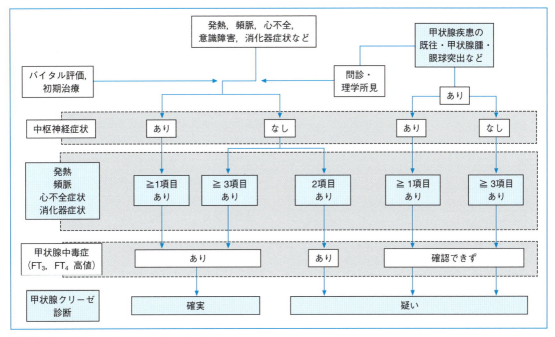

図22 甲状腺クリーゼの診断へのフローチャート

[Satoh T, et al.: 2016 Guidelines for the management of thyroid storm from The Japan Thyroid Association and Japan Endocrine Society (First edition). Endcr J 63: 1025-1064, 2016 より引用改変]

告されているが，統計学的根拠に乏しく実態は不明である[4]．なお，小児救急医療の現場において，発熱を伴う中枢神経症状を呈した患児は急性脳症と診断されることが多いため，甲状腺クリーゼが見逃されている可能性がある．急性脳症，意識障害の鑑別として甲状腺クリーゼによる中枢神経症状を念頭におく必要がある[5]．

3）診断へのアプローチ

甲状腺クリーゼでは，その迅速な診断と早期治療の開始が生命予後を左右する．診断クライテリアとしてBurch-Wartofsky ポイントスケール(Burch-Wartofsky point scale：BWPS)(表23)[6]および日本甲状腺学会による「甲状腺クリーゼの診断基準(第2版)」(表24)[1]が提唱されている．BWPSは体温調節障害，循環器症状，消化器症状，中枢神経症状，誘因となる病歴の有無をスコアリングして診断するが，甲状腺機能検査が含まれていない．BWPSは過剰診断になりやすく，日本甲状腺学会の診断基準は過少診断になりやすいと指摘されており，現時点では両診断基準を併用することが望ましい[7]．

日本甲状腺学会の診断基準に基づいた診断へのフローチャートを示す(図22)[8]．発熱，頻脈に加えて複数の臓器症状(意識障害，うっ血性心不全，消化器症状など)を主訴とする患者が受診した場合には，甲状腺

表25 甲状腺クリーゼの診断に必要な検査

甲状腺機能	FT_3，FT_4，TSH，サイログロブリン，抗TSH受容体抗体，刺激性TSH受容体抗体，抗サイログロブリン抗体，抗甲状腺ペルオキシダーゼ抗体
生化学	電解質，肝機能，CPK，腎機能，総コレステロール，BNP，など
凝固・線溶系	PT，APTT，フィブリノーゲン，FDP，Dダイマー
画像検査	甲状腺超音波，胸部X線，心電図，心臓超音波，頭部MRI，頭部単純CT，脳波，など
その他	動脈血ガス，一般血液検査，尿検査，CRP，赤沈，など

腫大，眼球突出，手指振戦などの理学所見，Basedow病の治療歴，甲状腺疾患の家族歴の有無などから甲状腺クリーゼの可能性がないかどうかをまず疑うことが重要である．初発症状が甲状腺クリーゼであった小児例の多くでは甲状腺腫大を認めたとの報告があり，注意を要する．次にバイタル評価と初期治療を開始したうえで，患者の状態が甲状腺クリーゼの診断基準に合致するかどうかの評価を行う(表24)[1]．診断確定には甲状腺中毒症の存在(FT_3あるいはFT_4高値)が必須であるが，血中甲状腺ホルモンレベルは通常の甲状腺中毒症と同等のこともある．さらに，全身状態および誘因や併発症の評価のための検査を必要に応じて行う

（表25）．ほかの原因疾患との鑑別診断は臨床の現場では困難であることが多いが，甲状腺クリーゼが致死的疾患であることを考慮すると，鑑別が困難な場合は，甲状腺クリーゼあるいはその疑いとして対応する．甲状腺クリーゼ「確実例」あるいは「疑い例」と判断された場合には集中管理治療が可能である専門施設へ搬送する．

❖ 文献
1) 日本甲状腺学会, 他（編）：甲状腺クリーゼ診療ガイドライン 2017. 南江堂, 26, 2017
2) 日本甲状腺学会（編）：バセドウ病治療ガイドライン 2019. 南江堂, 2019
3) 笠原俊彦, 他：甲状腺クリーゼ. 別冊日本臨床 内分泌症候群. 第3版, 日本臨床社, 254-258, 2018
4) 日本小児内分泌学会薬事委員会, 他：小児期発症バセドウ病診療のガイドライン 2016.
http://www.japanthyroid.jp/doctor/img/Basedow_gl2016.pdf
（2021年1月4日アクセス）
5) 南谷幹史：甲状腺クリーゼ. 小児内科51（増刊）：595-599, 2019
6) Burch HB, *et al.*：Life-threatening thyrotoxicosis. *Thyroid storm*. *Endocrinol Metab Clin North Am* 22：263-277, 1993
7) Angell TE, *et al.*：Clinical features and hospital outcomes in thyroid storm：a retrospective cohort study. *J Clin Endcrinol Metab* 100：451-459, 2015
8) Satoh T, *et al.*：2016 Guidelines for the management of thyroid storm from The Japan Thyroid Association and Japan Endocrine Society（First edition）. *Endcr J* 63：1025-1064, 2016

（鎌﨑穂高）

副腎不全

1) 定義・概念

副腎不全（adrenal insufficiency）とは，副腎皮質からのグルココルチコイド分泌，作用が不足した病態である．グルココルチコイドはストレスから生体を防御する，生命維持に重要なホルモンであり，その欠乏により重篤，致死的な状態（急性副腎不全，副腎クリーゼ）に至ることもある．副腎不全による症状は非特異的なものも多いため，初発時には症状のみでは診断が困難な場合もあるが，診断，早期治療により重篤化を防ぐことが重要である．

2) 病因・病態からの分類

グルココルチコイドは，視床下部−下垂体−副腎（hypothalamic-pituitary-adrenal：HPA）系で分泌制御されており，直接的には下垂体から分泌される ACTH により正の調節をうけ，副腎皮質より分泌される．副腎不全は，副腎皮質自体の障害による原発性と，視床下部または下垂体の障害による ACTH 分泌不全が原因となる中枢性に大別される．原因疾患の詳細は，各論を参照されたい．

a．原発性副腎不全

21 水酸化酵素欠損症に代表される先天性副腎過形成症，先天性副腎低形成症，ACTH 不応症などがある．グルココルチコイド分泌が低下すると，フィードバック機構により ACTH が過剰に産生される．ACTH は1型メラノコルチン受容体に結合するため，慢性的な ACTH 過剰では皮膚の色素沈着を生じる．口唇，歯肉，爪床，腋窩，乳輪，外陰部などに目立ちやすい．

副腎皮質からは，グルココルチコイドのほかに，ミネラルコルチコイド，副腎アンドロゲンが分泌される．そのため，これらの疾患では，グルココルチコイド欠乏に加え，ミネラルコルチコイドの欠乏，副腎アンドロゲンの欠乏または過剰を伴うこともあり，その組み合わせにより診断をしぼることができる．

b．中枢性副腎不全

視床下部の障害による CRH 分泌不全，または下垂体の障害による ACTH 分泌不全が原因となり，グルココルチコイド分泌が低下する．遺伝子異常などによる先天性下垂体ホルモン欠損症，脳腫瘍，放射線治療などによる後天性下垂体ホルモン欠損症，ステロイド長期投与による医原性の HPA 系抑制などがある．

下垂体ホルモン欠損症では，ACTH 単独欠損であることはまれであり，他の下垂体前葉ホルモンや，抗利尿ホルモン（antidiuretic hormone：ADH）分泌不全を合併することが多い．甲状腺機能低下症合併例では，補充療法開始後に副腎不全が潜在化する可能性があること，副腎不全の有無やその程度は経時的に変化する可能性があることに留意し，再評価も検討する必要がある．

3) 診断へのアプローチ

a．問診

母体の男性化徴候などの妊娠中の異常や，仮死，低血糖，遷延性黄疸などの周産期異常の有無，低身長，体重増加不良の有無や発達歴，副腎疾患などの家族歴，脳腫瘍，放射線治療などの既往歴を確認する．ステロイド治療歴は，内服や注射薬のみならず，点鼻，点眼，外用薬を含めた使用（量，期間）を確認する．また，副腎不全による嘔吐などの消化器症状が，胃腸炎や周期性嘔吐症などと診断されていたり，尿崩症による多飲，多尿症状が病的と自覚されていないこともあるため，疑わしい症状がある場合には，具体的な状況を確認する必要がある．

第7章 内分泌疾患患者にみられる所見，主要症候から診断へのアプローチ

表26 副腎不全の症状，徴候，検査所見

	グルココルチコイド欠乏	ミネラルコルチコイド欠乏	副腎アンドロゲン欠乏	副腎アンドロゲン過剰
症状，徴候	全身倦怠感，易疲労感 食欲低下 消化器症状(悪心，嘔吐，腹痛，下痢など) 体重増加不良・減少 頭痛 血圧低下，循環不全 意識障害 皮膚色素沈着(原発性)	低血圧，めまい 筋力低下 易疲労感 体重増加不良・減少 塩分嗜好 脱水	女児の陰毛・腋毛発育不全・脱落 性欲減退	女児の外性器男性化 月経不順 ざ瘡，多毛などの男性化 骨成熟の促進
検査所見	コルチゾール低値 ACTH高値(原発性) 低血糖 低ナトリウム血症	アルドステロン低値 PRA高値 低ナトリウム血症，高カリウム血症 代謝性アシドーシス	DHEA-S低値	DHEA-S高値

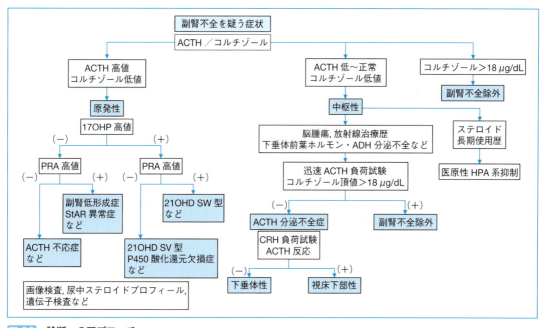

図23 診断へのアプローチ
21OHD SW型/SV型：21水酸化酵素欠損症 塩喪失型/単純男性型

b. 症状(表26)

急性に症状が出現・悪化する場合のみならず症状は慢性的にみられている場合がある．グルココルチコイド欠乏の程度が軽度の場合には，悪心，嘔吐などの消化器症状，頭痛，食欲低下，倦怠感，活気不良などの非特異的症状のみであることも多いが，ストレス時には，急激に症状が進行し，低血糖，意識障害，循環不全，ショックなどを呈し，致死的な経過をとることもある．副腎不全を生じる可能性のある基礎疾患が確認されている場合には，軽微な症状を見逃さずに補充量を調整すること，ストレス時についての患者教育を十分に行うことが重要である．

①原発性副腎不全

しばしばミネラルコルチコイド欠乏を合併し，脱水による体重増加不良，減少を呈することがあるため，特に年少児では，成長経過を確認することも重要である．塩分嗜好は自覚されていないことがあるため，味付けの好みや，食癖の聴取も参考になる．また，21水酸化酵素欠損症に代表される酵素欠損症の一部では，胎生期の副腎アンドロゲン過剰により，女児の外性器男性化を生じる．その他，副腎以外の特徴的な形態異常や症状を合併する疾患(P450酸化還元酵素欠損症，IMAGe症候群，MIRAGE症候群，副腎白質ジストロフィーなど)もある．

②中枢性副腎不全

レニン―アンギオテンシン系は保たれているため，ミネラルコルチコイド欠乏を合併することはない．薬理学的量ステロイドの長期投与歴がある場合には，Cushing徴候を認める時期であっても，ステロイド減量時やストレス時には副腎不全症状を認めることがあるため注意が必要である．その他，合併しうる下垂体前葉ホルモン，ADH分泌不全症状については，各論を参照されたい．

c. 検査所見

図23を参考に検査，鑑別を進める．日内変動で最も高くなる早朝（9時前が望ましい）や，低血糖，ストレス時のコルチゾール，ACTHの同時測定は診断的意義が高い．日本内分泌学会のガイドラインでは，コルチゾールが18μg/dL以上であれば副腎不全は否定的であり，4μg/dL未満であれば副腎不全を強く疑うと記載されている[1]．低血糖や電解質異常（低ナトリウム，高カリウム血症），代謝性アシドーシスは必ずしも認められる所見ではない．また，ミネラルコルチコイド欠乏を合併しない病態（中枢性，ACTH不応など）では，グルココルチコイド欠乏による水分貯留により希釈性の低ナトリウム血症を認めることはあるが，高カリウム血症は認めない．

①原発性副腎不全

ACTH高値，コルチゾールは低値，またはACTHに比し相対的低値となる．頻度の高い21水酸化酵素欠損症の鑑別のための17ヒドロキシプロゲステロン（17OHP）測定に加え，血漿レニン活性（PRA），アルドステロン，デヒドロエピアンドロステロンサルフェート（DHEA-S）の測定により，ミネラルコルチコイド，副腎アンドロゲン分泌の状態を確認する．さらに尿中ステロイドプロフィール，遺伝子検査などにより，原因疾患の鑑別を進める．

②中枢性副腎不全

ACTHは低〜正常値，コルチゾール低値となるが，低血糖やストレス時以外の随時検査では判断が困難な場合も多い．下垂体ホルモン欠損症の原因となりうる疾患，治療の既往や，すでに他の前葉ホルモン，ADH分泌不全を有する症例では，積極的に疑い，迅速ACTH負荷試験などによる評価を進める必要がある．迅速ACTH負荷試験では，長期にわたるACTH分泌不全であれば副腎皮質萎縮によるコルチゾール分泌低下を示すが，短期，軽度のものでは薬理学的量のACTH刺激によりコルチゾール分泌が得られるため，判断に注意を要する．視床下部，下垂体性の鑑別には，CRH負荷試験やインスリン負荷試験が有用であり，医原性のHPA系抑制状態では，その回復段階の指標ともなる．ただし，インスリン負荷試験は，重度の低血糖を誘発する可能性があるため，特に低年齢児への適応は慎重に判断する必要がある．

❖ 文献
1) Yanase T, et al.：Diagnosis and treatment of adrenal insufficiency including adrenal crisis：a Japan Endocrine Society clinical practice guideline [Opinion]. *Endocrine J* 63：765-784, 2016

❖ 参考文献
・John DC, et al.：Glucocorticoid deficiency. In Melmed S, et al.(eds), *Williams textbook of endocrinology*. 14th ed., Elsevier, Philadelphia, 517-527, 2020
・天野直子, 他：副腎皮質機能低下症の診断アルゴリズム. 小児内科 44：588-592, 2012
・田島敏広：副腎皮質系機能検査の進め方. 小児内科 51：450-453, 2019

（井澤雅子）

糖尿病性昏睡

糖尿病患者が昏睡に至る場合，糖尿病性ケトアシドーシス（diabetic ketoacidosis：DKA），高浸透圧性非ケトン性昏睡，重症低血糖を考える必要がある．本項では急性期のDKAの病態に焦点を当てる．

1）DKAの病態

DKAはインスリンの欠乏により様々な変化が引き起こされて発症に至る（図24）[1]．1型糖尿病の発症時に多くみられる．インスリン療法中の患者においてもインスリンの中断や，インスリンポンプの閉塞によりDKAとなる．また，感染症，外傷などのシックデイ（sick day）での対応が不十分な場合もDKAを発症しうる．シックデイなどでインスリン拮抗ホルモンの分泌が増加すると，インスリンの作用効果が減弱する．ホルモンの状態変化に伴い，グリコーゲン分解と糖新生の亢進が引き起こされ，高血糖をきたす．高血糖に伴う浸透圧利尿により水分および電解質が失われて，脱水になる．脱水により糸球体濾過率が減少し，腎不全に陥る．高血糖や脱水の進行と同時に，インスリン欠乏または重度のインスリン作用不足により，脂肪分解も亢進する．脂肪分解により血中に遊離脂肪酸が増加する．遊離脂肪酸はβ酸化により糖新生を亢進させるが，同時にケトン体であるβ-ヒドロキシ酪酸の産生を引き起こす．β-ヒドロキシ酪酸は酸であるため，過度に産生されると，生体の緩衝能力を超えてしまい代償できなくなる．また脱水に伴う乳酸の産生も加わる

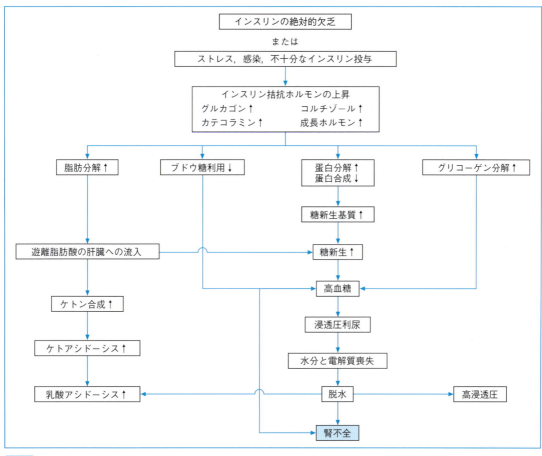

図24 DKAの病態

〔Wolfsdorf J, et al.：Diabetic ketoacidosis in infants, children, and adolescents：A consensus statement from the American Diabetes Association. *Diabetes Care* 29：1150-1159, 2006 より一部改変〕

ことで，代謝性アシドーシスに陥る．さらに脱水，高浸透圧，アシドーシス，電解質の喪失が進行すると，ストレスホルモンの分泌が亢進し，代謝性アシドーシスがさらに進行する悪循環に陥る．

小児は成人と比較して，基礎代謝が高く，体重に比べ体表面積が広いため，より多くの水分や電解質を必要とするため，脱水に陥る危険性が高い．また自律神経を含めた神経系が幼小児では未熟なため，DKAに伴う脳浮腫の頻度が高いことも指摘されている．さらに乳幼児では，多飲，多尿，体重減少などのDKAの典型的な症状に気づかれにくく，診断までに時間がかかり，診断時に重度の脱水やアシドーシスになっていることが多い．複数の報告から乳幼児では15〜70%が発症時DKAであることが示されている[1]．また5歳未満では診断時に37%DKAを発症していたが，14歳以上では15%であったとする報告もある[2]．代謝性アシドーシスによる代償として多呼吸などの症状により，肺炎や，気管支喘息などと診断されて，ステロイドやβ刺激薬の投与が行われ，さらなる代謝状態の悪化が引き起こされることもある．

2）DAKに伴う脳浮腫の病態

小児では，DKAの脳浮腫は0.5〜0.9%で発症し，死亡率は21〜24%であり[3]，最も多い死亡原因となっている．また，DKAの4〜15%ではGCS(Glasgow coma scale)が14未満となる[4,5]．さらに，画像検査では50%以上に脳浮腫の所見があることも指摘されている[5]．脳浮腫の発症リスクとして低年齢，初発の糖尿病，症状の持続時間が長いことがあげられる．

脳浮腫の病態は未解明な部分もあるが，神経細胞の直接障害と血管障害とに大きく分けられ，さらに治療による浸透圧変化の影響も関与する[6]．細胞障害による機序として，高血糖，ケトン産生，脂質過酸化反応によりAdvanced glycation end productsの前駆体である3-deoxyglucosone(3-DG)が上昇し，活性酸素の上昇を引き起こすことや，補体複合体が上昇することも報告されている[6]．これらにより神経細胞の傷害が引き起

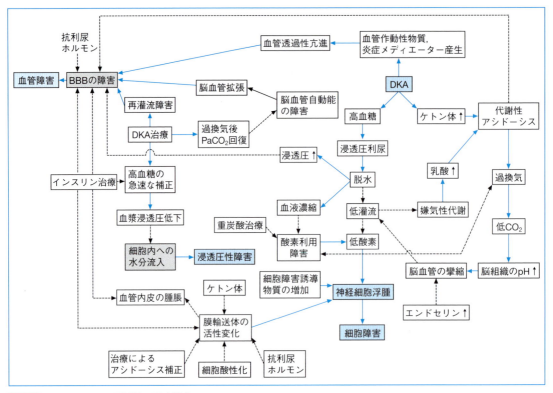

図25 DKAにおける脳浮腫の発症機序
──▶：ヒトで確認されている経路
---▶：動物実験よりヒトで提唱されている経路

〔Azova S, et al.：Brain injury in children with diabetic ketoacidosis：Review of the literature and a proposed pathophysiologic pathway for the development of cerebral edema. Pediatr Diabetes 22：148-160, 2020 より一部改変〕

こされている可能性がある．またケトン体がNa-K-Cl共輸送体の活性を変化させ，細胞浮腫を引き起こすことも指摘されている．また，神経に存在するNa$^+$/H$^+$交換輸送体もアシドーシスと抗利尿ホルモン上昇により活性化しており，これらの輸送体活性の変化が神経傷害に関与している可能性がある．加えてDKAにより低酸素による細胞傷害が起きていることも示唆されている[6]．磁気共鳴スペクトロスコピーによりDKAにおける脳の代謝産物の解析を行うと，pHの低下・乳酸の上昇・ATPの低下が認められており，低酸素後の代謝産物の変化に類似している[7]．また，血液濃縮により酸素輸送の低下による酸素利用化障害や低CO_2による酸素消費低下があり，さらに炭酸水素ナトリウム(NaHCO$_3$)による治療も酸素輸送低下につながっている可能性がある[8]．

血管障害の関与については，脳浮腫で死亡した症例の剖検で，血液脳関門(blood-brain barrier：BBB)のtight junctionが消失しており，アルブミンの脳組織への流出や血管周囲の変化が確認されていることや，DKA症例の頭部MRIでapparent diffusion coefficient (ADC)の上昇があり，意識障害の程度に相関して有意にADCが上昇することから，血管障害が病態に関与していると考えられる[6]．高血糖，アシドーシス，高浸透圧がBBBの傷害を引き起こしている可能性がある．また，高血糖と高ケトンが血管透過性亢進作用のある血管内皮細胞増殖因子(vascular endothelial growth factor：VEGF)を増加させることや，脳血管の炎症が起きていることが示唆されている．また，DKAにより脳循環自動調節も障害されうる．発症時DKAであった1型患者は，DKAでなかった例と比べて脳循環自動調節能の低下があることが報告されており[9]，脳血流の局所的な自動調節能変化も確認されている．また脳血流量の増加がDKA初期治療中に認められており，回復期にADCが上昇することから，治療による再灌流障害の関与も指摘されている[6]．

さらにDKAの治療により，急速に高血糖が改善することで浸透圧変化をきたして水分や電解質の細胞内流入を促進し，細胞が損傷することも指摘されている．またNaHCO$_3$による急速なアシドーシス補正は，ヘモグロビンの酸素解離曲線を左方へシフトさせ，神

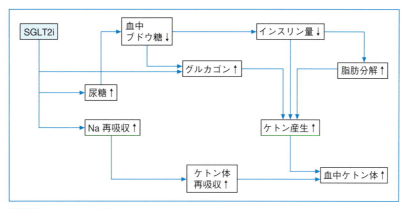

図26 euDKAの病態
〔Taylor SI, et al.：SGLT2 Inhibitors May Predispose to Ketoacidosis. *J Clin Endocrinol Metab* 100：2849-2852, 2015 より一部改変〕

経細胞への酸素供給が低下することがいわれている．脳浮腫発症とNaHCO₃投与の関係については，あるとするものとないとするものがあり，完全に解明されていないが，脳浮腫発症のリスクや低カルシウムなどの副作用の危険性のデメリットに対して投与することのメリットに乏しいことから，ルーチンで投与することは推奨されていない[10]．

このようにDKAでは様々な機序が複合的に作用し，脳浮腫を引き起こすと考えられている（図25）[6]．

3) 正常血糖ケトアシドーシス（euDKA）の病態

近年糖尿病治療薬として，SGLT2阻害薬（sodium-glucose cotransporter-2 inhibitors：SGLT2i）が使用されるようになった．従来のDKAと違って，著名な高血糖を呈さずケトアシドーシスの状態となっている正常血糖ケトアシドーシス（euglycemic diabetic ketoacidosis：euDKA）が多く報告されるようになってきた．小児適応のあるSGLT2iは現在なく，SGLT2iによる小児のeuDKA発症の可能性はないが，成人に達したあとにSGLT2iを服用している1型および2型糖尿病患者では発症の可能性があるので，その病態についてここで簡単に触れる（図26）[11]．

SGLT2iの服用により尿からのブドウ糖の排出量が増大する．SGLT2iにより成人日本人2型糖尿病患者では1日100g程度のブドウ糖が尿より排泄される[12]．これによりインスリン分泌が減少し，インスリンによるパラクライン作用の減少がグルカゴン分泌上昇を引き起こす．またα細胞へのSGLT2を介したブドウ糖の流入減少により，グルカゴン分泌が上昇する可能性も指摘されている[13]．インスリン・グルカゴン比の低下が脂肪分解を引き起こし，遊離脂肪酸が産生され，肝臓に到達してケトン体産生が促進される[14]．以上の機序により，実際にSGLT2i内服時は血中ケトンが通常の2倍程度に上昇し，DKAが発症しやすい状態となる．ここに脱水や糖質制限または感染などが加わると，血中ケトンのさらなる上昇を引き起こし，euDKAを発症するとされている．脱水がリスク因子になるため，十分な水分を摂取することが推奨される．また，糖質制限や体調不良時の食事摂取量の低下についても注意する必要がある．

糖尿病性昏睡のアプローチの仕方・治療法については**総論第8章C**参照のこと．

❖ 文献

1) Wolfsdorf J, et al.：Diabetic ketoacidosis in infants, children, and adolescents：A consensus statement from the American Diabetes Association. *Diabetes Care* 29：1150-1159, 2006
2) Rewers A, et al.：Presence of diabetic ketoacidosis at diagnosis of diabetes mellitus in youth：the Search for Diabetes in Youth Study. *Pediatrics* 121：e1258-1266, 2008
3) Edge JA, et al.：The risk and outcome of cerebral oedema developing during diabetic ketoacidosis. *Arch Dis Child* 85：16-22, 2001
4) Glaser NS, et al.：Correlation of clinical and biochemical findings with diabetic ketoacidosis-related cerebral edema in children using magnetic resonance diffusion-weighted imaging. *J Pediatr* 153：541-546, 2008
5) Glaser NS, et al.：Frequency of sub-clinical cerebral edema in children with diabetic ketoacidosis. *Pediatr Diabetes* 7：75-80, 2006
6) Azova S, et al.：Brain injury in children with diabetic ketoacidosis：Review of the literature and a proposed pathophysiologic pathway for the development of cerebral edema. *Pediatr Diabetes* 22：148-160, 2020
7) Glaser N, et al.：Effects of hyperglycemia and effects of ketosis on cerebral perfusion, cerebral water distribution, and cerebral metabolism. *Diabetes* 61：1831-1837, 2012
8) Bureau MA, et al.：Cerebral hypoxia from bicarbonate infusion

in diabetic acidosis. *J Pediatr* 96：968-973, 1980
9) Roberts JS, *et al.*：Cerebral hyperemia and impaired cerebral autoregulation associated with diabetic ketoacidosis in critically ill children. *Crit Care Med* 34：2217-2223, 2006
10) Wolfsdorf JI, *et al.*：ISPAD Clinical Practice Consensus Guidelines 2018：Diabetic ketoacidosis and the hyperglycemic hyperosmolar state. *Pediatr Diabetes* 19(Suppl. 27)：155-177, 2018
11) Taylor SI, *et al.*：SGLT2 Inhibitors May Predispose to Ketoacidosis. *J Clin Endocrinol Metab* 100：2849-2852, 2015
12) Ferrannini E, *et al.*：Renal glucose handling：impact of chronic kidney disease and sodium-glucose cotransporter 2 inhibition in patients with type 2 diabetes. *Diabetes Care* 36：1260-1265, 2013
13) Bonner C, *et al.*：Inhibition of the glucose transporter SGLT2 with dapagliflozin in pancreatic alpha cells triggers glucagon secretion. *Nat Med* 21：512-517, 2015
14) Ferrannini E, *et al.*：Renal Handling of Ketones in Response to Sodium-Glucose Cotransporter 2 Inhibition in Patients With Type 2 Diabetes. *Diabetes Care* 40：771-776, 2017

〈高谷具純〉

第8章 内分泌救急処置

A 甲状腺クリーゼ

1）定義・概念

甲状腺クリーゼ（thyroid storm, thyroid crisis, thyrotoxic storm, thyrotoxic crisis）とは、甲状腺中毒症の原因となる未治療ないしコントロール不良の甲状腺基礎疾患が存在し、これに何らかの誘因が加わったときに認められる甲状腺中毒症の急性増悪の状態である。甲状腺ホルモン作用過剰に対する生体の代謝機構の破綻により多臓器不全に陥り、生命が脅かされるほどの著しい甲状腺中毒症を呈する。

甲状腺クリーゼの頻度はまれで、わが国の成人における全国調査の結果、発症頻度は人口10万人当たり0.21人/年と推計されている[1]。小児における頻度は海外では0.1〜3.0/10万人との報告がある[2]が、わが国の小児に限局した検討はなく、詳細は不明である。

甲状腺クリーゼはまれではあるが、致死率が10%を超える予後不良な病態であり[1]、見逃してはならない重要な内分泌救急疾患である。成人の治療としては、日本甲状腺学会および日本内分泌学会より「甲状腺クリーゼ診療ガイドライン2017」が発表されている[3]。小児は症例数・エビデンスともに乏しく、成人のガイドラインに準じて治療を行う。

2）病因・病態

甲状腺クリーゼの基礎疾患としてはBasedow病が最も多く、97%を占めている。しかし、破壊性甲状腺炎、中毒性多結節性甲状腺腫などに伴って発症した例もある。また、Basedow病罹患期間は、20%が未治療であり、45%の患者が発症1年未満である[1]。

甲状腺クリーゼとなる明確な病因・病態はわかっていない。発症・病態に関与する因子として、①急激な甲状腺ホルモン放出、②甲状腺ホルモン結合蛋白の低下または結合阻害因子の存在、③交感神経の活性化状態、④甲状腺ホルモン標的細胞の感受性亢進または耐用性低下などがあげられる[4]。

発症には誘因をしばしば伴い、成人での全国調査では甲状腺クリーゼの70%で誘因が観察された。誘因の内訳としては、抗甲状腺薬服用不規則が最も多く、次いで、感染症、外傷、手術、強いストレス、radioisotope（RI）療法があげられている。甲状腺中毒症を良好にコントロールすることが最も重要であるが、誘因となりうる手術・ストレスなどを極力避ける。手術を必要とする場合には、早急に甲状腺中毒症の是正を図るとともに、周術期に厳格なモニタリングを行い、甲状腺クリーゼの早期発見に努める。また、抗甲状腺薬による治療を開始するすべてのBasedow病患者に対して、誘因を含めた甲状腺クリーゼの十分な情報提供が必要となる。

3）臨床症候

甲状腺クリーゼの診断は、**総論第7章O**の**表24**に示す、日本甲状腺学会および日本内分泌学会により作成された「甲状腺クリーゼの診断基準（第2版）」に沿って行う[5]。早期に診断し、治療を開始することが重要である。

FT_3およびFT_4の少なくともいずれか一方が高値である甲状腺中毒症の存在が必須事項であるが、血中甲状腺ホルモン高値の程度は通常の甲状腺中毒症と同等の場合もある。甲状腺基礎疾患が明らかでない場合や甲状腺ホルモン値測定が困難な状況では、甲状腺疾患の既往、甲状腺腫や眼球突出の有無を確認する。

症状として特に重要なものは①中枢神経症状（不穏、せん妄、意識障害、けいれんなど）、②発熱（38℃以上）、③頻脈（130回/分）、④心不全症状（肺水腫、肺野の50%以上の湿性ラ音、心原性ショックなど）、⑤消化器症状（悪心、嘔吐、下痢、総ビリルビン＞3 mg/dLの黄疸）である。甲状腺中毒症の患者にこれらの症状、特に複数の臓器症状を認めた場合には甲状腺クリーゼの可能性がないか疑うことが重要である。

ABCDE評価（airway, breathing, circulation, dysfunction of central nervous system, exposure & environmental control）と初期治療を開始したうえで、甲状腺クリー

ゼの診断基準に合致するかを評価する．臨床症状が甲状腺クリーゼによる症状か単なる併発する疾患の症状かの鑑別が困難な場合がある．その場合には甲状腺クリーゼと考えて対応する必要がある．甲状腺疾患の既往や家族歴，甲状腺腫や血管雑音や眼球突出や手指振戦，体重減少があれば甲状腺クリーゼの可能性がより高くなる．

4）治療法

甲状腺クリーゼの治療の基本は，全身状態の管理を行うとともに，甲状腺ホルモンを可能な限り迅速に正常化させ，多臓器不全に対応することである．致死率が高い病態であるため，可能な限り集中治療室にて全身のモニタリングを行いながら早急に治療を開始する．治療目標は，①甲状腺ホルモン合成・分泌の抑制，②末梢における甲状腺ホルモン作用の減弱，③全身管理，④誘因除去，である．甲状腺クリーゼ確定例および疑い例は，集中治療が可能な施設で，抗甲状腺薬，無機ヨウ素，副腎皮質ステロイド薬，全身体温管理を基本として，患者状態にあわせて全身管理を行うことが必要である[6]．図1に甲状腺クリーゼの診断から治療へのフローチャートを示す．

a．抗甲状腺薬

チアマゾール（MMI）とプロピルチオウラシル（PTU）の2種の抗甲状腺薬があり，新たな甲状腺ホルモン合成を抑制する作用をもつ．薬剤選択や適正使用量に関する明確なエビデンスはないが，通常の治療よりも多量かつ頻回の投与が必要である．成人で推奨される投与量は経口の場合はMMI 60 mg/日，PTU 600 mg/日（認可されている最大量）であり，これを分4（6時間ごと）で投与する．PTUは，末梢においてT_4からT_3への変換を行う脱ヨウ素酵素を抑制するため，MMIよりも望ましいとされてきた．しかし，全国調査ではMMIがクリーゼ患者の86.1％で使用されており，予後はPTUと同等[7]，むしろMMIの副作用が少なかったという報告もある[8]．抗甲状腺薬を経口摂取困難なときには，胃管注入や注腸で投与するか，チアマゾールの点滴製剤を用いる．

高用量の抗甲状腺薬が投与されたときには，発疹・顆粒球減少症・肝機能障害などの副作用が生じる可能性がある．副作用による抗甲状腺薬継続困難や，Basedow病以外の原因の場合には，陰イオン交換樹脂であり，甲状腺ホルモンの腸肝循環を抑制するコレスチラミン（1回4 gで1日3～4回）を使用する[9]．

b．無機ヨウ素

大量の無機ヨウ素は，Wolff-Chaikoff効果によるヨウ素の有機化の抑制，および甲状腺からのホルモン流出の抑制をきたす．甲状腺からのホルモン流出抑制により，血中甲状腺ホルモンを低下させる唯一の薬剤である．ヨウ素アレルギー患者以外では速やかに投与するべきである．ヨウ化カリウムとして200 mg/日（ヨウ化カリウム丸50 mgにヨウ素38.2 mgを含有する）または内服用ルゴール液で同等量から開始する．ヨウ素の必要量は5～10 mg程度と予想されているが，甲状腺クリーゼの状態では吸収阻害が予想されており，大用量の無機ヨウ素を必要とする．効果は速やかであるが，エスケープ現象のため，約2～3週間で効果が消失する．

日本における甲状腺クリーゼの全国調査では，無機ヨウ素の投与を受けた患者は，非投与の患者と比較して，有意に重症度が高かったが，死亡率に差を認めなかった[7]．この結果は無機ヨウ素が予後を改善することを示唆している．

c．副腎皮質ステロイド

薬理量の副腎皮質ステロイドは末梢におけるT_4からT_3への変換を抑制するとともに，デキサメタゾンは甲状腺からのホルモン分泌自体も抑制することが報告されている．成人ではヒドロコルチゾンで300 mg/日（6～8時間ごとに静注または経口），デキサメタゾンで4～8 mg/日（6～12時間ごとに静注または経口）を投与することが推奨される．甲状腺クリーゼでは，甲状腺ホルモンの過剰により副腎皮質ステロイドの代謝が促進され，相対的副腎皮質機能低下症となる．その予防のため，少なくともストレス量の副腎皮質ステロイドを投与する必要がある．

d．体温管理・解熱薬

高度の発熱は，身体機能を悪化させ，クリーゼの病態を進行させるため，速やかに対処することが必要である．アイスパックや冷却毛布による物理的な冷却を行うとともに，解熱薬として積極的にアセトアミノフェンを用いる．成人ではアセトアミノフェンは1回500 mg，1日1,500 mgより開始して適宜調整する．NSAIDsは血中の甲状腺ホルモン結合蛋白に作用して，一過性に遊離型甲状腺ホルモンを増加させることにより，クリーゼを悪化させる可能性があり，使用は避ける．

e．β遮断薬

甲状腺クリーゼで心拍数が非常に高い洞性頻脈や頻拍性心房細動を認める場合には，$β_1$選択性を有するβ遮断薬を第一選択とする．成人では，経口製剤では$β_1$選択性が最も高いとされるビソプロロールフマル酸塩（メインテート®）を選択し，静注製剤ではランジオロール塩酸塩（オノアクト®）もしくはエスモロール塩

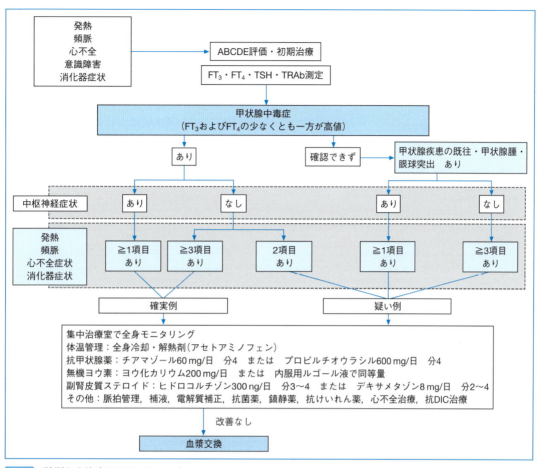

図1 診断から治療のフローチャート
A：airway, B：breathing, C：circulation, D：dysfunction of central nervous system, E：exposure & environmental control

酸塩（ブレビブロック®）を選択する[10]．気管支喘息患者では慎重に投与し，発作がある場合は中止する．また，心不全状態での使用には注意を要する．また，β_2作用も保持するプロプラノロール塩酸塩の使用は避けるように記載されている．

f. 全身管理

誘因が明らかとなれば，それに対する特異的な治療を開始する．また，状態に応じて全身管理を行う．

脱水や電解質異常があれば，十分な輸液と電解質補正を行う．細胞外液型電解質溶液を高度脱水に準じて輸注するが，著しい頻脈時には輸液過剰に留意する．細菌感染症に対しては抗菌薬を十分に投与する．意識障害やけいれんなどの中枢神経症状に対しては，その他の原因鑑別をしながら，鎮静薬や抗けいれん薬などを使用する．心不全を伴う場合には利尿薬や強心配糖体を使用する．

播種性血管内凝固症候群（disseminated intravascular coagulation：DIC）を認めた場合，抗DIC治療を実施す

る．全国調査において甲状腺クリーゼのDIC合併率は9.27％であったが，DIC合併例の死亡率は45.5％であり，DICの有無は死亡率と相関していた．

その他，急性腎不全，横紋筋融解症などの合併症に対しても十分なモニタリングを行い，これら合併症に対する集学的治療を行う．

g. 治療効果・血漿交換

治療が有効であれば12～24時間以内に改善兆候を認めることが多い．上記a～fの集学的治療によっても24～48時間以内に改善が認められなければ，治療的血漿交換や持続的血液濾過透析が推奨される．血漿交換に対しては，成人の大規模調査で有用性が報告されている[11]が，一部無効例もある．

❖ 文献

1) Akamizu T, et al.：Diagnostic criteria, clinical features, and incidence of thyroid storm based on nationwide surveys. *Thyroid* 22：661-679, 2012

2) Lazar L, et al.: Thyrotoxicosis in prepubertal children compared with pubertal and postpubertal patients. J Clin Endocrinol Metab 85 : 3678-3682, 2000
3) 日本甲状腺学会, 他（編）：甲状腺クリーゼ診療ガイドライン 2017. 南江堂, 2017
4) Tietgens ST, et al.: Thyroid storm. Med Clin North Am 79 : 169-184, 1995
5) 甲状腺クリーゼの診断基準作成と全国調査検討委員会：甲状腺クリーゼの診断基準（第2版），2010
http://www.japanthyroid.jp/doctor/img/crisis2.pdf（2021年11月10日アクセス）
6) Satoh T, et al.: 2016 Guideline for the management of thyroid storm from the Japan Thyroid Association and Japan Endocrine Society (First edition). Endocr J 63 : 1025-1064, 2016
7) Isozaki O, et al.: Treatment and management of thyroid storm : analysis of the nationwide surveys : The taskforce committee of the Japan Thyroid Association and Japan Endocrine Society for the establishment of diagnostic criteria and nationwide surveys for thyroid storm. Clin Endocrinol (Oxf) 84 : 912-918, 2016
8) Nakamura H, et al.: Comparison of methimazole and propylthiouracil in patients with hyperthyroidism caused by Graves' disease. J Clin Endocrinol Metab 92 : 2157-2162, 2007
9) Nayak B, et al.: Thyrotoxicosis and thyroid storm. Endocrinol Metab Clin North Am 35 : 663-686, 2006
10) Brunette DD, et al.: Emergency department management of thyrotoxic crisis with esmolol. Am J Emerg Med 9 : 232-234, 1991
11) Muller C, et al.: Role of plasma exchange in the thyroid storm. Ther Apher Dial 15 : 522-531, 2011

（志村和浩）

B 副腎クリーゼ

1）定義・概念

小児の副腎クリーゼの定義に画一されたものはないが，循環動態の悪化（年齢相当の正常値と比し，低血圧，頻脈）や，他の病態に起因しない一つ以上の検査値の異常（低ナトリウム血症，高カリウム血症，低血糖）を伴って急性に病状が悪化し，非経口グルココルチコイド投与にて著明に改善する状態，が一つの定義である[1]．

2）病因・病態

副腎クリーゼは原発性または二次性副腎皮質機能低下症の児が，感染症などのストレスを誘因として，グルココルチコイドの相対的不足のために急性の症状を生じる病態である．原発性副腎皮質機能低下症ではミネラルコルチコイドも欠乏する．小児では誘因として，感染症（消化器，呼吸器）が多い[2]．また，乳幼児では，食欲低下などから低血糖が誘因となることがある[2~4]．副腎クリーゼでは，重篤な場合には死に至ることがあるため，予防と早期治療が重要である．

基礎疾患に副腎皮質機能低下がない症例でも，ショックなどのICU管理を要する重症時に一過性に副腎クリーゼに至ることがある[1,3]．これは，機能的副腎皮質機能低下，または，critical illness-related corticosteroid insufficiency（CIRCI）とよばれる．

3）臨床症候と検査所見

副腎クリーゼ自体の症状として，嘔吐，下痢，腹痛（急性腹症と診断されることもある）などの腹部症状や食欲不振（乳児）がみられることが多い[1]．嘔吐開始後数時間後で症状が急速に進行する場合がある[5]．重症例では，循環不全，ショック，意識消失，けいれんをきたし，死に至ることもある．

検査所見では，電解質異常も低血糖も認められないことはまれではない[2,5,6]．低ナトリウム血症，高カリウム血症は，ミネラルコルチコイド欠乏を示す所見である．二次性副腎皮質機能低下症では，ミネラルコルチコイド欠乏はきたさないものの，バゾプレシン濃度の上昇により水貯留が起こり〔抗利尿ホルモン不適切分泌症候群（syndrome of inappropriate secretion of antidiuretic hormone：SIADH）様〕，低ナトリウム血症を認めることがある[3]．低血糖のリスクが高いのは，肝臓でのグリコーゲン貯蔵量が少ない幼小児である[3,5]．低血糖から，意識障害，けいれんを引き起こし，重症化することがある．

機能的副腎皮質機能低下症が疑われる場合は，コルチゾール基礎値とACTH負荷試験（コートロシン® 250 μg）を用いて副腎皮質機能を評価する．コルチゾール基礎値が10 μg/dL以下の場合，またはコルチゾール基礎値が10～34 μg/dLで，ACTH負荷試験でのコルチゾールの増加が9 μg/dL未満の場合は機能的副腎皮質機能低下症と考えられる[6]．

4）治療法

感染を合併した副腎皮質機能低下症患者の状態と，感染時に発生した副腎クリーゼを区別することはむずかしい．副腎クリーゼの予後が重篤であるため，臨床では，両者を鑑別することはせず，診断的治療（グルココルチコイド投与により改善），あるいは安全を見越した治療が行われる[7]．治療は，a. グルココルチコイド補充，b. 輸液，c. 誘因に対しての治療（感染に対する抗菌薬など）の三つからなる（図2）．

a．グルココルチコイド補充

成人では副腎クリーゼ治療の際，長年臨床の現場で水溶性ヒドロコルチゾン100 mgを6時間おきに投与されてきた[3]．しかし，近年は，副作用などの観点から，この投与量は超重症例にとどめておき，ストレスの程

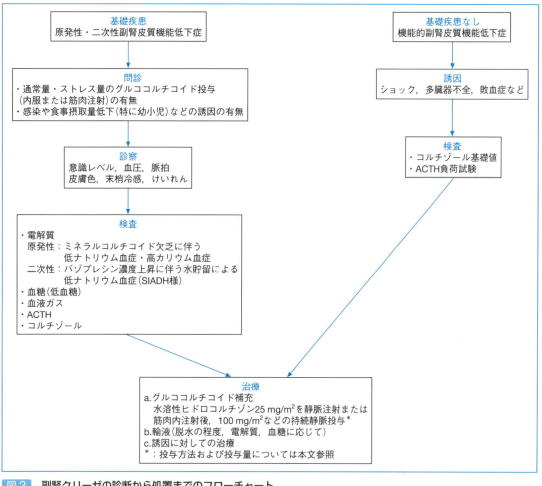

図2 副腎クリーゼの診断から処置までのフローチャート

度や本人の状態にあわせて投与量や投与期間を調整することが推奨されている（表1）[8]．わが国の21水酸化酵素欠損症の小児におけるストレス時ヒドロコルチゾン投与量の指針でも，ストレスの程度にあわせた投与量の調整が推奨されている（表2）[9]．

生体におけるコルチゾールの生理的分泌量は5〜8 mg/m²/日[10]といわれている．ストレス時のコルチゾール必要量は安全をみて約10倍，すなわち水溶性ヒドロコルチゾン（サクシゾン®，ソル・コーテフ®）として100 mg/m²/日と予想される[8]．通常投与されているヒドロコルチゾンの投与量の3倍ではストレスをカバーするのに十分ではない可能性が高い．また，コルチゾールの血中濃度維持のためには水溶性ヒドロコルチゾンを6時間ごとに静脈投与するよりも，初回静脈投与に引き続いて持続静脈投与を行うほうが望ましいとされている[11,12]．

施設により，平易で混乱しにくい治療を定めることも医療過誤を防ぐうえでは有用である．筆者らは，通常，水溶性ヒドロコルチゾンを25 mg/m²の静脈投与後，100 mg/m²/日の静脈持続投与を行っている．ストレス時の治療をいつまで行うかは臨床的に判断する．ストレス量の水溶性ヒドロコルチゾン投与中に高血圧をきたした報告[13]や，頻回に長期間ストレス量を投与され糖尿病を発症した報告[14]もある．48時間以上強いストレス状態が持続することはまれであり，通常は48時間以内，大手術や超重症例では長くとも1週間以内にヒドロコルチゾンの通常投与量まで状態をみながら漸減することが推奨されている[12]．

機能的副腎皮質機能低下症に対しても同様に水溶性ヒドロコルチゾンの投与を行う．しかし，ステロイド補充による死亡率の改善がみられなかったという報告もあり，治療効果はまだ一定ではない[1,3]．

在宅自己注射を含め，水溶性ヒドロコルチゾンの筋肉内注射が2020年4月から可能になった．このため，患児の状態が不良で末梢ルートを確保できない際などには筋肉内注射を行うとよい．静脈投与と筋肉内注射

表1 成人におけるグルココルチコイド補充療法ガイドライン

ストレスの程度		グルココルチコイド1日投与量
軽症	鼠径ヘルニア手術 大腸内視鏡 軽症の発熱疾患 軽症〜中等症の胃腸炎	ヒドロコルチゾン25 mg，またはメチルプレドニゾロン5 mgを静脈投与 翌日，通常量に戻す
中等症	開腹胆嚢摘出術 結腸半側切除術 明らかな発熱疾患 肺炎 重症の胃腸炎	ヒドロコルチゾン50〜75 mg，またはメチルプレドニゾロン10〜15 mgを静脈投与 1〜2日で迅速に減量し，通常量に戻す
重症	心肺手術 膵十二指腸切除術 肝臓切除術 膵炎	ヒドロコルチゾン100〜150 mg，またはメチルプレドニゾロン20〜30 mgを静脈投与 1〜2日で迅速に減量し，通常量に戻す
超重症	低血圧，ショックを伴う敗血症	ショックが改善するまで，ヒドロコルチゾン50〜100 mgを6〜8時間おきに投与，または0.18 mg/kg/時で持続投与＋フルドロコルチゾン50 μg 数日から数週間かけて減量 バイタルサインや血清Na値をみて，ゆっくり減量

〔Coursin DB, et al.：Corticosteroid supplementation for adrenal insufficiency. JAMA 287：236-240, 2002〕

表2 21水酸化酵素欠損症におけるストレス時ヒドロコルチゾン投与量の指針

身体的ストレスの程度	状態	ヒドロコルチゾン投与量
軽度	予防接種，微熱までの上気道炎	維持量
中等度	高熱（＞38.5度）を伴う感染症，嘔吐，下痢，摂食不良，不活発，小手術，外傷，歯科治療，熱傷	維持量の3〜4倍ないし50〜100 mg/m²/日
重度	敗血症，大手術	100 mg/m²/日

〔Ishii T, et al.：Guidelines for diagnosis and treatment of 21-hydroxylase deficiency（2014 revision）. Clin Pediatr Endocrinol 24：77-105, 2015〕

での血中コルチゾール値の上昇に差異はない[7]．緊急時筋肉内注射投与量の目安は，乳幼児25 mg，学童50 mg，成人（中学生以上）100 mgとされている[10]．この投与量は緊急時の投与であり，その後に医療機関で継続した投与が必要となる．

十分量のストレス時ヒドロコルチゾン投与下では，ミネラルコルチコイド作用も期待できるため，原発性副腎皮質機能低下症の児に対してもミネラルコルチコイドを補充する必要はない．原発性副腎皮質機能低下症の場合は，状態改善後，グルココルチコイドの通常投与量までの漸減とともに，ミネラルコルチコイドを再開する．副腎クリーゼの治療にデキサメタゾン（デカドロン®）を用いる際は，デキサメタゾンにミネラルコルチコイド作用がないため，原発性副腎皮質機能低下症児にはミネラルコルチコイドを経口投与する必要がある（酢酸フルドロコルチゾン，フロリネフ®；乳児として0.025〜0.1 mg）．また，経口投与ができない場合は，尿細管からのNaCl喪失（乳児ではNaとして5〜10 mEq/kg）を考えた輸液を計画する．

b．輸液

血糖，脱水の程度，電解質を評価して輸液を考える．低血糖がある場合は，以下の初期輸液に加え，10％糖1〜2 mL/kgを2〜3分かけて静脈投与する[7]．脱水を伴う副腎クリーゼの場合，低血糖予防のため，ブドウ糖入りの生理食塩水（生理食塩水100 mL＋20％ブドウ糖20 mLを10 mL/kg/時，または生理食塩水100 mL＋20％ブドウ糖10 mLを20 mL/kg/時）を循環不全改善のために投与する[7]．循環不全改善後，適宜Kを含む輸液に変更し，低血糖予防のため，ブドウ糖濃度を5〜7.5％に保つ．

尿崩症の治療を受けている患者が，ACTH欠損症に合併して水中毒（SIADH様病態）を生じたときは，水利尿が生じるまでデスモプレシンの点鼻は使用せず，SIADH時に準ずる水制限を行う[7]．

高カリウム血症を認める場合，ヒドロコルチゾンの投与でK濃度は24時間以内に正常化することが多い．しかし，心電図異常を認める高カリウム血症の場合，陽イオン交換樹脂，ケイキサレート®の注腸（1〜2 g/

kg/回)を要する場合もある[15].

5) 予防法

副腎クリーゼは重症化することがあり,予防が極めて重要である[5].筆者らは文献[1,9,10]に準じ,①発熱,嘔吐,下痢などのストレス時には,ヒドロコルチゾン(コートリル®)80～100 mg/m²/日を分4で6時間おきに内服,②起床時の疲れなどの軽いストレスがある,または遠足・試験の前でストレスが予想されるときに80～100 mg/m²/分4を1回内服させている[7].

前述のように,経口投与ができない場合に備え,水溶性ヒドロコルチゾンの在宅自己注射(筋肉内注射)を本人・家族に指導しておくことも重要である.筋肉内注射の指導が困難な場合には,リンデロン®坐剤を用いてもよい.筋肉内注射後も状態が改善しない場合があるため,筋肉内注射を考慮する場合(嘔吐などで内服できない,内服しても改善しないなど)や筋肉内注射後には,必ず受診させることが大切である.副腎機能低下症患者カードを持たせておくことも必要である.

幼小児ややせ型など低血糖のリスクのある児に対しては,低血糖の予防も大切である.早朝空腹時など食事の間隔があいた場合や食欲低下時に低血糖を起こす危険性が高い.食欲低下時や低血糖が疑われる場合の補食について指導する[5].

特殊な例として,CYP21A2欠損症の児が手術目的に入院した際,直前のコントロールの良否が不明の場合がある.入院自体がストレスになることも考え,手術前からストレス量のグルココルチコイドを投与することがある.筆者らは,術前2日間デキサメタゾン1 mg/m²を分4で2日間内服させ[16],手術当日は前述のとおり経静脈的に水溶性ヒドロコルチゾンを投与している.

❖ 文献

1) Rushworth RL, et al.：Adrenal crises in children：perspectives and research directions. *Horm Res Paediatr* 89：341-351, 2018
2) Ishii T, et al.：Incidence and characteristics of adrenal crisis in children younger than 7 years with 21-hydroxylase deficiency：A nationwide survey in Japan. *Horm Res Paediatr* 89：166-171, 2018
3) Newell-Price JDC, et al.：The Adrenal Cortex. In：Melmed S, et al.(eds), *Williams Textbook of Endocrinology*. 14th ed., Elsevier, Philadelphia, 480-541, 2019
4) Nanao K, et al.：Morning hypoglycemia leading to death in a child with congenital hypopituitarism. *Acta Pediatr* 88：1173, 1999
5) Aso K, et al.：Stress doses of glucocorticoids cannot prevent progression of all adrenal crises. *Clin Pediatr Endocrinol* 18：23-27, 2009
6) Cooper MS, et al.：Corticosteroid insufficiency in acutely ill patients. *N Engl J Med* 348：727-734, 2003
7) 長谷川行洋：副腎皮質疾患―副腎不全.たのしく学ぶ小児内分泌.診断と治療社,268-276, 2015
8) Coursin DB, et al.：Corticosteroid supplementation for adrenal insufficiency. *JAMA* 287：236-240, 2002
9) Ishii T, et al.：Guidelines for diagnosis and treatment of 21-hydroylase deficiency(2014 revision). *Clin Pediatr Endocrinol* 24：77-105, 2015
10) Bornstein SR, et al. Diagnosis and treatment of primary adrenal insufficiency：an endocrine society clinical practice guideline. *J Clin Endocrinol Metab* 101：364-389, 2016
11) Charmandari E, et al. Congenital adrenal hyperplasia：management during critical illness. *Arch Dis Child* 85：26-28, 2001
12) Prete A, et al.：Prevention of adrenal crisis：cortisol responses to major stress compared to stress dose hydrocortisone delivery. *J Clin Endoctinol Metab* 105：2262-2274, 2020
13) Nagamatsu F, et al.：Treatment of adrenal crisis in patients with primary hypoadrenalism can lead to hypertension. *Clin Pediatr Endocrinol* 28：25-30, 2019
14) Karashima R, et al.：Frequent and prolonged administration of glucocorticoid for acute adrenal insufficiency treatment can cause diabetes mellitus：a case of holoprosencephaly. *Clin Pediatr Endocrinol* 28：31-36, 2019
15) 安達昌功：急性副腎不全.横谷　進,他(編),専門医による新小児内分泌疾患の治療.改訂第2版,診断と治療社,119-121, 2017
16) Naiki Y, et al.：Adrenocorticotropic hormone and 17-hydroxy-progesterone levels during high-dose glucocorticoid supplement for the management of clitroplasty for CYP21A2 deficiency. *Endocr J* 51：367-373, 2004

(麻生敬子)

C 糖尿病性昏睡

糖尿病性昏睡は,糖尿病性ケトアシドーシス(diabetic ketoacidosis：DKA)と,高血糖高浸透圧状態(hyperglycemic hyperosmolar state：HHS)に大別される[1].DKAは,インスリン作用不足により細胞内が飢餓状態に陥り,ケトン体過剰産生(ケトーシス)によるアシドーシスが生じることが主病態である[2].HHSは,著明な高血糖による脱水と代償不全による高浸透圧血症が主病態であり,ケトーシス,アシドーシスはいずれも軽度である[2].小児ではDKAの頻度が高く,HHSはまれであるが,両者は急性期糖尿病合併症のスペクトラムの両端にある病態であり,合併しうる[1].両者の治療の基本はいずれも輸液療法とインスリン療法であるが,各々の主病態への対処が主軸となることに留意する.本項ではDKAの治療を中心に述べる.

■ 糖尿病性ケトアシドーシス(DKA)
1) 定義・概念

DKAの生化学的診断基準は,①高血糖〔血糖値＞

200 mg/dL（11 mmol/L）］，②アシドーシス（静脈血 pH＜7.3 または重炭酸イオン＜15 mmol/L），③ケトーシス（β-ヒドロキシ酪酸≧3 mmol/L またはケトン尿）の存在である．重症度は，軽症：静脈血 pH＜7.3 または重炭酸イオン＜15 mmol/L，中等症：静脈血 pH＜7.2 または重炭酸イオン＜10 mmol/L，重症：静脈血 pH＜7.1 または重炭酸イオン＜5 mmol/L と定義されている[1]．小児 DKA の死亡率は 0.15〜0.3% であり，うち 60〜90% は治療合併症である脳浮腫により死亡していることから，脳浮腫予防の観点が重要である[1]．

2）病因・病態

DKA はインスリンの絶対的または相対的欠乏と，インスリン拮抗ホルモン（グルカゴン，コルチゾール，カテコラミン，GH など）の上昇により，インスリン作用不足が生じて発症する．DKA の病態の詳細は，**総論第 7 章 Q** を参照されたい．

3）臨床症候

DKA の臨床症候は，多飲，多尿に加え，体重減少，脱水症状，多呼吸［特に代謝性アシドーシスの呼吸性代償としての Kussmaul 呼吸（大きく深い呼吸）］，呼気のケトン臭，悪心，嘔吐，腹痛などがあげられる．消化器症状が主訴となることも多く，急性腹症との鑑別には血糖測定が必須である．重症の場合には，意識障害から昏睡へ進行する．

4）治療法

治療の概要を**図 3** に示す[1]．DKA の治療は，輸液療法とインスリン療法の二つが基本となる．致命的な治療合併症として脳浮腫があげられ，合併症を予防し適切に治療を行うために，患者状態，血糖値，電解質，血液ガスデータの綿密なモニタリングが重要である．

a．初期評価と蘇生

脱水，Kussmaul 呼吸，意識障害などを呈し，DKA が鑑別にあがる状況では，まず PALS（pediatric advanced life support）のガイドラインに従い初期評価，初期治療を行う．ショック，意識障害，昏睡があれば蘇生を行う．すなわち，気道確保，必要に応じて胃管挿入，酸素投与，ルート確保後，0.9% 生理食塩水 10〜20 mL/kg の急速輸液を行い，患者を再評価し，必要があれば循環血液量が回復するまで急速輸液を繰り返す[1]．一般的に，小児のショックに対する輸液蘇生は 0.9% 生理食塩水の急速輸液を繰り返すのが定法であるが，DKA の輸液蘇生では，浸透圧の急激な低下が脳浮腫の一因となる可能性があり，急速輸液を行った場合には必ず患者を再評価し，繰り返す必要性を慎重に判断することが望ましい[3]．実際，急速輸液を繰り返す必要のある症例は多くない．

輸液と平行して，指先穿刺もしくは静脈確保時の採血検体で，ベッドサイドにて血糖値と β ヒドロキシ酪酸［もしくは尿試験紙による尿中ケトン体（アセト酢酸）定性］，静脈血液ガスを測定し，DKA の診断ならびに重症度の判定を可及的速やかに行う．ベッドサイドの簡易血糖測定器の測定限界を超える高血糖では，臨床検査技師に高血糖検体であることを連絡し，生化学検査での希釈測定にて正確な治療前血糖値の把握に努める．感染症などその他の疾患の鑑別も進める．

b．輸液療法

①脱水の補正

脱水の補正のための輸液療法はインスリン投与に先駆けて開始する．5% 以上の脱水が見込まれる場合には，初期輸液として 0.9% 生理食塩水を 10 mL/kg/時の速度で 1〜2 時間輸液し，循環血液量を回復する．その後は，細胞外液の欠乏量を 24〜48 時間かけて維持輸液とともに投与する．体重減少の程度から欠乏量を評価することは，異化亢進による体重減少もあるため困難である．学童期〜成人期の中等症以上の DKA では 5〜10% の細胞外液の欠乏を認める．capillary refilling time や皮膚ツルゴール低下などを基にした欠乏量の推定は主観的で正確ではない．脱水の程度を中等症 5〜7%，重症 7〜10% と仮定する．保護者から聴取する病前体重の解釈には異化亢進による体重減少分も考慮する．

小児 DKA 初期治療に関する 2018 年の PECARN FLUID study は，この欠乏量補正の輸液療法に関する多施設前向きランダム化比較試験（Randomized Controlled Trial：RCT）である．脱水が 5〜10% と推定される小児 DKA 症例において，初期輸液後に，NaCl 濃度 0.45% もしくは 0.9% の輸液を，各々について 24 時間もしくは 48 時間かけて維持輸液とともに投与する 4 群の比較を行い，神経学的合併症の発生率に有意差を認めなかったと報告されている[4]．

②電解質の補正

ⅰ）カリウム（K）

K の補充は，血清 K 濃度にかかわらず必要である．DKA では，高浸透圧血症に伴い，細胞内の K が細胞外へ移行し尿排泄されるため，基本的には体内の K は不足傾向にある．脱水に伴う腎機能障害により，治療前には高カリウム血症を認めることもあるが，循環改善，インスリン投与，アシドーシス改善により，K は細胞内に戻るため，治療に伴い血清 K 濃度が急激に低下する恐れがある．治療前に低カリウム血症があれば，K 補充は初期輸液と同時に 20 mEq/L の濃度で開始する．低カリウム血症がなければ，K 補充は初期輸液後，40 mEq/L の濃度でインスリン療法と同時に開

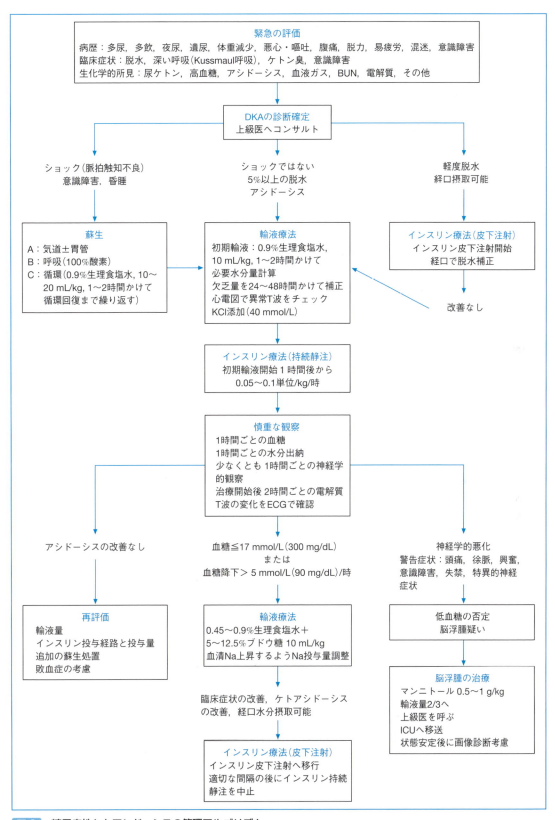

図3 糖尿病性ケトアシドーシスの管理アルゴリズム

〔Wolfsdorf JI, et al.：ISPAD Clinical Practice Consensus Guidelines 2018：Diabetic ketoacidosis and the hyperglycemic hyperosmolar state. Pediatr Diabetes 19(suppl 27)：155-177, 2018 より引用一部改変〕

始する．高カリウム血症の存在下では排尿確認後から 40 mEq/L の濃度で開始する．治療前の K の値にかかわらず，最大の K 補充速度は 0.5 mEq/kg/時とする[1]．

ⅱ）リン（P）

P の補充は，明らかな有用性が示されていない．しかしながら，一般的に血清 P 濃度が 1 mg/dL を下回る重度の低リン血症の場合には，心筋や骨格筋の筋力低下や呼吸抑制を生じる可能性があるため，補充を考慮する．DKA では，細胞内の P が細胞外へ移動し尿排泄されることから，体内の P は不足傾向にあり，特に食事摂取のないまま輸液療法が 24 時間以上に長引くと，重度の低リン血症をきたしうる．インスリン投与により，P が細胞内に戻るため，P 補充の必要性はインスリン開始後に生じる．P の維持量は維持輸液 100 mL 当たり 1〜2 mmol，DKA での欠乏量は体重当たり 0.5〜2.5 mmol/kg とされている[1]．補充の例として，維持輸液 500 mL にリン酸二カリウム 5〜10 mL を混注する方法などがあげられる[5]．

③アシドーシスの補正

重度のアシドーシスであっても，輸液とインスリン療法で改善するため，重炭酸は原則使用しない．重炭酸使用の不利益として，Na 負荷が脳浮腫をきたす可能性があること，奇異性アシドーシス（重炭酸イオンは脳血液関門を通過しにくく，CO_2 は自由に通過するため，血清アシドーシスの補正の結果，中枢神経系のアシドーシスが悪化すること）を惹起すること，などがあげられる．致死的な高カリウム血症，pH 6.9 未満の重度アシドーシスのためにカテコラミン抵抗性ショックをきたす場合は例外であり，重炭酸 1〜2 mEq/kg を 1 時間かけて投与してもよい[1]．

c．インスリン療法と血糖値補正

DKA の主病態は，インスリン作用不足であり，インスリン療法は必須である．インスリンは，初期輸液開始 1 時間後以降，すなわち初期輸液による循環血液量回復を得られた後に開始する[1]．輸液療法のみでも血糖値が低下することがあるため，インスリン開始直前に必ず血糖値の測定を行い，その値により，インスリン投与量を最終決定する．すなわち，重症度に応じて，速攻型インスリン 0.05 単位〜0.1 単位/kg/時（5 歳未満の年少児の軽症 DKA では 0.03 単位/kg/時）の持続静注を行う．急速静脈投与は脳浮腫のリスクを高めるため行わない．インスリン開始後，1 時間ごとの血糖値，水分出納，神経学的観察，2 時間ごとの電解質のモニタリングを行う．血糖降下速度は 90 mg/dL/時にとどめ，それ以上の血糖降下を認めた場合や，血糖値 300 mg/dL 以下となった場合は，急激な浸透圧低下による脳浮腫や低血糖を予防するために，NaCl 濃度 0.45％ もしくは 0.9％ の輸液に，ブドウ糖を 5.0％ から 12.5％ の濃度で加える[1]．インスリン投与は DKA の治療の根幹であり，低血糖を認めてもインスリンを中止せず，輸液のブドウ糖濃度で調整する．意識障害，腹部症状が消失し，ケトーシス，アシドーシスが軽度にまで改善すれば，経口摂取を開始して，インスリン皮下注射に移行する．直前の 1 日の総インスリン投与量を参考に，その 30〜50％ を基礎インスリンとして持効型製剤で，残りを追加インスリンとして超速攻型製剤で各食前に分割して投与し，調整する．

d．脳浮腫の診断と治療

治療経過中の 1 時間ごとの観察において，神経学的悪化の警告症状，すなわち，重度もしくは進行性の頭痛，徐脈，興奮，昏睡，意識障害，失禁，特異的神経症状（脳神経麻痺，うっ血乳頭など）を認めた場合には，低血糖を否定したうえで，脳浮腫の管理に移行する．脳浮腫が疑われた時点で治療を可及的速やかに開始し，画像検査は患者が安定してから行う．0.5〜1.0 g/kg のマンニトールを 20 分以上かけて静脈投与し，30 分から 2 時間以内に効果がみられない場合は繰り返す．輸液は，正常血圧を保つ範囲で減量し，過剰輸液を避け，かつ，低血圧にも注意する[1]．目安としては，輸液量の 1/3 を減じて，2/3 の量にする．

■高血糖高浸透圧状態（HHS）

1）定義・概念

HHS は，高血糖による多飲多尿が緩徐に進行し，著明な高血糖と高浸透圧血症に至り，重度の脱水と電解質喪失を生じる急性期糖尿病合併症である．2 型糖尿病の高齢者に多いとされてきたが，初発 2 型糖尿病の若年者の 2％ が HHS を合併したという報告もある[6]．インスリン作用不足は相対的であり，ケトーシス，アシドーシスはあっても軽度である．血糖値に明瞭な定義はないが，しばしば 800 mg/dL を超える著しい高血糖をきたす．治療は DKA と同様，輸液療法とインスリン療法が基本となるが，輸液療法の比重が大きく，早期にインスリンを開始する必要はない．脱水と電解質喪失の程度は DKA より重度であり，循環血漿量を保つために DKA よりも積極的な輸液療法を必要とする．

2）病因・病態

HHS は，感染症，経口摂取不良，利尿薬使用などによる循環血液量減少を契機として生じ，高血糖による脱水と代償不全による高浸透圧血症が主病態である．DKA と HHS が合併することもあり，脱水の程度や要する輸液量・電解質補正量が一般的な DKA を上回る

場合には，HHS の合併を念頭に，循環血液量の回復のためにより積極的な輸液療法を行う[1]．

3）臨床症候

DKA でみられる多呼吸，嘔吐，腹痛などはみられず，次第に増悪する多飲多尿で気づかれる．進行が緩徐であるため，DKA よりも受診，診断が遅れやすい．

4）治療法

a．輸液療法

脱水の程度を 12〜15% と見積もり，初期輸液は循環血漿量回復のため，等張液すなわち 0.9% 生理食塩水 20 mL/kg の急速輸液を循環血液量が回復するまで繰り返す．その後は，NaCl 濃度 0.45〜0.75% の低張液を用いて，細胞外液の欠乏量を 24〜48 時間かけて維持輸液とともに投与し，緩徐に血清浸透圧を下げるよう調整する．血清 Na の降下速度は 0.5 mEq/L/時にとどめる．血糖降下速度の目標は DKA と同様であり，適宜輸液中にブドウ糖を追加する．電解質補正は，DKA と同様に K と P が不足傾向にあり，適時補充を行う[1]．

b．インスリン療法

DKA を合併していない HHS では早期のインスリン投与は必要ない．輸液療法で血糖降下が得られなくなった時点でインスリン投与を開始し，0.025〜0.05 単位/kg/時の持続静注を行う[1]．

❖ 文献

1) Wolfsdorf JI, et al.：ISPAD Clinical Practice Consensus Guidelines 2018：Diabetic ketoacidosis and the hyperglycemic hyperosmolar state. Pediatr Diabetes 19（Suppl. 27）：155-177, 2018
2) Dhatariya KK, et al.：Diabetic ketoacidosis. Nat Rev Dis Primers 6：40, 2020
3) American Heart Association：ショックの管理―輸液投与の速度と量．PALS プロバイダーマニュアル　AHA ガイドライン 2015 準拠，シナジー，209-210，2018
4) Kuppermann N, et al.：Clinical Trial of Fluid Infusion Rates for Pediatric Diabetic Ketoacidosis. N Engl J Med 378：2275-2287, 2018
5) 長谷川行洋：糖尿病性ケトアシドーシス．はじめて学ぶ小児内分泌．診断と治療社，125-133，2011
6) Klingensmith GJ, et al.：Presentation of youth with type 2 diabetes in the Pediatric Diabetes Consortium. Pediatr Diabetes 17：266-273, 2016

（蜂屋瑠見）

低血糖

1）定義・概念

低血糖は血糖値が異常に低下した状態であり，血糖値が臨床症状や脳機能障害をきたすまでに低下した状態を低血糖症という[1,2]．低血糖症をきたす血糖値を特定の数値で定義することは困難であるが，症状の訴えが容易ではない小児においては，検査室で測定した血糖値が 54 mg/dL 未満である場合を低血糖と考える[3]．インスリン治療に伴う低血糖や，先天性高インスリン性低血糖症はグリコーゲン分解と糖新生がともに抑制され，中枢神経系でのエネルギー源のケトン体産生も低下し重篤な低血糖をきたすため，血糖値 70 mg/dL を「注意すべき低血糖」として扱う[4,5]．生後 48 時間未満の新生児に関しては，血糖値 50 mg/dL 未満が低血糖として提唱されているが，出生体重・在胎週数など，様々な条件により正常血糖値が影響を受けることを考慮する[6]．

2）病因・病態

低血糖症は，脳・腎髄質・赤血球・筋肉などでのブドウ糖利用が，食物摂取や肝臓・腎臓によるブドウ糖の供給を上回った場合に発症する[7]．低血糖症をきたす基礎疾患は，血中または尿中ケトン体の有無によって大別する（図 4）．ケトン体上昇を伴わない場合は，先天性高インスリン血症，脂肪酸化異常症を考慮する．一方，ケトン体上昇を伴う場合は，乳酸値をさらに参考としたうえで，ケトン性低血糖症，GH 分泌不全症，副腎皮質機能低下症，または，糖新生関連酵素異常症，糖原病，有機酸代謝異常症，ミトコンドリア病などを考慮する．本項では早産・低体重・仮死などの周産期障害に伴う新生児期の低血糖，また，正常新生児でも認められることがある出生直後の一時的な低血糖（いわゆる「新生児一過性低血糖」）[8]に関しては扱わない．しかし，一般的に新生児においては低血糖時のケトン体産生が十分に行われないことには留意する．

3）臨床症候

具体的な低血糖症状に関しては総論第7章K を参照されたい．低血糖症状の表出が可能な小児では「Whipple の三徴」，すなわち①低血糖に伴うと考えられる症状・徴候，②血糖値の低下，③血糖値が正常値に回復したのちの症状・徴候の軽減，の三徴候を満たした場合に低血糖症と考える[2]．ただし，症状のみから低血糖の存在を認識することがむずかしいことも多く，小児では症状の表出が困難であること，特に新生児では低血糖による臨床症状が非特異的であることに留意する[2]．本人の診察もしくは家族への問診の際は，表3 に示す事項に注意する．

4）治療法

a．クリティカルサンプルの採取

低血糖を疑った際には速やかに治療を開始するが，低血糖時（特に＜50 mg/dL の時点）のクリティカルサ

I 総　論

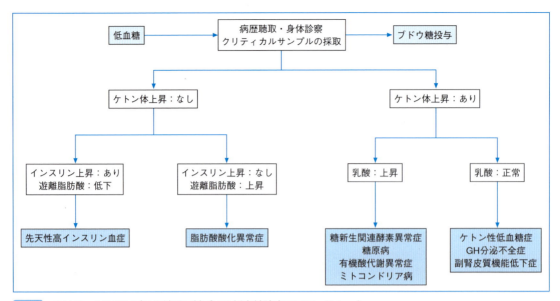

図4 クリティカルサンプルの結果に基づいた低血糖診療のフローチャート

[Thornton PS, et al.: Recommendations from the Pediatric Endocrine Society for Evaluation and Management of Persistent Hypoglycemia in Neonates, Infants, and Children. J Pediatr 167: 238-245, 2015 より引用一部改変]

表3 低血糖症の原因検索に有用な確認事項

低血糖のタイミング	運動, 食事からの間隔
出生歴	出生体重, 出生時身長, 在胎週数, 胎便吸引症候群, 胎児赤芽球症, 赤血球増多症, 低体温, 仮死の有無
家族歴	糖尿病（妊娠糖尿病も含む）, 突然死, その他低血糖をきたす疾患（図4 参照）の家族歴の有無
服薬歴	インスリン, スルホニル尿素薬, β遮断薬, ピボキシル基を有する抗菌薬, サリチル酸など
身体所見	下記の疾患を疑わせる症状の有無 　複合型下垂体性ホルモン欠損症（小陰茎, 口唇口蓋裂, 低身長など） 　糖原病（肝腫大） 　副腎機能不全（繰り返す腹痛, 色素沈着, 食欲不振, 体重減少など） 　Beckwith-Wiedemann 症候群（臍ヘルニア, 片側肥大, 巨舌など）
血糖測定方法の確認	赤血球による解糖のため, 全血では血清よりも 15% ほど低い血糖値を示すことがある

[Thornton PS, et al.: Recommendations from the Pediatric Endocrine Society for Evaluation and Management of Persistent Hypoglycemia in Neonates, Infants, and Children. J Pediatr 167: 238-245, 2015 より引用一部改変]

ンプルを可能な限り採取しておくことが重要である（表4）.

b. ブドウ糖・グルカゴンの投与[2,4,5]

　低血糖症が軽度の場合はブドウ糖 10～15 g の経口投与を行う. 低血糖症が重度の場合は, まずブドウ糖の静注を行う. ブドウ糖の初期投与量は 200 mg/kg（10% ブドウ糖であれば 2 mL/kg）とし, その後はブドウ糖液の持続投与を年齢にあわせた流量で行う. ブドウ糖静注量（glucose infusion rate：GIR）は, 新生児では 4～6 mg/kg/分であるが, 成人では 1～2 mg/kg/分となり, 小児ではその中間である. 医療施設外や緊急を要する場面ではグルカゴンの筋注もしくは静注（グルカゴンの投与量は体重 25 kg 以上で 1.0 mg, 体重 25 kg 未満で 0.5 mg）, もしくはグルカゴン点鼻粉末の鼻腔内投与（1回 3 mg）を行う. 高インスリン血症を含め, 通常では, グルカゴンの投与から 10～15 分以内に血糖値は上昇し, 少なくとも 1 時間は血糖値を正常に維持することができる. 一方, 高インスリン血症以外の原因による低血糖の場合は, 低血糖に至る時点で肝グリコーゲンが底をついている場合, グルカゴン注射には反応しないことに留意する. 原因疾患（図4）に応じたセカンドラインの治療に関しては各論を参照されたい.

c. 治療目標

　先天性高インスリン血症が疑われる新生児, もしくは低血糖をきたす疾患の存在が確実な小児においては血糖値を 70 mg/dL 以上に維持することを治療の目標とする. 先天性高インスリン血症が疑われない新生児の場合, 出生 48 時間以内では 50 mg/dL 以上, それ以

表4 低血糖時におけるクリティカルサンプルの検査項目

血液	全血球計算（CBC），C反応性蛋白（CRP），生化学，電解質 血糖*,** インスリン・C-ペプチド 血液ガス分析* 遊離脂肪酸 アンモニア* ケトン体（β-ヒドロキシ酪酸）* 乳酸・ピルビン酸 ACTH・コルチゾール FT₄・TSH GH・IGF-I 血清アシルカルニチンプロフィール分析（タンデムマス分析） 血清凍結保存*
尿	検尿* 尿中有機酸分析（ガスクロマトグラフ質量分析） 尿凍結保存*

*：必須
**：血糖値は簡易測定器を用いず，フッ化物を含む血糖用採血管を用いて測定する
〔Yorifuji T, et al.：Clinical practice guidelines for congenital hyperinsulinism. Clin Pediatr Endocrinol 26：127-152, 2017 より引用一部改変〕

降では60 mg/dLを治療の目標とする[2]．治療後は10～15分以降に血糖値を再評価し目標とする血糖値に到達していない場合は同様の治療を繰り返す．ただし，特に小児では高濃度のブドウ糖液の投与が浸透圧の急速な変化に伴う脳浮腫をきたすことがあるため，過剰な静注は慎むように留意する[9,10]．

❖ 文献

1) 長谷川奉延，他：高インスリン血性低血糖症の診断と治療ガイドライン．日小児会誌 110：1472-1474, 2006
2) Thornton PS, et al.：Recommendations from the Pediatric Endocrine Society for Evaluation and Management of Persistent Hypoglycemia in Neonates, Infants, and Children. J Pediatr 167：238-245, 2015
3) Joseph IW, et al.：Hypoglycemia in the toddler and child. In：Mark AS, et al.(eds), Sperling Pediatric Endocrinology. 5th ed., Elsevier, Philadelphia, 904-938, 2020
4) 依藤 享：先天性高インスリン血症．小児内科 51：1001-1006, 2019
5) Abraham MB, et al.：ISPAD Clinical Practice Consensus Guidelines 2018：Assessment and management of hypoglycemia in children and adolescents with diabetes. Pediatr diabetes 19(Suppl. 27)：178-192, 2018
6) Yorifuji T, et al.：Clinical practice guidelines for congenital hyperinsulinism. Clin Pediatr Endocrinol 26：127-152, 2017
7) Cryer PE, et al.：Evaluation and management of adult hypoglycemic disorders：an Endocrine Society Clinical Practice Guideline. J Clin Endocrinol Metab 94：709-728, 2009
8) Stanley CA, et al.：Re-evaluating "transitional neonatal hypoglycemia"：mechanism and implications for management. J Pediatr 166：1520-1525, 2015
9) Shah A, et al.：Hazards of pharmacological tests of growth hormone secretion in childhood. BMJ 304：173-174, 1992
10) Efron D, et al.：Cerebral injury in association with profound iatrogenic hyperglycemia in a neonate. Eur J Paediatr Neurol 7：167-171, 2003

（森川俊太郎）

E 低カルシウム血症

本項では低カルシウム血症の救急処置について述べる．急性期治療後は，個々の原因に沿った維持治療へ移行する必要がある．低カルシウム血症が判明した場合は，治療開始前にクリティカルサンプルを採取しておくことが望ましい．図5に全体の流れの一案をフローチャートとして示す．

1) 定義・概念

血清カルシウム（Ca）値が7.5 mg/dL，イオン化Caが0.8 mmol/Lを下回ると低カルシウム血症の症状が出現してくるとされるが[1]，低下率や年齢を考慮する必要がある．特に，新生児は，低カルシウム血症の症状がより非特異的で軽微～無症状のこともまれではないため注意を要する．基準値を一概に示すことは測定方法の差異のためむずかしいが，参考値を表5[2,3]に示す．Caの単位も複数あるため，併せて確認されたい．

細胞外液中のCaは約50％がイオン化Caとして存在し，残りはアルブミン（Alb）などの蛋白と結合して存在している．生理機能はイオン化Caが発揮するため，低カルシウム血症は血液ガス分析によるイオン化Caで評価することが望ましい．また，低アルブミン血症では血清Ca値が見かけ上低くなるため，以下の補正式を利用する．アルカローシスではCaとAlbの結合性が増すため，イオン化Caが減少する．この場合，血清Ca値は正常のまま低カルシウム血症の症状が出現するため注意が必要である．

また，低カルシウム血症の治療には，低マグネシウム血症の有無が大きく影響するため，併せてここに述べる．

2) 病因・病態

体内のCaはその99％がヒドロキシアパタイトとして骨に存在し，残り1％が細胞内や血中において神経興奮，血液凝固，筋収縮や酵素活性の調節，細胞内セカンドメッセンジャーとしての役割を果たしている．低カルシウム血症初期の症状では，神経筋症状が多く出現する．

一方，マグネシウム（Mg）はその約半分が骨に，約

I 総論

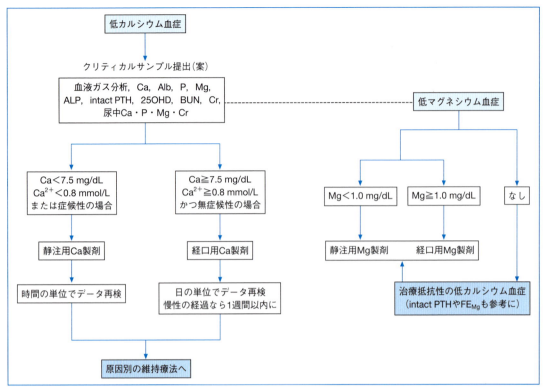

図5 低カルシウム血症判明〜治療までのフローチャート

表5 Caの基準値および換算式・補正式一覧

Caの基準値
　血清Ca値：8.4〜10.6 mg/dL
　イオン化Ca値：1.1〜1.3 mmol/L
新生児の低カルシウム血症基準値
　正期産かつ1,500 g以上：血清Ca 8.0 mg/dL, イオン化Ca 1.1 mmol/L 未満
　早産または1,500 g未満：血清Ca 7.0 mg/dL, イオン化Ca 0.9 mmol/L 未満
実務的なCa単位の換算式
　1 mmol/L＝2 mEq/L＝4 mg/dL
　参考）血清Ca値8 mg/dL≒イオン化Ca 4 mg/dL（＝2 mEq/L＝1 mmol/L）
低アルブミン血症時の補正式
　補正Ca値(mg/dL)＝実測血清Ca値(mg/dL)＋[4−血清Alb値(g/dL)]
　補正Ca値(mg/dL)＝実測血清Ca値(mg/dL)＋0.8×[4−血清Alb値(g/dL)]
　※アメリカ骨代謝学会ではネフローゼ症候群など極端な低アルブミン血症は過剰補正してしまう
　　可能性があるため，（4−血清Alb値(g/dL)）に0.8をかけた値を勧めている．
アルカローシス時の補正式
　補正イオン化Ca(pH 7.4のとき)＝実測イオン化Ca×[1−0.53×(7.4−実測pH)]

[Vuralli D：Clinical approach to hypocalcemia in newborn period and infancy: Who should be treated? *Int J Pediatr* 2019：4318075, 2019/Payne RB, *et al.*：Interpretation of serum calcium in patients with abnormal serum proteins. *Br Med J* 4：643-646, 1973 より一部改変]

45%が軟部組織に，残りの約1%が細胞外液に存在し，血清Mg値は1.8〜2.5 mg/dLに調節されている．高度の低マグネシウム血症（1.2 mg/dL未満）はPTH分泌低下・作用不全による治療抵抗性の低カルシウム血症を起こす．血清Mg値は必ずしも体内の総Mgプールを反映しないため，血清Mgが正常であっても（特に低カルシウム血症でPTHが上昇していない場合は），体内Mg欠乏が存在している可能性も考える．尿中排泄Mg（fractional excretion of Magnesium：FE_{Mg}）を計算し，$FE_{Mg}>2\%$であれば尿中排泄亢進，$FE_{Mg}<2\%$であれば尿中排泄低下（摂取不足や消化管排泄亢進）と推測できるため，参考となる（表6）[4]．

表6 Mgの基準値および換算式・FE_Mg計算式一覧

Mgの基準値
　1.8〜2.5 mg/dL
Mg単位の換算式
　1 mmol/L＝2 mEq/L＝2.4 mg/dL
$FE_{Mg}(\%) = 100 \times (U\text{-}Mg/S\text{-}Mg) / (0.7 \times U\text{-}Cr/S\text{-}Cr)$
※U：尿中，S：血清，単位はすべてmg/dLで計算

〔上村克徳：電解質．小児内科 49(Suppl.)：233-242, 2017 より一部改変〕

3）臨床症候

低カルシウム血症は軽度あるいは慢性的であれば，ほぼ無症状で偶発的に発見されることもある．重度あるいは急性的に生じた場合は，神経筋症状としてテタニー・けいれん（喉頭けいれんも含む），心症状としてQT延長・徐脈・心収縮力低下・ジギタリス不応症などの症状を呈する．診察所見としてTrousseau徴候やChvostek徴候も特徴的である．

低マグネシウム血症の症状は，全身倦怠感・食欲低下・筋力低下・テタニー・せん妄など非特異的なものが多いが，QRS開大やT波増高などの心電図変化がみられることがある．低Mgの程度が強くなると心室性不整脈〔心室性期外収縮（premature ventricular contraction：PVC）やtorsade de pointes〕を誘発する可能性があるため，心電図モニターの装着が必須である．

4）治療法

けいれんやテタニーなど明らかな臨床症状を伴う場合，もしくは目安として血清Ca 7.5 mg/dL未満またはイオン化Caが0.8 mmol/L未満への急激な低下を認める場合には静注用Ca製剤による血清Caの補正を速やかに行う[1]．臨床症状がなく，血清Ca 7.5 mg/dL以上の場合は経口製剤を用いた緩徐な補充も選択可能である．なお，静注製剤は投与の際に下記のような注意点が存在する．

また，Ca補充に反応しない低カルシウム血症は低マグネシウム血症の存在を考える必要があり，場合によっては血清Mg値が低値ではなくとも補充を考慮する．

a. 低カルシウム血症の治療

①静注用Ca製剤による補充法

▶ 8.5%グルコン酸Ca注射液（カルチコール）：1 mL中Caとして 7.85 mg（0.39 mEq/mL）

・新生児・乳児：1〜2 mL/kgを5%ブドウ糖液または生理食塩水で2〜5倍に希釈し10分以上かけて静注
　→継続が必要な場合は3〜4 mL/kg/日を24時間で持続静注
・幼児・学童：0.5〜1 mL/kg（最大20 mL）を5%ブドウ糖液または生理食塩水で2〜5倍に希釈し10分以上かけて静注
　→継続が必要な場合は1〜2 mL/kg/日を24時間で持続静注

▶ 静注用Ca製剤投与時の注意点

・急速静注は低血圧，徐脈，不整脈，心停止のリスクがあるため禁忌
　→心電図モニター装着下で10〜20分程度かけてゆっくり静注
・血管痛が強い
　→5%ブドウ糖液または生理食塩水で2〜5倍に希釈して用いる
・炭酸水素ナトリウム（メイロン®），クエン酸，リン酸，セフトリアキソンNa水和物（ロセフィン®）とCa塩を形成し沈殿しうる
　→原則は単独ルートでの投与が望ましいが，外液・維持液などの輸液回路から投与する場合は，その前後で5%ブドウ糖液または生理食塩水による回路内フラッシュを行う
・血管外漏出は組織壊死，石灰化をもたらす
　→確実に血管内に投与するため，中心静脈からの投与がより望ましいが，緊急時にはこの限りではない
・ジギタリス製剤との併用は，強心配糖体の作用を増強し，徐脈，心室性期外収縮，房室ブロックなどの中毒症状を誘発する可能性があるため禁忌

②経口用Ca製剤による補充法

▶ 乳酸Ca水和物（乳酸カルシウム）：1 g中Caとして 130 mg

・Caとして30〜75 mg/kg/回[5] 分3（新生児・乳児期早期や思春期，hungry boneの病態を呈する場合はCaとして最大60〜80 mg/kg/日を要することもまれではない）

高カルシウム尿症（尿中Ca/Cr＞0.3，思春期以降は＞0.2，逆に新生児・乳児早期は0.5まで容認）が持続する場合は，腎石灰化のリスクがあるため減量あるいは水分投与の増量を考慮する．

b. 低マグネシウム血症の治療

①静注用Mg製剤による補充法

▶ 硫酸Mg水和物（硫酸Mg補正液1 mEq/mL）

・不整脈など血行動態が不安定な場合：1回量として8〜16 mEq（小児量0.2〜0.4 mEq/kg，最大量16 mEq）を生理食塩水または5%ブドウ糖液50〜100 mLに溶解し，2〜15分かけて投与
・血行動態は安定しているが臨床症状が存在する場合：上記記載量を5〜60分かけて投与

- 程度が軽い場合：32～64 mEq を 12～24 時間かけて投与
  → いずれの場合も，心電図をモニターしながら血清 Mg 値が 1.0 mg/dL を超えるまで繰り返す

②経口用 Mg 製剤による補充法

▶ **酸化マグネシウム**（elemental magnesium として 1 g 中に 600 mg）

- 小児量 elemental magnesium として 10～20 mg/kg/回を最大 4 回/日
  ※下痢に注意

❖ 文献

1) Up To Date："Treatment of hypocalcemia（Ver. 37.0）" and "Evaluation and treatment of hypomagnesemia（Ver. 27.0）"
2) Vuralli D：Clinical approach to hypocalcemia in newborn period and infancy: Who should be treated? *Int J Pediatr* 2019：4318075, 2019
3) Payne RB, *et al.*：Interpretation of serum calcium in patients with abnormal serum proteins. *Br Med J* 4, 643-646, 1973
4) 上村克徳：電解質. 小児内科 49（Suppl.）：233-242, 2017
5) Up To Date："Neonatal hypocalcemia（Ver. 18.0）"

❖ 参考文献

- 河合 忠：カルシウムとカルシウムイオン，マグネシウム. 河合 忠，他（編），異常値の出るメカニズム. 第 6 版，医学書院，224-233, 2013
- 柴垣有吾：カルシウム・リン・マグネシウム代謝異常の診断と治療. 深川雅史（監），より理解を深める！体液電解質異常と輸液. 改訂 3 版，中外医学社，174-208, 2007
- 大薗恵一，他：カルシウムとビタミン D 関連疾患. 横谷 進，他（編），専門医による新小児内分泌疾患の治療. 改訂第 2 版，診断と治療社，268-296, 2007
- 難波範行：カルシウム・マグネシウム欠乏症. 水口 雅，他（編），今日の小児治療指針. 第 17 版，医学書院，259-260, 2020
- Hochberg ZE, *et al.*：Disorders of mineral metabolism. In：Pescovitz OH, *et al.*（eds），*Pediatric Endocrinology*. Lippincott Williams & Wilkins, Philadelphia, 614-631, 2004
- Root AW, *et al.*：Hypocalcemia. In：Sperling MA（ed），*Pediatric Endocrinology*. 4th ed, Saunders, Elsevier, Philadelphia, 742-758, 2014
- Lexicomp："Calcium gluconate：Pediatric drug information（Ver. 242.0）"

〈荻原康子〉

II 各論

- 第 1 章　新生児内分泌学
- 第 2 章　成長障害
- 第 3 章　視床下部・下垂体障害による内分泌疾患
- 第 4 章　水・電解質代謝異常
- 第 5 章　思春期発来異常
- 第 6 章　性分化疾患と性発達異常を伴う疾患
- 第 7 章　副腎疾患
- 第 8 章　甲状腺疾患
- 第 9 章　カルシウムとビタミンD関連疾患
- 第10章　糖代謝異常症
- 第11章　肥満，メタボリックシンドロームと脂質異常症
- 第12章　尿細管異常
- 第13章　多腺性内分泌疾患
- 第14章　疾患と内分泌異常
- 第15章　小児内分泌疾患の成人診療へのトランジション

新生児内分泌学

A 胎児期・新生児期の内分泌機能

 間脳・下垂体機能

下垂体は由来の異なる下垂体前葉および下垂体後葉からなり、上位の視床下部からの情報伝達形式は前葉と後葉で全く異なっている。下垂体前葉には5系統のホルモン産生細胞が存在し、視床下部から下垂体門脈を介して血行性に流入した視床下部ホルモンの制御を受けながら下垂体前葉ホルモン、すなわちGH、TSH、ACTH、LH/FSH、PRLを分泌し、生体の恒常性を維持している。一方で下垂体後葉にはホルモン産生細胞は存在せず、視床下部の神経核で産生された arginine vasopressin (AVP) およびオキシトシンは軸索輸送で後葉に輸送され、分泌顆粒として蓄えられる。本項では胎児期・新生児期の各下垂体ホルモンの生理学的な機能を概説する。

1) 下垂体前葉ホルモン

a. GH

視床下部弓状核から分泌されるGHRHはGHの分泌を促進し、同じく視床下部から分泌されるソマトスタチンはGHの分泌を抑制する。GHは下垂体前葉から3〜4時間ごとに脈動的に血中に放出されるが、この脈動的分泌はGHRHとSRIFの相互作用により形成される。

GHはGH受容体（肝臓、骨、筋肉、脂肪組織などに存在）に結合して作用する。肝臓および骨においてはIGF-Iを産生して軟骨細胞の増殖・成熟により成長作用をもたらす。肝臓特異的なIGF-Iノックアウトマウスにおいて、血中のIGF-I濃度は低下するものの成長障害が認められない[1]ことから、骨の成長には骨局所で産生されるIGF-Iが重要とされている。

POU1F1遺伝子異常などに起因する先天性の完全型GH分泌不全症の患者において、出生時の体長が必ずしも短くないことより、胎生期の成長はGHに非依存性であることがわかっている。このためGH分泌不全があったとしても、新生児期に成長障害が顕在化することはない。GHは脂肪の分解と糖新生を促進するため、GH分泌不全では脂肪をエネルギーとして利用することができずに低血糖になりやすい。

在胎10週頃に胎児血中にGHが検出されるようになり、24週頃に最も高値（おおよそ150 ng/mL）となった後、低下していく。血清GH濃度は出生から生後3か月にかけて急峻に低下し安定する。よって新生児期の血清GH濃度は高値を示しやすく、アルギニン負荷後のGH頂値が小児一般のカットオフ下限値である6 ng/mL以上でもGH分泌不全の可能性を完全に否定はできない。負荷試験が困難な場合、生後1週間以内であればランダムサンプリングで得られた検体でGH 7 ng/mL未満はGH分泌不全を感度100％、特異度98％で検出できるとする報告[2]があり、有用である。

b. TSH

視床下部から分泌されるTRHは下垂体前葉でTSHおよびPRLの分泌を促進する。胎児期初期には胎盤からもTRHが分泌されるが、在胎20週頃からは視床下部の分泌が主となる。TSHは甲状腺濾胞細胞を刺激して甲状腺ホルモンの合成・分泌を促進する。甲状腺ホルモンは細胞の機能成熟に重要な役割を果たし、胎児期には中枢神経系の発達や骨の成長に重要な役割をもつ。

胎児のTSH濃度は在胎18〜20週頃から徐々に増加し、在胎40週頃には10 μU/mL程度まで増加する。出生直後に起こる一過性のTSHサージ（70 μU/mL程度まで上昇）は甲状腺ホルモンを上昇させる。血清TSH濃度はその後低下し、生後2週以降に安定する。生後2週以降で行ったTRH負荷試験の頂値が35 μU/mLを超えない場合、原発性甲状腺機能低下症は否定的である。

TSH分泌低下症では原発性甲状腺機能低下症と同様、遷延性黄疸、皮膚乾燥、便秘、腹部膨満、臍ヘル

ニア，哺乳不良，体重増加不良，小泉門開大，巨舌，嗄声，末梢冷感，浮腫が認められる．遷延性黄疸はTSH分泌不全による甲状腺機能低下に起因するグルクロン酸抱合障害が原因と考えられている．胆汁うっ滞の詳細な機序は不明であるが，ACTH欠損症で高率に合併するため，ACTH分泌不全との関連が強く示唆されている．

c．ゴナドトロピン(LH/FSH)

視床下部弓状核および前腹側脳室周囲核で産生されたキスペプチンが視床下部視索前野でGnRHの産生・分泌を促し，GnRHは下垂体前葉でLH/FSHの分泌を促進する．男性ではLHは精巣のLeydig細胞に作用してテストステロン分泌を促進し，FSHは精巣のSertoli細胞に作用して精細管の発達および精子形成に関与する．女性ではLHは卵巣の莢膜細胞に作用してGraaf卵胞から排卵を誘導し，FSHは卵巣の顆粒膜細胞に作用してアロマターゼを活性化することでアンドロゲンからエストロゲンへの変換を促進する．

男児のLH分泌不全では，妊娠第2三半期以降の精巣Leydig細胞からのテストステロン産生が低下し，小陰茎となる．停留精巣を合併する症例も存在する．妊娠第1三半期のテストステロン産生はhCGに依存するため，ゴナドトロピン分泌低下があっても保持される．よって尿道下裂や二分陰囊，あいまいな外性器(ambiguous genitalia)を認めることはない．女児の場合，ゴナドトロピン分泌不全があっても，新生児期には臨床症状を認めない．

出生数日後から視床下部GnRHパルスジェネレーターが一過性に活性化し，男女ともにゴナドトロピンの分泌は亢進し，それに対応して男児では血中のテストステロン濃度，女児ではエストロゲン濃度も上昇する．男児ではLHが優位に分泌され，血清テストステロンは生後2～3か月でピークを迎え，その後低下する．女児ではFSHが優位に分泌され血清エストロゲンは生後6か月頃まで高値を示す．この乳児期のゴナドトロピンの一過性分泌の時期はmini-pubertyといわれ，この時期に性腺や生殖細胞が刺激を受けることが将来の生殖能力に関連することが示唆されている．ゴナドトロピン分泌不全の乳児に対してゴナドトロピン製剤を使用し，mini-pubertyを模倣することが有益である可能性が示唆されている[3]が，結論は出ておらず，今後の研究が待たれる．

d．ACTH

視床下部室傍核より分泌されるCRHが下垂体前葉細胞に発現するCRH受容体に結合し，プロオピオメラノコルチン(pro-opiomelanocortin：POMC)の合成を促進する．ACTHはPOMCを前駆体としてプロホルモン転換酵素PC1によるプロセッシングにより生合成される．ACTHは副腎皮質に作用してグルココルチコイドの合成，分泌を促進する．

ACTH-コルチゾール系は生後2週には安定する．生後2週以降に行ったCRH負荷後30分での血清コルチゾール頂値13 μg/dL未満はACTH分泌不全を示唆する．甲状腺機能低下時にはACTH-コルチゾール系分泌不全がマスクされやすいことに留意する．ACTH分泌不全ではミネラルコルチコイドの分泌は保たれるため，21水酸化酵素欠損症に代表される原発性副腎不全のような重度の塩類喪失は認めない．ただし，AVP代謝が低下するため，水貯留による希釈性低ナトリウム血症をしばしば認める．高カリウム血症および色素沈着は認めない．

2) 下垂体後葉ホルモン(AVP・オキシトシン)

視床下部の視索上核および室傍核の大細胞神経分泌ニューロンで合成されたAVPおよびオキシトシンは軸索輸送により下垂体後葉へと運ばれ，貯蔵，分泌される．AVPは腎臓の集合管細胞のV_2受容体に結合し水の再吸収を促すことによる抗利尿作用を示すほか，血管のV_1受容体にも結合し，血管平滑筋収縮作用も示す．AVPの分泌不全により腎集合管での浸透圧勾配に沿った水再吸収が抑制され，自由水バランスが負に傾き，中枢性尿崩症を発症する．オキシトシンは子宮収縮や乳汁分泌に関与するが，新生児期の役割に関しては不明である．

❖ 文献

1) Yakar S, et al.：Normal growth and development in the absence of hepatic insulin-like growth factor Ⅰ. Proc Natl Acad Sci U S A 96：7324-7329, 1999
2) Binder G, et al.：Rational approach to the diagnosis of severe growth hormone deficiency in the newborn. J Clin Endocrinol Metab 95：2219-2226, 2010
3) Kohva E, et al.：Treatment of gonadotropin deficiency during the first year of life：long-term observation and outcome in five boys. Hum Reprod 34：863-871, 2019

〈髙木優樹〉

2 副腎皮質機能

1) 概念

胎児の副腎皮質は胎生皮質(fetal cortexまたはfetal zone)とよばれ，成人の永久皮質(adult cortexまたはdefinitive zone)と異なり，独特の構造を取り，独特のステロイドホルモンを産生している[1]．出生後，胎生皮質は急速に退縮し，生後3か月までには消退し，永久

皮質に置換される．新生児期には，胎生皮質の退縮と永久皮質の発達という二つのイベントが同じに進むことになる．このため，新生児の副腎機能を評価するためには，胎生皮質や永久皮質の分化や機能的特徴を理解する必要がある．

2）副腎皮質の分化

副腎の初期発生は胎生4～5週の尿生殖堤ではじまる．副腎と性腺の共通原基（adrenogonadal primordium）が体腔上皮と中間中胚葉の間に作成され，その後副腎原基と性腺原基へ分化する．その後胎生7～8週に，神経堤由来のクロム親和性細胞と交感神経節前神経線維が副腎原基に侵入し，副腎髄質を形成する．皮質・髄質構造を完成させた副腎は後腎由来の腎臓頭側に辿り着く．NR5A1（SF1）は副腎と性腺の共通原基の分化に重要な転写因子の一つである．このため，SF1異常症の一部の少数例は性腺機能低下症に加えて副腎皮質機能低下症を合併する[2]．

胎児期の副腎皮質は外側から内側に向かって永久皮質，移行層，胎生皮質で構成される（図1）[3]．胎生皮質は出生後に急速に退縮する．この胎生皮質の退縮は在胎週数に依存せず，早産児でも同様にみられる[4]．一方，永久皮質は生後10年以上をかけて，球状層，束状層，網状層という三層構造を獲得する．永久皮質は胎生皮質の一部から分化すると考えられている．これはマウスのNr5a1の胎生皮質特異的エンハンサー（fetal adrenal enhancer：FAdE）を用いた追跡研究から推測されている[5]．NR0B1（DAX1）は永久皮質と移行層に発現し，FAdE依存性のNR5A1発現を抑制することで，胎生皮質から永久皮質への分化を促進すると考えられている．このため，DAX1異常症では，胎生皮質が残存するタイプの副腎低形成を発症する．

3）胎児期の副腎皮質ホルモン産生

胎児期の副腎皮質の機能は在胎週数に応じて変化する．また，他の組織と共同してステロイドホルモンを産生する．特に胎児の肝臓と胎盤とは複雑なネットワークを構成する（図2）[6]．

胎生8～9週頃の胎生皮質では，Ⅱ型の3β水酸化ステロイド脱水素酵素（3β hydroxysteroid dehydrogenase：3βHSD）が一過性に発現し，ACTH依存性にコルチゾールが産生される[7]．この時期の視床下部，下垂体ではコルチゾールによるネガティブフィードバックが確立している．よって21水酸化酵素欠損症やP450酸化還元酵素欠損症の46,XX症例では，この時期にACTH依存性に外性器男性化が生ずる．その後，胎生9週以降にⅡ型の3βHSDの発現は徐々に低下し，胎生14週にはコルチゾール産生能はいったん消失す

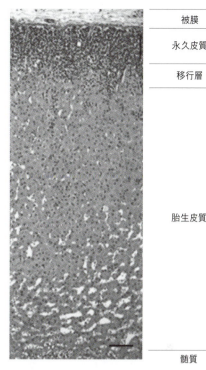

図1 胎児副腎の構造〔口絵6；p.iv〕

〔Monticone S, et al.：Adrenal disorders in pregnancy. Nat Rev Endocrinol 8：668-678, 2012を引用改変〕

る．

第2三半期以降の胎生皮質では，Ⅱ型の3βHSD活性低値，17α水酸化酵素の17,20リアーゼ活性高値，デヒドロエピアンドロステロン（dehydroepiandrosterone：DHEA）スルホトランスフェラーゼ（sulfotransferase：STS）活性高値のため大量のデヒドロエピアンドロステロンサルフェート（dehydroepiandrosterone-sulfate：DHEA-S）が産生される．DHEA-Sは胎盤でエストロンやエストラジオールへ，肝臓で16水酸化を受けてから胎盤でエストリオールへ変換される．胎盤で合成されたエストロゲンは胎盤のⅠ型の3βHSDの発現を増加させ，胎児胎盤循環のコルチゾールをコルチゾンへ不活化する．この結果，胎児下垂体からのACTH分泌が促進され，胎生皮質でのDHEA-S産生がさらに亢進する．母体循環中のエストロンとエストラジオールの50％，エストリオールの90％は胎生皮質産生DHEA-S由来である．胎生皮質からのDHEA-Sの大量産生の生理学的意義は不明である．

第3三半期後半の胎生皮質では，Ⅱ型の3βHSDが再び発現し，ACTH依存性にコルチゾールが産生される．一方，胎生皮質の外側に存在する永久皮質はアンギオテンシンⅡ依存性にアルドステロンを産生し，永

久皮質と胎生皮質の中間にある移行層はACTH依存性にコルチゾールを産生し，出生後はそれぞれ球状層と束状層へと分化する．妊娠末期には胎児の視床下部—下垂体が成熟し，胎児副腎からのコルチゾールの産生を増加させるとともに，胎盤でのコルチゾール不活化が抑制され，胎児肺でのサーファクタント産生などコルチゾールによる臓器成熟が促される．

4) 新生児期の副腎皮質機能の評価

a. 血中ホルモン濃度

退縮中の胎生皮質と発達中の永久皮質の双方からのステロイドホルモンが混在しているため，新生児の副腎皮質機能を血中ホルモン濃度で評価することは容易ではない．特に胎生皮質由来の未同定のステロイド代謝物による交差反応のために，免疫化学的測定法は偽高値を呈しやすい．早産児の血中17ヒドロキシプロゲステロン（17 hydroxyprogesterone：17OHP）高値はその代表例である．液体クロマトグラフータンデム質量分析法（liquid chromatography-tandem mass spectrometry：LC-MS/MS）は保険未収載であるが，胎生皮質由来ステロイド代謝産物に影響されずに血中ステロイドホルモンを評価できる．

ミネラルコルチコイド分泌能は活性型レニン濃度（active renin concentration：ARC）や血漿レニン活性（plasma renin activity：PRA）で，グルココルチコイド分泌能は血漿ACTH濃度と血清コルチゾール濃度で評価する．新生児期の血清アルドステロン濃度は成人の基準値に比し著明に高値のため，診断的価値は低い．PRAの平均＋2 SDは日齢0〜6で26 ng/mL/時（ARC換算で130 pg/mL），日齢7〜27で15 ng/mL/時（ARC換算で75 pg/mL）となる．血中レニンがこれ以上ならミネラルコルチコイド分泌不全を疑う[8]．日齢7と14の血漿ACTHの90パーセンタイル値はそれぞれ45 pg/mLと60 pg/mLである．ACTHがこれ以上ならグルココルチコイド分泌不全の可能性を考える[9]．PRA，ACTHともに新生児期に日内変動はみられない．境界例などではACTH負荷試験によりグルココルチコイド分泌能を詳細に評価する．CRH負荷60分後ないしACTH負荷30分後の血清コルチゾール濃度13 μg/dL未満ではグルココルチコイド分泌不全を疑う[10]．

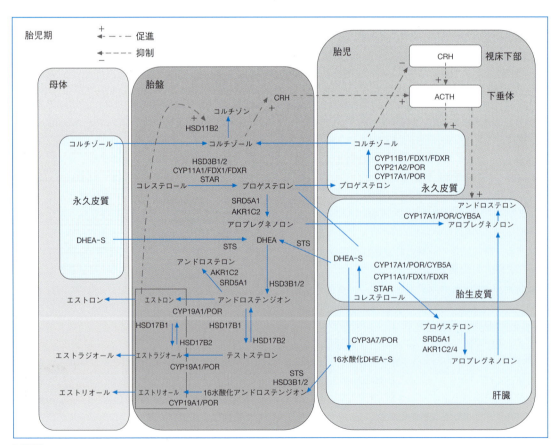

図2 母体—胎盤—胎生皮質—胎児肝臓によるステロイドホルモン生合成と調節系

b. 尿中ホルモン濃度

ガスクロマトグラフ質量分析法（gas chromatography mass spectrometry：GCMS）による尿ステロイドプロフィールは，随時尿1〜2 mLから尿中ステロイドホルモン代謝産物63種を一斉に分析する測定法である．本検査は保険未承認ではあるが，胎生皮質ステロイドの干渉を受けず，多くの副腎皮質疾患・性腺疾患の新生児期での生化学的診断に有用である．たとえば，17OHPの代謝産物であるプレグナントリオロンのカットオフを生後2週未満0.05 mg/gCr，生後2週以降0.1 mg/gCrとすると，古典型および新生児マススクリーニング陽性の非古典型21水酸化酵素欠損症では，早産児と正期産児ともに感度・特異度100％で診断可能である[11]．ただし，P450酸化還元酵素欠損症も尿プレグナントリオロン高値となるため，DHEA-Sとプレグネノロンのそれぞれの代謝産物の比を確認して鑑別する[12]．

❖ 文献

1) Ishimoto H, et al.：Development and function of the human fetal adrenal cortex：a key component in the feto-placental unit. *Endocr Rev* 32：317-355, 2011
2) Achermann JC, et al.：A mutation in the gene encoding steroidogenic factor-1 causes XY sex reversal and adrenal failure in humans. *Nat Genet* 22：125-126, 1999
3) Monticone S, et al.：Adrenal disorders in pregnancy. *Nat Rev Endocrinol* 8：668-678, 2012
4) Ben-David S, et al.：Parturition itself is the basis for fetal adrenal involution. *J Clin Endocrinol Metab* 92：93-97, 2007
5) Zubair M, et al.：Developmental links between the fetal and adult zones of the adrenal cortex revealed by lineage tracing. *Mol Cell Biol* 28：7030-7040, 2008
6) O'Shaughnessy PJ, et al.：Alternative (backdoor) androgen production and masculinization in the human fetus. *PLoS Biol* 17：e3000002, 2019
7) Goto M, et al.：In humans, early cortisol biosynthesis provides a mechanism to safeguard female sexual development. *J Clin Invest* 116：953-960, 2006
8) 小島滋恒：正常新生児及び小児における血漿アルドステロン濃度，血漿レニン活性の年令的差異，及び血漿・血球内電解質，経口ナトリウム摂取量との関係．日内分泌会誌 55：1019-1037，1979
9) Karlsson R, et al.：Adrenocorticotropin and corticotropin-releasing hormone tests in preterm infants. *J Clin Endocrinol Metab* 85：4592-4595, 2000
10) Ng PC, et al.：Reference ranges and factors affecting the human corticotropin-releasing hormone test in preterm, very low birth weight infants. *J Clin Endocrinol Metab* 87：4621-4628, 2002
11) Homma K, et al.：Elevated urine pregnanetriolone definitively establishes the diagnosis of classical 21-hydroxylase deficiency in term and preterm neonates. *J Clin Endocrinol Metab* 89：6087-6091, 2004
12) Koyama Y, et al.：Two-step biochemical differential diagnosis of classic 21-hydroxylase deficiency and cytochrome P450 oxidoreductase deficiency in Japanese infants by GC-MS measurement of urinary pregnanetriolone/tetrahydroxycortisone ratio and 11β-hydroxyandrosterone. *Clin Chem* 58：741-747, 2012

（石井智弘）

3 甲状腺機能

胎児期の甲状腺機能については，成人と大きく異なるため，①甲状腺機能と視床下部—下垂体—甲状腺系の成熟，②甲状腺ホルモンの代謝，③母体と胎児の関連について理解することが必要である．

1) 胎児の甲状腺機能

胎児の甲状腺機能は妊娠第1三半期の終わり頃よりはじまり，それ以降 T_4 結合グロブリン（thyroxine binding globulin：TBG），T_4 および T_3 の上昇がみられてくる[1]．下垂体と血清の TSH 濃度は下垂体門脈循環の発達と同時に妊娠第2三半期より上昇する．血清TSHレベルは妊娠期間を通して母親の血清TSHレベルより高い（一般の成人の血清TSHレベル）（図3）[2,3]．このことは胎児期には視床下部—下垂体での T_4 に対する不

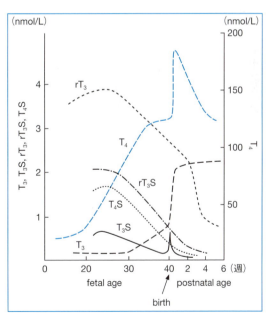

図3 胎児期から周産期の甲状腺ホルモンレベルの成熟パターン

出生児の TSH サージ（表示していない）と出生前の胎児の肝臓での DIO1 の活性の上昇により T_3 および T_4 が著名に増加し，出生の生活環境への移行を容易にしている．生物学的に不活性な T_3S，T_4S，rT_3S，そして T_2S は妊娠中期にピークを迎え以後低下してゆく．

[Gevers EF, et al.：Fetal Thyroid. In：Jameson JL, et al. (eds), *Endocrinology：Adult and Pediatric*. 7th ed., Elsevier, Philadelphia, 2514-2518, 2015 より引用]

応性が存在し，そのためTRHの分泌が増加している可能性が推測される．胎児期を通じて低T_3血症が持続するが，T_4レベルは上昇してゆき在胎28週以降は母体のT_4と同じくらいになる[4]．妊娠第3三半期の循環中のTSHとT_4の上昇は視床下部―下垂体系のコントロールの成熟と甲状腺のTSHに対する反応を示す．出生直前の胎児のFT_4は母体のより少し低い．また臍帯血のT_3は低く，reverse T_3(rT_3)およびT_3 sulfate(T_3S)の上昇がみられる(図3)[3]．

2）胎児の甲状腺ホルモンの代謝

成人では生物的に活性型のT_3は肝臓や他の組織でT_4の外環の脱ヨウ素化により産生される．また生物学的に不活性なrT_3は末梢組織でT_4の内環の脱ヨウ素化により産生される．脱ヨウ素酵素には組織特異的な発現がみられる(表1)[5]．iodothyronine deiodinase type 1 (DIO1) は肝臓や他の組織でT_4をT_3に，rT_3を3,3′-diiodothyronine(T_2)に変換する．またDIO1は内環の脱ヨウ素活性ももちT_3をT_2に変換している．しかしDIO1の活性は胎児期を通じて低く，循環中の低T_3状態に関与している．iodothyronine deiodinase type 2 (DIO2) はT_4をT_3に，rT_3をT_2に変換する．DIO2は脳と下垂体に発現しており，中枢神経の発達に関与する[6]．iodothyronine deiodinase type 3 (DIO3) はT_4をrT_3に不活化している．DIO3は胎盤と胎児の肝臓や皮膚に発現しており胎児ではrT_3が非常に高い[7]．胎児における甲状腺ホルモンのもう一つの主要な代謝経路は硫酸転移酵素による硫酸抱合(sulfation)である．羊の胎仔の研究では妊娠第3期にT_4 40μg/kg/日の産生に対しT_4 sulfate(T_4S) 10；rT_3 5；reverse T_3 sulfate(rT_3S) 12；T_3 2；T_3S 2の割合で産生される[8]．T_3を除き，すべて生物学的に不活性である．つまり胎児期はT_4代謝産物のうち90％は不活性なホルモンである．硫酸抱合酵素活性は出生後の新生児期に速やかに低下する．

3）母体と胎児の関連

母体のTSHは胎盤を通過しないため，胎児の下垂体―甲状腺系(pituitary-thyroid axis)は母体とは独立して機能している[2]．胎盤ではDIO3の働きのため，母体循環由来の甲状腺ホルモンは不活化される．ここで放出されるヨウ素は胎児の甲状腺ホルモンの合成に用いられる[3]．母体から胎児へのT_4の転送が限られており，さらに胎児ではT_4から不活性な代謝産物がつくられるにもかかわらず，胎盤経由で胎児への明らかな量のFT_4の輸送が妊娠初期にみられる．妊娠初期には胎盤経由のT_4が胎児の神経発達の源泉である．重症の先天性甲状腺機能低下症〔無甲状腺およびthyroid peroxidase(TPO)異常症〕の胎児の臍帯血のT_4レベルは母体

表1 ヒトとげっ歯類の脱ヨウ素酵素の発現

組織	DIO1	DIO2	DIO3
脳	X	X	X
下垂体		X	X
甲状腺		X	X*
肝臓	X		X†
腎臓	X		
卵巣	X		X
内耳	X*		
心臓	X*		
筋肉	X†		
皮膚		X	
精巣	X	X	
子宮	X	X	
褐色脂肪細胞		X	

*：ヒトのみ発現している，†：げっ歯類のみ発現している

〔St. Germain DL, et al.：Insights into the role of deiodinases from studies of genetically modified animals. Thyroid 15：905-916, 2005 より引用〕

の1/3〜1/2であり，母体から胎児へのT_4の移行が起こっていることが確認されている[9]．低濃度のT_4は在胎10週頃には検出される．この胎盤経由のT_4の輸送は妊娠末期まで続く．無甲状腺の胎児でも妊娠末期においてもT_4は30〜70 nmol/L(2.5〜5.4 μg/dL)を維持する[9]．この母体からのT_4の移行は重要であり，胎児の脳の発育に必要なT_3をDOI2がT_4から産生している[6]．妊娠末期のラット胎仔の研究ではT_4の15〜20％母体由来であることが明らかになっている[10]．甲状腺ホルモンの産生が始まる前の12〜20週においては胎盤経由の低濃度のFT_4が胎児の脳の発達を支えている[11]．

4）出生後の甲状腺機能

出生直後の環境温度の低下に伴う寒冷刺激により新生児の血清TSHレベルは急速に上昇し，生後2〜4時間でピークを迎え通常48時間以内に正常化する[12]．これをTSHサージとよぶ．通常TSHのレベルは70μU/mLに達する(図4)[13]．TSHサージに反応し生後数時間後よりT_4，T_3，サイログロブリンの上昇がみられ出生24時間後には機能亢進状態の域に達するがTSHの低下によりT_3，T_4も低下するが，胎児期よりは高いレベルで安定する(図3[3]，図5[13])[14]．TSHサージがT_3レベルの上昇に関与することは明らかではあるが，主たるT_3の上昇に寄与するのは末梢組織でのDIO1およびDIO2によるT_4からT_3への変換である．Dio2遺伝子へのアドレナリン刺激が脱ユビキチン化により褐色脂肪細胞のDIO2の再活性化を起こしT_3の上昇を起こすことが重要であると考えられている[15]．

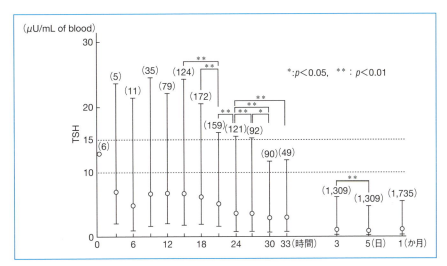

図4 出生後のTSHの変化

北海道内で出生した体重2,000gを超えた新生児から採取した，濾紙血中のTSH値．
○は平均値，その上下は95%範囲，（ ）内は検体数．
[原田正平：甲状腺ホルモン：マススクリーニングの問題点．新生児内分泌研究会(編著)：新生児内分泌ハンドブック．改訂2版，メディカ出版，63，2014]

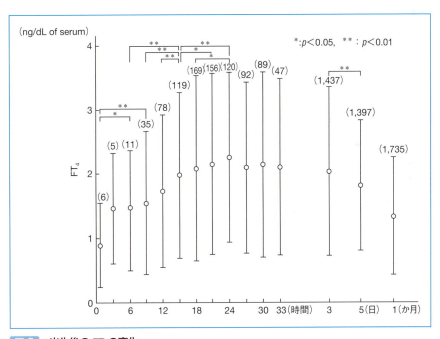

図5 出生後のFT$_4$の変化

北海道内で出生した体重2,000gを超えた新生児から採取した，濾紙血中のFT$_4$値．○は平均値，その上下は95%範囲，（ ）内は検体数．
[原田正平：甲状腺ホルモン：マススクリーニングの問題点．新生児内分泌研究会(編著)：新生児内分泌ハンドブック．改訂2版，メディカ出版，63，2014]

❖ 文献

1) Glinoer D.：Clinical and biological consequences of iodine deficiency during pregnancy. *Endocr Dev* 10：62-85, 2007
2) Fisher DA, *et al*.：The hypothalamic-pituitary-thyroid negative feedback control axis in children with treated congenital hypothyroidism. *J Clin Endocrinol Metab* 85：2722-2727, 2000
3) Gevers EF, *et al*.：Fetal Thyroid. In：Jameson JL, *et al*.(eds), *Endocrinology：Adult and Pediatric*. 7th ed., Elsevier, Philadelphia, 2514-2518, 2015
4) Dattani, MT, *et al*.：Fetal Endocrine system. In：Melmed S, *et al*.(eds), *Wiliams Textbook of Endocrinology*. 13th ed., Elsever Philadelphia, 851-786, 2015

5) St. Germain DL, et al.：Insights into the role of deiodinases from studies of genetically modified animals. *Thyroid* 15：905-916, 2005
6) Dentice M, et al.：The hedgehog-inducible ubiquitin ligase subunit WSB-1 modulates thyroid hormone activation and PTHrP secretion in the developing growth plate. *Nat Cell Biol* 7：698-705, 2005
7) Huang SA, et al.：Type 3 iodothyronine deiodinase is highly expressed in the human uteroplacental unit and in fetal epithelium. *J Clin Endocrinol Metab* 88：1384-1388, 2003
8) Polk DH, et al.：Metabolism of sulfoconjugated thyroid hormone derivatives in developing sheep. *Am J Physiol* 266：E892-E896, 1994
9) Vulsma T, et al.：Maternal-fetal transfer of thyroxine in congenital hypothyroidism due to a total organification defect of thyroid agenesis. *N Engl J Med* 321：13-16, 1989
10) Morreale de Escobar G, et al.：Contribution of maternal thyroxine to fetal thyroxine pools in normal rats near term. *Endocrinology* 126：2765-2767, 1990
11) Morreale de Escobar G, et al.：Role of thyroid hormone during early brain development. *Eur J Endocrinol* 151(Suppl. 3)：U25-U37, 2004
12) Stagnaro-Green A.：Maternal thyroid disease and preterm delivery. *J Clin Endocrinol Metab* 94：21-25, 2009
13) 原田正平：甲状腺ホルモン：マススクリーニングの問題点. 新生児内分泌研究会（編著），新生児内分泌ハンドブック. 改訂2版，メディカ出版，63, 2014
14) Bianco AC, et al.：Biochemistry, cellular and molecular biology and physiological roles of the iodothyronine selenodeiodinases. *Endocr Rev* 23：38-89, 2002
15) de Jesus LA, et al.：The type 2 iodothyronine deiodinase is essential for adaptive thermogenesis in brown adipose tissue. *J Clin Invest* 108：1379-1385, 2001

（丸尾良浩）

4　糖代謝機能

1）血糖値維持の生理学

a．血糖値維持の重要性

低血糖によって最も影響を受けるのは中枢神経系である．筋や心筋と異なり，脳は脂肪酸をエネルギー源として使用できない．また，内因性にブドウ糖を産生するグリコーゲンの蓄積もない．血糖値が低下してブドウ糖供給が途絶えた際には，脳もケトン体や乳酸をエネルギー源として使用できるが，平常状態ではエネルギーの大部分をブドウ糖に依存しており，急な低血糖には対応できない．したがって，低血糖時の症状は，中枢神経機能低下を反映した意識障害，けいれんなどの neuroglycopenic symptom と拮抗ホルモンの活性化による自律神経症状である発汗，ふるえなどの neurogenic symptom でいずれも中枢神経症状を反映している．

b．血糖値維持の機構

ヒトの血糖は，食物の腸管からの吸収による血糖上昇，肝グリコーゲンの分解によるブドウ糖産生，アミノ酸，乳酸から産生されるピルビン酸を基点としてブドウ糖を産生する糖新生の三つの機構により支えられており，成人では食事による血糖上昇で食後4時間前後まで，グリコーゲン分解で食後16時間前後まで，糖新生でそれ以降の時間帯（24〜36時間）の血糖が維持される（図6）．

c．血糖値の調節機構

血糖値は正常では食前後を通じて，70〜140 mg/dLの比較的狭い範囲に調節されている．この調節には血糖低下に働くインスリンと過度のインスリン作用に拮抗するインスリン拮抗ホルモン（グルカゴン，アドレナリン，コルチゾール，GH）の働きが重要である．図7にこれら調節機構が発動する血糖値の閾値を示す．

2）新生児の血糖変動の特徴

a．新生児の正常血糖値

新生児においても，インスリンや拮抗ホルモンの分泌閾値は年長児，成人と変わらないことが示されており，下記に記載する transitional hypoglycemia の時期を超えた生後48〜72時間以降の正常空腹時血糖値は成人同様の70〜100 mg/dL である．

b．新生児の低血糖症状の特徴

年長児同様の低血糖症状のほか，新生児期では眼位の異常，哺乳力低下，無呼吸発作，過呼吸，頻脈，低体温など非特異的症状を呈することが多く，注意が必要である．

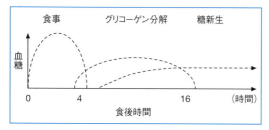

図6　グリコーゲン分解と糖新生系

	血糖値〔mg/dL(mmol/L)〕	反応
70 mg/dL	99.1(5.5)	インスリン分泌増加
	82.9(4.6)	インスリン分泌低下
	68.5(3.8)	グルカゴン，アドレナリン，GH分泌増加
56 mg/dL	57.7(3.2)	コルチゾール分泌増加
	50.5(2.8)	意識レベルの低下
	30.6(1.7)	発汗，嘔吐，けいれん

図7　低血糖に対する生理反応の閾値

c. 新生児の血糖維持機構の特徴

新生児にも上記の血糖値維持機構はすべて備わっているが，それぞれの機構の持続時間が年長児や成人と比較して短い．ミルクによる血糖維持は3時間程度で，肝グリコーゲンの蓄積も少ないため6～7時間でグリコーゲンによる血糖維持は困難になり，さらに糖新生の材料となるアミノ酸の蓄積も少ないため，糖新生による血糖維持が可能な時間も8～12時間と成人より短い．一方で，ブドウ糖の消費は体格と比較して相対的に大きく，新生児の正常のブドウ糖産生量は4～6 mg/kg/分で成人より3～4倍高い．すなわち，比較的短時間の空腹で血糖低下に陥りやすい．

d. 新生児の transitional hypoglycemia

正常では臍帯血の血糖値は55～90 mg/dL（平均70 mg/dL）である．出生直後に，母体から切り離されることで1～2時間後に血糖値は60～80%に低下する（図8）[1]．それに対応して，生後まもなくグルカゴン，カテコラミン，コルチゾールなどの拮抗ホルモンが数倍に増加し，1～2日で血糖値が回復する．この transitional hypoglycemia は生後早期の相対的インスリン過剰によるものと考えられている．在胎中の血糖は，母体からの胎盤を介する供給で維持されており，インスリンのおもな役割は血糖降下作用ではなく，アナボリズムを達成して胎児の成長を支えることにある．すなわち，在胎中は血糖値に比較して高インスリン状態にあり，生後にこの状態が持続することにより一過性の血糖低下が起こると考えられている．transitional hypoglycemia が本当に生理的で無害かどうかは明らかでない．一過性血糖低下は small-for-gestational age（SGA）出生児や母体糖尿病，呼吸障害や仮死などの際により顕著となり，疾患としての一過性先天性高インスリン血症との区別が困難であるが，一過性先天性高インスリン血症の中枢神経予後は必ずしも良好とはいえず，低出生体重児の「正常」血糖値を正常の満期出生児より低く設定する根拠はない．

❖ 文献

1) Srinivasan G, et al.：Plasma glucose values in normal neonates：a new look. J Pediatr 109：114-117, 1986

❖ 参考文献

- De Leon DD, et al.：Hypoglycemia in the newborn and infant. In：Sperling M(ed), Pediatric Endocrinology. 5th ed., Elsevier, 175-201, 2021
- Hawkes CP, et al.：Pathophysiology of neonatal hypoglycemia. In：Polin RA, et al.(eds), Fetal and neonatal physiology. 6th ed., Elsevier, Philadelphia, 1624-1633, 2022
- 依藤 亨：新生児の低血糖：何を調べればいいの？ どうなったら退院させていいの？ 小児科診療 80：719-723, 2017
- Thornton PS, et al.：Recommendations from the pediatric endocrine society for evaluation and management of persistent hypoglycemia in neonates, infants, and children. J Pediatr 167：238-245, 2015

（依藤　亨）

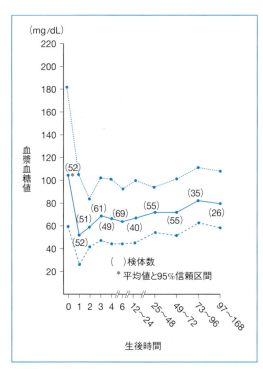

図8　新生児の生理的血糖低下

[Srinivasan G, et al.：Plasma glucose values in normal neonates：a new look. J Pediatr 109：114-117, 1986]

5 腎機能・電解質

在胎16週に胎児尿の産生がはじまり，34～36週には腎の発生は完了しており，ネフロン数も以後は増加しない．しかしながら，新生児の腎機能は生後もダイナミックに変化し成熟していく．小児内分泌医はこの時期の生理的特徴を理解しておく必要がある．

1) 腎尿細管の機能（図9，詳細は各論第12章A参照）

細胞内は生理的に低Na，高K状態にある．尿細管から再吸収されたNaは血管側のNa^+/K^+ ATPaseを用いて強力に細胞外に排出される．

a. 近位尿細管

Na（50%），K，Cl，Ca，P，HCO_3，アミノ酸，ブドウ糖（SGLT2による）の再吸収．H^+-ATPaseによる管腔側へのH^+排泄．(Na再吸収はNa-H交換共輸送体(Na-H exchanger：NHE)3により，血管側への排出はNa^+/K^+ ATPaseによる．P再吸収はNa-P共輸送体，特に

II 各論

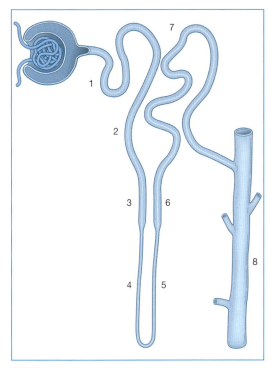

図9 ネフロンの構造と各部のおもな働き
1：近位尿細管（曲部）：Na(NHE3), Cl, Ca, P, アミノ酸, HCO$_3$, ブドウ糖再吸収, H$^+$排泄
2：近位尿細管（直部）
3：Henle 係蹄太い下降脚
4：Henle 係蹄細い下降脚
5：Henle 係蹄細い上行脚
6：Henle 係蹄太い上行脚：Na(NKCC2), Cl, Ca, Mg 再吸収, K, Cl 排泄
7：遠位尿細管（曲部）：Na(NCCT), Cl, Ca 再吸収
8：集合管：水, Na(ENaC)再吸収, K, H$^+$排泄
（https://www.cleanpng.com/）

NaPi2c による）．

b. Henle 係蹄

Na(25%), Cl, K, Ca, Mg の追加吸収〔Na 再吸収は Na-K-2Cl 共輸送体（Na-K-2Cl cotransporter：NKCC2）により，血管側への排出は Na$^+$/K$^+$ ATPase による．K は腎髄質外部 K チャネル（ROMK）により管腔側に再排泄され，Cl は ClC-Kb, Barttin（ClC-Kb のβサブユニット）により血管側に輸送される〕．

c. 遠位尿細管

Na 再吸収（10%）はサイアザイド感受性 Na-Cl 共輸送体（NCCT）により血管側への排出は Na$^+$/K$^+$ ATPase による．

d. 集合管

水，Na の再吸収（水再吸収は AVP 依存性．Na 再吸収は上皮形 Na チャネル（epithelial sodium channel：ENaC）により，血管側への排出は Na$^+$/K$^+$ ATPase による．ENaC は K の管腔側への排泄も行う）．

2）内分泌と腎の生理学

a. AVP

集合管細胞の V$_2$ 受容体に働いて管腔側の細胞膜にアクアポリン 2（AQP2）を挿入し，水チャネルを作成して自由水の再吸収を促進し最終的に原尿の 1% が排泄される．おもに浸透圧の調整を行う．

b. アルドステロン

副腎皮質球状層から分泌され，おもに循環血液量の調整を行う．集合管でミネラルコルチコイド受容体と結合し，基底側の Na$^+$/K$^+$ ATPase を活性化するとともに，管腔側の ENaC を活性化して Na の再吸収と K 分泌を促進する．

c. Na 利尿ペプチド（ANP, BNP）

おもに心房・心室で循環血液量の増加を感知して分泌され，腎 NPR-A 受容体を介して Na 利尿を起こす．おもに心不全，腎不全などの病的状態で上記の二つの調節系を修飾する．

3）水電解質指標の生理的変化

年齢別正常値を超える変動を異常とする（数値は約）．

a. 新生児期の電解質正常範囲

① Na
135～145 mEq/L

② K
3.5～6.0 mEq/L

③ Cl
101～111 mEq/L

④ Ca
8～11 mg/dL（早産児では 7～11 mg/dL）

⑤ Cr
出生直後 母親と同値，生後数日 0.4 mg/dL, 1 歳台 0.2 mg/dL, 4 歳 0.3 mg/dL, 10 歳 0.4 mg/dL

⑥ シスタチン C
新生児期 1.5 mg/L, 生後 3 か月 1.1 mg/L, 1 歳 0.9 mg/L, 2 歳 0.8 mg/L

b. 糸球体濾過率（GFR）

出生時 20 mL/分/1.73 m^2, 生後 2 週 66 mL/分/1.73 m^2, 2 歳 100～125 mL/分/1.73 m^2

c. 尿最大希釈能

出生時 50 mOsm/kg

d. 尿最大濃縮能

新生児＜600～700 mOsm/kg, 1 歳 1,200～1,400 mOsm/kg

4）新生児・乳児期の水・電解質代謝の特徴

a. 内分泌

水・電解質代謝を担う AVP, アルドステロン, Na 利尿ペプチド（ANP, BNP）の分泌能は正常で，生後まも

なくは出生に伴う急激な水・Na の喪失を反映していずれも高値である．

b．糸球体機能

在胎中は腎血管抵抗が高く，出生直後の新生児はGFR が低く腎不全に近い状態にある．GFR は出生後急速に改善するが，年長児・成人に近いレベルになるのは生後 2～3 歳以降である．GFR の低値はネフロン数の問題ではなく，低い腎血流量や尿細管面積によるとされる．

c．尿細管機能

①尿濃縮能・希釈能

特に尿最大濃縮能が低く成熟新生児でも＜700 mOsm/L である．尿希釈能は成人同様であるが，GFR が低い．そのため，年長児・成人では 10 L/m^2/日を超える飲水量ではじめて低ナトリウム血症が起こるが，新生児の場合は 4 L/m^2/日以上の水負荷で低ナトリウム血症が起こる．

②Na 再吸収能

尿細管における Na 再吸収能が低く，この傾向は早産児で特に著明である．新生児では腎尿細管細胞血管側の Na$^+$/K$^+$ ATPase の活性が未熟であり，また血中アルドステロンは高いが，ミネラルコルチコイド受容体の発現が非常に少ない．すなわち，尿細管細胞から血管側への Na のくみ出しが進まないため，尿細管細胞と管腔側に Na の濃度勾配ができず，Henle 係蹄上行脚においては NKCC2，近位尿細管では Na-H 交換共輸送体などの Na トランスポータの働きが低下して Na 再吸収能が低下する．Na 排泄率（FENa）＝100×（尿 Na×血 Cr）/（血 Na×尿 Cr）の正常値は，年長児・成人では 1 以下であるが，新生児では高値で，生後 7 日でも 1.5 前後まで正常値とされる．

③K 排泄能

新生児では K 排泄能が低い．K 排泄率（FEK）＝100×（尿 K×血 Cr）/（血 K×尿 Cr）が低値で，生後 4 か月未満では 8.5＋3.8％ と報告されている．徐々に改善して生後 6 か月頃には年長児・成人に近い数値（平均 15％ 前後）になる．

以上，新生児は特に低 Na，高 K 傾向となりやすい．すなわち，病的原因が，低ナトリウム血症や高カリウム血症をきたすものであれば，その結果が強く出やすい傾向にある．また尿濃縮能は低値で部分的尿崩症の診断には注意が必要である．

❖ **参考文献**

- Bailey MA, et al.：Renal Physiology. In：Johnson R, et al.（eds），*Comprehensive Clinical Nephrology*. 6th ed., Elsevier, Philadelphia, 14-28. e1, 2019
- Gattineni J, et al.：Developmental changes in renal tubular transport-an overview. *Pediatr Nephrol* 30：2085-2098, 2015
- 森本哲司：腎機能の生後発達．日児腎誌 26：70-75，2013
- Martinerie L, et al.：Low renal mineralocorticoid receptor expression at birth contributes to partial aldosterone resistance in neonates. *Endocrinology* 150：4414-4424, 2009
- Hartnoll G：Basic principles and practical steps in the management of fluid balance in the newborn. *Semin Neonatol* 8：307-313, 2003

（依藤　亨）

6　カルシウム代謝

骨は骨基質である 1 型コラーゲンに Ca と P からなるヒドロキシアパタイトが沈着することで形成される．新生児期以降の Ca や P などのミネラル代謝は PTH，ビタミン D，CT，fibroblast growth factor 23（FGF23），性ホルモンなど様々な因子による調節を受ける．一方で，胎児期から新生児期のミネラル代謝については新生児期以降とは異なる側面をもち，様々な動物モデルを用いて研究されていることが多いが，動物種による結果の違いや同じ動物種でも系統が異なると結果も異なる場合があり，未解明な点が多い[1,2]．本項では胎児期，新生児期それぞれの時期のミネラル代謝について Ca を中心に概説する．

1）胎児期

胎児期には骨基質への多量の Ca や P の沈着が起こり，その大部分は胎盤を介した母体からの流入に依存している．Ca は妊娠末期までに 30 g が骨に沈着するが，その 80％ が third trimester に起こり，120～150 mg/kg/日で経胎盤輸送により胎児へ供給される[3]．早産児はこの時期に十分な Ca，P の沈着を骨に受けることができないため，未熟児代謝性骨疾患（**本章 D-5**参照）発症の危険性を有している．

胎児の Ca 濃度はイオン化 Ca として 0.30～0.50 mM 程度母体よりも高く維持されている．このため胎盤から胎児への Ca の流入は濃度勾配による受動的な流入ではなく，胎盤や胎児からの PTH 関連ペプチド（parathyroid hormone-related peptide：PTHrP）や PTH の作用による能動輸送に依存しているが，おもに高濃度に検出される PTHrP の関与が強い（図 10）．PTHrP によりつくり出される生理的な高カルシウム血症のため，胎児の副甲状腺での PTH の分泌は抑制されており，その関与は部分的である．また母体からの PTHrP，PTH は胎盤を通過しない．胎盤での Ca の能動輸送へのビタミン D，性ホルモンや FGF23 の関与は少ないとされる．Ca の能動輸送には胎盤の合胞体性栄養膜細胞にお

いて母体側に発現して細胞へのCaの流入を司るTRPV6, Caと結合して胎児側へ輸送するcalbindin-D_{9K}, そして胎児側に発現して胎児へCaを送り出すCa^{2+}-ATPaseがかかわっている. しかし胎児の血清Ca濃度が母体よりも高く保たれる機序については明らかになっていない.

胎児の血清P濃度もCa同様に母体よりも高く保たれている. PはCaとともに骨に沈着するほか, 成長軟骨において肥大軟骨細胞のアポトーシスにもかかわっている[4,5]. Pの母体から胎児への経胎盤輸送に関しては, 胎盤に発現しているNa-P共輸送体2bがかかわっていることが推察されている[6].

ビタミンDは新生児期以降において食餌からの摂取や皮膚でコレステロールから合成される. その後肝臓で25水酸化酵素により25位の水酸化を受けて25水酸化ビタミンDとなり, さらに腎臓で1α水酸化酵素による1位の水酸化を受けることで最も活性の高い1,25水酸化ビタミンDとなる. 一方で24水酸化酵素によりビタミンDは不活化を受ける. 母体から胎児へビタミンDは経胎盤的に輸送され, 胎児中の25水酸化ビタミンDの濃度は母体の75～100%の濃度になっている[7]. また胎盤での24水酸化酵素の発現が強く, 同じ胎盤で起こる1α水酸化酵素による活性化を上回る不活化が起こるため, 母体から多量のビタミンDの流入が起こった際でも1,25水酸化ビタミンDの濃度は母体の半分以下に維持されている[7].

胎児期の腎臓においてもミネラルは濾過され, 羊水へと排出された後は再び嚥下により胎児に取り込まれる. 胎児の糸球体濾過量は低く, ミネラル代謝や活性型ビタミンD産生への腎臓の関与は少ないと考えられている. また胎児期の腸管での羊水からのCa吸収については濃度勾配による受動的な吸収であり, ビタミンDを介した能動的輸送の関与は少ないとされている.

2) 新生児期

出生後も骨基質への盛んなミネラル沈着は続くが, 胎児期の経胎盤輸送に依存していた状態から離脱し, 母乳や人工乳などの経口摂取と腸管からの吸収による供給に移行する.

出生後, 母体から胎盤を介する能動的な児へCaの流入が途絶えることで20～30%程度の血清Ca濃度の低下が起こり, 一時的に生理的な低カルシウム血症となる. この生理的な低カルシウム血症に児の副甲状腺が反応しPTHの分泌が刺激され, これに刺激される形で腎臓での1α水酸化酵素の発現が増加し, ビタミンDの活性化が起こる. 出生後は受動的であった腸管でのCa吸収も経時的にビタミンD依存的かつ能動的な吸収が進む. またPTH刺激による腎臓でのCaの再吸収も刺激される. P代謝にかかわるFGF23は胎児期から新生児期にかけて分解による不活化が成人よりも盛んに行われている[8].

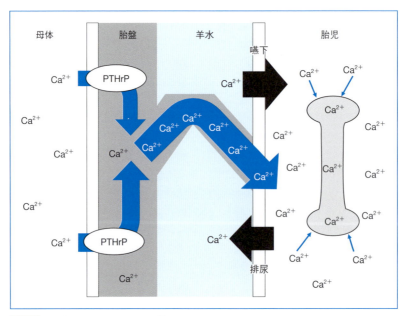

図10 母体胎児間のカルシウム輸送
胎盤で産生されるPTHrPの作用により能動的に母体から胎児へCaが輸送され, 胎児のCa濃度は母体よりも高く保たれる. この生理的な高いCa濃度はthird trimesterに起こる多量の骨への石灰沈着に寄与すると考えられる

❖ 文献

1) Kovacs CS：Bone development and mineral homeostasis in the fetus and neonate：roles of the calciotropic and phosphotropic hormones. *Physiol Rev* 94：1143-218, 2014
2) Ryan BA, *et al.*：Calciotropic and phosphotropic hormones in fetal and neonatal bone development. *Semin Fetal Neonatal Med* 25：101062, 2020
3) Ziegler EE, *et al.*：Body composition of the reference fetus. *Growth* 40：329-341, 1976
4) Donohue MM, *et al.*：Rickets in VDR null mice is secondary to decreased apoptosis of hypertrophic chondrocytes. *Endocrinology* 143：3691-3694, 2002
5) Sabbagh Y, *et al.*：Hypophosphatemia leads to rickets by impairing caspase-mediated apoptosis of hypertrophic chondrocytes. *Proc Natl Acad Sci U S A* 102：9637-9642, 2005
6) Ohata Y, *et al.*：Elevated fibroblast growth factor 23 exerts its effects on placenta and regulates vitamin D metabolism in pregnancy of Hyp mice. *J Bone Miner Res* 29：1627-1638, 2014
7) Hollis BW, *et al.*：Evaluation of the total fetomaternal vitamin D relationships at term：evidence for racial differences. *J Clin Endocrinol Metab* 59：652-657, 1984
8) Takaiwa M, *et al.*：Fibroblast growth factor 23 concentrations in healthy term infants during the early postpartum period. *Bone* 47：256-262, 2010

(長谷川高誠)

7 性腺機能・内性器外性器の分化と成長

1) 胎児期・新生児期の性腺と外性器の分化・成長を考えるうえでの性の基礎知識

小児内分泌科医が性を考える際にはヒトの六つの性を必ず考える．六つの性とは，染色体の性，性腺の性，内性器の性，外性器の性，性同一性，法律上の性である(表2)[1]．

ヒトの六つの性にはそれぞれ多様性がある．六つの性のいずれか(あるいは複数)が，大多数の男性とも大多数の女性とも異なる，というヒトも存在する．その代表は後述する性分化疾患(各論第6章参照)である．

2) 性分化総論

性分化(sex differentiation)とは胎児期に染色体上に存在する遺伝子のプログラムのもとに，性腺，内性器，外性器が分化する過程の総称である．ヒトの性分化は，未分化性腺形成，性腺への分化，内性器および外性器の分化の3過程からなる(図11)[1]．

未分化性腺形成：未分化性腺形成に関与する遺伝子の代表がNR5A1(SF1とも通称される)，WT1である．性腺の原基は胎生4〜5週頃に尿生殖隆起(urogenital ridge)から発生する．胎生6週頃までに原始生殖細胞(primordial germ cell)がここに遊走し，未分化性腺となる．未分化性腺はXYあるいはXXにかかわらず組織学的差異を認めない．

性腺への分化：Y染色体上に唯一存在する性決定遺伝子であるSRYが作用すると未分化性腺は精巣への分化を運命づけられる．その後SOX9を代表とする常染色体上に存在する複数の遺伝子群の作用により胎生7〜8週に精巣へと分化する．この時期に，精巣内にはすでに精祖細胞が存在する．一方，SRYが作用しないと未分化性腺は卵巣への分化を運命づけられる．その後RSPO1, WNT4を代表とする常染色体上に存在する複数の遺伝子群の作用により卵巣へと分化する．胎生12週頃に卵祖細胞の減数分裂がはじまり，胎生16週には最初の原始卵胞が形成される．胎生20〜25週頃に卵巣が完成する．

内性器および外性器の分化：内性器および外性器の分化は二つのホルモン，すなわちアンドロゲン(テストステロンおよびジヒドロテストステロン)と抗Müller管ホルモン(anti-Müllerian hormone：AMH) [Müller管抑制因子(Müllerian inhibiting substance：MIS)ともよばれる]の作用が重要である．

胎生8週頃まではXYおよびXXともに，Wolff管

表2　ヒトの六つの性

	大多数の男性	大多数の女性
染色体の性	46, XY	46, XX
性腺の性	精巣	卵巣
内性器の性	精巣上体，輸精管，精囊	子宮，卵管，腟上部1/3
外性器の性	陰茎，陰囊	陰核，陰唇，腟下部2/3
性同一性	男性	女性
法律上の性	男性	女性

ヒトの六つの性における注意点を以下にまとめる．
・大多数の法律上の男性(あるいは大多数の法律上の女性)における六つの性は，表中の大多数の男性(あるいは大多数の女性)と一致する
・内性器の性と外性器の性をあわせて解剖学的性とよぶ
・性同一性とは，自分のことを男性，女性，それ以外と思うかの性の自己意識のことである
・法律上の性は戸籍上に登録されている性のことであり，戸籍上の性ともよばれる

[長谷川奉延：性分化疾患．矢﨑義雄(総編)，内科学．第11版，朝倉書店，2017より改変]

II 各論

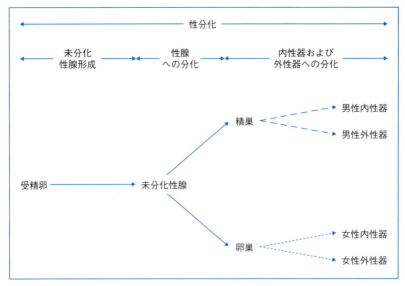

図11 性分化の模式図
破線はホルモン作用による分化を，点線はホルモンを介さない自然の分化を意味する
〔長谷川奉延：性分化疾患．矢﨑義雄（総編），内科学．第11版，朝倉書店，2017より改変〕

（男性内性器の原基）とMüller管（女性内性器の原基）が存在する．精巣のSertoli細胞から分泌されるAMHがparacrine作用によりMüller管を退縮させる．精巣のLeydig細胞から分泌されるテストステロンがparacrine作用によりWolff管を副精巣，輸精管，精囊へ分化させる．なお，胎生9週頃から胎盤由来のhCGがLeydig細胞からのテストステロン分泌を刺激する．一方，卵巣はAMHとテストステロンをともに分泌しない．ホルモン作用がないと，自然にMüller管は子宮，卵管，腟上部1/3へ分化し，Wolff管は退縮する．

外性器の原基は生殖結節（genital tubercle），陰唇陰囊隆起（labioscrotal swelling），尿道ひだ（urethral folds）である．hCGの刺激により精巣のLeydig細胞から分泌されるテストステロンは外性器原基の細胞でより強いアンドロゲン作用をもつジヒドロテストステロンに転換される．ジヒドロテストステロンの作用により胎生12週頃までに陰茎，陰囊が分化する．一方，ジヒドロテストステロンの作用がないと外性器の原基は自然に陰核，陰唇，腟下部2/3に分化する．

3）陰茎の伸長[2]

胎生14週以降，胎児下垂体から分泌されるLHの刺激により，精巣Leydig細胞からテストステロン分泌が持続する．テストステロンおよび陰茎の細胞で転換されたジヒドロテストステロンの作用により陰茎は伸長する．

生後3週～3か月頃まで男児において下垂体からのLH分泌は亢進し，結果的にアンドロゲン（テストステロンおよびジヒドロテストステロン）分泌は増加する．この時期のアンドロゲン作用により陰茎はさらに伸長する．

なお，新生児期の精巣はAMHも分泌している．その生理作用は不明である．

❖ 文献
1) 長谷川奉延：性分化疾患．矢﨑義雄（総編），内科学．第11版，朝倉書店，2017
2) Cimador M, et al.：The inconspicuous penis in children. Nat Rev Urol 12：205-215, 2015

（長谷川奉延）

B 内分泌疾患を有する母体と児の管理

1 糖尿病

1）妊娠糖尿病の増加

妊娠中の糖代謝異常は，インスリン作用に拮抗するヒト胎盤ラクトーゲン（human placental lactogen：hPL），PRL，プロゲステロンの増加と，蛋白分解酵素の過剰によるインスリン分解促進により，細胞内にブドウ糖が取り込まれにくくなる状態である．妊娠中の糖代謝異常には，妊娠前からすでに診断されている糖尿病（pregestational diabetes mellitus），妊娠糖尿病（gestational diabetes mellitus：GDM），妊娠時に診断された

表3 妊娠中の糖代謝異常と診断基準

1) 妊娠糖尿病 gestational diabetes mellitus (GDM)
   75gOGTT において次の基準の1点以上を満たした場合に診断する
   ① 空腹時血糖値≧92 mg/dL (5.1 mmol/L)
   ② 1時間値≧180 mg/dL (10.0 mmol/L)
   ③ 2時間値≧153 mg/dL (8.5 mmol/L)
2) 妊娠中の明らかな糖尿病 overt diabetes in pregnancy (註1)
   以下のいずれかを満たした場合に診断する.
   ① 空腹時血糖値≧126 mg/dL
   ② HbA1c 値≧6.5%
   ＊随時血糖値≧200 mg/dL あるいは 75gOGTT で 2 時間値≧200 mg/dL の場合は,妊娠中の明らかな糖尿病の存在を念頭に置き,①または②の基準を満たすかどうか確認する.(註2)
3) 糖尿病合併妊娠 pregestational diabetes mellitus
   ① 妊娠前にすでに診断されている糖尿病
   ② 確実な糖尿病網膜症があるもの

註1. 妊娠中の明らかな糖尿病には,妊娠前に見逃されていた糖尿病と,妊娠中の糖代謝の変化の影響を受けた糖代謝異常,および妊娠中に発症した1型糖尿病が含まれる.いずれも分娩後は診断の再確認が必要である.
註2. 妊娠中,特に妊娠後期は妊娠による生理的なインスリン抵抗性の増大を反映して糖負荷後血糖値は非妊時よりも高値を示す.そのため,随時血糖値や 75gOGTT 負荷後血糖値は非妊時の糖尿病診断基準をそのまま当てはめることはできない.
これらは妊娠中の基準であり,出産後は改めて非妊娠時の「糖尿病の診断基準」に基づき再評価することが必要である.

〔日本糖尿病・妊娠学会と日本糖尿病学会との合同委員会:妊娠中の糖代謝異常と診断基準の統一化について.糖尿病 58:802, 2015〕

明らかな糖尿病(overt diabetes in pregnancy)がある(表3)[1].2008年の HAPO study[2]をもとに世界統一の GDM 診断基準が設定され,わが国においても 2010 年に妊娠中の糖代謝異常に関する新診断基準が採用され,2015 年に改定され運用されている.新たな GDM の定義は「妊娠中にはじめて発見または発症した糖尿病に至っていない糖代謝異常」であり,わが国では以前の基準と比較して GDM と診断された女性は 2.1%から 8.5%に増加した[3].

わが国では 2010 年代に糖尿病人口は 1,000 万人を超え,2019 年の国民健康・栄養調査では日本人 20 歳以上の糖尿病を強く疑われる人は男性 19.7%,女性 10.8%と報告されている[4].妊婦の糖代謝異常は妊娠出産年齢の増加による影響が大きく,平均初回出産年齢は 2010 年代に 30 歳を超え,35 歳以上の出産割合は 2019 年では 23.2%に増加している[5].

2) GDM 増加の問題点

妊婦の糖代謝異常では,母体では妊娠高血圧症候群,羊水過多,早産,帝王切開,胎児死亡などが増加し,新生児では高出生体重児,形態異常を伴う先天性疾患,新生児低血糖,分娩時損傷などが増加する.血糖コントロール不良の母体から出生した児に形態異常を合併することが知られており,わが国の調査では妊娠初期の HbA1c が 6.3%(NGSP 値)以下では児の形態異常は 0.9%なのに対し,HbA1c 6.4%以上では 5.4%,HbA1c 7.4%以上では 17.4%と上昇する[6].

そのため,わが国では全妊婦に対して妊娠初期からの耐糖能スクリーニングを行うようにしており,妊娠初期の随時血糖値,妊娠中期の 50 g glucose challenge test(GCT)あるいは随時血糖値の 2 段階法でスクリーニングしている[7].

3) 胎児に起こりうる病態

糖代謝異常妊婦から出生した児が高出生体重や低血糖をきたすことが知られており,Pedersen の hyperglycemia-hyperinsulinism theory により説明される[8].ブドウ糖は促進拡散作用のため胎盤を通過するが,インスリンは胎盤を通過しないため,胎児の高血糖がβ細胞を刺激し,慢性的な胎児高インスリン血症となる.インスリンはインスリン様成長因子(IGF-I)の分泌刺激や受容体への作用を介して,グリコーゲンの貯蔵,蛋白脂肪合成などの同化作用を高め,胎児や肝臓などインスリン感受性組織を肥大させる.

糖尿病母体から出生する新生児の形態異常は妊娠7週より前に決定されるといわれている.新生児の形態異常の成因は不明な点も多いが,ミトコンドリアにおけるフリーラジカルの過剰産生や,プロスタグランジン(PG)I₂産生抑制による組織血管形成の変化,アラキドン酸やミオイノシトールの変化,微量金属の蓄積,高血糖からのアポトーシスなどがあげられている[9].

また糖代謝異常合併妊娠では,在胎 32 週以降の子宮内胎児死亡(intrauterine fetal death:IUFD)の危険性が高くなる.フランスで 2012 年に 79 万件の全出生を対

II 各 論

表4 糖尿病母体から出生した新生児に起こり得る先天異常

臓器系統	おもな疾患
神経系	無脳症，小頭症，全前脳胞症，神経管閉鎖不全（二分脊椎），水頭症
循環器系	心筋肥大，心房中隔欠損症，心室中隔欠損症，大血管転移症，動脈管開存症，単心室，左心低形成症候群，大動脈縮窄症，肺動脈狭窄症，両大血管右室起始症
消化管系	十二指腸閉鎖症，鎖肛，small left colon syndrome，内臓逆位
泌尿生殖器系	重複腎盂尿管，低形成腎・異形成腎，水腎症
四肢骨格系	尾部退行症候群（Caudal regression syndrome），半椎体（hemivertebrae），四肢短縮，口唇口蓋裂
その他	高出生体重，胎児発育不全，単一臍帯動脈

[Riskin A, et al.：Infants of women with diabetes. Up to date® Feb 10, 2020 より改変]

象にした national database によると，GDM の合併は 7.24% であり，胎児死亡に関して糖尿病をもたない妊婦と比較したオッズ比は 1.3 であった[10]．

4）糖尿病母体から出生した児の病態

糖尿病母体から出生した新生児に起こりうる先天異常について表4に示す[11]．近年は胎児超音波検査により同定可能な疾患も多く，出生前から各診療科の連携により治療を検討することが望ましい．わが国での糖尿病母体から出生した新生児合併症の頻度は，高出生体重 11.0%，低血糖 12.3%，多血症 9.6%，高ビリルビン血症 12.3%，低カルシウム血症 1.4%，呼吸障害 1.4% であった[12]．

a．低血糖

胎盤由来のブドウ糖過剰のため胎児が高インスリン血症となり，分娩により母体からのブドウ糖供給が絶たれると新生児は高インスリン性低血糖になる．振戦，チアノーゼ，けいれん，無呼吸，哺乳不良，嗜眠などが認められるが無症状のこともあり，遷延性の低血糖による脳障害も起こしうる．出生後はバイタルの観察を行いながら，定期的な児の血糖値測定を行い，低血糖が認められたら適正な濃度のブドウ糖持続点滴を行う．高インスリン血症は数日間は持続するといわれており，哺乳不良などの場合は遷延性の低血糖に留意する．

b．多血症

胎児の高血糖のためグリコヘモグロビンが増加し，ヘモグロビンの酸素結合能が低下し，過剰供給されたブドウ糖を代謝するため酸素を要し多血症となる．出生した新生児のヘマトクリットを確認し，輸液や部分交換輸血でヘモグロビンの是正を行う．

c．高ビリルビン血症

多血症や児の未熟性のため新生児黄疸が起きやすくなる．輸液や光線療法などで対応する．

d．低カルシウム血症，低マグネシウム血症

母親からの経胎盤供給の低下や，25水酸化ビタミンDの不足，低マグネシウム血症によるPTHの分泌低下，尿中への排泄過剰などが原因として示唆されている．低カルシウム血症は出生後24〜72時間で認められることが多く，経静脈的な補充が必要になることがある．

e．新生児呼吸窮迫症候群（respiratory distress syndrome：RDS）

高血糖が肺胞上皮2型細胞のサーファクタント産生機能に影響及ぼすことが原因と考えられている．糖尿病のない母体からの出生児と比較し，肺成熟が1〜2週遅れるとされている．呼吸障害の程度に応じてサーファクタントや人工呼吸器管理が必要になることもある．

f．心筋肥大

高出生体重児に多く，高インスリン血症に伴う心筋肥大が原因と考えられている．特に血糖管理不良な母体からの出生児は心筋壁肥厚が強く，心不全を起こしやすいといわれている．

5）妊婦の糖尿病治療

GDM の診断基準の厳格化により，GDM 軽症例が増加しているため血糖管理は4〜6分割食などの食事療法や運動療法が中心となる．もともとの糖尿病や overt diabetes，また GDM の一定以上の診断基準の妊婦においては，在宅自己血糖測定（self-monitoring of blood glucose：SMBG）が保険適用となる．薬物治療に関しては，海外ではスルホニル尿素薬（SU薬）やメトホルミンを使用した報告例があるが，わが国では内服での血糖降下薬は基本的に妊婦には禁忌であり，薬物治療の際はインスリン療法が推奨されている．妊娠中の血糖コントロールの目標は早朝空腹時血糖値 70〜100 mg/dL，食後2時間血糖値 120 mg/dL 以下，HbA1c 6.2% 未満，グリコアルブミン 15.8% 未満であり，目標達成が困難な場合は管理入院やインスリン導入を行う[7]．1型糖尿病合併妊娠に関しても，妊娠中の血糖コントロールの目標は同様であり，連続皮下ブドウ糖濃度測

定(continuous glucose monitoring：CGM)や持続皮下インスリン注入療法(continuous subcutaneous insulin infusion：CSII)の使用が推奨されている．

6）GDM の予後と，糖尿病の次世代への連鎖

　GDM を認めた妊婦において，出産後に血糖値が正常化しても，将来糖尿病になるリスクは正常血糖妊婦の約 7.43 倍とされている[13]．また，GDM がエピジェネティクスにより胎児の代謝プログラミングに影響を及ぼし，児の将来的な高血圧や高脂血症，糖尿病の発症が増加することが提唱されている[14]．小児期発症 2 型糖尿病は治療をドロップアウトする例が多く，妊娠を契機に糖尿病を再発見されることもあり胎児合併症の危険度も高まる．2 型糖尿病の次世代への連鎖を防ぐため，積極的に患者教育や糖尿病治療に取り組んでゆく必要がある．具体例として，妊婦に対する葉酸の摂取は，GDM 合併妊娠における胎児形態異常のオッズ比を 9.77 から 3.27 に低下させたという報告がある[15]．また，母乳育児は GDM の妊産婦において産後の体重減少や耐糖能を改善させると報告されている[16]．

❖ 文献

1) 日本糖尿病・妊娠学会と日本糖尿病学会との合同委員会：妊娠中の糖代謝異常と診断基準の統一化について．糖尿病 58：802，2015
2) Metzger BE, et al.：HAPO Study Cooperative Research Group. Hyperglycemia and adverse pregnancy outcomes. N Engl J Med 358：1991-2002, 2008
3) 増本由美．新しい妊娠糖尿病診断基準採用による妊娠糖尿病の頻度と周産期予後への影響．糖尿病と妊娠 10：88-91，2010
4) 厚生労働省：令和元年国民健康・栄養調査報告
5) 厚生労働省：令和元年(2019)人口動態統計の年間推計
6) 末原節代．他：当センターにおける糖代謝異常妊娠の頻度と先天異常に関する検討．糖尿病と妊娠 10：104-108, 2010
7) 日本産婦人科学会（編）：妊婦の糖代謝異常スクリーニングと診断のための検査は？　産婦人科診療ガイドライン産科編 2020. 22-28, 2020
8) Pedersen J：Diabetes mellitus and pregnancy：present status of the hyperglycaemia-hyperinsulinism theory and the weight of the newborn baby. Postgrad Med J(Suppl.)：66-67, 1971
9) Mills JL：Malformations in Infants of Diabetic Mothers. Birth Defects Res A Clin Mol Teratol 88：769-778, 2010
10) Billionnet C：Gestational diabetes and adverse perinatal outcomes from 716,152 births in France in 2012. Diabetologia 60：636-644, 2017
11) Riskin A, et al.：Infants of women with diabetes. Up to date® Feb 10, 2020
12) 佐中眞由実：妊娠糖尿病における児の合併症．日本臨牀 60(増刊 9)：782-785, 2002
13) Bellamy L, et al.：Type 2 diabetes mellitus after gestational diabetes：a systematic review and meta-analysis. Lancet 373：1773-1779, 2009
14) Damm P, et al.：Gestational diabetes mellitus and long-term consequences for mother and offspring：a view from Denmark. Diabetologia 59：1396-1399, 2016
15) Correa A, et al.：Lack of periconceptional vitamins or supplements that contain folic acid and diabetes mellitus-associated birth defects. Am J Obstet Gynecol 206：218. e1-e13, 2012
16) Ziegler AG, et al.：Long-term protective effect of lactation on the development of type 2 diabetes in women with recent gestational diabetes mellitus. Diabetes 61：3167-3171, 2012

〈矢ヶ崎英晃〉

2　甲状腺機能関連

1）母体と胎児の甲状腺機能の関係

　妊娠中は代謝亢進に対応するため，エストロゲン作用により T_4 結合グロブリン(thyroxine binding globulin：TBG)は妊娠 16 週までに非妊時の 2 倍に増加し血中甲状腺ホルモンプールを増加させる．妊娠中の甲状腺ホルモンは非妊時の約 1.4 倍に増加する．FT_4 は妊娠初期には上昇し，妊娠第 2，第 3 三半期には非妊時に比べわずかに低値となる．TSH 受容体刺激作用をもつ hCG は妊娠 10 週をピークとして第 1 三半期に著増し生理的甲状腺機能亢進状態となるが，妊婦の 2〜3％ で妊娠一過性甲状腺中毒症をきたし，妊娠悪阻の症状を認める．

　胎生初期に甲状腺ホルモンは胎児脳の発育に不可欠である．在胎 12〜30 週の期間が脳に障害をもたらす臨界期であり，この期間の母体，胎児の重度な甲状腺機能低下症は脳の発育障害をきたす[1]．新生児甲状腺機能低下症の重症度はその臨界期の甲状腺ホルモン充足度に依存する．胎児甲状腺は妊娠 4 週に発生し，妊娠 12 週に甲状腺ホルモン分泌を開始し，妊娠 20 週に甲状腺機能が成熟する．甲状腺ホルモン受容体は妊娠 10 週までに胎児脳で発現し，16 週までに急増する．妊娠 12 週未満の胎児の甲状腺機能は原始卵黄嚢を介して母体から転送された甲状腺ホルモンに依存している[2]．したがって，初期の母体甲状腺機能低下は児の知能発達を悪化させる要因となる．

　母体の甲状腺自己抗体と不妊，自然流産，早産との間に関連がある．妊娠中の潜在性甲状腺機能低下症では抗甲状腺ペルオキシダーゼ(thyroid peroxidase：TPO)抗体陽性の場合は TSH を 2.5 μU/mL 以下に，抗 TPO 抗体陰性の場合は TSH を 4.0 μU/mL 以下に保つよう LT_4 を調整する．

2）母体甲状腺関連物質の胎盤通過性

　胎盤は妊娠 16〜20 週で完成し，その後は母体甲状腺関連物質の胎盤通過性が重要となる(表 5)．

　無機ヨウ素は能動輸送によって胎盤を通過し胎児に

表5 胎児甲状腺機能に影響する物質の胎盤通過性

物質		分子量	胎盤通過性
ヨウ素		127	++++
TRH		360	+++
TSH		27,000	−
FT_3		651	+
FT_4		800	+
サイログロブリン		660,000	−
T_4結合グロブリン（TBG）		54,000	−
抗TSH受容体抗体（TRAb）		150,000	+++
抗甲状腺薬	チアマゾール（MMI）	114	+++
	プロピルチオウラシル（PTU）	170	+++

移行するが，胎児の甲状腺機能抑制作用は抗甲状腺薬に比して弱い．ただし，妊娠前に油性ヨウ素含有造影剤を用いた子宮卵管造影を受けた場合，検査後6か月以上ヨウ素過剰状態が継続し甲状腺機能を抑制することがある．

monocarboxylate transporter 8 が胎盤において妊娠第1三半期の早期から発現し妊娠週数に伴い増加し甲状腺ホルモンは胎児に移行するが[3]，胎盤で優位に発現している3型脱ヨウ素酵素や硫酸転移酵素などによって甲状腺ホルモンは不活性化され，供給量は調節されている．

母体に投与された抗甲状腺薬は妊娠後半では胎児に移行し母体より胎児の甲状腺機能を抑制するため，FT_4を非妊時の基準値の上限にコントロールすることが推奨されている．器官形成期である妊娠4〜15週，特に5〜9週は催奇形性のあるチアマゾール（methimazole：MMI）の使用を避ける．

母体のIgGは胎盤を介して妊娠第2三半期の早期から胎児に輸送が増加し妊娠第3三半期に最大となる．正期産児の血清総IgG濃度は母体のそれよりも高値となる．IgGは胎盤絨毛組織のneonatal Fc receptor（FcRn），Ⅲa型Fcγ受容体（Fcγ receptor Ⅲa：FcγRⅢa），FcγRⅡb2を介して選択的に輸送される[4]．抗TPO抗体，抗サイログロブリン（thyroglobulin：Tg）抗体，抗TSH受容体抗体（TSH receptor antibody：TRAb）は胎盤を通過する．TSH受容体に結合する抗体には生物学的特性から甲状腺刺激抗体（thyroid stimulating antibody：TSAb），阻害型抗体（thyroid stimulation blocking antibody：TSBAb）とNeutral抗体に分けられる．それぞれTSH受容体に結合する部位が異なる．TSAbはTSH受容体に完全にfitし，TSBAbはTSAbよりもN末端側に結合し，TSHのTSH受容体への結合を阻害する．Neutral抗体はTSH受容体のヒンジ領域に結合し，

情報伝達を阻害する．Basedow病患者のTRAbは多クローン性で，生物学的特性の異なる抗体が混在し，その比率は変化する．妊娠20週に胎児甲状腺にTSH受容体が発現し，胎盤移行したTRAbは胎児甲状腺に影響を及ぼす．IgGの半減期は1〜2週で，新生児には約3か月影響が残る．一方，母体から抗TPO抗体や抗Tg抗体が経胎盤的に移行しただけでは新生児に甲状腺障害はみられない．モルモットでの移入実験では抗Tg抗体と感作リンパ球をともに移入すると甲状腺炎がみられる．

3）母体甲状腺機能低下症の胎児・新生児への影響

TSHが4.0μIU/mL以上の甲状腺機能低下症母体では流早産，妊娠高血圧症候群，子宮内発育不全，児の精神運動発達遅滞の可能性が高くなる．甲状腺自己抗体陽性の妊婦ではTSHを妊娠初期には2.5μIU/mL未満，それ以降は3.0μIU/mL未満を目標に補充療法を行う．妊娠前よりLT4補充療法を受けている妊婦では甲状腺ホルモンの需要の増加により，非妊時の補充量の30〜50%増量する．

TSBAbを有する橋本病母体では胎児甲状腺機能低下症，新生児一過性甲状腺機能低下症を生じる可能性がある．

4）母体甲状腺機能亢進症の胎児・新生児への影響

可能な限り妊娠前に甲状腺機能をコントロールする．MMI維持量（5〜10 mg）で甲状腺機能が安定し，TRAbが低下していれば，プロピルチオウラシル（propylthiouracil：PTU）やヨウ化カリウムに変更して妊娠を計画することが望ましい．

甲状腺機能のコントロールがついていないBasedow病合併妊婦では心不全，妊娠高血圧症候群，流早産，子宮内発育不全，低出生体重のリスクが高まる．

表6 胎児甲状腺機能スコア

超音波所見	所見	スコア
甲状腺血流パターン	甲状腺辺縁，無	0
	甲状腺中心部	1
胎児心拍数	正常	0
	頻脈	1
骨成熟度	遅延	−1
	正常	0
	促進	1
胎動	正常	1
	増進	0

総スコア2点以上は甲状腺機能亢進症を，2点未満は甲状腺機能低下症を示唆する
[Huel C, et al.：Use of ultrasound to distinguish between fetal hyperthyroidism and hypothyroidism on discovery of a goiter. Ultrasound Obstet Gynecol 33：412-420, 2009]

妊婦が妊娠初期に MMI を内服すると出生した児に頭皮欠損症，臍帯ヘルニア，臍腸管遺残，食道閉鎖症，後鼻孔閉鎖などの MMI embryopathy を発症するリスクが高まるので，器官形成期である妊娠 4〜15 週，特に 5〜9 週は催奇形性のある MMI の使用を避ける．一般的に妊娠経過中に TRAb は低下するが，妊娠 20 週以降に TRAb が 5 IU/L 以上かつ TSAb が 400% 以上の場合，特に TRAb が 10 IU/L 以上かつ TSAb が 1,200% 以上の場合は胎児・新生児 Basedow 病を生じる可能性がある（Basedow 病母体の 1〜2%）．甲状腺全摘術や ^{131}I 内用療法の既往のある Basedow 病母体では甲状腺機能が安定していても TRAb が高値のまま持続していることがあるので，問診が重要である．

TRAb 高値で抗甲状腺薬により治療中の Basedow 病母体から出生した新生児では抗甲状腺薬が wash out された生後 1 週後より新生児 Basedow 病を発症する．母体由来の TRAb による胎児期からの視床下部―下垂体系の抑制が遷延すると，TRAb の影響が消失した後に一過性中枢性甲状腺機能低下症となる場合がある．

出産後，Basedow 病母親が MMI 10 mg 以下，PTU 300 mg 以下を内服している場合，授乳に支障はない．

5）胎児甲状腺腫への対応の実際 (表6)[5]

胎児甲状腺腫は嚥下障害による羊水過多・胎児水腫，心不全，早産，分娩障害，新生児気管閉塞を引き起こし，胎児診断や胎内治療が必要になる場合がある．

母体のコントロール困難な甲状腺機能亢進や TRAb 高値の場合，胎児甲状腺機能亢進による胎児甲状腺腫をきたす可能性がある．また，経胎盤移行した抗甲状腺薬，ヨウ素製剤による胎児甲状腺機能低下症や胎児自身の甲状腺ホルモン合成障害による先天性甲状腺機能低下症から胎児甲状腺腫をきたす可能性があり，胎児甲状腺機能を評価する必要がある．

胎児の甲状腺機能の正確な評価法として臍帯採血（percutaneous umbilical blood sampling：PUBS）が知られているが，胎児死亡（1〜2%），胎児徐脈（3〜12%）など重篤な合併症のリスクがあり必要最小限にとどめるべきである．非侵襲的な胎児甲状腺機能評価の指標として，胎児頻脈（160 bpm 以上），胎児発育遅延（−1.5 SD 以下），心不全・胎児水腫，甲状腺腫，骨成熟度（亢進：妊娠 30 週以前に大腿骨遠位端骨核が出現，遅延：妊娠 34 週以降に大腿骨遠位端骨核の骨化なし）が有用である[5〜7]．

❖ 文献

1) Bernal J：Thyroid hormone receptors in brain development and function. Nat Clin Pract Endocrinol Metab 3：249-259, 2007
2) Morreale de Escobar G, et al.：Role of thyroid hormone during early brain development. Eur J Endocrinol 151（Suppl. 3）：U25-U37, 2004
3) Chan SY, et al.：Monocarboxylate transporter 8 expression in the human placenta：the effects of severe intrauterine growth restriction. J Endocrinol 189：465-471, 2006
4) Jennewein MF, et al.：Fc Glycan-Mediated Regulation of Placental Antibody Transfer. Cell 178：202-215. e14, 2019
5) Huel C, et al.：Use of ultrasound to distinguish between fetal hyperthyroidism and hypothyroidism on discovery of a goiter. Ultrasound Obstet Gynecol 33：412-420, 2009
6) Goldstein I, et al.：Ultrasonographic assessment of gestational age with the distal femoral and proximal tibial ossification centers in the third trimester. Am J Obstet Gynecol 158：127-130, 1988
7) Funaki S, et al.：Ultrasonographic assessment of fetal thyroid in Japan：thyroid circumference and distal femoral and proximal tibial ossification. J Med Ultrason（2001）47：603-608, 2020

❖ 参考文献

- Alexander EK, et al.：2017 Guidelines of the American Thyroid Association for the Diagnosis and Management of Thyroid Disease During Pregnancy and the Postpartum. Thyroid 27：315-389, 2017
- Ross DS, et al.：2016 American Thyroid Association Guidelines for Diagnosis and Management of Hyperthyroidism and Other Causes of Thyrotoxicosis. Thyroid 26：1343-1421, 2016
- 日本甲状腺学会（編）：バセドウ病治療ガイドライン 2019. 南江堂，2019
- 日本小児内分泌学会マス・スクリーニング委員会，他：先天性甲状腺機能低下症マス・スクリーニングガイドライン（2014 年改訂版）．2014
  http://jspe.umin.jp/medical/files/CH_gui.pdf（2021 年 10 月 16 日アクセス）
- 日本小児内分泌学会薬事委員会，他：小児期発症バセドウ病診療のガイドライン 2016．2016
  http://jspe.umin.jp/medical/files/gravesdisease_guideline2016.pdf（2021 年 10 月 16 日アクセス）

（南谷幹史）

Ⅱ 各 論

3 尿崩症（妊娠尿崩症を含む）

1）定義・概念

妊娠中の尿崩症合併はまれであり，発症率は妊娠10万例当たり2～4例といわれている[1]．母体の尿崩症合併には次のような場合が考えられる．

① 妊娠前より尿崩症を発症しているもの（多くの場合，すでに治療されている）．
② 妊娠・分娩時に発症したSheehan症候群やリンパ球性漏斗下垂体炎によるもの．
③ 妊娠前より部分型の尿崩症など何らかの異常があり，妊娠を機に顕在化して診断に至ったもの．
④ 妊娠中に一過性に尿崩症をきたし，分娩後は軽快するもの．

①，②の定義・概念は通常の尿崩症と同様である．③，④の発症には，妊娠中に特有なアルギニン・バゾプレシン（arginine vasopressin：AVP）分泌調節機構の変化，特にAVPを分解するバゾプレシナーゼの分泌増加が大きく関与している．本項では以下，主としてこの病態について述べる．

2）病因・病態[1～6]

妊娠中，母体の循環血液量は増加し，非妊時の1.4倍となる．糸球体濾過率（glomerular filtration rate：GFR）も増加する．それに伴って血漿浸透圧は約10 mOsm/kg 低下し，口渇の閾値も低下している．したがって，妊娠中は非妊時よりも多飲・多尿となりやすい．妊娠中に増加するプロスタグランジンは腎尿細管でのAVPの作用と拮抗する．

妊娠中のAVP代謝に最も大きく影響していると思われるのは，胎盤で産生されるシスチンアミノペプチダーゼで，この酵素はオキシトシンおよびAVPを1位のシスチンと2位のチロシン残基の間で切断し，これらのホルモンを不活化するオキシトシナーゼおよびバゾプレシナーゼの両作用をもっている．本酵素は妊娠中，胎盤の発育に伴って増加し，肝・腎の血流増加とあいまって，AVPのクリアランスを非妊時の4倍にしている[4]．正常の妊婦では，AVP産生能を亢進させることで，血中のAVP濃度を保っているが，妊娠前より中枢性あるいは腎性の部分型尿崩症があった場合，妊娠中期以降に尿崩症を発症しやすい．

バゾプレシナーゼの活性が極めて高い場合，基礎疾患がなくとも尿崩症を発症することがある．これはAVP抵抗性で，妊娠高血圧症候群や子癇，肝障害，HELLP（hemolysis, elevated liver enzyme, and low platelet count）症候群などと合併する例も報告されている[1,2,5]．肝臓でのバゾプレシナーゼの不活化が阻害され，AVP代謝が亢進することが発症に関与していると考えられている．

3）臨床症候

妊娠経過中に発症する場合は，妊娠中期以降，特に第3期に急激に多尿をきたしてくることが多い[5]．血漿浸透圧上昇により口渇と多飲を生じる．飲水が不十分な場合は高張性脱水を呈する[6～8]．多飲・多尿は通常の妊娠でもみられるため見過ごされることがあり，羊水過少症をきたして尿崩症に気づかれる症例もある[8]．

4）診断と検査法[6]

1日の尿量・飲水量を把握し，血清浸透圧・血清Na値と尿比重・尿浸透圧を測定する．糖尿病や低カリウム血症，高カルシウム血症，リチウムなどの薬剤性のものを除外する[9]．血清浸透圧を下回る低張尿であることを確認したあと，非妊娠時であれば鑑別診断のために水制限試験や高張食塩水負荷試験を行うが，妊娠中は高浸透圧による母体・胎児の障害を避ける必要があるため原則として行わない[1,9]．AVP（ピトレシン®）あるいはデスモプレシン投与を行って尿量が減少・尿浸透圧が上昇することを確認し診断する．その際，習慣的多飲によって水中毒をきたすことのないよう，十分気をつける[10]．ごくまれにみられる腎性尿崩症の場合はAVP投与には反応不良であるが，部分型の腎性尿崩症では大量のAVPには反応がみられる可能性がある．

妊娠高血圧症候群や肝機能障害合併の有無についても検索を行う．頭部MRIは，リンパ球性漏斗下垂体炎や腫瘍，出血などの合併疾患の検索に有用であるが，出産までは造影剤の使用は避ける．妊娠一過性尿崩症においては，AVP枯渇のため下垂体後葉の高信号が消失していることが多い[3]．

5）治療法

妊娠前から尿崩症があった場合，60％で妊娠中に症状が悪化する[9]．妊娠時には前述のとおり血漿浸透圧が低下することをふまえ，必要に応じてデスモプレシン投与量を増量する．

妊娠中に発症した一過性尿崩症の場合も，腎性尿崩症を除いて，デスモプレシンを用いた治療が行われる．デスモプレシンはN末端が脱アミノ化されているため，バゾプレシナーゼの代謝を受けず，有効な治療が可能である．治療開始後は水中毒や低ナトリウム血症を防止するため，習慣的多飲を避けるよう指導する．デスモプレシンはAVPと比較して子宮収縮作用が弱く，母体・胎児双方にとって安全な薬剤であることが確認されている[1,10]．

高張性脱水をきたしている場合は輸液を行う．ただし5%ブドウ糖を児の娩出前に急速輸液すると母体・胎児の高血糖をきたし，分娩後に新生児低血糖をまねく恐れがあるので，母体の状態をみながら慎重に補正する[7]．

6）管理と予後

尿崩症に対して十分な治療が行われていれば母体・新生児ともに問題はないが，経過中に尿崩症に気づかれず，分娩時や帝王切開時に飲水が不十分となって高張性脱水をきたせば，母体のみならず胎児も高ナトリウム血症を呈し，胎児仮死や新生児仮死など重篤な状態となった症例が報告されている[7,8]．

一過性の妊娠尿崩症は分娩後数日～数週間で軽快することが多い．基礎疾患の有無を検索し，分娩後も治療が必要か否かの評価を行う．部分型中枢性尿崩症が基礎疾患としてある場合，分娩後デスモプレシン治療が不要となっても，次の妊娠時に再び尿崩症を呈することがあるため注意を要する[9]．

❖ 文献
1) Marques P, et al.：Transient diabetes insipidus in pregnancy. Endocrinol Diabetes Metab Case Rep 2015：150078, 2015
2) Monson JP, et al.：Osmoregulatory adaptation in pregnancy and its disorders. J Endocrinol 132：7-9, 1992
3) Oiso Y：Transient diabetes insipidus during pregnancy. Intern Med 42：459-460, 2003
4) Lindheimer MD, et al.：Osmoregulation, the secretion of arginine vasopressin and its metabolism during pregnancy. Eur J Endocrinol 132：133-143, 1995
5) Kalelioglu I, et al.：Transient gestational diabetes insipidus diagnosed in successive pregnancies：review of pathophysiology, diagnosis, treatment, and management of delivery. Pituitary 10：87-93, 2007
6) Refardt J, et al.：Diabetes insipidus in pregnancy：how to advice the patient? Minerva Endocrinol 43：458-464, 2018
7) 天野麻子, 他：術後に尿崩症と診断された緊急帝王切開の麻酔経験. 麻酔 52：158-161, 2003
8) 中島 彰, 他：妊娠後期に尿崩症を合併した1例. 臨婦産 62：1229-1232, 2008
9) 秦 利之, 他：次回妊娠へのアドバイス 尿崩症. 産科と婦人科 65：1613-1617, 1998
10) Oiso Y, et al.：Clinical review：Treatment of neurohypophyseal diabetes insipidus. J Clin Endocrinol Metab 98：3958-3967, 2013

（伊藤純子）

4 副腎皮質機能関連

グルココルチコイド（以下，本項ではステロイドと略す）は，胎児にとっては，細胞分化を促進し，その増殖を抑制するホルモンである．このため，胎児の副腎皮質機能は胎児の成長にとって極めて重要である．そこで，母体の副腎皮質機能の異常ならびに母体へのステロイド薬の投与は，胎児のステロイド産生能(HPA系)のみならず，胎児発育にも影響を及ぼしうる．

ただし，胎盤にはコルチゾールを不活化する11βヒドロキシステロイドデヒドロゲナーゼ(11βHSD)2が発現しているため，胎盤が確立された妊娠中期以降，胎児は母体のコルチゾールの曝露から免れている．このため，通常母体のコルチゾールの生理的な範囲内における変動は胎児発育には大きく影響しない．

ステロイド薬が胎盤を通過して胎児に移行するか否かは，胎盤に存在する11βHSD2の代謝を受けるか否かによる．11βHSD2はコルチゾールを不活化する(＝コルチゾンに変換する)酵素であり，ヒドロコルチゾンはもとより，プレドニゾンも大部分がこれによって不活化されるため，胎児への移行は少ない．このため，プレドニゾンの場合20 mg/日までの妊婦への投与は胎児に影響しないとされている．一方，デキサメタゾン・ベタメタゾンは11βHSD2による不活化をほとんど受けないため，胎児へと移行する．よって，母体が妊娠中にステロイド薬の投与を受ける場合，時期（胎盤が確立しているか否か？）薬剤の種類(11βHSD2による代謝を受けるか否か？)が重要となる[1]．

母体の副腎皮質疾患および母体へのステロイド薬の投与が問題となりうるのは以下である．
①母体の副腎皮質機能異常症
②母体の基礎疾患に対するステロイド療法
③先天性副腎過形成(21水酸化酵素欠損症)の胎児治療としてのステロイド療法
④早産が予想される母体に対するステロイド療法

1）母体の副腎皮質機能異常症

Cushing症候群に罹患すると50～75%は無月経となるため，Cushing症候群を有する母体が妊娠することはまれである．また，妊娠成立した場合も流早産の率が高く，また母体死亡の報告も少なくなく，母体管理に慎重を期す必要がある[1]．妊娠中に診断された場合は，胎盤機能が安定している妊娠12～30週に外科的摘除術を行うのがよいとされている[2]．仮死出生にも注意が必要だが，生児が得られた場合経過は悪くない症例もあると報告されている[1]．

Addison病においても，コントロール不良であれば妊娠することはまれであるが，一方 コルチゾールの適切な補充を受けていれば，妊娠の成立・生児の獲得はありうる．ただし，妊娠中のコルチゾール補充の適正化には注意が必要である．

II 各 論

2) 母体の基礎疾患に対するステロイド療法

妊婦が気管支喘息や全身性エリテマトーデス(systemic lupus erythematosus：SLE)・慢性関節リウマチなどの自己免疫疾患を有する場合，妊娠中もステロイド療法が必要となることが多く，胎児への影響が懸念される．動物実験において多量のステロイド薬投与が胎児の口蓋裂を招くことが報告されているが，これは臨床では用いることのないような高用量投与によるもので，実際の臨床では催奇形性の懸念はさほど高くないと考えられる．

ただし，器官形成期である妊娠初期は，胎盤機能も未熟であり，11βHSD2活性も低いため，妊娠8～9週以前の母体へのステロイド薬投与には細心の注意が必要である[3]．

なお，母体が内服するプレドニンが48時間以内に母乳中に移行する量は約0.1%と報告されている[4]．このように，母乳への移行は少ないため，よほどの大量投与中でない限り，母乳を中断する必要はない．ただし，パルス療法など，高用量のステロイド薬を使用する際には，投与後4時間は授乳を避け，母体血中濃度が低下するのを待つのが安全だとの意見もある．

3) 先天性副腎過形成(CAH) 21水酸化酵素欠損症の胎児治療としてのステロイド療法

家族内に先天性副腎過形成(congenital adrenal hyperplasia：CAH)の児が存在し，両親がヘテロ接合体を有することが判明している場合に，次に出生する児が罹患女児であった場合，外性器異常をもって生まれてくるリスクが考えられる．そこで，罹患女児であった場合に外性器異常を予防するため，母体に妊娠初期から大量のデキサメタゾンを投与し，胎児のHPA系を抑制することによって，外性器の男性化を阻止する試みがCAHに対する胎児治療としてのステロイド療法である．罹患女児の外陰部の男性化は妊娠8週までに生じるため，本療法は妊娠8週までに開始される必要があるが，この時点では当然性別が判明していない．両親がヘテロである場合に罹患女児である確率は1/8であり，残りの7/8は不要なデキサメタゾンに曝露されることとなる．CAHのリスクのために出生前に母体がデキサメタゾン投与を受けた児は，出生後，言語記憶機能が劣っているとの報告もあり[5]，倫理的な問題が指摘されている．

4) 早産が予想される母体に対するステロイド療法(出生前ステロイド)

切迫母体に対するステロイドホルモン療法は，日本産婦人科学会のガイドラインにおいて，「妊娠22週以降34週未満早産が1週間以内に予想される場合はベタメタゾン12mgを24時間ごと，計2回，筋肉内投与する(推奨度B)」と記されており，わが国でも切迫早産のリスクのある母体に広く行われている[6]．

出生前ステロイドは胎児肺におけるサーファクタント産生を増加させ[7]，脳・皮膚・消化管の成熟を促進させる．メタアナリシスではステロイド単回(1クール)投与群のコントロール群に対する双胎危険度は，新生児死亡率0.69(95%CI 0.58～0.81)，新生児呼吸窮迫症候群(respiratory distress syndrome：RDS)罹患率0.66(95%CI 0.59～0.73)，頭蓋内出血0.54(95%CI 0.43～0.69)，壊死性腸炎0.46(95%CI 0.29～0.74)，生後48時間以内の感染率0.56(95%CI 0.38～0.85)であり[8]，近年の超早産児の予後改善の一翼を担っていることは疑いがない．

なお，出生前ステロイド投与が，早産児の呼吸・循環などの安定・維持に寄与し，出生後週数間で起こりうる合併症のリスクを軽減することは間違いがないが，2クール以上の出生前ステロイドは胎児の成長を阻害し，出生時頭囲・体重を低下させることが報告され，わが国のガイドラインでは1クールのみの投与を推奨している[9]．なお，近年，出生前ステロイドによる児のHPA系および精神運動発達に対する悪影響を懸念する声も少なくないため，そのような報告についてまとめる．

a. 出生前ステロイドは出生後早期の児のHPA系を抑制する

出生前ステロイドが出生後早期の児のHPA系を抑制することは多数報告されており疑うことはできないが，その抑制は速やかに消失するとの報告も多い[10]．しかし，生後2週間におけるCRH負荷試験に対する反応性は，出生前ステロイドを受けた児では有意に劣っていることが報告されている[11]．

b. 出生前ステロイドは，児の成長後の精神機能に影響する可能性がある

Trautmanは，出生前ステロイドを受け満期に出生した児は，高率に情緒面の異常・社会的発達の遅れ・全般的な行動異常を発症する[12]と報告している．このような考えは新生児科医の間では一般的ではないが，心理学・精神医学の分野では注目を集めている．未熟な中枢神経系が多量のステロイドに曝露されると，海馬・前頭前野など記憶や高次脳機能を司る部位の神経細胞数・シナプス数が減少するといった動物実験の報告も多く，無視することはできないであろう．

5) 出生前ステロイドに関するまとめ

出生前ステロイドが早産児，とりわけ超早産児の呼吸機能をはじめ，種々の臓器の成熟を高め，出生後の

急性期合併症のリスクを低下させ，予後の改善に寄与していることは明らかである．一方で，HPA 系のみならず，長期の神経機能に影響する懸念が出てきたことも事実として受け止める必要がある．今後，出生前ステロイドの対象の適切な選択，投与量の検討，そして出生前ステロイドを受けた児のフォローアップ体制の確立などを考えてゆく必要があると考えられる．

❖ 文献

1) 中山智祥, 他：妊娠合併の Cushing 症候群　自験例副腎腺腫瘍1例と文献的考察―. 日内分泌会誌 68：1130-1149, 1992
2) 上田　建, 他：妊娠合併 Cushing 症候群に対し副腎摘除術後満期正常分娩に至った1例. 日泌会誌 89：678-681, 1998
3) 武田克之：妊娠とコルチコイドとの関係. 西日本皮膚科 36：186-90, 1974
4) Ost L, et al.：Prednisolone excretion in human milk. J Pediatr 106：1008-1011, 1985；
5) Hirvikoski T, et al.：Cognitive functions in children at risk for congenital adrenal hyperplasia treated prenatally with dexamethasone. J Clin Endocrinol Metab 92：542-548, 2007
6) 日本産婦人科学会, 他：産婦人科診療ガイドライン産科編 2011. 96-98, 2011
7) Liggins GC, et al.：A controlled trial of antepartum glucocorticoid treatment for prevention of the respiratory distress syndrome in premature infant. Pediatrics 50：515-524, 1972
8) Roberts D, et al.：Antenatal corticosteroids for accelerating fetal lung maturation for women at risk of preterm birth. Cochrane Database Syst Rev 3：CD 004454 (Meta-analysis), 2006
9) Crowther CA, et al.：Outcomes at 2 years of age after repeat dose of antenatal corticosteroids. N Engl J Med 357：1179-1189, 2007
10) Ballard PL, et al.：Steroid and growth hormone levels in premature infants after prenatal betamethasone therapy to prevent respiratory distress syndrome. Pediatr Res 14：122-127, 1980
11) Niwa F, et al.：Limited response to CRH stimulation tests at 2 weeks of age in preterm infants born less than 30 weeks of gestational age. Clin Endocrinol (Oxf) 78：724-729, 2013
12) Trautman PD, et al.：Effects of early prenatal dexamethasone on the cognitive and behavioral development of young children：results of a pilot study. Psychoneuroendocrinology 20：439-449, 1995

〈河井昌彦〉

新生児マススクリーニングシステム

1 先天性副腎過形成症

1) 新生児マススクリーニングの概念とわが国での歴史

新生児マススクリーニング（newborn screening：NBS）とは，知らずに放置すると，やがて重大な健康被害が生じるような疾患で，かつ発症前にみつけて治療介入すれば障害から免れられるような疾患を，発症前の新生児期に予防する公衆衛生事業である[1]．NBS はわが国で生まれたすべての新生児に対し，保護者の同意を得て行う．わが国の NBS は 1977 年から開始されたが，先天性副腎過形成症（congenital adrenal hyperplasia：CAH）は 1989 年から対象疾患となった[2]．NBS は当初は国の事業として開始されたが，2001 年から都道府県・政令指定都市の母子保健事業となっている．2018 年現在，CAH の NBS は 36 か国で行われている．また，17 か国では一部の地域のみで行われている[3]．

2) 目的

CAH を NBS で検出する目的は，早期発見治療により生命予後の改善をはかること，46,XX 児の外性器異常による法律上の性誤認を防ぐことである．上述の NBS の理念に合致したよい適応であると考えられる．CAH の原因として現在六つの疾患が知られているが，わが国では 21 水酸化酵素欠損症（21-hydroxylase deficiency：21OHD）が約 95% を占める．21OHD は塩喪失型，単純男性型，非古典型の病型に分類されるが，NBS の主目的は CAH の大多数を占める 21OHD のうち塩喪失型と単純男性型を検出することである．しかし，21OHD の非古典型や CAH をきたす他の疾患のうち P450 酸化還元酵素欠損症，11β 水酸化酵素欠損症，3β 水酸化ステロイド脱水素酵素欠損症も検出される場合がある．ただし，CAH をきたす疾患のうちリポイド副腎過形成症と 17α 水酸化酵素欠損症は検出できないことに注意が必要である．ごくまれに副腎癌も陽性として検出されることがある．

3) 有効性

NBS の対象となる前の 21OHD の発症頻度について Suwa は患者調査により，1/43,674 人程度と推定した[2]．NBS 開始後の頻度に関する報告は全国各地から行われており，その頻度は 1/19,000～20,000 人に 1 人となっている．諸外国の頻度は 1/14,000～18,000 と報告されており，大きな差はない．

NBS以前は臨床症状により診断されており，女児例の割合が多かったが，NBS実施後の男女比は1：1である．NBS導入前は女児では外性器が男性化するため診断に至るが，塩喪失症状をきたさない単純男性型の男児では見逃されていたことを示唆している．また，NBS導入前後とも塩喪失型が単純男性型よりも頻度が高いことから，塩喪失型の一部で原因不明の突然死とされていた例もあることが推測される[4]．

NBS以前の初診日齢の平均は，1981年の患者調査では塩喪失型で55[5]，1985年の患者調査では22であった[6]．NBS開始後1990〜1995年の全国調査では平均初診日齢は患者70人の追跡調査で14.6であった（NBS発見例49人で17.6，外性器異常などを主訴に受診した21人で7.4）[6]．2020年の報告では新潟県における塩喪失型の平均初診日齢は12.5[7]，東京都における報告では，初診日は日齢0〜6が26.3％，日齢7〜13が67.7％，日齢14〜20が6.1％，初診の平均日齢は男児で9.0，女児で6.2であった[8]．NBS導入はより早期の医療機関受診につながっており，NBSの有用性が高いことを示している．

NBSは，都道府県・政令指定都市の母子保健事業として実施されるため，費用—便益比も有効性の評価に重要である．久繁らによるわが国の検討ではCAHの純便益は2億円と報告されており[9]，この観点からもCAHをNBS対象とすることは有用であると考えられる．

4）実際の方法

NBSは定量性がある専用の濾紙を用いて行う．指定のスポットに血液を一滴滴下することと乾燥の際に水平に保つことが極めて重要であり，これらを怠ると検査の正確性に影響を与える．NBSの指標として17ヒドロキシプロゲステロン（17-hydroxyprogesterone：17OHP）を用いる．21水酸化酵素は17OHPから11デオキシコルチゾールに，プロゲステロンを11デオキシコルチコステロンに変換する反応を触媒する．欠損症では基質である17OHPが上昇するため指標として用いている．

一次検査は全血の17OHP濃度をenzyme-linked immunosorbent assay（ELISA）法で測定する直接法で，陽性となった場合の二次検査は抽出法で測定することがほとんどの自治体で行われている．抽出法は，エーテルで抽出した後にELISA法で測定するため交差反応するステロイドを減らすことができ，直接法よりも特異度は向上する．なお，カットオフ値は自治体により異なる．

5）現在の問題

a．NBSで偽陰性となる可能性

出生前にグルココルチコイド投与を受けている場合は17OHPが抑制されることに留意すべきであるが，投与を受けているのは低出生体重児に多く，この場合は，NBSで2回目の採血が行われるため問題となることは少ないと考えられる[3]．

b．NBS偽陽性となる場合

偽陽性は，上述の費用—便益比に悪影響を及ぼすのみでなく，「陽性」と判定された保護者に精神的な負担を強いることになる．特に，早産児・低出生体重児で偽陽性が多い．早産児では胎児副腎が残存しており，胎児副腎由来のステロイドが多量に分泌されている．これらはELISA法では，17OHPと交差反応を生じるため，NBSでの偽陽性の原因となる．また，低出生体重児では11β水酸化酵素活性が低く，17OHPが高値となりやすい．さらに，早産児・低出生体重児では様々なストレスにより，コルチゾール分泌が亢進しやすく，その中間代謝物である17OHP分泌も亢進することもNBSで偽陽性となることの要因と考えられる．偽陽性を減らす対策として，修正在胎週数別にカットオフ値を設定する[10]，出生体重別，在胎週数別のカットオフ値を設定する[11,12]ことを行っている自治体もあり，カットオフ値の変更により偽陽性率の低下が報告されている．

c．NBSの結果判明前に症状が出現する可能性

前述のように，NBS導入により医療機関への受診が早まったが，症例の回帰分析により塩喪失型では低ナトリウム血症（Na＜130 mEq/L）は日齢7までに出現するという報告[7]や，日齢11には出現するという報告[8]が国内から出されており，NBSの結果判明前に塩喪失症状が出現する可能性も考えられる．NBS陽性の場合は速やかに精査医療機関を受診する必要があることを産科や新生児を扱う機会のある小児科医に対して周知するとともに地域の受診体制を整えることが求められる．

d．21OHD塩喪失型，単純男性型以外のCAHの検出

NBSの主目的は21OHDの塩喪失型と単純男性型を検出することであるが，より軽症の非古典型も検出されることがある．また，CAHをきたす他の疾患が検出される可能性がある．11β水酸化酵素欠損症は，21水酸化酵素の代謝産物を基質とする11β水酸化酵素の異常により，その上流の17OHPが上昇する．P450酸化還元酵素欠損症は，21水酸化酵素や17α水酸化酵素の補酵素として働くP450酸化還元酵素の異常により

生じるが，21水酸化酵素の作用はある程度残存しているため17OHPは上昇しない例や軽度上昇にとどまる例もみられる．3β水酸化ステロイド脱水素酵素欠損症は17ヒドロキシプレグネノロンから17OHPへ変換する反応を触媒するII型3β水酸化ステロイド脱水素酵素の欠損による．17OHPが低下することが予想されるが，実際にはNBSで17OHP陽性となる例が存在する．末梢のアイソザイムにより蓄積した17ヒドロキシプレグネノロンから17OHPが生成されることや交差反応が機序として考えられるが詳細は未解明である．また，副腎癌も17OHP高値の原因となる場合がある．17OHP軽度高値が持続する場合はこれらの疾患に関する注意が必要である．

6) 今後の展望

ELISA法以外の免疫学的検査法を用いて17OHPを測定する方法が開発されている．このうち自動時間分解蛍光測定法（AutoDELFIA®）を用いてTSHと同時測定を行うことは，すでにいくつかの自治体でNBSに導入されている．また，TSHとFT$_4$も同時に測定するTriplex法の導入も検討されている[13]．いずれもELISA法と異なり，複数の項目を同時測定できるので効率がよい．

免疫学的検査法の弱点は17OHPと交差反応を示すステロイドホルモンの存在である．高速液体クロマトグラフィータンデム質量分析（liquid chromatography-tandem mass spectrometry：LC-MS/MS）法は，17OHPと免疫学的検査法で交差反応を示す他のステロイドホルモンを分離して測定できるため，精度が高く，一部の自治体で抽出法に変わり二次検査に導入されている．17OHPに加えコルチゾール，アンドロステンジオン，21デオキシコルチゾール（健常児では検出されないが，21水酸化酵素の活性が低下している場合に17OHPから生成される）を測定し指標とすることや11デオキシコルチゾール（21水酸化酵素により17OHPから生成される）と17OHPの比を用いることの有用性も報告されている[14,15]．どの指標を用いるのか，どの指標を組み合わせるのか，カットオフ値をどうするのかなどについては，統一された見解はない．

LC-MS/MS法の導入は分析コストや適切なカットオフ値の設定など，課題は多いが，二次検査の精度を上げるためにも今後，全国に広がっていくことが望まれる．

21OHDの原因遺伝子CYP21A2遺伝子変異をNBSの濾紙で解析することは技術的に可能であり，ホルモン検査と併用してNBSに用いることも検討されているが，NBS二次検査における有用性を評価した大規模な研究はない[3]．

●おわりに

NBSの精査目的で来院する保護者の不安は強い．特に来院するまでの不安が強いが，精査で疾患が否定された場合でも，「陽性」となった記憶が残存する．CAHのNBSは早期治療につながり有用性が高いが，低出生体重児を中心に偽陽性となることも多い．新しい技術や適切な指標・カットオフ値の導入により偽陽性者を減らすことが望まれる．

❖ 文献

1) 山口清次：新生児スクリーニングの概念と歴史．山口清次（編），よくわかる新生児マススクリーニングガイドブック．診断と治療社，2-3，2019
2) Suwa S：Nationwide survey of neonatal mass-screening for congenital adrenal hyperplasia in Japan. Screening 3：141-151, 1994
3) Speiser PW, et al.：Congenital adrenal hyperplasia due to steroid 21-hydroxylase deficiency：an endocrine society clinical practice guideline. J Clin Endocrinol Metab 103：4043-4088, 2018
4) 藤枝憲二：先天性副腎過形成症の新生児マススクリーニングの発展の歴史と現状．小児内科 33：1674-1678, 2001
5) 諏訪珹三，他：先天性副腎皮質過形成症の実態調査結果 第四編 主症状の検討．日小児会誌 86：2162-2167, 1982
6) 諏訪珹三，他：新生児期に発見された先天性副腎過形成症（21-水酸化酵素欠損）70例の追跡調査結果 第1編 治療開始前における臨床所見．日小児会誌 101：1149-1157, 1997
7) Shima R, et al.：Timing of hyponatremia development in patients with salt-wasting-type 21-hydroxylase deficiency. Clin Pediatr Endocrinol 29：105-110, 2020
8) Gau M, et al.：The progression of salt-wasting and the body weight change during the first 2 weeks of life in classical 21-hydroxylase deficiency patients. Clin Endocrinol (Oxf), 94：229-236, 2021
9) 久繁哲徳：マス・スクリーニングシステムのテクノロジー・アセスメントに関する研究．厚生省心身障害研究「マス・スクリーニングシステムの評価方法に関する研究」．平成5年度報告書：63, 1994
10) 山本仁美，他：平成元年度から平成25年度までの間に千葉県で出生した新生児を対象として実施した先天性副腎過形成症の検査結果についての検討．調査ジャーナル 6：44-48, 2017
11) 長崎啓祐，他：新潟県における21水酸化酵素欠損症スクリーニング20年間のまとめ．日本マス・スクリーニング学会誌 20：223-227, 2010
12) 橋本敦子，他：先天性副腎過形成新生児マススクリーニングにおける週数別判定基準の検討．日本マス・スクリーニング学会誌 27：277-281, 2017
13) 山岸卓弥，他：TSH，FT$_4$，17-OHPの多項目同時測定法導入に向けた検討．日本マス・スクリーニング学会誌 27：269-275, 2017
14) 山岸卓弥，他：高速液体クロマトグラフィータンデム質量分析法を用いた先天性副腎過形成症スクリーニングの

判定基準の検討. 日本マス・スクリーニング会誌 26：43-50, 2016
15) 磯部充久, 他：さいたま市における高速液体クロマトグラフィータンデム質量分析法を二次検査に用いた先天性副腎過形成症スクリーニングの実績. 日本マス・スクリーニング会誌 28：321-330, 2018

（沼倉周彦）

2 先天性甲状腺機能低下症

1) スクリーニング開始前の疫学

NBS 開始以前において, CH は, 遷延性黄疸, 便秘, 臍ヘルニア, 体重増加不良, 皮膚乾燥, 不活発, 巨舌, 嗄声, 四肢冷感, 浮腫, 小泉門開大, 甲状腺腫などの臨床症状から診断されていた. NBS 開始当初, その発症頻度は 1/6,000〜1/8,000 人程度とされていた[1,2]. 症状が非特異的であるため, 臨床症状からの早期発見は困難であり, 生後 1 か月までに診断されるのは約 10%, 3 か月以内は 35%, 1 歳までに 70%, ほぼ 100% が診断されるのは 3〜4 歳で, しばしば見逃し例も存在していた[1,2].

日本における NBS 開始前に臨床症状から発見された CH の IQ は, 治療後にもかかわらず IQ 75 未満の精神発達遅滞を示す症例が 43% を占め, IQ 90 以上を示すものは 33.3% で, 2/3 が種々の程度の精神遅滞を有していた[2]. さらに初診時年齢 3 か月未満では IQ 90 以上が約 60% を占めるが, 3 か月以降では IQ 90 以上の割合は 20〜30% であり, 以前は生後 3 か月以内に治療をはじめれば知能発達の予後はおおむね良好とされていた[2,3]. これらの成績から NBS による早期診断・早期治療の重要性が指摘されていた.

2) スクリーニングの歴史

a. 日本でのスクリーニングの歴史

ガスリー法によるフェニルケトン尿症の NBS を皮切りに, 乾燥濾紙血を用いた複数の先天代謝異常症スクリーニングが行われていた. 入江, 成瀬らが世界ではじめて濾紙血 TSH 測定を確立し, この方法を用いて 1979 年に世界ではじめて, 国家的なプロジェクトとして日本で CH スクリーニングが開始された. 1980 年代後半には高感度な ELISA 法が開発され, 広く NBS に利用されている. 現在, 日本では出生児のほぼ 100% が NBS を受検している. なお, 札幌市, 神奈川県, 山形県, 埼玉県・さいたま市, 岡山県・岡山市, 山口県, 香川県, 沖縄県などでは, TSH と FT_4 同時スクリーニングが行われている.

b. 諸外国の現状

1970〜1980 年代は, まず T_4 測定し 10〜20 パーセンタイル以下の場合に, TSH 値を測定する（primary T_4 with backup TSH）方法や TSH 値のみを測定する方法など様々であった. その後 TSH 値の測定が高感度になってからは, ほとんどの地域でまず TSH 値を測定する方法に切り替わっている. 2000 年代に入り各国で TSH 値のカットオフ値が引き下げられ（20〜25 μU/mL 以上から 5〜15 μU/mL 以上へ）, それに伴い CH の発見頻度が 2 倍程度増加している[4]. TSH 値のカットオフ値の引き下げにより, 正所性の軽症例または一過性 CH 例が増加し, 病型分類の頻度にも大きな変化をもたらしている[4].

3) スクリーニングの実際

a. スクリーニングの方法

原則としてすべての新生児に対して日齢 4〜6 に濾紙血を用いた TSH 測定によるスクリーニングを行っている. 新生児は生理的反応として, 寒冷刺激などにより生後 30 分くらいに一過性の TSH 上昇（TSH サージ）が起こり, 以後生後 3〜5 日にかけて TSH 値は徐々に低下し安定する. したがって, 早い日齢での検体採取は, TSH 偽高値の原因になる. 具体的な採血方法は, ランセットで足底の外縁部を穿刺し, 濾紙に直接滴下し, その後水平の状態で 2〜4 時間静置し, 室温で自然乾燥させて, 速やかに検査機関に郵送する.

b. 偽陽性や偽陰性

一度血液をつけたところに重ねて血液をつけた場合や裏表からつける（2 度づけ）と正確な定量検査ができなくなり, 偽陽性の原因になりうる. 同様に濾紙を垂直に立てて乾燥させた場合には, 血液濃度にむらができ, 偽陽性の原因になる. またヘパリン入り毛細管を使用すると多くの測定項目で低値となるとされており, 偽陰性の原因になる. また高温多湿の環境では, 測定物質が変性し偽陰性の原因になるとされている.

c. TSH 値のカットオフ値

濾紙血中の TSH 値の表示は, μU/mL of whole blood（全血値）であり, 通常の採血による血清 TSH 値とは異なることに注意が必要である. 全血値を, 血清中 TSH 値に換算するためには, ヘマトクリットによる補正が必要で, 全血値のおよそ 1.6 倍である. 初回採血検体で TSH 値が陽性基準（15〜50 μU/mL, 全血値）を上回った新生児は即精密検査と判定し, 各自治体で定められた精密検査医療機関で, 速やかに精査を行う. TSH が 7.5〜12 μU/mL から即精密検査基準未満の値の場合は 2 回目採血を初回採血医療機関に依頼し, 2 回目採血検体 TSH 値が 7.5〜12 μU/mL 以上の場合は精密検査対象者としている. 濾紙血 TSH 値のカットオフ値は, 自治体によって大きく異なっているため, 各地

域のカットオフ値を確認されたい．

d．TSHとFT₄の同時スクリーニング

TSHとFT₄同時測定では，原発性CHだけでなく中枢性CHの発見が可能である．札幌市や神奈川県からの報告では，15,000～30,000出生に1人の発症率とされている．同様にオランダから16,000出生に1人の発症率と報告されている．費用便益比に関しては，安達の試算では，現行のシステムにFT₄を加えた場合，費用の増加はおおむねFT₄測定の試薬費用のみに限られること，患者発生率の増加による便益の増加を勘案すると，費用便益比は4.96から3.82への変化にとどまり，十分に費用便益を満たしていると報告している[5]．今後，全国でTSHとFT₄の同時スクリーニングを行うか否かに関しては，さらなるエビデンスの蓄積が必要である．

e．スクリーニングで発見されないCH

1999年までの全国調査において，NBSで発見されなかったCHは，35例が報告されており，このような症例の頻度は75万人に1人以上で非常にまれと報告されていた．しかしCHの診断を契機に，同胞の甲状腺機能検査を行った報告では，複数の家系において軽症のCHが診断されており，NBSで発見されないCHはまれではないと考えられている[6]．NBSでは軽症のCHまたはTSH遅発上昇例（一部の甲状腺ホルモン合成障害など）は発見できない可能性があることを認識し，低身長や体重増加不良，精神発達遅滞などの症状を認める症例では，甲状腺機能検査を行うことが必要である．

4）早産児・低出生体重児の取り扱い

a．採血時期について

低出生体重児やNICU入院中の新生児では哺乳不良により採血日齢が大幅に遅れる場合があるが，CHのNBSは哺乳の影響を受けないので，可能な限り日齢4～6での採血を行うべきである．また早産児・低出生体重児（出生体重2,000g未満）の新生児については日齢4～6の1回目スクリーニングが正常であっても，2回目スクリーニングを①生後1か月，②体重が2,500gに達した時期，③医療施設を退院する時期のいずれか早い時期に行うことが推奨されている[7]．

b．TSH遅発上昇型CH

早産児・低出生体重児では，初回TSH値がカットオフ値以下であったにもかかわらず，のちにCHと診断されるTSH遅発上昇型CHが多いことが報告されている[8]．その発症頻度は1/100～1/400人程度と高率であり，その要因として視床下部―下垂体―甲状腺系のフィードバック機構の未熟性，ヨウ素曝露，ドパミンの使用，大量ステロイド投与などが考えられている．TSH遅発上昇型CHの多くは一過性とされているが，永続性の症例もあることから，たとえ初回TSH値が正常であっても，上記の時期に2回目採血を行うことが推奨されている．

c．ヨウ素含有消毒薬

早産児・低出生体重児に限らないが，周産期に使用されるヨウ素含有消毒薬が陽性率を高めることがわかっており，ヨウ素含有消毒薬の使用はNBSの立場からは可能な限り使用を控えていただきたい．

5）スクリーニング成績

a．CHの発見頻度

現在，各自治体により報告さているCHの発見頻度は年度，地域により様々である．また小児慢性特定疾病の登録数に関しても一部の症例しか登録されていないため，真のCH発見頻度は不明である．NBSによるTSH高値要精密検査者はおおよそ1/1,000人の頻度であり，このうち永続性CHは50%以下であり，真のCH発見頻度は1/2,500～1/3,500人と報告されている[9]．

b．身体発育／精神神経学的予後調査

適切な治療が行われれば，身体発育および精神運動発達ともに問題ない．わが国における1994～1999年に発見されたCH患児の全国追跡調査成績では，1～5歳の各年齢のDQ/IQは104.1～107.3と良好であった[10]．しかし，重症なCH患者では軽微な認知能や行動異常，注意欠陥の問題が青年期，成人期に存在すると報告されている．また注意欠陥の問題は，LT₄の初期の過剰投与と関連するとの報告[11]もあるが，結論は得られていない．

成人身長に関しては，2002年に小児慢性特定疾患治療研究事業に登録されている2,341例のCH患児の解析では，身長・体重ともに標準的であったと報告されている[12]．

c．生活の質（quality of life：QOL）／生殖能力

成人した日本人CH患者のQOLに関する調査では，健常対象と差がないと報告されている．またスクリーニング開始当初の女性が生殖年齢に達しているが，重症なCH女性では，生殖能力が健常女性に比較し低い可能性が報告された[13]．その後フランス全体のCHコホートをもとに，多数例におけるCH女性の妊娠転帰，LT₄治療の適切さ，妊娠中のLT₄の必要量が検討された．CH妊婦は妊娠合併症との関連が推測され，特に妊娠初期から中期にかけて，慎重に甲状腺機能のモニタリングをすることで，妊娠合併症を防げる可能性があると報告されている[14]．わが国での検討も必要な事項と考えられる．

❖ 文献

1) Delange F：Neonatal screening for congenital hypothyroidism：results and perspectives. Horm Res 48：51-61, 1997
2) 中島博徳, 他：本邦におけるクレチン症の実態調査成績（マススクリーニング以前）. 小児科 21：65-71, 1980
3) Klein AH, et al.：Improved prognosis in congenital hypothyroidism treated before age three months. J Pediatr 81：912-915, 1972
4) Ford G, et al.：Screening for congenital hypothyroidism：a worldwide view of strategies. Best Pract Res Clin Endocrinol Metab 28：175-187, 2014
5) 安達昌功：先天性甲状腺機能低下症（CH）のマススクリーニング―現在までの実績およびCH周辺疾患. 日本マス・スクリーニング学会誌 16：27-38, 2006
6) 長崎啓祐, 他：新生児マススクリーニングで発見されなかった家族性の先天性甲状腺機能低下症の4例. 日本マス・スクリーニング学会誌 18：69-72, 2008
7) 猪股弘明, 他：新生児マス・スクリーニングにおける低出生体重児の採血時期に関する指針. 日本マス・スクリーニング学会誌 16：6-7, 2006
8) Woo HC, et al.：Congenital hypothyroidism with a delayed thyroid-stimulating hormone elevation in very premature infants：incidence and growth and developmental outcomes. J Pediatr 158：538-542, 2011
9) Nagasaki K, et al.：Re-Evaluation of the Prevalence of Permanent Congenital Hypothyroidism in Niigata, Japan：A Retrospective Study. Int J Neonatal Screen 7：27, 2021
10) 猪股弘明, 他：クレチン症マススクリーニングの全国追跡調査成績（1994-1999年度）. 日本マス・スクリーニング学会誌 13：27-32, 2003
11) Bongers-Schokking JJ, et al.：Cognitive development in congenital hypothyroidism：is overtreatment a greater threat than undertreatment？ J Clin Endocrinol Metab 98：4499-4506, 2013
12) Sato H, et al.：Growth of patients with congenital hypothyroidism detected by neonatal screening in Japan. Pediatr Int 49：443-446, 2007
13) Hassani Y, et al.：Fecundity in young adults treated early for congenital hypothyroidism is related to the initial severity of the disease：a longitudinal population-based cohort study. J Clin Endocrinol Metab 97：1897-1904, 2012
14) Léger J, et al.：Pregnancy outcomes and relationship to treatment adequacy in women treated early for congenital hypothyroidism：a longitudinal population-based study. J Clin Endocrinol Metab 100：860-869, 2015

（長崎啓祐）

D 新生児医療と内分泌疾患

急性期離脱後循環不全（晩期循環不全）

1）概念

急性期離脱後循環不全は早産児晩期循環不全とも称される病態で, 2000年以降わが国において報告が急速に増えた早産児の合併症である[1]. 明確な定義は存在しないが, 出生後の循環動態が不安定な時期（早期新生児期）を乗り越え, 比較的全身状態が安定した時期を経た後に, 突然, 低血圧・低ナトリウム血症・浮腫などの症状を呈し, 乏尿（あるいは尿量低下）に陥る病態というのが一般的である. 低血糖症・高カリウム血症を呈するという報告もあるが, 呈さないという報告が多く, これらの所見は必須ではない. なお, 脱水・敗血症・壊死性腸炎・大量失血・症候性動脈管開存症など, 循環動態の急変を説明しうる明らかな直接病因がある場合は, 通常, 晩期循環不全とはよばない. 治療に関しては, 容量負荷・カテコラミン投与に反応せず, グルココルチコイド投与に反応する例が多く, これら治療に対する反応性を含めて, 晩期循環不全と考えることが多い.

わが国での発症頻度は, 極低出生体重児（出生体重1,500 g未満）の6.3％だが, 超低出生体重児（1,000 g未満）では11.6％, 出生体重1,000～1,500 gの児では1.9％と, 児の未熟性が高いほど発症リスクが高い[2].

2）病態

晩期循環不全の病態はいまだ解明されていない. しかし, 当初より, 比較的少量のコルチコステロイド（ヒドロコルチゾン 0.5～2 mg/kg/回）が著効する症例が多いことから, 相対的副腎不全の関与が強く疑われており, それを証明しようとした報告がいくつかある. Masumotoらは, 晩期循環不全症例において, 3β水酸化ステロイド脱水素酵素（3βHSD）酵素反応の上流物質が増加している症例を報告し[3], これらの症例では副腎皮質の3βHSD活性が低いためコルチゾールの産生能が弱く, コルチゾール必要量が増大したときに, 相対的副腎不全に陥ると報告している. 一方, 晩期循環不全の発症には中枢性副腎機能低下すなわち, ACTH分泌不全が関与していうという報告もある[3,4].

なお, わが国でこのように, 早産児における相対的副腎不全によると考えられる循環不全の存在が注目されているが, 欧米からのこれまでの報告によると, 出生後の視床下部－下垂体－副腎皮質系（HPA系）の成熟は早く, たとえ超早産児でも生後2週以降にはHPA系は確立するとされてきた[5]. しかし, 最近の検討では, 極低出生体重児の生後2週におけるCRH負荷試験に対する反応性は, 修正満期の児に比較して有意に劣っていることが明らかであり, この時期に相対的副腎不全の発症が多発することは早産児の副腎機能の未熟性に起因する可能性が高いと考える[6]. 加えて, 晩期循環不全・慢性肺疾患（chronic lung disease：CLD）の急性増悪など臨床的に相対的副腎不全に陥っている

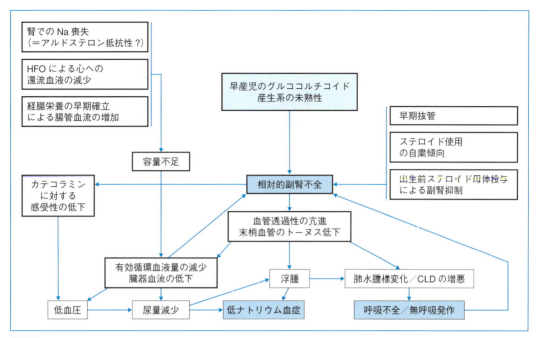

図12 晩期循環不全の病態生理仮説
CLD：chronic lung disease（慢性肺疾患），HFO：high frequency oscillation（高頻度振動換気）
〔河井昌彦：新生児内分泌マススクリーニングに関連した最近の話題－早産児の晩期循環不全－．ホルモンと臨床56：949-954，2008より引用一部改変〕

早産児のCRH負荷試験に対する反応性は健常早産児に比して有意に低下していることも報告されている[7]．

なお，早産児晩期循環不全の病態は図12[8]に示したように，早産児の未熟性（グルココルチコイド産生系の未熟性および腎尿細管のアルドステロン抵抗性）に，近年の早産児医療のトレンド〔早期の人工呼吸器離脱，高頻度振動換気（high frequency oscillation：HFO）による呼吸管理，経腸栄養の早期確立，出生前ステロイド母体投与の普及，ステロイド使用の自粛傾向など〕が加わって形成されており，近年，晩期循環不全が増加しているものと考えられる[9]．

なお，HFOは胸腔内圧を高く維持するため，心臓に還流する血液量を減じる．経腸栄養の早期確立は，経静脈的なNa投与量の減少をまねくとともに，腸管血流を増やすことによって，他の重要臓器への血流低下をまねく．以上のような要因が循環不全をまねくと考えられている．

3）臨床症候

急性期を離脱し呼吸循環が安定した時期を経て，突然生じる「血圧低下・浮腫・尿量低下」が主症状である．呼吸状態の不安定化（酸素必要量の増加や無呼吸発作の増大）を伴うことも多い．

4）診断

現時点で確立した診断基準はなく，表7[10]のような所見から暫定的に診断し，比較的少量のステロイドが有効であることから，ステロイド療法に対する反応性も含めて最終的な臨床診断とするのが一般的である．

なお，比較的少量のステロイドが著効することが特徴の一つであることは繰り返し述べたが，ステロイド治療に抵抗する難治例を，別の病態と捉えるか，あるいは本病態の重症型と考えるかについての定説はない．

5）治療

急性期（生後早期）の難治性低血圧と同様に[11～14]，治療の主体はステロイド療法である．

診断確定前には，容量負荷・カテコラミン投与を試みることが多いが，多くはこれらの治療に抵抗する．次のステップとして，少量のヒドロコルチゾン（0.5～2 mg/kg/回）の投与を試みる．多くはこれに反応し，血圧上昇がみられるが，反応は一過性であることも多いため，このような場合は6～12時間後（多くは6～8時間後）に再投与を行う．最近は，循環不全の発症からなるべく時間をおかず，早期にステロイドを投与開始することが，治療効果・予後の改善に重要との考えが広まりつつある．無効例に対しては，バゾプレシンが有効との報告もあるが，バゾプレシンの使用に関してはいまだ確立するには至っていない．

ヒドロコルチゾンのみならず，デキサメタゾンに

Ⅱ 各 論

表7 晩期循環不全の診断基準

1）生後数日以上を経過し
2）呼吸循環動態が落ち着いた時期が存在した後に
3）明らかな誘因なく（注1）
4）血圧低下 and/or 尿量減少を認め
5）カテコラミン and/or ステロイドによる昇圧治療を要した症例（注2）
　（注1）明らかな誘因とは，失血・敗血症・症候性動脈管開存症・脳室内出血・壊死性腸炎など循環動態に直接影響する病態を指し，これらを除外することが重要である
　（注2）これまで，診断基準にステロイドの反応性を明記したものはないが，容量負荷のみで改善する症例は急性期離脱後循環不全に含めるべきではなく，これを除外する意味で書き加えた
上記のほか，診断の補助となる所見として，以下の所見もあげられる
1）胸部X線上の hazy lung 所見，および呼吸状態の悪化
2）超音波にて臓器血流の悪化
3）低ナトリウム血症（とりわけ，Na投与にもかかわらず進行する低ナトリウム血症）

［河井昌彦：早産児晩期循環不全の診断．新生児内分泌研究会（編），新生児内分泌ハンドブック．改訂第3版，メディカ出版，239，2020 より一部改変］

よっても症状の改善がみられたとの報告もあり，治療の本質はミネラルコルチコイド作用ではなく，グルココルチコイド作用によると考えられるが，デキサメタゾンはヒドロコルチゾンに比して，神経系への障害のリスクが高いと考えられることもあわせて，本病態に対するステロイド療法はヒドロコルチゾンを第一選択薬とすべきである．

6）管理と予後

早産児において頻度の高い状態であり，早産児を管理する際には常にその発症を念頭においておく必要がある．何となく元気がない，無呼吸の頻度が増えた，経皮酸素飽和度の低下が増えた，浮腫んできた，尿量が少し減っているといったことがないか，常に気を配る必要がある．また，遷延する低ナトリウム血症も重要な所見のひとつであり，このような変化がみられる場合には，胸部X線・超音波検査で循環の評価を行う．対処すなわち，グルココルチコイドの投与が遅れると，重篤な循環不全が脳室周囲白質軟化症を惹起し，脳性麻痺に直結することもあるため，早期診断治療が重要である．

7）最新の知見

晩期循環不全はわが国では注目度の高い状態だが，欧米からの報告はなく，欧米ではその存在を否定する意見もあった．しかし，2020年 Marinelli らは米国における晩期循環不全の報告を行い，これまで見落とされていた可能性があると記載されている[15]．

❖ 文献

1) 長崎理香，他：突然の低血圧，急性腎不全の後，PVL を発症した高低出生体重児の2例．第9回東海新生児研究会抄録集．2000
2) Kawai M, et al.：Nationalwide surveillance of circulatory collapse associated with levothyroxine administration in very-low-birthweight infants in Japan. Pediatr Int 54：177-181, 2012
3) Masumoto K, et al.：Comparison of serum cortisol concentrations in preterm infants with or without late-onset circulatory collapse due to adrenal insufficiency of prematurity. Pediatr Res 63：686-690, 2008
4) 山田恭聖，他：ヒト CRH 負荷試験を施行した超早産児急性期離脱後の低血圧症3例の内分泌学的検討．日本周産期・新生児学会誌 40：329，2004
5) Ng PC, et al.：The pituitary-adrenal responses to exogenous human corticotropin-releasing hormone in preterm, very low birth weight infants. J Clin Endocrinol Metab 82：797-799, 1997
6) Niwa F, et al.：Limited response to CRH stimulation tests at 2 weeks of age in preterm infants born at less than 30 weeks of gestational age. Clin Endocrinol(Oxf)78：724-729, 2013
7) Iwanaga K, et al.：Corticotrophin-releasing hormone stimulation tests for the infants with relative adrenal insufficiency. Clin Endocrinol(Oxf)87：660-664, 2017
8) 河井昌彦：新生児内分泌マススクリーニングに関連した最近の話題―早産児の晩期循環不全―．ホルモンと臨床 56：949-954，2008
9) Kusuda S, et al.：Trends in morbidity and mortality among very-low-birth-weight infants from 2003 to 2008 in Japan. Pediatr Res 72：531-538, 2012
10) 河井昌彦：早産児晩期循環不全の診断．新生児内分泌研究会（編），新生児内分泌ハンドブック．改訂第3版，メディカ出版，239，2020
11) Ng PC, et al.：Refractory hypotension in preterm infants with adrenocortical insufficiency. Arch Dis Child Fetal Neonatal Ed 84：F122-124, 2001
12) Ibrahim H, et al.：Corticosteroids for treating hypotension in preterm infants. Cochrane Database SysRev CD003662, 2011
13) Pignotti MS, et al.：Perinatal care at the threshold of viability：an international comparison of practical guidelines for the treatment of extremely preterm births. Pediatrics 121：e193-198, 2008
14) Stoll BJ, et al.：Neonatal outcomes of extremely preterm infants from the NICHD Neonatal Research Network. Pediatrics 126：443-456, 2010
15) Marinelli KC et al.：Clinical risk factors for the development of late-onset circulatory collapse in premature infants. Pediatr Res

(河井昌彦)

2 早産児低サイロキシン血症

1) 定義・概念

血清 T_4 値は在胎週数が短いほど低値をとる[1]. とりわけ, 超早産児あるいは極低出生体重児では, 生後1〜2週に FT_4 値はしばしば著しい低値をとるが, このとき TSH は上昇せず, FT_4 値はその後自然に上昇する. この病態を早産児一過性低サイロキシン血症(transient hypothyroxinemia of prematurity: THOP)とよぶ[2].

2) 病因・病態

現時点で, いまだ病因は解明されておらず, 以下の二つの対立した考えがある.

a. 視床下部-下垂体-甲状腺(HPT)系の未熟性

早産児で T_4 が低値となるのは, 母体・胎盤から切り離され十分な T_4 産生ができない, ヨウ素の過不足, ドパミンなど甲状腺ホルモン産生を抑制する薬剤の影響によるものであろう. 加えて, 低サイロキシン血症にもかかわらず TSH の上昇を認めないのは HPT 系の未熟性による. すなわち, 本来高 TSH 血症になるべきだが, 未熟性ゆえに TSH が低値にとどまってしまうという考えであり, この考えに基づくと, 低サイロキシン血症に対しては甲状腺ホルモン薬の投与が必要となる.

b. non-thyroidal illness

胎児は低サイロキシン血症が生理的である. 出生後環境は変わるが, 生後数週間の早産児はいまだ基礎代謝も低く, 栄養も不十分なので, 低サイロキシン血症が児にとって望ましいと考えられる. THOP が好発する極低出生体重児の生後2週に行った TRH 負荷試験から, この時期すでに HPT 系は確立しており, TSH の基礎値高値(>10 U/mL)が TRH 負荷試験の過剰反応と有意に相関することが報告されており[3], これは, 早産児においても TSH が信頼のおけるマーカーとなることを意味している. この考えに基づくと, TSH 高値を伴わない低サイロキシン血症すなわち THOP に甲状腺ホルモン薬の投与は不要ということになる.

この考えは, THOP 児に甲状腺ホルモン薬を投与すると, 血清 TSH 値が過度に低下するという事実とも合致する[4].

3) 臨床症候

明らかな甲状腺機能低下症状を欠くのが本病態の特色であるが, 早産児の急性期〜亜急性期には, 腹部膨満・消化管蠕動運動の低下・活動性の低下・浮腫などは一般的に生じることもあるため, 臨床症状からの鑑別はむずかしいこともある.

4) 診断と検査法

早産児では, T_4 結合蛋白が少ないといった原因で, 免疫抗体法で測定すると FT_4 偽低値をとることもあり, 正確に測定するには平衡透析法が必須とされている[5]. しかし, 国内で平衡透析法が可能な検査機関は存在せず, 免疫抗体法による測定しかできないのが現状である. このため, 血清 TSH の測定が最も信頼のおける指標となる. TSH 高値であれば, 先天性甲状腺機能低下症と考えるべきことはいうまでもない. 低サイロキシン血症に加えて TSH が正常域にある場合, THOP と考えるのが一般的である.

TRH 負荷試験が診断の一助となると報告されているが, TRH 負荷試験の意味するところは, 極低出生体重児においても少なくとも生後14日以降は TSH 基礎値が信頼に足る指標だということであり[3], 必ずしも TRH 負荷試験を行う必要はないであろう.

5) 治療法

現在, わが国では THOP が non-thyroidal illness によるとの考えを支持する意見が優勢であり, 少なくとも T_4 低値のみをもって甲状腺ホルモン補充を行うべきではないとの考えが主流である. 加えて, THOP に対する甲状腺ホルモン補充療法開始によって晩期循環不全を生じたという報告も多数あり[6,7], 漫然と甲状腺ホルモン薬投与を開始することは避けるべきである. とりわけ, 甲状腺ホルモン薬開始から2週間程度は晩期循環不全の発症の有無を注意深く観察する必要がある.

ただし, FT_4 が著しく低値である(たとえば感度以下), 消化管蠕動運動の低下が甲状腺機能低下とかかわっている可能性が否定できないなどの状況においては, 5 μg/kg 程度の LT_4 の投与を試みることは許容されるであろう. この場合, 晩期循環不全の発症に十分な注意を払うとともに, 過度な TSH の抑制がないか TSH 値の推移にも留意すべきである. TSH が正常域(0.5〜5.0 U/mL)にある限り, 児にとって少なくとも悪いことはしていないはずだが, TSH の異常低値に曝すことは, 児の発達に負の影響をもたらす危険があるのではないかと考えている.

6) 管理と予後

早産児の低サイロキシン血症が予後不良と関連するという報告は少なくないが, 甲状腺ホルモン薬の投与がその予後を明らかに改善したという報告もない. これは, 未熟性が高いほど血清 T_4 が低値であること, 未熟性の高い児ほど予後が不良であることを反映しているのであろう. しかしながら, 未熟性による発達の障害が, 甲状腺ホルモンを投与することで軽減されるこ

とはないということではなかろうか.
　最後に，早産児の場合，高 TSH 血症を伴わない低サイロキシン血症は一般にホルモン補充療法不要という原則は間違いがないが，症例によっては画一的な診断はむずかしいこともあり，症例ごとの対応が望まれる.

7）最新の知見

　2020 年，THOP 児が TRH 負荷試験に遷延過剰反応すること，THOP 児の rT_3 値は低値であり，末梢レベルでの T_4 の不活化はみられないことが報告された．このことは，THOP 児における HPT 系の抑制が視床下部レベルで生じていることを示している．non-thyroidal illness では末梢レベルにおける T_4 抑制が広く知られているが，視床下部での抑制が著しく，T_4 産生が著しく抑制されている場合には末梢の抑制が生じないこともあるため，この結果は non-thyroidal illness に矛盾はしない[8]．ただし，THOP が真に non-thyroidal illness かについては，さらなる検討が必要である.

❖ 文献

1) Adams LM, et al.：Reference ranges for newer thyroid function tests in premature infants. *J Pediatr* 126：122-127, 1995
2) Fisher DA：Hypothyroxinemia in premature infants：is thyroxine treatment necessary? *Thyroid* 9：715-720, 1999
3) Niwa F, et al.：Hyperthyrotropinemia at 2 weeks of age indicate thyroid dysfunction and predict the occurrence of delayed elevation of thyrotropin in very low birth weight infants. *Clin Endocrinol*(*Oxf*)77：255-261, 2012
4) 河井昌彦，他：早産児の低サイロキシン血症に対する補充療法前後での甲状腺機能の変化に関する検討．日本周産期・新生児医学会雑誌 44：1192-1196，2008
5) Deming DD, et al.：Direct Equilibrium Dialysis Compared with Two Non-dialysis Free T4 Methods in Premature Infants. *J Pediatr* 151：404-408, 2007
6) Takizawa F, et al.：Two preterm infants with late onset circulatory collapse induced by levothyroxine sodium. *Pediatr Int* 52：e154-e157, 2010
7) Kawai M, et al.：Nation-wide surveillance of circulatory collapse associated with levothyroxine administration in very-low-birth-weight infants in Japan. *Pediatr Int* 54：177-181, 2012
8) Yamamoto A, et al.：Response of preterm infants with transient hypothyroxinemia of prematurity to the thyrotropin-releasing hormone stimulation test is characterized by a delayed decrease in thyroid stimulating hormone after the peak. *Clin Endocrinol*(*Oxf*)93：605-612, 2020

（河井昌彦）

3　新生児甲状腺機能亢進症

1）定義・概念

　甲状腺機能亢進症をきたす遺伝子の異常に基づく先天性の甲状腺機能亢進症を指す．原因としては TSH 受容体遺伝子(TSHR)の機能獲得変異による[1]．これは常染色体顕性遺伝形式の非自己免疫性先天性甲状腺機能亢進症を引き起こす[2,3]．多くのホルモン受容体である G 蛋白質共役型受容体において細胞内シグナル伝達を担う $G_sα$ 蛋白遺伝子(GNAS)の機能獲得変異による[4]，McCune-Albright 症候群に伴うものである[5,6]．
　本項では母体由来の甲状腺ホルモン過剰による新生児の甲状腺中毒症や母体由来の自己抗体による新生児 Basedow 病は含まない．

2）病因・病態（図13）

　TSH 受容体は G 蛋白質共役型 7 回膜貫通受容体ファミリーに属し，TSH が TSH 受容体に結合すると構造変化が起き，G 蛋白が活性化される．活性化された G 蛋白がセカンドカスケードとしてアデニル酸シクラーゼが活性化することでセカンドメッセンジャーの cAMP の産生の増加がみられる．また，ホスファチジルイノシトール 3 (phosphatidylinositol-3：PI3) キナーゼなどホスファチジルイノシトール 2 リン酸 (phosphatidyli-nositol biphosphate：PIP_2) 系を活性化して甲状腺細胞の分化，増殖および甲状腺ホルモン合成・分泌が亢進される[7,8]．TSHR の機能獲得変異も GNAS の機能獲得変異もこの経路を活性化するので同様に新生児期からの甲状腺機能亢進症を起こしうる．TSHR の機能獲得変異は甲状腺機能にしか影響を及ぼさないのに対し，GNAS の機能獲得変異は他の G 蛋白質共役型受容体に影響を及ぼすため，様々な症状をきたす．
　非自己免疫性(先天性)甲状腺機能低下症(OMIM 609152)は TSHR の機能獲得型変異により発症する常染色体顕性遺伝疾患である[1]．
　McCune-Albright 症候群(OMIM 174800)は GNAS の胎児期の接合後に生じる機能獲得変異の体細胞モザイクによる．皮膚，骨格，内分泌系の異常を伴う[4]．

3）臨床症状

　臨床像はどちらも個人差があるが，新生児期より発症する例は頻脈，多呼吸など甲状腺亢進症状と甲状腺腫を認める．一般に眼球突出は認めない[9,10]．出生児は明らかでないが，徐々に発症するものまで個人差がある．McCune-Albright 症候群に伴うものも治癒するものから難治のものまであり，新生児期より Cushing 症候群を伴うものでは重篤になることがある[10]．新生児発症例では肝機能障害や心不全を伴うことも多い[11]．これは，胎生期の体細胞変異であり，変異を有した細胞の分布により，McCune-Albright 症候群三主徴(皮膚カフェオレ斑，線維性骨異形成症，ゴナドトロピン非依存性思春期早発症)以外の内分泌臓器の症状(甲状腺機能亢進症，Cushing 症候群，副甲状腺機能亢進症，

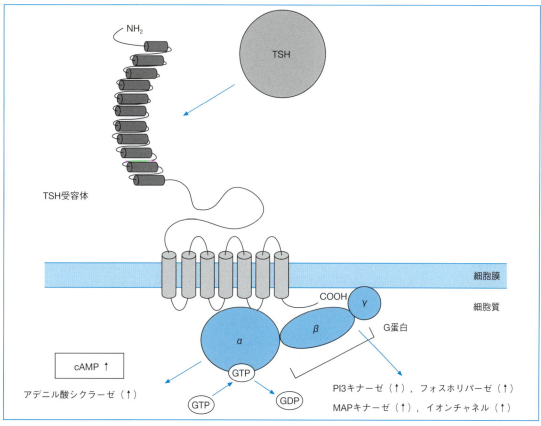

図13 TSH受容体とG蛋白
TSH受容体は7回膜貫通型受容体でTSHが受容体に結合すると受容体は構造変化を起こし，細胞質が細胞膜に結合している三量体G蛋白に対してグアニンヌクレオチド交換因子として働く．GDP型からGTP型に変換されたG蛋白質はアデニル酸シクラーゼを活性化させcAMPを増加させる．またPI3キナーゼやホスホリパーゼなどのPIP$_2$系の活性化も起こる．

下垂体性巨人症)を呈する．

4）診断と検査法

甲状腺機能検査，甲状腺超音波検査を行う．非自己免疫性先天性甲状腺機能亢進症は新生児期より甲状腺機能亢進を伴う．鑑別としては家族歴の聴取による鑑別が必要である．McCune-Albright症候群は皮膚の母斑や副腎機能など随伴する所見により鑑別を行う．また，母体のBasedow病などによる甲状腺中毒症状や移行抗体による新生児Basedow病の鑑別が必要である．また，甲状腺ホルモン不応症(Refetoff症候群)も重症例の場合FT$_3$，FT$_4$の著しい上昇がみられる[12]．しかし甲状腺ホルモン不応症の場合TSHの抑制がみられないことで鑑別ができる．

非自己免疫性先天性甲状腺機能亢進症においてはTSHR遺伝子の解析で診断ができるが，McCune-Albright症候群の場合は胎生期の体細胞変異によるモザイクのため末梢血リンパ球からの遺伝子診断ができないことが多いため臨床的所見より診断を進める．

5）治療法

非自己免疫性先天性甲状腺機能亢進症およびMcCune-Albright症候群に伴う甲状腺機能亢進症ともに，抗甲状腺薬による効果が十分得られないため，外科的な治療や時に放射線治療が必要になる[10,13]．McCune-Albright症候群においては他のホルモンの異常を伴うことも多く，症状により全身管理が必要になることもある．

6）管理と予後

非自己免疫性先天性甲状腺機能亢進症において，新生児期より甲状腺機能亢進を呈する症例は発達の遅れを呈することが多い[14]．また，常染色体顕性遺伝形式をとるため，家族の遺伝カウンセリングが必要となる[15]．McCune-Albright症候群に伴うものは症状の程度や随伴する内分泌疾患の有無により予後が異なる．新生児期より難治性のCushing症候群を併発する症例では予後不良例(死亡)の報告がある[10]．

文献

1) Kopp P, et al.：Brief report：congenital hyperthyroidism caused by a mutation in the thyrotropin-receptor gene. *N Engl J Med* 332：150-154, 1995
2) Hollingsworth DR, et al.：Hereditary aspects of Graves' disease in infancy and childhood. *J Pediatr* 81：446-459, 1972
3) Thomas JS, et al.：Familial hyperthyroidism without evidence of autoimmunity. *Acta Endocrinol*(*Copenh*)100：512-518, 1982
4) Weinstein LS, et al.：Activating mutations of the stimulatory G protein in the McCune-Albright syndrome. *New Eng J Med* 325：1688-1695, 1991
5) McCune DJ, et al.：Progress in pediatrics：osteodystrophia fibrosa. *Am J Dis Child* 54：806-848, 1937
6) Albright F, et al.：Syndrome characterized by osteitis fibrosa disseminata, areas of pigmentation, and a gonadal dysfunction：further observations including the report of two more cases. *Endocrinology* 22：411-421, 1938
7) Spaulding SW：Biological actions of thyrotropin. In：Braverman LE, et al.(eds), *Werner and Ingbar's The Thyroid*. 9th ed, Lippincott Williams & Wilkins, Philadelpiha, 183-197, 2005
8) Narumi S, et al.：TSH resistance revisited. *Endocr J* 62：393-398, 2015
9) de Roux N, et al.：A neomutation of the thyroid-stimulating hormone receptor in a severe neonatal hyperthyroidism. *J Clin Endocrinol Metab* 81：2023-2026, 1996
10) Corsi A, et al.：Neonatal McCune-Albright Syndrome：A Unique Syndromic Profile With an Unfavorable Outcome. *JBMR Plus* 3：e10134, 2019
11) Lourenço R, et al.：Neonatal McCune-Albright syndrome with systemic involvement：a case report. *J Med Case Rep* 9：189, 2015
12) Maruo Y, et al.：Successful every-other-day liothyronine therapy for severe resistance to thyroid hormone beta with a novel THRB mutation；case report. *BMC Endocr Disord* 16：1, 2016
13) Merchant N, et al.：McCune-Albright Syndrome With Unremitting Hyperthyroidism at Early Age；Management Perspective for Early Thyroidectomy. *Glob Pediatr Health* 6：2333794X19875153, 2019
14) Cho WK, et al.：Nonautoimmune congenital hyperthyroidism due to p. Asp633Glu mutation in the TSHR gene. *Ann Pediatr Endocrinol Metab* 23：235-239, 2018
15) Thomas JS, et al.：Familial hyperthyroidism without evidence of autoimmunity. *Acta Endocrinol*(*Copenh*)100：512-518, 1982

〔丸尾良浩〕

4 新生児に対するステロイドホルモン治療

新生児とりわけ早産児はステロイド療法を要する機会が多い．早産児では副腎皮質ホルモン産生機構が未熟であるために，ストレスがかかった際に十分なステロイドホルモンを産生する能力が不十分であり[1]，その結果，相対的副腎不全に陥りやすいためと考えられている．本項では，相対的副腎不全の関与が疑われている病態，すなわちステロイド療法の適応となる代表的な病態をあげ，ステロイド療法の功罪について述べる．

1) ステロイド療法の適応となる病態

a. 出生後早期のカテコラミン依存性低血圧症

血圧を維持するには，適切な心拍出量と末梢血管抵抗が必須である．また，心拍出量を規定する因子は循環血液量と心収縮力である．これらの因子のうち出生後早期の早産児において，問題が生じやすいのは，心収縮力の低下・末梢血管抵抗の低下であり，循環血液量の不足が生じることはまれであると考えられている．このような観点から，出生後早期の低血圧に対しては，心収縮力の増強・末梢血管抵抗の維持を目指す治療，すなわちカテコラミンの投与が理に適っているが，カテコラミンに抵抗する低血圧がしばしば経験される．このような際に選択されるのが，ステロイド療法であり，実際，ステロイドが奏効することが少なくない．

ステロイドは心収縮力を高め，末梢血管抵抗を上昇させる直接作用を有するとともに，カテコラミン感受性を高め，カテコラミンと共同して心収縮力の増加・末梢血管抵抗の上昇をもたらす作用も有している．相対的副腎不全のためにカテコラミン感受性が低下した症例ではカテコラミンによる昇圧作用が不十分であり，ステロイド療法によるカテコラミン感受性の回復が，本病態におけるステロイドの作用機序の一つとして重要だと考えられている．

b. 急性期離脱後循環不全（晩期循環不全）

本病態が，早産児の相対的副腎不全に対する関心を惹起した病態であるが，本病態におけるステロイド療法の有効性については本章D-1に記載したので，ここでは省略する．

c. CLD

出生後の呼吸機能の適応は，早産児治療の最も重要な領域の一つである．本病態に相対的副腎不全が関与しているか否かに関しては議論があるが，少なくとも，CLDの一部は相対的副腎不全と密接な関係にあるのではないかと考えられている．

早産児の呼吸障害に対するステロイド療法の有効性・合併症に関しては多数報告されており，メタアナリシスによる評価もほぼ確立している[2,3]．

①生後7日以内のステロイド療法

ステロイド療法はCLDを有する児の炎症を抑制し，早期の呼吸器離脱を可能にする作用が認められる．しかし，短期的合併症(高血圧・高血糖・消化管穿孔な

ど)のリスクを有意に上昇させることも明らかである[2]．また，2016年には，世界的な多施設共同研究で，生後早期の少量ヒドロコルチゾン投与が超早産児の気管支肺異形成(bronchopulmonary dysplasia：BPD)なき生存を有意に増すことが報告された[3]．

デキサメタゾンに関しては，脳性麻痺のリスクを有意に上昇させるため，これら長期・短期の合併症のリスクが利益を上回ると考えられ，生後7日以内のデキサメタゾン投与は推奨されない[2]．

一方，ヒドロコルチゾンに関しては，明らかに脳性麻痺などの長期の神経障害をまねくというデータは得られておらず，デキサメタゾンよりは長期の合併症のリスクが低いことが期待されるため，生後1週間以内にステロイド療法を必要とする場合は，ヒドロコルチゾンを第一選択とすべきであろう．

②生後7日以降のステロイド療法

ステロイド投与は，呼吸の改善に対する有効性を認める．一方，ステロイド投与は高血糖・高血圧・消化管穿孔・未熟児網膜症などの合併症のリスクを増大させることも明らかである．懸念される長期の発達予後に関しては，メタアナリシスではステロイド投与が明らかに神経学的予後を悪化させるという結果は得られなかった[4]．

すなわち，生後7日以降のステロイド投与に関しては，短期的な合併症のリスクは明らかだが，長期にわたる発達への影響は現時点では不明ということである．生後早期の使用同様，ヒドロコルチゾンのほうが安全性が高いとの報告も複数あるため，第一選択はヒドロコルチゾンとすべきと考えられるが，近年，デキサメタゾン使用を差し控える風潮が，CLDの重症化をもたらしていることを警告する論文[4]も発表されており，重症例においてはデキサメタゾンの使用をためらわないことも重要と考えられる．

d．その他

グルココルチコイドは，胎児が子宮外生活に適応する際に重要な役割をはたしている．具体的には，出生直前に生じるコルチゾールの急速な分泌増加(=コルチゾールサージ)は，肺サーファクタントの産生促進，肺液の吸収促進，動脈管のプロスタグランジン感受性を低下させ，その閉鎖を促進する作用，グリコーゲン合成の促進，甲状腺ホルモンの活性化，アドレナリンの分泌亢進など，様々な作用を有している．このため，ステロイド療法が動脈管の閉鎖を促進する，ステロイド投与が呼吸窮迫症候群の改善に寄与したとの報告も少数あるが，一般的な治療とはなっていない．

2) 新生児に対するステロイド療法の影響

ステロイド療法によるHPA系への影響は，成人では，1，2回のグルココルチコイドの投与でもHPA系の抑制は生じるが，短期間の治療では，投与中止後速やかに回復する．すなわち，量の多少にかかわらず1週間〜10日間の治療ではHPA系の回復は速やかであり，中止する際に漸減する必要はない．しかし，治療が10日以上に及ぶ場合はHPA系の回復には時間を要するため，漸減する必要があるとされている．これらの結論を新生児にも適用できる可能性もあるが，そのようなエビデンスはない．

ただし，本章B-4でも記したように，過剰なステロイドの曝露が長期に及ぼす影響については未知の部分がより多いため，慎重な検討が必要である．

3) 現時点での新生児に対するステロイド療法のまとめ

呼吸循環の問題など，早産児の予後を規定する重要な合併症の治療にステロイドは欠かせない．ただし，ステロイドの使用は，高血糖・高血圧・消化管穿孔といった重篤な短期合併症のリスクを伴うことは明白であり，慎重に適応を吟味することが求められる．しかし，急性期離脱後循環不全発症後に生じた脳室周囲白質軟化症(periventricular leukomalacia：PVL)などの神経学的病変や，デキサメタゾン使用を差し控える傾向により重症なCLD(=BPD)が増加していること[5]など，ステロイドの使用を躊躇することが予後不良に直結したという事例が多数報告されているのも事実である．一方，長期的な神経系に対する影響は，生後早期のデキサメタゾンでは明らかであるが，それ以外では，疑いはあるものの明らかなものはない．もちろん，これはステロイド療法の安全性を示すものではないが，ステロイド使用を避けることに腐心して，循環不全による神経系へのダメージ，あるいはCLDの重症化をまねき，生命を失ってしまっては取り返しがつかないのだということも忘れてはならない．このため，的確な診断，迅速なステロイド療法開始の判断が重要である．

❖ 文献

1) Niwa F, et al.：Limited response to CRH stimulation tests at 2 weeks of age in preterm infants born at less than 30 weeks of gestational age. Clin Endocrinol (Oxf) 78：724-729, 2013
2) Halliday HL, et al.：Early (<8 days) postnatal corticosteroids for preventing chronic lung disease in preterm infants. Cochrane Database Sys Rev CD001146, 2010
3) Baud O, et al.：Effect of early low-dose hydrocortisone on survival without bronchopulmonary dysplasia in extremely preterm infants (PREMILOC)：a double-blind, placebo-controlled,

multicentre, randomised trial. *Lancet* 387：1827-1836, 2016
4) Halliday HL, *et al.*：Late（＞7 days）postnatal corticosteroids for chronic lung disease in preterm infants. *Cochrane Database Sys Rev* CD001145, 2009
5) Yoder BA, *et al.*：Time-related changes in steroid use and bronchopulmonary dysplasia in preterm infants. *Pediatrics* 124：673-679, 2009

（河井昌彦）

5　未熟児代謝性骨疾患（未熟児骨減少症，未熟児くる病）

1）定義・概念

従来は未熟児くる病としてよく知られていたが，必ずしもくる病を呈さないため未熟児骨減少症といわれ，このような未熟性に伴う骨疾患を総称して未熟児代謝性骨疾患（metabolic bone disease of preterm infant：MBD）という[1]．

2）病因・病態

おもな病因は，Ca・Pの不足による．胎児期のCa，Pの蓄積は，約80％が妊娠第3三半期に起こるため，早期産児では，生来的にミネラル蓄積が少ない．さらに，出生後は高回転型の骨代謝であるため，ミネラル必要量が多いにもかかわらず，供給が不足するため，容易にミネラル欠乏状態に陥る．母乳栄養では，Caも不足するが，とりわけPの不足が顕著である．そのため，活性型ビタミンDが上昇し，骨融解による骨からのCa・Pの動員が起こる．しかし，Pの欠乏により骨化は進まず，Caは利用されず尿中に喪失する．そのため，血中Pは低値，血中Caは正常か高値，尿中P低値（P/Cr＜0.5），尿中Caは高値（Ca/Cr＞0.5），PTHは低値となる．ビタミンDの不足はあまり関与がないとされる．一方，未熟児用人工乳で栄養されている場合は，Caの吸収不良によって低カルシウム血症となり，PTHが上昇し，骨融解を起こすことがある．

3）臨床症候

症状としては，頭蓋癆，肋骨念珠，骨変形，骨折などがある．肋骨の異常により，呼吸障害や無気肺，肺炎を起こすこともある．長期化すると，歯牙発育遅延，低身長となることもある．

4）診断と検査法

症状が出現する前に，血清ALPの高値で発見されることが多い．ただし，亜鉛欠乏があるとALPが上昇しないこと，ALPの絶対値が重症度の指標にはならないことに注意が必要である．骨X線でのくる病変化は，進行後に認められるようになる．骨塩量の評価が有用とされ，未熟児でもdual energy X-ray absorptiometry（DXA）法や超音波を用いた方法が検討されつつある[2～5]．

5）治療法

ミネラル，特にPの欠乏によるものであるため，ミネラルの補給を十分行うことが予防・治療となる．母乳中のCa・Pの含有量はかなり低いので，極低出生体重児では，生後2週を過ぎたら未熟児用人工乳との混合栄養，あるいは母乳添加用粉末（HMS-1）を添加した母乳が勧められる．しかし，それでも必要量に及ばない場合がある．低リン血症が遷延する場合は，さらにPの添加を行う．ただし，同時にCa投与量が十分でないと，急速な骨石灰化の改善により，低カルシウム血症となることがある（hungry bones症候群）．

6）管理と予後

Caの過剰による高カルシウム尿症に注意しながら，これらを最低生後3か月あるいは退院まで継続する．ビタミンDは，未熟児用人工乳には十分含まれているので足す必要はないが，強化母乳では不足することもある．ただし，P欠乏の状態でビタミンDのみを投与すると，腸管Ca吸収の増加によりむしろ病態が悪化することもあるので避ける．未熟児用人工乳でも改善が得られず，血中25OHDの値が低い（＜6～10 ng/mL）ときは，ビタミンD欠乏と判断し，尿中Ca排泄量（Ca/Cr＜0.5になるよう）に注意しながら，アルファカルシドールを0.05～0.1 μg/kg投与する．その他，運動制限は骨塩量低下につながるため，他動運動を導入したり[6]，蛋白やエネルギー不足，ステロイド，利尿薬などの影響もあるのでそれらを考慮する必要がある．最近では輸血がリスクとなる可能性の報告がある[7]．

❖ 文献

1) 三浦文宏，他：未熟児代謝性骨疾患．周産期医学37（Suppl.）：744-748，2007
2) 塚原宏一：早産児の代謝性骨疾患．周産期医学35：1671-1679，2005
3) Rigo J, *et al.*：Reference values of body composition obtained by dual energy X-ray absorptiometry in preterm and term neonates. *J Pediatr Gastroenterol Nutr* 27：184-190, 1998
4) Figueras-Aloy J, *et al.*：Metabolic bone disease and bone mineral density in very preterm infants. *J Pediatr* 164：499-504, 2014
5) Rack B, *et al.*：Ultrasound for the assessment of bone quality in preterm and term infants. *J Perinatol* 32：218-226, 2012
6) Vignochi CM, *et al.*：Physical therapy reduces bone resorption and increases bone formation in preterm infants. *Am J Perinatol* 8：573-578, 2012
7) Avila-Alvarez A, *et al.*：Metabolic Bone Disease of Prematurity: Risk Factors and Associated Short-Term Outcomes. *Nutrients* 12：3786, 2020

（北中幸子）

6 新生児期に診断可能な小児内分泌疾患

母体の状態，新生児期にみられる臨床症状・検査値異常を端緒に診断可能と思われる疾患を列挙する．各疾患の詳細は，本書の該当する部分を参照されたい．

1）母体の状態から推測可能な疾患

a．母体糖尿病
糖尿病の母親から出生した児は，新生児高インスリン性低血糖症，生後2～3日以内に早発型低カルシウム血症および低マグネシウム血症になることがある．

b．母体甲状腺機能異常
母体にTSH受容体機能を抑制（または亢進）する自己抗体が存在する場合，新生児一過性原発性甲状腺機能低下症（または亢進症）になることがある．また，妊娠後期にコントロール不良であったBasedow病の母親から出生した児は，一過性中枢性甲状腺機能低下症になることがある．

c．母体副甲状腺機能異常
副甲状腺機能亢進状態の母親から出生した児は，新生児一過性副甲状腺機能低下症になることがある．逆に副甲状腺機能低下状態の母親から出生した児は，新生児一過性副甲状腺機能亢進症になることがある．

d．母体ビタミンD（vitamin D：Vit D）欠乏症
Vit D欠乏症の母親から出生した児は，生後3日以降に遅発型低カルシウム血症になることがある．低カルシウム血症になった児の血清25水酸化Vit D（25 hydroxyvitamin D：25OHD）濃度は低値であるが，血清25OHD濃度が同程度に低値でも血清カルシウム値は正常である児が存在し[1]，児の低25OHD血症と低カルシウム血症の因果関係は不明である．

2）新生児マススクリーニングで検出可能な疾患

a．高17ヒドロキシプロゲステロン（17 hydroxyprogesterone：17OHP）血症から疑われる疾患
21水酸化酵素欠損症，11β水酸化酵素欠損症，P450酸化還元酵素欠損症，II型3β水酸化ステロイド脱水素酵素（3β hydroxysteroid dehydrogenase：3βHSD）欠損症を疑う（II型3βHSD欠損症では，血中で増加した17ヒドロキシプレグネノロンが，末梢組織においてI型3βHSDの働きにより17OHPに変換されるため，マススクリーニング陽性となる）．

b．高TSH血症および低FT$_4$血症から疑われる疾患
高TSH血症が認められた場合，原発性甲状腺機能低下症と甲状腺ホルモン不応症を疑う．高TSH血症を伴わない低FT$_4$血症が認められた場合，中枢性甲状腺機能低下症を疑う．

3）臨床症状や検査値異常から推測可能な疾患

a．子宮内発育不全
胎児期にインスリンやIGF-Iのシグナルが伝わらない病態を想起する．一過性新生児糖尿病を呈する6番染色体異常症（6q24インプリント異常），IGF-I欠損症およびIGF-I不応症では，いずれも重度の子宮内発育不全を呈する．一方，ABCC8遺伝子やKCNJ11遺伝子の異常症（K$_{ATP}$チャネル性新生児糖尿病）の子宮内発育不全の程度は軽い．また，GH単独欠損症やGH不応症の症例の子宮内発育不全の程度も軽い（出生時体長はおおよそ一般集団の－1SD程度）．

b．外性器分化成熟異常
陰核肥大，小陰茎，尿道下裂，陰唇癒合，共通尿生殖洞などが認められた場合，性分化疾患（disorders of sex development：DSD）を考える．DSDは，性染色体DSD（Klinefelter症候群，混合性性腺異形成症など），46,XY DSD（SOX9遺伝子異常症，アンドロゲン不応症など），46,XX DSD（21水酸化酵素欠損症，P450酸化還元酵素欠損症など）の3群に分類される．

c．頻脈
甲状腺機能亢進症または甲状腺中毒症を疑う．前述のBasedow病の母体から出生した児であることがほとんどであるが，まれにTSH受容体の機能亢進変異（常染色体顕性遺伝）やGNAS1遺伝子の機能亢進型体細胞変異の症例であることがある．

d．遷延性黄疸
間接ビリルビン優位の黄疸が遷延する場合は甲状腺機能低下症を，直接ビリルビン優位の黄疸が遷延する場合はグルココルチコイド（glucocorticoid：GC）機能低下症を考える．

e．高ナトリウム血症
発熱を契機にみつかることがある．先天性腎性尿崩症を疑う．先天性中枢性尿崩症の新生児期での発症は少ない．

f．低血糖
インスリン過剰症またはインスリン拮抗ホルモン欠乏症を疑う．インスリン過剰症としては，ABCC8遺伝子異常症，KCNJ11遺伝子異常症，高アンモニア血症を伴うことが特徴的なグルタミン酸脱水素酵素異常症を考える．インスリン拮抗ホルモン欠乏症としては，GH機能低下症とGC機能低下症を考える．さらに，GH機能低下症では，GH分泌不全症とGH不応症を，GC機能低下症ではGC分泌不全症のうち原発性（先天性副腎低形成症，先天性副腎過形成症，ACTH不応症など）と二次性（ACTH分泌不全症など）を鑑別する．

GC抵抗症は極めてまれである．なお，IGF-Ⅰ欠損症やIGF-Ⅰ不応症では低血糖は認められない．

g. 高血糖

医原性の原因が否定された場合には，新生児糖尿病（neonatal diabetes mellitus：NDM）を疑う．スルホニル尿素（sulfonylurea：SU）薬の適応となるK_{ATP}チャネル性NDMの診断時期の四分位範囲は6.1～18.3週とされており[2]，新生児期に診断されるNDMがK_{ATP}チャネル性NDMである可能性は低い．

h. 低カルシウム血症

生後48時間以降に低カルシウム血症がみられた場合には，Vit D欠乏症や副甲状腺機能低下症を考える．新生児期に発症する副甲状腺機能低下症には，副甲状腺形成異常，PTH遺伝子異常症，一過性新生児PTH不応性，22q11.2欠失症候群，HDR（hypoparathyroidism with sensorineural deafness and renal dysplasia）症候群，HRD（hypoparathyroidism retardation dysmorphism）症候群，カルシウム感受性受容体遺伝子の機能亢進型変異などが知られている．偽性副甲状腺機能低下症例が新生児期に低カルシウム血症を呈することはまれである．

i. 高カルシウム血症

Vit D過剰症や副甲状腺機能亢進症（新生児重症原発性副甲状腺機能亢進症など）を疑う．

j. その他

小陰茎は，DSDのほかに，先天性GH機能低下症やKallmann症候群でも認められる．

11β水酸化酵素欠損症や17α水酸化酵素/17,20リアーゼ欠損症では，通常新生児期には高血圧は認められない．11β水酸化酵素欠損症では例外的に高血圧が認められた新生児例の報告がある[3]．

❖ 文献

1) Yilmaz B, *et al.*：Vitamin D levels in newborns and association with neonatal hypocalcemia. *J Matern Fetal Neonatal Med* 31：1889-1893, 2018
2) Letourneau LR, *et al.*：Diabetes presentation in infancy：High risk of diabetes ketoacidosis. *Diabetes Care* 40：e147-e148, 2017
3) Mimouni M, *et al.*：Hypertension in a neonate with 11 beta-hydroxylase deficiency. *Eur J Pediatr* 143：231-233, 1985

❖ 参考文献

- Brown Z, *et al.*：Maternal diabetes. In：Gleason CA, *et al.*（eds）, *Avery's Disease of the Newborn E-book*. 10th ed., Elsevier, Philadelphia, 320-355, 2018
- 日本新生児成育医学会（編）：新生児学テキスト．メディカ出版，2018
- Werny D, *et al.*：Disorders of carbohydrate metabolism. In：Gleason CA, *et al.*（eds）, *Avery's Disease of the Newborn E-book*. 10th ed., Elsevier, Philadelphia, 3773-3810, 2018
- Pinney SE, *et al.*：Neonatal diabetes mellitus. In：Abrams SA, *et al.*（eds）, *UpToDate®*, Wolters Kluwer, 2020
- Koves IH, *et al.*：Disorders of calcium and phosphorus metabolism. In：Gleason CA, *et al.*（eds）, *Avery's Disease of the Newborn E-book*. 10th ed., Elsevier, Philadelphia, 3584-3633, 2018
- Abrams SA：Neonatal hypocalcemia. In：Garcia-Prats JA, *et al.*（eds）, *UpToDate®*, Wolters Kluwer, 2020

〈安藏　慎〉

第2章 成長障害

A 視床下部−下垂体系の発生・分化

　自然発症侏儒症マウスあるいは発生工学的手法を用いたマウスの研究から，視床下部ならびに下垂体前葉の発生・分化にかかわる多くの液性因子や転写因子群が同定され，マウスにおける視床下部−下垂体系の発生・分化過程の全貌が明らかにされてきた．ヒトの複合型下垂体ホルモン欠損症の解析から，ヒトでもマウスとほぼ同様の発生・分化過程をたどると推定されている．

1) 視床下部の発生・分化

a. 視床下部の形成

　発生の初期には多くの因子が脳の特定の領域に発現するが，そのなかでも Nkx2.1（Ttf1）が重要な役割を担う．Nkx2.1 の脳での発現は，淡蒼球原基と視床下部に限られている．Nkx2.1 ノックアウト（knock out：KO）マウスは，Nkx2.1 が肺や甲状腺にも発現しているため肺の形成異常による呼吸障害で死亡する．一方，脳では，乳頭体，正中隆起，下垂体後葉など腹側正中部の構造が形成されない．室傍核のレベルから後方では第三脳室の上皮が融合して第三脳室は消失する．Nkx2.1 は，神経上皮細胞において骨格蛋白質ネスチンの発現を調節することで，視床下部の細胞増殖を支配している．また，腺性下垂体（前葉と中葉）原基には Nkx2.1 が発現しないにもかかわらず，この KO マウスでは下垂体前葉と中葉も形成されない．

b. ニューロン特異性の決定

　視床下部の特定の神経核には発生の初期から各種の転写因子が発現しており，これらが視床下部の特定のニューロンの分化や移動，神経核の形成に関与している[1,2]（図1）．Brn2 は POU ファミリーに属する転写因子で，最初は神経管に広く発現するが，発生が進むにつれて視床下部では室傍核と視索上核に限定される．Brn2 KO マウスでは，室傍核と視索上核にニューロンをもち下垂体後葉に投射するアルギニン・バゾプレシン（arginine vasopressin：AVP）とオキシトシン（oxytocin：OX）を含むニューロンが欠損する．さらに室傍核に細胞体をもち正中隆起に投射する CRH ニューロンも消失するが，同じ室傍核に存在する TRH ニューロンと，前脳室周囲部に存在するソマトスタチンニューロンの細胞体は存在する．Brn2 と同様に室傍核と視索上核に特異的に発現する転写因子 single-minded 1（Sim1）と orthopedia（Otp）の KO マウスでも両核が消失し，Brn2 の発現も消失する．これらの KO マウスでは，TRH ニューロンも SRIF ニューロンも消失することから，Brn2 の上流で作用して各ニューロンの発生に重要な役割をはたすと考えられている．弓状核に特異的に発現して GHRH を標的遺伝子とする Gsh1 の KO マウスでは，弓状核の GHRH ニューロンを特異的に欠損する．

c. ニューロンの移動

　発生初期の視床下部では，第三脳室に面した神経上皮で最終分裂を終えたニューロンが脳室から遠ざかるように外側に移動する．

　転写因子 Pax6 は眼の形成に重要な遺伝子であるが，その KO マウスは後葉系ニューロンの移動と定着の異常を生じる．Pax6 はマウス胎仔脳で広い領域に発現するが，視床下部にはほとんど発現していない．それにもかかわらず，Pax6 KO マウスでは，視交叉が形成されないため移動中の後葉系ニューロンが定着できずに視索上核は形成されず室傍核も著しく萎縮している．眼盤に発現するニューロンの誘因分子ネトリンの KO マウスでも，視交叉の形成不全による視索上核の形成異常がみられる．これらの結果から，後葉系ニューロンの定着と視索上核の形成には正常な視交叉が必要と考えられている．視床下部の神経ニューロンのなかで GnRH ニューロンだけは嗅原基で発生して嗅神経とともに脳へ遊走し，視床下部視索前野付近に定着する．この遊走には，anosmin1 とよばれる蛋白をコードする ANOS1（KAL1）遺伝子，FGFR1 遺伝子，PROKR2/

II 各 論

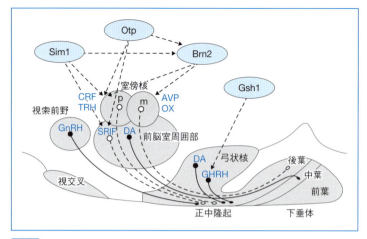

図1 視床下部神経分泌ニューロンの発生と転写因子による制御

Brn2 は室傍核のアルギニン・バゾプレシン(AVP)とオキシトシン(OX)を含む大型ニューロン(magno：m)および CRF(CRH)を含む小型ニューロン(parvo：p)の発生に重要である.
Sim1 と Otp は室傍核の TRH ニューロンと前脳室周囲部の SRIF ニューロンの発生を調節するとともに Brn2 を支配する
一方, Gsh1 は弓状核の GHRH(GRF)ニューロンの発生を調節する
DA：ドパミンニューロン
〔川野 仁, 他：視床下部形成の分子メカニズム. 最新医学 57：2614-2621, 2002 より改変〕

PROK2遺伝子が関与しており, これらの異常は中枢性性腺機能低下症と嗅覚障害を中核症状とするKallmann症候群をきたす.

2) 下垂体の発生・分化

a. 下垂体の構造・解剖

下垂体は, 解剖学的にも機能的にも異なった二つの組織である前葉と後葉から成り立ち, 下垂体茎で間脳視床下部と交通している. 下垂体前葉は口窩外胚葉に, 後葉は神経外胚葉に由来する. 下垂体前葉は, 5種類の細胞によって6種類のホルモンを産生する. GH産生細胞(somatotroph)は GH を, PRL 産生細胞(lactotroph)は PRL を, TSH 産生細胞(thyrotroph)は TSHを, LH/FSH 産出細胞(gonadotroph)は, LH, FSH を産生する. ACTH 産生細胞(corticotroph)は ACTH の前駆物質であるプロオピオメラノコルチン(pro-opiomelanocortin：POMC)を発現させる.

下垂体前葉は, 前方に突出した遠位葉(pars distalis), 後葉に接した中間葉(pars intermedia), 上方に突出して下垂体茎を取り巻く結節葉(pars tuberalis)に分けられる. 5種類の下垂体前葉ホルモン産生細胞は遠位葉に分布しており, 中間葉からは皮膚メラニン色素細胞刺激ホルモン(melanocyte-stimulating hormone：MSH)や少量の ACTH が産生されるが, ヒトでは生後消失する. 結節葉からは, LH/FSH の一部が分泌される. 組織学的には, その染色性から酸好性細胞(GH, PRL を分泌), 塩基好性細胞(LH/FSH, TSH を分泌), 色素嫌性細胞(ACTH を分泌)に分けられる. 下垂体前葉細胞は全下垂体重量の約80%を占め, その多くは GH/PRL/TSH 産生細胞群で構成される.

下垂体への血流は, 上下垂体動脈と下下垂体動脈によって供給される. 下垂体前葉は, おもに視床下部－下垂体門脈叢によって栄養されており, これによって視床下部ホルモンは直接下垂体へ輸送される. 視床下部の神経細胞で合成される下垂体前葉ホルモン放出ホルモンと抑制ペプチドは下垂体茎の門脈血管に直接放出され, 放出ペプチドの刺激を受けた下垂体前葉ホルモン産生細胞は, これに応答して細胞特異的ホルモンを脈動的に放出する. 下垂体後葉は, 下下垂体動脈によって血液の供給を受けている. 前葉とは異なり, 下垂体茎を介して視床下部ニューロン(視索上下垂体神経路と隆起下垂体神経路)による直接的な神経支配を受けている.

b. 下垂体前葉の発生

下垂体前葉は, 口窩外胚葉からの Rathke 囊の形成にはじまり, 最終的に5種類の機能細胞へ分化していく. その間には, 種々の液性因子や転写因子群(表1)[3]が時間的にも空間的にも連続して相互作用することで下垂体前葉細胞の機能分化を誘導している.

表1 下垂体形成にかかわる転写因子と液性因子の機能（マウス）

因子	発現時期（日）	発現場所	想定されている機能
Bmp4	胎生8.5〜11.5	神経外胚葉，漏斗部	原始口腔の誘導
Fgf8	胎生9〜14.5	神経外胚葉，漏斗部	Rathke嚢の誘導，下垂体前駆細胞の増殖
Wnt5a	胎生9.5〜14.5	神経外胚葉	BMP4とともにαGSUの誘導
Chordin	胎生11.5	神経外胚葉	BMP2発現の抑制
Nkx2.1(Ttf1)	胎生8.5〜	神経外胚葉	神経外胚葉，Rathke嚢の形成
Sox3	胎生10.5〜	神経外胚葉，漏斗部	神経外胚葉，Rathke嚢の形成
Shh	胎生9.5〜11.5	口窩外胚葉	Rathke嚢と口窩外胚葉の境界形成
Wnt4	胎生9.5〜14.5	口窩外胚葉，Rathke嚢	前駆細胞の増殖
Bmp2	胎生10.5〜14.5	Rathke嚢，間葉組織	下垂体細胞の初期発生
Isl1	胎生8.5〜	口窩外胚葉	Rathke嚢の初期発生分化
Pitx1	胎生9〜	口窩外胚葉，Rathke嚢	Rathke嚢，下垂体の形成
Hesx1	胎生9〜13.5	Rathke嚢	Rathke嚢，下垂体の形成
Lhx3	胎生9.5〜	Rathke嚢	Rathke嚢の完成，ACTH以外の産生細胞分化
Lhx4	胎生9.5〜	Rathke嚢	Rathke嚢の完成
Prop1	胎生10.5〜15.5	下垂体	Pou1f1の発現，LH/FSH産生細胞の増殖
Tbx19(T-pit)	胎生14.5〜	下垂体	ACTH産生細胞への最終分化

■には神経外胚葉から分泌される因子，■には口窩外胚葉，Rathke嚢から分泌される因子の発現時期・場所，想定されている機能を示す

〔Sheng HZ, et al.: Early steps in pituitary organogenesis. Trends Genet 15: 236-240, 1999より改変〕

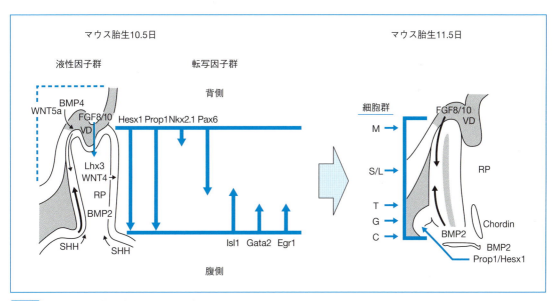

図2 下垂体の初期発生過程

VD：ventral diencephalon（腹側間脳），RP：Rathke's pouch（Rathke囊），M：middle lobe（中葉細胞），S：somatotroph（GH産生細胞），L：lactotroph（PRL産生細胞），T：thyrotroph（TSH産生細胞），G：gonadotroph（LH/FSH産生細胞），C：corticotroph（ACTH産生細胞）

〔Dasen JS, et al.: Signaling mechanism in pituitary morphogenesis and cell fate determination. Curr Opin Cell Biol 11: 669-677, 1999より改変〕

①下垂体の初期発生過程（口窩外胚葉〜Rathke嚢の形成）[3〜5]（図2）

マウスでは胎生8.5日（ヒトでは約3週）に，頭部腹側の外胚葉がくぼみを作って口窩（stomodeum）が形成される．口窩後壁の外胚葉がポケット状に膨出し神経外胚葉に接合することでRathke嚢が形成される．この神経外胚葉と口窩外胚葉の接触が下垂体前葉の発生・分化に重要な過程であり，種々のホメオボックス遺伝子が相互に作用している．神経外胚葉から分泌されるBMP4，FGF8，WNT5aなどの普遍的な液性因子や

II 各 論

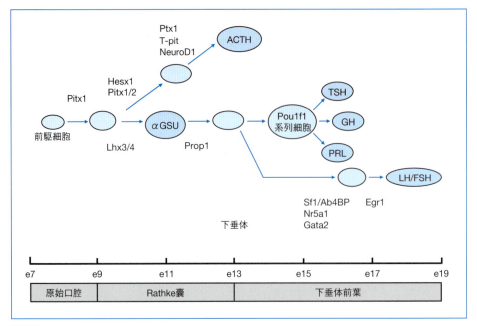

図3 下垂体前葉細胞の発生・分化過程と転写因子群の相互作用（マウス）
[Cohen LE, et al.：Molecular basis of combined pituitary hormone deficiencics. *Endocr Rev* 23：431-442, 2002 より引用改変]

Nkx2.1(TTF1), Sox3 などの転写因子が両者の接触を誘導する．Sox3 は間脳で発現し BMP4 や FGF8 の発現調節を介して Rathke 嚢の形成にかかわるだけでなく，中枢神経系の発達にも関与する．一方，口窩外胚葉からは sonic hedgehog(SHH), WNT4, BMP2 などの液性因子や種々の転写因子が発現し，下垂体原基を形成する．神経外胚葉から産生される FGF8 は Rathke 嚢で発現する転写因子 Lhx3 遺伝子を活性化して最終的な Rathke 嚢の完成へと導く．さらに，FGF8 は背側→腹側への濃度勾配を，BMP2 は腹側→背側へと逆の濃度勾配を形成して，腹側・中間部の細胞(LH/FSH 産生細胞，TSH 産生細胞，GH 産生細胞，PRL 産生細胞)，背側の細胞(ACTH 産生細胞)および中葉細胞(MSH 産生細胞)の細胞局在を決定づける．このような液性因子の濃度勾配は，Rathke 嚢内で局在化された細胞において種々の転写因子の発現パターンを決定し，最終的な細胞分化へと進行させる．BMP2 刺激が神経外胚葉から分泌される液性因子 Chordin によって消失することで前葉細胞の最終的な分化が引き起こされる．

転写因子 Pitx1/2 は，Rathke 嚢発生前の原始口腔の時期から発現し，すべての系の前葉細胞で発現し続けて Rathke 嚢の形成にかかわる．Hesx1 は，最初前脳板に出現するが，その後 Rathke 嚢に限局して下垂体前葉の初期発生時期から細胞機能分化の時期まで発現する．この蛋白は Prop1 など他の転写因子と競合して抑制的に作用する．

Lhx3/4 は Rathke 嚢発生・形成時期から発現し，下垂体の初期発生過程に関与する．Lhx3 KO マウスでは，Rathke 嚢の形成はみられるが，ACTH 産生細胞以外のホルモン産生細胞には分化せず，ACTH 産生細胞もその後の増殖はみられない．

胎生 11～12 日には Rathke 嚢は口腔から分離して，下垂体前駆細胞は種々の接着因子や転写因子の作用で移動を開始し，下垂体前葉原基となる．

②Rathke 嚢～下垂体形成[6〜8]

下垂体前葉原基は，その後下垂体前葉で発現する種々の転写因子群が時間的，空間的に協調して作用することで，5 種類のホルモン産生細胞へと機能分化していく(図3)[9]．まず，下垂体吻側端に TSH, LH, FSH に共通のαサブユニット遺伝子(αGSU)を発現する未分化な細胞が出現し，少し遅れて Pitx1, NeuroD1, Tbx19(T-pit)などの協調的作用で ACTH 産生細胞が出現する．Tbx19 は POMC 出現の 6～12 時間前に発現して，ACTH 産生細胞，MSH 産生細胞の最終分化過程に関与するとともに，生後も発現し続け POMC 遺伝子の発現調節を行う．Prop1 は胎生 10.5 日頃より発現し，ACTH 産生細胞以外の細胞系列への分化・増殖に関与する．Prop1 遺伝子変異による自然発症 Ames マウスでは，Pou1f1 遺伝子の発現がみられないため Pou1f1 系列細胞(GH/PRL/TSH 産生細胞)への分化が障害され

GH/PRL/TSHの分泌不全をきたす．Prop1 KOマウスでは，LH/FSH産生細胞の機能分化はみられるが増殖が障害されLH/FSH分泌不全をきたす．

Prop1遺伝子発現が消失する15.5日には，Pou1f1遺伝子が発現してTSH産生細胞，GHならびにPRL産生細胞の最終分化へと導く．Pou1f1蛋白は自己発現調節で生後も発現し続け，成熟GH，PRL，TSH産生細胞において組織特異的にGh1遺伝子，Prl遺伝子，Tshb遺伝子発現を転写活性化する．Pou1f1遺伝子変異による自然発症SnellマウスではGH，PRL，TSH産生細胞への最終分化・増殖が障害され，GH/PRL/TSH分泌不全を示す．

LH/FSH産生細胞は，胎生16～17日に下垂体腹側部でBmp2に誘導されて発現するGata2やNr5a1(Sf1/Ad4BP)などの協調的作用で分化・増殖する．Egr1はさらにLH/FSH産生細胞の最終分化へと誘導する．

このように，種々の液性因子や転写因子によって下垂体前葉の発生・分化過程は制御されており，これらいずれの転写因子の異常によっても下垂体形成障害や下垂体前葉機能障害が生じる．

c．下垂体後葉の発生

下垂体後葉は，口窩外胚葉に隣接した間脳底の一部が腹側に折れ込んで形成される．視床下部の視索上核および室傍核の大細胞からトルコ鞍後部に放散する神経軸索によって下垂体後葉はつくられ，後葉細胞(グリア細胞)と軸索，そして分泌物が貯留して膨らんだ神経線維のこぶ(Herring小体)からなる．下垂体後葉からは，抗利尿ホルモン(antidiuretic hormone：ADH)ともよばれるAVPとOXの2種類のペプチドホルモンが分泌される．いずれもオクタペプチドで，その違いは2個のアミノ酸だけである．これらのペプチドホルモンは視索上核と室傍核の大型ニューロンで，より高分子の蛋白前駆体として合成され，ニューロフィジンという担体蛋白に結合したまま軸索を下行し，下垂体後葉終末の分泌顆粒に貯蔵される．神経インパルスを受けて分泌されたAVPとOXは，ただちにニューロフィジンから分離して血中に分泌される．

3) 最新知見

視床下部－下垂体発生・分化にかかわる様々な因子が明らかとなり，近年，マウス胚性幹細胞ES細胞からACTH産生細胞が作成された[10]．今後，さらなる下垂体発生分化機構の解明と，ヒト多能性幹細胞(iPS細胞)を用いた下垂体ホルモン産生細胞の分化誘導法の開発，再生医療への臨床応用が期待される．

❖ 文献

1) Andersen B, et al.：POU domain factors in the neuroendocrine system：lessons from developmental biology provide insights into human disease. Endocr Rev 22：2-35, 2001
2) 川野 仁，他：視床下部形成の分子メカニズム．最新医学 57：2614-2621，2002
3) Sheng HZ, et al.：Early steps in pituitary organogenesis. Trends Genet 15：236-240, 1999
4) Dasen JS, et al.：Signaling mechanism in pituitary morphogenesis and cell fate determination. Curr Opin Cell Biol 11：669-677, 1999
5) Scully KM, et al.：Pituitary development：regulatory codes in mammalian organogenesis. Science 295：2231-2235, 2002
6) Watkins-Chow DE, et al.：How many homeobox genes does it take to make a pituitary gland? Trends Genet 14：284-290, 1998
7) Burrows HL, et al.：Genealogy of the anterior pituitary gland：tracing a family tree. Trends Endocrinol Metab 10：343-352, 1999
8) Kelberman D, et al.：Hypothalamic and pituitary development：novel insights into the aetiology. Eur J Endocrinol 157：S3-S14, 2007
9) Cohen LE, et al.：Molecular basis of combined pituitary hormone deficiencies. Endocr Rev 23：431-442, 2002
10) Suga H, et al.：Self-formation of functional adenohypophysis in three-dimensional culture. Nature 480：57-62, 2011

〈伊達木澄人〉

B 成長の機構とその制御

成長は小児期の健康の最も基本的な事項である．成長は組織の増大に伴う大きさの増加と定義することができ，すべての臓器，身体部位そして細胞環境においても認められる．成長は，細胞の増殖(数の増加)，肥大そしてアポトーシスによって規定され，細胞数の増加とアポトーシスは遺伝学に決定されている．成長過程の制御は遺伝子型などの内因的な要因，栄養や環境のような外的な要因，またホルモンや成長因子などの調整因子など多くの因子が緊密に関連している．

1) 成長の段階

成長過程は四つの段階，胎児期，乳幼児期(infant：I)，小児期(childhood：C，前思春期に相当する)，思春期(puberty：P)，に分けることができる．Karlbergは出生後の成長の三つの段階をもとにICP成長モデルを提唱した(図4)[1]．ICP成長モデルのI期は出生後の3年間で急激に減少していく乳児期の要素と出生後に増加する小児期の要素があわさったものである．C期は小児期の要素からなり，それは年齢とともに減少する．しかしP期に入ると思春期の要因が加わる(図5)．その結果，身長に代表される成長のシグモイド曲線が形

II 各 論

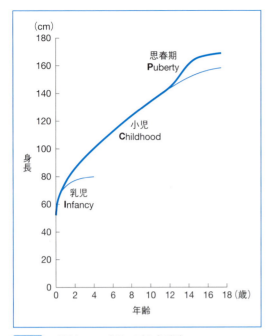

図4 成長とICP成長モデル（男児）
〔Karlberg J：A biologically-oriented mathematical model（ICP）for human growth. *Acta Paediatr Scand Suppl* 350：70-94, 1989〕

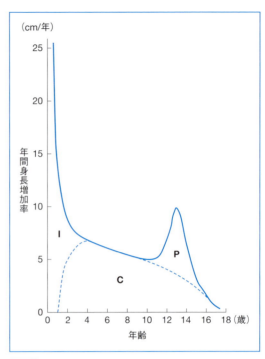

図5 身長増加曲線とICP成長モデル（男児）

成される．

a．乳幼児期

図5に示すように，生後1年間は身長の著しい増加が認められるが，その成長速度は月齢の進行とともに著しく減少していく．この時期の成長増加に最も重要なものは栄養摂取と考えられており，食物の摂取状況が最も成長に大きな影響を与える．そのため，この時期では明らかな病的原因のない肥満児のほうが健常児に比較して身長が高い傾向にある．一方，GHの役割は少ないと考えられている．しかし重度のGH-IGF系やその受容体の異常では，この時期においても成長率の低下が認められる．したがって乳幼児期においてもGH-IGF系が成長にある程度の役割をはたしていると考えられている[2]．

b．小児期

4歳までには成長率が7 cm/年程度に低下し，それ以後も思春期に至るまで年間成長率の低下は持続する．最も成長率の少ない思春期前では年間5〜5.5 cm程度となる（図5）．この時期の成長には甲状腺ホルモンとともにGHが大きな役割をはたしている．ICP成長モデルからみると，小児期の要素は生後6か月頃からはじまっているが，それが明瞭となってくるのは乳児期の要素が消失する3歳頃からである（図5）．小児期では身長に関して男女差はほとんど認められない．しかし，骨格の成熟には男女の差が徐々に認められるよう

になり，思春期発来時には女児のほうが2歳程度骨成熟が進行している．

c．思春期

思春期は二次性徴の発来とともに，成人身長に至る過程である．これには後述のように性ホルモン，特に女性ホルモン（エストロゲン）が大きな役割をはたしている．思春期の発来には性差があり，男児のほうが2年ほど遅い．この2年間に獲得される身長（約8〜10 cm）と男児が女児よりも思春期に獲得される成長が大きい（3〜5 cm）ことが，男女間の身長の約13 cm差に関連している．性差の一部は，男女における性ホルモンの差異と量の差異によって説明され，残りの部分はY染色体上に存在すると想定されている男性特異的成長遺伝子によって生じると推測されるが，現在このY染色体成長遺伝子は確認されていない．

2）遺伝的要因

成人身長の約80％は遺伝により決定されていると考えられており，成長に関連の深いホルモンや思春期の発来も遺伝子により制御されている．

a．性染色体による成長の制御

男女間では平均成人身長に約13 cmの差があり，男性のほうが高い．この性差の一部は，男女における性ホルモンの差異と量の差異に起因する．健常男性とY染色体の要素のないXX男性の間に，あるいはY染色体を有しているアンドロゲン不応症と健常女性との間

に，約8〜10 cm の身長差がある．この身長差がまだ見出されていない Y 特異的成長遺伝子に起因すると推定されている．Turner 症候群を代表とする X 染色体の短腕欠失，あるいは Y 染色体短腕遠位端欠失は低身長を示す．これは X および Y 染色体短腕の擬常染色体領域部分に存在する身長に関与する SHOX 遺伝子の欠失に起因する．本遺伝子は男女ともに 2 コピーの遺伝子が発現することにより正常な身長が獲得される[3]．

b. 単一遺伝子による成長の制御

① GH 分泌または GH 作用関与する遺伝子

これには GH-IGF 系の遺伝子に加えて下垂体の形成に関与する遺伝子が含まれる．GH-IGF 系の遺伝子として，GH，GH 受容体，IGF-Ⅰ，IGF-Ⅰ受容体，STAT5B，ALS などの変異で低身長をきたすことが報告されており[4]，明らかに成長に関与する遺伝子である．下垂体の形成には，POU1F1（PIT1），PROP1，HESX1，LHX3，LHX4，SOX3 など多数の転写因子が関与する[5]．これらの遺伝子変異は，GH を含む複合型下垂体ホルモン欠損症を呈するので，成長に関与する遺伝子である．

② 骨・軟骨形成に関与する遺伝子

成長の基本は骨の成長と考えることができ，現在までに多くの骨形成に関与する遺伝子が同定されている．SHOX 遺伝子は，ヘテロ接合性変異（半量不全）の場合，前腕 Madelung 変形を主徴とする Leri-Weill 症候群をきたし，Turner 症候群女性の成長障害の一因でもある．FGFR3 遺伝子は，軟骨無形成症，軟骨低形成症，タナトフォリック骨異形成症の責任遺伝子である．近年，低身長をきたす多くの骨系統疾患の責任遺伝子が解明されている（軟骨の分化成熟に関与する遺伝子については Michigami の論文を参考文献に示した）．

c. 目標身長（target height）[6]

成人身長の約 80％ は遺伝により決定されていると考えられている．したがって，両親の身長からその子どもの成人身長をある程度予測することが可能である．それを目標身長（target height：TH）とよび，両親の身長の平均に男児であれば 6.5 cm を加え，女児では 6.5 cm を減じて算出される．目標身長の区間推定値を target range（TR）とよぶ．

わが国における TH と TR の数式は**本章 C** を参照されたい．

子どもの成人身長が，TR を下回ると予想されるとき，または上回ると予想されるときは，何らかの病的原因が存在すると考える．

3）ホルモンによる成長の制御

a．GH

GH 遺伝子（GH1）は 17 番染色体長腕に存在し，おもに下垂体に発現している．一方，GH1 遺伝子の近隣に GH2 遺伝子とよばれる遺伝子が存在し，胎盤で発現している．GH1 由来の GH と GH2 由来の胎盤性 GH は 191 個のアミノ酸からなるが，13 個のアミノ酸に相違がある．胎盤性 GH は妊婦血中 GH の大部分を占めるが，胎児発育への影響は不明である．血中の GH は 191 個のアミノ酸からなる 22 kDa のペプタイドが 85〜90％ を占めるが，残りはスプライシングによって 32〜46 番目のアミノ酸が欠失した 20 kDa の GH である．GH の骨成長に対する作用は，GH が肝臓に作用し IGF-Ⅰ産生を促進し，血中に分泌された IGF-Ⅰが骨成長を促進すると考えられてきた．しかし，肝臓特異的に IGF-Ⅰを knock out（KO）したマウスでは血中 IGF-Ⅰ値の著明な低下を認めるのにもかかわらず，成長障害がみられないことが明らかとなっている[7]．現在，GH は骨の成長板の未分化な軟骨細胞を IGF-Ⅰを産生する軟骨細胞に分化させ，軟骨細胞から分泌される IGF-Ⅰが autocrine あるいは paracrine に作用して軟骨細胞を増殖・分化させることにより骨成長を制御していると考えられている[8]．

① 視床下部による GH 分泌の制御（図 6）

GH は下垂体前葉から 3〜4 時間ごとに脈動的に血中に放出される．この脈動的分泌は視床下部から分泌される GHRH と SRIF の相互作用により決定される[9]．低身長のモデルマウスである Little マウスは GHRH 受容体遺伝子異常を有し，下垂体の GH 分泌細胞は正常に存在するが，GH 含有量が健常マウスの 10％ 程度と少なく，GH mRNA 発現も少ない．したがって GHRH は下垂体に作用し，蓄えられている GH を放出するとともに産生を促進することにより GH の脈動的分泌（ピーク）を決定している．

SRIF を GH 産生細胞に GHRH とともに投与すると，SRIF は GHRH の作用を抑制し，GH 産生細胞からの GH 分泌を抑制する．GH の脈動的分泌は視床下部での SRIF の分泌低下と GHRH の分泌増加が同期することにより生じると考えられている．一方 GH ピークの谷間は SRIF の分泌増加と GHRH の分泌低下によって生じる．したがって SRIF 誘導体は GH 分泌抑制因子として末端肥大症の治療に用いられる．

GH 放出ペプチド（GH releasing peptide：GHRP）-6 のような合成 GHRP を用いた研究から，GHRP が GHRH と SRIF の作用に干渉して下垂体からの GH 分泌を誘導するという第三の経路が明らかになっている[10]．

Ⅱ　各　論

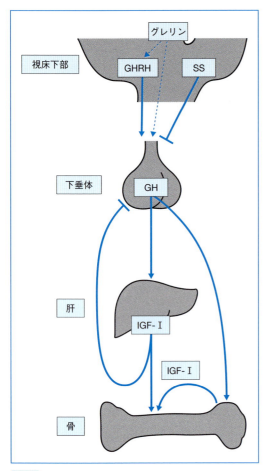

図6　GH-IGF 系の制御機構
➡ は促進作用，T は抑制作用を示す

GHRH と GHRP は GH 分泌に相乗的に作用するため，それぞれが別の固有の受容体が存在すると考えられてきた．これは GH 分泌促進因子（GH secretagogue：GHS）経路とよばれる．GHS 受容体は，GHRH 受容体と同様に G 蛋白を共役する 7 回膜貫通型受容体で，内因性のリガンドはグレリンと同定された．グレリンは胃から分離された 28 個のアミノ酸からなり，3 番目のセリンがオクタノイル化修飾を受けている．グレリンは胃以外に視床下部にも存在している．障害により視床下部と下垂体との間の交通が失われた患者では，GHRP-6 を投与しても GH 分泌の促進はなく，GHRH と GHRP を同時投与しても相乗効果は認められない．したがって，グレリンは GHRH 分泌を促進することによって GH 分泌を促進する．

②下垂体での GH 分泌

多くの因子が GHRH あるいは SRIF の分泌を調節することにより下垂体からの GH 分泌に影響を与えている．これらの因子には galanin や opioides のような神経ペプチド，ブドウ糖，遊離脂肪酸などの代謝産物，性ホルモンなどのホルモン，睡眠や運動が含まれる．

ヒトでは GH の成長促進作用を仲介する IGF-Ⅰ 投与により，内因性 GH 分泌が 85% まで抑制されることが知られている．in vitro の研究では，IGF-Ⅰの投与によって視床下部の SRIF の mRNA 発現が IGF-Ⅰ の濃度依存性に促進されることが報告されている．したがって IGF-Ⅰ は SRIF 分泌を促進することにより GH 分泌をネガティブフィードバックしている．IGF-Ⅰ 受容体は下垂体にも発現しており，下垂体に対する直接的なネガティブフィードバックループを示唆する．

思春期前の小児では肥満児と同様に，BMI と GH 分泌が負の相関を示す．体重減少や飢餓状態で GH 分泌が促進することを考慮すると，GH 分泌低下は肥満の原因ではなくて肥満の結果と考えることができる．肥満に伴う高インスリン状態も GH 分泌抑制の原因と考えられる．肥満児のインスリンあるいは IGF-Ⅰ 濃度は GH 分泌が抑制されているにもかかわらず高値を示し，これらの児の成長は正常あるいは促進している．高インスリン状態は IGF-Ⅰ 濃度を上昇させることにより成長を促進させ，GH 分泌はネガティブフィードバックにより抑制するのかもしれない．

③血液中の GH

在胎 10 週頃より胎児の血液中に GH が見出されるようになり，24 週で最高値をとり，以後生後 2 週まで低下する傾向を示す．胎児で GH 分泌が高値を示すのは，GH 分泌を制御する神経内分泌系の発達が未熟なためと推定され，GH 分泌の抑制機構の発達とともに血中 GH 濃度は低下する．尿中 GH 測定により，思春期前まで GH 分泌は年齢とともに増加することがわかっている．最も大きな GH 分泌の変化は思春期に起こり，GH パルスが増大する．思春期の GH 分泌増加は性ホルモンの分泌増加に起因する．GH は下垂体から脈動的に分泌され in vivo の検討から，ピーク時の GH 濃度は IGF-Ⅰ 産生量と，一方トラフ値は身体組成や代謝の指標と関連が深いことが示されている．

血液中では GH の大部分は GH 結合蛋白（GH binding protein：GHBP）と結合して存在している[11]．GHBP は 2 種類あるが，61 kDa の GHBP が 85〜90% を占める．この GHBP は GH 受容体の細胞外ドメインであり，20 kDa および 22 kDa の GH ともに結合する．GHBP の役割は明らかではないが，GHBP により血液中の GH の半減期が 20 分程度から数時間へと延長する．下垂体切除で GH 分泌不全としたラットでは，GH と GHBP の同時投与により GH 単独投与に比較して良好な身長増加が得られると報告されている．しかしヒトではその

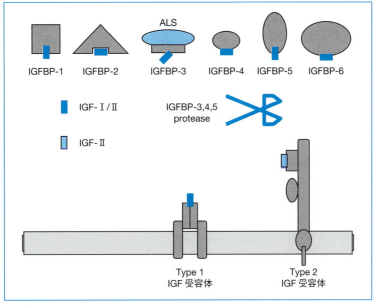

図7 IGF系のシェーマ

GHの作用はGH受容体を介して行われる．GHにはGH受容体との結合部位が2か所（site 1, 2）あり，site 1がGH受容体と結合した後に，site 2に別のGH受容体が結合し，三量体のGH-GH受容体複合体を形成する．GH-GH受容体複合体の形成によりJAK-2の活性化はJAK-2の自己リン酸化，GH受容体リン酸化とともにリン酸化のカスケードが活性化される．GHの細胞内伝達はMAPK系，STAT系およびPI3系を介して行われる．GHのどの採用をどの伝達系が仲介しているかは十分には解明されていないが，IGF-Iの発現にはSTAT系が関与している．

④インスリン様成長因子系（図7）[12]

IGFは，構造的にインスリンと，特にプロインスリンと類似した構造を有する成長因子で，IGF-IとIGF-IIの2種類がある．胎内発育には両者が重要な役割をはたしているが，出生後の成長に大きな役割をはたしているのはIGF-Iと考えられてきた．それはIGF-IのみがGH依存性を有するためである．IGF-I遺伝子あるいは後述のIGF-I，IIの作用を仲介する1型IGF受容体遺伝子異常症では，胎内発育遅延と出生後の成長障害が報告されてきた[2,13]．近年IGF-II遺伝子異常症が報告され，KOマウスと同様に胎内発育遅延と出生後の成長障害をきたすことが明らかになり，IGF-IIも出生後の成長に関与することが示された[14]．IGF-IIは父型遺伝子のみが発現するインプリンティング遺伝子で，Silver-Russell症候群の胎内発育遅延に関与する遺伝子である．血中のIGFsの大部分はIGF結合蛋白（IGFBP）-1〜6とよばれる蛋白と結合して存在する．血液中にはIGFBP-3が最も多く存在する．IGFBPsの役割はインスリンの1,000倍も血液中に存在するIGFsのインスリン様作用を抑制するとともに，血液中のIGFsの半減期を延長する．また，それぞれのIGFBPsはIGFsの作用を促進的あるいは抑制的に調節しているといわれている．

IGFsには1型と2型（マンノース-6-リン酸受容体ともよばれる）の2種類の受容体がある．1型はインスリン受容体とよく似た構造をもち，IGF-I，IIともに，この受容体を介してその細胞増殖作用を発揮する．2型受容体はIGF-IIと結合することは知られているが，本受容体の役割はよくわかっていない．本受容体は結合したIGF-IIを細胞内に取り込みゴルジ体で分解しているのではないかと仮定されている．2型受容体のKOマウスでは成長が促進されるという事実はこの役割を示唆する（図8）．

b．性ホルモン

ヒトでは，血液中の性ホルモンは思春期とともに上昇を示し，それとともに身長増加が加速し，骨端線が閉鎖して成人身長に至る．エストロゲン作用の発揮できないエストロゲン受容体α異常症やアロマターゼ異常症では，成人に至っても骨端線が閉鎖せず，身長が伸び続けるため高身長になる．アロマターゼ異常症の女性では，アンドロゲンは過剰に存在するが，エストロゲンの投与をしないと身長増加の促進は起こらな

図8 KOマウスで認められた出生時体重

い．一方，エストロゲン受容体α異常症の男性にエストロゲンを投与しても骨端線の急激な閉鎖は生じない．これらは女性のみならず男性においても思春期の身長促進や骨成熟にエストロゲンが不可欠であることを示唆する．思春期にみられる性ホルモンの増加は骨量増加の非常に重要な修飾因子である．体質性思春期遅発症の男児は思春期に遅れのない男児に比較して骨量が少ないと報告されている．テストステロンはエストロゲンに変換されて骨に作用するだけでなく，それ自身も骨形成に重要で，テストステロンは男性の骨格を形成するうえで重要である．蛋白同化ホルモンのようにテストステロンは男性・女性ともに骨形成を促進する．

c. 甲状腺ホルモン

甲状腺系も成長に大きな役割をはたしている．健常な成長のためには甲状腺機能は正常域にあることが必要である．小児の甲状腺機能亢進症は成長の促進とともに骨年齢の促進を伴い，早期の骨端線の閉鎖の結果，低身長となる．甲状腺機能低下症では身長増加が不良になることが知られている．この成長障害には甲状腺機能低下に伴うGH分泌低下も関与しているが，GH補充のみではこの成長障害を完全に補正することはできない．GH分泌不全や甲状腺機能低下症では骨端軟骨層での増殖層の短縮と肥大層の軟骨細胞数の減少がみられる．甲状腺ホルモン受容体をKOしたマウスでは長幹骨の二次性骨化が遅れ，肥大軟骨層の軟骨細胞数の著しい減少を認める．また，T_3投与により軟骨細胞が増殖層から肥大層の細部に移行する．これらから甲状腺機能低下症でみられる骨端軟骨層での増殖層の短縮と肥大層の軟骨細胞数の減少の一部は，甲状腺ホルモンの軟骨細胞に対する直接的な作用と考えら

表2 正常な成長に必要な要件

- 慢性疾患が存在しない
- 感情の安定と安全な家庭環境
- 十分な栄養
- 正常なホルモン作用
- 細胞や成長を障害する遺伝的欠失がない

れている．

4）成長に関与する環境因子（表2）

成長障害をまねく外的因子としては，栄養状態と慢性疾患が特に重要である．また，愛情遮断症候群や虐待，過度の運動なども成長障害の原因となる．低栄養は，アミノ酸供給低下などにより直接軟骨細胞の分化増殖に影響を及ぼすと同時に，甲状腺ホルモンやGH-IGF系，インスリンなどの分泌および反応性の異常をまねく．また，小児期の重篤な慢性疾患では，疾患の種類にかかわらず多くの場合成長障害が認められる．これには，栄養摂取障害，薬物の影響，内分泌学的異常など様々な要因が関与する．

5）世代間格差

世代間において成長・発達に差がみられることがある．体格的には一般に世代間で増加する傾向があり，栄養や経済状況の改善と関連している[15]．したがって世代間格差はその国の健康の指標と考えられている．典型的な例としてわが国では1950年と1960年で14歳の男児の身長が8 cmも改善したことが知られている．現在わが国では栄養や経済状態の良好な状況が長期にわたり続いているため，2000年の時点で世代間格差はないと考えられている．

❖ 文献

1) Karlberg J：A biologically-oriented mathematical model (ICP)

for human growth. *Acta Paediatr Scand Suppl* 350：70-94, 1989
2) Woods KA, *et al.*：Intrauterine growth retardation and postnatal growth failure associated with deletion of the insulin-like growth factor Ⅰ gene. *N Engl J Med* 335：1363-1367, 1996
3) Rappold GA, *et al.*：Deletions of the homeobox gene SHOX (short stature homeobox) are an important cause of growth failure in children with short stature. *J Clin Endocrinol Metab* 87：1402-1406, 2002
4) Walenkamp MJ, *et al.*：Genetic disorders in the growth hormone-insulin-like growth factor-Ⅰ axis. *Horm Res* 66：221-230, 2006
5) López-Bermejo A, *et al.*：Genetic defects of the growth hormone-insulin-like growth factor axis. *Trends Endocrinol Metab* 11：39-49, 2000
6) 緒方　勤：Target height と target range. 小児科臨床 60：221-223, 2007
7) Yakar S, *et al.*：Normal growth and development in the absence of hepatic insulin-like growth factor Ⅰ. *Proc Natl Acad Sci U S A* 96：7324-7329, 1999
8) Ohlsson C, *et al.*：Growth hormone and bone. *Endocr Rev* 19：55-79, 1998
9) Strobl JS, *et al.*：Human growth hormone. *Pharmacol Rev* 46：1-34, 1994
10) Smith RG, *et al.*：Peptidomimetic regulation of growth hormone secretion. *Endocr Rev* 18：621-645, 1997
11) Baumann G：Growth hormone heterogeneity：genes, isohormones, variants, and binding proteins. *Endocr Rev* 12：424-449, 1991
12) 神崎　晋, 他：IGF-Ⅰ/IGF-Ⅰ受容体異常による低身長. 実験医学 27：3165-3171, 2009
13) Abuzzahab MJ, *et al.*：IGF-Ⅰ receptor mutations resulting in intrauterine and postnatal growth retardation. *N Engl J Med* 349：2211-2222, 2003
14) Begemann M, *et al.*：Paternally Inherited IGF2 Mutation and Growth Restriction. *N Engl J Med* 373：349-356, 2015
15) Hauspie RC：Secular changes in growth and maturation：an update. *Acta Paediatr Suppl* 423：20-27, 1997

❖ 参考文献
・Clayton PE, *et al.*：Normal growth and its endocrine control. In：Brook CGD, *et al.*(eds), *Clinical Pediatric Endocrinology*. 4th ed., Blackwell Science, Oxford, 95-114, 2001
・Michigami T：Regulatory mechanisms for the development of growth plate cartilage. *Cell Mol Life Sci* 70：4213-4221, 2013

（神﨑　晋）

C 成長障害の鑑別と診断の進め方

　成長という言葉には，少なくとも身長，体重の二つの側面が含まれる．本項では，体重増加不良，体重減少といった体重の側面は扱わず，低身長，身長増加不良などといった身長の側面のみ言及する．なお，高身長については**総論第7章B および本章L**を参照されたい．

1）身長の評価

　低身長の明確な定義はない．多くの場合，年齢ごとの身長を示す曲線の一番下にあたる当該年齢健常小児の平均身長の−2SD 以下，または 3rd パーセンタイル以下を低身長としているが，人為的に定めたものである．臨床的に意味のある，言葉をかえれば検査が必要な低身長は身長SD値が−2.5SD以下といわれることが多い．身長増加不良については，身長SD値が年0.3SD以上低下する場合[1]，身長増加率SD値が−1.5SD以下といわれることが多い[2]．

　身長増加率の低下を認める場合には，身長絶対値（SD値）が正常範囲内であっても何らかの異常の存在を疑うべきである．前述のとおり身長増加率が重視されることが多いが，日常臨床では成長曲線上でのみた目で判断している．みた印象で評価する場合，少なくとも3〜6か月以上間隔をあけた2回の身長データから判断する．より正確に身長増加率を計測値から計算し評価する場合，原則1年間のデータに基づくべきと考えられる．身長を日常臨床で正確に評価することは特に乳幼児では容易ではなく，重要な場合，1回の外来受診で2〜3回測定する態度が求められる．

2）健常のバリエーション―家族性低身長，体質性思春期遅発症，特発性低身長

　外来でみる低身長患者では，健常のバリエーションともいえるこれらの疾患単位が最も多い．家族性低身長という用語は直感的に理解しやすいものの，明確な定義はない．学術的に用いるには，両親のいずれかが−1.5SD未満の低身長である低身長児などと決めることとなる．

　体質性思春期遅発症という用語もやはり定義は一定したものがない．一般人口に一定頻度で存在する典型的症例（経験的な推測は1〜2%）では，乳児期早期までは比較的正常を保っていた身長が，幼児期の終わり頃までに低下し，しばしば−2SD以下になる．その後，小学校中盤まで，低身長ではあるが正常の成長率を保つ．小学校高学年から中学生にかけて思春期発達がみられないため，（思春期発達が生じている）健常児と比べて身長増加率が低下する．その後，女児では13〜14歳以降，男児では14〜15歳以降からスパートが起こり，最終的にはtarget heightに近い身長に到達する．思春期前では骨年齢は暦年齢に比して通常2年以上遅延する．両親のいずれかの思春期発来も遅いことが多く，家族歴の聴取が診断に有用である．家族歴は，成長曲線および最終身長からみて典型的と思われる症例では60〜70%程度にみられるため，何らかの遺伝的要因が想定される．

II 各 論

2000年のエキスパートによるコンセンサス会議[3]が開催されて以降,特発性低身長(idiopathic short stature)という用語が論文でも用いられることが多いが,この用語は家族性低身長,体質性思春期遅発症を含むより広い概念であるのみならず,分子生物学的な低身長の原因が多くわかってきた現在,分子生物学的成因を精査するまでの実臨床的な用語と理解すべきである(表3[4]の＊参照).実際の診療では,家族性低身長の定義を満たし,かつ骨年齢が遅れている児が多く,こうした場合は家族性低身長に(程度の軽い)思春期遅発症を合併している「特発性低身長」と解釈することが可能である.

3) 軟骨内骨化に基づく低身長の分類(表3)[4]

正常な身長の増加は骨端軟骨(成長軟骨)の石灰化・骨化による縦方向の骨の伸長により生じる[4].この過程には,軟骨細胞,骨芽細胞のいわば主役に加え,様々なホルモン,電解質(特にP),栄養などが関与している.この過程の異常により低身長を生じることから,低身長は軟骨内骨化の過程自体(軟骨細胞・骨細胞・石灰化・骨化自体)に異常があるものと,この過程に関与する周辺因子(GH,甲状腺ホルモン,栄養など)に異常があるものとに大別して考えることが可能である.

軟骨細胞・骨細胞・石灰化・骨化自体に異常があるものに関しては軟骨内骨化の各過程の障害で知られている.たとえば,軟骨無形成症(achondroplasia)は軟骨細胞分化自体の障害を伴い,くる病は軟骨細胞の周囲の石灰化の障害である.GH分泌不全症において欠乏するGH,IGF-Iは軟骨細胞の分化に必要な因子としても捉えられる.また,染色体異常では成長軟骨の石灰化・骨化に関与するすべての細胞レベルでの異常が存在すると想定できる.その他の疾患に関しては表3[4]を参照されたい.周辺因子に異常があるものは,内分泌疾患,愛情遮断症候群,低栄養,慢性疾患,薬剤による障害などに分類できる.

4) 低身長児診断の進め方

a. 身長増加を示す曲線

病的な低身長であるのかを判断するときには身長増加率のSD値が最も重要といわれ,前述のように,成長曲線において身長増加率の低下を認める場合には,何らかの異常の存在を疑うべきである.7本ある身長パーセンタイル曲線において2歳以降から前思春期では下に2本以上ずれる(shift)ことはない.平均,±1SD,±2SDの5本からなる,より普及している成長曲線では,下に1本を超えて明らかにshiftしたときに病的と考える.

表3 低身長の分類

A.特発性低身長＊
 特発性低身長には以下の1〜3も含まれる
 1.家族性低身長
 2.体質性思春期遅発症
 3.1と2の両方にあてはまるもの
B.SGAに伴う低身長
C.成長軟骨での骨化に一次的異常があるもの
 1.先天異常
  1) 染色体異常(Turner症候群, 21トリソミーなど)・(多発)形態異常症候群
  2) 胎内感染(TORCH infection)
 2.骨系統疾患(achondroplasia, hypochondroplasiaなど)
 3.軟骨周囲の石灰化の異常
  くる病(低リン血症に伴うもの,ビタミンD欠乏に伴うものなど)
D.成長軟骨での骨化に関与する周辺因子に異常があるもの
 1.慢性疾患(腎不全など),小児がん生存者
 2.低栄養
 3.愛情遮断症候群
 4.薬剤・治療による成長障害
  ステロイド,放射線治療
 5.内分泌疾患
  ①GH-IGF-Iの分泌不全,不応
  ②TRH-TSH-甲状腺ホルモンの分泌不全
  ③ACTH-コルチゾールの分泌過剰
  ④GnRH-LH/FSH-E_2/Tの分泌低下＊＊

低身長を主訴にして来院するときの60〜80%以上は表のA.特発性低身長(家族性低身長,体質性思春期遅発症あるいはその両者の重なったものを含む治療対象にならない病因が特定できない低身長)である

＊:特発性低身長として臨床現場で診断されている児のなかには,顕性遺伝する遺伝子,SHOXなどの遺伝子バリアントがみつかることが判明してきている[1].
＊＊:思春期スパートの欠如
〔長谷川行洋:低身長―実地臨床Tips―.たのしく学ぶ小児内分泌.診断と治療社,77-83, 2015より引用改変〕

身長は出生後から2歳までおよび思春期においては,成長曲線での上下のshiftがしばしば健常児にもみられる.一つの要因として,出生時の大きさは母親の体格を反映し,2歳時の身長は両親の身長を反映する.たとえば,母が大柄,父が小柄な場合,出生時に大きくても2歳までに両親のtarget height(予測最終身長)のlineまでshift downすることがある.また,思春期には性ホルモンの影響で身長増加率が加速する時期がある(スパート).体質性思春期遅発症ではスパートの時期が遅れるため,平均的なスパート時期が示された成長曲線上から離れ身長増加率の低下があるようにみえる.

原則的に,低身長をきたす疾患では身長増加率が低下するが,例外としてたとえばGH分泌不全症の発症初期にはこの増加率は低下しない.また,SHOX遺伝子異常症,Turner症候群(Turner症候群ではSHOX遺伝子の領域は欠失している)の乳幼児期から小学生前半くらいまでは身長増加率の低下が目立ちにくいことが

ある．さらに，体重増加するものの，それに見合う身長増加がみられない病的状態として，Cushing 症候群，先天性甲状腺機能低下症(橋本病)の初期があげられる．

b．家族歴

児の最終身長は両親の身長と密接に相関するため，身長の評価には身長の SD 値のみでなく両親の実測身長から推定される児の target height と比較することがより重要である．身長の評価において以下の target height および target range (target height の 95% 信頼区間)を用いる．

男児の target height＝(父の身長＋母の身長＋13)/2 (cm)

女児の target height＝(父の身長＋母の身長－13)/2 (cm)

男児の target range＝target height±9 cm
女児の target range＝target height±8 cm

身長は両親の遺伝的影響を受けるため，ある時点での身長が target range 程度に収まる低身長の場合はただちに病的とはいえない．逆に身長が－2 SD 以上であっても，その身長の程度が target range を下回る場合は何らかの疾患の可能性を考えるべきである．ただし，親，特に片方の親に病的異常があり低身長を示している場合には target height を考えることは無意味であり，後述するように，常染色体性顕性の遺伝形式を示す SHOX, NPR2, ACAN, FGFR3R などの遺伝子バリアントが知られる[1]．

上述したように，子どもの思春期発来時期が両親の思春期発来時期と同様の傾向があることは体質性思春期遅発症と診断する際に重要となる．外来では母には初経の時期，父には身長が最も伸びた時期を聞くことが有用である．この際，小学校低学年，高学年，中学，高校など各学年のときに他児と比べ身長がどの程度であったかを聞くことで伸びた時期がわかることがある．

c．既往歴

妊娠中，出生時，新生児期の情報は重要な示唆を与えることがある．分娩異常(骨盤位，仮死など)，新生児期低血糖・遷延性黄疸・小陰茎の存在は周産期に異常を伴う invisible pituitary stalk syndrome[4] を疑わせる．また，他科との関連では小児がん経験者の成長障害に小児内分泌科医が関与することも多い．

d．身体所見

プロポーション(四肢・体幹のみた目のバランス，アームスパンと身長との差異，頭囲)，形態異常，Tanner 分類(乳房，精巣，陰毛)，神経学的診察などが重要である．たとえば Turner 症候群では外反肘や low posterior hair line，翼状頸などを認める．軟骨無形成症では相対的に大きい頭囲，四肢の特に近位四肢の短縮を認める．後者のためアームスパンが身長に比べて短い測定値となる．体質性思春期遅発症，性腺機能低下症の診断には Tanner 分類が重要である．

e．検査

以下の検査を，どこまで，どういった組み合わせで行うかは臨床的に判断されるべきものである．また，現場でも社会的状況(紹介された経緯，本人・家族の意向，施設での役割など)も考慮されることが予想できる．

①一般血液・尿検査

腎不全，腎尿細管性アシドーシス(renal tubular acidosis：RTA)などによる成長障害の鑑別のため，腎機能検査，電解質・血液ガス分析，一般尿検査などを行う．

②全身骨 X 線

プロポーションが健常児と異なり，骨系統疾患が疑われるときには，全身骨 X 線を撮影する．

③染色体検査

発達遅滞，顔貌の特異性，形態異常を認める場合には染色体検査を行う．低身長以外の臨床症状がはっきりしない Turner 症候群はまれではなく，女児では低身長のみであっても他の状態(例，家族性低身長)が否定的であれば染色体検査(FISH あるいは G 分染)を考慮する．

④内分泌的検査

身長増加率の低下を伴う児では後述する GH 分泌状態のスクリーニング，TSH/FT$_4$ による甲状腺ホルモンの分泌能の評価を行う．思春期遅発症や Turner 症候群，性腺機能低下症が疑われる場合には，LH/FSH，エストラジオール，テストステロンがおおよそ 10 歳以降から有用である．GH 分泌不全症のスクリーニングには IGF-Ⅰ の測定をまず行う．この結果が正常であれば GH 分泌刺激試験は多くの場合，不要である．血中 GH 依存性因子である IGF-Ⅰ は日内・日差変動が少なく，GH の単回測定値より GH 作用の指標として有用である．ただし，基準値が年齢・思春期段階により違うこと，肝障害の有無・栄養状態・急性疾患の合併などによっても低値となることに留意する必要がある．

IGF-Ⅰ が低値で，GH 基礎値が高値の場合には GH insensitivity (低栄養，肝疾患など)を疑わせる．

GH 分泌刺激試験は GH 分泌不全症の診断の古典的なスタンダード検査と考えられていた．一般に，インスリン，アルギニンなどを負荷し GH の頂値が 6 ng/mL 以下を異常としている．しかし，正常値の欠如(6 ng/mL 以上が正常である根拠がない[4])，再現性の欠如が問題となる[5]．成人ではインスリンが最も重要な GH

分泌を評価する負荷試験といわれるが，小児では低血糖を生じ，負担の大きい，時に危険な試験である[6]．

⑤頭部MRI

以下の疾患を疑う場合に有用である．特に，視床下部，下垂体の評価にはCTよりMRIが有用である．

▶ 脳腫瘍

脳腫瘍を疑わせる神経学的症状，後天的なGH分泌不全症を疑わせる身長増加率の低下を認める場合には脳腫瘍を一度は鑑別する必要がある．また，GH単独ではなく複合型下垂体ホルモン欠損症を強く疑った場合は，上述の所見が軽微であっても脳腫瘍，特に，鞍上部視床下部の腫瘍を否定しておくことが望ましい．

新生児，乳児期早期発症の複合型下垂体ホルモン欠損症，正中上の形態異常，小陰茎，低血糖などをきっかけに診断された本性はMRIで中枢神経系の形態異常，下垂体茎，下垂体の異常，偽後葉の存在から内分泌学的検査より特異的に複合型下垂体ホルモン欠損症が診断できることがある．この場合，臨床的にはGH分泌不全の診断に負荷試験は不要である．

⑥骨年齢の評価

乳児期には膝のX線を用いる(Roche法)，大腿骨遠位端の骨端核の横径と，大腿骨の遠位端横径の比は，1，2，3，6，12か月で0.3，0.42，0.45，0.53，0.61(男)/0.58(女)とされている．これらの値は日本人でも臨床的には有用であると考えるが，その有用性はおそらく新生児期，乳児期早期に限定される．一般的に，2歳未満の骨年齢評価は困難である[1]．

乳児期以降に手根骨の評価をする際には，正しい肢位・手の位置で撮影することが最も重要である．判定法のおもなものはGreulich & Pyle(GP)法，Tanner-Whitehouse 2(TW2)法，日本人に準拠した骨年齢評価法である．

手根骨による骨年齢の評価の原則は以下のとおりである．一般に評価には指骨，橈骨および尺骨，手根骨を用いる．手根骨は個人差が大きいため重要度は低い．日本人では個人差の大きい尺骨より橈骨のほうが評価にすぐれている．

骨年齢が暦年齢に比し2歳以上遅れている場合には有意な遅れと考える．この場合，体質性思春期遅発症，(後天性)甲状腺機能低下症，GH分泌不全症が鑑別となる．

低身長児では，骨年齢が暦年齢より遅れていることが多く，この遅れが目立たないことをきっかけにACAN，GNAS遺伝子バリアントの診断に至ることもある．

⑦遺伝子検索

別項のように，最近，GH-IGF-I系の遺伝子の様々な異常が明らかになっている．このような異常が疑われる症例では，遺伝子検索もあわせて行うことが有用である(本章D参照)．

より一般論として，-3SD未満の低身長(特に低身長の家族歴をもつ症例，形態異常を複数以上もつ症例，catch-upしないsmall for gestational age(SGA)での出生児など)が詳細な染色体，遺伝子検査の対象と考える．実臨床的には，染色体検査としてG分染法が行われるが，研究室レベルで行われるCGHアレイにより詳細な情報が得られる．その後，研究室レベルでの解析として，低身長の原因候補遺伝子の網羅的解析が本項脱稿時，国立成育医療センター研究所で行われている．

5) 低身長児診断のアルゴリズム(図9)[7]

a. 一般論

低身長児の診断の過程を図9[7]に示した．以下，専門医への紹介のポイントを含めて概説する．先天性心疾患に代表される慢性疾患の合併がある場合は，低身長(および多くの場合に伴う体重増加不良)は合併疾患の影響である可能性が高い．

前述したように低身長児のなかで身長増加率が低下していない症例のほとんど，おそらく外来で低身長を主訴に来院する患者の60〜80%以上は，家族性低身長，体質性思春期遅発症およびその二つの合併した状態と思われる．たとえば，大きな身長増加率の低下がなく，家族歴として低身長があり，血中IGF-Iを測定してこの値が正常値を示す場合は，特発性低身長症(家族性低身長およびそれに加え体質性低身長を合併しているものを含む)である可能性が高い．原則的にこうした患児は治療対象とはならないが，特発性低身長症としてみている患児のなかには，のちになり下垂体前葉機能低下症(GH分泌不全症を含む)，GH(単独)分泌不全症，後天性甲状腺機能低下症，Turner症候群，性腺機能低下症などと診断できる症例がまれに混在する．

また，特発性低身長として診断されている症例のなかに，遺伝子バリアントが関与している症例がいることは前述のとおりである．

GH分泌不全症，後天性甲状腺機能低下症，Turner症候群の典型例では，身長増加率の低下に伴い各々に特徴的な症状・検査所見があり診断は困難ではない．最近，比較的にみる頻度が増えているものとしてアレルギーのための食事制限に関連した低身長，愛情遮断症候群(身体的虐待，不適切な養育態度など)，社会的ス

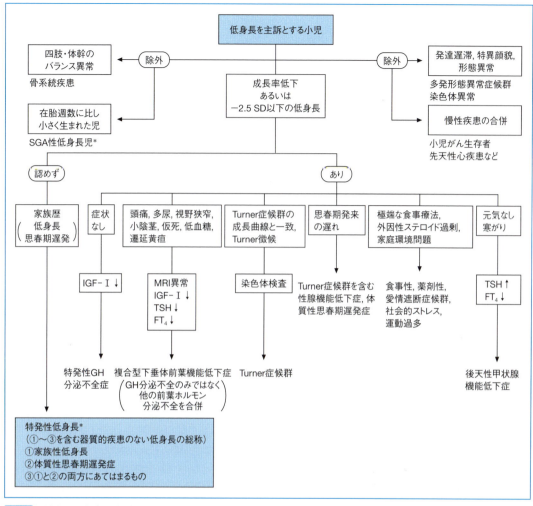

図9　外来に低身長を主訴として来院する児の鑑別

＊：家族性低身長，体質性思春期遅発症，Turner症候群が最も多く，特に前2者が60〜80%以上を占める
また，最近数年以上の分子生物学的検討の結果，特発性低身長，SGA性低身長児といわれる症例のなかに遺伝子バリアントで説明される症例が存在することが知られるようになってきた．特発性低身長として診断されていた症例のなかで頻度の高いものとして，SHOX，NPR2，ACAN，FGFR3遺伝子などが知られている[1]

〔長谷川行洋：低身長．はじめて学ぶ小児内分泌．改訂第2版，診断と治療社，2-26，2021より引用改変〕

トレスと関連した低身長（過度のスポーツトレーニング，受験勉強）などがある．こうしたものでは複数科での治療，本人の生活あるいは両親の養育の方針の確認，修正が必要になる．

治療が必要となる内分泌疾患のなかでは，下垂体前葉機能低下症，GH分泌不全症，Turner症候群の頻度が高い．下垂体前葉機能低下症，GH分泌不全症をあわせて5,000人に1人以下，Turner症候群が女性1,000〜2,500人に1人と推定されている．

b．注意点

①GH分泌不全症の診断は容易ではない

一般的に，GH分泌不全症の診断には成長率の低下を認めること，および検査所見上，GHの分泌低下（検査に関しては前述）を認めることの両者がそろっていることが必要である．GH以外の下垂体前葉ホルモンの分泌不全を合併する場合は，GH分泌不全症は高度であるため診断は容易である．遺伝子の異常以外の原因による単独分泌不全の場合，特に（基礎疾患を合併しない，原因を特定できない）特発性GH分泌不全症ではGH分泌不全の程度がより軽度であるため，慎重に診断する必要がある．身長・成長率・検査はいずれも連続した値であり，正常と異常の境界は人為的である．また，GH分泌刺激試験によるGH分泌不全症の診断には前述した問題がある．

② GH-IGF-Ⅰ系以外の内分泌異常による低身長も存在する

GH-IGF-Ⅰ系の異常のみならず，TRH-TSH-甲状腺ホルモン，GnRH-LH/FSH-T・E_2，ACTH-コルチゾール，アルギニン・バゾプレシン（arginine vasopressin：AVP）いずれかの系の異常が存在する場合にも成長率の低下をきたす．後天性甲状腺機能低下症では発症時期から成長率の低下を認める．また性腺機能低下症では，思春期に性ホルモンによるスパートが起きない．また，ステロイドを長期に投与されたもの，治療前のCushing症候群・中枢性尿崩症においても成長率が低下する．

③ 愛情遮断症候群の診断はときに容易ではない

愛情遮断症候群[8]では，入院直後には下垂体ホルモン分泌刺激試験で複合型下垂体ホルモン欠損症と同様の検査結果がみられることがある．これに加え，GH抵抗性が存在する（GHを投与しても身長が伸びない）ことが低身長の一因であると考えられている．入院して母子分離をはかると1〜2週間以降には分泌刺激試験は正常反応となる．入院後には人懐っこい性格を示し，出てくる食事をすべて食べ身長・体重が急激に増加する，などから疑うことができる．典型例では，一定期間以上の入院あるいは施設入所などにより家庭との分離をはかると成長率が改善することから確定診断できる．

様々な情報を正確に得ることはむずかしく，時に診断は容易ではない．家庭での問題を評価しにくいときには，臨床心理士，ソーシャルワーカー，児童精神科医などの協力を得ながら診断をする必要がある．

❖ 文献

1) Collett-Solberg PF, et al.：Diagnosis, Genetics, and Therapy of Short Stature in Children：A Growth Hormone Research Society International Perspective. *Horm Res Paediatr* 92：1-14, 2019
2) 厚生労働科学研究費補助金難治性疾患等政策研究事業「間脳下垂体機能障害に関する調査研究」班：間脳下垂体機能障害の診断と治療の手引き（平成30年度改訂）．日内分泌会誌 95（Suppl．），2019
3) Cohen P, et al.：Consensus statement on the diagnosis and treatment of children with idiopathic short stature：a summary of the Growth Hormone Research Society, the Lawson Wilkins Pediatric Endocrine Society, and the European Society for Paediatric Endocrinology Workshop. *J Clin Endocrinol Metab* 93：4210-4217, 2008
4) 長谷川行洋：低身長―実地臨床 Tips―．たのしく学ぶ小児内分泌．診断と治療社，77-83，2015
5) Hasegawa Y, et al.：Reproducibility of Growth Hormone Stimulation Tests（Arginine and Insulin），Insulin-like Growth Factor（IGF）-1 and IGF-Binding Protein-3 Measurements. *Clin Pediatr Endocrinol* 2（Suppl. 2）：75-78, 1993
6) Shah A, et al.：Hazards of pharmacological tests of growth hormone secretion in childhood. *BMJ* 304：173-174, 1992
7) 長谷川行洋：低身長．はじめて学ぶ小児内分泌．改訂第2版，診断と治療社，2-26，2021
8) Rogol AD.：Emotional Deprivation in Children：Growth Faltering and Reversible Hypopituitarism. *Front Endocrinol（Lausanne）* 11：1-20, 2020

❖ 参考文献

- Brook C, et al.（eds）：*Brook's Clinical Pediatric Endocrinology*. 6th., Wiley-Blackwell, 2009
- Jameson JL, et al.（eds）：*Endocrinology：Adult and Pediatric：Expert Consult-ONLINE*. 6th., Saunders, 2010

〈長谷川行洋〉

D 成長障害にかかわる遺伝子とその分子基盤

1 GHRH受容体遺伝子異常症

GHRH受容体遺伝子は染色体7q15に存在し，13個のエクソンより構成される．この受容体はG蛋白にカップリングする7回膜貫通型である[1]．GHRHはこの受容体を介して，GHの分泌，GH産生細胞の分化，増殖を促進する．1998年にGHRH受容体遺伝子異常症がヒトではじめて報告された[2]．この報告によれば，無治療で−7 SDの低身長となる．現在までに20以上の病的バリアントが報告されている．ほとんどの症例でGH分泌不全は重度であり，MRIで下垂体前葉は低形成を示す．しかし新生児期の低血糖，顔面の低形成は認められないことがある．生殖能力はGHの補充を行わなくても，問題はない．GHRH受容体遺伝子異常のヘテロの保因者の身長は正常である．

わが国でも，GHRH受容体遺伝子異常症が報告されている[3,4]．Sonedaらの症例ではGHRH刺激に対してGH分泌頂値が3.9 ng/mLまで上昇し，MRIで下垂体前葉は正常であった[4]．

❖ 文献

1) Corazzini V, et al.：Molecular and clinical aspects of GHRH receptor mutations. *Endocr Dev* 24：106-117, 2013
2) Maheshwari HG, et al.：Phenotype and genetic analysis of a syndrome caused by an inactivating mutation in the growth hormone-releasing hormone receptor：Dwarfism of Sindh. *J Clin Endocrinol Metab* 83：4065-4074, 1998
3) 堀川玲子：GHRH受容体不活性型変異によるGH単独欠損症．日本臨牀 60：297-305, 2002
4) Soneda A, et al.：Novel compound heterozygous mutations of the growth hormone-releasing hormone receptor gene in a case

of isolated growth hormone deficiency. *Growth Horm IGF Res* 23：89-97, 2013

（田島敏広）

2 GH1遺伝子異常症

1）定義・概念

GHをコードするGH1遺伝子の病的バリアントにより，下垂体前葉GH産生細胞からのGH分泌が妨げられ，GH分泌不全による低身長を呈する疾患である．

2）病因・病態

GH1遺伝子は17番染色体長腕(17q22-24)に位置し，野生型の転写産物は5個のエクソンからなり，翻訳されて22.0 kDa GHとなる．選択的スプライシングにより，20.0 kDa（エクソン3が一部欠落），および17.5 kDa（エクソン3がすべて欠落）のアイソフォームが存在し，全転写産物中それぞれ5〜10％，1〜5％の転写量を占める[1]．

現在まで報告されているGH1遺伝子の病的バリアントはすべてその分子生物学的機能を喪失するものである．また，GH1遺伝子の欠失をヘテロ接合性に有する患者のGH分泌能および身長が正常であることから，血液中のGH濃度を正常に維持するためには1アリルの野生型GH1遺伝子で十分であると推察される．以上から，ドミナントネガティブ効果をもたない病的バリアントはホモ接合体あるいは複合ヘテロ接合体で発症し（潜性遺伝性GH1遺伝子異常症），ドミナントネガティブ効果をもつ病的バリアントはヘテロ接合体で発症する（顕性遺伝性GH1遺伝子異常症）[2]．以下，それぞれについて説明する．

a．潜性遺伝性GH1遺伝子異常症

両アリル性の機能喪失を伴うGH1遺伝子の病的バリアントに起因する．GH1遺伝子の欠失とそれ以外に分けて説明する．

①欠失

GH1遺伝子はCSH1，CSH2，CSHP，GH2と合わせて五つの遺伝子で17q22-24に計65.0 kbのクラスターを形成しており，この遺伝子間で減数分裂の組み換え異常が起こる結果，GH1遺伝子の欠失が起こりうる（アジアでは6.7 kbの欠失が多い）[3]．欠失をホモ接合性に有する患者は内因性GH分泌がnullであり，生後6か月頃より重度の成長障害をきたす．GH治療により一部の症例で抗GH抗体が産生される．

②欠失以外

シグナルペプチド内のフレームシフト，またはナンセンスの両アリル性バリアントは完全に機能を喪失する結果，内因性GH分泌がnullであり，欠失症例と同様の重度表現型を示す[4]．それ以外のバリアントはより軽症で抗GH抗体産生はみられない．

b．顕性遺伝性GH1遺伝子異常症

ドミナントネガティブ効果を有する病的バリアントが片アリルから産生される結果，野生型アリルの作用が妨げられ，ヘテロ接合体で発症する．224人190家系のGH単独欠損症患者のコホートでは，26人14家系にGH1遺伝子異常があり，そのうち21人11家系が顕性遺伝性である[5]．以下，17.5 kDa GH産生増加によるものとそれ以外に分類して解説する．

①17.5 kDa GH産生増加によるもの

顕性遺伝性GH1遺伝子異常症の大部分は，スプライシング異常によるエクソン3スキップの結果，正常下垂体でも少量発現している17.5 kDaアイソフォームの産生量が病的に上昇するものである．17.5 kDa GHはフォールディング異常のため小胞体に局在したのち細胞内で分解を受け，血液中には分泌されない．小胞体内の17.5 kDa GHが野生型GHの分泌を阻害する分子生物学的機序については諸説あるが[6,7]，両アリルのマウスGh遺伝子を1アリルずつヒト野生型GH1遺伝子およびヒト変異型GH1遺伝子に置換したモデルマウスを用いた最近の研究では，17.5 kDa GHがGhrhr遺伝子およびGH1遺伝子のプロモーター活性を低下させる結果，野生型GH1遺伝子の発現が転写レベルから低下することがこのモデルマウスにおけるドミナントネガティブ効果の直接的な原因であることが報告されている[8]．

GH1遺伝子のエクソン3を挟み込むスプライスサイト，すなわちイントロン(intervening sequence：IVS)2のアクセプターサイト(acceptor site：as)およびIVS3のドナーサイト(donor site：ds)はスプライスサイトの自由度が高く，エクソン5個から構成される野生型転写産物を得るためにスプライスエンハンサー(splice enhancer：SE)とよばれる配列が必要である．このため，IVS2asやIVS3ds内のバリアントだけでなく，IVS3＋26-34のイントロンスプライスエンハンサー(intronic splice enhancer：ISE)，IVS3＋67-73のブランチ部位，さらにはエクソン3内のエクソンスプライスエンハンサー(exonic splice enhancer：ESE)内のバリアントにより，程度は異なるものの17.5 kDa GHの発現が病的に上昇し，GH分泌不全が発症する[9]．エクソン3のESEは二つあり，エクソン3＋1〜7(c.172〜178)の7塩基がESE1を，エクソン3＋33〜44(c.204〜215)の12塩基がESE2を構成する．特にESE内の1塩基置換はサイレンス，ミスセンス，ナンセンスバリアントと

して認識されがちであるが，ヘテロ接合体で発症し，病態はエクソン3スキップであることに注意すべきである．

②17.5 kDa GH 以外のバリアントによる顕性遺伝性GH1遺伝子異常症

Arg183His（分泌顆粒からの野生型GH放出阻害）[10]，Arg178His（野生型GHの分泌阻害＋GH受容体に対する親和性低下）[11]，Asp112Gly（生物学的不活性GH）[12]などが知られている．

3）臨床症候

生後6か月以降に出現する成長率低下を伴う身長体重増加不良，特異的顔貌（前額部突出，鼻根部陥凹），繰り返す低血糖，活気不良などが GH 分泌不全を示唆する所見である．

4）診断と検査法

各種 GH 分泌負荷試験，および遺伝子検査による．

5）治療法

ソマトロピン（遺伝子組み換え）を，0.175 mg/kg/週の量で週6～7回就寝前に皮下注射する．

6）管理と予後

17.5 kDa GH 産生増加による GH1 遺伝子異常症患者の一部は，成人期に他の前葉ホルモン分泌不全（TSH，LH）を起こすことが報告されており[13,14]，長期にわたるフォローアップが必要である．

❖ 文献

1) Lecomte CM, et al.：A new natural hGH variant－17.5 kd－produced by alternative splicing. An additional consensus sequence which might play a role in branchpoint selection. *Nucleic Acids Res* 15：6331-6348, 1987
2) Alatzoglou KS, et al.：Isolated growth hormone deficiency (GHD) in childhood and adolescence：recent advances. *Endocr Rev* 35：376-432, 2014
3) Phillips 3rd JA, et al.：Genetic basis of endocrine disease. 6. Molecular basis of familial human growth hormone deficiency. *J Clin Endocrinol Metab* 78：11-16, 1994
4) Cogan JD, et al.：Heterogeneous growth hormone (GH) gene mutations in familial GH deficiency. *J Clin Endocrinol Metab* 76：1224-1228, 1993
5) Alatzoglou KS, et al.：Expanding the spectrum of mutations in GH1 and GHRHR：genetic screening in a large cohort of patients with congenital isolated growth hormone deficiency. *J Clin Endocrinol Metab* 94：3191-3199, 2009
6) McGuinness L, et al.：Autosomal dominant growth hormone deficiency disrupts secretory vesicles in vitro and in vivo in transgenic mice. *Endocrinology* 144：720-731, 2003
7) Kannenberg K, et al.：Mutant and misfolded human growth hormone is rapidly degraded through the proteasomal degradation pathway in a cellular model for isolated growth hormone deficiency type Ⅱ. *J Neuroendocrinol* 19：882-890, 2007
8) Ariyasu D, et al.：Decreased activity of the ghrhr and Gh promoters causes dominantly inherited GH deficiency in humanized GH1 mouse models. *Endocrinology* 160：2673-2691, 2019
9) Moseley CT, et al.：An exon splice enhancer mutation causes autosomal dominant GH deficiency. *J Clin Endocrinol Metab* 87：847-852, 2002
10) Zhu YL, et al.：Prolonged retention after aggregation into secretory granules of human R183H-growth hormone (GH), a mutant that causes autosomal dominant GH deficiency type Ⅱ. *Endocrinology* 143：4243-4248, 2002
11) Petkovic V, et al.：Growth hormone (GH) deficiency type Ⅱ：a novel GH-1 gene mutation (GH-R178H) affecting secretion and action. *J Clin Endocrinol Metab* 95：731-739, 2010
12) Takahashi Y, et al.：Biologically inactive growth hormone caused by an amino acid substitution. *J Clin Invest* 100：1159-1165, 1997
13) Turton JP, et al.：Evolution of gonadotropin deficiency in a patient with type Ⅱ autosomal dominant GH deficiency. *Eur J Endocrinol* 155：793-799, 2006
14) Mullis PE, et al.：Isolated autosomal dominant growth hormone deficiency：an evolving pituitary deficit? A multicenter follow-up study. *J Clin Endocrinol Metab* 90：2089-2096, 2005

〈有安大典〉

3 GH 不応症

1）定義・概念

GH 不応症とは成長障害の疾患のなかで，GH 分泌は正常から上昇しているにもかかわらず，IGF-Ⅰの低値を示し，かつ GH 投与によっても IGF-Ⅰの上昇を認めない状態を指す[1,2]．

2）病因・病態

GH 受容体は，細胞膜上で二量体を形成し，GH の結合により，janus kinase 2（JAK2）を活性化する[3,4]．JAK2 の活性化により GH 受容体のいくつかのチロシン残基のリン酸化が起こり，STAT5B，PI3K，Raf-MEK-ERK 経路を活性化し，IGF-Ⅰを含む様々な遺伝子の転写を調節し，GH の作用を発揮する（図 10）．したがって，GH の受容体異常やシグナル伝達に必要なエフェクターの異常が GH 不応症の原因となる[1,2]．

GH 不応症のなかでは，GH 受容体異常症が代表的である．Laron らによって最初に報告されたので，Laron 症候群ともよばれる[5]．GH 受容体遺伝子は第5染色体 p13.1-p12 に存在し，9個のエクソンより構成される．エクソン3～7は大きな細胞外ドメインを，エクソン8は膜貫通部分を，エクソン9，10は細胞内ドメインをそれぞれコードする．現在まで70以上の GH 受容体の病的バリアントが同定されている[1,2]．ほとんどの病的バリアントはホモ接合体，複合ヘテロ接合体で，常染色体潜性遺伝形式をとる．これらのバリアントにより，GH 受容体に対する GH 結合能の低下，あるいは

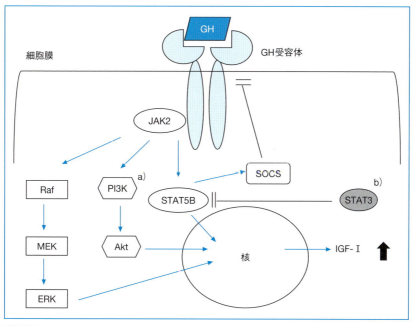

図10　GH受容体のシグナル伝達

GH受容体は620個のアミノ酸よりなるサイトカイン受容体スーパーファミリーに属する1回膜貫通型の受容体である．GH受容体はGHに結合しない状態ですでにダイマーを形成している．GHの作用はGH受容体と結合することによって発揮され，JAK2のGH受容体Box1領域への結合が促進され，これによりJAK2が活性化する．JAK2はSTAT5B，PI3K-Akt，Raf-MEK-ERKを活性化し，IGF-Ⅰの合成分泌を促進する．STAT5によりsuppressor of cytokine signaling（SOCS）が活性化され，GH受容体，JAKに結合し，GHのシグナル伝達を抑制する
a）PI3Kのレギュラトリーサブユニットの異常よりSHORT症候群が発症するが，GH不応を示す
b）STAT3異常症の場合にはSTAT3の機能異常によりSTAT5Bの活性が抑制され，GH不応が起こる

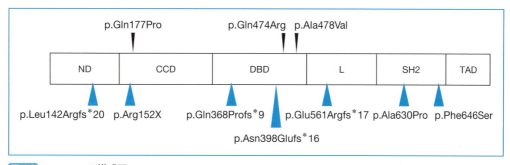

図11　STAT5Bの模式図

ND：N末端ドメイン（N-terminal domain），CCD：コイルドコイルドメイン（coiled-coiled domain），DBA：DNA結合ドメイン（DNA-binding domain），L：連結ドメイン（linker domain），SH2：SH2ドメイン（src-homology domain），TAD：活性化ドメイン（transactivation domain）
上段にドミナントネガティブ効果を示す常染色体顕性の病的バリアント，下段に常染色体潜性遺伝の病的バリアントを示す

GH受容体の細胞表面への発現低下が起こる．しかしドミナントネガティブ効果を起こす病的バリアントも報告されている[6]．

GH受容体以降の情報伝達のエフェクター異常によるGH不応症としてSTAT5B異常が知られている[1,2]．ほとんどは常染色体潜性遺伝形式をとり，7個の病的バリアントが報告されている（図11）[1,2]．そのほかGH受容体以降の情報伝達のエフェクター異常によるものとしてSTAT3，IKKβ活性型キナーゼ（IKBKB），γインターロイキン2のγサブユニット（IL2RG）の異常がある[2]．またPI3Kのレギュラトリーサブユニット（PI3KR1）の異常によるSHORT（short stature, hyperflexibility of joints, ocular depression, Rieger abnormality, teething delay）症候群が報告されている[2]．

3）臨床症候

GH受容体異常症は重症なGH分泌不全と同様な症

状を示す．生後4か月頃より，著明に成長率が低下し，−4〜−10SDの低身長で経過する．無治療の成人身長は100〜140cmと報告されている．

STAT5Bの異常症では乳児期からの著しい成長障害を示す．免疫異常は中等度から重度の症例まであり，肺炎を繰り返す．また自己免疫疾患の合併が報告されている．

4) 診断と検査法

GH受容体異常症では，GHの基礎値，負荷試験後の頂値は上昇する．一方血清IGF-IとIGFBP-3は低値を示す．GH結合蛋白(GH binding protein：GHBP)はGH受容体の細胞外領域が蛋白分解酵素によって切断され，血中に遊離したものであるが，GHBPは低値を示すことがほとんどである．しかしGH受容体異常症のなかにはGHBPの濃度がほぼ正常，逆に高値を示す症例も存在する．

STAT5B異常症では，血清IGF-I，IGFBP-3，ALSは低値，GHは正常〜高値，GHBPは正常である．高PRL血症を示す．免疫系ではリンパ球のT細胞が減少し，高γグロブリン血症を示す．

5) 治療法

GH受容体異常症に対しては，GHの治療効果は認めない．そのためIGF-Iによる治療を行う．

6) 管理と予後

GH受容体異常症のIGF-I治療はGH分泌不全性低身長に対するGH治療よりも効果は劣る．GH受容体異常症で無治療の場合は成人期に肥満が進行することが報告されているので，体重管理も重要である[1,2]．

STAT5B異常の患者でも理論的にはIGF-I治療が身長予後の改善に有効な可能性があるが，十分なデータはない．また免疫不全による間質性肺炎での青年期での死亡例が報告されている[1]．

7) 最近の知見

STAT5Bでもドミナントネガティブの病的バリアントが報告された(図11)[7]．これらの症例で常染色体潜性遺伝形式の患者より，低身長の程度は軽度で，IgE高値を示すが，重症な免疫不全は起こさない[7]．

❖ 文献

1) Hwa V, et al.：Genetic causes of growth hormone insensitivity beyond GHR. Rev Endocr Metab Disord 22：43-58, 2021
2) Domené HM, et al.：Genetic disorders of GH action pathway. Growth Horm IGF Res 38：19-23, 2018
3) Brown RJ, et al.：Model for growth hormone receptor activation based on subunit rotation within a receptor dimer. Nat Struct Mol Biol 12：814-821, 2005
4) Bergan-Roller HE, et al.：The growth hormone signaling system：Insights into coordinating the anabolic and catabolic actions of growth hormone. Gen Comp Endocrinol 258：119-133, 2018
5) Laron Z, et al.：Growth hormone resistance. Ann Clin Res 12：269-277, 1980
6) Takahashi Y, et al.：Brief report：short stature caused by a mutant growth hormone. N Engl J Med 334：432-436, 1996
7) Klammt J, et al.：Dominant-negative STAT5B mutations cause growth hormone insensitivity with short stature and mild immune dysregulation. Nat Commun 9：2105, 2018

（田島敏広）

4 IGF-I異常症

1) 定義・概念

IGF-I異常症は，IGF1遺伝子変異により，成長障害（胎内発育遅延および低身長）をきたす疾患である．

2) 病因・病態

本症では，IGF-Iの機能喪失により，胎児期から出生後まで続く全組織での成長障害をきたす．igf1ノックアウトマウスでは，IGF-I受容体のノックアウトマウスと同様，著しい胎内発育遅延を伴う成長障害をきたすが，IGF-I受容体ノックアウトマウスが致死性であるのに対し，一部生存する[1,2]．したがって，本症では，ホモ接合体変異で発症する場合と，ヘテロ接合体変異で発症する場合がある．

3) 臨床症候

小頭症，胎内発育遅延を伴う成長障害のほかに，感音難聴，精神運動発達遅滞，斜指症，小顎症を伴うことがある．胎内発育遅延と成長障害の程度は，ヘテロ接合体変異の場合，比較的軽い傾向がある[3〜9](表4)[10]．血清IGF-I値は，ホモ接合体変異の場合は異常低値を示し，負荷試験によるGHは過大反応をきたす傾向にあるが，ヘテロ接合体変異では軽度である．またWalenkampらが報告したp.Val44Metのホモ接合体変異例はIGF-I受容体への結合能低下のために異常高値をきたすことが報告されている[5]．骨年齢は，正常から遅延すると報告されている．

4) 診断と検査法

小頭症，胎内発育遅延を伴う成長障害，IGF-I低値（または異常高値），GH治療の反応不良を呈する場合，本症を疑う．診断は，遺伝子解析による．

5) 治療法

rhIGF-I製剤投与が有効である．これまでの報告では，ホモ接合体変異例ではGH治療に反応なく，rhIGF-I製剤で中等度の成長改善がみられる[10]．一方ヘテロ接合体変異例では，一部GH治療に反応する例もみられる[8](表4)[10]．

表4 IGF-Ⅰ異常症

		ホモ接合体					ヘテロ接合体			
著者，発行年		Woods, 1996	Bonapace, 2003	Walenkamp, 2005	Netchine, 2009	Keselman 2019	Van Duyvenvoorde, 患者1, 2010	Van Duyvenvoorde, 患者2, 2010	Fuqua, 2012	Batey, 2014
IGF-Ⅰ遺伝子異常		エクソン4・5の欠失	エクソン6下流のT→A変異	p.Val44Met	p.Arg36Gln	c.322T>C, p.Tyr108His	c.243-246dupCAGC, p.Ser83Glnfs*13	c.243-246dupCAGC, p.Ser83Glnfs*13	c.402+1G>C, p.Asn74Argfs*8	IGF1遺伝子欠失
臨床症状	出生体重 (SDS)	−3.9	−4	−3.9	−2.4	−3.05	−2.9	−1.2	−1.5	−1.5
	出生身長 (SDS)	−5.4	−6.5	−4.3	−3.7	−6.3	−3.8	−1	−0.6	−1.2
	頭囲 (SDS)	−4.9	−7.5	−8	−2.5	−6.05	−2.4	−1.6	小頭症なし	−3.4
	身長 (SDS)	−6.9	−6.2	−8.5	−4.9	−6.15	−4.1	−4.6	−4.2	−2.7
	聴覚障害	あり	あり	あり	なし	あり	なし	不明	なし	なし
	精神運動発達遅滞	あり	あり	あり	あり	あり	あり	不明	あり	あり
	小頭症	あり	記載なし	あり	不明	あり	なし	なし	不明	あり
	斜指症	あり	記載なし	不明	あり	なし	あり	あり	不明	あり
生化学的所見	IGF-Ⅰ	検出不能	低値	異常高値	低値	正常〜高値	低値	低値	正常〜低値	正常〜低値
	GH頂値	94 ng/mL	18 ng/mL	127 ng/mL	26 ng/mL	0.2〜29 ng/mL (基礎値)	10.7 µg/L	正常	15 ng/mL	不明
	IGFBP-3	正常	正常	正常	高値 (GH投与後)	正常〜高値	正常	正常	正常	正常
骨所見	骨年齢	遅延	遅延	遅延	遅延	不明	遅延	遅延	正常	正常
治療反応	GH治療	効果なし	不明	不明	高用量で効果あり (0.4 mg/kg/週)	不明	効果あり (1.4 mg/m²/日) 2年間で1.0 SDの身長増加	効果あり (1.4 mg/m²/日) 2年間で1.5 SDの身長増加	9か月間 (44 µg/kg/日で+0.4 SD)	不明
	rhIGF-Ⅰ治療	効果あり	効果あり	不明	不明	不明	不明	不明	効果あり	不明

[Camacho-Hübner C, et al.: Effects of recombinant human insulin-like growth factor Ⅰ (IGF-Ⅰ) therapy on the growth hormone-IGF system of a patient with a partial IGF-Ⅰ gene deletion. *J Clin Endocrinol Metab* 84: 1611-1616, 1999 より引用改変]

6）管理と予後

rhIGF-Ⅰ製剤による成長障害の改善は報告があるが，神経学的な所見や聴覚障害の改善については，現況では不明である．また，長期的な予後についても報告が少ないため，不明な点が多いが，ヘテロ接合体変異の場合は，成長障害のみで，他の合併症をきたさないことが多い．

7）最新知見

これまでに報告されている IGF-Ⅰ異常症は非常に少ない[3-9]（表4）[10]．その一因として，ヘテロ接合体変異では正常に比較し，−1.0〜−0.4SD の程度の軽度の成長障害のみと報告されており[5]，多くの症例が同定されていない可能性が示唆されている[9]．ホモ接合体変異例では，聴覚障害，精神運動発達遅滞，著しい低出生体重（−2.4〜−4.0SD），重度成長障害（−4.9〜−8.5SD），小頭症（−2.5〜−8.0SD）がみられるのに対し，ヘテロ接合体変異例では，聴覚障害の合併はなく，精神運動発達遅滞を伴わない症例もみられ，すべての徴候がホモ接合体変異例よりも軽度である（表4）[10]．

❖ 文献

1) Rosenfeld RG：Insulin-like growth factors and the basis of growth. *N Engl J Med* 349：2184-2186, 2003
2) Baker J, *et al*：Role of insulin-like growth factors in embryonic and postnatal growth. *Cell* 75：73-82, 1993
3) Woods KA, *et al*：Intrauterine growth retardation and postnatal growth failure associated with deletion of the insulin-like growth factor Ⅰ gene. *N Engl J Med* 335：1363-1367, 1996
4) Netchine I, *et al*：Partial primary deficiency of insulin-like growth factor（IGF）-Ⅰ activity associated with IGF1 mutation demonstrates its critical role in growth and brain development. *J Clin Endocrinol Metab* 94：3913-3921, 2009
5) Walenkamp MJE, *et al*：Homozygous and heterozygous expression of a novel insulin-like growth factor-Ⅰ mutation. *J Clin Endocrinol Metab* 90：2855-2864, 2005
6) van Duyvenvoorde HA, *et al*：Short stature associated with a novel heterozygous mutation in the insulin-like growth factor 1 gene. *J Clin Endocrinol Metab* 95：E363-E367, 2010
7) Fuqua JS, *et al*：Identification of a novel heterozygous IGF1 splicing mutation in a large kindred with familial short stature. *Horm Res Paediatr* 78：59-66, 2012
8) Batey L, *et al*：A novel deletion of IGF1 in a patient with idiopathic short stature provides insight into IGF1 haploinsufficiency. *J Clin Endocrinol Metab* 99：E153-E159, 2014
9) Walenkamp MJE, *et al*：A homozygous mutation in the highly conserved Tyr60 of the mature IGF1 peptide broadens the spectrum of IGF1 deficiency. *Eur J Endocrinol* 181：C29-C33, 2019
10) Camacho-Hübner C, *et al*：Effects of recombinant human insulin-like growth factor Ⅰ（IGF-Ⅰ）therapy on the growth hormone-IGF system of a patient with a partial IGF-Ⅰ gene deletion. *J Clin Endocrinol Metab* 84：1611-1616, 1999

〔鞍嶋有紀〕

5 IGF-Ⅰ受容体遺伝子異常症

1）定義・概念

IGF-Ⅰ受容体（IGF1R）遺伝子変異により，成長障害（胎内発育遅延および低身長）をきたす疾患である．

2）病因・病態

IGF1R は，IGF-Ⅰ，Ⅱの受容体である．したがって，本症では，IGF1R 遺伝子変異により IGFs 作用が低下し，IGF-Ⅰ異常症と同様，胎児期から出生後まで続く成長障害をきたす．

前述のように，igf1r ノックアウトマウスは致死的であり，igf1, igf2 のノックアウトマウスに比較して著しい胎内発育遅延を呈する[1]．したがって，ホモ接合体変異の報告もあるが[2-11]，ほとんどがヘテロ接合体変異であり，常染色体顕性遺伝形式か de novo である．また同マウスでは，神経細胞数の減少や髄鞘形成低下を伴う中枢神経系の形態異常などを呈しており，本症でみられる精神運動発達遅滞は，IGF1R 機能低下による中枢神経系の影響と考えられる．なお，IGF1R はインスリン受容体と高い相同性を有し，インスリンも弱く結合し，糖代謝作用も有する．しかし，本症における 2 型糖尿病，耐糖能障害合併の報告はあるが，本症における糖代謝の影響の詳細は明らかにされていない[2,3]．

3）臨床症候

IGF-Ⅰ異常症と同様，小頭症，胎内発育遅延と成長障害をきたす．小顎症や，三角様顔貌，斜指症などもみられる．胎内発育遅延および成長障害には多様性があり，small-for-gestational age（SGA）の基準を満たさない−1.5SD の出生体重の例も報告される．身長も−2.1〜4.5SD まで多様である[2,3]（表5）．一部に精神運動発達遅滞を伴うことがある．骨年齢は低下する．血清 IGF-Ⅰ値は，異常高値から正常上限を示す．GH 投与後に IGF-Ⅰ値は高値を示す．負荷試験による GH は過大反応をきたすこともある．なお，IGF1R 遺伝子欠失範囲が広く，近傍の NR2F2 遺伝子欠失を伴う場合は，心室中隔欠損，心房中隔欠損などの先天性心疾患を合併する[10]．

4）診断と検査法

遺伝性の SGA 性低身長，小頭症，胎内発育遅延を伴う成長障害，IGF-Ⅰ高値，GH 治療後の IGF-Ⅰ値の高値を呈する場合，本症を疑う．診断は，遺伝子解析による．なお，先天性心疾患を伴う場合は，遺伝子欠失の可能性が高く，multiplex ligation-dependent probe amplification（MLPA）法やマイクロアレイなどの欠失を同定する方法のほうが有用である．

表5 IGF1R遺伝子異常症

		ホモ接合体		ヘテロ接合体					
				α鎖			β鎖		
IGF1R遺伝子異常		p.Arg 40Leu[12]	c.2231G>T[2]	p.Arg 89Ter[3]	p.Arg461Leu[4]	p.Val 629Glu[5]	p.Gly 1155Ala[6]	p.Asp1135Glu[7]	p.Gln 1250Ter[8]
ドミナントネガティブ作用		不明	不明	不明	なし	不明	あり	あり	なし
臨床症状	出生体重(SDS)	−4.7	−4.1	−3.5	−1.8	−2.2	−1.8	−1.5	−3.3
	出生身長(SDS)	−4.5	−3.2	−5.8	−3.2	−1.8	−1.8	−2.5	−2.1
	頭囲(SDS)	−3.3	−5.5	−4.6	−2.1	−2.2	−3.6	−2.1	−3.7
	身長(SDS)	−4.5	−3.2	−3.8	−2.9	−2.1	−3.5	−3	−3.2
	精神運動発達遅滞	あり	あり	あり	なし	あり	なし	なし	なし
	小顎症	あり	あり	あり	軽度	不明	不明	軽度	不明
生化学的所見	IGF-Ⅰ	7 SD	285〜352(18〜146 ng/mL)	1.1〜2.3 SD	1 SD	1.8〜2.8 SD	0.76 SD	3.3 SD	3.8 SD
	GH頂値	不明	不明	6.6 ng/mL	37.4 ng/mL	不明	40 ng/mL	10.6 ng/mL	15.6 ng/mL
骨年齢		遅延	不明	遅延	遅延	遅延	遅延	遅延	遅延
GH治療		不明	不明	不明	0.6 SDの改善(0.25 mg/kg/週)	効果あり	不明	1.5 SDの改善 0.25〜0.32 mg/kg/週	不明

5）治療法

ホモ接合体変異におけるGH治療の有効性については不明だが，ヘテロ接合体の場合は，正常IGF1Rを通して，IGF-Ⅰは機能するため，SGA性低身長治療量のGH投与により，副作用なくSGA性低身長に比べて効果は低いとされるが，中程度の身長増加が得られる[11]。

6）管理と予後

前述のように，GH製剤による成長障害の改善はみられるが，神経学的な所見の効果については，不明である。また，ホモ接合体変異については，報告が少ないため，不明な点が多いが，ヘテロ接合体変異のほとんどの場合は，成長障害のみで，生命予後は良好である。

7）最新知見

近年になり，本症の報告は増え，20家系以上の報告がなされている[2〜11]。低身長の約1％またはSGA性低身長の約2％が本症との報告もある[11]。IGF1Rは，IGF結合部位が存在するα鎖とチロシンキナーゼドメインが存在するβ鎖で構成され，細胞膜上で四量体を構成し発現するが，β鎖の特にチロシンキナーゼドメイン部における変異にドミナントネガティブ作用効果が報告されており，低身長の程度は，α鎖の変異より強い傾向にある（表5）。前述のように，本症の治療としては，GH治療が有効であるが，現在では本症自体のGH治療における保険適用はなく，今後の確立が望まれる。

❖ 文献

1) Baker J, et al.：Role of insulin-like growth factors in embryonic and postnatal growth. Cell 75：73-82, 1993
2) Gannagé-Yared MH, et al.：Homozygous mutation of the IGF1 receptor gene in a patient with severe pre-and postnatal growth failure and congenital malformations. Eur J Endocrinol 168：K1-K7, 2012
3) Prontera P, et al.：A new homozygous IGF1R variant defines a clinically recognizable incomplete dominant form of SHORT syndrome. Hum Mutat 36：1043-1047, 2015
4) Abuzzahab MJ, et al.：IGF-Ⅰ receptor mutations resulting in intrauterine and postnatal growth retardation. N Engl J Med 349：2211-2222, 2003
5) Kawashima Y, et al.：Novel missense mutation in the IGF-Ⅰ receptor L2 domain results in intrauterine and postnatal growth retardation. Clin Endocrinol (Oxf) 77：246-254, 2012
6) Wallborn T, et al.：A heterozygous mutation of the insulin-like growth factor-Ⅰ receptor causes retention of the nascent protein in the endoplasmic reticulum and results in intrauterine and postnatal growth retardation. J Clin Endocrinol Metab 95：2316-2324, 2010
7) Kruis T, et al.：Heterozygous mutation within a kinase-conserved motif of the insulin-like growth factor Ⅰ receptor causes intrauterine and postnatal growth retardation. J Clin Endocrinol Metab 95：1137-1142, 2010

8) Kawashima Y, *et al.*：Familial short stature is associated with a novel dominant-negative heterozygous insulin-like growth factor 1 receptor（IGF1R）mutation. *Clin Endocrinol*（*Oxf*）81：312-314, 2014
9) Fujimoto M, *et al.*：Heterozygous nonsense mutations near the C-terminal region of IGF1R in two patients with small-for-gestational-age-related short stature. *Clin Endocrinol*（*oxf*）83：834-841, 2015
10) Poot M, *et al.*：Variable behavioural phenotypes of patients with monosomies of 15q26 and a review of 16 cases. *Eur J Med Genet* 56：346-350, 2013
11) Walenkamp MJE, *et al.*：Phenotypic features and response to GH treatment of patients with a molecular defect of the IGF-1 receptor. *J Clin Endocrinol Metab* 104：3157-3171, 2019
12) Walenkamp MJE, *et al.*：A homozygous mutation in the highly conserved Tyr60 of the mature IGF1 peptide broadens the spectrum of IGF1 deficiency. *Eur J Endocrinol* 181：C29-C33, 2019

（鞍嶋有紀）

6 SHOX 異常症

1）定義

1997 年に X 染色体の部分欠損の症例を集めて，身長と欠損部位との関係をみることによって性染色体の短腕末端の偽常染色体部位（PAR1）に存在する身長を規定する遺伝子を同定し，これを SHOX 遺伝子として報告した[1]．この遺伝子は X 染色体の不活化を逃れており，X および Y の両方の染色体で発現している．

2）病因・病態

SHOX 遺伝子は 7 個のエクソンからなる核内蛋白，SHOXa と SHOXb の 2 個のアイソフォームがあり，SHOXa は DNA の回文構造に結合し骨形成細胞で転写因子として働く．受精後 33 日以降第一，第二鰓弓および成長板内に発現しその成長を規定する．成長板のなかで特に肥大型軟骨でおもに発現し，軟骨細胞の分裂を抑制し分化を促進する．SHOX 遺伝子は男女とも 2 コピー発現しており，1 コピーの機能喪失は低身長をきたすが最も多い遺伝子変異は欠失で特発性低身長症の 2～15% にヘテロの SHOX 遺伝子欠失が認められる．同じく骨変形もきたし四肢遠位部の変形である Leri-Weill 異軟骨骨症ではヘテロの SHOX 異常が認められ，Turner 骨格徴候をもつ Turner 症候群のほぼ全例に SHOX 遺伝子欠失が認められる[2]．さらに重篤な骨変形をきたす Langer 型中間肢異形成では SHOX 遺伝子のホモの異常が認められている[3]．

3）臨床症候

SHOX 遺伝子半量不全の患者では平均出生時身長が－1.1 SD であり胎生期より成長障害を認めるが，前思春期はほかに特徴的な症状がないことよりほぼ－2 SD に沿って成長する特発性低身長症とされる場合もある．思春期以降になると特に中節（前腕，下腿）の伸びが悪く，前腕の橈骨の内側が外側に比べて伸びが悪いことで彎曲しかつ短縮し，尺骨が背側変位して手関節が亜脱臼する Madelung 変形（X 線上では思春期前では橈骨の成長板の早期癒合による短縮と彎曲，橈骨内側および尺骨内側の骨透過性の亢進を認め，思春期以降は橈骨および尺骨遠位端の骨端外側が三角形に尖り，手掌の種子骨が月状骨を下端に逆ピラミッド型に並ぶことで carpal angle が減少する）が顕著になる例もある[4]（図 12）．逆に SHOX 遺伝子のコピー数が増えた場合は様々で低身長も高身長も報告があり，さらに同一変異家系内での表現型が違うという報告があることから変異以外に SHOX 遺伝子の発現調節異常の関与が考えらえている[5~8]．

4）診断と検査法

成長曲線で低身長を認めた場合，特に思春期以降であれば坐高 SDS/身長 SDS≧2 であったり，四肢の長さ/坐高と身長との比で SHOX 遺伝子欠失を疑う[2]．血液検査で G 分染法もしくは X 染色体の高度分染法による染色体の部分欠損を確認する．高度分染法で欠失が確認できない場合，fluorescence *in situ* hybridization（FISH）法にて微細欠失の有無を確認する．これによって欠失を認めない場合，アレイ法や MLPA 法などで SHOX 遺伝子と周囲のエンハンサー領域の微細欠失や重複を確認し，さらにシークエンス法によって遺伝子変異の有無を確認する．なお親や同胞も低身長を認める場合は積極的に検査を行う．先に述べた前腕骨の

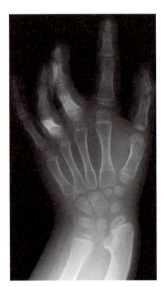

図 12　Madelung 変形の典型例

Madelung 変形は思春期以降の女児に進行して認められるが，骨所見がないことより SHOX 遺伝子異常は否定できない．

5）治療法

海外では成人身長改善目的の GH 療法について報告がある[9]．また思春期発来後エストロゲンが骨変形と低身長を増悪することから身長予後を改善する目的でゴナドトロピンアナログと GH を併用した報告もある[10]．中間肢短縮に関しては自身の顔が洗えないなど著しく生活の質(quality of life：QOL)が損なわれる場合は整形外科的に骨延長術の適応となる．

6）予後と管理

SHOX 遺伝子の半量不全の成人身長は－2.2 SD とされている．海外では GH 療法後で成人身長に達した SHOX 遺伝子異常症では治療前後で 1 SD 前後の改善がみられ，重篤な有害事象は認められなかったとの報告がある[9]．

❖ 文献

1) Rao E, et al.：Pseudoautosomal deletions encompassing a novel homeobox gene cause growth failure in idiopathic short stature and Turner syndrome. Nat Genet 16：54-63, 1997
2) Binder G：Short stature due to SHOX deficiency：genotype, phenotype and therapy. Horm Res Paediat 75：81-89, 2011
3) Ogata T, et al.：SHOX nullizygosity and haploinsufficiency of in Japanese family：implication for the development of Turner skeletal features. J Clin Endocrinol Metab 87：1390-1394, 2002
4) Seki A, et al.：Skeletal deformity associated with SHOX deficiency. Clin Pediatr Endocrinol 23：65-72, 2014
5) Binder G, et al.：Tall stature, gonadal dysgenesis, and stigma of Turner's syndrome cause by a structurally altered X choromozome. J Pediatr 138：285-287, 2001
6) Fukami M, et al.：Rare pseudoautosomal copy-number variations involving SHOX and/or its flanking regions in individuals with or without short stature. J Hum Genet 60：553-556, 2015
7) Veletto A, et al.：Short stature in isodicentric Y chromosome and three copies of the SHOX gene：clinical report and review literature. Mol Syndromal 7：19-25, 2016
8) Clement-Jones M, et al.：The short stature homeobox gene SHOX is involved in skeletal abnormalities in Turner syndrome. Hum Mol Genet 9：695-702, 2000
9) Benabbad I, et al.：Safety outcomes and near-adult height gain of growth hormone-treated children with SHOX deficiency：Data from an observational study and clinical trial. Horm Res Paediatr 87：42-50, 2017
10) Ogata T, et al.：Growth hormone and gonadotropin-releasing hormone analog therapy in haploinsufficiency of SHOX. Endocr J 48：317-322, 2001

（内木康博）

E 成長ホルモン分泌不全性低身長症と成人成長ホルモン分泌不全症

1 成長ホルモン分泌不全性低身長症

1）定義・概念

出生前あるいは小児期に生じた GH 分泌不全に基づく成長障害に対する概念である．GH の役割は小児期における成長促進作用のみではない．GH 分泌量は思春期後半に最大となり，成人期以降の分泌は減少するが，老年期に至っても分泌は保持される．その作用は骨，蛋白質，糖質，脂質および水分の代謝に及び，からだの恒常性を維持している．

GH 分泌不全に基づく疾患を GH 分泌不全症(GH deficiency：GHD)とする．GHD はどの年代でも起こりうるが，小児期は成長期の発症であるために成長速度の低下とその蓄積による低身長が主症状である．GH の分泌の程度により，重症，中等症と軽症に分類され，さらに他の下垂体ホルモン分泌不全を伴うことがある．

2）病因・病態

小児 GHD の原因の大部分は特発性である．日本では 9 割以上が特発性とされるが，諸外国では 7 割前後である．その他に頭蓋咽頭腫や胚細胞腫などの器質性と，まれではあるが，遺伝子異常によるものがある．

特発性 GHD のうち，重症例のなかには，骨盤位分娩・新生児仮死などの周産期異常を認めるものがある．また器質性 GHD は複合型下垂体ホルモン欠損症を呈する．遺伝子異常による GHD のなかで，GH1，GHRHR や RNPC3 の異常は下垂体の形態が正常な GH 単独欠損症(type I A，I B，II，III)をきたす．また下垂体発生に関与する転写因子である POU1F1(PIT1)，PROP1，LHX3，LHX4，HESX1，OTX2，SOX2，SOX3，GLI2，GLI3，FGFR1，FGF8，PROKR2 の異常による GHD は複合型下垂体ホルモン欠損症を呈する．

日本における小児 GHD の頻度は明らかではないが，小児慢性特定疾病医療費助成事業には新規に年間 2,000 人前後が登録されており，平成 29 年度では 15 歳以下では 1.15 人/10,000 人であった[1]．一方で，イタリアにおいて 2012〜2016 年の有病率は 4.99 人/10 万人で，罹患率は 1.98 人/10 万であった[2]．

3）臨床症候

成長障害が主要症状で，体型は均整がとれている．正中低形成(前頭部突出や鼻根部低形成など)の有無を

確認する．身長が標準身長の−2.0 SD 以下で，特に成長率の低下がみられる場合には GHD の可能性が高まる．成長率が比較的短期間に低下してきた場合には，器質的 GHD，後天性甲状腺機能低下症や Cushing 症候群などによる成長障害を鑑別しなければならない．また乳児期に低血糖症状や他の下垂体ホルモンの分泌不全を伴うこともある．

4) 診断と検査法

厚生労働科学研究費補助金難治性疾患等政策研究事業「間脳下垂体機能障害に関する調査研究」班による「成長ホルモン分泌不全性低身長症の診断と治療の手引き（平成 30 年度改訂）」[3]を参考にする．成長障害（身長が標準身長の−2.0 SD 以下，あるいは身長が基準範囲であっても，成長速度が 2 年以上にわたって標準値の−1.5 SD 以下であること）があり，二つ以上の GH 分泌刺激試験にて GH 分泌低下を認めた場合に GHD と診断する．ただし，乳幼児で GH 分泌不全によると考えられる低血糖が存在する場合と頭蓋内器質性疾患や複合型下垂体ホルモン欠損症がある場合では 1 種類の GH 分泌刺激試験で分泌低下を証明すればよい．成長速度を評価するときの観察期間について頭蓋内器質性疾患や複合型 GHD では 2 年未満の経過観察期間でよく，6 か月〜1 年間の成長速度が標準値の−1.5 SD 以下で経過していることを目安とする．

そのほかに GHD を疑う病歴・身体所見で重要なものとして，①新生児期の低血糖，遷延性黄疸，新生児仮死，②頭蓋照射，③頭部外傷や中枢神経系感染症の既往，④低身長の家族歴や血族婚の存在があげられる．

5) 治療法

在宅で就寝前に GH を注射するのが原則である[3]．ソマトロピン（遺伝子組み換え）0.175 mg/kg を週 6〜7 回に分けて皮下注射する．投与量は患者の体重にあわせて随時調整する．

6) 管理と予後

診察に際しては身長，体重の測定と精巣容量の測定（男児）を含めた思春期発達段階の評価を行う．また 3〜6 か月ごとに甲状腺機能や IGF-Ⅰ を含めて血液・尿検査や骨年齢（6 か月〜1 年ごと）などの検査を行う．

治療開始 1 年目の身長 SD スコアの改善は＋0.5〜0.6 SD 程度であり，2 年目からの改善度は減弱する．期待した効果が得られない場合には診断の再考や投与量やコンプライアンスの確認が必要である．また，TSH 分泌低下による甲状腺機能低下症が顕在化してくることがあるので FT_4 や TSH の値に常に注意を払う．

治療目標は短期的には早期に身長を正常化し，低身長に伴う心理社会的問題の解消を図ることであり，長期的には成人身長を正常化し，低身長による不利益を解消するとともに良好な社会性を獲得することである．小児 GHD の身長予後（成人身長）は男児で平均 160〜162 cm，女児で 147〜148 cm である[4,5]．身長 SD スコアの改善度については重症 GHD で男児＋2.13，女児＋1.66 で，それ以外の GHD では＋1 程度とされている[6]．

GH 治療はおおむね安全に実施されている．GH 治療は頭蓋内圧亢進，大腿骨頭すべり症，側彎症の悪化などのリスクを増加させる可能性が指摘されているが，明確な結論は得られていない．GH 治療と発癌との関係が危惧されてきたが，現在のところは投与量が適正であれば，発症リスクを上げることはないと考えられている[7]．放射線治療後の二次癌では，GH 治療後に発症リスクが上がる可能性があるとされるが，放射線照射による影響が強いと考えられている．さらに長期的に GH 治療を受けたものの生命予後については一定の結論は得られていない．アメリカ食品医薬品局（Food and Drug Administration：FDA）は GH 治療の長期的な有害事象については結論に至らないとして，適応疾患を対象に推奨された量で治療する限りは，有益性が高いとしている[8]．

7) 最新知見

GHD においては，小児期から成人期に途切れることなく治療を継続することが重要である．小児期の成長が完了（成長率≦1 cm/年，ないし，骨端線閉鎖を認めた時点），あるいは完了に近くなった時点で，なるべく早期に GH 治療の継続が必要かどうかの再評価を行うことが勧められる[9]．多くの特発性小児 GHD においては再評価により GH 分泌不全の回復を認める．再評価は 1 か月以上，GH 治療を中止して実施するが，このときに測定した IGF-Ⅰ値が，年齢および性を考慮した基準値の−2 SD 以下の場合は重症成人 GHD の可能性が高い．ただし，偽陰性もありうるので，原因疾患などを総合的に考慮して GH 分泌刺激試験の必要性を検討する．

❖ 文献

1) 神﨑　晋：成長ホルモン治療の登録・評価に関する研究．厚生労働行政推進調査事業費補助金難治性疾患等政策研究事業（難治性疾患政策研究事業）「小児慢性特定疾病対策の推進に寄与する実践的基盤提供にむけた研究」平成 29 年度総括・分担研究報告書（研究代表者：賀藤　均）．205-212，2018
2) Pricci F, et al.：The Italian Registry of GH Treatment：electronic Clinical Report Form（e-CRF）and web-based platform for the national database of GH prescriptions. *J Endocrinol Invest* 42：769-777, 2019

3) 厚生労働科学研究費補助金難治性疾患等政策研究事業「間脳下垂体機能障害に関する調査研究」班：成長ホルモン分泌不全性低身長症の診断と治療の手引き（平成30年度改訂）．日内分泌会誌 95（Suppl.）：31-34，2019
4) 田中敏章，他：成長ホルモン分泌不全性低身長症における遺伝子組み換え成長ホルモン治療による最終身長の正常化の割合．日小児会誌 105：546-551，2001
5) 田中敏章，他：成長ホルモン分泌不全性低身長症における遺伝子組み換え成長ホルモンの短期的および長期的治療効果—KIGS データベースの解析—．日成長会誌 16：69-76，2010
6) Fujieda K, et al.：Adult height after growth hormone treatment in Japanese children with idiopathic growth hormone deficiency：analysis from the KIGS Japan database. J Pediatr Endocr Metab 24：457-462, 2011
7) Stochholm K, et al.：Long-term safety of growth hormone-a combined registry analysis. Clin Endocrinol（Oxf）88：515-528, 2018
8) U. S. Foodan Drug Administration：FDA Drug Safety Communication：Safety review update of recombinant human growth hormone（somatropin）and possible increased risk of death. https://www.fda.gov/drugs/drug-safety-and-availability/fda-drug-safety-communication-ongoing-safety-review-recombinant-human-growth-hormone-somatropin-and（accessed 2021-01-07）
9) 厚生労働科学研究費補助金難治性疾患等政策研究事業「間脳下垂体機能障害に関する調査研究」班：成長ホルモン分泌不全症の小児期から成人期への移行・トランジションの診断と治療の手引き（平成30年度作成）．日内分泌会誌 95（Suppl.）：35，2019

（伊藤善也）

2 成人成長ホルモン分泌不全症

1）定義・概念

成人身長に達すれば骨端線は閉鎖しているため，GH分泌不全による障害は，体組成の異常や代謝障害が中心となり，心血管疾患の発症により生命予後は悪化しうる．臨床的には小児期から引き続いた小児期発症のものと下垂体腫瘍などにより成人期発症するものに分けられる．

2）病因・病態

成人GHDの8割が成人期発症で，視床下部一下垂体近傍の腫瘍によるものが6~7割を占めている．成人期発症では下垂体腺腫によるものが6~7割で，次いで頭蓋咽頭腫，胚細胞腫，そして髄膜腫であるが，小児期発症では頭蓋咽頭腫や胚細胞腫によって9割近くが占められており，下垂体腺腫や髄膜腫によるものは少ない．その他の器質的疾患として，下垂体出血，empty sella症候群，Rathke嚢胞，外傷，下垂体炎やサルコイドーシスなどがあげられる[1,2]．

3）臨床症候

成人GHDの主要症状は，自覚的には易疲労感，持久力や集中力の低下，うつ状態や性欲低下など生活の質（quality of life：QOL）の低下が主であり，皮膚の乾燥と菲薄化，体毛の柔軟化やウエスト/ヒップ比・内臓脂肪の増加，除脂肪体重や骨量の低下など体組成異常に基づく身体所見を認める．

4）診断と検査法

成人GHDの診断は「成人成長ホルモン分泌不全症の診断と治療の手引き（平成30年度改訂）」[3]を参考に進める．GH単独の分泌不全においては小児期発症で成長障害を伴うか，頭蓋内器質性疾患の合併・既往，または周産期異常の既往がある場合に，二つ以上のGH分泌刺激試験にて分泌低下を認めたときに診断する．また，後者の場合には複合型下垂体ホルモン欠損ならば1種類のGH分泌刺激試験でGH頂値が基準を満たせば成人GHDと診断する．診断にあたっては甲状腺機能低下症や中枢性尿崩症を合併する場合はホルモン補充を十分に行ってからGH分泌能を評価する．なお，GH分泌刺激試験はインスリン低血糖試験がゴールドスタンダードとされているが，GHRP-2試験が汎用されている．

5）治療法[3]

GH投与は毎日就寝前に皮下注射で行う．3 μg/kg/日から開始して，臨床症状，血清IGF-I値をみながら4週間単位で増量する（上限量は1 mg/日）．日本では，治療適応は重症例のみで，糖尿病，悪性腫瘍と妊婦には禁忌となっている．

6）管理と予後

GH治療中は血清IGF-Iをモニタリングすることが重要である．また，成人期GHDは代謝疾患であるとの認識のもとで，心血管や肝臓などの評価を定期的に行う．また他の下垂体ホルモンの治療が常に適正かも評価が必要である．GH補充療法によって体組成やQOLは改善し，さらに生命予後の改善が示唆されている．

7）最新知見

小児がん経験者における晩期合併症としてのGHDに加えて，頭部外傷後[4]やくも膜下出血後[5]の下垂体機能低下症が注目されている．また重症GHDにおいては非アルコール性脂肪性肝疾患〔non-alcoholic fatty liver disease：NAFLD，単純性脂肪肝および非アルコール性脂肪性肝炎（non-alcoholic steatohepatitis：NASH）〕の発症が知られている．このようにGHDは生涯にわたって，様々な発症機転があり，多彩な機能的障害から，時には器質的障害を呈するので，小児期から成人

期につながる，シームレスなフォローアップと治療継続が推奨される．

このような状況のなかで長時間作用型GHアナログ製剤の第III相臨床試験が小児GHDを含めて開始されている．成人GHD重症型においては2021年11月にソマプシタンが薬価収載されて，同年12月に発売された．また本剤において，糖尿病患者は「禁忌」ではなく，「特定の背景を有する患者に関する注意」の対象となった．

❖ 文献

1) Shimatsu A, et al.：Clinical characteristics of Japanese adults with growth hormone deficiency：a HypoCCS database study. Endocr J 58：325-333, 2011
2) Abs R, et al.：GH replacement in 1034 growth hormone deficient hypopituitary adults：demographic and clinical characteristics, dosing and safety. Clin Endocrinol(Oxf) 50：703-713, 1999
3) 厚生労働科学研究費補助金難治性疾患等政策研究事業「間脳下垂体機能障害に関する調査研究」班：成人成長ホルモン分泌不全性低身長症の診断と治療の手引き(平成30年度改訂)．日内分泌会誌 95(Suppl.)：36-39, 2019
4) Kgosidialwa O, et al.：Growth hormone deficiency following traumatic brain injury. Int J Mol Sci 20：3323, 2019
5) Karaca Z, et al.：Neuroendocrine changes after aneurysmal subarachnoid haemorrhage. Pituitary 22：305-321, 2019

（伊藤善也）

F　Turner症候群における成長障害

1) 定義・概念

Turner症候群(Turner syndrome：TS)は，低身長・成長障害，卵巣機能不全，特徴的な身体所見(Turner徴候)をおもな症状とする女性に特有の疾患である．出生する女児約2,000人に1人の割合でみられる頻度の高い疾患である．Turner徴候としては，手足の浮腫，翼状頸，内眼角贅皮，高口蓋，小顎症，毛髪線低位，耳介低位，楯状胸，外反肘，第4中手骨短縮，爪の低形成，色素性母斑の多発などがあげられる．ほかにも，先天性心疾患(大動脈縮窄症，大動脈二尖弁など)や腎・尿路系の異常(重複腎盂尿管，馬蹄腎など)を認めることがあり，慢性中耳炎も起こしやすい．

2) 病因・病態

TSは，2本のX染色体のうち1本の一部または全体の欠失によって引き起こされる．

3) 臨床徴候

TS女児の成長パターンは一般集団女児と大きく異なるために，TS女児の診療にはTS特異的成長曲線が不可欠である．**巻末付録Bの図5**に2010年に作成された日本人TS女児の成長曲線を一般集団女児の成長曲線と合わせて示す．TS女児の成長の特徴は，胎内での軽度発育不全を認めるため，一般集団女児よりも少し小さい身長で出生し，出生後徐々に成長障害が進行する．乳幼児期の身長は正常範囲のことが多いが，大部分のTS女児が5歳までに一般集団女児の5パーセンタイルを下回る[1]．大体5歳でTS女児の＋1SDが一般集団女児の－2SDとなる．その後も成長障害が進行し，一般集団女児に認められる成長のスパートも認めない．そのため，12歳でTS女児の＋2SDが一般集団女児の－2SDとなる．成人身長は，平均で一般集団の女性よりも20cm程度低くなる[2]．

4) 診断と検査法

診断は，女児において－2SD以下の低身長があり，Turner徴候のうち一つでも認めた場合には考慮する．1歳未満に翼状頸などで診断される例は一部であり，大多数は3歳以後に低身長から診断される．12歳になるとほとんどのTS女児は低身長で診断がつくが，一部のTS女児は，12歳までは低身長のみでは診断がつかず特発性低身長症と診断されていることもある．思春期年齢で二次性徴の欠如や，成人年齢で不妊により診断される例も存在する．

染色体検査(G分染法)で，2本目のX染色体の全体または部分的な欠失を伴う細胞系列が証明され，少なくともX染色体短腕の主たる部分がモノソミーであれば，TSと診断できる．TSのなかには，リンパ球のG分染法では診断できないモザイクが存在することもある．また，診断についての説明の仕方によっては，両親に大きな心の傷を残し，その後の子育てにも影響を及ぼすこともある．一般医が安易に染色体検査は行わず，疑わしい場合は専門医に紹介するのが望ましい．

5) 治療法

TS女児の成長障害の治療は，GH治療である．その目的はできる限り早く標準身長に到達し，標準的な年齢で思春期を迎え，標準成人身長に達することである．TSにおける小児慢性特定疾病のGH開始基準は，身長－2SD以下，または年間の成長速度が2年以上にわたって標準値の－1.5SD以下である．投与量は，日本では0.35 mg/kg/週が認められている．年齢の規定はなく，3歳以下の乳幼児であっても治療を開始できる．早期に診断して早期に治療を始めると，早く－2SDに追いつき，性腺補充療法も適切な時期に開始できるため，本人と他の児との違和感は少なくなる．海外のガイドライン[3]では，成人身長が著しく損なわれ

る場合には，0.47 mg/kg/週まで増量を考慮するとされているが，日本ではその量は承認されていない．治療中には，1年に1回は血中IGF-Ⅰ濃度を測定し，IGF-ⅠのSDスコアが＋2SD以上を超えないように注意して，＋3SD以上の場合には減量，＋2〜＋3SDの場合には症例に応じて減量を考慮することにより，長期間にわたるIGF-Ⅰ濃度の高値がもたらす理論上の副作用を予防する必要がある．

二次性徴の欠如については，一般的には12〜14歳頃にGHと併用してエストロゲン補充療法を少量から開始する．エストロゲン少量から段階的に増量していくことで，骨年齢をあまり促進せず成長促進が期待できるとされている[4]．海外のガイドラインでは，11〜12歳でエストロゲンを開始して，2〜3年で成人量にまで増量することが勧められている[3]．日本小児内分泌学会のガイドライン[5]では，日本の実情に合わせて，12〜15歳の間に身長が140 cmに達した時点で，少量からエストロゲン補充を開始して，約2年で成人量まで段階的に増量して，成人量で性器出血を認めるか，成人量で6か月ほど経過したら，Kaufmann療法に移行する[5]．しかしながら，TSに対するエストロゲン補充療法については，ランダム化比較研究も限られており，最適な治療法についてはまだわかっていないことも多い[6]．

6）管理と予後

TSの成長障害に対するGH治療は，反応は他の疾患と比較してあまりよくないものの，確立した標準治療である．しかしながら，診断年齢の若年化やエストロゲン治療開始の若年化・投与量については課題として残されている．

1999年に，成長科学協会に登録されたデータをもとに行われた258例の成人身長についてのアンケート調査では，成人身長の平均は145.7 cmであった．当時のわが国でのGH投与量は0.175 mg/kg/週で現在の投与量の半量であった．当時のGH治療開始年齢は，平均12.0歳と遅く，エストロゲン治療開始年齢も17.0歳と遅かった．GH治療終了年齢は，17.7歳で，エストロゲン治療のKaufmann療法への移行年齢は18.3歳であった．2010年の本人・家族会のアンケート調査による報告では，18歳以上のGH治療を受けていたTS女性58人の平均成人身長は148.4 cmであった[7]．また，GHの市販後調査で最初から0.35 mg/kg/週の投与量で治療されたTS女児33人の成人身長は，145.8 cmと報告されている．GH治療開始年齢は平均8.8歳で平均治療期間は7.4年，エストロゲン開始年齢は平均15.5歳であった[8]．以前の2倍の投与量になったにもかかわらず成人身長が以前の報告と変わらなかった原因として，思春期開始までの成長が不十分な症例が多かったことと，少量エストロゲン補充療法が徹底していなかったことがあげられている．これらの結果からは，日本人TS特異的成長曲線上の20歳の平均は141.3 cmであることを考慮すると[9]，GH治療の効果は成人身長で4.4〜7.1 cmといえる．最近，エストロゲン補充療法をより生理的な状態に近づけるため，Hasegawaらは17症例に対してエストロゲン補充をエチニルエストラジオール1 ng/kg/日の超少量で9.8〜13.7歳から開始して，半年ごとに漸増して，Kaufmann療法による初経を13〜16.8歳で発来させた[10]．その結果，骨密度は対照群よりも低かったものの，成人身長は平均152.4 cmであったと報告している．治療が可能な施設は限られるが，今後は考慮すべき治療法である．

TSの成長障害は個人差も大きく，診断年齢によりGH開始時期も大きく異なる．また，遅く診断された場合には，エストロゲン治療開始が遅くなることが多い．女性としての成熟を望む場合には，低身長であってもエストロゲン治療を開始することもある．社会性についても個人差があり，本人や家族の個々の声に耳を傾けながら診療を継続していく姿勢が大切である．

7）最新知見

TSに対する成長促進治療として，蛋白同化ステロイドを使用することもあるが，日本でTSに対する承認はない．コクランレビューによれば，GHに加えて蛋白同化ステロイドの一つであるオキサンドロロン治療を行うと，GH単独治療に加えて平均2.7 cmの効果があるとされている[11]．しかしながら，オキサンドロロンの併用は，副作用（変声や陰核肥大といった男性化），長期予後が不明であることを考慮して，海外のガイドラインでは，TSの診断が遅くGH治療だけでは身長予後が悪いと予想される児に対して，10歳以降にオキサンドロロン0.03 mg/kg日（最大でも0.05 mg/kg/日）で用いるべきであるとされている[3]．

❖ 文献

1) Saenger P：Turner's syndrome. *N Engl J Med* 335：1749-1754, 1996
2) Ranke MB, et al.：Adult height in Turner syndrome：results of a multinational survey 1993. *Horm Res* 42：90-94, 1994
3) Gravholt CH, et al.：Clinical practice guidelines for the care of girls and women with Turner syndrome：proceedings from the 2016 Cincinnati International Turner Syndrome Meeting. *Eur J Endocrinol* 177：G1-G70, 2017
4) Davenport ML：Evidence for early initiation of growth hormone and transdermal estradiol therapies in girls with Turner syndrome. *Growth Horm IGF Res* 16（Suppl. A）：S91-S97,

2006
5) 田中敏章, 他：ターナー症候群におけるエストロゲン補充療法ガイドライン. 日小児会誌 112：1048-1050, 2008
6) Klein KO, *et al.*：Estrogen replacement in Turner syndrome：literature review and practical considerations. *J Clin Endocrinol Metab* 103：1790-1803, 2018
7) 望月貴博, 他：成人 Turner 症候群の長期フォローアップについて本人・家族の会アンケートによる現状調査. 日小児会誌 114：43-47, 2010
8) 田中敏章, 他：ターナー症候群の 0.35 mg/kg/週による成長ホルモン治療後の成人身長：TRC 共同研究. 日成長会誌 24：64-70, 2018
9) Isojima T, *et al.*：Proposal of new auxological standards for Japanese girls with turner syndrome. *Clin Pediatr Endocrinol* 19：69-82, 2010
10) Hasegawa Y, *et al.*：Gradually increasing ethinyl estradiol for Turner syndrome may produce good final height but not ideal BMD. *Endocr J* 64：221-227, 2017
11) Mohamed S, *et al.*：Oxandrolone for growth hormone-treated girls aged up to 18 years with Turner syndrome. *Cochrane Database Syst Rev* 2019：CD010736, 2019

（磯島　豪）

軟骨無形成症・低形成症

1）定義・概念

軟骨無形成症（achondroplasia：ACH）は近位肢節に優位な四肢短縮（rhizomelia）による低身長を呈する骨系統疾患である[1]. その発症頻度は10万人当たり4.6人とされており[2], 先天性骨系統疾患のなかでは頻度が高く, 特に四肢短縮型低身長を呈する疾患のなかでは最も頻度が高い疾患である. 遺伝形式は常染色体顕性であるが, その約80％は新規突然変異によるものとされ, 孤発例である[3]. 骨の成長は軟骨組織が増殖, 分化し骨が形成される内軟骨骨化と, 未分化間葉系細胞が骨芽細胞に分化し骨を形成する膜性骨化に大別されるが, ACHでは内軟骨骨化が障害される. その結果四肢短縮以外にも特徴的な顔貌, 特異的な骨X線所見, 大後頭孔狭窄とそれに伴う脳室拡大, 脊柱管狭窄などの症状を呈する.

軟骨低形成症（hypochondroplasia：HCH）はACHの軽症例であり, その重症度の幅は広いためしばしば診断が困難となることがある. 一方で頭部MRIにより内側側頭葉の異形成がみられ, 発達障害や, 学習障害を呈する症例がACHより多いとする報告がある[4].

kubota らは 2019 年に日本小児内分泌学会承認のもとで ACH の診療ガイドラインを発表した[5,6].

2）病因・病態

成長軟骨板では内軟骨性骨化により骨は長径方向へ成長し, 骨端側より骨幹部に向かって軟骨細胞が分裂し長軸方向に規則正しく配列して柱状構造を形成する. 細胞柱はその形態により骨端から骨幹部に向かって①静止軟骨層（resting zone）, ②増殖軟骨層（proliferating zone）, ③肥大軟骨細胞層（hypertrophic zone）と配列する. 骨幹端に近い肥大軟骨細胞が石灰化され, 骨が形成される. この成長軟骨板における軟骨の分化と増殖には多くの転写因子や液性因子が関与している. SRY-Box transcription factor 9（SOX9）は軟骨分化において必須の転写因子であり SOX5/6 も SOX9 と共発現して軟骨分化にかかわる. 局所のシグナル伝達では Indian hedgehog（IHH）, parathyroid hormone-related peptide（PTHrP）, bone morphogenic protein 2（BMP2）, wingless-type MMTV integration site family（WNT）, C-type natriuretic peptide（CNP）, fibroblast growth factor receptor 3（FGFR3）が成長軟骨板の制御に重要な役割をはたしている. IHH は肥大軟骨細胞の分化初期に当たる前肥大軟骨細胞より分泌され PTHrP の発現を増加させ, PTHrP が軟骨肥大化を抑制する. BMP2 も前肥大軟骨細胞と肥大軟骨細胞で発現し, 増殖軟骨細胞の近位側と前肥大軟骨細胞に作用し軟骨細胞の増殖を調節する（図 13）[7,8].

FGFR3 は増殖軟骨細胞と前肥大軟骨細胞に発現しており, 下流のシグナル伝達により軟骨の増殖と分化を抑制する. FGFR3 はリガンドである FGF18 あるいは FGF9 が結合すると自己リン酸化し, signal transducer and activator of transcription 1（STAT1）の活性化を介して p21 を活性化して軟骨細胞増殖を抑制したり, FRS2α から RAS/RAF/MEK/MAPK 経路を通じて SOX9 を活性化し, 軟骨細胞分化を抑制したりする. SOX9 は前述したように軟骨分化において必須の転写因子であり, その病的バリアントは campomelic dysplasia という重篤な骨軟骨の異形成を伴う疾患を引き起こすが, 肥大軟骨細胞の最終分化と内軟骨骨化のためには抑制されている必要がある. CNP は増殖軟骨細胞と前肥大軟骨細胞に発現し, 同じ増殖軟骨細胞と前肥大軟骨細胞に発現する受容体（NPR2 もしくは NPR-B）に作用し FGFR3 シグナル経路の RAF から MEK へのシグナル伝達を抑制し, 肥大軟骨分化を促進する（図 14）[9].

1994 年に FGFR3 遺伝子が ACH の責任遺伝子であることが明らかとなった[10]. ACH においては 97％以上に FGFR3 遺伝子の p.Gly380Arg ミスセンス病的バリアントがヘテロ接合性に認められ[11], 本バリアントは FGFR3 の恒常的活性化をもたらす. その結果軟骨の増殖と分化が抑制され, 内軟骨骨化が障害されるため,

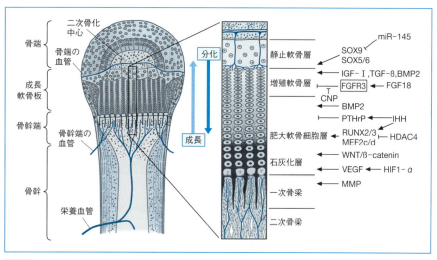

図13 成長軟骨板における内軟骨骨化

〔高岡邦夫：骨の発生，形成，再生．石井清一，他（編）：標準整形外科学．第7版，医学書院，23，2000/ Michigami T.：Current Understanding on the Molecular Basis of Chondrogenesis. *Clin Pediatr Endocrinol* 23：1-8, 2014 より一部改変〕

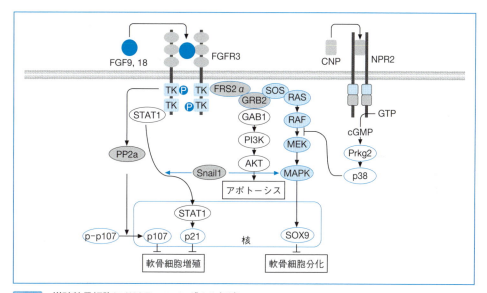

図14 増殖軟骨細胞におけるFGFシグナル伝達

TK：tyrosine kinase, NPR2：natriuretic peptide receptor 2
〔Ornitz DM, *et al*.：Fibroblast growth factor signaling in skeletal development and disease. *Genes Dev* 29：1463-1486, 2015 より一部改変〕

長管骨の長径方向の成長が妨げられ四肢短縮型の低身長を呈する[9]．HCHにおいては60～65％の症例でFGFR3遺伝子のp.Asn540Lysミスセンス病的バリアントをヘテロ接合性に認めるが，ACHと比べその頻度は低く，FGFR3遺伝子に病的バリアントを認めない症例もある[12]．

3）臨床症候

ACH/HCHではFGFR3の機能亢進による内軟骨化の障害により，近位肢節優位な低身長，特徴的な顔貌（相対的に大きな頭蓋，前額部の突出，鼻根部の陥没，顔面中央部の低形成，下顎の相対的な突出），肘の進展制限，短い指，三尖手（手を広げたときに第3指と第4指の間が離れる），内反膝（O脚），乳児期の胸腰椎部後彎，歩行開始とともに進展する極度の腰椎前彎がみられるが，HCHではACHに比較して症状が軽度であり，患者間でのばらつきも大きいためその診断には注意を要する[5]．

これらの骨症状以外に大後頭孔狭窄による頸髄延髄

接合部の脊髄圧迫がみられ，その症状として睡眠時無呼吸，呼吸障害，脊髄症，水頭症，突然死が生じうる．また内軟骨骨化障害に伴う頭蓋底形成不全のために頸静脈孔の狭窄が生じ，脳室拡大をもたらす．その症状として易刺激性，大泉門膨隆，頭痛，嘔吐，うっ血乳頭，外転神経麻痺，片麻痺，意識障害，血圧上昇，徐脈などがある．脊柱管狭窄症も内軟骨骨化障害のため生じることがあり，特に年長児や成人患者に多くみられ，四肢の痛み，しびれ，筋力低下，運動障害，間欠性跛行，膀胱直腸障害などが生じうる．顔面中央部低形成などの影響で持続性・反復性の中耳炎も小児症例でよく認める徴候である．肥満も頻度の高い合併症であり，注意が必要である[5]．

4) 診断と検査法

ACH/HCH の診断は上記の臨床症候と特徴的な骨X線所見より行う（難病情報センターACHの診断基準[13]）．ACH/HCH の病態は内軟骨骨化障害であるためその骨X線所見は内軟骨骨化によって成長する部分の短縮・低形成と膜性骨化が相対的に過剰になることにより生じてくる．頭蓋では頭蓋冠と下顎骨の成長が膜性骨化由来であるのに対して頭蓋底部の成長は内軟骨骨化に由来するため，前額部突出，頭蓋底の短縮，下顎突出がみられる．脊椎では椎対終板の内軟骨骨化の遅延により椎体辺縁は丸みを帯びる．椎体後縁の後方凹とあわせてその側面像では小弾丸様にみえる．また新生児期には扁平椎を認めることがある．出生直後には胸腰椎移行部の後彎がみられ，その後自立歩行の確立による荷重のため腰椎の前彎が目立つようになる．正常の腰椎椎弓根間距離は頭側から尾側に向けて広くなるが，ACH/HCH では逆に狭くなり，これが診断上重要な特徴的所見であるが，ACH に比較して HCH ではその程度は軽度で狭小化はみられず平行であることがしばしばある点と，乳児期にはこの所見が目立たない点に注意が必要である（図15）．骨盤では腸骨翼が扇状に内軟骨骨化により成長する．ACH/HCH ではその成長が障害されるため，腸骨翼の低形成（方形化），坐骨切痕の短縮がみられ，その結果小骨盤内腔はシャンパングラス様にみえる．臼蓋は水平となり，乳児期には臼蓋内外縁と中央部に角状の骨突起が認められ，この所見は trident pelvis とよばれる．四肢における管状骨は太くて短い．内軟骨骨化障害による骨幹端の盃状変形は著しく，大腿骨転子部や脛骨粗面部でも生じてくる．大腿骨近位部の帯状の透亮像は大腿骨転子部の盃状変形によるものであるが，乳児期には診断において有用な像である．また大腿骨骨頭の骨化は遅れ，大腿骨頸部は短縮する．健常では脛骨長と腓骨長がほぼ同

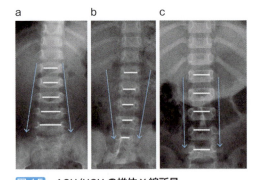

図15 ACH/HCH の椎体 X 線所見
a：健常，b：ACH（FGFR3 遺伝子 p.Gly380Arg）3歳時，
c：HCH（FGFR3 遺伝子 p.Asn540Lys）3歳時

じ長さとなるが，本疾患では脛骨の成長が乏しく，腓骨が相対的に長くなり，足関節面が斜めにみえる．手は第2，3指が接近し，第4，5指も接近し，その結果第3指と第4指の間が開いた三尖手となる．このように特徴的な骨X線所見も撮影する年齢によってみえやすさが異なる点と，HCH では症例による重症度の差が大きく，ACH と鑑別困難な症例から，健常人と鑑別困難な軽症例まで含まれる点を念頭におく必要がある[14]．

鑑別診断としては変容性骨異形成症（metatoropic dysplasia）や偽性軟骨無形成症などがある[5]．変容性骨異形成症は transient receptor potential cation channel subfamily V, member 4（TRPV4）をコードする TRPV4 遺伝子が責任遺伝子であり，進行性の脊柱変形を呈し体幹短縮型の低身長を呈する．骨X線ではダンベル状の長管骨，鉾槍状の腸骨，著しい扁平椎が特徴的である．一方の偽性軟骨無形成症は cartilage oligomeric matrix protein（COMP）をコードする COMP 遺伝子が責任遺伝子であり，四肢短縮型の低身長を呈する．ACH とは異なり顔貌は通常正常であるが，椎体中央部前面の舌状突出（anterior tongue-like protrusion）がみられ本疾患に特徴的な所見である．

5) 治療法

ACH と HCH の低身長に対してわが国では1997年に GH 治療が保険適用となっている（0.35 mg/kg/週）．治療開始/継続適応基準[15]は成長科学協会 Web を参照．治療効果としては ACH において成人身長が男性で 0.6 SD（+3.5 cm），女性で 0.5 SD（+2.8 cm）の増加がみられたと報告されている[16]．HCH においても七つの論文のメタアナリシスより治療開始前身長 SD が −3.029（95%CI：−3.621〜−2.437）に対して GH 治療後1年目身長 SD が −2.615（−2.950〜−2.280），2年目 −2.499（−2.890〜−2.108），3年目 −2.420（−2.750〜−2.090）と報告されている[17]．

表6 ACHの合併症

乳児期（0〜1歳）	小児期（1〜13歳）	思春期/青年期（13〜18歳）	成人期（18歳以上）
	身体機能障害	身体機能障害	身体機能障害
	社会的機能の障害	社会的機能の障害	社会的機能の障害
	疼痛	疼痛	疼痛
粗大運動発達遅延	粗大運動発達遅延		
	緻密運動と器用さの問題		
脱力感を伴う筋緊張低下	脱力感を伴う筋緊張低下		
	身の回りのことができるようになる時期が遅れる	身の回りのことができにくい	身の回りのことができにくい
	肥満	肥満	肥満
	生活の質の低下	生活の質の低下	生活の質の低下
大後頭孔狭窄	大後頭孔狭窄	大後頭孔狭窄	大後頭孔狭窄
頸延髄部の圧迫	頸延髄部の圧迫	頸延髄部の圧迫	頸延髄部の圧迫
脳室拡大	脳室拡大		
中耳炎/慢性中耳浸出液	中耳炎/慢性中耳浸出液	中耳炎/慢性中耳浸出液	
聴力低下	聴力低下	聴力低下	聴力低下
	言語の遅れ		
	歯科不正咬合	歯科不正咬合	歯科不正咬合
脊柱後彎	脊柱後彎	脊柱後彎	脊柱後彎
	腰椎前彎	腰椎前彎	腰椎前彎
	症候性脊柱管狭窄	症候性脊柱管狭窄	症候性脊柱管狭窄
上気道狭窄	上気道狭窄	上気道狭窄	上気道狭窄
睡眠障害をもたらす呼吸異常	睡眠障害をもたらす呼吸異常	睡眠障害をもたらす呼吸異常	睡眠障害をもたらす呼吸異常
	股関節屈曲拘縮	股関節屈曲拘縮	股関節屈曲拘縮
	内反膝	内反膝	内反膝
突然死	早期死亡	早期死亡	早期死亡

〔Hoover-Fong J, et al.：Lifetime impact of achondroplasia：Current evidence and perspectives on the natural history. Bone 146：115872, 2021 より引用改変〕

低身長，四肢短縮の改善のために創外固定器を用いた四肢延長術が実施されることが多い．ACHとHCHの下肢延長術では，平均獲得身長は9.5 cmで骨を1 cm伸長させるために必要な日数（healing index）は30.8日/cmであったと報告されている[18]．治療の選択肢として患者，家族，整形外科医と事前に相談を進めておく必要がある．

6）管理と予後

ACHでは上述したような全身性の合併症が生涯にわたって生じうる．2018年に国際的な14名の専門家による会議でACHの自然歴について議論がなされ，どの時期にどのような合併症が生じてくるかについての総説が発表された（表6）[19]．これらの合併症の種類と発症時期を認識しながら管理する必要がある．アメリカ小児科学会が各年代別にACH患者管理上留意すべき点を報告しており[20]，ACH患者の管理上有用であるが，個々の症例に応じた対応が必要となることもしばしばある．身長体重頭囲の測定は成長期のみならず，成人期の肥満の評価においても重要である．軟骨無形成症の成長曲線が，成長期の評価には有用である．頸延髄部圧迫の評価はACHの診断がつきしだい速やかに評価されるべきである．そのためには神経学的所見の評価，ポリソムノグラフィー，画像評価（頭部CT，MRI）が必要である．画像評価の際に鎮静が必要な場合は，専門医による十分な準備のうえで行うべきである．次のような場合は適した時期に脳神経外科の専門医に紹介する必要がある．①神経学的異常所見．②十分なカロリー摂取にもかかわらず体重増加不良を認める．③睡眠検査の異常を認める．④画像所見の異常を認める[20]．

7）最新知見

前述のようにFGFR3シグナルの亢進がACH/HCHの病因であるが，ACHに対してはその分子病態に基づいた新規治療法の開発が進められている．図14に示すようにCNPシグナルはFGFR3シグナルの下流にあるMAPKシグナル伝達を抑制するためCNPアナログ

(vosoritide)が開発されている．そのほかにもチロシンキナーゼ阻害剤(infigratinib)，可溶型 FGFR3(recifercept)，FGF2 の作用を中和させる RNA アプタマー(RBM007)，抗 FGFR3 抗体(vofatamab)，乗り物酔いの治療薬であるメクロジン，高コレステロール血症治療薬であるスタチンなどが今後新規薬剤の候補となる可能性がある[21]．

今後これらの新規薬剤による治療効果と副作用についての理解が進み，また自然歴の情報が蓄積されることにより，どの時期にどのような治療を選択し，場合によってはどのように複数の治療法を組み合わせることが ACH の治療において最も有効かつ安全であるかが明らかとなってくることが期待される．

❖ 文献

1) Horton WA, et al.：Achondroplasia. Lancet 370：162-172, 2007
2) Foreman PK, et al.：Birth prevalence of achondroplasia：A systematic literature review and meta-analysis. Am J Med Genet A 182：2297-2316, 2020
3) Unger S, et al.：Current Care and Investigational Therapies in Achondroplasia. Curr Osteoporos Rep 15：53-60, 2017
4) Linnankivi T, et al.：Neuroimaging and neurological findings in patients with hypochondroplasia and FGFR3 N540K mutation. Am J Med Genet A 158 A：3119-3125, 2012
5) Kubota T, et al.：Clinical Practice Guidelines for Achondroplasia. Clin Pediatr Endocrinol 29：25-42, 2020
6) 窪田拓生, 他：軟骨無形成症診療ガイドライン http://jspe.umin.jp/medical/files/guide2_20190111.pdf(2021 年 11 月 8 日アクセス)
7) 高岡邦夫：骨の発生，形成，再生．石井清一，他（編）：標準整形外科学．第 7 版, 医学書院, 23, 2000
8) Michigami T：Current Understanding on the Molecular Basis of Chondrogenesis. Clin Pediatr Endocrinol 23：1-8, 2014
9) Ornitz DM, et al.：Fibroblast growth factor signaling in skeletal development and disease. Genes Dev 29：1463-1486, 2015
10) Shiang R, et al.：Mutations in the transmembrane domain of FGFR3 cause the most common genetic form of dwarfism, achondroplasia. Cell 78：335-342, 1994
11) Bellus GA, et al.：Achondroplasia is defined by recurrent G380R mutations of FGFR3. Am J Hum Genet 56：368-373, 1995
12) Heuertz S, et al.：Novel FGFR3 mutations creating cysteine residues in the extracellular domain of the receptor cause achondroplasia or severe forms of hypochondroplasia. Eur J Hum Genet 14：1240-1247, 2006
13) 難病情報センター：軟骨無形成症(指定難病 276) https://www.nanbyou.or.jp/entry/4571(2021 年 11 月 8 日アクセス)
14) 西村　玄：Osteochondrodysplasia．骨系統疾患 X 線アトラス　遺伝性骨疾患の鑑別診断．医学書院, 35-39, 1993
15) 成長科学協会：小児成長ホルモン治療適応判定 https://www.fgs.or.jp/business/growth_hormone/treatment_decision/osteochondrodystrophy/chart.html(2021 年 11 月 8 日アクセス)
16) Harada D, et al.：Final adult height in long-term growth hormone-treated achondroplasia patients. Eur J Pediatr 176：873-879, 2017
17) Massart F, et al.：Height outcome of short children with hypochondroplasia after recombinant human growth hormone treatment：a meta-analysis. Pharmacogenomics 16：1965-1973, 2015
18) Kim S-J, et al.：The etiology of short stature affects the clinical outcome of lower limb lengthening using external fixation. A systematic review of 18 trials involving 547 patients. Acta Orthop 85：181-186, 2014
19) Hoover-Fong J, et al.：Lifetime impact of achondroplasia：Current evidence and perspectives on the natural history. Bone 146：115872, 2021
20) Hoover-Fong J, et al.：Health supervision for people with achondroplasia. Pediatrics 145：e20201010, 2020
21) Legeai-Mallet L, et al.：Novel therapeutic approaches for the treatment of achondroplasia. Bone 141：115579, 2020

〈大幡泰久〉

H Noonan 症候群

1）定義・概念

Noonan 症候群(Noonan syndrome：NS)は，典型的な顔貌，低身長，先天性心疾患，胸壁の異常，思春期遅発，停留精巣，発達遅滞などを伴う症候群である[1,2]．NS は比較的頻度の高い疾患と考えられており，海外からの報告では，1,000～2,500 人に 1 人[2]，日本の報告では 10,000 人に 1 人とされている[3]．臨床症候については，家系内でも表現型が異なることも多く，また，顔貌の特徴は年齢とともに目立たなくなってくる．

2）病因・病態

2001 年に，NS の責任遺伝子として，第 12 番染色体長腕に存在する PTPN11 が同定された[4]．PTPN11 は細胞増殖・分化・生存・死に重要な RAS/mitogen-activated protein kinase(MAPK)シグナル伝達経路を構成する分子であり，心臓，脳，骨格筋を含む広範な組織の細胞質で発現している．PTPN11 は，リン酸化からはじまるシグナル伝達をホスファターゼ活性によって脱リン酸化する作用をもち，チロシンキナーゼ内在型受容体およびサイトカイン型受容体を介するシグナル伝達の制御物質として作用している．NS で同定されている変異 PTPN11 は，この脱リン酸化機能亢進状態を生じることで NS の諸症状を生じると考えられている．PTPN11 が NS の責任遺伝子として同定された後に，NS および NS 類縁疾患の責任遺伝子が RAS/MAPK シグナル伝達経路において次々に同定され，総称して RASopathies あるいは RAS/MAPK 症候群とよばれることもある[5]．現在のところ，NS の責任遺伝子

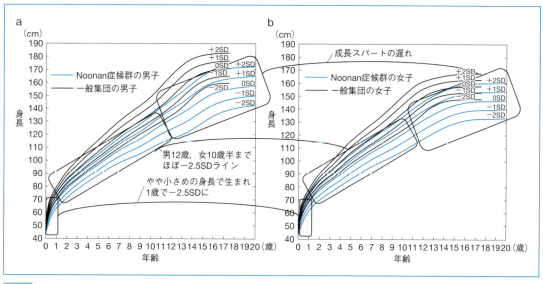

図16 Noonan症候群の身長の成長パターン
a：成人身長(男子), 157.3±7.4 cm (−2.3±1.3 SD)
b：成人身長(女子), 146.8±6.9 cm (−2.1±1.3 SD)
[Isojima T, et al.: Growth references for Japanese individuals with Noonan syndrome. *Pediatr Res* 79: 543-548, 2016/Isojima T, et al.: Validation of auxological reference values for Japanese children with Noonan syndrome and comparison with growth in children with Turner syndrome. *Clin Pediatr Endocrinol* 26: 153-164, 2017]

としておもに9個の遺伝子(PTPN11, SOS1, RAF1, RIT1, KRAS, NRAS, SHOC2, CBL, BRAF)が知られているが、NSと臨床診断可能な症例のなかで既知のNS責任遺伝子に変異を確認できるのは60〜80%程度であり、20〜40%は原因が不明である.

3) 臨床症候

a. 特徴的顔貌

NSの顔貌の特徴は、NS診断の際の中核的な所見である. 広く高く突出した前額部, 眼瞼裂斜下を伴う眼間開離, 内眼角贅皮, 眼瞼下垂, 厚い耳輪を伴い低く後方に回転した耳介, 平坦で低い鼻根部と深い人中, 高口蓋, 小顎症, 短い頸部, 翼状頸, 後頭部毛髪線低位, カールした頭髪などの特徴があり, 頭部は相対的に大きい. 顔貌の特徴は, 乳児期から幼児期にかけては典型的な顔貌をしていることが多く, 年齢とともにその特徴が目立たなくなってくる. そのため, 年長児や成人では顔貌からの臨床診断がむずかしいこともある. また, 責任遺伝子によって顔貌の特徴も多少の差がある.

b. 心疾患

NSの80%程度に、心疾患を合併するとされる. 先天性心疾患の1.4%をNSが占めており, NSは, 心疾患を合併する症候群としては21トリソミーに次いで2番目に多い. NSに合併する心疾患としては, 肺動脈弁狭窄症が50〜60%と最も多く, 次いで肥大型心筋症が20%程度である. 肥大型心筋症はRAF1変異, RIT1変異の症例で頻度が高い. その他の心合併症としては, 心房中隔欠損症(6〜10%), 心室中隔欠損症, 末梢性肺動脈狭窄, Fallot四徴症などである[6]. また、50%程度のNSの児に、特徴的な心電図異常(左前胸部誘導におけるR/S比の異常, 幅広いQRS波, 左軸変異, 巨大Q波)が認められる[2].

c. 成長障害・低身長

成長障害・低身長はNSの主要な症状の一つであり, NSの80%程度に認められる[2]. 図16にNSの身長の成長パターンの特徴を示す[7,8]. NSの身長は, 一般集団の身長よりもやや低めの身長で生まれ, その後, 乳児期の間に成長障害が進行し, 1〜2歳時にはNSの平均身長が, 一般集団の身長の−2.5 SD程度にまで低下する. 多くのNSは, 乳児期に哺乳不良や体重増加不良を呈し, 25%もの児が2週間以上の経管栄養を必要とすると報告されている[6]. 成長障害は1〜2歳を過ぎたあとは、しばらくは進行せずに, 男子は12歳, 女子は10歳くらいまでは, NSの平均身長は, 一般集団の身長の−2.5 SDのまま経過する. その後, NSは思春期が遅めのことが多いため, 一般集団と比較すると成長率の低下が明らかになるが, NSが思春期をむかえ成長のスパートがはじまると考えられる男子15歳, 女子13歳あたりから成長率が増加して一般集団に対する身長SDスコアも増加しはじめる. 平均の

II 各 論

表7 Noonan症候群の臨床診断基準

身体的特徴		A 主要徴候		B 副徴候
1. 顔貌	(A-1)	典型的な顔貌*1	(B-1)	本症候群を示唆する顔貌
2. 心臓	(A-2)	肺動脈弁狭窄，閉塞性肥大型心筋症および／またはNoonan症候群に特徴的な心電図所見*2	(B-2)	左記以外の心疾患
3. 身長	(A-3)	3パーセンタイル（−1.88 SD）以下	(B-3)	10パーセンタイル（−1.33 SD）以下
4. 胸壁	(A-4)	鳩胸／漏斗胸	(B-4)	広い胸郭
5. 家族歴	(A-5)	第一度近親者に確実なNoonan症候群の患者あり	(B-5)	第一度近親者にNoonan症候群が疑われる患者あり
6. その他	(A-6)	発達遅滞，停留精巣，リンパ管異形成のすべて	(B-6)	発達遅滞，停留精巣，リンパ管異形成のうちいずれかひとつ

Noonan症候群として診断
 (A-1)と，(A-2)〜(A-6)のうち1項目または(B-2)〜(B-6)のうち2項目が該当
 (B-1)と，(A-2)〜(A-6)のうち2項目または(B-2)〜(B-6)のうち3項目が該当

*1：典型的な顔貌とは，広く高い前額部，眼間開離，眼瞼下垂，内眼角贅皮と外側に向けて斜めに下がった眼瞼裂，厚い耳輪をもち傾いた低位耳介，高口蓋，小顎症，翼状頸を伴う短頸，後頭部毛髪線低位を指す．顔貌は，ときに特徴的でない場合があり，また年齢とともに変化する．各所見については，dysmorphology（臨床奇形診断学）に習熟した専門医による判定が必要で，類似した顔貌を示すほかの疾患を鑑別診断することが重要である
*2：特徴的な心電所見とは，左前胸部誘導におけるR/S比の異常，幅広いQRS波，差軸変更，巨大Q波を指す
[厚生労働科学研究費補助金難治性疾患克服研究事業研究班：分子診断に基づくヌーナン症候群の診断・治療ガイドライン作成と新規病因遺伝子探索（研究代表者：松原洋一）平成23〜24年度総合研究報告書．https://mhlw-grants.niph.go.jp/system/files/2011/113141/201128270A/201128270A0001.pdf]

思春期開始年齢は，男子で13.5〜14歳，女子で13〜14歳とされ[2]，35%の男児が13.5歳以降，44%の女児が13歳以降であると報告されている[6]．NSの成人身長は，成人身長の定義により多少のばらつきはあるが，海外からの報告では，男子−2.5〜−1.4 SDスコア，女子−2.2〜−1.8 SDスコアであり，日本人のデータ（男子−2.3 SD，女子−2.1 SD）と同程度である．NSは思春期遅発傾向であり，男子は20代半ばまで身長が伸びる可能性があることを考えると，NSの成人身長は，一般集団の身長SDスコアで，−2 SD程度と考えられる．

d. 胸壁

鳩胸，漏斗胸，広い胸郭が認められる．ほとんどのNSで認められ，一般的な漏斗胸・鳩胸とは少し異なり，鳩胸で胸壁が突出し，胸の中央がくぼむため，漏斗胸のようになる．また，低めの位置にあり離解した乳頭や丸い肩もよくみられる徴候である[2]．

e. 家族歴

NSは常染色体顕性遺伝形式の先天性の疾患であり，児の診断をきっかけに親が診断されることもある．診断後には遺伝カウンセリングが必要になることもある．

f. その他

その他の症状として，発達遅滞，停留精巣，リンパ管異形成，血液凝固因子異常，聴力障害，眼症状，不正咬合などがある．精神発達遅滞は，40〜60%に合併するとされるが，軽度発達遅滞が多く社会的な適応能力は高い例が多い．停留精巣はNS男児80%にみられる[6]．またNS成人男性の不妊リスクは高いとされる．停留精巣に限らず，泌尿器系の異常としては腎形態異常も10%で合併する．リンパ管異形成は20%に合併するとされる．出生前から胎児水腫となるものもある．血液凝固因子異常では，凝固因子欠損，血小板減少，血小板機能異常，骨髄増殖性疾患（juvenile myelomonocytic leukemiaなど）を合併することがある．

4）診断と検査法

臨床診断基準としては，van der Burgtらの指針に基づき，厚生労働科学研究費補助金難治性疾患克服研究事業「分子診断に基づくヌーナン症候群の診断・治療ガイドライン作成と新規病因遺伝子探索」研究班（研究代表者　松原洋一）が診断基準を作成している（表7）[9]．臨床診断基準のなかで注意すべき点は，中核的所見が典型的・示唆的顔貌という曖昧で主観的という点である．典型的な顔貌の場合には問題ないが，典型的でない顔貌の患者の場合には，臨床診断は非常にむずかしい．さらに，NSの特徴的顔貌は，年齢とともに変化するため，年長児ではしばしば臨床診断が困難なこともある．顔貌がNSかどうか迷う際には，臨床形成異常診断学に習熟した専門医による判定が必要である．

NSの約60〜80%に遺伝子異常が同定されるので，可能であれば遺伝子診断を実施することが望ましい．2020年4月に保険診療による遺伝子診断が，遺伝学的検査の一つとして可能になった．NSの診断は前述の臨床症候によることが原則であるが，遺伝子検索の結果，PTPN11，SOS1，RAF1，NRASのいずれかにNSの病因と考えられる遺伝子異常がみつかった場合は，臨床診断における判定基準にかかわらず，NSと診断してよい[9]．

5）治療法

根本的な治療法はなく，対症療法が行われる．NSは，様々な合併症が存在するため，系統的な全身管理が必要である．また年齢とともに臨床症候が変化することもあり，年齢に応じた診療が不可欠である．

NSの主要徴候である低身長に対してはGH治療が行われている．NSの多くはGH分泌不全症を伴うわけではないが，NSに対するGH治療は1980年代から試みられてきた．しかしながら，ランダム化比較試験による成人身長に対する効果を検討した報告はないため，その長期効果については，現在のところはっきりとした結論は出ていない．これまでのエビデンスの比較的高いデータを系統的にレビューした論文によると，成人身長の改善率は $1.4±0.8$ SD（身長として $9.5±5.4$ cm）であった[10]．アメリカのNSの臨床ガイドラインによると，GHの治療効果については，GH治療開始が早いほど，治療期間が長いほど，身長予後の改善はよかったとされている（身長SDSの改善：$1.3～1.7$，平均身長の増加：男児が $9.5～13.0$ cm，女児が $9.0～9.8$ cm）[2]．NSに対するGH治療は，2007年にアメリカで承認されたが，わが国においても，2017年11月に，3歳以上で身長が同性，同年齢の-2 SD以下の児に対して承認された．

これまでのところGH治療が原因と考えられる重篤な副作用は存在しない[2,10]．またGH治療により，合併する先天性心疾患を悪化させたとか，合併症のリスクを上げたというような報告は存在しない[10]．しかしながら，GH投与中には，GH投与による心疾患の増悪や腫瘍性疾患発症の可能性を常に考慮して治療にあたる必要がある．日本小児内分泌学会が「NSにおける低身長に対するGH治療の実施上の注意」を作成しており，NSに対するGH治療の際には参考にすべきである[11]．

6）管理と予後

NSと診断した場合には，心疾患をスクリーニングする必要があり，診断時に心疾患がなくても，その後に発症する可能性を考慮して成人期も継続して5年ごとに定期検診することが勧められている[2]．逆に，小児で肺動脈弁狭窄症や肥大型心筋症を診断した場合には，NSの身体的特徴の有無を念頭にNSの可能性について鑑別診断することも重要である．予後は良好である．ただし，進行性肥大型心筋症を合併した症例は予後不良のことがある．

NSの臨床ガイドラインは，2010年にアメリカから[2]，2011年にイギリスから[12]報告されている．詳細な年齢に応じたNSの治療管理についてはこれらの報告を参照されたい．

7）最新知見

NSの原因遺伝子は，近年，次世代シークエンサーを用いた解析などで，おもな9個の遺伝子以外にも，SOS2, LZTR1, MRAS, RASA2, A2ML1, RRAS2, MAPK1と次々に同定されている[13～15]．

❖ 文献

1) Noonan JA：Hypertelorism with Turner phenotype. A new syndrome with associated congenital heart disease. *Am J Dis Child* 116：373-380, 1968
2) Romano AA, et al.：Noonan syndrome：clinical features, diagnosis, and management guidelines. *Pediatrics* 126：746-759, 2010
3) The RAS/MAPK Syndrome Homepage. http://www.medgen.med.tohoku.ac.jp/rasmapk_j/rasmapk/（accessd 2021-09-03）
4) Tartaglia M, et al.：Mutations in PTPN11, encoding the protein tyrosine phosphatase SHP-2, cause Noonan syndrome. *Nat Genet* 29：465-468, 2001
5) Aoki Y, et al.：Recent advances in RASopathies. *J Hum Genet* 61：33-39, 2016
6) Roberts AE, et al.：Noonan syndrome. *Lancet* 381：333-342, 2013
7) Isojima T, et al.：Growth references for Japanese individuals with Noonan syndrome. *Pediatr Res* 79：543-548, 2016
8) Isojima T, et al.：Validation of auxological reference values for Japanese children with Noonan syndrome and comparison with growth in children with Turner syndrome. *Clin Pediatr Endocrinol* 26：153-164, 2017
9) 厚生労働科学研究費補助金難治性疾患克服研究事業研究班：分子診断に基づくヌーナン症候群の診断・治療ガイドライン作成と新規病因遺伝子探索（研究代表者：松原洋一）平成23～24年度総合研究報告書．https://mhlw-grants.niph.go.jp/system/files/2011/113141/201128270A/201128270A0001.pdf（2021年9月3日アクセス）
10) Giacomozzi C, et al.：The impact of growth hormone therapy on adult height in noonan syndrome：a systematic review. *Horm Res Paediatr* 83：167-176, 2015
11) 日本小児内分泌学会：ヌーナン症候群における低身長に対するGH治療の実施上の注意（2020年5月25日改訂）．2020 http://jspe.umin.jp/medical/files/guide20200917.pdf（2021年9月3日アクセス）
12) Noonan Syndrome Guideline Development Group：Management of Noonan syndrome：A Clinical Guideline. University of Manchester, Manchester, 2010 https://rasopathiesnet.org/wp-content/uploads/2014/01/265_Noonan_Guidelines.pdf（accessd 2021-09-03）
13) Capri Y, et al.：Activating mutations of RRAS2 are a rare cause of Noonan syndrome. *Am J Hum Genet* 104：1223-1232, 2019
14) Niihori T, et al.：Germline-activating RRAS2 mutations cause Noonan syndrome. *Am J Hum Genet* 104：1233-1240, 2019
15) Motta M, et al.：Enhanced MAPK1 function causes a neurodevelopmental disorder within the RASopathy clinical spectrum. *Am J Hum Genet* 107：499-513, 2020

〔磯島　豪〕

II 各論

I Prader-Willi 症候群

1）定義・概念

Prader-Willi 症候群（Prader-Willi syndrome：PWS）は，①特徴的な臨床症状を有し，かつ②15番染色体q11-13 インプリンティング領域（図17）に位置する父性発現遺伝子の機能喪失を認める疾患と定義可能である．まれな場合として，①を有し，かつSNORD116領域（図17）の微細欠失を認める場合もPWSと診断できる．PWSは約15,000出生に1人の発生で，性差，人種差を認めない．①の特徴的な臨床症状に関しては後述する．

2）病因・病態

15番染色体q11-13 インプリンティング領域内のSNRPN遺伝子上流にはメチル化可変領域（differentially methylated region：DMR）が存在する．この部位は，インプリンティングセンター（imprinting center：IC）ともよばれる．母由来のDMRはメチル化を受けているが，父由来のDMRは非メチル化状態であり，この領域では父由来遺伝子が発現している（図17）．父由来の非メチル化DMRが存在せず，父由来遺伝子の発現が消失する原因として，①父由来15番染色体q11-13領域の欠失に起因する場合が65～75％，②15番染色体の2本ともが母由来である母性片親性ダイソミー（maternal uniparental disomy：mUPD）に起因するものが20～30％，③刷り込み変異（IC defect）によるものが2～5％で，エピ変異またはゲノム刷り込みをコントロールするICの微細欠失に起因する．まれな原因として，染色体転座による15q11-13領域の欠失がある．SNORD116領域の微細欠失でもPWSの症状を呈するため，SNORD116の領域がPWSの臨床症候を規定する重要な領域であると考えられている．しかし，SNORD116の微細欠失に起因するPWSの臨床症候は通常のPWSと比較して共通しない症状も報告されており，SNORD116以外の領域が臨床症状に関与している可能性が指摘されている．

3）臨床症候

PWSの臨床症候は年齢ごとに異なることが特徴的である[1,2]．妊娠中には，胎動の低下を認める．特徴的顔貌として，アーモンド様の目，狭い前額部，下向きの口角などを認め，身体所見として，小さな手足，皮膚色素低下を認める．出生後，特徴的顔貌，筋緊張低下，そして哺乳不良などの症状からPWSが疑われ，遺伝学的検査で確定診断されることが多い．体温調節障害を認める．哺乳不良に対して，経管栄養を必要とする場合も多いが，乳児期中後期には経管栄養から離脱できることが多い．筋緊張の低下は乳児期も持続し，運動発達遅滞，精神遅滞を伴う．幼児期以降には，食欲亢進がすすみ，過食が出現し始める．過食がコントロールされない場合，肥満が進行する．

a．低身長

PWS患者は低身長を呈する．2000年に発表されたPWS患者の成長曲線[3]によると，日本人PWS患者の平均身長は，小児期には-2SD程度を推移するが，思春期時期に成長率が低下し，身長SD値が低下する．PWSに合併する性腺機能低下もその要因の一つである．PWS患者の成人平均身長は男性で147.7±7.7 cm，女性で141.2±4.8 cmと報告されている[3]．

b．行動症状

小児期には，過食に加え，特徴的な行動症状（癇癪，頑固，強迫，衝動性，盗癖，虚言，皮膚の引っ掻き，自閉スペクトラム症的行動など）が出現し，思春期以降強まる．わが国からの報告では，15q11-13領域の欠失を認めるPWS患者では，行動症状は青年期でピークを迎え[4]，成人期に入ると減弱するとされる[5]．一

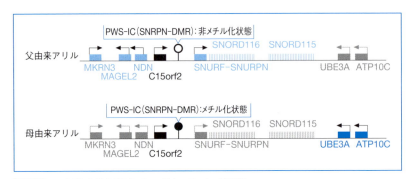

図17 15番染色体長腕のインプリンティング領域

父由来アリルでは，SNRPN-DMR が非メチル化状態であり（○），■で示す遺伝子が発現している．一方，母由来アリルでは SNRPN-DMR がメチル化されており（●），■で示す遺伝子が発現している．黒色で示す遺伝子は，両アリルで発現する．IC：imprinting center

方, mUPD15 を認める PWS 患者に関しては報告が少なく, 成人期以降に関しては明確でない.

c. 性腺機能低下

性腺機能低下は PWS に特徴的な臨床所見で, 男児では停留精巣や小陰茎を高率に認め, 女児でも陰核や小陰唇の低形成を認める. 思春期には, 性腺機能低下に起因する二次性徴の未発来, 遅延や不完全な成熟を認める. PWS における性腺機能低下は中枢性と原発性の両方の要因が関与することが指摘されている. 男性では, 思春期に入るとテストステロンの増加を認めるが, その程度は不十分なことが多い. 一方, 女性においても二次性徴の進行は不完全なことが多く, 初経が発来しない場合や初経を認めてもその後無月経となる場合も多い.

d. 肥満・糖尿病

PWS では成長障害と肥満を合併することが特徴的である. PWS における体脂肪率の増加は過食出現前から存在する. 食事栄養療法, 運動療法, GH 治療, 生活指導により体重や過食をコントロールできない場合, 肥満が進行する. PWS の体組成の特徴は, 筋肉量が少なく, そして脂肪量が多いことであるが, GH 治療により改善する. 20 歳前後に糖尿病の発症のピークが存在する.

e. 中枢性副腎皮質機能低下

PWS では中枢性副腎皮質機能低下を合併する可能性が指摘されているが, その罹患率は不明である. 負荷試験に基づく評価では, 非常に高率という報告もあるが, 多くの論文ではその頻度は低いと報告されている[6]. ただ, 乳幼児 PWS では感染や発熱に伴い死亡する報告があり, 一部には急性副腎皮質機能不全との関連性が指摘されている.

f. 甲状腺機能低下症

乳児期の PWS では, FT_4 値が低下していることが複数の論文で報告されている. しかし, TSH の上昇を認めず, PWS 特有の視床下部障害に起因する可能性が指摘されている. FT_3 値は正常範囲であることが多い. また, 年齢とともに FT_4 値は増加することが報告されている.

g. その他

無呼吸, 眼科的異常(内斜視, 近視, 遠視など), 側彎の合併を認め, 複数の診療科による包括的な診療が必要である.

4) 診断と検査法

診断のフローチャートを図18に示す. PWS の遺伝学的検査を行う場合は, まず可能な限り遺伝カウンセリングを行ったうえで, G 分染法と SNRPN メチレー

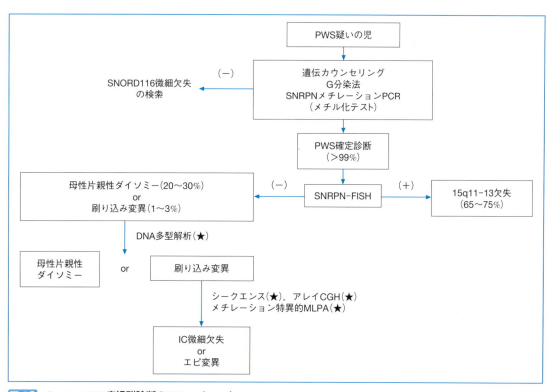

図18 Prader-Willi 症候群診断のフローチャート
★：保険未収載, FISH：fluorescence *in situ* hybridization, IC：imprinting center

ションPCR(メチル化テスト)を行う．なお，2018年4月よりメチル化テストは保険収載されている．メチル化テストで15番染色体のPWS責任領域に父由来の非メチル化DMRが存在しないことが示されれば，PWSの確定診断となる．メチル化テストで99％以上のPWSを診断可能であるが，SNORD116微細欠失に起因する場合はこの方法では検出できない．その後，メチル化異常の原因検索を行う場合が多い．通常は，保険収載されているSNRPN-FISH(fluorescence in situ hybridization)検査を行うことが一般的で，65～75％の欠失患者の同定が可能である．残りの患者は，mUPDあるいは刷り込み変異に起因する．mUPDの診断のためには，DNA多型解析が必要であるが，これは研究室レベルの検査で保険収載されていない．mUPDが否定的であれば，エピ変異あるいはIC微細欠失に起因する刷り込み変異が原因である．この鑑別には，シークエンス，アレイcomparative genomic hybridization(CGH)，メチレーション特異的multiple ligation probe amplification(MLPA)による検索が必要である(いずれの検査も保険未収載で，研究室レベルの検査)．G分染法を組み合わせることで，染色体転座による欠失やRobertson転座によるmUPD15の診断も可能となる．SNORD116微細欠失の診断には，メチレーション特異的MLPA，アレイCGHが必要である．

メチル化異常の原因特定を行う目的の一つとして，遺伝カウンセリングに必要な情報を得ることがある．IC微細欠失に起因するPWSの場合は，父が同欠失を有している可能性があり，その場合は50％の確率で次子への遺伝性がある．染色体転座による欠失では父が均衡型転座の可能性があり，その場合も次子への遺伝性の可能性がある．Robertson転座によるmUPD15の場合には，母が同転座を有している可能性がある．ほとんどのケースで出産に至らないが，出産に至った場合，次子に遺伝する．なお，保険収載されていないが，メチレーション特異的MLPA法を用いれば，mUPDとエピ変異の鑑別は困難であるが，それ以外のPWSの原因を鑑別可能である．G分染法と組み合わせることで，遺伝カウンセリングに必要な情報を得ることができる．

メチル化テストが保険収載される以前に診断された症例では，その当時に保険診療で解析可能であったFISH法と臨床症候から診断されている場合がある．Angelman症候群の新生児や乳児ではPWSと似通った臨床症候を呈することもあるため，PWSに非特異的な臨床経過をたどっているPWS欠失患者で，メチル化テストで遺伝学的に確定診断を受けていない場合は，欠失型のAngelman症候群の可能性を疑う必要がある．

5）治療法

PWSに対する根本的な治療法は存在しない．肥満の予防と行動異常への対応が最も大切で，乳児期早期から多職種による管理プログラムを設け，年齢ごとの対応を行うことが重要である．

a．食事栄養療法

食事栄養療法はPWS治療の中心となる．早期からの食事療法は肥満予防に有効であるが，視床下部障害や知的障害のため，食事栄養療法は困難なことも多く，周りの見守りと周囲の理解が必要である．PWSの行動症状を理解した対応が必要である．乳児期には，筋緊張低下のため経管栄養を必要とする場合も少なくない．乳児期後半には，筋緊張は改善し，経口摂取が可能となる．幼児期になると過食が出現しはじめる．筋緊張低下が改善し，運動発達を認め，摂食が安定するころから，目標エネルギー摂取量は身長(cm)×10 kcalを目安とした食事栄養療法を行う．乳児期や幼児期早期には，PWS特有の筋緊張の低下や運動発達の遅れを考慮に入れ，必要栄養量を決める必要がある．また，過度の栄養制限は，成長発育障害の原因となる．そのため，成長曲線を参考にしながら必要栄養摂取量を評価することが大切である．食事のルールを児に教え，食物への潜在的な執着心をコントロールしていく準備をする．学童期以降でも，幼児期からの食事栄養療法を継続する．食べ物が目に入らない，手に入らないように冷蔵庫に鍵をかけるなどの環境整備が必要になることも多い．学校に疾患を理解してもらい，給食やイベント時の食事の摂り方の対策をする．

b．運動療法

PWSの肥満・体組成改善に対する運動療法の有効性が報告されている[7]．弱い負荷，短時間でもよいので継続して行うことが大切である．

c．GH治療

身長SDスコアが－2.0 SD以下，あるいは，年間の成長速度が2年以上にわたって－1.5 SD以下である場合に，GH治療が適用される．PWSにおけるGH治療量は0.245 mg/kg/週である．GH治療は，身長増加作用以外にも，体組成改善(脂肪量減少，筋肉量増加)，筋力増強作用，運動発達促進，知能発達促進，呼吸機能改善作用を有することが報告されている[8,9]．GH治療の開始時期に制限はなく，早期にGH治療を開始する傾向にある．遅くとも体組成の悪化が出現しはじめる2歳までに開始することが望ましいとされている[8]．より早期のGH治療開始は，運動発達，知能発達の促進に効果があると報告されている．しかし，GH治療

の早期開始にはいくつか注意点がある．PWSでは，乳児期，幼児期早期の突然死が多いことが知られている．呼吸器感染症に起因する突然死が多く報告されており，PWS特有の無呼吸が関与している可能性が指摘されている．PWSでは中枢性無呼吸と閉塞性無呼吸の両方の要因を有しているが，GH治療により扁桃腺やアデノイドが肥大し，閉塞性無呼吸が悪化する可能性がある．そのため，GH開始前にはポリソムノグラフィーなどによる呼吸状態の評価が推奨される．扁桃腺やアデノイドへの影響を考慮して，GHを少量（半量程度）から開始することが一般的で，その後徐々に投与量を増加する．GH開始後3〜4か月目に扁桃腺やアデノイドへの影響が強く出るため，この時期以降に呼吸状態に問題がなければGHを増量することが多い．それ以外にも，PWSに合併しうる病態である中枢性副腎皮質機能低下に注意が必要である．PWS乳幼児の突然死のなかには，急性副腎皮質機能不全に起因すると考えられる症例も報告されている．中枢性副腎皮質機能低下を合併している場合，GH投与により急性副腎皮質機能低下が惹起される可能性があるため，早朝のコルチゾール濃度を測定するなど，GH開始前には副腎皮質機能を評価しておくことが望ましい．

側彎もPWSに頻度の高い合併症である．ランダム化比較試験においてGH治療と側彎の悪化の関連性は指摘されていないが，PWSでは高度の側彎をきたす症例もあり，整形外科などと連携してGH治療中は定期的な側彎のモニターが必要と考えられる．GH治療開始後は，糖代謝，甲状腺機能，副腎皮質機能などを定期的にフォローする．GH治療に対する一般的な副作用評価も行う．PWSに特有のGH治療の禁忌事項として，高度な肥満または重篤な呼吸器障害がある．

d．性ホルモン補充療法

二次性徴が不十分な場合は，性ホルモン補充療法を考慮する．男性におけるテストステロンの補充では，行動症状の悪化（攻撃性の悪化）との関連性が懸念されているが，テストステロン補充と攻撃性の悪化の間に明確な関連性は示されていない．しかし，攻撃性悪化のリスクを考え，少量より開始し，行動症状を観察しながら増加していくことが望ましい．

6）管理と予後

PWSでは乳児期，幼児期早期に突然死が多いことが知られている．その原因として，感染に伴う無呼吸や急性副腎皮質機能低下の可能性が指摘されている．3歳以降では死亡率が低下するが，20歳前後より再び死亡率が増加する．20歳以降の死因は肥満に伴う合併症（糖尿病，呼吸不全，心不全）が多く，成人期には，専門医による肥満合併症のフォローが重要である．このように，PWSでは合併症，症状が多岐にわたるため，複数の診療科に受診する必要がある．そのため，中心となる医師の存在や医療ケースワーカー，支援相談員，障害福祉課とのかかわりが必須である．

7）最新知見

肥満合併症は，PWS患者の生命予後を左右する．成人PWSにおける体組成改善目的でのGH治療の有効性がランダム化比較試験やメタアナリシスで示されており，小児期から成人期にかけてのシームレスなGH治療が体組成維持に有効である可能性が示唆される[10,11]．

❖ 文献

1) Cassidy SB, et al.：Prader-Willi syndrome. Genet Med 14：10-26, 2012
2) Miller JL, et al.：Nutritional phases in Prader-Willi syndrome. Am J Med Genet A 155A：1040-1049, 2011
3) Nagai T, et al.：Standard growth curves for Japanese patients with Prader-Willi syndrome. Am J Med Genet 95：130-134, 2000
4) Ishii A, et al.：Autistic, aberrant, and food-related behaviors in adolescents and young adults with Prader-Willi syndrome：The effects of age and genotype. Behav Neurol 2017：4615451, 2017
5) Ogata H, et al.：Aberrant, autistic, and food-related behaviors in adults with Prader-Willi syndrome. The comparison between young adults and adults. Res Dev Disabil 73：126-134, 2018
6) Rosenberg AGW, et al.：Central adrenal insufficiency is rare in adults with Prader-Willi syndrome. J Clin Endocrinol Metab 105：e2563-e2571, 2020
7) Morales JS, et al.：Physical exercise and Prader-Willi syndrome：A systematic review. Clin Endocrinol(Oxf) 90：649-661, 2019
8) Deal CL, et al.：GrowthHormone Research Society workshop summary：consensus guidelines for recombinant human growth hormone therapy in Prader-Willi syndrome. J Clin Endocrinol Metab 98：E1072-1087, 2013
9) Passone CGB, et al.：Growth hormone treatment in Prader-Willi syndrome patients：systematic review and meta-analysis. BMJ Paediatr Open 4：e000630, 2020
10) Kuppens RJ, et al.：Beneficial effects of GH in young adults with Prader-Willi syndrome：a 2-year crossover trial. J Clin Endocrinol Metab 101：4110-4116, 2016
11) Sanchez-Ortiga R, et al.：Effects of recombinant human growth hormone therapy in adults with Prader-Willi syndrome：a meta-analysis. Clin Endocrinol(Oxf) 77：86-93, 2012

〈川井正信〉

J SGA性低身長症

1）定義・概念

近年，わが国の新生児の出生体重減少が問題となっ

ている．特に small for gestational age（SGA）児は増加傾向にある[1]．SGA の定義は，国際的な基準では「出生体重および／または出生身長が在胎週数相当の−2.0 SD 未満」であるが，日本小児科学会新生児委員会では ICD-10 の基準にならい「出生身長および体重が在胎週数相当の 10 パーセンタイル未満」と定めている．

2）病因・病態

わが国で SGA 児が増加している背景として，母体の栄養摂取不良や出産年齢の上昇，母の健康状態，喫煙歴などの母体因子，胎盤の血管病変や感染などの胎盤因子および染色体異常や遺伝子異常などの胎児因子の三つの要因が考えられる．なかでも近年の女性のやせ傾向と出生体重減少の時期が一致している[2]ことから，妊婦の栄養摂取不良が出生体重減少の最大要因と考えられている．子宮内で低栄養状態に曝露されていた胎児は，低栄養に適応した代謝機能を獲得するため，出生後過剰な栄養にさらされると内臓脂肪の蓄積を生じ，様々な代謝異常の問題を生じてくる[3,4]．そのほかにも SGA 児は出生後に．新生児期における持続性高インスリン性低血糖症や一過性高血糖，幼児期以降になると低身長，思春期発来異常，メタボリックシンドロームなどの様々な内分泌学的問題，発達の問題などがあるが，本章では低身長について述べる．

3）臨床症候

典型的な SGA 児の catch-up growth は生後 1 年以内に起こり，最終的には約 90％ が−2.0 SD 以上に catch-up し，その多くは 2 歳以内に終了するが，超早産児では 4 歳ぐらいまで catch-up growth が続くこともある[5,6]．

しかし超早産児で発育障害の程度が著しい場合や出生身長が低い場合の成人身長は正常身長に到達しにくい．

また SGA 性低身長症児の思春期の開始時期は，正常もしくはやや早いとされており，appropriate for gestational age（AGA）の低身長児に比べて思春期が早く，思春期の伸びが少ないことが報告されており[7]，低身長のまま思春期に入ることで成人身長が低く終わる大きな要素になっている[8]．

4）診断と検査法

日本小児内分泌学会および日本未熟児新生児学会（現在の日本新生児成育医学会）により，2007 年に「SGA 性低身長症における GH 治療のガイドライン」が策定され[9]，2008 年 10 月 16 日に承認された．その後「治療の実施上の注意」が 2009 年 6 月，2010 年 6 月，2010 年 10 月に改訂されている（日本小児内分泌学会 Web で閲覧可能）．SGA 性低身長症の GH 治療における SGA の定義は「出生身長および体重が在胎週数相当の 10 パーセンタイル未満で，かつ出生体重または出生身長が在胎週数相当の−2.0 SD 未満」である．そのうち暦年齢 2 歳までに−2.0 SD 以上に catch-up しなかった場合を SGA 性低身長症と定義する．なお，重症新生児では出生時に身長が測定できないことがあるので，その場合は出生体重のみで判定してよい．

5）治療法

SGA 性低身長症における GH 治療の実際を表 8 に示す．

a．GH 治療の開始条件

SGA 性低身長症は，背景が多様である疾患群であり，GH 治療前には十分な精査を行い，可能な限り特異的診断に至るように努める．特に GH 分泌不全性低身長症，Turner 症候群，Noonan 症候群の場合は，SGA 性低身長症に対する GH 治療とは異なった診療が行われるべきである．そのため，治療開始前にはインスリン，アルギニン，クロニジン，グルカゴン，L-DOPA，GHRP-2 のうちから少なくとも 1 種類の GH 分泌刺激負荷試験を行い，GH 分泌不全性低身長症ではないことを GH 治療開始前に確認する必要がある．また，添

表 8 SGA 性低身長症における GH 治療の実際

SGA 性低身長症の定義	GH 治療開始基準	除外基準	GH 治療量	GH 治療終了基準
・出生体重と身長：在胎週数相当の 110 パーセンタイル未満，かつどちらか一方が−2 SD 未満 ・暦年齢 2 歳までに−2 SD 以上に catch-up しなかった[*1]	現在の状況 ・暦年齢が 3 歳以上 ・成長率 SDS が 0 SD 未満 ・身長 SDS が−2.5 SD 未満	・GH 分泌刺激試験における GH 頂値が 6 ng/mL[*2] もしくは 16 ng/mL[*3] を超える ・子宮内発育遅延以外の疾患などに起因しないことを確認（共存疾患の有無や染色体分析などで確認）	・0.23 mg/kg/週（または 33 μg/kg/日）で治療を開始し，反応が悪ければ 0.47 mg/kg/週（または 67 μg/kg/日）まで増量	・思春期の最大成長率を過ぎて年間成長率が 2 cm/年を下回るとき

[*1]：SGA 性低身長症の治療適応の有無判定は，出生時身長・体重の測定や在胎期間の推定における誤差などを考慮して総合的に判断することが望ましい
[*2]：インスリン，アルギニン，クロニジン，グルカゴン，L-DOPA 負荷試験
[*3]：GHRP-2 負荷試験
［日本小児内分泌学会，日本未熟児新生児学会：SGA 性低身長症における GH 治療のガイドライン．日本小児科学会雑誌 111：641-646，2007 より一部改変］

付文書には「出生後の成長障害が子宮内発育遅延以外の疾患などに起因する患者でないこと」と記載されている．そのためTurner症候群やNoonan症候群が臨床上否定できない症例においては，診療方法が異なる可能性があるため，治療開始前に染色体検査や遺伝子検査，合併症のスクリーニングを十分施行して診断を明らかにしておく必要がある．ただし，既知の症候群・疾患のなかでSilver-Russell症候群はSGA性低身長症としてGH治療が認められている．以上の点を踏まえて，SGA性低身長症のうちで年齢，成長率SDスコア（SDS），身長SDSがいずれも以下の条件を満たす場合にGH治療を開始できる．

- 暦年齢が3歳以上
- 成長率SDSが0SD未満
- 身長SDSが-2.5SD未満

b．GH治療量

GHは0.23 mg/kg/週で開始し，反応が悪ければ0.47 mg/kg/週まで増量することができる．多くの報告で高用量のほうが初期のcatch-up growthが有意に高いと報告しているが，低用量でも良好な反応を示す者もおり，増量は効果不十分だと判定した場合に考慮する．具体的には身長SDSの1年ごとの改善（ΔHSDS）が1年目0.5 SD未満，2年目は0.25 SD未満，3年目は0.15 SD未満，4年目以降0.1 SD未満の場合である．また低身長の程度が強い場合や予測成人身長が著しく低い場合，骨年齢や性成熟からみて治療期間が短い場合，低身長に起因する心理的ストレスが大きい場合や自己肯定感が著しく低い場合なども増量を検討する対象となる．ただしSGA性低身長症の背景は多彩なため治療反応性も幅があり，慎重に経過を確認しながら増量のタイミングや投与量を決定する．

6）管理と予後

a．治療前および治療中に実施すべき検査

- 血液検査：血算，検尿，生化学（AST，ALT，ALP，CPK，血糖，総蛋白，BUN，クレアチニン，総コレステロール，電解質，IGF-Ⅰ［3～6か月ごと］，HbA1c，TSH，FT_4）
- 骨年齢：半年から1年ごと

b．GH治療の効果と安全性

SGA性低身長症において期待できるGH治療の効果は，身長SDSの改善とQOLの改善があげられる．堀川らは，GH治療開始前に-3.02±0.65 SD（$n=384$）だった身長SDSが5年後に-1.23±0.91 SD（$n=133$；$p<0.01$）であり，平均身長SDS増加が11.8±0.7であったことを報告している[10]．このなかで最大に身長SDSが増加したのが最初の1年で0.76±0.37であり，治療2年後には標準人口の正常範囲内（-2.0～+2.0 SD）に入っていたと報告している（-1.85±0.85 SD）．また同報告ではQOLの改善にも効果があったことを述べている．

わが国の長期投与における安全性については，多施設における検討がいくつか報告されている[10～12]．HbA1c，空腹時血糖，経口ブドウ糖負荷試験は，GH治療期間中上昇を認めるが正常範囲内の上昇であった．またIGF-Ⅰの上昇も過剰な上昇は認めず，骨年齢の過剰促進も認めなかった．

治療量に関しては，初期のcatch-up以降の成長は用量依存性が認められなかった[13]．

c．GH治療における有害事象

GH治療期間中，一般的なGH治療と同じモニタリングで新たな安全性の問題はないが，潜在的な可能性としてSGA出生児では将来のメタボリックシンドロームとの関連が指摘されているため，耐糖能や脂質代謝などには特に注意する必要がある．また一部に血中IGF-Ⅰ濃度が高値を認める者がおり，著しく高値が持続する場合には，GH投与量の減量を行う．

d．GH治療の中止時期

GH治療を2～3年実施して中止するとcatch-downが起こるため，短期間の治療はあまり勧められない．思春期の最大成長率の低下を過ぎて年間成長率が2 cm/年以下になる場合には治療を中止する．これ以降は治療継続による成長の上乗せ効果はわずかであると考えられるためである．

❖ 文献

1) 中村 敬：わが国における出生体重の減少とその要因 母子保健統計．板橋家頭夫，他（編），DOHaDその基礎と臨床．金原出版，93，2008
2) 伊藤宏晃：妊娠中の栄養管理と出生児の予後（3）胎児期から乳幼児期における栄養環境と成長後の誠克習慣病発症のリスク．日本産科婦人科学会雑誌 60：N306-313，2008
3) Barker DJ. et al.：Infant mortality, childhood nutrition, and ischemic heart disease in England and Wales. Lancet 1：1077-1081, 1986
4) Paninter RC, et al.：Early onset of coronary artery disease after prenatal exposure to the Ducth famine. Am J Clin Nutr 84：322-327, 2006
5) Karlberg J, et al.：Growth in full-term small-for-gestational-age infants：from birth to final height. Pediatr Res 38：733-739, 1995
6) Hokken-Koelega AC, et al.：Children born small for gestational age：do they catch-up? Pediatr Res 38：267-271, 1995
7) Preece MA. Puberty in children with intrauterine growth retardation. Horm Res 48 (Suppl. 1)：30-32, 1997
8) 田中敏章，他：前思春期低身長児または最終身長低身長者の縦断的解析 第2編 病院における経過観察の検討．日本小児科学会雑誌 101：617-623，1997

9) 日本小児内分泌学会, 他：SGA性低身長症におけるGH治療のガイドライン. 日本小児科学会雑誌 111：641-646, 2007
10) Horikawa R, et al.：The long-term safety and effectiveness of growth hormone treatment in Japanese children with short stature born small for gestational age. Clin Pediatr Endocrinol 29：159-171, 2020
11) Tanaka T, et al.：Long term safety and efficiency of daily recombinant human growth hormone treatment in Japanese short children born small for getational age：final report from an open and multicenter study. Clin Pediatr Endocrinol 27：145-57, 2018
12) Yokoya S, et al.：Efficacy and safety of growth hormone treatment in Japanese children with small-for-gestational age short stature in accordance with Japanse guideline. Clin Pediatr Endocrinol 27：225-234, 2018
13) de Zeher F, et al.：Growth hormone therapy for children born small for gestational age：height gain is less dose dependent over the long term than over the short term. Pediatrics 115：e458-462, 2005

（庄司保子）

K その他の低身長（先天異常症候群を含む）

1）家族性低身長

統一された定義はないが，しばしば用いられる定義としては，現時点での身長が−2 SD 以下で，①父または母の身長がその世代の−2 SD 以下．すなわち父 157 cm 以下，母 145 cm 以下．あるいは，②目標身長（target height）が−1.5 SD 以下．すなわち目標身長が男児 162 cm 以下，女児 150 cm 以下の場合，家族性低身長という．目標身長は緒方らの以下の式で計算する．

男児：（父親の身長＋母親の身長＋13）÷2
女児：（父親の身長＋母親の身長−13）÷2

2）体質性思春期遅発症

男児で思春期発来（精巣容量 4 mL 以上）が 13〜14 歳になってもみられない，女児で 12〜13 歳になっても乳房発育がない場合に思春期遅発症とする．体質性思春期遅発（constitutional delay in growth and adolescence）は，最終的には自然に思春期は発来し，男児では 18 歳，女児では 16 歳より遅れることはない．骨年齢は暦年齢よりも遅れる．広義の意味では，いわゆる"おくて"を含む．

本症の患児では身長はそれなりに伸びているが，思春期発来が遅いので成長曲線上でみると，思春期が発来して急に身長が伸びる一般小児に比較すると一見身長の伸びが不良と思える．思春期発来とともに身長が伸びるので，成人身長は大部分が正常であるが，期待していたよりも低い場合もある．女児より男児に多くみられ，家系内にも本症を認めることが比較的多い．

思春期は自然に発来するので，身長，体重，性成熟を定期的に確認する．永続的に思春期が発来しない性腺機能不全症，Kallmann 症候群〔性腺機能低下症，停留精巣，小陰茎，無（低）嗅覚症など〕，甲状腺機能低下症，GH 分泌不全性低身長症（特に脳腫瘍，頭蓋放射線照射後，脳外傷後による），高プロラクチン血症などとの鑑別が必要であるが，性腺機能低下症との鑑別は必ずしも容易ではない．場合によっては LHRH 負荷試験，染色体検査などを行う．

原則として治療は必要ない．本人が思春期発来を望むなら，性ホルモンを使用する．骨年齢の促進や急激な思春期の発来で，かえって成人身長が期待していたよりも低くなることもある．投与する場合には慎重さが必要である．

3）特発性低身長症

明確な定義はない．低身長の原因となる栄養，内分泌異常，慢性疾患，染色体異常，胎児発育不全などの原因のない低身長を総称する[1]．特発性低身長症として診断されているなかには SHOX（short stature homeobox-containing gene）異常症のほか，ACAN，NPR2 遺伝子の変異や軟骨低形成症などの先天異常症候群や骨系統疾患に含まれている可能性がある[2,3]．

4）医原性 Cushing 症候群

ネフローゼ症候群や膠原病，また造血細胞移植後移植片対宿主病（graft versus host disease：GVHD）に対するステロイド投与により体重は増加するが身長の伸びは不良となる．小児のアトピー性皮膚炎，喘息やアレルギー性鼻炎に対するベタメタゾン含有のセレスタミン®長期間投与による成長障害がある．小児科以外の他科で長期間投与され成長障害をきたした例が散見される．問診で必ず薬剤の服用の有無を聞くことが発見の出発点である．ただ，患者に渡される薬剤説明書にはステロイドホルモンを含む薬剤とは明記されていないことが多い．

5）慢性腎不全に伴う低身長症

慢性腎不全に伴う成長障害はしばしば認められる重要な合併症である．その原因として種々あるが，代謝性アシドーシスによる，GH-IGF-I系の抑制や GH 抵抗性，肝での GH 受容体発現低下による GH 低感受性，低栄養，二次性副甲状腺機能亢進症やビタミン D 欠乏症による腎性骨症およびステロイド治療などがあげられる．糸球体濾過量（glomerular filtration rate：GFR）が 50〜70 mL/分/1.73 m^2 の軽度腎機能低下ではおよそ 20% で著明な低身長を認めるとも報告されている[4]．

表9 低身長，成長障害を伴う先天異常症候群

先天異常症候群	遺伝子座	主な責任遺伝子・変異の種類	遺伝形式	低身長・成長障害以外での症状・所見
A				
achondroplasia	4p16.3	FGFR3	AD	四肢短縮，大きい頭部，顔面骨低形成，水頭症，閉塞性無呼吸
acrodermatitis enteropathica, Zn deficiency	8q24.3	SLC39A4	AR	肢端皮膚炎，下痢，肝脾腫，体重増加不良，脱毛
Aicardi syndrome	Xp22	同遺伝子座の欠失や転座	XLD	顔面非対称，肋骨異常（欠損・余剰），思春期早発症，Chiari 奇形
alpha-thalassemia/mental retardation syndrome	16pto-p13.3	ATRX	XLD	脊髄髄膜瘤，αサラセミア，先天性白内障，尿道下裂，水腎症
anemia, congenital dyserythropoietic, type 1a	15q15.2	CDAN1	AR	先天性赤血球異常産生性貧血，脾腫大，皮膚黄疸
aromatase deficiency	15q21.1	CYP19A1	AR	女性の男性化，PCOS，高身長，高アンドロゲン血症，低エストロゲン血症
Aarskog-Scott syndrome	Xp11.22	FGD1	XLR	眼瞼下垂，精神運動発達遅滞，短指症，幅広い鼻根
ataxia telangiectasia Louis-Bar syndrome	11q22.3	ATM	AR	小脳性運動失調，毛細血管拡張，免疫不全，内分泌異常，悪性腫瘍
B				
Baraitser-Winter syndrome 1	7p22.1	ACTB	AD	三角頭蓋，小頭症，後彎症，側彎症，小陰茎，停留精巣
Barth syndrome	Xq28	TAZ	XLR	ミオパチー様顔貌，円形顔貌，不整脈，内半尖足
Batter syndrome, type 1, 2	15q21.1, 11q24.3	SLC12A1, KCNJ1	AR	低カリウム血症，代謝性アルカローシス，高レニン・アルドステロン血症
Biemond syndrome Ⅱ			AR	Bardet-Biedl 症候群類似，肥満，精神発達遅滞，多指症，虹彩欠損症
Bloom syndrome	15q26.1	RECQL3	AR	IUGR，蝶型紅斑，皮膚光線過敏症，悪性腫瘍（ALL）
branchiogenic-deafness syndrome			AD	難聴，外耳道閉鎖，第5指異常，開口困難，学習障害
C				
C syndrome	3q13.1-13.2	CD96	AR	眼球突出，大きい口，上腕伸展異常，前頭の多毛症，橈骨転位，IUGR
cardiofaciocutaneous syndrome (CFC)	7q34	BRAF	AD	前頭部突出・小顎症等顔貌変化，ASD，肺動脈狭窄
Carpenter syndrome acrocephalopolysyndactyly type 2	6p12.1-11.2	RAB23	AR	尖頭（頭蓋骨縫合早期癒合），特異顔貌，多合指症，先天性心疾患（VSD，ASD，Fallot 四徴症）
cartilage-hair hypoplasia	9p13.3	RMRP	AR	四肢短縮型低身長，吸収不良，Hirschsprung 病，脊椎前彎症
celiac disease	6p21.3	CELIAC1	AD，多因子	下痢，小腸疾患
CHARGE syndrome	8q12.1, 7q21.11	CHD7, SEMA3E	AD	虹彩欠損症，後鼻孔閉鎖，心疾患，GH 分泌低下，性腺機能低下，精神遅滞，耳介異常
chondrodysplasia punctata 1	Xp22.33	ARSE	XLR	鼻根部平低，感音難聴，性腺機能低下，白内障
chondrodysplasia punctata 2	Xp11.23	EBP	XLD	鞍型の鼻，気道周囲の石灰化，難聴，側彎症
cleidocranial dysostosis	6p21.2	RUNX2	AD	骨幹端異形成，上顎骨低形成，歯・脊椎の変化，短指症

（次ページにつづく）

Ⅱ 各　論

先天異常症候群	遺伝子座	主な責任遺伝子・変異の種類	遺伝形式	低身長・成長障害以外での症状・所見
Clouston syndrome	13q12.11	GJB6	AD	脱毛症，皮膚の色素沈着症，白内障，虹彩炎，大きい手足
Cockayne syndrome A	5q12	ERCC8	AR	小頭症，網膜異常，肝脾腫，皮膚光線過敏症，精神運動発達遅滞，不整脈
Coffin-Lowry syndrome	Xp22.12	RPS6KA3	XLD, IC	小頭症，粗な顔貌，高口蓋，僧帽弁閉鎖不全，指の過伸展，難聴
Coffin-Siris syndrome	7q32-q34	MRD12, MRD14 MRD15, MRD16	AR	僧帽弁閉鎖不全，第5指の爪欠損，多毛症，長いまつげ，言語発達遅滞
Cohen syndrome	8q22.2	VPS13B	AR	体幹部肥満，小頭症，アーモンド形眼裂，視神経萎縮，思春期遅発
congenital cataracts, facial dysmorphism and neuropathy	18q23	CTDP1	AR	先天性白内障，顔面異常，ニューロパチー
Cornelia der Lange syndrome	12p12.1, 11p15.5	NIPBL	AD	眉毛叢生，長いまつげなどの特異的顔貌，横隔膜ヘルニア，腎疾患，言語発達遅滞
costello syndrome	11p15.5	HRAS	AD, IC	大頭症，大泉門開大，Noonan症候群，CFC類似，内反足・外反足，僧帽弁閉鎖不全
craniofrontonasal syndrome	Xq13.1	EFNB1	XLD	下肢非対称性の短縮，短指症，合指症，横隔膜ヘルニア，片側性の乳腺低形成
Crouzon syndrome	10q26.13	FGFR2	AD	頭蓋顔面異骨症，尖頭症，顎形成不全，眼球突出，脊椎異常，けいれん
D				
De Hauwere syndrome			AD	眼科的異常，感音難聴，精神発達遅滞
diabetes inspidus, nephrogenic	12q13.12	AQP2	AR, AD	腎性尿崩症，多尿，嘔吐・便秘，易興奮性
Diamond-Blackfan anemia 1	19q13.2	RPS19	AD	IUGR，先天性貧血骨髄異形成症，翼状頸，精神運動発達遅滞
DiGeorge syndrome	22q11.21	TBX1	AD	20％で低身長，先天性心疾患，肥満，副甲状腺低形成，胸腺低形成
Down syndrome	21q22.3		IC	特異顔貌，先天性心疾患，甲状腺疾患，消化管閉鎖，白血病
Dubowitz syndrome			AR	IUGR，湿疹，小頭症，精神運動発達遅滞，顔貌異常
Dyskeratosis congenita, X-linked	Xq28	DKC1	XLR	網状皮膚色素沈着，手掌多汗症，免疫不全，骨髄機能低下，口腔白板症
E				
Ehlers-Danlos syndrome type 1, 7	15q15.1, 17q21.33	CHST14, COL1A2	AR, AD	過伸展皮膚，創傷遅延，青色強膜，肩関節の可動域増加，血管腫，口蓋裂
Ellis-van Creveld syndrome	4p16.2	EVC	AR	四肢短縮，尿道下裂，停留精巣，軸後多指症，単心房
F				
familial glioma	15q23-q26.3	GLM4		家族性グリオーマ，骨格異常，大腸ポリープ
Fanconi anemia	16q24.3	FANCA	AR	再生不良性貧血，性腺機能低下，母指の異常，腎欠損・重複腎，精神運動発達遅滞
Fanconi-Bickel syndrome	3q26.2	SLC2A2	AR	尿細管異常，肝腫大，体重増加不良，糖代謝異常，低カリウム／リン血症
Feingold syndrome	2p24.3	MYCN	AD	食道閉鎖，十二指腸閉鎖，小頭症，短指症，著明に突出した後頭部，第4〜5趾合指症
fibrochondrogenesis	1p21.1	COL11A1	AR	円形・平坦な顔，扁平椎体症，小さい胸郭・手，屈指症

（次ページにつづく）

先天異常症候群	遺伝子座	主な責任遺伝子・変異の種類	遺伝形式	低身長・成長障害以外での症状・所見
focal dermal hypoplasia	Xp11.23	PORCN	XLD	巣状皮膚低形成，皮膚萎縮，色素沈着，粘膜・口唇の乳頭腫形成，多指・合指・屈指症
G				
G6PD deficiency	Xq28		XLR	G6PD欠損症溶血性貧血
Glucocorticoid receptor deficiency	5q31.3	NR3C1	AD	コルチコイド抵抗性，高血圧，不妊，多毛症（女性），男性化
H				
Hallermann-Streiff syndrome			IC	短頭症，舟状頭蓋症，鳥様顔貌，小顎症，白内障，小眼球
Hartnup disorder	5p15.33	SLC6A19	AR	アミノ酸尿，小脳低形成，情緒不安定，皮膚光線過敏症
Helsmoortel-van der Aa syndrome	20q13.13	ADNP	AD	肥満，小さい手，先天性心疾患，摂食困難，前頭部突出
Heterotopia periventricular	Xq28	FLNA	XLD	二尖弁，動脈管開存症，前鼻部異常，側脳室周囲非石灰化結節
Hirschsprung disease	10q11.21	RET	AD	胎便の排泄遅延，便秘，腹部膨満，胆汁性嘔吐
holoprosencephaly	21q22.3		AD, IC	全前脳胞症，下垂体低形成，口唇口蓋裂，小陰茎
Holt-Oram syndrome	12q24.21	TBX5	AD	上肢の異常，母指欠損や低形成，先天性心疾患（ASD，PDA，VSD）
Hurler-Scheie syndrome	4p16.3	IDUA	AR	角膜混濁，関節拘縮，臍帯ヘルニア，肝脾腫，尿道下裂，多発異骨症
Hutchinson-Gliford syndrome	1q22	LMNA	AD	早老症，全禿頭，皮下脂肪欠如，冠動脈硬化，動脈硬化
hypoparathyroidism-retardation-dysmorphism syndrome	1q42.3	TBCE	AR	IUGR，先天性副甲状腺低形成，低カルシウム血症，顔貌・歯異常，小頭症，骨格異常
hypophosphatasia	1p36.12	ALPL	AR	四肢短縮型低身長，肋骨短縮，青色強膜，低石灰化頭蓋，けいれん，筋緊張低下
I				
incontinentia pigmenti Bloch-Sulzberger syndrome	Xq28	IKBKG	XLD	小頭症，小眼球症，過剰肋骨，乳腺低形成，皮膚角化症，爪異形成
J				
Jacobsen syndrome	11q23	同遺伝子座の欠失	IC	三角頭蓋症，斜視，内眼角贅皮，短指症，血小板減少
Johanson-Blizzard syndrome	15q15.2	UBR1	AR	小頭症，斜視，肝炎・肝硬変，VSD，ASD
Jaken syndrome	16p13.2	PMM2	AR	小頭症，大きい耳介，原発性卵巣不全（女性），甲状腺機能低下症，肝腫大
K				
Kabuki syndrome	12q13.12	KMT2D	AD	長い眼裂，台形人中などの特徴的顔貌，反復性中耳炎，筋緊張低下，心疾患
Kagami-Ogata syndrome	14q32	同遺伝子座のインプリンティング異常	IC	ベル型小胸郭，特徴的顔貌（突出した人中，豊かな頬），精神運動発達遅滞，哺乳不良
Kearns-Sayre syndrome	mitochondrial DNA	同遺伝子座の欠失	Mit	眼瞼下垂，外眼筋麻痺，心伝達異常，網膜色素変性，ミトコンドリア病
Kenny-Caffey syndrome type 2	11q12.1	FAM111A	AD	骨硬化症，大泉門閉鎖遅延，大頭症，低カルシウム血症，歯列異常
Keutel syndrome	12p12.3	MGP	AR	末梢性肺動脈狭窄，難聴，軟骨の石灰化（鼻，耳，喉頭，気管）

（次ページにつづく）

II 各論

先天異常症候群	遺伝子座	主な責任遺伝子・変異の種類	遺伝形式	低身長・成長障害以外での症状・所見
Kniest dysplasia	12q13.11	COL2A1	AD	体幹短縮型低身長, 白内障, 口蓋裂, 骨端軟骨の石灰化遅延
L				
Langer-Giedion syndrome	8q24.11-q24.13	TRPS1, EXT1	AD	大きな耳, 顔面異常, 外骨腫
Laron syndrome	5p13-p12	GHR	AR	四肢短縮型低身長, 青色強膜, 甲高い声, GH不応性
Larsen syndrome	3p14.3, 11q12.3	FLNB, B3GAT3	AD, AR	先天性多発性関節脱臼, えら状の指(母指), 頸椎低形成, 側弯症, 心疾患
Leber congenital amaurosis	17p13.1	GUCY2D	AR	網状皮膚色素沈着, 高トレオニン血症, 肝腫大, 難聴
LEOPARD syndrome 1, 2	12q24.13, 3q25.2	PTPN11, RAF1	AD	三角顔貌, 多発黒子, 心伝導異常, 肺動脈狭窄, 感音難聴, Noonan症候群様
Leri-Weill dyschondrosteosis	Xp22.33, Yp11.2	SHOX, SHOXY	AD	SHOXヘテロ変異, Turner骨格徴候, Madelung変形, 中肢骨短縮
Lowe oculocerebrorenal syndrome	Xq26.1	OCRL	XLR	白内障, アミノ酸尿, くる病, 側弯症, 精神運動発達遅滞
M				
mandibuloacral dysplasia with type A lipodystrophy	1q22	LMNA	AR	鳥様顔貌, 下顎骨異形成, 耐糖能異常, 高脂血症, 高インスリン血症
Marinesco-Sjögren syndrome	5q31.2	SIL1	AR	眼振, 筋緊張低下に伴う骨格変形, 白内障, 小脳性運動失調, 性腺機能低下症
MASA syndrome	Xq28	L1CAM	XLR	凹足, 外胚葉性異常, 顔貌異常, 失語, 母指内転
Mayer-Rokitansky-Küster-Hauser syndrome type 2	16p11.2, 17q12, 22q11.2 等	同遺伝子座の微小欠失	AD	腎器質異常, Klippel-Feil deformity
McDonough syndrome			AR	精神遅滞, 特異顔貌, 腹直筋離開, 後側弯症
Meier-Gorlin syndrome 1	1q32.3	ORC1	AR	IUGR, 胸郭非対称, 胃食道逆流, 先天性指屈曲
Menkes disease	Xq21.1	ATP7A	XLR	銅代謝異常症, 大脳小脳低形成, ちぢれ毛, 精神運動発達遅滞
mesomelia-synostoses syndrome	8q13	同遺伝子座の微小欠失	AD	口蓋垂欠損, 狭い足, 短い肋骨, 脊椎変化
microcephalic osteodysplastic primordial dwarfism, type II	21q22.3	PCNT	AR	IUGR, 小頭症, 狭胸郭, 前腕骨の彎曲
microcephaly 5, primary	1q31.3	ASPM	AR	小頭症, 前額部陥凹, 精神運動発達遅滞
microphthalmia syndrome	Xq28	NAA10	XL	片側小眼症, 皮膚低形成, 肺低形成, 巨大結腸, 短指症
Morquio syndrome A, B, C	16q24.3, 3q22.3	GALNS, GLB1	AR	ムコ多糖体代謝異常症, 顎前突症, 弁性心疾患, 骨変形
mosaic variegated aneuploidy syndrome	15q15.1	BUB1B	AR	短趾小頭症, 上顎骨低形成, 精神運動発達遅滞, 腎嚢胞, Wilms腫瘍
Myhre syndrome	18q21.2	MADH4	AD	小頭症, 肥満, 顔面骨低形成, 幅広い肋骨, 短指・合指症
N				
nail-patella syndrome	9q33.3	LMX1B	AD	感音難聴, 白内障, 口唇口蓋裂, 腎不全, 肘変形, 膝蓋骨欠損・低形成
neuraminidase deficiency sialidosis, type II	6p21.33	NEU1	AR	顔面浮腫, 難聴, 進行性視野異常, 心肥大, 肝脾肥大
nijmegen breakage syndrome	8q21.3	NBS1	AR	小頭症, 小顎症, 免疫不全, 鳥様顔貌, 気管支炎, 副鼻腔炎

(次ページにつづく)

先天異常症候群	遺伝子座	主な責任遺伝子・変異の種類	遺伝形式	低身長・成長障害以外での症状・所見
Noonan syndrome	12q24.13	PTPN11	AD	Turner 徴候，先天性心疾患（PS，肥大型心筋症，PDA，VSD），短指・合指症
O				
oculodentodigital dysplasia	6q22.31	GJA1	AR	短頭症，小さい手足，低 IGF-Ⅰ値，出生時の筋緊張低下
Ohdo syndrome			AD	精神運動発達遅滞，先天性心疾患，眼裂狭小，歯低形成
OPD2 syndrome	Xq28	FLNA	XLD	小顎症，大泉門拡大，狭胸郭，長幹骨彎曲
Opitz-Kaveggia syndrome	Xq13.1	MED12	XLR	斜頭症，大頭症，仙尾部陥凹，新生児期筋緊張低下
orofaciodigital syndrome	Xp22.2	OFD1	XLD	脈絡叢萎縮，口腔内過誤腫，視床下部過誤腫
osteogenesis imperfecta Ⅰ，Ⅱ，Ⅲ，Ⅳ	17q21.33	COL1A1	AD	骨脆弱性，易骨折性，長管骨の彎曲，青色強膜
osteoporosis-pseudoglioma syndrome	11q13.2	LRP5	AR	小頭症，小眼球症，過剰伸展関節，樽状胸郭，長管骨変形
P				
Pallister-Hall syndrome	7p14.1	GLI3	AD	軸後性多指症，合指症，下垂体低形成，視床下部過誤腫，副腎・甲状腺低形成
papillorenal syndrome	10q24.31	PAX2	AD	眼科的異常，腎尿路系の構造異常，難聴，過伸展皮膚
pituitary hormone deficiency, combined, 2	5q35.3	PROP1	AR	低血糖，汎下垂体機能低下（GH，ACTH，TSH，LH，FSH，PRL 低下）
Prader-Willi syndrome	15q11.2	同遺伝子座の欠失または不活化	IC	肥満，精神運動発達遅滞，性腺機能低下症，乳児期筋緊張低下，小さい手足
Primrose syndrome	3q13.31	ZBTB20	AD	大頭症，眉毛叢生，狭胸郭，狭骨盤，末節骨短縮
Progeroid short stature with pigmented nevi			AR	鳥様顔貌，色素性母斑，精神運動発達遅滞
pseudoachondroplasia	19p13.11	COMP	AD	四肢短縮型低身長，関節弛緩症，脊椎前彎側彎症，短指症
pseudohypoparathyroidism type 1	20q13.32	GNAS	AD	肥満，円形顔貌，皮下石灰化，短指症
pterygia, mental retardation and distinctive craniofacial features			AD	三角頭蓋，突出した前頭部，平坦な顔
R				
Refetoff syndrome	3p24.2	THRB	AR	甲状腺ホルモン不応症，低出生体重，眼球突出
renal cyst diabetes syndrome	17q12	HNF1B	AD	腎嚢胞，先天性腎尿路系異常，非肥満，25歳以前の糖尿病発症
Rett syndrome	Xq28	MECP2	XLD	進行性神経疾患，けいれん，QT 延長，側彎症，胃食道逆流
Rieger syndrome	4q25-q26	PITX2	AD	緑内障，歯の低形成，頭蓋顔面変化，臍周囲皮膚退縮
rhizomelic chondrodysplasia punctata 2	6q23.3	PEX7	AR	両側性の四肢短縮，大腿骨骨端部の変化，精神運動発達遅滞，皮膚変化
Roberts syndrome	8p21.1	ESCO2	AR	周産期からの成長障害，顔貌異常，顔面正中部の毛細血管腫，躁病，先天性心疾患
Robinow syndrome	9q22.31	ROR2	AR	顔面骨低形成，肋骨癒合，異常短肢
Rothmund-Thomson syndrome	8q24.3	RECQL4	AR	早老症，白内障，骨欠損，鞍鼻，皮膚萎縮
Rubinstein-Taybi syndrome	16q13.3	CREBBP	AD	特異的顔貌，精神運動発達遅滞，幅広い母指趾，けいれん，側彎症

（次ページにつづく）

II 各論

先天異常症候群	遺伝子座	主な責任遺伝子・変異の種類	遺伝形式	低身長・成長障害以外での症状・所見
Rud syndrome	Xp22.31	STS	XLR	先天性魚鱗癬，性腺機能低下症，てんかん，網膜色素変性症
S				
Sadden dysplasia	4p16.3	FGFR3	AD	重度軟骨無形成症，皮膚黒色表皮腫，先天性心疾患，大泉門開大，上顎骨低形成
Saethre-Chotzen syndrome	7p21.1, 10q26	TWIST1, FGFR2	AD	尖頭短頭症，短指・合指症，平坦な顔，小耳症，難聴
SC phocomelia syndrome	8p21.1	ESCO1	AR	アザラシ肢症，過伸展関節，小顎症，毛細血管拡張症
septo-optic dysplasia	3p14.3	HESX1	AR, AD	下垂体機能低下症，視神経低形成，透明中隔欠損症
Seckel syndrome	3q23 0	ATR	AR	IUGR，小頭症，鳥様顔貌，扁平足，汎血球減少
shortrib-thoracic dysplasia 1	15q13		AR	網膜色素変性症，肋骨変形，膵線維腫，肝線維腫，黄疸
short stature, auditory canal atresia, mandibular hypoplasia, skeletal abnormalities	14q32.13	GSC	AR	耳管閉鎖，下顎低形成，上腕骨低形成，摂食障害，精巣欠如
Short stature and advanced bone age, with or without early-onset osteoarthritis and/or osteochondritis dissecans	15q26.1	ACAN	AD	低身長，骨年齢早期促進，変形性関節症や離断性骨軟骨炎の合併例あり
Short stature with nonspecific skeletal abnormalities	9p13.3	NPR2	AD	低身長，非特異的骨変形
Shwacman-Diamond syndrome	7q11.21	SBDS	AR	新生児呼吸窮迫症候群，心筋壊死，狭胸郭，腎石化，汎血球減少
Silver-Russell syndrome	7p11.2	同遺伝子座の低メチル化	IC	IUGR，三角顔貌，体格・四肢非対称，合指症，腫瘍合併
Sjögren-Larsson syndrome	17p11.2	ALDH3A2	AR	黄斑変性，歯エナメル質低形成，乳児期の魚鱗癬
Smith-Lemli-Opitz syndrome	11q13.4	DHCR7	AR	腎低形成，尿路子宮骨盤接合部の閉塞，肺低形成，外性器異常
Smith-Magenis syndrome	17p11.2	RAI1	IC, AD	Down様顔貌，短頭症，先天性心疾患，側彎症，難聴，末梢神経炎
Solitary median maxillary central incisor syndrome	7q36.3	SHH	AD	小頭症，門歯脱落，GH分泌低下，鼻中隔狭窄
spondylocarpotarsal synostosis syndrome	3p14.3	FLNB	AR	脊椎癒合，難聴，腎嚢胞，短頸，爪エナメル質低形成
spondtlocostal dysostosis 5	16p11.2	TBX6	AD	半椎，脊椎癒合，肋骨異常
spondyloepimetaphyseal dysplasia with hypotrichosis			AD	肢根型低身長，骨幹端の不整，骨端軟骨の石灰化遅延
T				
Temple syndrome	14q32.13	同遺伝子座のインプリンティング異常	IC	胎児期成長障害，筋緊張低下，運動発達遅滞，小さな手，思春期早発症
trichothiodystrophy 1	19q13.32	ERCC2	AR	小頭症，性腺機能低下，乳腺欠損，年老いた顔貌
thrombocytopenia-absent radius syndrome	1q21.1	RBM8A	AR	小頭症，小顎症，Meckel憩室，Fallot四徴症，膵嚢胞症
Turner syndrome		X染色体短腕欠失	IC	翼状頸，外反肘，性腺形成不全
V				
velocardiofacial syndrome	22q11.21	TBX1	AD	先天性心疾患（ASD，VSD，PS），粘膜下口蓋裂，学習障害，鼠径ヘルニア

（次ページにつづく）

先天異常症候群	遺伝子座	主な責任遺伝子・変異の種類	遺伝形式	低身長・成長障害以外での症状・所見
von Recklinghausen disease	17q11.2	NF1	AD	カフェオレ斑, 神経線維腫, 褐色細胞腫, 骨格異常, 側彎, 虹彩 Lisch 結節
W				
Weill-Marchesani syndrome 1	19q13.2	ADAMTS10	AR	短頭症, 上顎骨低形成, 緑内障, 関節拘縮, 短指症
Werner syndrome	8p12	RECQL2	AR	早老症, 強皮症様変化, 白内障, 若年性動脈硬化, 悪性腫瘍
Williams (-Beuren) syndrome	7q11.23	同遺伝子座のヘテロ接合性欠失	AD, IC	妖精様顔貌, 大動脈弁弁上狭窄, ASD, VSD, 腎尿路系異常, 骨粗鬆症
Wolcott-Rallison syndrome	2p11.2	EIF2AK3	AR	インスリン依存性糖尿病乳児期発症, 骨粗鬆症, 腎不全, 肝腫大, 高口蓋
wrinkly skin syndrome	12q24.31	ATP6V0A2	AR	皺状の皮膚, 大泉門閉鎖遅延, たわんだ頰, 進行性小頭症
X				
Xp11.3 deletion syndrome	Xp11.3	同遺伝子座の欠失	XLR	小頭症, 早期の網膜色素変性症, 精神遅滞
その他				
4p⁻ syndrome	4p16.3	同遺伝子座のヘテロ接合性欠失	IC	IUGR, 特異的顔貌(前額部突出, 弓状の眉毛), 小頭症, けいれん, 知的障害
5p⁻ syndrome	5p15.2	同遺伝子座の欠失		低出生体重児, 啼泣時の高調な声, 精神遅滞, 先天性心疾患
10q23 deletion syndrome	10q23	同遺伝子座の欠失		小頭症, 小耳症, 若年性ポリポーシス, 四肢短縮
18q deletion syndrome	18q	同遺伝子座の欠失	AD	平坦な顔, 難聴, 小頭症, 短頸, 精神運動発達遅滞
1p36 deletion syndrome	1p36	同遺伝子座の欠失	IC	短頭蓋症, 突出した前頭部, 筋緊張低下, 胃食道逆流, 摂食障害(乳児期)
1q21.1 deletion syndrome	1q21.1	同遺伝子座の欠失	AD, IC	小頭症, 白内障, 心疾患, 精神運動発達遅滞
22q11.2 deletion syndrome	22q11.2	同遺伝子座の欠失		低カルシウム血症, 副甲状腺機能低下, T細胞低下・胸腺低形成, 心疾患
2q31.1 duplication syndrome	2q31.1	同遺伝子座の重複		眼振, 橈骨尺骨短縮, 手指異常
染色体異常症(各論第2章参照)				
骨系統疾患(各論第9章参照)				

PCOS：多嚢胞性卵巣症候群, IUGR：子宮内発育不全, ALL：急性リンパ球性白血病, ASD：心房中隔欠損, VSD：心室中隔欠損, PDA：動脈管開存, PS：肺動脈弁狭窄
AD：常染色体顕性, AR：常染色体潜性, XLD：X連鎖性顕性, XLR：X連鎖性潜性, IC：isolated cases, Mit：mitochondrial
※空欄：該当なしまたは, 未同定
〔OMIM (Online Mendelian Inheritance in Man)：http://www.ncbi.nlm.nih.gov/omim/?term=short+stature%2Ccongenital+anomaly+syndrome〕

わが国では腎機能の低下〔おおむね3か月以上, 血清Crが年齢性別ごとの中央値の1.5倍以上もしくは推定糸球体濾過量(eGFR)＜75 mL/分/1.73 m²〕がみられる場合でかつ, 身長が-2.0 SD以下の場合, GH治療の適応となる. 投与量は0.175 mg/kg/週で投与されるが, 開始後6か月以降でも成長改善がない場合は0.35 mg/kg/週までの増量が可能となる.

6) 低身長, 成長障害を伴う先天異常症候群

表9に低身長, 成長障害を伴う先天異常症候群を示す. 近年, エクソーム解析をはじめとした分子遺伝学研究の進展に伴い, 多くの疾患において責任遺伝子が明らかとなった. 近年では, SHOX, ACAN, NPR2遺伝子変異が低身長の原因遺伝子であることが新たに報告されている[2,3]. 低身長が先天異常症候群の一症状として認められることもあり, 臨床の場においては, 低身長以外の特徴的な顔貌, 中手骨の長さや体のプロポーションなどの四肢, 脊椎の変化, 臓器障害などの合併症を把握することが診断に必要となる.

❖ 文献

1) Cohen LE：Idiopathic short stature：a clinical review. *JAMA* 311：1787-1796, 2014

2) Hattori A, et al.：Next generation sequencing-based mutation screening of 86 patients with idiopathic short stature. *Endocr J* 64：947-954, 2017
3) Dateki S：ACAN mutations as a cause of familial short stature. *Clin Pediatr Endocrinol* 26：119-125, 2017
4) Mahan JD, et al.：Assessment and treatment of short stature in pediatric patients with chronic kidney disease：a consensus statement. *Pediatr Nephrol* 21：917-930, 2006

（宇都宮朱里）

L 高身長と過成長

1) 定義・概念

高身長・過成長は，通常，身長が以下の①〜③の一つ以上に該当する場合を指す[1,2]．

①該当する人種における性別，年齢別標準身長の＋2.0 SD 以上．

②両親の身長から計算される target height（TH）より高い．TH-SDS の＋1.6 SD 以上[1]，あるいは，＋2.0 SD 以上とする報告がある[2]．

③成長率の増加を認める．正式な定義はないが，身長 SDS の＋1.0 SD 以上の増加が提唱されている[1]．思春期年齢においては，成長スパートと重なる場合があり解釈には注意を要する．

2) 分類

高身長の多くは家族性（体質性）高身長である．症候群に伴う高身長の場合，形態異常や発達遅滞，知的障害の合併が認められる．一部の過成長症候群では，腫瘍発生のリスクを有する．病因により，発症時期の違いがあり，体幹／四肢のアンバランスを認める場合がある．近年の次世代シークエンサーの普及により，過成長症候群における稀な新規原因遺伝子の同定が進む一方[3]，合併症を伴わない症例においては異常が同定されることは稀である[4]．

a. 胎児期に過成長（高出生体重児）を生じる疾患
（表10）

①生後には過成長をきたさない疾患[5]

▶**母体糖尿病**

母体高血糖が胎盤を介するため，胎児の高インスリン血症となり過成長に至る．生後低血糖をきたしうる．先天的な形成異常の合併が6〜9％に認められる．

▶**高インスリン性低血糖症**

ABCC8，KCNJ11，GCK，HADH，GLUD1，SLC16A1，HNF4A，HNF1A 遺伝子などの β 細胞機能にかかわる遺伝子変異により，高インスリン血症をきたし，重度の低血糖を呈する．

▶**Costello 症候群**

RAS/MAPK シグナル伝達経路に存在する HRAS 遺伝子変異が原因である．特徴的顔貌，巻き毛，ゆるい皮膚，肥大型心筋症，発達遅滞が認められる．約15％に横紋筋肉腫，神経芽腫，膀胱がんを合併する．

▶**Cantu 症候群**

ABCC9 遺伝子の機能獲得変異が原因である．先天性多毛症，ムコ多糖症様と称される特徴的顔貌，心肥大，骨異常などを合併する．

▶**Perlman 症候群**

DIS3L2 遺伝子が原因遺伝子であり，常染色体潜性遺伝を示す．羊水過多，筋緊張低下，特徴的顔貌，腎腫大を特徴とし，新生児期に死亡する例が多い．Wilms 腫瘍を好発する．

▶**Elejalde 症候群（尖頭多指異形成）**

常染色体潜性遺伝と考えられているが病因は不明である．中枢神経系以外の組織で結合組織増生が認められる．全身の球状腫大，余剰皮膚，頭蓋骨早期癒合，特徴的顔貌，内臓肥大を合併する．

②生後も過成長が持続する疾患[3,5]

▶**Beckwith-Wiedemann 症候群（BWS）**

BWS は過成長症候群のなかで最も頻度が高く，約1万出生に1人の割合で認められるインプリンティング疾患である．疾患座位は染色体 11p15.5 にあり，二つのインプリンティング調節領域（H19DMR，KvDMR1）により複数のインプリント遺伝子の発現が制御されて

表10 胎児期に過成長（高出生体重児）を生じる疾患

生後には過成長をきたさない疾患	生後も過成長が持続する疾患
1. 母体糖尿病	1. Beckwith-Wiedemann 症候群
2. 高インスリン性低血糖症	2. Simpson-Golabi-Behmel 症候群
3. Costello 症候群	3. Sotos 症候群
4. Cantu 症候群	4. Weaver 症候群
5. Perlman 症候群	5. Cohen-Gibson 症候群
6. Elejalde 症候群	6. Imagawa-Matsumoto 症候群

いる．発症機序として，H19DMR高メチル化，KvDMR1低メチル化，父性片親性ダイソミー，CDKN1C遺伝子の機能喪失変異が知られている．これらにより，胎児発育に重要であるIGF2遺伝子あるいはCDKN1C遺伝子の発現量や機能の変化をきたす．

骨年齢は促進し，過成長は8歳頃にプラトーとなり，成人では高身長とならない．過成長のほか，巨舌，腹壁欠損，片側肥大，腹腔内臓腫大，低血糖を合併する．Wilms腫瘍，肝芽腫，横紋筋肉腫などの胎児性腫瘍が高頻度に発生する．神経学的発達は正常である．

▶Simpson-Golabi-Behmel症候群

GPC3遺伝子変異により発症するX連鎖性潜性遺伝疾患である．GPC3のコードする細胞外プロテオグリカン(glypican 3)はIGF-Ⅱと複合体を形成し，IGF-Ⅱ発現調節障害により過成長をきたす．症状はBWSに類似するが，相違点として特徴的顔貌，副乳を有し，通常腹壁欠損は認めない．

▶Sotos症候群

NSD1遺伝子変異あるいは欠失による常染色体顕性遺伝疾患である．長頭，巨頭，前額突出，眼瞼斜下，突出した顎などの特徴的顔貌を認め，様々な程度の知的障害を呈する．先天性心疾患，尿路形成異常の合併が知られている．四肢は長く，関節弛緩を認める．骨年齢は促進し，成人身長は90パーセンタイルに収まるとされるが，男性＋0.5 SD，女性＋1.9 SDと性差を認める[6]．

NSD1遺伝子異常を認めない場合には，かつてSotos症候群2型と言われた，Malan症候群の可能性がある．Malan症候群はNFIX遺伝子変異により発症し，Sotos症候群では遠視を伴うことが多いのに対し，近視を呈する．

▶Weaver症候群

ヒストンメチル化酵素をコードするEZH2遺伝子が原因遺伝子であり，常染色体顕性遺伝を示す．EZH2は，EED，SUZ12とともにpolycomb repressive complex 2(PRC2)複合体を形成し，ヒストン3の27番目のリジン残基(H3K27)におけるメチル化を触媒し，クロマチン構造を凝縮させて転写抑制に働く．

過成長と約80％に合併する知的障害はSotos症候群に類似するが，下顎前面の水平の溝を呈する突出した顎が特徴的な顔貌である．低音でかすれた啼泣，軟らかくたるんだ皮膚，屈指症も特異度の高い所見とされるが，顔貌とともに幼児期以降目立たなくなる．

上述のEED，SUZ12遺伝子変異もWeaver症候群に類似した過成長症候群を呈し，それぞれ，Cohen-Gibson症候群，Imagawa-Matsumoto症候群と呼ばれる．

b. 出生以降に過成長が生じる疾患(表11)[1～3,5]

①正常バリアント

▶家族性高身長

幼少期から＋2.0 SD以上の身長であり，そのまま成長曲線に沿った発育を示し，成人身長も高身長となる．両親あるいはどちらか一方の親が高身長であり，身長SDSとTH-SDSの差は2.0 SD未満である．四肢プロポーションや思春期発来は正常である．GH，IGF-Ⅰは正常上限程度であることが多い．骨年齢は通常正常である．治療は，予測成人身長が望まないほど高くなる場合(たとえば＋2.5～＋3.0 SD以上)に考慮される．治療としては，性ステロイド投与や外科的な骨端閉鎖術がある．性ステロイドは種々の副作用(男子：短期的には筋肉痛，女性化乳房，体重増加，長期的にはテストステロン低下，女子：短期的には体重増加，乳汁分泌，血栓症，長期的には不妊のリスク)の懸念から積極的には行われなくなっている．

▶Constitutional advance of growth

思春期徴候がないにも関わらず成長率増加を認め，2～4歳にかけて成長率増加がピークに達する．9歳頃まで高身長で経過するが，その後身長は正常化する．肥満に合併することが多く，思春期発来も早めである．

②内分泌疾患

▶肥満

小児肥満は，骨年齢促進および身長増加と関連する．思春期発来は早めであり，成人身長は非肥満児と

表11 出生以降に過成長が生じる疾患

正常バリアント
1. 家族性高身長
2. Constitutional advance of growth

内分泌疾患
1. 肥満
2. GH過剰症
3. 思春期早発症
4. 甲状腺機能亢進症
5. 家族性グルココルチコイド欠損症1型
6. 骨成熟遅延による成人期の成長持続 　1) アロマターゼ欠損症 　2) エストロゲン受容体欠損症

症候群による高身長
1. Klinefelter症候群
2. XXX症候群
3. Marfan症候群
4. ホモシスチン尿症
5. Tatton-Brown Rahman症候群
6. Luscan-Lumish症候群
7. Kosaki過成長症候群
8. Epiphyseal chondrodysplasia, Miura type
9. CATSHL症候群

同等となる．高身長に至る機序は明らかでないが，グレリンやインスリンのGH/IGF-Ⅰ系へ影響やレプチン(leptin)/GnRH伝達機構への影響が想定されている．

▶GH過剰症

骨端線閉鎖前であれば下垂体性巨人症となる．下垂体腺腫が原因であり，経口ブドウ糖負荷試験(oral glucose tolerance test：OGTT)でGH分泌は抑制されず，IGF-Ⅰ高値を示す．骨年齢は通常正常であるが，性腺機能低下を合併すると遅延しうる．

▶思春期早発症

性ステロイドは思春期の成長スパートに重要である．エストロゲン(男子ではテストステロンからアロマターゼにより変換される)はGH分泌を促進し，思春期の成長スパートを引き起こす．一方，エストロゲンは骨成熟を進行させるため，骨端線の早期閉鎖に至ることから，成人身長は低下する．

▶甲状腺機能亢進症

骨年齢促進を伴う成長率増加を認め，乳児期には頭蓋骨早期癒合を認めることがある．適切に治療がなされれば成人身長は正常範囲となる．

▶家族性グルココルチコイド欠損症1型

MC2R遺伝子変異により発症する常染色体潜性遺伝疾患である．低血糖，皮膚色素沈着を主徴とし，ACTH高値，コルチゾール低値を示す．骨年齢促進を伴う成長率増加を認める．

▶骨成熟遅延による成人期の成長持続

種々の性腺機能低下症，アロマターゼ欠損症，エストロゲン受容体欠損症が含まれる．思春期早発症とは逆に，エストロゲン作用が発揮されないために，成長スパートは認めないが，骨端線が閉鎖せず高身長となる．

③症候群による高身長

▶Klinefelter症候群

47,XXYの核型を示し，高ゴナドトロピン性性腺機能低下と学習障害を伴う症候群である．SHOX遺伝子の3コピー発現が高身長に関連するとされ，小児期に四肢の長い高身長を示す．青年期には性腺機能低下の合併によりさらに高身長になり得る．

▶XXX症候群

47,XXXの核型を示す．SHOX遺伝子の3コピー発現が高身長に関与するとされ，4歳頃から身長の増加を認め，四肢は長い．生殖能力は問題ない．学習障害や発達障害を契機に染色体検査で診断されることがある．

▶Marfan症候群

FBN1遺伝子変異により常染色体顕性遺伝を示す全身性結合織疾患である．四肢の長い高身長，細長い手指，側彎や漏斗胸などの骨格異常を認め，手首徴候および親指徴候を認めることが多い．高身長は2～3歳までに明らかとなる．大動脈基部病変，水晶体偏位が診断基準に含まれる．

▶ホモシスチン尿症

メチオニン代謝産物が体内に蓄積することにより発症するアミノ酸代謝異常症である．シスタチオニンβ合成酵素(cystathionine-β-synthase：CBS)欠損が原因で常染色体潜性遺伝を示す．Marfan症候群と類似の骨格異常，水晶体偏位を示すが，相違点として知的障害および血栓塞栓症の合併を認める．

▶Tatton-Brown Rahman症候群

遺伝子発現を調節するDNAメチルトランスフェラーゼ3AをコードするDNMT3A遺伝子変異により発症する常染色体顕性遺伝疾患である．巨頭と知的障害を合併する．顔貌の特徴として丸顔，太い水平の眉，眼裂狭小を認める．

▶Luscan-Lumish症候群

ヒストンメチル化酵素であるSETD2遺伝子変異により発症する常染色体顕性遺伝疾患である．Sotos症候群と同様の表現型を呈するが，極めてまれである．

▶Kosaki過成長症候群

チロシンキナーゼ受容体である血小板由来増殖因子受容体β(PDGFRB)遺伝子の自己リン酸化を制御する特定の変異による機能獲得変異により発症する．手足の長い高身長および骨過成長，特徴的顔貌，皮膚の過伸展と脆弱性，神経精神症状を伴う大脳白質病変が特徴である[7]．

▶Epiphyseal chondrodysplasia, Miura type

NPR2遺伝子の機能獲得変異により巨大母趾を伴う高身長を呈する骨端軟骨異形成症である[8]．

▶CATSHL症候群

FGFR3遺伝子の機能喪失変異が原因であり，常染色体顕性および潜性遺伝の報告がある．高身長，感音難聴，屈指症，側彎症を特徴とする[9]．

❖ 文献

1) Albuquerque EVA, et al.：MANAGEMENT OF ENDOCRINE DISEASE：Diagnostic and therapeutic approach of tall stature. Eur J Endocrinol 176：R339-R353, 2017
2) Lauffer P, et al.：Towards a rational and efficient diagnostic approach in children referred for tall stature and/or accelerated growth to the general paediatrician. Horm Res Paediatr 91：293-310, 2019
3) Manor J, et al.：Overgrowth syndromes-evaluation, diagnosis, and management. Front Pediatr 8：574857, 2020
4) Vasco de Albuquerque Albuquerque E, et al.：Genetic investi-

gation of patients with tall stature. *Eur J Endocrinol* 182：139-147, 2020
5) Kamien B, *et al.*：A clinical review of generalized overgrowth syndromes in the era of massively parallel sequencing. *Mol Syndromol* 9：70-82, 2018
6) Foster A, *et al.*：The phenotype of Sotos syndrome in adulthood：A review of 44 individuals. *Am J Med Genet C Semin Med Genet* 181：502-508, 2019
7) Takenouchi T, *et al.*：Kosaki overgrowth syndrome：A newly identified entity caused by pathogenic variants in platelet-derived growth factor receptor-beta. *Am J Med Genet C Semin Med Genet* 181：650-657, 2019
8) Miura K, *et al.*：Overgrowth syndrome associated with a gain-of-function mutation of the natriuretic peptide receptor 2 (NPR2) gene. *Am J Med Genet* A 164 A：156-163, 2014
9) Toydemir RM, *et al.*：A novel mutation in FGFR3 causes camptodactyly, tall stature, and hearing loss (CATSHL) syndrome. *Am J Hum Genet* 79：935-941, 2006

〔鈴木　滋〕

第3章 視床下部・下垂体障害による内分泌疾患

A 視床下部下垂体ホルモン

視床下部は，哺乳類がからだの恒常性を維持するために必須である脳に位置する総合中枢である．神経を介して情報を集約し，下垂体ホルモンなどの内分泌系，自律神経，本能行動を調節している[1]．おもに内分泌学的見地から，視床下部から下垂体，各臓器への情報伝達について述べる．

1）視床下部から下垂体への情報伝達

視床下部から下垂体前葉への情報伝達は，下垂体門脈系とよばれる血管系を介している．視床下部諸核の神経細胞で産生されるホルモンは，この下垂体門脈系を経由してこの下垂体前葉からのホルモン分泌を調節している[1]．その情報の伝達には，①視床下部→正中隆起→長経路門脈→下垂体前葉，②視床下部→下垂体後葉→短経路門脈→下垂体前葉の二つの経路が存在する（図1）[2]．

下垂体後葉については，③視床下部室傍核，視索上核でバゾプレシンが合成され，軸索輸送により，その途中でプロセッシングを受けながら，正中隆起を経て下垂体後葉まで運ばれる（図1）[2]．これらは分泌顆粒として貯蔵される．その後，直接静脈に放出され，作用する遠隔の組織を刺激する．

2）視床下部‐下垂体系におけるホルモン分泌調節機構

a．GHRH‐GH‐IGF‐Ⅰ系

GHRH は視床下部弓状核から分泌され，下垂体前葉 GHRH 受容体を介して GH 分泌を促す．視床下部から分泌される SRIF は，SRIF 受容体を介して GH 分泌を抑制する．また，胃壁から分泌されるグレリンは，下垂体の GH 分泌促進因子受容体（GH secretagogue receptor：GHSR）を介し GH 分泌を促進する．GH は，GH 受容体を介して，肝臓・骨での IGF‐Ⅰ産生を促し，身長発育に影響を及ぼす．

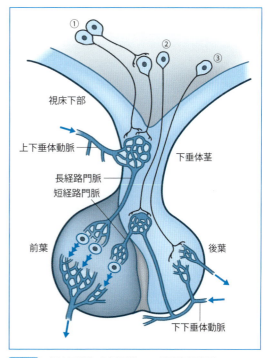

図1 視床下部から下垂体への情報伝達経路

b．TRH‐TSH‐甲状腺ホルモン系

TRH はおもに視床下部室傍核により産生され，下垂体前葉で TSH や PRL の分泌を促進する．TSH は甲状腺濾胞細胞を刺激して甲状腺ホルモンを分離・分泌させる．さらに，TRH の分泌は，下垂体との干渉以外にも，様々な調節を受けている．現在までのところ，視床下部 TRH ニューロンは，視床下部弓状核，背内側核，脳幹からのカテコラミン産生ニューロンの三つの神経系からの入力制御を受けていると考えられている[3]．弓状核はおもに摂食やエネルギー消費の調節に関与する．絶食や，空腹刺激によって，視床下部のpre-proTRH mRNA 合成を減少させ，血清 TSH，甲状腺ホルモンを低下させることが知られている．背内側核は，TRH ニューロンを介して，摂食，エネルギー消費

Ⅱ 各 論

に加えて、日内リズムやストレスに対する反応など自律神経機能に影響している．さらに、延髄からのアドレナリン系神経細胞の入力で、寒冷曝露などの刺激が加わると，TRH 分泌は促される．その結果，血中甲状腺ホルモンレベルは上昇し，体温維持に関与すると考えられる．

c．CRH-ACTH-グルココルチコイド系

CRH は視床下部室傍核より分泌される．下垂体前葉細胞の CRH 受容体を介してプロオピオメラノコルチン（proopiomelanocortin：POMC）の合成を促進する．POMC は組織特異的に分解酵素によりプロセッシングされて，ACTH などを生成する．ACTH は副腎皮質に作用して，グルココルチコイド，ミネラルコルチコイド，副腎アンドロゲンの合成・分泌を促進する．CRH は，精神的・肉体的ストレスなどにより，健常な個体の生理的反応として分泌が増加する[1]．また，グルココルチコイドにより，その分泌は抑制される．

d．キスペプチン-GnRH-LH/FSH-性ホルモン系

KISS1/KISS1 受容体系は，視床下部—下垂体—性腺系の制御に重要であり，思春期発来に不可欠な役割を果たす[3,4]．キスペプチンは視床下部弓状核，前腹側脳室周囲核に豊富に発現し[5]，視床下部視索前野での GnRH の産生・分泌を促進する．GnRH はパルス状に分泌され，下垂体前葉 LH/FSH の分泌を促進する．精巣では，LH は Leydig 細胞に作用してテストステロン分泌を促進し，FSH は Sertoli 細胞に作用して精細管の発達・精子形成を促す．卵巣では，LH が莢膜細胞に作用してアンドロステンジオンの合成を促し，成熟卵胞を排卵に導いて黄体を形成する．FSH は卵胞の顆粒膜細胞に作用してアロマターゼを活性化し，莢膜細胞で LH によって合成され，顆粒膜細胞に移行したアンドロステンジオンからエストロゲンへの変換を促進する．

e．PRL

PRL は下垂体門脈を介し視床下部性の PRL 分泌促進因子と分泌抑制因子による調節を受けている．プロラクチンは下垂体前葉細胞から分泌され，乳腺の発達，乳汁分泌のほか，黄体機能や性行動，浸透圧調節，免疫機能などへの影響など，様々な作用があるといわれているが，小児期での意義は明らかではない．

f．バゾプレシン・オキシトシン

視床下部の視索上核・室傍核の神経分泌ニューロンで合成されたバゾプレシン，オキシトシンは，軸索輸送されて下垂体後葉の神経終末まで輸送され，後葉の軸索末端に貯蔵される[6]．血漿浸透圧の上昇や嘔吐などで，開口放出され血管内に分泌される．腎臓の集合管細胞の V_2 受容体に作用して抗利尿作用を示す．また，V_1 受容体に作用して血管平滑筋の収縮の作用を示す．

オキシトシンは，子宮筋の収縮と乳汁分泌を促進する．母性行動，向社会的行動に重要であることが示されてきている[7]．

❖ 文献

1) Lechan RM：Neuroendocrinology. In：Melmed S, et al.(eds), *Williams Textbook of Endocrinology*. 14th ed., Saunders, Elsevier, Philadelphia, 114-183, 2019
2) 藤澤一朗：視床下部-下垂体系について：「高空間分解能」MRI 画像から考えたこと．日内分泌会誌 92(Suppl. 2)：5-7, 2016
3) Fekete C, et al．：Central regulation of hypothalamic-pituitary-thyroid axis under physiological and pathophysiological conditions. *Endocr Rev* 35：159-194, 2014
4) Skorupskaite K, et al．：The kisspeptin-GnRH pathway in human reproductive health and disease. *Hum Reprod Update* 20：485-500, 2014
5) Dungan HM, et al．：Minireview：kisspeptin neurons as central processors in the regulation of gonadotropin-releasing hormone secretion. *Endocrinology* 147：1154-1158, 2005
6) Roberts MM, et al．：Vasopressin transport regulation is coupled to the synthesis rate. *Neuroendocrinology* 53：416-422, 1991
7) Liu RC. Sensory systems：The yin and yang of cortical oxytocin. *Nature* 520：444-445, 2015

（水野晴夫）

B 複合型下垂体ホルモン欠損症

1）定義・概念

複合型下垂体ホルモン欠損症（combined pituitary hormone deficiency：CPHD）は 5 系統の下垂体前葉ホルモン（GH, PRL, TSH, ACTH, LH/FSH）のうち，2 種類以上のホルモンの産生・分泌が障害されたものと定義される．

2）病因・病態

先天性および後天性に大別される（表 1）．先天性の大部分は原因不明であるが，下垂体の形成異常（低形成，無形成）や正中奇形に伴うもの，ごく一部に下垂体の発生分化に関与する転写因子異常などの遺伝性疾患が含まれる．下垂体の発生分化に関与し，ヒトでの遺伝子異常が確立している転写因子異常を表 2 にまとめる．後天性は骨盤位分娩や仮死などの周産期異常，新生児期の敗血症などに起因する非遺伝性疾患である．

以下，各下垂体ホルモン分泌不全でみられる臨床症候および病態生理について述べる．

a. GH分泌不全

POU1F1遺伝子異常などに起因する先天性の完全型GH分泌不全症の患者において，出生時の体長が必ずしも短くないことより，胎生期の成長はGHに非依存性であることがわかっている．このためGH分泌不全があったとしても，新生児期に成長障害が顕在化することはない．GHは脂肪の分解と糖新生を促進するため，新生児期のGH分泌不全による症状はインスリン拮抗ホルモン分泌不全としての低血糖の遷延である．乳幼児期以降は著明な成長障害を特徴とする．

GHはGH受容体(肝臓，骨，筋肉，脂肪組織などに存在)に結合して作用する．肝臓および骨においてはIGF-Ⅰを産生し，産生されたIGF-Ⅰがautocrineあるいはparacrineに軟骨細胞を増殖・成熟させることにより成長作用をもたらす．肝臓特異的なIGF-Ⅰノックアウトマウスにおいて，血中のIGF-Ⅰ濃度は低下するものの成長障害が認められない[1]ことから，骨の成長には骨局所で産生されるIGF-Ⅰが重要とされている．

b. TSH分泌不全

原発性甲状腺機能低下症と同様，遷延性黄疸，皮膚乾燥，便秘，腹部膨満，臍ヘルニア，哺乳不良，体重増加不良，小泉門開大，巨舌，嗄声，末梢冷感，浮腫が認められる．新生児マススクリーニングでTSH高値のみを評価する自治体においては，TSH分泌不全が見逃されうる．T_4とTSHを同時に測定したスクリーニングの集積データから，TSH分泌不全の頻度は6〜7万人に1人と概算されている．TSH単独欠損は比較的まれで，長らくTSHβ遺伝子，TRH遺伝子異常のみが知られていたが，近年IGSF1遺伝子，TBL1X遺伝子およびIRS4遺伝子異常による中枢性甲状腺機能低下症が報告された．IGSF1は下垂体thyrotropes(TSH分泌細胞)の細胞膜に発現する糖蛋白であり，IGSF1遺伝子異常症はX連鎖性TSH分泌不全に加え，PRL，GH分泌不全，思春期年齢以降の思春期遅発，精巣容積の増大を伴うこともあり，必ずしもTSH単独欠損ではない[2]．TBL1Xは，視床下部および下垂体でTRHとTSHβ鎖の転写抑制を行う甲状腺ホルモン受容体(thyroid hormone receptor：TR)共役因子(co-repressor)であり，TBL1X変異によりTRHプロモーター活性化が障害される．TBL1X異常症はX連鎖性TSH分泌不全(TSHおよびFT_3は正常，FT_4は低値〜正常範囲内で低め)に加え感音難聴を伴う[3]．IRS4はレプチン(leptin)のシグナル伝達に関与し，ヒトの視床下部や下垂体にもmRNAレベルで発現していることは確認されているが，どういった機序で中枢性甲状腺機能低下症となるのかは不明な点が多い[4]．

表1 複合型下垂体ホルモン欠損症(CPHD)の成因

先天性
- 視床下部─下垂体の形成異常
- 下垂体の発生分化に関わる転写因子などの遺伝子異常
- 中枢神経系の形態異常に伴うもの(全前脳胞症，septo-optic dysplasiaなど)
- 母体感染(トキソプラズマ，梅毒など)

後天性
- 分娩外傷(骨盤位分娩，仮死など)，頭部外傷
- 下垂体近傍腫瘍(腫瘍および治療に伴う放射線照射や外科手術も含む)
- リンパ球性下垂体炎，漏斗下垂体後葉炎
- 敗血症
- ヘモクロマトーシス(一過性)

表2 下垂体の発生分化に関与し，ヒトでの遺伝子異常が確立している転写因子異常

責任遺伝子	遺伝形式	障害されるホルモン	合併症など
POU1F1	AR・AD	GH, PRL, TSH	
PROP1	AR	GH, PRL, TSH, LH/FSH 後発的にACTH	
LHX3	AR	GH, RPL, TSH, LH/FSH まれにACTH	頸椎回転異常 難聴
LHX4	AD・AR	GH単独〜CPHD	Chiari奇形 ARでは肺低形成
HESX1	AD・AR	GH単独〜CPHD	septo-optic dysplasia
SOX3	XL	GH単独〜CPHD	精神発達遅滞
SOX2	AD	LH/FSH	無眼球症，まれにCPHD
OTX2	AD	GH単独〜CPHD	無眼球症
GLI2	AD	GH単独〜CPHD	全前脳胞症，多指症
IGSF1	XL	TSH単独〜CPHD	精巣腫大

AD：常染色体顕性，AR：常染色体潜性，XL：X連鎖性，CPHD：複合型下垂体ホルモン欠損症

c. ゴナドトロピン（LH/FSH）分泌不全

男児のLH分泌不全では，妊娠第2三半期以降の精巣Leydig細胞からのテストステロン産生が低下し，小陰茎となる．停留精巣を合併する症例も存在する．妊娠第1三半期のテストステロン産生はhCGに依存するため，ゴナドトロピン分泌低下があっても保持される．よって尿道下裂や二分陰囊，あいまいな外性器（ambiguous genitalia）を認めることはない．女児の場合，ゴナドトロピン分泌不全があっても，新生児期には臨床症候を認めない．男女ともに思春期年齢で二次性徴の欠如を認める．

出生数日後から視床下部GnRHパルスジェネレーターが一過性に活性化し，男女ともにゴナドトロピンの分泌は亢進し，それに対応して男児では血中のテストステロン濃度，女児ではエストロゲン濃度も上昇する．男児ではLHが優位に分泌され，血清テストステロンは生後2～3か月でピークを迎え，その後低下する．女児ではFSHが優位に分泌され血清エストロゲンは生後6か月頃まで高値を示す．この乳児期のゴナドトロピンの一過性分泌の時期はmini-pubertyといわれ，この時期に性腺や生殖細胞が刺激を受けることが将来の生殖能力に関連することが示唆されている．このmini-pubertyの時期にLH/FSH評価ができれば（低値を確認できれば）ゴナドトロピン分泌低下の診断的意義が高い．

d. ACTH分泌不全

グルココルチコイド分泌不全により，肝臓での糖新生抑制による低血糖，発熱，感染などのストレスに対する反応不良によるショック（副腎不全）を生じる．ACTH分泌不全ではミネラルコルチコイドの分泌は保たれるため，21水酸化酵素欠損症に代表される原発性副腎不全のような重度の塩類喪失は認めない．ただし，アルギニン・バゾプレシン（arginine vasopressin：AVP）代謝が低下するため，水貯留による希釈性低ナトリウム血症をしばしば認める．高カリウム血症および色素沈着は認めない．先天性ACTH単独欠損症をきたす，TBX19遺伝子変異陽性者の65％（17例中11例）で胆汁うっ滞が認められる[5]．

3) 臨床症候

下垂体機能低下症状は各下垂体ホルモンの作用不全およびその組み合わせによるもので，多岐にわたる．以下，GH分泌不全による低身長以外で下垂体機能低下症の診断契機となりやすい臨床症候を中心に述べる．

a. 低血糖

ACTH分泌不全，GH分泌不全，およびその双方の合併により新生児期・乳児期に低血糖を生じる．空腹時に生じやすく，けいれん，無呼吸，チアノーゼ発作などの非特異的症状で発症することが多い．

b. 遷延性黄疸・胆汁うっ滞

遷延性黄疸はTSH分泌不全による甲状腺機能低下に起因するグルクロン酸抱合障害が原因と考えられている．胆汁うっ滞の詳細な機序は不明であるが，先述のとおりACTH単独欠損症で高率に合併するため，ACTH分泌不全との関連が強く示唆されている．胆道閉鎖症との鑑別が重要であるが，胆道閉鎖症では血清γGTP値の上昇を認めるのに対し，下垂体機能低下症に伴う胆汁うっ滞の大部分でγGTP値は正常範囲にとどまる．ヒドロコルチゾンの適切な補充が行われれば，間接ビリルビン高値は比較的早期に，直接ビリルビン高値は生後6か月頃までには軽快する．

c. 小陰茎

先述のとおり，男児のLH分泌不全では小陰茎となる．日本人の伸展陰茎長基準値から考慮すると新生児で伸展陰茎長2.4cm未満の場合を小陰茎と判断する．

d. 特徴的顔貌

GH分泌不全を反映して，鞍鼻，鼻根部平坦，前額部突出を認める．

e. 先天異常症候群

下垂体機能低下症を合併しやすい先天異常症候群の代表が全前脳胞症である．全前脳胞症はおもにsonic hedgehog（SHH）シグナル経路に関与する遺伝子変異で発症するが，その責任遺伝子であるGLI2遺伝子変異陽性者において下垂体機能低下症を合併しうる．全前脳胞症の臨床スペクトラムは広く，口唇・口蓋裂，単一中切歯（single central incisor）のみの患者も存在する．正中奇形を有する患者では下垂体機能低下症の有無に注意すべきである．

眼と下垂体は発生母地が近いため，眼の発生異常を伴う症候群では下垂体機能低下症に注意すべきである．代表的なものはOTX2異常症とSOX2異常症で，ともに無眼球・小眼球症を伴う．特にSOX2異常症は高率にゴナドトロピン分泌不全を合併するため，無眼球症の患者を診察する際，男児においては小陰茎の有無を必ず評価するべきである．

septo-optic dysplasia（SOD）は視神経萎縮，脳梁や透明中隔欠損を中心とする正中形成異常，下垂体の形態異常を三徴とする先天異常症候群である．ごく一部にHESX1遺伝子変異を認める．追視を認めない，あるいは眼振が診断のきっかけとなることがある．

f. CPHD/SOD/Kallmann症候群のオーバーラップ

従来低ゴナドトロピン性性腺機能低下症あるいはKallmann症候群の責任遺伝子として報告されていた

FGFR1，ANSO1（KAL1），PROKR2遺伝子の変異によりゴナドトロピンのみでなくGHやTSHの分泌低下をきたし，SODの表現型をとりうることが複数の論文で報告されている．逆にCPHD，SODの責任遺伝子であるHESX1遺伝子変異がKallmann症候群を起こしうることも報告されている[6]．すなわちCPHD，SOD，Kallmann症候群が遺伝的にオーバーラップする疾患概念であると認識されつつある．

4）診断と検査法
a．血中ホルモン濃度および負荷試験

新生児の下垂体ホルモン機能評価では負荷試験の有用性は限定的である．採血量が限定されること，インスリン負荷試験のような低血糖のリスクを伴う負荷試験のリスクが高いこと，また仮にそのような負荷試験を行ったとしても，そのデータを評価するための信頼できる在胎週数別，日齢別の基準値が存在しないことが，その理由である．よってアルギニン負荷試験によるGH，TRH負荷試験によるTSHおよびPRL，CRH負荷試験によるACTH，コルチゾール評価など，侵襲性の少ない負荷試験を選別して行い，臨床症候，下垂体の画像検査結果などから総合的に判断する必要がある．

血清GH濃度は出生から生後3か月にかけて急峻に低下し安定する．よって新生児期の血清GH濃度は高値を示しやすく，アルギニン負荷後のGH頂値が小児一般のカットオフ下限値である6 ng/mL未満ではGH分泌不全と診断してよいと考えられる．一方，新生児期では6 ng/mL以上でもGH分泌不全の可能性を完全に否定はできない．負荷試験が困難な場合，生後1週間以内であればランダムサンプリングで得られた検体でGH 7 ng/mL未満はGH分泌不全を感度100%，特異度98%で検出できるとする報告[7]があり，有用である．

血清TSH濃度は出生時には高値で生後2週以降に安定する．生後2週以降に行ったTRH負荷試験の頂値が35 μU/mLを超えない場合，原発性甲状腺機能低下症は否定的である．よって少なくともTSH頂値が35 μU/mL未満でかつFT$_4$が低値の場合には中枢性甲状腺機能低下症を否定しえず，TSHおよびFT$_4$の基礎値を複数回確認して治療の必要性を検討する．

ACTH-コルチゾール系は生後2週には安定する．生後2週以降に行ったCRH負荷後30分での血清コルチゾール頂値18 μg/dL未満（かつACTHの増加が2倍未満）はACTH分泌不全を示唆する．甲状腺機能低下時にはACTH-コルチゾール系分泌不全がマスクされやすいことに留意する．

b．頭部MRI

矢状断T1強調像が必須であり，細かいスライスでの撮影が必要となる．下垂体前葉の低形成や下垂体茎の連続性，脳神経系の形態異常の有無を評価する．後葉の高信号はAVPの貯留を反映する．下垂体茎や視床下部漏斗部に高信号を認める場合は代償性のAVP貯留を示唆し，異所性後葉と呼ばれる．異所性後葉を認める場合に尿崩症症状を伴うことはまれで，むしろ下垂体前葉機能低下の存在を疑わせる重要な所見である．

c．遺伝子解析

責任遺伝子が複数存在するため次世代シークエンサーを用いた網羅的解析が有用であるが，遺伝子異常が同定される頻度は低い．

5）治療法

ACTH分泌不全では生理量のヒドロコルチゾン8〜10 mg/m^2/日を，TSH分泌不全ではLT$_4$（5〜10 μg/kg/日）を，GH分泌不全ではGH 0.175 mg/kg/週を補充する．ACTHとTSH分泌不全を合併する場合は必ずヒドロコルチゾンの補充を先行させるか，同時に補充を開始するべきである．LT$_4$はグルココルチコイドの代謝を亢進させるため，LT$_4$単独の補充は副腎不全を惹起するリスクがあるためである．一見するとTSH単独欠損にみえても（先述のとおりTSH単独欠損は比較的まれ），LT$_4$の補充により副腎不全が顕在化し，副腎不全症状を発症することがあるため注意が必要である．発熱を伴う感染時や手術などの強い侵襲が加わるストレス時には，副腎不全を予防するためにヒドロコルチゾンを100 mg/m^2/日へと増量する．前述のように胆汁うっ滞を合併している場合は，ヒドロコルチゾンおよびLT$_4$製剤が脂溶性製剤であるためこれらの吸収障害がおこり，より多くの投与量を必要とする可能性がある．

新生児期のGH治療は身長促進のためのみではなく，代謝作用も期待して補充がなされる．ACTH分泌不全を合併しヒドロコルチゾンを標準量投与されているにもかかわらず低血糖が繰り返され，GH補充の追加で低血糖がコントロールされるようになる症例が存在する．

男児では小陰茎が問題になる場合（立位排尿困難など），乳幼児期にテストステロンの補充による陰茎長の増大を検討する．簡便な思春期導入としてはテストステロン単独療法が広く用いられているが，生殖能力の獲得を考慮したhCG-rFSH療法（rFSH療法を先行させる場合もあり）が，より生理的である．ゴナドトロピン分泌不全の乳児に対してゴナドトロピン製剤を使用し，mini-pubertyを模倣することが有益である可能性

が示唆されている[8]が，結論は出ておらず，今後の研究が待たれる．

6）管理と予後

副腎不全に起因する重度の低血糖をいかに防ぐか，甲状腺機能低下症（を見逃されること）による精神発達遅滞をいかに回避するかが重要であり，生命および知能予後を決定する因子である．

7）最新知見

全ゲノムエクソーム解析を用いた解析で，中枢神経系に幅広く発現し，軸索誘導に重要な役割を果たしているROBO1遺伝子のヘテロ異常によるpituitary stalk interruption syndrome症例が報告され，ROBO1と下垂体発生との関連が示唆された[9]．その後わが国からDatekiらがROBO1遺伝子のスプライスサイト変異をホモ接合性に有したCPHDの1例を報告している[10]．

❖ 文献

1) Yakar S et al.：Normal growth and development in the absence of hepatic insulin-like growth factor I. Proc Natl Acad Sci U S A 96：7324-7329, 1999
2) Sun Y, et al.：Loss-of-function mutations in IGSF1 cause an X-linked syndrome of central hypothyroidism and testicular enlargement. Nat Genet 44：1375-1381, 2012
3) Heinen CA, et al.：Mutations in TBL1X are associated with central hypothyroidism. J Clin Endocrinol Metab 101：4564-4573, 2016
4) Heinen CA, et al.：Mutations in IRS4 are associated with central hypothyroidism. J Med Genet 55：693-700, 2018
5) Vallette-Kasic S et al.：Congenital isolated adrenocorticotropin deficiency：an underestimated cause of neonatal death, explained by TPIT gene mutations. J Clin Endocrinol Metab 90：1323-1331, 2005
6) Newbern K et al.：Identification of HESX1 mutations in Kallmann syndrome. Fertil Steril 99：1831-1837, 2013
7) Binder G et al.：Rational approach to the diagnosis of severe growth hormone deficiency in the newborn. J Clin Endocrinol Metab 95：2219-2226, 2010
8) Kohva E, et al.：Treatment of gonadotropin deficiency during the first year of life：long-term observation and outcome in five boys. Hum Reprod 34：863-871, 2019
9) Bashamboo A, et al.：Mutations in the human ROBO1 gene in pituitary stalk interruption syndrome. J Clin Endocrinol Metab 102：2401-2406, 2017
10) Dateki S, et al.：A homozygous splice site ROBO1 mutation in a patient with a novel syndrome with combined pituitary hormone deficiency. J Hum Genet 64：341-346, 2019

〈髙木優樹〉

間脳―下垂体近傍腫瘍

1）定義・概念

間脳―下垂体近傍腫瘍には，下垂体腺腫，頭蓋咽頭腫，Rathke囊胞，胚細胞腫，髄膜腫，視神経膠腫などがある．下垂体機能低下症はこれら腫瘍の直接浸潤による障害と腫瘍による圧迫や脳腫瘍（間脳―下垂体近傍腫瘍以外も含む）の治療に伴う間接的な障害がある．また機能障害は，治療前からの障害，手術直後の障害そして放射線治療や化学療法，造血細胞移植などに伴う晩期合併症がある．治療法の進歩に伴い，治療後の患者数が増加し，その多くに内分泌異常が認められている．

a．頻度

小児脳腫瘍は小児がんのなかで白血病に次いで頻度が高く，小児固形がんのなかでは最も多い疾患である．日本の最近の統計によると15歳未満の脳腫瘍は小児がんの16％で，発生率は100万人当たり約20人（良性・良悪不詳の腫瘍を含めると約30人）といわれる[1]．

b．種類

小児脳腫瘍は成人脳腫瘍と好発部位，種類が異なる．成人では約70％がテント上に発生するのに対し，小児では逆に約70％がテント下に発生する．ただし乳児と10歳以上の小児は例外でテント上が多くなる．組織別発生頻度は，星状細胞系腫瘍（28.4％），胚細胞腫（15.6％），髄芽腫（12.2％），頭蓋咽頭腫（8.9％），上衣腫（4.5％）となっている．（ ）内は15歳未満に占める頻度である[2]．

2）臨床症候（図2，表3）

腫瘍の発生部位，年齢，進行の早さなどにも左右されるが，基本的にはmass effectにより症状が形成される．ホルモン分泌障害のほか，視神経障害による視力視野異常，頭痛，悪心・嘔吐などがある．内分泌異常のリスクは間脳―下垂体近傍以外に発生した腫瘍でもある[3]．治療を受ける前段階で脳腫瘍の患児の66％に何らかの内分泌異常を有し，とりわけGH分泌不全が38％あるとの報告もある．よって症状として成長障害をきたすことが多い．下垂体前葉ホルモンのうち障害を受けやすいのはGHであり，視床下部―下垂体―副腎系は比較的機能が残る．また下垂体後葉障害で尿崩症を起こし，口渇・多飲・多尿を主徴とするが，気づかれないこともあり，夜尿の出現で異常と認識されることもある．また小児の場合，特殊な内分泌障害の一つに思春期早発症があり，二次性徴の早期出現と成長促進の症状がみられる[4]．

3）診断と検査法

　成長障害は成長曲線を描くことによりその発症時期が明らかになり，早期発見にもつながる（図3，4）．CTおよびMRIの画像検査でほとんどの腫瘍が安全かつ正確に診断可能で，細かい組織診断まで推察できる．しかし，後述するLangerhans細胞組織球症や後述する下垂体炎など鑑別困難な非腫瘍性病変も存在する．鑑別のため血液や髄液の腫瘍マーカー，髄液の細胞診，診断確定のため生検を行うこともある．下垂体機能低下症の診断は，内分泌学的検査を行う．症状の有無によらず，間脳―下垂体近傍腫瘍は当然であるが，それ以外でも視床下部・下垂体障害を起こす可能性がある場合は，内分泌機能評価を行う．

4）治療法

　腫瘍により，手術，化学療法，放射線治療などが選択される．ホルモン補充療法は，障害の程度により適宜増減する．個々の症例でまた症状によって異なるため，必要な時期に必要な量を補充することが原則である．治療前に障害されているホルモンの評価ができていればよいが，できていない場合，副腎不全を起こさないように，まずは，グルココルチコイドから補充を行う．補充量は生理的分泌量である．乳児では9〜12 mg/m^2，幼児期以降は6〜9 mg/m^{2}を1日2，3回に分けて経口投与する．ストレス時の適宜増量を指導しておく必要がある[5]．

　甲状腺ホルモンはステロイドのクリアランスを促進し，副腎不全を増悪させる可能性があるのでACTH分泌不全を合併している場合はステロイドの補充を優先させる．補充量はLT$_4$ 25 μg/m^2/日から開始し，適宜増減し，FT$_4$値が正常から正常上限に入るように調節する．

　GHは，成長や脂質代謝，骨代謝，筋合成に必須なホルモンである．その細胞増殖作用から腫瘍への影響が懸念されるため，GH補充は，一般的に脳腫瘍治療終了後少なくとも1年以上は経過してから行うことが望ましい．最近は，再発のリスクに関する研究で腫瘍再発率が上昇しないといわれているので，腫瘍本来の再発リスクに注意しながら早めに投与する施設もある．

　中枢性思春期早発症に対しては，GnRHアナログにて性腺抑制療法を行う．性腺機能低下症に対しては，男性ではhCG-FSH療法あるいはテストステロンのデポ製剤の筋注，女性ではエストロゲン―プロゲステロン療法などを行う．

　中枢性尿崩症は，デスモプレシンの点鼻または口腔内崩壊錠で調節する．血清Na値の異常（中枢性低ナトリウム・高ナトリウム血症）は水分摂取量を調整するが，口渇中枢が障害されると管理がむずかしい．

　術中・術後管理で重要なのは，ステロイド補充と水・電解質管理である．ステロイド補充は術前に視床下部下垂体副腎皮質ホルモン評価ができていれば補充量を決定しておく．術中は生理的補充量の5〜10倍程度を目安に切りのよい量としてヒドロコルチゾンとして100 mg/m^2/日補充を行う．術開始時ヒドロコルチゾン25 mg/m^{2}静注後残りを6時間ごとに静注あるいは

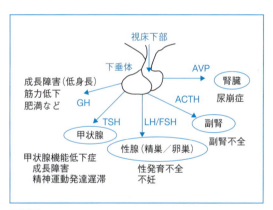

図2 下垂体ホルモン分泌障害と臨床症候

表3 間脳―下垂体近傍腫瘍の症状

1. 神経症状	①視力障害 ②視野欠損 ③運動障害 ④けいれん，笑い発作	4. 摂食，飲水の異常	①過食 ②食欲低下 ③渇機構の障害，高ナトリウム血症
2. 内分泌異常	①下垂体機能低下症 ②GH：成長障害 ③ACTH：副腎皮質機能低下症 ④TSH：甲状腺機能低下症 ⑤LH/FSH：二次性徴の障害 ⑥AVP：尿崩症	5. 意識または睡眠―覚醒サイクルの異常	①意識障害 ②睡眠―覚醒サイクルの異常 ③akinetic mutism
		6. 精神症状	①記憶障害，見当識障害 ②Korsakoff症候群 ③怒り，攻撃行動 ④無欲状態（apathy） ⑤多幸症（euphoria） ⑥幻覚
3. 自律神経調節の異常	①体温調節の異常：高体温，低体温，変動体温 ②発汗調節の異常：無汗，発汗低下，発汗反射異常 ③血管運動反射異常		

Ⅱ 各　論

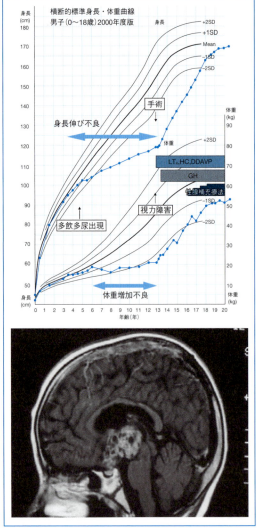

図3　頭蓋咽頭腫

4歳頃より多飲多尿あるも放置．12歳時低身長，視力障害を主訴に来院．その間，身長・体重増加不良がある．頭部MRIにて鞍上部に腫瘍がみつかり，摘出手術実施．不足ホルモンの補充を行っている

24時間持続点滴で投与する．術後は徐々に減量し，通常の補充量に戻す．また症状に応じて適宜増減する[5]．水・電解質管理は，周術期は，バゾプレシンの持続点滴静注（0.3 mU/kg/時から開始し，0.1～1.0 mU/kg/時で調整）を行うほうが尿量の調整が容易である．術後（3～7日後）一過性低ナトリウム血症が出現することがあるので，水分出納のバランスを考え，高張輸液をするのか，水分制限するか判断する．

化学療法中は，ストレスがかかるためステロイドの補充が必要である．また薬剤によっては大量の輸液で腎臓を保護するため，尿量調節はバゾプレシン点滴静注を適宜使用しながら尿量を保つようにする．補充療

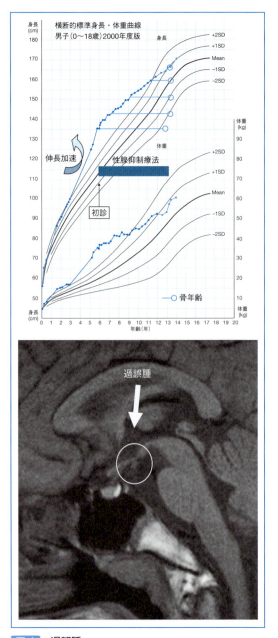

図4　過誤腫

5歳時高身長を主訴に来院．初診時，思春期微侯は外陰部Tanner 3度，陰毛2度と進んでおり，骨年齢は13歳であった．頭部MRIでは視床部に微小過誤腫がみつかった．治療はリュープロレリン性腺抑制療法を行った．身長予後が改善した一例である

法の詳細はそれぞれの項を参照されたい．

5）各論

a．頭蓋咽頭腫（図3）

下垂体茎ないしは灰白隆起近傍にあるRathke囊胞の遺残組織より発生する胎生期由来の腫瘍である．全小児脳腫瘍の8.9％を占め，小児の非神経膠腫のうちで最も多い腫瘍である．トルコ鞍内，鞍上部に発生し，

好発年齢は5～14歳である．症状では，頭痛，視力視野障害，低身長を主訴とすることが多い．GH，LH/FSH，TSH，ACTHの順序で障害されやすい．尿崩症も多くみられる．治療は，全摘出が基本で，残存腫瘍がある場合は放射線治療(50～60 Gy)を加えることもある．特に頭蓋咽頭腫摘出後に多いが，GH分泌不全があるにもかかわらず身長が伸びる growth without GHが存在する．

b．胚細胞腫

　胚細胞腫とは，生殖器原発の極めて多彩な組織像を呈する．頭蓋内では松果体部～第四脳室，神経下垂体部，基底核に好発する．全小児脳腫瘍の15.6%と頻度が高く20歳以下の男性に多い．発生部位から早期に水頭症となったり，ふらつき，聴力障害，多尿，視野異常を起こす．尿崩症，GH分泌不全，思春期早発症がある例では，occult germinoma があるので，MRIで腫瘍陰影がみつからない場合は，反復してMRI検査をする．血中・髄液中のhCG(hCG-β)，AFPの陽性例もある．治療は，中枢神経系 germ cell tumor 臨床腫瘍分類の組織型により摘出術，放射線療法，化学療法併用療法となる．

c．過誤腫(図4)を含む視床下部神経膠腫

①神経膠腫

　視床に発生する場合は星状細胞系腫瘍が多く，良性から悪性に分類される．なかでも大部分は，小児期に視床下部から視交叉に発生することが特徴の毛様細胞性星細胞腫(pilocytic astrocytoma)で良性腫瘍である．やや悪性度があがる毛様類粘液性星細胞腫(pilomyxoid astrocytoma)再発播種を伴いやすい．症状として間脳症候群，閉塞性水頭症を認める．治療は，化学療法や3歳以上であれば放射線治療が有効である．

②過誤腫

　正常に存在する組織成分が異常な混合をして発生した良性の占拠病変である．小児では，視床下部の灰白隆起から乳頭体にかけて発生する．全小児脳腫瘍の1%以下とまれな疾患で男児に多い．症状は，てんかん発作，なかでも笑い発作または思春期早発症を発症することが多い．治療はまず症状に対する薬物治療である．特に笑い発作は難治であることも多く，最近手術は行われなくなりガンマナイフや定位脳手術による熱凝固治療が有力な手段である．

d．下垂体腺腫

　下垂体前葉から発生する腺腫で小児ではまれ(0.5%)である．全下垂体腺腫の2～5%が小児下垂体腺腫だと報告されている．小児ではホルモン産生腺腫が多い．

e．転移性腫瘍

　下垂体腫瘍のなかでの転移性下垂体腫瘍は1%に満たない．転移性脳腫瘍のなかでも下垂体への転移は0.4%にすぎない(剖検例では0.14～28%)．原発巣として頻度が高いものは乳癌と肺癌があげられる．よって小児ではほとんどない．下垂体への転移の場合，その局在が後葉に多いため尿崩症の頻度が高く．前葉症状は比較的少ないのが特徴である．

f．髄芽腫

　間脳-下垂体近傍腫瘍ではないが，治療に伴い視床下部下垂体機能障害および小児がん経験者(childhood cancer survivors：CCS)との関連もあるので，ここに簡単に記載しておく．小脳虫部に好発する未分化神経上皮細胞由来の悪性度の高い腫瘍である．全小児脳腫瘍の12%で5～10歳の男児に好発する．症状は，小脳症状，水頭症を起こし，歩行障害，頭痛・嘔吐を訴えることが多い．また髄液播種を起こしやすい．治療は，摘出術と全脳全脊髄照射，および化学療法である．

6) 晩期合併症

　脳腫瘍も含めた小児がんは，治療の進歩により約7～8割が治癒するに至り，それに伴い，CCSの長期間にわたる晩期合併症の問題が注目されている[3]．なかでも内分泌障害は高頻度に発現するが，適切な治療が適切な時期に行われずに見逃されていることも少なくない．詳細は**各論第14章C**を参照されたい．

❖ 文献

1) 加藤忠明，他：PartI General Features of Brain Tumors. *NMC* 49(Suppl.)：S1-S25，2009
2) Katanoda K, et al：Childhood, adolescent and young adult cancer incidence in Japan in 2009-2011. *Jpn J Clin Oncol* 47：762-771, 2017
3) 西　美和：内分泌異常を中心とした小児がん経験者(CCS)の晩期障害．小児科診療 70：1379-1386，2007
4) 堀川玲子：脳腫瘍による汎下垂体機能低下症．小児科臨床 60：173-180，2007
5) 内木康博：慢性・急性副腎皮質機能低下症．小児内科 49：250-255，2017

❖ 参考文献

- Matsuda T, et al：Cancer incidence and incidence rates in Japan in 2002：based on data from 11 population-based cancer registries. *Jpn J Clin Oncol* 38：641-648, 2008
- 「小児内科」「小児外科」編集委員会(共編)：小児中枢神経疾患の画像診断2008．小児内科39(Suppl.)：391-455，2007
- 山田正三，他：下垂体腺腫と鑑別を要するトルコ鞍近傍腫瘍．ホルモンと臨床 60：2012
- 日本臨床腫瘍学会(編)：新臨床腫瘍学―がん薬物療法専門医のために．改訂第5版，南江堂，2018
- 横谷　進，他(編)：専門医による新小児内分泌疾患の治療．改訂第2版，診断と治療社，2017

(間部裕代)

D 視床下部—下垂体近傍の炎症・感染症

1）定義・概念

下垂体炎は，トルコ鞍内やトルコ鞍上の感染症を含む様々な原因により生じた炎症により，視床下部—下垂体の構造変化や下垂体前葉ホルモンや後葉ホルモン低下を伴う病態である[1]．下垂体炎は，かつては自己免疫性のものだけが考えられていたが，最近では，炎症性，感染性，腫瘍随伴性，薬剤性，病因不明のものなどの病態を含む．また，免疫チェックポイント阻害薬の副作用による下垂体炎が注目されている[2]．

下垂体炎は非常にまれであり，年間発症率は900万人に1人[3]，間脳下垂体外科へ紹介されるうちの0.24〜0.88%と報告されている[4]．しかし，IgG4関連下垂体炎や免疫チェックポイント阻害薬の副作用による下垂体炎など新しく認知されるようになった病態が存在するため，実際の頻度は報告よりも高いと考えられる．

2）病因・病態

原因が特定できず下垂体に限局しているものを原発性下垂体炎，原因があり全身症状の一つとして生じているものを二次性下垂体炎と分類される（表4）[1,4]．

a．自己免疫性視床下部下垂体炎

視床下部下垂体炎は，自己免疫学的機序が想定されており，病変の場所により前葉または下垂体茎〜後葉および両者を侵す疾患群に大別される．下垂体前葉炎は妊娠後期〜産褥期の女性に多く，下垂体腫瘍や下垂体機能低下症を生じる．漏斗後葉炎は発症に男女差はなく，中枢性尿崩症を生じる[5]．一方で，発生学的に異なる前葉と後葉を同時に侵す汎下垂体炎の原因は様々である．下垂体後葉から前葉へ炎症が波及したと考えられる症例，Rathke囊胞や頭蓋咽頭腫，下垂体腺腫などに伴う二次性下垂体炎，特殊な感染症や全身性肉芽腫性疾患に伴う下垂体炎のほか，傍鞍部非特異的炎症や多巣性繊維硬化症に伴うものなどがある[5]．わが国で発見されたIgG4関連硬化性疾患の部分症としてのIgG4関連下垂体炎の報告が相次いでいる．中高年の男性に多く，下垂体前葉機能低下と尿崩症，下垂体茎腫大を認める．

b．Langerhans細胞組織球症

Langerhans細胞組織球症は，骨髄由来の抗原提示細胞であるLangerhans細胞の単クローン性増殖性疾患である．骨，皮膚，肺，肝臓，脾臓，リンパ節，骨髄，中枢神経系と全身の多臓器に肉芽腫形成を特徴とす

表4 下垂体炎の分類

原発性下垂体炎		リンパ球性下垂体炎（自己免疫性視床下部下垂体炎） 肉芽腫性下垂体炎 黄色腫性下垂体炎 壊死性下垂体炎
二次性下垂体炎	下垂体近傍の疾患	中枢神経系胚細胞腫（神経後葉原発胚細胞腫） Rathke囊胞 頭蓋咽頭腫 好酸球性肉芽腫症 Tolosa-Hunt症候群 肥厚性髄膜炎 下垂体腺腫
	全身疾患	自己免疫性疾患〔自己免疫性多内分泌腺症候群，全身性エリテマトーデス（SLE）など〕 炎症性・増殖性疾患（サルコイドーシス，IgG4関連疾患，Langerhans細胞組織球症，多発性血管炎性肉芽腫症など） 薬剤性（免疫チェックポイント阻害薬） 感染症（梅毒，結核） 腫瘍随伴症候群（抗PIT-1抗体症候群，ACTH単独欠損）

〔Gubbi S, et al.：Hypophysitis：An update on the novel forms, diagnosis and management of disorders of pituitary inflammation. Best Pract Res Clin Endocrinol Metab 33：101371, 2019/Joshi MN, et al.：MECHANISMS IN ENDOCRINOLOGY：Hypophysitis：diagnosis and treatment. Eur J Endocrinol 179：R151-R163, 2018〕

る．腫瘍性疾患と免疫異常に伴う反応性疾患の両方の性質を兼ね備えた状態と理解されている．視床下部—下垂体系へも浸潤するため，中枢性尿崩症や下垂体機能低下症を引き起こすこともある[6]．後遺症が半分くらいの症例に残り，中枢性尿崩症が40%，難聴が22%，整形外科的異常が20%，神経学的異常が17%，成長障害が15%と報告されている[7]．

c．サルコイドーシス

サルコイドーシスは原因不明の全身性肉芽腫性疾患であり，全体の5〜10%に中枢神経系病変を合併する．病巣は非乾酪性類上皮細胞肉芽腫病変を形成する．病変が視床下部へ浸潤したり，脳底髄膜炎に進行したりすると脳神経麻痺，視神経障害を呈して，中枢性尿崩症，高プロラクチン血症，視床下部性下垂体機能低下症などを生じる．サルコイドーシスでは高カルシウム血症による多尿を認めることがあるため，サルコイドーシス患者で多尿を認めた場合には鑑別が必要である．逆に，尿崩症の精査にて頭部MRIで下垂体茎腫大を認めた場合には，鑑別疾患としてサルコイドーシスを考えて，全身検索を行うことが勧められる．

d．感染症

急性の下垂体膿瘍形成は大変まれな病態であるが，鼻腔感染などに伴う発症例がある．発熱や髄膜刺激症

状を示さないため，腺腫との鑑別が困難なこともある．

頭蓋内における結核の多くは大脳皮質領域，基底核周辺に生じ，トルコ鞍周辺の発生はまれである．下垂体部の孤発例も存在するが，ほとんどは全身性感染病変が併存する．トルコ鞍上方に腫瘍が拡大して下垂体機能障害と視野欠損を生じた例もある．

第三期梅毒ではトルコ鞍にゴム腫を形成し，下垂体機能不全を生じることがあるが，症例数は限定的である．

3）臨床症候

下垂体炎の症状としては，mass effect による症状（頭痛や視神経障害），下垂体前葉ホルモン分泌不全による症状，中枢性尿崩症による症状（口渇，多飲，多尿），高プロラクチン血症による症状がある．分泌不全になる下垂体前葉ホルモンは，ACTH が最も多く，次にゴナドトロピン（LH/FSH）と TSH であり，GH や PRL が分泌不全となることは少ない[1,4]．

4）診断と検査法

診断と治療に関しては，厚生労働科学研究費補助金難治性疾患等政策研究事業「間脳下垂体機能障害に関する調査研究」班[8]による「自己免疫性視床下部下垂体炎の診断と治療の手引き（平成 30 年度改訂）」と日本内分泌学会の臨床ガイドライン[9]を参考にするとよい．

頭部造影 MRI（ガドリニウム）が診断には必須である．下垂体前葉炎は，下垂体の腫大と下垂体茎の肥厚を一部に認め，著明かつ均一な造影効果を認める．漏斗後葉炎は，下垂体柄の限局的肥厚あるいは下垂体後葉の腫大を認めるが自然経過で消退することが多い．下垂体機能の評価，基礎疾患の鑑別のための検査も並行して行う．

確定診断は，生検や手術による下垂体または下垂体茎の組織所見により行われるが，実際には生検が困難な場合も多い．自己免疫性視床下部下垂体炎の病理組織所見は下垂体にリンパ球（T 細胞と B 細胞）がびまん性に浸潤しており，時にリンパ濾胞や胚中心を伴う．そのほか，形質細胞，好酸球，マクロファージ，組織球，好中球の浸潤を認めることもある．また，間質の線維化を伴うこともある．IgG4 関連下垂体炎では，リンパ球・形質細胞の浸潤と IgG4 陽性細胞の証明が必要である．併発する IgG4 関連疾患の存在や血清 IgG4 濃度高値（135 mg/dL 以上）が診断の役に立つ．

5）治療法

下垂体炎は非常にまれな疾患で多様な病因を含む疾患であるため，症例に応じて治療を決定していく必要がある．mass effect による症状緩和の治療（手術，ステロイド治療，放射線治療）と下垂体ホルモン分泌不全に対するホルモン補充療法を行う[1,4]．日本のガイドラインでは，下垂体腫大が著明で，腫瘍による圧迫症状がある場合には，結核などの感染症を十分に除外したうえで，グルココルチコイドの薬理量を投与し，症状の改善があれば漸減することを勧めている[8]．

6）管理と予後

下垂体炎の約 7 割の患者が，長期にわたるホルモン補充療法を必要とする[1]．下垂体腫大がステロイド療法にて改善した症例も，再燃する場合があるので，注意深い経過観察が必要である．また最初の評価で悪性腫瘍が否定できないときには，3～6 か月ごとに MRI での評価を行う．下垂体茎の肥厚が進行する症例では生検をすることが勧められている[4]．

7）最新知見

最近，原因不明の自己免疫性下垂体炎の一部（抗 PIT-1 抗体症候群，ACTH 単独欠損症）が腫瘍随伴症候群により生じることが報告された[10]．自己免疫性下垂体炎の発症機序の一つとして腫瘍随伴症候群が重要であることが示唆されている．

❖ 文献

1) Gubbi S, et al.：Hypophysitis：An update on the novel forms, diagnosis and management of disorders of pituitary inflammation. Best Pract Res Clin Endocrinol Metab 33：101371, 2019
2) Albarel F, et al.：MANAGEMENT OF ENDOCRINE DISEASE：Immune check point inhibitors-induced hypophysitis. Eur J Endocrinol 181：R107-R118, 2019
3) Caturegli P, et al. Autoimmune hypophysitis. Endocr Rev 26：599-614, 2005
4) Joshi MN, et al.：MECHANISMS IN ENDOCRINOLOGY：Hypophysitis：diagnosis and treatment. Eur J Endocrinol 179：R151-R163, 2018
5) 島津　章：中枢神経系病変—漏斗下垂体炎を中心に．肝胆膵 64：113-121, 2012
6) 滝田順子：ランゲルハンス細胞組織球症．小児内科 38：558-559, 2006
7) Haupt R, et al.：Permanent consequences in Langerhans cell histiocytosis patients：a pilot study from the Histiocyte Society-Late Effects Study Group. Pediatr Blood Cancer 42：438-444, 2004
8) 厚生労働科学研究費補助金難治性疾患等政策研究事業「間脳下垂体機能障害に関する調査研究」班：間脳下垂体機能障害の診断と治療の手引き（平成 30 年度改訂）．日内分泌会誌 95（Suppl.）：1-60, 2019
9) Takagi H, et al.：Diagnosis and treatment of autoimmune and IgG4-related hypophysitis：clinical guidelines of the Japan Endocrine Society. Endocr J 67：373-378, 2020
10) Yamamoto M, et al.：Autoimmune pituitary disease：new concepts with clinical implications. Endocr Rev 41：bnz003, 2020

〈磯島　豪〉

E 外傷性下垂体機能低下症

1）定義・概念

外傷の原因としては交通事故による頭部外傷が最も多く，そのため20歳代成人に罹患者が多い．小児でも10歳代が多いが，年少児においては転落や虐待（乳幼児揺さぶられ症候群）によるものも少なくない．成人では中等度以上の頭部外傷患者の少なくとも約1/4以上に本症が合併するとの報告があるが，小児での頻度は不明である．外力の加わり方によっては脳振盪などの軽度外傷でも発症する．

2）病因・病態（表5）

外力による直接的損傷と，受傷後の経過中に生じた頭蓋内病変による二次的障害がある．

頭蓋底骨折を合併する場合は視床下部－下垂体茎－下垂体領域は直接障害を受ける．

下垂体前葉の血流は大部分が下垂体茎に沿って下降する下垂体門脈に依存しているので，下垂体自体が受傷しなくとも経過中の脳浮腫や頭蓋内圧亢進により下垂体門脈の血行が阻害されれば前葉は循環障害に陥る[1~3]．また上位中枢の視床下部が障害を受けた場合も，GHRHやGnRHなど各種の放出ホルモン分泌が低下し下垂体機能障害を起こす．初期にみられた機能低下症が回復する例や，逆に当初異常がなくても受傷後1年ほどの間に発症する場合がある．さらに，自己免疫機序が関与するとも考えられている[2]．

アルギニン・バゾプレシン（arginine vasopressin：AVP）は視床下部で産生されるため，視床下部の神経内分泌細胞障害は尿崩症の原因となる．

3）臨床症候

a．急性期

この時期は，前葉機能よりも後葉機能の異常症状が表れやすい．

後葉機能異常の経過は様々で，尿崩症だけの例，尿崩症後に一過性のAVP分泌過剰〔抗利尿ホルモン不適切分泌症候群（syndrome of inappropriate secretion of antidiuretic hormone：SIADH）〕，その後尿崩症となる例などがみられる[4]．

前葉機能の低下は，急性期には全身管理がなされているためその症状が表れにくい．副腎不全をきたすことがあるが，副腎皮質ステロイドホルモンが脳浮腫の治療目的で使用されている場合はわかりにくい．

b．慢性期（回復後）

成長障害，不活発，易疲労性，二次性徴の欠如（性腺機能低下）など，各種の下垂体前葉ホルモン分泌不全の症状が表れる．高次脳機能障害と共通する症状もあるので，途中で発症する下垂体前葉機能低下症を見逃さないようにする．分泌低下するホルモンはGHが多く，次いで下垂体性ゴナドトロピン（LH/FSH）である（表6）[1]．小児では成長障害が，成人では性機能低下が，それぞれ診断のきっかけとなるとなることが多いので，外傷から回復した後も注意深い観察が必要である．受傷から発症まで1年以上かかることもある．本題からははずれるが，外傷後には中枢性思春期早発症も起こりうる[3]．

後葉機能低下の症状は尿崩症による多飲多尿であるが，副腎低下を合併しているとそれによる水利尿不全のため尿崩症の症状がマスクされてしまうので（仮面尿崩症）注意が必要である．

4）診断と検査法

下垂体機能低下症は，たとえばGH分泌不全症は重症型が多く，ホルモンの基礎値測定や分泌刺激試験により診断自体は比較的容易であるので，疑いのある患者を発見することがより重要である．小児では，成長曲線を用いての観察が早期発見に大いに役立つ．頭部外傷の既往があり，その後に成長障害が出現していれば本症を疑う．頭部外傷が比較的軽傷で，本人も保護者も受傷したことを忘れている場合もある．成人では成長障害がないぶん，発見が遅れることが多い．

頭部MRIでは下垂体萎縮，下垂体茎の途絶，異所性後葉などがみられ，補助診断に有用である．

5）治療法

分泌不全の状況にあわせ，GH，甲状腺ホルモン，副

表5 頭部外傷時の視床下部―下垂体領域病変

下垂体被膜の出血による圧迫（頭蓋底骨折）
下垂体門脈の機械的損傷
下垂体茎の出血・壊死
視床下部領域の機械的圧迫（頭蓋内血腫）
脳浮腫による視床下部―下垂体領域の循環障害
炎症による組織障害

表6 頭部外傷後の各下垂体ホルモン分泌不全の頻度（小児・思春期）

GH	29/32（90.1％）
TSH	20/32（62.5％）
ACTH	20/32（62.5％）
LH/FSH	22/32（68.8％）
AVP	6/32（18.8％）

[Einaudi S, et al.: The effects of head trauma on hypothalamic-pituitary function in children and adolescents. Curr Opin Pediatr 19：465-470, 2007]

腎皮質ホルモン，性ホルモンなどを補充する．尿崩症に対しては，デスモプレシンを点鼻または舌下投与する．ACTH分泌不全症は，発熱や嘔吐，下痢症のときのようなシックデイ(sick day)では急性副腎不全（副腎クリーゼ）を起こしやすく，いったん起こると生命の危険があるので，副腎皮質ホルモン服用量の一時的増量や注射投与など，十分な患者教育が必要である．

6）予後と管理

前葉機能低下症，尿崩症ともに受傷後1年経っても回復しない場合は，一過性ではなく永続性と考える．したがって，小児期のみならず青年期・成人期までホルモン補充は継続されねばならない．小児内分泌科医から成人内分泌科医へのシームレスな移行を計画する．性腺機能低下症は，特に女性患者では産婦人科医の協力が必要である．

❖ 文献

1) Einaudi S, et al.：The effects of head trauma on hypothalamic-pituitary function in children and adolescents. Curr Opin Pediatr 19：465-470, 2007
2) Sav A, et al.：Pituitary pathology in traumatic brain injury：a review. Pituitary 22：201-211, 2019
3) Reifschneider K, et al.：Update of endocrine dysfunction following pediatric traumatic brain injury. J Clin Med 4：1536-1560, 2015
4) Tritos NA, et al.：American association of clinical endocrinologists and american college of endocrinology disease state clinical review：A neuroendocrine approach to patients with traumatic brain injury. Endocr Pract 21：823-831, 2015

（山中忠太郎）

F 高プロラクチン血症

1）定義・概念

PRLは23kDaの蛋白で，下垂体前葉のPRL分泌細胞（ラクトトロフ）から分泌され，視床下部から分泌されるPRL分泌抑制因子によって抑制的に調節されている．この分泌抑制因子の主体はドパミンでラクトトロフのドパミンD_2受容体に作用してPRLの産生や分泌を抑制する．一方エストロゲンやTRHはPRL分泌を促進する[1]．

高プロラクチン血症は抑制的調節の障害や促進因子の亢進，PRL代謝の減弱でも生じるが，重症の高プロラクチン血症をきたして臨床症状を呈するのは，PRL産生下垂体腺腫（プロラクチノーマ）であることが多い．下垂体腺腫は小児期にはまれであるが，そのなかでプロラクチノーマは最も多い．径10mm未満のミクロプロラクチノーマと10mm以上のマクロプロラクチノーマに大別され，腫瘍サイズが大きいほどPRL濃度が高値をとる傾向がある．

高プロラクチン血症があると性腺機能が抑制されて，二次性徴の欠如や進行停止，不妊として現れる．乳汁分泌がみられることもある．このほか，マクロプロラクチノーマによってGHなどの下垂体前葉ホルモンの低下を合併すると成長障害をきたす．頭痛や視力・視野障害を呈することもある．

PRLは新生児期に高値をとるが3か月頃までに低下し，1歳以降はほぼ一定である[2]．小児期には男女差はみられないが，成人では女性のほうが男性より高値となり，月経周期によっても変動する．睡眠やストレスによっても高値となる．測定値は測定キットによって異なるため，その測定法の基準値をふまえて高プロラクチン血症の判定を行う．

2）病因・病態

間脳下垂体機能障害に関する調査研究班により「高プロラクチン血症の診断と治療の手引き」[3]が作成されている．高プロラクチン血症をきたす病態を表7[3]に示す．

表7 高プロラクチン血症をきたす病態

1. 下垂体病変
    1) PRL産生腺腫
    2) 先端巨大症（PRL同時産生）
2. 視床下部・下垂体茎病変
    1) 機能性
    2) 器質性
        (1) 腫瘍（頭蓋咽頭腫・ラトケ嚢胞・胚細胞腫・非機能性腫瘍・ランゲルハンス細胞組織球症など）
        (2) 炎症・肉芽腫（下垂体炎・サルコイドーシスなど）
        (3) 血管障害（出血・梗塞）
        (4) 外傷
3. 薬物服用（腫瘍以外で最も多い原因は薬剤である．表8参照）
4. 原発性甲状腺機能低下症
5. マクロプロラクチン血症（注）
6. 他の原因
    1) 慢性腎不全
    2) 胸壁疾患（外傷，火傷，湿疹など）
    3) 異所性PRL産生腫瘍

（注）PRLに対する自己抗体とPRLの複合体形成による．高PRL血症の15〜25％に存在し，高PRL血症による症候を認めない．診断には，ゲルろ過クロマトグラフィー法，ポリエチレングリコール（PEG）法，抗IgG抗体法を用いて高分子化したPRLを証明する．

[厚生労働科学研究費補助金難治性疾患等政策研究事業「間脳下垂体機能障害に関する調査研究」班：高プロラクチン（PRL）血症の診断と治療の手引き（平成30年度改訂）．日内分泌会誌 95（Suppl.）：12-14, 2019]

Ⅱ 各　論

表8　高プロラクチン血症をきたす薬剤

ドパミン受容体拮抗薬 　クロルプロマジン 　ハロペリドール 　メトクロプラミド	
ドパミン合成阻害薬 　α-メチルドパ	
降圧薬 　ラベタロール，レセルピン 　ベラパミル	
H2受容体拮抗薬 　シメチジン，ラニチジン	
エストロゲン製剤 　経口避妊薬	
抗精神病薬 　リスペリドン，クロルプロマジン 　ハロペリドール， 　パリペリドン，オランザピン，クロザピン，アセナピン等	
抗うつ薬 　三環系抗うつ薬（クロミプラミン，アミトリプチリン等） 　選択的セロトニン再取り込み阻害薬（フルボキサミン等）	
抗てんかん薬 　フェニトイン	
麻薬 　モルヒネ，メサドン，アポモルヒネ等	

[厚生労働科学研究費補助金難治性疾患等政策研究事業「間脳下垂体機能障害に関する調査研究」班：高プロラクチン（PRL）血症の診断と治療の手引き（平成30年度改訂）．日内分泌会誌 95（Suppl.）：12-14，2019]

に示す．

a. 薬物作用によるもの（表8）[3]

抗潰瘍薬・制吐薬・向精神薬などはドパミン D_2 受容体拮抗薬であり，降圧薬はドパミン産生を抑制することによって高プロラクチン血症をきたす．成人に比して小児では頻度は少ないが，病歴での確認が必要である．

b. 原発性甲状腺機能低下症

橋本病などはTRH分泌が亢進することによってTSHとともにPRLも上昇する．

c. 視床下部・下垂体茎病変

視床下部や下垂体茎の病変によって視床下部のドパミン産生あるいは下垂体門脈から下垂体へのドパミン輸送が障害されるため，PRL上昇をきたす．この場合のPRL値は通常200 ng/mLを超えることはない．PRL以外の下垂体ホルモンは低下していることもある．

d. 下垂体病変：プロラクチノーマその他の機能性下垂体腺腫

プロラクチノーマは成人においては高プロラクチン血症の約30%を占める．25～34歳の成人女性に多い[1]．月経発来後の女性では無月経のためミクロプロラクチノーマの段階で発見されやすいが，男性や小児の場合には性腺機能低下に気づかれにくいこともあり，マクロプロラクチノーマとして発見される症例が多くなる．

下垂体腺腫はMRI上，T1強調ガドリニウム（Gd）造影画像で正常下垂体前葉組織に比較して低信号域として描出される．血中PRL値は腫瘍の容積と相関するため，PRL値が200 ng/mLを超えて下垂体に病変が認められる場合には，プロラクチノーマの可能性が高くなる[1]．TRH刺激試験は診断には必要ないが，プロラクチノーマの場合はPRLの反応が乏しい場合が多く，負荷後の上昇は2倍以下であることが多い．腺腫の大きさに比してPRL値が低い場合，過剰なPRLが測定系の抗原抗体反応を阻害するフック効果の可能性もあり，その場合は血清を希釈して測定すると正しい値が得られる[1]．

GH産生細胞はラクトトロフと同じPit-1（POU1F1）系列の細胞に由来するため，下垂体腺腫でGHとPRLを同時に産生していることがしばしばみられる．

e. 慢性腎不全

PRLはおもに腎臓で代謝されるため，腎不全では高プロラクチン血症をきたす．

f. マクロプロラクチン血症

PRLに対する自己抗体とPRLが複合体を形成して，約150 kDaと分子量の大きいPRLが血中に存在する病態である．マクロプロラクチンはクリアランスが低いため高プロラクチン血症を呈するが，生物活性も低いため無症状であることが多く治療を必要としない．高プロラクチン血症の15～25%と高頻度にみられる[1]．血清をポリエチレングリコール（polyethylene glycol：PEG）で処理して上清を測定する，ゲル濾過クロマトグラフィーを行う，マクロプロラクチンへの反応性が低い測定キットを使用するなどの方法によって鑑別する．

3）診断と検査法

「高プロラクチン血症の診断と治療の手引き」（表9）[3]に従って診断を進めていく．主症状は女性では月経の異常や不妊，乳汁分泌，男性では性欲低下，男女共通の症状として頭痛，視力視野障害がある．小児期の場合[4]も診断の契機は思春期の異常（無月経や二次性徴の遅れ）が半数を占めるが，視力視野障害と成長障害の割合がそれぞれ1/4と高い．

検査で高プロラクチン血症を確認したら，鑑別診断を進める．薬剤性のものや甲状腺機能低下症を除外し

表9　高プロラクチン血症の診断の手引き（平成30年度改訂）

Ⅰ．主症候
　1．女性：月経不順・無月経，不妊，乳汁分泌
　2．男性：性欲低下，インポテンス，女性化乳房，乳汁分泌
　3．男女共通：頭痛，視力視野障害（器質的視床下部・下垂体病変による症状）
Ⅱ．検査所見
　血中PRLの上昇（注1）
Ⅲ．PRL分泌過剰症の鑑別診断（表7参照）
　1．薬剤服用によるPRL分泌過剰（注2）
　2．原発性甲状腺機能低下症
　　血中甲状腺ホルモンの低下とTSH値の上昇を認める．
　3．視床下部—下垂体病変
　　1，2を除外した上でトルコ鞍部の画像検査（単純撮影，CT，MRIなど）を行う．
　　1）異常あり
　　　　視床下部・下垂体茎病変
　　　　　表7の2の2）を主に画像診断から鑑別する．
　　　　下垂体病変
　　　　　PRL産生腺腫（腫瘍の実質容積と血中PRL値がおおむね相関する．）
　　　　　先端巨大症（PRL同時産生）
　　2）異常なし
　　　　他の原因（表7の5，6）を検討する．該当がなければ視床下部の機能性異常と診断する．

［診断基準］
　確実例：Ⅰのいずれかと Ⅱを満たすもの．

（注1）血中PRLは睡眠，ストレス，性交や運動などに影響されるため，複数回測定して，いずれも施設基準値以上であることを確認する．マクロプロラクチノーマにおけるPRLの免疫測定においてフック効果（過剰量のPRLが，添加した抗体の結合能を妨げ，見かけ上PRL値が低くなること）に注意すること．
（注2）該当薬（表8）があれば主治医の判断により（抗精神病薬の場合は処方医と相談の上，可能ならば2週間）休薬し，血中PRL基礎値を再検する．

［厚生労働科学研究費補助金難治性疾患等政策研究事業「間脳下垂体機能障害に関する調査研究」班：高プロラクチン（PRL）血症の診断と治療の手引き（平成30年度改訂）．日内分泌会誌 95（Suppl.）：12-14，2019］

たら，画像診断（造影MRI）で視床下部・下垂体病変の有無を確認する．Rathke囊胞や頭蓋咽頭腫などの病変があると，下垂体茎障害によって軽度の高プロラクチン血症をきたすことがある．

4）治療法

「高プロラクチン血症の診断と治療の手引き」（表10）[3]に従って治療を行う．薬剤性で有症状の場合は原則として原因薬剤を中止する．視床下部・下垂体領域の器質的疾患があればその治療を行う．治療の目的は，PRL値を正常化し，性腺機能障害を含めた臨床症状を改善させることである．高プロラクチン血症そのものへの治療を必要とする病態の大部分はプロラクチノーマであるため，以下はその治療について述べる．

a．ドパミンアゴニスト

プロラクチノーマ治療の第一選択はドパミンアゴニストによる薬物治療である．ブロモクリプチン負荷試験[5]は，治療反応性の判定に有用である．成人ではブロモクリプチン（パーロデル®）1錠（2.5 mg）を朝食とともに内服し，内服前，2，4，6，（12）時間後に採血をしてPRLを測定する．プロラクチノーマでは通常内服後4～6時間でPRL値が70％以上抑制される．悪心・起立性低血圧などがみられることがあるので，臥床安静とする．

実際の治療には，超長時間作用型で悪心・嘔吐などの副作用が少ないカベルゴリン（カバサール®）が多く用いられている．保険適用上は，週1回0.25～0.75 mg（上限1.0 mg）就寝前投与とされている．しかし，半減期が約2日であるため，実際には週2回投与も行われている．ゆっくり増量するほうが薬剤抵抗性をきたしやすい可能性があり，比較的短期間の2～4週ごとに0.25 mgずつ，PRL値をみながら増量する．悪心・頭痛・めまいなどの副作用はブロモクリプチンより少ないが，これらがみられたら増量を遅らせる．海外論文における投与量は週0.25～3 mgであった[1]．PRL正常化率は，十分な量を投与すれば90％以上と考えられる．

PRL値の正常化だけでなく，腫瘍の縮小も多くの例で認められ，消失することも多い．薬物治療を2年以上継続し，血中PRL値が正常であり，腫瘍が消失している場合は，投与量の減量，中止を考慮する[1]．減量・中止後は3か月ごとにPRLを測定し，年1回あるいはPRL上昇がみられたらMRIを実施する．

表10 高プロラクチン血症の治療の手引き（平成30年度改訂）

原因となる病態によって治療方針は異なる．
1. 下垂体病変
   PRL産生腺腫（プロラクチノーマ）
   薬物療法（カベルゴリン，ブロモクリプチン）が基本である．カベルゴリンの場合，週1回就寝前，0.25 mg/回より開始し，PRL値により漸増する．上限は1 mg/回とされている．ブロモクリプチンの場合，2.5 mg/回，夕食後より開始し，PRL値により5〜7.5 mg/日，分2〜3に漸増する．
   場合に応じて手術を検討する．
2. 視床下部・下垂体茎病変
   1) 機能性
      カベルゴリン，ブロモクリプチンを投与する．
   2) 器質性
      各々の疾患の治療を行う．
3. 薬剤服用によるもの
   当該薬を中止する（抗精神病薬の場合は処方医と相談の上，可能なら中止する）．
4. 原発性甲状腺機能低下症
   甲状腺ホルモン製剤を投与する．
5. 他の原因
   各々の疾患の治療を行う．マクロプロラクチン血症は治療を要しない．

PRL産生腺腫（プロラクチノーマ）の治療について
1. ドパミン作動薬による薬物療法が第一選択である．カベルゴリン，ブロモクリプチン，テルグリドが用いられる．
2. 手術は，薬物療法に抵抗する場合，あるいは副作用などで服薬できない場合に適応となる．
3. マクロプロラクチノーマの場合，カベルゴリン，ブロモクリプチン，テルグリドに反応性が良好ならば，薬物療法を継続する．しかし，効果が不十分な場合には，短期間で薬物を中止し，手術によって腫瘍容積を可及的に減じた上で，再度薬療法を行う．髄液鼻漏（髄膜炎）を来す可能性があること，妊娠成立後は服薬を中止すること，妊娠中（薬物療法中断中）に腫瘍の急性増悪を来す可能性があることに注意する．高用量のカベルゴリンを長期間投薬されたパーキンソン病患者の一部に心臓弁膜症が報告されており，マクロプロラクチノーマに対してカベルゴリンを高用量で長期間投与する際は注意する．
4. ミクロプロラクチノーマの場合，熟達した脳神経外科医が手術すれば治癒する可能性が十分あることを治療の選択肢として説明する（トルコ鞍内に限局し非浸潤性のものが適応となる）．ドパミン作動薬を2年以上服薬し，血中PRLの正常化や下垂体腫瘍の消失が得られた場合，ドパミン作動薬の減量や中止を検討する．

［厚生労働科学研究費補助金難治性疾患等政策研究事業「間脳下垂体機能障害に関する調査研究」班：高プロラクチン（PRL）血症の診断と治療の手引き（平成30年度改訂）．日内分泌会誌 95(Suppl.)：12-14, 2019］

　カベルゴリンの重篤な副作用として，連日3 mgという大量投与が3年以上行われているParkinson病患者において，心臓弁膜症が報告されている．投与量の少ないプロラクチノーマにおける弁膜症の報告はないが，治療前および治療中は心雑音に注意し，定期的に心臓超音波検査によって評価を行う．

b. 手術治療

　治療の第一選択は薬物療法であるが，薬剤抵抗例や副作用が強く増量できない例，視力障害などの神経障害があるマクロプロラクチノーマで治療反応性の悪い場合は手術適応となる．下垂体卒中例や薬剤治療中に髄液漏をきたした例などは，緊急での対応を要する場合がある．手術は経鼻的内視鏡手術によって行われることが多い．マクロプロラクチノーマで海面静脈洞浸潤があると全摘出が困難であり，手術後もPRL高値の場合はカベルゴリンを投与する．

5）管理と予後

　小児のマクロプロラクチノーマであっても十分量のカベルゴリンによって74％の有効率が得られている[4]．

　下垂体ホルモン分泌刺激試験などを契機に下垂体卒中を起こすことがあり，マクロプロラクチノーマにおける下垂体機能の評価は慎重に行ったほうがよい．下垂体卒中を疑わせる激しい頭痛や急激な視覚障害が出現した際には緊急でMRIを実施する．副腎不全の治療を含む内科的支持療法を行い，視覚障害が進行する場合には手術を考慮する[5]．

　薬物治療は有効であるが，経鼻内視鏡手術の技術的進歩により手術成績も改善している．長期予後を比較したメタアナリシス[6]によると，腫瘍が消失して治癒と判定され治療を中止できる症例は，手術治療群ではミクロアデノーマ91％，マクロアデノーマ77％であり，薬物治療群の各60％，43％より優れていた．手術によって治癒が期待できるミクロアデノーマでは手術を第一選択とする考え方も出てきており[7]，十分なインフォームドコンセントのうえで方針を決定する必要がある．

6）妊娠時の注意[1]

　成人女性では治療開始後早期に排卵が再開して妊娠

することがある．ミクロプロラクチノーマの場合は，妊娠が判明したらドパミンアゴニストを中止する．

カベルゴリンやブロモクリプチンが原因と考えられる胎児の先天異常は報告されていない．

マクロプロラクチノーマでは，妊娠による腫瘍増大のリスクが高く，妊娠前に十分に腫瘍を縮小させておく必要があり，場合によっては手術治療を考慮する．妊娠中に視野異常などの症状が出現してきた場合，造影剤を使用せずにMRIを行って腫瘍の大きさを評価する．薬物治療が必要な場合は，ブロモクリプチンのほうが妊娠例への使用経験が多いため，これを投与してコントロールを図る．

7）小児期のプロラクチノーマと遺伝子変異

若年発症の下垂体腺腫や家族歴のある症例では多発性内分泌腫瘍症1型（multiple endocrine neoplasia type 1：MEN1）やAIP遺伝子の変異が多いことが注目されている．ヨーロッパの多施設研究では，30歳未満発症例の19/163例（11.7％）でAIP遺伝子変異が認められ，11例がGH産生腫瘍，7例がプロラクチノーマ，1例が非機能性腺腫であった[8]．18歳未満では8/39（20.5％）とAIP変異陽性率が高かった．20歳未満のマクロプロラクチノーマ77例でも14％にMEN1あるいはAIP変異が認められた[4]．MEN1陽性例では，治療抵抗性である傾向がみられた．

❖ 文献

1) Melmed S, et al.：Diagnosis and treatment of hyperprolactinemia：an Endocrine Sciety clinical practice guideline. *J Clin Endocrinol Metab* 96：273-288, 2011
2) 小林文雄，他：小児におけるプロラクチンの生理的・病的動態―小児科領域におけるプロラクチン分泌の臨床的意義―．金沢大学十全医学会雑誌 86：273-285, 1977
3) 厚生労働科学研究費補助金難治性疾患等政策研究事業「間脳下垂体機能障害に関する調査研究」班：高プロラクチン（PRL）血症の診断と治療の手引き（平成30年度改訂）．日内分泌会誌 95（Suppl.）：12-14, 2019
4) Salenave S, et al.：Macroprolactinomas in children and adolescents：factors associated with the response to treatment in 77 patients. *J Clin Endocrinol Metab* 100：1177-1186, 2015
5) 辰品啓太：プロラクチノーマ～高プロラクチン血症．竹内靖博，他（編著），虎の門病院内分泌クリニカルプラクティス～外来・入院からフォローアップまで～．クリニコ出版，76-85, 2020
6) Qianquan Ma, et al.：The chance of permanent cure for micro- and macroprolactinomas, medication or surgery? A systematic review and meta-analysis. *Front Endocrinol* 9：636, 2018
7) Najafabadi AHZ, et al.：Surgery as a Viable Alternative First-Line Treatment for Prolactinoma Patients. A Systematic Review and Meta-Analysis. *J Clin Endocrinol Metab* 105：e32-e41, 2020
8) Tichomirowa MA, et al.：High prevalence of AIP gene mutations following focused screening in young patients with sporadic pituitary macroadenomas. *Eur J Endocrinol* 165：509-515, 2011

（伊藤純子）

G 下垂体性巨人症などの下垂体腺腫

下垂体腺腫は下垂体腺細胞から発生する良性腫瘍である．PRL，GH，ACTH，TSHなどを分泌するホルモン産生腫瘍と非機能性腫瘍に大別されるが，詳細に病理の検討を行うと非機能性の腫瘍もSF1などの転写因子を産生していることが多く，臨床症状を伴わないゴナドトロピン系の腫瘍と考えられる[1]．ホルモンを全く産生していない真の非機能性腺腫はまれである．

小児期の下垂体腺腫で最も多いのはPRL産生下垂体腺腫（プロラクチノーマ）で，ACTH産生腫瘍によるCushing病がこれに次いでいる．下垂体腺腫の症状は，過剰に産生されるホルモンによる症状，腫瘍の増大による周辺組織の圧迫に起因する頭痛，視野障害などの症状，下垂体機能低下による低身長などの症状に大別される．

診断は，ホルモン過剰の有無を身体所見や検査所見で評価するとともに，MRIなどで画像診断を行う．一般的に下垂体腺腫は造影MRIを行うと，T1強調像で正常下垂体よりも低信号となる．

腺腫の圧迫によって下垂体機能低下をきたしているか否かを評価する際，下垂体ホルモン分泌刺激試験を契機に下垂体卒中を起こすことがあるため，マクロアデノーマ（腫瘍の長径が1cm以上のもの）における下垂体機能の評価は，負荷試験を避けて慎重に行ったほうがよい．

下垂体性巨人症

1）定義・概念

GH産生性の下垂体腺腫が骨端軟骨線閉鎖前に生じると，高身長をきたして下垂体性巨人症の病像を呈する[2]．成人身長到達後に発症すれば先端巨大症となる．先端巨大症に比して下垂体性巨人症はまれであり，GH産生下垂体腺腫の3％程度にすぎない．ごくまれに，GHRH産生腫瘍や異所性GH産生腫瘍によるものが報告されている．

2）病因・病態

先端巨大症では，10～40％に$G_s\alpha$蛋白遺伝子の体細胞変異が認められている[3]．McCune-Albright症候群

II 各　論

表 11　先端巨大症および下垂体性巨人症の診断の手引き（両手引きの記述を統合した）

I．主症候
　1）先端巨大症（注1）
　　1. 手足の容積の増大
　　2. 先端巨大症様顔貌（眉弓部の膨隆，鼻・口唇の肥大，下顎の突出など）
　　3. 巨大舌
　2）下垂体性巨人症
　　著明な身長の増加：発育期にあっては身長の増加が著明で，最終身長は男子185 cm以上，女子175 cm以上であるか，そうなると予測されるもの（注2）
II．検査所見
　1. 成長ホルモン（GH）分泌の過剰．
　　　血中GH値がブドウ糖75 g経口投与で正常域まで抑制されない（注3）．
　2. 血中IGF-I（ソマトメジンC）の高値（注4）．
　3. MRIまたはCTで下垂体腺腫の所見を認める（注5）．
III．副症候
　1. 発汗過多
　2. 頭痛
　3. 視力・視野障害
　4. 月経異常
　5. 睡眠時無呼吸症候群
　6. 耐糖能異常
　7. 高血圧
　8. 不正咬合
　9. 変形性関節症，手根管症候群
　10. 頭蓋骨および手足の単純X線の異常（注6）
IV．除外規定
　　脳性巨人症ほか他の原因による高身長例を除く．
［診断の基準］
　　確実例：IのいずれかとIIのすべてを満たすもの．
　　　　　　ただし，下垂体性巨人症ではIV（除外規定）を満たす必要がある．

（注1）発病初期や非典型例では症候が顕著でない場合がある．
（注2）年間成長速度が標準値の2 SD以上．なお両親の身長，時代による平均値も参考とする．先端巨大は発育期には必ずしも顕著ではない．
（注3）正常域とは血中GH底値0.4 ng/mL（リコンビナントGHに準拠した標準品を用いている．キットによりGH値が異なるため，成長科学協会のキット毎の補正式で補正したGH値で判定する）未満である．糖尿病，肝疾患，腎疾患，甲状腺機能亢進症，褐色細胞腫，低栄養状態，思春期・青年期では血中GH値が正常域まで抑制されないことがある．また，本症では血中GH値がTRHやLHRH刺激で増加（奇異性上昇）することや，ブロモクリプチンなどのドパミン作動薬で血中GH値が増加しないことがある．
（注4）健常者の年齢・性別基準値を参照する（原典には附表あり）．栄養障害，肝疾患，腎疾患，甲状腺機能低下症，コントロール不良の糖尿病などが合併すると血中IGF-Iが高値を示さないことがある．
（注5）明らかな下垂体腺腫所見を認めない時や，ごく稀にGHRH産生腫瘍や異所性GH産生腫瘍の場合がある．
（注6）頭蓋骨単純X線でトルコ鞍の拡大および破壊，副鼻腔の拡大，外後頭隆起の突出，下顎角の開大と下顎の突出など，手X線で手指末節骨の花キャベツ様肥大変形，足X線で足底部軟部組織厚heel padの増大（22 mm以上）を認める．
（附）ブドウ糖負荷でGHが正常域に抑制される場合や，臨床症候が軽微な場合でも，IGF-Iが高値の症例は，画像検査を行い総合的に診断する．

［厚生労働省科学研究費補助金難治性疾患等政策研究事業「間脳下垂体機能障害に関する調査」研究班，日本内分泌学会：先端巨大症および下垂体性巨人症の診断と治療の手引き（平成30年度改訂）．日内分泌会誌95（Suppl.）：1-7，2019より引用一部改変］

や，多発性内分泌腫瘍症1型（multiple endocrine neoplasia type 1：MEN1）の症状として発症する場合もある．若年発症の下垂体腺腫ではAIP遺伝子の変異が多い．欧州の多施設研究では，30歳未満発症例の19/163例（11.7%）でAIP遺伝子変異が認められ，11例がGH産生腫瘍，7例がプロラクチノーマ，1例が非機能性腺腫であった．18歳未満では8/39（20.5%）と変異陽性率が高かった．変異陽性例では腫瘍が大きく，治療抵抗性である傾向がみられた[4]．

その他，Carney複合（Carney complex）を伴うもの，Xq26.3領域の微小重複によるGPR101過剰発現によるものも報告されている[3]．

症状はGH過剰による症状と，腫瘍増大による局所症状に分けられる．高プロラクチン血症を伴うこともあるが，GH産生細胞は下垂体前葉のPRL分泌細胞（ラクトトロフ）と同じPit-1（POU1F1）系列の細胞に由来するためGHとPRLの両方を分泌する場合と，下垂体茎圧迫による場合とがある．

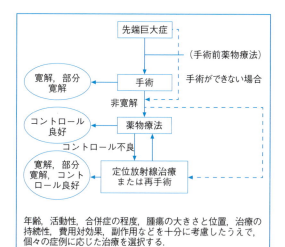

図5 治療の流れ図
[厚生労働省科学研究費補助金難治性疾患等政策研究事業「間脳下垂体機能障害に関する調査」研究班, 日本内分泌学会：先端巨大症および下垂体性巨人症の診断と治療の手引き(平成30年度改訂). 日内分泌会誌95(Suppl.)：1-7, 2019 より引用一部改変]

成人では，先端巨大症の症状のほか，糖尿病などの代謝障害，関節炎，高血圧などの心疾患，甲状腺腫，大腸癌のリスクを伴う大腸ポリープ，睡眠時無呼吸症候群などの合併症が多くこれらが診断の端緒となることがあるが[3]，小児期に合併症をきたすことはまれである.

3) 診断と検査法

間脳下垂体機能障害に関する調査研究班により「先端巨大症および下垂体性巨人症の診断と治療の手引き(平成30年度改訂)」(表11, 図5, 表12)が作成されている[5].

小児期には身長の増加が主症状で先端肥大の所見が明らかでないため，鑑別すべき疾患としては，体質性高身長，思春期早発症，Marfan症候群やKlinefelter症候群などがあげられる.まず，基礎値のGHとIGF-Ⅰを測定する.体質性高身長や思春期早発症でも，これらが高値をとることがあり，注意が必要である.IGF-Ⅰは性別・年齢別基準値が作成されているが，小児では思春期のステージも加味して高値か否かの評価をする.TRHやLHRH負荷試験でのGH奇異反応や，経口ブドウ糖負荷でGHが抑制されないことは診断に有用であるが，体質性高身長や思春期早発症でも診断基準を満たす例がありうる.両親の身長，身長・体重の経過，二次性徴のTanner分類，骨年齢などを総合的に判断する必要がある[2].

画像診断では，下垂体造影MRIが有用で，腺腫は造影されない低信号域として描出される.トルコ鞍外進展，特に海面静脈洞への浸潤の有無が手術成績に影響する[3].

4) 治療法

GHの過剰分泌が存在すると，成人では高血圧や糖尿病，大腸癌などの悪性腫瘍を合併しやすく，生命予後を悪化させる.治療の目的はGH分泌を正常化して，合併症を防ぐことである[6].治療の第一選択は手術療法であるが，浸潤などによってコントロールが不十分なときは，薬物療法や放射線治療が行われる(図5).

a. 手術治療

経蝶形骨洞的下垂体腫瘍摘出術が行われる.腫瘍サイズと海面静脈洞浸潤の有無が成功率に影響する.手術に先立って薬物療法を行い腫瘍を縮小させてから手術を行うこともある.

b. 薬物療法

手術前にオクトレオチド負荷試験やブロモクリプチン負荷試験(**本章F参照**)を行って，GH抑制効果を評価しておくとよい.

①SRIF誘導体：オクトレオチド，ランレオチド，パシレオチド

オクトレオチド(サンドスタチン®)100μgを皮下注射すると，70～80%でGHの低下がみられ，投与後4～6時間で最低値をとる.副作用は開始時の下痢である.成人では100μgを8時間ごとに1日3回投与し，2週間の投与で有効性と認容性を確認してから，徐放製剤であるサンドスタチン®LAR®10～40mg4週ごとに筋注に移行する.新しいSRIF誘導体も開発されている.

②GH受容体拮抗薬：ペグビソマント

ペグビソマント(ソマバート®)1日1回 10～30mgを皮下注射する.GHはむしろ高値となり，腫瘍が増大する可能性がある.他の治療が奏功しない症例に対して，単独あるいは他剤と併用して用いられる.

③ドパミンアゴニスト：ブロモクリプチン，カベルゴリン

ブロモクリプチン(パーロデル®)は2.5～15mg/日を2～3回に分けて食後に投与する.カベルゴリンも有効と報告されているが，保険適用は高プロラクチン血症合併例である.

c. 放射線療法

手術ができない症例や，術後のコントロール不要で薬物療法により効果がない場合，再発の場合に行う.定位的放射線治療(ガンマナイフやサイバーナイフ)が用いられる.

5) 管理と予後

成人の先端巨大症では，各種合併症のため一般人口に対して死亡率が高い.したがって各種治療によって

Ⅱ 各　論

表12　治療効果の判定

治療効果はまず血中IGF-Ⅰが年齢・性別基準範囲内となったか否か（注1）で判定し，治療法によってはブドウ糖75g経口投与後の血中GH底値とともに判定する．

1. 手術の治癒基準（注2）
   1) 寛解：IGF-Ⅰ値が年齢・性別基準範囲内であり，かつブドウ糖75g経口投与後の血中GH底値が0.4 ng/mL未満（注3）である．また，臨床的活動性を示す症候（注4）がない．
   2) 部分寛解：1)および3)のいずれにも該当しないもの．
   3) 非寛解：IGF-Ⅰ値が年齢・性別基準範囲を超え，かつブドウ糖75g経口投与後の血中GH底値が0.4 ng/mL以上である．また，臨床的活動性を示す症候がある．
2. 薬物治療のコントロール基準
   1) コントロール良好：IGF-Ⅰ値が年齢・性別基準範囲内であり，GH受容体拮抗薬（注5）以外で治療を行われている場合はGH値が1 ng/mL未満であり，臨床的活動性を示す症候がない（注6）．
   2) コントロール不良：上記以外．
3. 放射線治療のコントロール基準
   手術の基準に準ずる．

［治療指針］
1) 術後は3か月後以降に評価を行い，寛解の場合，定期的（1年以内は3～6か月，1年以後は6～12か月ごと）に経過を観察する．
2) 部分寛解ならびにコントロール良好の場合，定期的に観察し（注7），治療効果を再判定する．合併症などを評価して，経過を観察，または治療法の変更・追加を考慮する．
3) 非寛解ならびにコントロール不良の場合は，症状や合併症などを評価するとともに，治療法の変更・追加を考慮する．

（注1）健常者の年齢・性別基準値を参照する（原典には附表あり）．栄養障害，肝疾患，腎疾患，甲状腺機能低下症，コントロール不良の糖尿病などが合併すると血中IGF-Ⅰは低値を示すことがあるので，判定に注意を要する．（日本内分泌学会雑誌Vol. 95 Suppl. May 2019）
（注2）術後すぐにはIGF-Ⅰは正常化しないことがあるので，IGF-Ⅰの判定は術後3～6か月で行う．
（注3）寛解のカットオフ値は0.4 ng/mL（現在のGH測定キットはリコンビナントGHに準拠した標準品を用いている．キットによりGH値が異なるため，成長科学協会のキットごとの補正式で補正したGH値で判定する）未満である．
（注4）頭痛［本症に起因すると思われる頭痛（発症時期，頑固さ，酢酸オクトレオチド著効などから判断する）を指す．典型的な血管性頭痛（偏頭痛）や筋緊張性頭痛は除く］，発汗過多，感覚異常（手根管症候群を含む），関節痛のうち二つ以上の臨床症状がみられる場合に臨床的活動性ありと判断する．
（注5）GH受容体拮抗薬で治療中には，投与薬剤が測定系において交叉反応性を示すためGH値は治療効果の判定には用いない．
（注6）IGF-Ⅰ値の正常化がより重要である．GH値は変動することが多く複数回の測定で判断する．また一部の症例でGH値の乖離を示す症例があり，その場合には臨床的活動性を含め総合的に判断する．
（注7）薬物治療の場合は血中IGF-Ⅰ，GH値を1～3か月ごとに検査する．手術・放射線治療後に再発が疑わしいときはブドウ糖負荷試験を行うとともに，MRIで残存腫瘍や再発腫瘍を探索する．なお，薬物療法中の評価にブドウ糖負荷試験は用いない．

［厚生労働省科学研究費補助金難治性疾患等政策研究事業「間脳下垂体機能障害に関する調査」研究班，日本内分泌学会：先端巨大症および下垂体性巨人症の診断と治療の手引き（平成30年度改訂）．日内分泌会誌95(Suppl.)：1-7, 2019より引用一部改変］

コントロールを良好な状態にすることが必要となる[3,5,7]．

治療効果の判定は，随時GH値と75gOGTTでのGH抑制，血中IGF-Ⅰ値，臨床的活動性の三つから行う（表12）．小児の場合にGH抑制の基準が成人と同一でよいか否かについてはデータがないが，成長率が標準範囲に抑制され，高身長の程度が改善することが重要である．定期的にMRI撮影を行う．

成人において，熟達した脳神経外科医による内分泌学的治癒率は70％程度である．術後に重症GH分泌不全をきたす例が10％程度に認められる．McCune-Albright症候群や，MEN1型，AIP遺伝子異常などの遺伝的素因がある場合，再発や治療への抵抗性が多いと報告されている．

2　その他の下垂体腺腫

1) ACTH産生腫瘍

ACTH依存性のCushing症候群は5歳以降に多くなり，ACTH産生下垂体腺腫によるものがCushing病である．満月様顔貌や中心性肥満などのCushing徴候に加えて，小児期には成長率低下を伴う肥満が特徴的である．小児においても「クッシング病の診断と治療の手引き（平成30年度改訂）」[8]に従って診断を進めることができる．臨床症状からCushing病が疑われ，血中ACTHとコルチゾールがともに正常～高値で尿中遊離コルチゾールも高値の場合，少量(0.5 mg)デキサメタゾン抑制試験や，血中コルチゾールの日内変動を見て，ACTHの自律性分泌が失われていることを確認する[9]．

ACTH依存性Cushing症候群では異所性ACTH症候群の鑑別が必要になるが，Cushing病の80〜90%が1cm未満のミクロアデノーマによるため，画像での鑑別はしばしば困難である．3テスラのMRIで診断する，CRH試験や大量（8 mg）デキサメタゾン抑制試験を行う，などの方法があるが，それでも診断困難な場合には選択的下垂体静脈洞サンプリングが推奨されている．小児では実施が容易ではないうえに腫瘍局在の診断は困難であるため，まずは専門施設で2 mmスライスでの造影MRIを行って検討する．

治療は経鼻的下垂体腫瘍摘出である．MRIで腫瘍の局在が明らかな場合には全摘により80〜90%で治癒が得られている．全摘が困難で手術後もコルチゾール高値が持続する場合には放射線治療や薬物療法が行われる．

2）TSH産生腫瘍

高齢者に多く，小児では極めてまれである．甲状腺ホルモン高値にも関わらずTSHが抑制されないTSH不適切分泌症候群（syndrome of inappropriate secretion of thyroid stimulating hormone：SITSH）がみられる場合に，中枢性甲状腺ホルモン不応症との鑑別が必要となる[10]．「下垂体TSH産生腫瘍の診断と治療の手引き（平成30年度改訂）」[11]によると，甲状腺中毒症状や甲状腺腫大があり，FT_4が高値にもかかわらずTSHが正常〜軽度高値を示す．マクロアデノーマであることが多く，MRIで下垂体腺腫を認めるが，偶発的に他の病変（Rathke嚢胞や非機能性下垂体腺腫）がみられることもある．家族歴がある場合には甲状腺ホルモン不応症が疑われる．甲状腺ホルモン受容体の遺伝子診断が有用である．

視神経を圧迫していることも多く，治療は経鼻的下垂体腫瘍摘出術が第一選択となるが，マクロアデノーマで海綿静脈洞などへの浸潤が多く，術後もTSH高値が持続することがある．

SRIFアナログ製剤であるオクトレオチドが有効で，TSHの低下や腫瘍の縮小がみられている．

3）非機能性腫瘍

臨床的にホルモン過剰分泌による症状を欠くものは非機能性腺腫と呼ばれるが，小児ではまれである．各種前葉ホルモンの免疫染色に加えて，SF1，Pit-1，T-pitなどの転写因子の染色を行うことによって，真の非機能性腺腫は少なく，大部分がsilentな下垂体ゴナドトロピン産生腫瘍[12]，ACTH産生腫瘍，GH産生腫瘍などに分類されることがわかった[13]．

マクロアデノーマによって周辺組織圧迫による視野障害や頭痛，下垂体機能低下症をきたす．治療の第一選択は経鼻的下垂体腫瘍摘出術である．経過中にホルモン過剰症状が明らかになってくる場合がある．

❖ 文献

1) Inoshita N, et al：The 2017 WHO classification of pituitary adenoma：overview and comments. *Brain Tumor Pathol* 35：51-56, 2018
2) 伊藤純子：下垂体性巨人症．横谷 進，他（編），専門医による新小児内分泌疾患の治療．改訂第2版，診断と治療社，38-42，2017
3) 竹下 彰：先端巨大症（アクロメガリー）．竹内靖博，他（編著），虎の門病院内分泌クリニカルプラクティス〜外来・入院からフォローアップまで〜．クリニコ出版，60-75，2020
4) Tichomirowa M A et al：High prevalence of AIP gene mutations following focused screening in young patients with sporadic pituitary macroadenomas. *Eur J Endocrinol* 165：509-515, 2011
5) 厚生労働省科学研究費補助金難治性疾患等政策研究事業「間脳下垂体機能障害に関する調査」研究班，日本内分泌学会：先端巨大症および下垂体性巨人症の診断と治療の手引き（平成30年度改訂）．日内分泌会誌 95（Suppl.）：1-7，2019
6) Fleseriu M, et al：A Pituitary Society update to acromegaly management guidelines. *Pituitary* 24：1-13, 2021
7) Giustina A, et al：A consensus on the diagnosis and treatment of acromegaly comorbidities：An update. *J Clin Endocrinol Metab* 105：dgz096, 2020
8) 厚生労働省科学研究費補助金難治性疾患等政策研究事業「間脳下垂体機能障害に関する調査」研究班，日本内分泌学会：クッシング病の診断と治療の手引き（平成30年度改訂）．日内分泌会誌 95（Suppl.）：8-11，2019
9) 竹下 彰：Cushing病．竹内靖博，他（編著），虎の門病院内分泌クリニカルプラクティス〜外来・入院からフォローアップまで〜．クリニコ出版，86-99，2020
10) 竹下彰：TSH産生下垂体腫瘍．竹内靖博，他（編著），虎の門病院内分泌クリニカルプラクティス〜外来・入院からフォローアップまで〜．クリニコ出版，100-106，2020
11) 厚生労働省科学研究費補助金難治性疾患等政策研究事業「間脳下垂体機能障害に関する調査」研究班，日本内分泌学会：下垂体TSH産生腫瘍の診断と治療の手引き（平成30年度改訂）．日内分泌会誌 95（Suppl.）：29-30，2019
12) 厚生労働省科学研究費補助金難治性疾患等政策研究事業「間脳下垂体機能障害に関する調査」研究班，日本内分泌学会：下垂体性ゴナドトロピン産生腫瘍の診断と治療の手引き（平成30年度改訂）．日内分泌会誌 95（Suppl.）：23-24，2019
13) 山田正三：非機能性下垂体腺腫．竹内靖博，他（編著），虎の門病院内分泌クリニカルプラクティス〜外来・入院からフォローアップまで〜．クリニコ出版，111-116，2020

〈伊藤純子〉

H リンパ球性下垂体炎

1）定義・概念

リンパ球性下垂体炎とは，自己免疫学的機序による下垂体の炎症性疾患である．炎症により下垂体組織が破壊されて下垂体機能の低下が起こる．炎症による障害部位で，前葉に限局したリンパ球性下垂体前葉炎（lymphocytic adenohypophysitis：LAH），下垂体茎から後葉に限局したリンパ球性漏斗下垂体後葉炎（lymphocytic infundibuloneurohypophysitis：LINH），下垂体全体に広がるリンパ球性汎下垂体炎（lymphocytic panhypophysitis：LPH）に分類される．本疾患は基本的には除外診断によるため，他疾患に併発する二次性下垂体炎を鑑別することが重要である（表13）[1]．

発生頻度の性差は，LAHは女性に多く，男女比は1：6とされ，女性では妊娠後期や産褥期に発症する例が多い．LINHでは性差は認められない．LPHはやや女性に多く，男女比は1：1.9とされる．

2）病因・病態

本症の病因は，他の自己免疫疾患の合併や抗下垂体抗体などの自己抗体陽性例の存在，下垂体へのリンパ球浸潤がみられることなどから自己免疫機序の関与が推察されている[2]．LAHの病理所見として，下垂体前葉に大部分がリンパ球で一部形質細胞の浸潤が認められ，実質細胞の破壊と間質の線維化がみられる．浸潤したリンパ球はおもにT細胞で，CD8陽性T細胞による細胞障害機序やTh17細胞と制御性T細胞のバランス異常が想定されている[3]．LINHでは慢性炎症の病理像を認め，近年Rabphilin-3Aに対する自己抗体の報告がある[4]．

本症の病態は以下のように考えられている．病初期には炎症による浮腫などのために病変部が腫大し，その腫大のための圧迫症状がでる．炎症の程度が軽いと下垂体機能の障害も軽いが，炎症が強いと下垂体の線維化，萎縮，機能低下が起こる．

3）臨床症候

病型別（LAH，LINH，LPH）の臨床症候は表14のとおりである[5]．LAHは頭痛や視野・視力障害が多い．頭痛の原因は，炎症で腫大した病変部が硬膜を圧迫し，硬膜が伸展したりねじれたりすることによると考えられ，視野障害や視力障害の原因は視神経交叉の圧迫による．LINHは中枢性尿崩症が必発である．そしてLPHは両者の症状を呈する．

障害される下垂体機能は，病変の主座により異なる．LAHは，ACTH＞TSH≒GH＞LH/FSH＞PRLの頻度で障害されやすく[1]，LINHは早期からアルギニン・

表13 下垂体炎の分類

原発性下垂体炎	・リンパ球性下垂体炎（自己免疫性autoimmunune） ・肉芽腫性下垂体炎 ・壊死性下垂体炎
二次性下垂体炎	・下垂体近傍の疾患 　Rathke囊胞 　頭蓋咽頭腫 　中枢神経系胚細胞腫（神経下垂体原発胚細胞腫） 　好酸球性肉芽腫症 　Tolosa-Hunt症候群 　肥厚性髄膜炎 　下垂体腺腫 ・全身疾患 　IgG4関連疾患 　サルコイドーシス 　Wegener肉芽腫 　Langerhans組織球症 　梅毒 　結核 　IgG4関連（硬化性）疾患 ・薬剤誘発性 　免疫チェックポイント阻害薬関連下垂体前葉炎

［片上秀喜：リンパ球性下垂体炎．日本内分泌学会（編）：内分泌代謝科専門医研修ガイドブック．診断と治療社，251-256，2018］

表14 リンパ球性下垂体炎の臨床症候

臨床所見	前葉炎（％）	後葉炎（％） （漏斗下垂体神経葉炎）	汎下垂体炎（％）
頭痛	53	13	41
視野・視力障害	43	3	18
副腎不全	42	19	19
甲状腺機能低下症	18	0	17
性腺機能低下症	12	3	14
乳汁分泌不全	11	0	5
多飲・多尿	1	83	83
高プロラクチン血症	23	5	17

［片上秀喜：リンパ球性下垂体炎．medicina 53：2122-2128，2016］

バゾプレシン（AVP）の分泌不全を呈する．しかし，症例によっては下垂体ホルモン分泌障害の種類と程度に一定の傾向がなく，単一の下垂体ホルモン分泌障害を呈することもある．LPHにおいては炎症が漏斗部正中隆起以上に及ぶと，視床下部性汎下垂体機能低下症型のホルモン分泌障害をきたしGHやLH/FSHの分泌障害を示す．

4）診断と検査法

基本的には除外診断による．診断の手引きは，厚生労働科学研究費補助金難治性疾患等政策研究事業「間脳下垂体機能障害に関する調査研究」班により策定されており，表15に示す[6]．

確定診断は外科的に下垂体組織を採取し，組織学的所見によりなされるが，生検は困難なことが多く，通常は疑い診断でステロイド治療や経過観察を行いながら類似疾患を鑑別する．下垂体腫大例では腫瘍や腺腫との鑑別が重要である．小児のLINHでは中枢神経系胚芽腫やLangerhans細胞組織球症との鑑別が重要となる．

MRI検査では，下垂体の腫大や下垂体茎の肥厚を認め，腫大部分は均一でトルコ鞍の骨への影響がなく，造影剤により病変部位の均一な造影増強効果を認める．

5）治療法

治療は対症療法である[6]．腫大した病変部による圧迫症状をなくすための治療と，分泌不全となったホルモンの補充療法である．

下垂体の腫大が著明で腫瘤による圧迫症状（視野・視力障害や頭痛）がある場合，グルココルチコイドの薬理量で治療を行う．尿崩症は改善することは少ないが，下垂体茎や後葉病変の縮小が促進され，下垂体前葉機能低下の進行が抑制される可能性がある．ただし無効例や副作用などのためにこの治療を実施できない

表15 自己免疫性視床下部下垂体炎の診断と治療の手引き（平成30年度改訂）

1．リンパ球性下垂体前葉炎の診断の手引き
Ⅰ．主症候
1．頭痛，視野障害，乳汁分泌などの下垂体腫瘤性病変による局所症候
2．疲労感，無月経などの下垂体機能低下症による症候
Ⅱ．検査・病理所見
1．血中下垂体前葉ホルモンの1つ以上の基礎値および標的ホルモン値の低下を認める．
2．下垂体前葉ホルモン分泌刺激試験における反応性の低下を認める．
3．画像検査で下垂体前葉のびまん性腫大を認める．
4．造影MRI検査において病変部位の均一な強い造影増強効果を認める（注1）．
5．下垂体の生検で前葉にリンパ球を中心とした細胞浸潤を認める（注2）．
Ⅲ．参考所見
1．女性，特に妊娠末期，産褥期の発症が多い．
2．高プロラクチン血症を認めることがある．
3．他の自己免疫疾患（慢性甲状腺炎など）の合併例が比較的多い．
4．抗下垂体抗体を認める例がある．
5．長期経過例ではトルコ鞍空洞症（empty sella）を示すことがある．
［診断基準］
確実例：ⅠのいずれかとⅡのすべてを満たすもの．
疑い例：ⅠのいずれかとⅡの1，2，3，4を満たすもの．
（注1）まれに囊胞性病変を示すことがある．
（注2）下垂体生検で肉芽腫病変，泡沫化組織球の細胞浸潤，壊死病変を認める場合は，肉芽腫性下垂体炎，黄色腫性下垂体炎，壊死性下垂体炎とそれぞれ呼称される．
リンパ球性漏斗下垂体後葉炎の診断の手引き
Ⅰ．主症候
口渇，多飲，多尿
Ⅱ．検査・病理所見
1．中枢性尿崩症に合致する検査所見を認める．
2．画像検査で下垂体茎の肥厚または下垂体後葉の腫大を認める．
3．造影MRI検査において病変部位の均一な強い造影増強効果を認める．
4．下垂体または下垂体茎の生検で病変部位にリンパ球を中心とした細胞浸潤を認める．
Ⅲ．参考所見
1．下垂体前葉機能は保たれることが多い．
2．画像検査の異常は自然経過で消退することが多い．
［診断基準］
確実例：ⅠとⅡのすべてを満たすもの．
疑い例：ⅠとⅡの1，2，3を満たすもの．

（次ページにつづく）

II 各　論

リンパ球性汎下垂体炎の診断の手引き

I．主症候
1. 下垂体腫瘤性病変による局所症候および下垂体機能低下症による症候
2. 中枢性尿崩症による症候

II．検査・病理所見
1. 血中下垂体前葉ホルモンの1つ以上の基礎値および標的ホルモン値の低下を認める．
2. 下垂体前葉ホルモン分泌刺激試験における反応性の低下を認める．
3. 中枢性尿崩症に合致する検査所見を認める（注1）．
4. 画像検査で下垂体のびまん性腫大または下垂体茎の肥厚を認める．
5. 造影 MRI 検査において病変部位の均一な強い造影増強効果を認める．
6. 下垂体または下垂体茎の生検で病変部位にリンパ球を中心とした細胞浸潤を認める（注2）．

III．参考所見
1. 高プロラクチン血症を認めることがある．
2. 視床下部性と下垂体性の下垂体機能低下症が混在する場合がある．

[診断基準]
確実例：Iの1，2とIIのすべてを満たすもの．
疑い例：Iの1，2とIIの1，2，3，4，5を満たすもの．
（注1）続発性副腎機能低下症が存在する場合には仮面尿崩症を呈する場合がある．
（注2）下垂体生検で肉芽腫病変，泡沫化組織球の細胞浸潤，壊死病変を認める場合は，肉芽腫性下垂体炎，黄色腫性下垂体炎，壊死性下垂体炎とそれぞれ呼称される．

自己免疫性視床下部下垂体炎の治療の手引き

1. 下垂体の腫大が著明で，腫瘤による圧迫症状（視力，視野の障害や頭痛）がある場合は，グルココルチコイドの薬理量（プレドニゾロン換算で 0.5〜1.0 mg/kg/日，高齢の場合や病態に応じて調節）を投与し，症状の改善を認めれば漸減する．病態によってはステロイドパルスあるいはミニパルス療法を検討する．症状の改善が認められない場合は生検とともに腫瘤の部分切除による減圧を検討する．
2. 薬理量のグルココルチコイドを投与する場合には，全身検索や下垂体生検の必要性を検討し，結核などの感染症を十分に除外する必要がある．
3. 下垂体腫大による圧迫症状がなく下垂体機能の低下が認められない場合は，MRI などによって下垂体腫瘤の形態学的変化を経過観察する．
4. 下垂体機能低下症，尿崩症の評価を行い適切なホルモン補充療法を行う．

IgG4 関連下垂体炎の診断の手引き

I．主症候
1. 下垂体腫瘤性病変による局所症候または下垂体機能低下症による症候
2. 中枢性尿崩症による症候

II．検査・病理所見
1. 血中下垂体前葉ホルモンの1つ以上の基礎値および標的ホルモン値の低下を認める．
2. 下垂体前葉ホルモン分泌刺激試験における反応性の低下を認める．
3. 中枢性尿崩症に合致する検査所見を認める（注1）．
4. 画像検査で下垂体のびまん性腫大または下垂体茎の肥厚を認める．
5. 血清 IgG4 濃度の増加を認める（注2）．
6. 下垂体生検組織において IgG4 陽性形質細胞浸潤を認める（注3）．
7. 多臓器病変組織において IgG4 陽性形質細胞浸潤を認める（注4）．

III．参考所見
1. 中高年の男性に多い．
2. ステロイド治療が奏功する例が多いが，減量中の再燃や，多臓器病変（注4）が出現することがあるので注意が必要である．

[診断基準]
確実例：Iのいずれかと II の 1，2，4，6 または II の 3，4，6 を満たすもの．
ほぼ確実例：Iのいずれかと II の 1，2，4，7 または II の 3，4，7 を満たすもの．
疑い例：Iのいずれかと II の 1，2，4，5 または II の 3，4，5 を満たすもの．
（注1）続発性副腎機能低下症が存在する場合に仮面尿崩症を呈する場合がある．
（注2）135 mg/dL．ステロイド投与により低下することがあり投与前に測定することが望ましい．
　　　血清 IgE 濃度が増加することがある．
（注3）IgG4 陽性形質細胞が 10/HPF を超える，または IgG4/IgG 陽性細胞比 40％ 以上．
（注4）後腹膜線維症，間質性肺炎，自己免疫性膵炎，涙腺唾液腺炎などの臓器病変が多く認められる．
付記：下垂体腺腫，ラトケ嚢胞，頭蓋咽頭腫，悪性リンパ腫，多発血管炎性肉芽腫症などで二次性に IgG4 陽性細胞浸潤が軽度認められることがあるため慎重に鑑別する必要がある．

[厚生労働科学研究費補助金難治性疾患等政策研究事業「間脳下垂体機能障害に関する調査研究」班（編）：自己免疫性視床下部下垂体炎の診断と治療の手引き（平成30年度改訂）．日本内分泌会誌 95(Suppl.)：54-59，2019]

場合には，組織生検と減圧目的で下垂体手術を行う．

6) 予後

長期的な予後はまだ明らかではない．下垂体の腫大は自然治癒することもあるが，ほとんどの下垂体炎でホルモン分泌低下を認め，特に中枢性尿崩症に対して行われるデスモプレシン製剤による治療は生涯必要なことが多い．

❖ 文献

1) 片上秀喜：リンパ球性下垂体炎．日本内分泌学会(編)：内分泌代謝科専門医研修ガイドブック．診断と治療社，251-256, 2018
2) 島津 章：自己免疫性視床下部下垂体炎．日本臨牀 別冊 (内分泌症候群 [第3版] I)：35-41, 2018
3) Mirocha S, et al.：T regulatory cells distinguish two types of primary hypophysitis. *Clin Exp Immunol* 155：403-411, 2009
4) Iwama S, et al.：Rabphilin-3 A as a targeted Autoantigen in Lymphocytic Infundibuloneurohypophysitis. *J Clin Endocrinol Metab* 100：E946-E954, 2015
5) 片上秀喜：リンパ球性下垂体炎．medicina 53：2122-2128, 2016
6) 厚生労働科学研究費補助金難治性疾患等政策研究事業「間脳下垂体機能障害に関する調査研究」班(編)：自己免疫性視床下部下垂体炎の診断と治療の手引き(平成30年度改訂)．日本内分泌会誌 95(Suppl.)：54-59, 2019

〈会津克哉〉

第4章 水・電解質代謝異常

A 水・電解質代謝の生理学

「水・電解質代謝調節」は，体内の水分量と電解質（NaとK）の量をそれぞれ別々に調節する機構を通して，体液量および電解質組成の恒常性を維持する仕組みを指す．それは，抗利尿ホルモンとミネラルコルチコイドを主役とする二つの内分泌系によっておもに支えられている．それらの調節障害は，血漿（血清）電解質濃度の異常としてしばしば気づかれるが，同時に体液量の異常を伴うことが多い．

1）体液の体内分布と組成

a．体内の水の分布

体内に存在している水分（体水分）の量は，体重の60〜70％（新生児では約80％）の重さを占める．そのうち，約2/3は細胞内，残りの1/3は細胞外に存在する．この二つのコンパートメントを隔てるものは，細胞膜である．さらに，細胞外液は，血管壁によりその内外に隔てられ，3/4は血管外，すなわち組織の細胞間質液として存在し，1/4は血管内，すなわち血漿を形成する成分として存在する（図1）．小児では，低年齢ほど体水分量が多いが，おもに細胞外液量が多いことによる[1]．

各コンパートメントの水分には様々な溶質が溶けており，コンパートメントによりそれらの組成が異なっている．細胞の内外では，細胞内でK濃度が高く，細胞外でNa濃度が高い．膜の内外の濃度が大きく異なるのは，細胞膜に存在しているNa/Kポンプが能動的に働く結果である．ブドウ糖も，細胞の能動的取り込みと細胞内での利用の結果として細胞内外で濃度が異なっている．このように，細胞膜を自由に通過せずに，細胞内外に濃度差を生じる成分に起因する浸透圧は，「有効浸透圧」または「張度（tonicity）」とよばれ，水の移動に駆動力として関与する．なお，尿素は浸透圧に寄与するが，細胞膜を比較的自由に通過して細胞内外で濃度差を生じないため，有効浸透圧としては働か

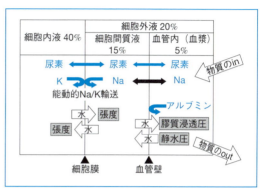

図1 体内の水分の分布と各コンパートメント間の水の移動を決める因子

水分量の割合は年齢によって異なり，図では成人での体重に対する水の重さの割合を示したが，低年齢ほど体水分量，特に細胞外液量が多い．水の移動には，四角枠で囲んだ因子が駆動力として作用する

ない．一方，血管壁の内外では，小さな分子の成分は血管壁を自由に行き来するため濃度差を生じないが，血漿蛋白質は血管内にとどまるために内外の濃度差が大きい．その結果，血管内の蛋白質が与える「膠質浸透圧」により，血管内外での浸透圧の差を生じる（図1）．

b．各コンパートメント間の水の移動

基本的な仕組みとしては，水は，細胞膜も血管壁も自由に行き来できる．

細胞の内外で水の移動を決定しているのは，有効浸透圧の差である．生理的状態では，Naを中心とした成分に起因する細胞外の有効浸透圧が，Kや種々の浸透圧物質（osmolyte）に起因する細胞内の有効浸透圧とバランスしており，ネットとしての水の出入りは起こらない．しかし，高ナトリウム血症や低ナトリウム血症などにより細胞外に張度の変化が起これば，細胞内からの水の流出や細胞内への水の流入を起こして細胞機能を障害し，特に脳細胞ではその影響が大きい．このように細胞外の張度に病的な変化が起こった場合には，水の移動を少なくする方向に代償機構が細胞内で

Ⅱ 各 論

働く．すなわち，細胞内で有効浸透圧を上昇させる浸透圧物質の増減が，約48時間を超えると完成するといわれている．代償的に増減する浸透圧物質には，イノシトール，ソルビトール，ベタインなどがある．体液異常が24時間ないし48時間を超える場合には，こうした代償機構を考慮に入れた慢性病態の理解が必要である．

一方，血管壁を隔てた水の移動は，血液中の蛋白質（特に量的に寄与が大きいのはアルブミン）による「膠質浸透圧」と，血管内に存在する「静水圧」のバランスによる．前者が組織から血管内に，後者が血管内から組織へ，水を移動させる駆動力として働く．この仕組みが破綻して起こるおもな病態は，膠質浸透圧が静水圧を下回ることによって血管内から細胞間質に水の移動が生じた病態，すなわち浮腫である．

われわれが臨床検査から知ることができるのは，通常は血清（血漿）中の成分の濃度についてであるが，蛋白質以外の成分の濃度は，前述のように細胞間質液もほぼ同じと解釈できる．したがって，血液検査などから得られる情報は，細胞外液（血漿と細胞間質液）についてであり，細胞内成分については直接に知ることができない．一方，身体全体での物質の出入りは，水や成分ごとに調べたin/outバランスや体重から推測できる．この場合は，細胞外だけでなく細胞内もあわせた情報である．このように，得られる臨床情報を物質の局在を考慮しながら，さらには時間経過に配慮して整理することが，病態生理の把握のうえで非常に重要である．

2）水代謝の生理学

a．水代謝の調節機構

水代謝とは，「体水分の調節により，体液量を調節し，結果として血漿電解質濃度の恒常性を保持する機構」ということができる．

水代謝の調節は，いうまでもなく，inとoutの調節から成り立っている．第一の仕組み（in）は，飲水量の調節であり，通常は口渇中枢によって担われている．第二の仕組み（out）は，水の排泄の調節であり，下垂体後葉から分泌される抗利尿ホルモン（antidiuretic hormone：ADH）によって担われる．ADHは腎集合管のⅡ型バゾプレシン受容体（V_2受容体，V_2R）に結合して，水チャネルであるアクアポリン2（aquaporin 2：AQP2）を管腔側に開かせて水の再吸収を促進する．これが水代謝調節のバックボーンである．ADHはヒトにおいてはアルギニン・バゾプレシン（arginine vasopressin：AVP）であるので，ここではAVPを用いる．

b．下垂体後葉の発生

AVPは，視床下部にある視索上核（supraoptic nucleus：SON）と室傍核（paraventricular nucleus：PVN）の大細胞ニューロン（magnocellular neuron）のなかで合成され，結合蛋白であるneurophysin Ⅱ（NPⅡ）と結合して軸索中を下垂体後葉まで運ばれ，分泌顆粒に蓄積されて，分泌刺激により血中に放出される．

下垂体後葉の発生について簡単に述べる．下垂体後葉は，咽頭後部でRathke嚢に分化する口窩外胚葉に接して，間脳底が腹側に折れ込んで形成される．第1三半期の終了までにこのような発生が完了してAVPが検出されるようになる．下垂体の発生に極めて多数の遺伝子発現が必要とされることは，下垂体茎断裂症候群（pituitary stalk interruption syndrome）の責任遺伝子の研究からも明らかになっている[2]．しかし，本症候群でもAVP分泌能は保持されることが多く，AVP分泌には正所性の下垂体後葉の存在は必須ではないと考えられる．

c．AVPの分泌調節機構

AVPの分泌調節機構は，基本的には，第一に血漿浸透圧，第二に血圧／容積，第三に悪心などのストレスによる調節から成り立っている[3]．これらのうち，日常的に作動している機構は第一の血漿浸透圧による調節である．血漿浸透圧がおよそ285 mOsm/kgを超えるとAVPの分泌がみられ，高い浸透圧ほど血中AVPも上昇する（図2）[4]．実際の臨床では，血漿浸透圧を決定する主要な因子である血清Na濃度と比較してAVP濃度を判断することも有用である〔厚生労働科学研究補助金難治性疾患克服研究事業間脳下垂体機能障害に関する調査研究班のバゾプレシン分泌低下症の診断と治療の手引き（平成22年度改訂）[5]参照．ただし，その後に改訂された手引きでは血清Naとの相関は掲載されていない〕．この浸透圧調節機構は，水の喪失に対して腎における水の再吸収を高めるように働き，血漿浸透圧を非常に狭い範囲内に維持することを可能にしている．浸透圧センサーについては，本項**5）最新知見**を参照されたい．

一方，大動脈弓と頸動脈にある圧受容体や，心房と肺静脈系にある容積受容体を介する血圧／容積調節機構（第二の機構）は，それらが10％以上の低下をきたしたときにはじめて作動する[3]．すなわち，日常は浸透圧調節がほぼ単独に作動しているが，著しい体液喪失に直面すると血圧／容積調節が強力に作動する．たとえば270 mOsm/kgという，通常はAVPが分泌されない血漿浸透圧であっても10％のhypovolemiaがあればAVPは分泌される．これは，低ナトリウム血症という

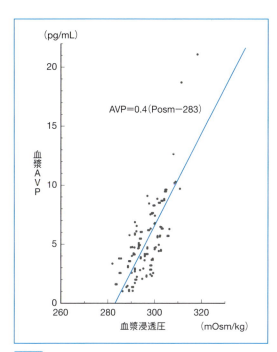

図2　血漿浸透圧によるAVP分泌の調節
この散布図と回帰直線は，正常成人に対する5%食塩水負荷試験から得られたデータに基づくが，小児における血漿浸透圧と血漿AVPの相関としても当てはまると考えられる
[大磯ユタカ，他：血漿バゾプレシンを指標とした5%高張食塩水投与法による下垂体後葉機能検査法の検討．日内分泌会誌 62：608-618，1986 より一部改変]

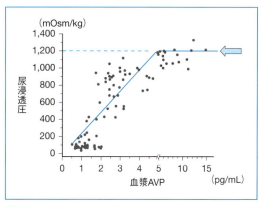

図3　血漿AVPと尿浸透圧の相関
血漿AVPの増加によりAQP2がいくら大量に管腔側に開口しても，尿浸透圧は髄質の浸透圧を超えないので，尿浸透圧はプラトー（矢印）に達する
[Robertson GL, *et al.*：Neurogenic disorders of osmoregulation. *Am J Med* 72：339-353, 1982 より一部改変]

代償を払って体液量の維持を優先する機能ということができる．また，この機構は，抗利尿ホルモン不適切分泌症候群（syndrome of inappropriate secretion of antidiuretic hormone：SIADH）とは異なった本来的な調節機構と考えられる．

第三のAVP分泌調節刺激は，悪心・嘔吐とストレスである．悪心があると嘔吐がはじまる前からAVP分泌をしばしば著しく刺激する．小児の急性胃腸炎では，脱水が軽症であっても悪心とストレスによりAVPは高値となり，この状態での低張液輸液が低ナトリウム血症を引き起こす危険について指摘されている[6]．

AVPの血中濃度は，生理的な半減期が短いために，測定値が病態と合致しないことが時に経験される．AVP-NPⅡ遺伝子の産物であるプレプロバゾプレシンは，成熟ペプチドとして，AVP，NPⅡ，グリコペプチドの三つを含んでいるが，このうち39アミノ酸残基からなるこのグリコペプチドはcopeptinとよばれ，AVPとともに等モルで生成され，軸索輸送されて血中に放出される．copeptinの血中半減期は長く，血清で保存しても安定であることから，AVP分泌の代替指標として有用であると報告されている[7]．

d．AVPの腎における作用

水の最終段階での再吸収（およびその結果としての尿濃縮）は腎集合管において行われる．腎髄質の細胞間質液の浸透圧は対向流によって1,400 mOsm/kgほどにまで高められており，これに対して水チャネルが開くことにより受動的に管腔からの水の再吸収が起こる．

AVPが集合管上皮細胞のV_2受容体に結合するとGs蛋白，アデニル酸シクラーゼを介してcAMPが増加する結果，あるいは，cAMPの増加とは別の経路を介して，細胞質内にあるAQP2が管腔側に移動し，膜を貫いて配列する．また，長期作用としてAVPはAQP2の転写を促進する．これらによりAQP2が水チャネルとして働き，管腔内から水が流入する[8]．さらに，血管側に存在するAQP3をおもに通して水は受動的に運び出される．管腔側に配列したAQP2は，細胞内に戻ってリサイクルされるが，一部は尿中に排泄される．このため，尿中のAQP2はAVP作用の指標として利用される．

このように，AVP-AQP2系による水の再吸収は受動的な駆動力によるので，最大濃縮力は腎髄質の細胞間質液浸透圧（1,500 mOsm/kgを超えることがない）に依存している（図3）．このことは，AVPの合成誘導体であるデスモプレシン（DDAVP）やAVP製剤であるピトレシン®を大量に投与した場合にも，尿濃縮は前述の最大濃縮力を超えず（もちろん無尿をきたさず），しかし，作用が長く持続することを，容易に理解させる．この点は，AVPアゴニストによる尿崩症薬物治療では重要である．

Ⅱ 各　論

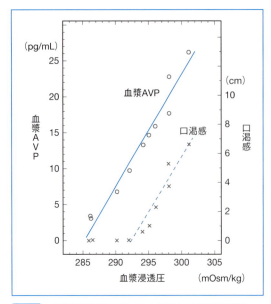

図4　血漿浸透圧によるAVP分泌と口渇感の調節
口渇感は，高ナトリウム血症を回避するための機序として，AVPの後ろに控えて作用する（本文参照）
[Robertson GL, et al.：Neurogenic disorders of osmoregulation. Am J Med 72：339-353, 1982 より一部改変]

e. 口渇感による飲水行動の調節

　血漿浸透圧が上昇すると，約285 mOsm/kgを境にしてAVP分泌がはじまり，高浸透圧になればなるほどAVP分泌が増加することはすでに述べた．高浸透圧血症では口渇感も刺激されるが，高張食塩水投与中に口渇感の程度を恣意的にcmスケールで表したのがRobertsonらの報告である（図4）[9]．それによると，平均292 mOsm/kgを超えると口渇感を感じはじめ，さらに10 mOsm/kg程度上昇すると著しい口渇感を感じることがわかる．すなわち，日常生活では食事などから水分摂取が確保されるのでAVPによる水分排泄（out）の調節のみで体水分の恒常性を保つことができるが，水分摂取の不足や水分の過剰喪失の状態では，口渇感に基づく飲水（in）が加わってはじめて体水分を保つことができる．未治療の尿崩症では，尿濃縮の障害により水分の喪失が続くが，その場合でも口渇感が正常に働くことにより飲水行動が惹起され，高ナトリウム血症が回避される（実際には，図4に示したように口渇感はAVP分泌よりやや高い血漿浸透圧で引き起こされるために，わずかに高い血漿浸透圧で維持される）．このように，口渇感は高ナトリウム血症を回避するためにAVPのあとに控える楯として働いているといえる．

3) Na／K代謝調節の生理学

　電解質代謝調節において，Na（結果として体液量）と

Kの代謝を直接に調節しているホルモンはミネラルコルチコイドであり，その主役はアルドステロンである．アルドステロンの分泌調節と生理作用について述べる．

a. 副腎皮質球状層の発生

　副腎皮質の発生については，新生児内分泌学（各論第1章）および副腎皮質（各論第7章）の章に詳しく述べられているとおりである．アルドステロンを分泌する副腎皮質球状層（zona glomerulosa）は，definitive zoneの外側の層に形成され，第3三半期には，レニン―アンギオテンシン系の支配下にアルドステロンを分泌するようになる．球状層細胞はCYP11B2の発現を特徴としており，この遺伝子がコードする蛋白であるP450酵素は，コルチコステロンからアルドステロンへの変換に必要な三段階の反応を触媒する．CYP11B2の発現はアンギオテンシンⅡの支配を受けるが，同様にアンギオテンシンⅡの支配を受ける転写因子が球状層の発生に重要な役割をはたしているものと推測される[10]．

b. アルドステロンの分泌調節

① レニン―アンギオテンシン―アルドステロン系（RAAS）

　レニンは，腎皮質の傍糸球体細胞から，①腎細動脈血圧の低下，②遠位尿細管腔内Na濃度の低下（macula densaを介して），③交感神経の亢進，のいずれかの刺激により分泌される．肝で産生されα2グロブリンに含まれるアンギオテンシノーゲン（レニン基質）から，decapeptideであるアンギオテンシンⅠが血中でレニンにより切り出され，主として肺に存在するアンギオテンシン変換酵素（ACE）により，さらにoctapeptideであるアンギオテンシンⅡに変換される．アンギオテンシンⅡと，さらに血中のアミノペプチダーゼにより生成されたアンギオテンシンⅢは，副腎皮質の球状層細胞表面に結合し，IP3，PKCを介して，アルドステロンの合成（コレステロール→プレグネノロン，コルチコステロン→アルドステロンの変換）を促進する（図5）．

② カリウム

　血清Kは直接に副腎皮質球状層からのアルドステロン分泌を調節している．正常範囲の血清Kの変動であってもアルドステロン分泌は変動する．高カリウム血症は強力なアルドステロン分泌刺激になる（図5）．

c. アルドステロンの腎における作用

　アルドステロンの標的臓器は，腎（遠位尿細管，集合管），唾液腺，腸管，汗腺である．アルドステロンの生理作用を媒介する受容体はミネラルコルチコイド受容体（MLR, MR）であるが，MRはアルドステロンとともにコルチゾールやコルチコステロンに対しても同等の

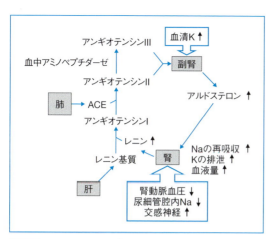

図5 レニン―アンギオテンシン―アルドステロン系（RAAS）

Na量と体液量は傍糸球体装置によって，血清K濃度は副腎皮質球状層細胞によって感知され，RAASの活動を通してそれらの恒常性が維持される．図では，腎と副腎が感知する体内の情報の例を囲いのなかに示し，そこからはじまる変化を矢印（上向きは増加，下向きは減少）で表した

親和性を有している．一方，アルドステロンの標的細胞には，11βHSD2（11β hydroxysteroid dehydrogenase type 2）も必ず存在しており，これがコルチゾールをコルチゾンに変換してコルチゾールのMRを介する作用を著しく減弱させている．これにより標的臓器におけるアルドステロンのミネラルコルチコイド作用の特異性が保たれている．

腎集合管においては，アルドステロンはMRに結合すると，genomic pathwayによって管腔側のアミロライド感受性Na^+チャネル（ASCC，ENaC）を活性化し，また，ATP産生増加を介して基底膜側のNa^+-K^+-ATPaseを活性化し，これらによりNa^+の再吸収を促進する．Na^+-K^+-ATPaseによってNa^+と交換に血管内から流入したK^+は，これもアルドステロン感受性であるK^+チャネル（ROMK）と，一部はK-Cl共輸送体を通して，管腔側に排出される．また，アルドステロンはH^+-ATPaseを介するH^+の管腔側への排出を同時に促進する．このような機序により，Na^+再吸収とともにK^+とH^+の排泄が促進される．

RAASの有するこのような生理作用，およびその機能低下と機能亢進の病態生理を極めて簡単に示せば表1のようになる．

4）水・電解質異常への臨床的アプローチ
a．高ナトリウム血症と低ナトリウム血症

水・電解質代謝異常に起因する種々の病態は，しばしば高ナトリウム血症や低ナトリウム血症を契機に診断される．

表1 ミネラルコルチコイドの生理作用と機能異常における臨床所見

生理作用	機能低下	機能亢進
Naの保持	Naの喪失 →低ナトリウム血症	Naの貯留 （水の貯留を伴う） →正ナトリウム血症
Kの排泄	Kの増加 →高カリウム血症	Kの喪失 →低カリウム血症
循環血液量保持	脱水症	体液貯留
H^+の排泄	アシドーシス	アルカローシス

著しい高ナトリウム血症は，尿崩症や口渇障害を伴う高ナトリウム血症（本態性高ナトリウム血症）など，AVP（の作用）の不足を基礎にしていることが多い．また，高ナトリウム血症をきたす他の原因としては乳児の下痢症における高張性脱水の場合があげられる．このように，高ナトリウム血症の主因はNaの過剰ではなく水の不足である（Naの過剰が原因になるのは，10%NaClを急速点滴静注した場合などの非常に特殊な状況に限られる）．一方，ミネラルコルチコイドの過剰は，原発性アルドステロン症の例からわかるように体液の増加をきたし，血清Naの上昇はわずかにとどまるので，著しい高ナトリウム血症の原因にはならない．

低ナトリウム血症では，体液量は過剰から不足まで様々であり，それらは多種類の原因疾患によって引き起こされる．したがって，低ナトリウム血症では特に体液量の増減について，種々の臨床所見から正確に把握することが重要である．また，血清Kや血漿レニンの変動などを手がかりにしてミネラルコルチコイド作用の増減を推測することが，病態生理の理解のために有用である．

b．ナトリウム利尿ペプチドによる病態を考慮すべき場合

ナトリウム利尿ペプチドのうち，脳性ナトリウム利尿ペプチド（brain natriuretic peptide：BNP）と心房性ナトリウム利尿ペプチド（atrial natriuretic peptide：ANP）はいずれも心臓から分泌されA型ナトリウム利尿ペプチド受容体（NPR-A）を介する作用により尿量を増加させるホルモンである．これらのホルモンは，異常な体液量の増加に対して有効に働き，体液の恒常性を保つことに寄与している．これらのホルモンの異常による病態が推測されているのは中枢性塩喪失症候群（cerebral salt wasting syndrome：CSWS）であり，特にBNPの過剰分泌が有力視されている．しかし，逆にいうと，その他の病態ではこれらのホルモンの病態への

寄与は小さいと考えられる．

c．小児の特性と内分泌学的視点

水・電解質異常の病態生理を把握するうえでは，小児の特性は有利に働くと期待される．すなわち，①成人や老人に比べると，皮膚所見や体重の変化などから脱水の評価がより容易である，②原因となる異常は，老人と異なりほとんどの場合に1か所（ピンポイント）と考えてよいので，病態を解明しやすい．それに加えて，ここに述べてきた内分泌学的視点は，ホルモンの測定という有力な手段とあわせて，病態の解明に大きな力となるはずである．

5）最新知見

- **AVP分泌調節にかかわる浸透圧センサーについて**

血漿浸透圧の上昇に伴ってAVP分泌と口渇感が惹起されるが，それには細胞外液の浸透圧の上昇・低下にさらされた細胞の収縮・膨張によって生じる物理的な変化を細胞が感知する仕組みが作動していると推測されている．そのような機能を担う機械感受性センサーとして最も有力な候補は，transient receptor potential vanilloid（TRPV）ファミリーに属するTRPV1およびTRPV4チャネルであり，脳内の浸透圧感受性部位として知られている二つの脳室周囲器官〔organum vasculosum laminae terminalis（OVLT）と subfornical organ（SFO）〕のニューロンに発現している．また，おもに低浸透圧刺激に対するセンサーとしては transient receptor potential canonical（TRPC）family channel も寄与していると推測されている[11]．また，このような浸透圧センサーは末梢組織においても存在しており，上部消化管や門脈からの浸透圧情報は求心神経を通して上記の脳室周囲器官のニューロンに伝達されている．さらには，これらの脳室周囲器官のニューロンにはアンギオテンシンⅡに感受性がある1型アンギオテンシン受容体も発現している[12]．このように，従来考えられていたよりも複雑なネットワークにより浸透圧調節が行われていることが推測されている[11]．

❖ 文献

1) Friis-Hansen B：Body water compartments in children：changes during growth and related changes in body composition. *Pediatrics* 28：169-181, 1961
2) Brauner R, et al.：Pituitary stalk interruption syndrome is characterized by genetic heterogeneity. *PLoS ONE* 15：e0242358, 2020
3) Robertson GL, et al.：Neurogenic disorders of osmoregulation. *Am J Med* 72：339-353, 1982
4) 大磯ユタカ，他：血漿バゾプレシンを指標とした5%高張食塩水投与法による下垂体後葉機能検査法の検討．日内分泌会誌62：608-618，1986
5) 厚生労働科学研究補助金難治性疾患克服研究事業間脳下垂体機能障害に関する調査研究班：バゾプレシン分泌低下症（中枢性尿崩症）の診断と治療の手引き（平成22年改訂）．平成22年度総括・分担研究報告書．2011
6) Zieg J：Pathophysiology of hyponatremia in children. *Front Pediatr* 5：213, 2017
7) Christ-Crain M, et al.：Copeptin in the differential diagnosis of hypotonic polyuria. *J Endocrinol Invest* 43：21-30, 2020
8) Jung HJ, et al.：Molecular mechanisms regulating aquaporin-2 in kidney collecting duct. *Am J Physiol Renal Physiol* 311：F1318-F1328, 2016
9) Robertson GL：Abnormalities of thirst regulation. *Kidney Int* 25：460-469, 1984
10) Nogueira EF, et al.：Angiotensin Ⅱ regulation of adrenocortical gene transcription. *Mol Cell Endocrinol* 302：230-236, 2009
11) Jiao R, et al.：Interactions of the mechanosensitive channels with extracellular matrix, integrins, and cytoskeletal network in osmosensation. *Front Mol Neurosci* 10：96, 2017
12) Koshy RM et al.：Physiology, Osmoreceptors. In：*StatPearls* [Internet]. Treasure Island（FL）：StatPearls Publishing；2021 Jan.［Last Update：2021 May 9］

〈横谷 進〉

B 中枢性尿崩症

1）定義・概念

中枢性尿崩症は，脳下垂体後葉から分泌される抗利尿ホルモンであるアルギニン・バゾプレシン（arginine vasopressin：AVP）の分泌不足により多尿をきたす病態である[1]．

多尿の基準は，成人では1日尿量3,000 mL以上，小児においては2,000 mL/m²/日以上とされている[2]．血漿浸透圧が高いなどAVP分泌が促進される条件下で持続的に低張尿が認められ，腎疾患が否定されたうえで，AVP投与で尿浸透圧が上昇することで診断される[1]．

2）病因・病態（表2）

AVP分泌低下をきたす疾患は様々であるが，先天性のものと後天性のものに大別される[1,3]．

先天性のうち遺伝性のものの頻度は中枢性尿崩症の1%程度と低い[3]．常染色体顕性遺伝を示す家族性中枢性尿崩症は，しばしば幼児期以降に発症する．AVPのキャリア蛋白であるニューロフィジンⅡ（neurophysin Ⅱ）の遺伝子領域に多くの異常が報告されており，異常なプレプロAVPやニューロフィジン蛋白が，視索上核や室傍核などのAVP産生細胞の小胞体内に蓄積し，細胞内輸送障害による細胞変性を徐々に生じさせることでAVP分泌が低下する．

表2　中枢性尿崩症の原因となる疾患

先天性	
遺伝性	家族性中枢性尿崩症（常染色体顕性，常染色体潜性）
先天性形成異常	中隔視神経形成異常（septo-optic dysplasia），全前脳胞症，脳正中部の形成異常，下垂体低形成
Wolfram（DIDMOAD）症候群	
先天性サイトメガロウイルス感染症	
後天性	
腫瘍	胚細胞腫，頭蓋咽頭腫，下垂体腫瘍，視神経膠腫，リンパ腫，髄膜腫，転移性脳腫瘍，Rathke 囊胞
脳外科手術後	
外傷	
周産期障害	下垂体茎断裂症候群
肉芽腫性病変	Langerhans 細胞組織球症，サルコイドーシス，多発血管炎性肉芽腫症（Wegener 肉芽腫症）
虚血性疾患	Sheehan 症候群，脳死
感染症	ウイルス性脳炎，細菌性髄膜炎，結核，ブラストミセス症，梅毒
自己免疫疾患	リンパ球性漏斗神経下垂体炎，自己免疫性下垂体炎
特発性	

Wolfram 症候群（DIDMOAD 症候群）では，小胞体ストレス応答に重要な役割をはたす WFS1 蛋白に変異あるいは一部欠失が生じ，異常な蛋白が細胞内に蓄積することによって，時間の経過とともに種々の細胞系が細胞死に至るため，尿崩症を含む多彩な症状が発現すると考えられる（詳細は**本章 C を参照**）．

Septo-optic dysplasia や全前脳胞症など脳正中部の形成異常を伴う病態でも AVP 分泌不全をきたす．

中枢性尿崩症の大部分を占めるのは後天的な疾患で，視床下部─下垂体領域の腫瘍・炎症・外傷などがあげられる．腫瘍としては胚細胞腫，頭蓋咽頭腫，Rathke 囊胞などが多い．尿崩症が契機となってこれらの病変が発見されることもあるが，術前に認められなくても手術治療を行ったあとで発症する場合もある．

外傷後や手術後の中枢性尿崩症は一過性のものと持続性のものがある．受傷あるいは手術後24時間以内に発症し，一過性の場合は数日〜数週間で改善する．持続性尿崩症の場合，三相性の経過をとることがある[1]．発症初期は神経細胞の急性の障害により，AVP が分泌されないため多尿となる．第二相は，発症後4〜7日で出現し，一時的に尿量が減少して尿浸透圧が上昇する．これは変性した神経細胞から AVP が漏出して抗利尿ホルモン不適切分泌症候群（syndrome of inappropriate secretion of ADH：SIADH）の状態を呈したためと考えられる．数日持続したのち，第三相の永続的な尿崩症へ移行する．

これらの器質的疾患が認められないものが特発性尿崩症である．かつては特発性尿崩症の頻度が高く3〜4割を占めていたが，MRI など画像診断の進歩により器質的病変が見出されることが多くなった．診断時は特発性と考えられたものが，MRI で経時的に観察を行うなかで数か月〜数年後に胚細胞腫などの腫瘍が発見されることも多く，慎重な経過観察が必要である．

リンパ球性漏斗神経下垂体炎（lymphocytic infundibuloneurohypophysitis）は特発性と考えられた中枢性尿崩症における MRI の検討で高率に報告された[1,4,5]．病初期にのみ下垂体茎の腫大がみられ，生検症例ではこの部分にリンパ球や形質細胞の浸潤が認められた．小児症例も報告されており，下垂体茎の腫大は時間経過により軽快もしくは正常化するため，初期の腫大が見逃された症例が特発性尿崩症とされている可能性がある．

3）臨床症候

多尿の程度は症例によって異なるが，平成30年度改訂の診断の手引き[2]で小児においては 2,000 mL/m²/日以上と定められた．完全型の尿崩症では 3,000 mL/m²/日を越えることが多い[6]．乳幼児では 4 mL/kg/時が使用されることもある[6]．水分喪失により血漿浸透圧が上昇して口渇中枢を刺激し，多飲をきたす．口渇中枢が正常で，飲水行動に制限がなければ，血漿浸透圧は正常域に保たれる．小児の場合，夜尿や遺尿が急にはじまった場合や夜間に数回排尿に起きる場合は多尿を疑う．

多尿以外の非特異的な症状としては，多飲による食欲不振のほか，飲水が自由にできない乳児などでは高浸透圧・高ナトリウム血症による発熱や体重増加不良を呈することがある．長期に高張性脱水が続くと中枢

II 各　論

```
病歴・臨床症状
    家族歴・薬剤歴
    多尿・夜間尿・口渇・多飲
    皮膚乾燥・口腔内乾燥感・発熱
    頭痛・視力視野障害・成長障害・倦怠感
↓
尿量の確認
    2,000 mL/m²/日
    または
    乳幼児で4 mL/kg/時を超える
↓
尿比重・尿浸透圧測定
    〔糖尿病や腎疾患，低カリウム・高カルシウム血
    症等の除外〕
    尿比重＜1.005，尿浸透圧＜300 mOsm/kg
↓
血漿浸透圧（血清 Na）測定
    高値の場合，水制限試験は行わない
    低値～正常上限の場合，水制限試験を行い最大尿
    浸透圧を確認
↓
水制限下の最大尿浸透圧
    ＜300 mOsm/kg　　　　→完全型尿崩症
    300～700*mOsm/kg→部分型尿崩症，
                        または心因性多飲
    ＞700*mOsm/kg　　　　→心因性多飲
↓
血漿浸透圧と血漿 AVP を測定
    血漿浸透圧上昇に対して AVP 分泌が無～低反応で
    あれば中枢性尿崩症（5% 高張食塩水試験を行って
    確認することもある）（図7）
↓
バゾプレシン製剤投与
    尿浸透圧の 10% 以上の上昇　→中枢性尿崩症
    尿浸透圧上昇反応なし　　　　→腎性尿崩症
↓
原因疾患の検索
    頭部 MRI は初診時に所見がなくとも，経時的に観
    察する
```

図6　中枢性尿崩症が疑われる児への対応

*：正常下限と考えられる尿浸透圧については，成書により 600～800 mOsm/kg の幅があるため，部分型尿崩症か心因性多飲かの判断は経過をみながら慎重に行う

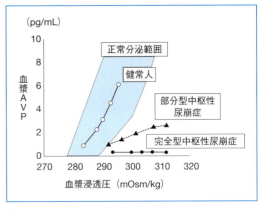

図7　高張食塩水負荷に対する AVP 分泌反応による中枢性尿崩症の鑑別

〔大磯ユタカ：尿崩症（中枢性）．成瀬光栄，他（編）：内分泌代謝専門医ガイドブック．改訂第2版，診断と治療社，109-111，2009〕

4）診断と検査法（図6）[1~3]

　基本的な病歴を聴取したうえで，まず多尿があって尿比重が低く（比重＜1.005）尿浸透圧が血漿浸透圧より低張（＜300 mOsm/kg）であることを確認する．下垂体前葉ホルモンを測定し，副腎不全合併の可能性があるときは，ヒドロコルチゾンの補充を行って尿量を観察する．血漿浸透圧や Na は飲水が自由に行われていれば正常域に保たれる．

　多尿が明らかな場合の水制限試験は慎重に行う．通常は4～6時間の水制限が行われる．試験開始までは自由飲水とし，水制限開始時に排尿させて体重を測定する．以降絶食として1時間ごとに採尿と体重測定を行い，尿比重と尿浸透圧を測定して尿浸透圧がプラトーに達するまで観察する．尿量が減少して尿浸透圧が血漿浸透圧を超え 700（乳幼児では 600）～1,200 mOsm/kg に達するときは正常である．多尿が持続し＜300 mOsm/kg の低張尿が続くときは4～6時間あるいは体重が3%減少した時点でバゾプレシン製剤投与（水溶性ピトレシン® 5 U/m² 皮下注またはデスモプレシン 5～10 μg の点鼻）を行い，投与に反応して尿浸透圧が上昇することを確認する．

　バゾプレシン製剤投与前に採血し，血漿浸透圧が上昇しているにもかかわらず AVP が低値であれば診断的価値が高い．5% 高張食塩水負荷試験（0.05 mL/kg/分で 120 分間点滴投与）によって血漿 Na あるいは浸透圧を上げ，AVP 分泌反応低下の診断をする方法もある[2,7,8]（図7）[9]．

　尿浸透圧上昇が 300～700 mOsm/kg にとどまっている場合，部分型尿崩症と心因性多飲との鑑別が必要となる．長期に心因性多飲が続くと，AVP 分泌が抑制さ

神経障害をきたす．

　原因となる器質的疾患のある場合は，それに伴う症状が認められる．視床下部―下垂体障害により AVP のみならず下垂体前葉ホルモンの低下を合併することはしばしばある．GH や甲状腺ホルモン分泌不全による成長率低下や骨年齢の遅延，ゴナドトロピン低下による思春期の遅れや無月経などは病変の発生時期を推定するうえで重要である．ACTH 分泌低下による副腎不全を合併していると多尿にならない仮面尿崩症を呈するので注意が必要である．このような症例にヒドロコルチゾンの補充を行うと急激に多尿を呈するようになる．

　視神経圧迫による視力視野障害や，出血・水頭症などによる頭痛・嘔吐にも注意を要する．

れるとともに，腎髄質尿濃縮能が不十分となるため，1回の水制限試験のみで両者の鑑別を行うことはむずかしい．心因性多飲では水制限後にデスモプレシンを投与しても尿浸透圧は上昇しないことが多い．徐々に飲水量を減らして尿量を減少させてから水制限試験を再検するか，高張食塩水負荷試験時のAVP値を測定して鑑別を行う．

脳腫瘍を含む原因疾患の鑑別のためにも頭部MRI検査は必須である．下垂体後葉は単純MRI T1強調像で高信号を呈するが，この信号はAVPの貯留を反映しており，大部分の中枢性尿崩症において高信号域は消失する．AVP転送蛋白の異常である家族性尿崩症ではAVP産生は正常であるため高信号が認められる[1,3]．

成長曲線作成・骨年齢測定は下垂体前葉ホルモン分泌不全の有無をみるうえで重要であり，器質的病変が存在するときや成長障害を伴っているときは下垂体前葉ホルモンの刺激試験を実施する．眼科における視力・視野検査も，器質的病変の手術適応を考えるうえで必要となる．

5）治療法

中枢性尿崩症はAVP投与に反応するため，治療の基本は，AVPアナログであるデスモプレシン投与を行って尿量をコントロールし，多尿による健康上および生活上の不便が生じないようにすることである[1,3,10]．最も大きな副作用は水中毒による低Naであるため，治療中は習慣的な多飲を避け，口渇に応じて水を摂取するよう指導する．

デスモプレシン点鼻製剤にはスプレー2.5（125 μg/5 mL，2.5 μg/0.1 mL/1噴霧）とがあり，0.5～10 μg/回を1日1～3回投与する．点鼻スプレー10は夜尿症用で尿崩症への保険適用はない．デスモプレシン口腔内崩壊錠は，点鼻製剤と同等の有効性を示し，内服が簡便で携行が容易なこと，鼻腔からの吸収率に左右されないことなどから利便性が高い[11]．60および120 μg錠があり，これを1日1～3回投与する．

学校生活を送っている児であれば，登校前と就寝時に適量の投与を行って，登校中あるいは入眠時に多尿がないようにする．水中毒を避けるため，1日1回はある程度効果が切れるように調節したほうがよい．投与量を増量すると尿濃縮作用は一定の値でプラトーとなり，作用持続時間が長くなる．必要量は症例ごとに大きく異なる．点鼻製剤の場合は鼻粘膜からの吸収量に左右されるため，深く吹き込み咽頭部に入ってしまうと効果がなく，また鼻炎などに罹患した際にも作用時間が短縮する．口腔内崩壊錠は口腔内で十分吸収させないと効果が落ち，食事との間隔にも配慮が必要で

ある[11]．したがって投与量は尿濃縮の効果に応じて増減する必要があり，多尿になれば随時追加投与を行って差し支えない．

点鼻スプレーは簡便で使いやすいが1噴霧の液量が多いため1回5 μg（両鼻に1噴霧ずつ）以上の投与には不適である．デスモプレシン点鼻薬の製造が中止されたため，2.5 μg未満の投与が必要な場合には口腔内崩壊錠で調整する．

口腔内崩壊錠の場合は1回60 μgから開始し，作用時間が短い場合は120 μgに増量する．より少量の投与が必要な場合は60 μg製剤を使用直前に1/2～1/4に切って投与することもある．乳児や重症心身障害児では，口腔内崩壊錠を水溶液として1部を投与する方法も試みられている[12]．腎機能低下のある患者では作用時間が延長する．

手術時や意識障害のあるときなどは，バゾプレシン注射液の持続点滴静注（0.1～1.0 mU/kg/時）でコントロールを行うほうが，半減期が数分と短いため尿量の調節が容易である．1 mL中に体重×0.1 mUを含むよう生理食塩水または5％ブドウ糖液で希釈したバゾプレシン注射液を，輸液ポンプを用いて3～5 mL/時から開始し，時間尿量に応じて増減するとよい[10]．意識障害がある場合は渇感に応じた自由飲水ができないため，維持輸液分を超える多尿があった場合は5％ブドウ糖液で補う．

6）管理と予後

手術や外傷後の一過性のものを除いて，いったん発症した中枢性尿崩症が自然軽快することはまれである．多尿を放置すると，水腎，水尿管や巨大膀胱をきたす．しかし，多尿はデスモプレシン製剤でコントロールでき，水中毒にある程度の注意を払っておけば，重篤な副作用をきたすことは少ない．したがって予後は原因疾患に左右される．

鞍上部腫瘍など器質的疾患がある場合は，腫瘍の悪性度や下垂体前葉機能低下の有無，視神経圧迫による視力視野障害進展の可能性に応じて原疾患の治療を行うが，それによって尿崩症が改善することはほとんどなく，手術後に尿崩症を新たに発症することもある．治療の必要性とホルモン補充の見通しについて，事前に十分な説明をすることが重要となる．

鞍上部腫瘍手術時の水・電解質管理には注意が必要であるため，以下に概要を述べる[13]（表3）．手術後に発症する尿崩症は前述のとおり三相性の経過をとることがあり，これに，中枢性塩喪失症候群や下垂体前葉機能低下による副腎不全に起因するNa喪失が加わると，数時間のうちに水・電解質代謝のバランスが大き

表3 鞍上部腫瘍術後の水・電解質管理

	水の管理	Naの管理
考慮すべき病態	尿崩症（三相性変化）SIADH, 水中毒	中枢性塩喪失症候群急性副腎不全
モニター項目	輸液量/尿量体重	輸液中Na量/尿中Na量血清Na
治療	・尿量に応じてバゾプレシン注射液持続点滴を増減 ・喪失分の水の補充を5％ブドウ糖液で行う	・輸液または経口投与により尿中喪失分のNaを補充 ・ヒドロコルチゾン投与

水とNaに分け，それぞれin/outのバランスをとる

く変わってしまう．特に第二相で尿量が減少している時期に漫然と低張液の輸液とAVP投与を継続していると，低ナトリウム血症をきたしやすい．水とNaに分けてそれぞれのin/outを管理し，尿量と輸液量のバランス，輸液中Na投与量と尿中Na排泄量とのバランスをチェックしたうえで，体重や血清Na濃度をモニターして確認するとよい．

7）その他の知見

中枢性尿崩症と診断した場合，頭部MRIを行って鑑別診断を進めることになるが，下垂体茎の腫大があった場合に問題となるのが，胚細胞性腫瘍とリンパ球性漏斗神経下垂体炎との鑑別である．いくつかの診断マーカーが試みられている．胚細胞性腫瘍では，絨毛癌（choriocartinoma）や卵黄嚢腫（yolk sac tumor）成分を含む場合にはhCGやAFPが高値になるため診断しやすいが，大部分の胚細胞腫（germinoma）では陰性である．近年測定可能になったのが胎盤型アルカリホスファターゼ（placental alkaline phosphatase：PLAP）である．胚細胞腫の腫瘍細胞で産生されており，Watanabe[14]らは，髄液中のPLAPが高値の場合は胚細胞腫の可能性が高いと報告している．

リンパ球性漏斗神経下垂体炎においては抗バゾプレシン細胞抗体が存在するが，この抗体はgerminomaを含む他の中枢性尿崩症でも陽性となり，鑑別診断には用いにくい．新たな診断マーカーとしてIwamaらは血中ラブフィリン3a抗体の有用性を報告している[15]．PLAP，ラブフィリン3a，いずれのマーカーも有用であるが，生検を行わずに胚細胞性腫瘍やリンパ球性漏斗神経下垂体炎との鑑別を行うにはまだ報告が少なく，その感度・特異度の評価については今後の検討が必要である．

日本の診断基準ではAVPを用いているが，海外の測定系では感度が十分でないため，代わりにcopeptin（a C-terminal part of the AVP precursor）を測定する診断方法が使用されるようになってきている[16]．

❖ 文献

1) Di Iorgi N, et al.：Diabetes insipidus—diagnosis and management. Horm Res Paediatr 77：69-84, 2012
2) 厚生労働科学研究費補助金難治性疾患等政策研究事業「間脳下垂体機能障害に関する調査研究」班，日本内分泌学会：バソプレシン分泌低下症（中枢性尿崩症）の診断と治療の手引き（平成30年度改訂）．日内分泌会誌95（Suppl.）：15-17, 2019
3) 有阪 治：中枢性尿崩症．小児内科40（増刊）：690-695, 2008
4) Imura H, et al.：Lymphocytic infundibuloneurohypophysitis as a cause of central diabetes insipidus. N Engl J Med 329：683-689, 1993
5) Maghnie M, et al.：Central diabetes insipidus in children and young adults. N Engl J Med 343：998-1007, 2000
6) 瀧浦俊彦，他：中枢性尿崩症患者における小児多尿基準の検討．日内分泌会誌91：338, 2015
7) 椙村益久，他：バソプレシン．臨床検査52：1208-1211, 2008
8) 菅原 明，他：中枢性尿崩症．成瀬光栄，他（編），内分泌代謝専門医ガイドブック．改訂第3版，診断と治療社，119-121, 2012
9) 大磯ユタカ：尿崩症（中枢性）．成瀬光栄，他（編），内分泌代謝専門医ガイドブック．改訂第2版，診断と治療社，109-111, 2009
10) 横谷 進，中枢性尿崩症．田苗綾子，他（編），専門医による小児内分泌疾患の治療．診断と治療社，43-49, 2007
11) Arima H, et al.：Efficacy and safety of desmopressin orally disintegrating tablet in patients with central diabetes insipidus：results of a multicenter open-label dose-titration study. Endocr J 60：1085-1094, 2013
12) 星野雄介，他：デスモプレシン口腔内崩壊錠を用いた新生児中枢性尿崩症の治療経験．日本新生児生育医学会雑誌31：74-77, 2019
13) 伊藤純子，他：頭蓋咽頭腫に対する経蝶形骨洞手術後の水・電解質管理プロトコール．ホルモンと臨床58：1051-1055, 2010
14) Watanabe S, et al.：A highly sensitive and specific chemiluminescent enzyme immunoassay for placental alkaline phosphatase in the cerebrospinal fluid of patients with intracranial germinomas. Pediatr Neurosurg 48：141-145, 2012
15) Iwama S, et al.：Rabphilin-3 A as a targeted autoantigen in lymphocytic infundibulo-neurohypophysitis. J Clin Endocrinol Metab 100：946-954, 2015
16) Fenske W, et al：A copeptin-based approach in the diagnosis of diabetes insipidus. N Engl J Med 379：428-439, 2018

〈伊藤純子〉

C Wolfram症候群

1）定義・概念

Wolfram症候群は，1938年に若年発症糖尿病と視神経萎縮を合併する家族性の疾患としてはじめて報告さ

れた[1]．その後，症例の集積とともに尿崩症や感音難聴の合併が多いことが明らかとなり，その四徴をとってDIDMOAD(diabetes insipidus, diabetes mellitus, optic atrophy, deafness)症候群ともよばれるようになった[2]．

本症候群の多彩な症状は，小胞体(endoplasmic reticulum：ER)ストレスに対抗する機構の異常による細胞死が原因であることが明らかとなり，2型糖尿病や神経変性疾患の病態を考えるうえからも注目を集めている[3,4,5]．

2）病因・病態

Wolfram症候群の多くは常染色体潜性遺伝を示し，原因遺伝子は1998年Inoueらによって同定されたWFS1である[4]．WFS1は第4番染色体短腕(4p16.1)上にあって8個のエクソンで構成されている．日本人ではWolfram症候群と診断された症例の約70％でWFS1遺伝子異常が同定されているが，その変異は多彩で，WFS1遺伝子の広い領域にわたっており[5,6]，常染色体顕性遺伝形式を示すものも報告されている[3,6,7]．

Wolfram症候群の糖尿病は自己免疫を伴わないインスリン依存性糖尿病であり，剖検例では膵β細胞の著明な脱落がみられる．また，脳幹や小脳の萎縮も認められる．これらの知見より，膵β細胞や神経細胞の変性死をきたすことがWolfram症候群の原因と考えられる．

WFS1がコードする890アミノ酸からなる蛋白はWFS1蛋白(wolframin)と呼ばれ，ERに存在し，膵臓では内分泌細胞，特に膵β細胞に強く発現している．脳・心・肺でも高い発現が認められる．ERは膜蛋白や分泌蛋白が正しい立体構造に折りたたまれるfoldingの場であるが，常に様々な要因で折りたたみ異常が生じており，この異常蛋白の蓄積によるER機能の障害はERストレスとよばれる[5]．新規に産生される蛋白質の30％は折りたたみ異常があると考えられており，ERストレス応答あるいはunfolded protein response(UPR)とよばれるシステムが働くことで細胞の機能が保たれている．wolframinはERストレスの上昇とともに増加し，細胞内のストレスを低下させる働きをしているが，多岐にわたるUPRシステムにおいてどのように働くかについては未解明の部分が残されている[5]．Wolfram症候群では変異あるいは一部が欠失したwolframinが産生されることによりERストレス応答に異常をきたし，時間の経過とともに種々の細胞系が細胞死に至ることで，多彩な症状が発現すると考えられる．

また，Wolfram症候群の症状を呈しながらWFS1遺伝子異常のない家系で4q22-24のzinc-finger gene ZCD2に点突然変異が見出され，WFS2と名づけられた[8]．このCISD2遺伝子は，やはりERに存在する蛋

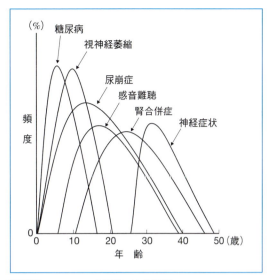

図8 Wolfram症候群の臨床経過
新たな症状発現の頻度
〔Barrett TG, et al.：Neurodegeneration and diabetes：UK nationwide study of Wolfram(DIDMOAD)syndrome. Lancet 346：1458-1463, 1995 より引用改変〕

白を産生しているが，これらの患者に尿崩症はない[1,5]．

3）臨床症候

発症率はイギリスで70万人に1人，アメリカで10万人に1人，日本人で71万人に1人[6]と推定されるまれな症候群である．イギリス45症例の分析から，図8のとおり多彩な症状が年齢の経過に応じて出現することが示された[2]．日本人においても67症例の調査がされ，うち40症例においてWFS1遺伝子解析と臨床像の詳細な分析が行われた[6]．DIDMOADの四徴のうち糖尿病が最も早く中央値8.7歳で発症する．糖尿病はインスリンを必要とするが，自己抗体は認められない．視神経萎縮の診断は中央値15.8歳で，視野欠損で発症し次第に進行する．尿崩症は中央値17.2歳で発症し，中枢性でデスモプレシン(DDAVP)に反応する．合併率は調査時で55％であった．感音難聴も中央値16.4歳でみられ，最初は高音域の軽度の聴力低下であるが，次第に進行する．

20歳以降に増加する合併症としては，尿路の拡張や頻尿，失禁等があり，これは尿崩症のためではなく膀胱神経細胞の減少によるものと考えられている．運動失調や腱反射の減弱，眼振といった神経症状，うつ病や自殺といった精神的障害も多く報告されている．しかし，症状の出現年齢や順序は個々の症例で異なり，また重症度も患者によって大きな差がある．

4）診断と検査法

若年発症のインスリン依存性糖尿病に視神経萎縮を

伴っている場合，本症の可能性が高い．「Wolfram症候群の実態調査に基づく早期診断法の確立と診療指針作成のための研究」班[9]作成の診断基準においては，①糖尿病，②視神経萎縮，③WFS1遺伝子変異の三つを主要項目とし，うち二つ以上を満たすことで診断する．主要項目①または②に加えて参考項目(感音難聴，中枢性尿崩症，尿路異常，神経症状，精神症状)が一つ以上ある場合は疑い症例として，その他の症状の出現を注意深く観察するとともに同意取得を得て遺伝子検査を行うことが望ましいと記載されている．

　Wolfram症候群に特異的な検査法はなく，遺伝子異常のある症例も2/3にとどまっているため，疑わしい患者や，患者の同胞など家族歴のある場合は，経時的に症状出現の有無を観察する必要がある．糖尿病がインスリン依存性であるにもかかわらず自己抗体が検出されないことも診断の一助になる．眼科的検索や聴力検査，尿量・浸透圧の測定，頭部MRI，腹部超音波などを経時的に行う．

5) 治療法

　細胞変性死を防止する特異的な治療法はなく，それぞれの症状に対して対症的な治療を行う．糖尿病に対してはインスリン注射，尿崩症にはバゾプレシン治療を行う．

6) 管理と予後

　神経症状をきたすような重症例の予後は不良である．死亡例は，30歳前後で神経障害による呼吸停止や腎不全をきたすことが多い．

7) その他の知見

　WFS1遺伝子は低音域の選択的障害をきたす家族性感音難聴の原因遺伝子でもあることが明らかになった[1,7]．この難聴は常染色体顕性遺伝形式をとる．WFS1遺伝子の一塩基多型(single nucleotide polymorphism：SNP)が2型糖尿病遺伝子の一つであることも報告され[5]，他の多くの疾患に対してもERストレス応答異常が関与している可能性が示唆されている．

　将来の治療に関しては，いくつかの可能性が検討されている[3,10]．一つはERストレスを緩和する化学シャペロン(chemical chaperone)を使用することである．分子シャペロン(molecular chaperone)は「他の蛋白質が機能を発揮するための正しいfoldingを助ける蛋白質」であるが，異常をきたしている蛋白質に特異的に結合できる低分子化合物を代わりに用いることで，変異タンパク質の構造を安定化して疾患の発症を防ぐ方法である．このような化合物は，分子シャペロンと区別するため，化学シャペロンと呼ばれている．このほかにも，ERのカルシウム代謝を安定化させたり，ERストレスによる細胞死を抑制したりする物質による治療が模索されている．

❖ 文献

1) Wolfram DJ, et al.：Diabetes mellitus and simple optic atrophy among siblings. *Mayo Clin Proc* 13：715-718, 1938
2) Barrett TG, et al.：Neurodegeneration and diabetes：UK nationwide study of Wolfram(DIDMOAD)syndrome. *Lancet* 346：1458-1463, 1995
3) Urano F：Wolfram syndrome：Diagnosis, management, and treatment. *Curr Diab Rep* 16：6, 2016
4) Inoue H, et al.：A gene encoding a transmembrane protein is mutated in patients with diabetes mellitus and optic atrophy (Wolfram syndrome). *Nat Genet* 20：143-148, 1998
5) 谷澤幸生：糖尿病の疾患感受性遺伝子 Update Wolfram症候群. 医学のあゆみ 244：1035-1039，2013
6) Matsunaga K, et al.：Wolfram syndrome in the Japanese population；molecular analysis of WFS1 gene and characterization of clinical features. *PLoS One* 9：e106906, 2014
7) De Franco E et al.：Dominant ER stress-inducing *WFS1* mutations underlie a genetic syndrome of neonatal/infancy-onset diabetes, congenital sensorineural deafness, and congenital cataracts. *Diabetes* 66：2044-2053, 2017
8) Amr S, et al.：A homozygous mutation in a novel zinc-finger protein, ERIS, is responsible for Wolfram syndrome 2. *Am J Hum Genet* 81：673-683, 2007
9) 難病情報センター：ウォルフラム症候群(指定難病233) https://www.nanbyou.or.jp/entry/4790(2021年10月20日アクセス)
10) Abreu D, et al.：Current landscape of treatments for Wolfram syndrome. *Trends Pharmacol Sci* 40：711-714, 2019

〈伊藤純子〉

D 口渇中枢障害を伴う高ナトリウム血症(本態性高ナトリウム血症)

1) 定義・概念

　口渇中枢障害を伴う高ナトリウム血症は，血漿浸透圧上昇にもかかわらず，アルギニン・バゾプレシン(arginine vasopressin：AVP)の分泌低下と口渇中枢の異常による口渇感の欠如を認める視床下部機能障害により起きる無飲症性(adipsic)高ナトリウム血症である．本態性高ナトリウム血症(essential hypernatremia)は，このように持続する高ナトリウム血症の原因が，AVP分泌の閾値が高浸透圧側にリセットされたことであるとして提唱されたものである[1]．その後，血漿浸透圧の上昇に対するAVP分泌が正常でありながら，口渇感が欠如した症例が存在していることから[2]，最近ではAVP分泌を調節する浸透圧受容体とは別に，口渇感を刺激する浸透圧受容体が存在すると考えられている．

表4	口渇中枢障害を伴う高ナトリウム血症を生じうる疾患
先天性疾患	全前脳胞症 脳梁低形成 水頭症 くも膜嚢胞 特発性の視床下部機能障害
後天性疾患	脳腫瘍(松果体腫瘍,頭蓋咽頭腫,胚細胞腫,視神経膠腫) Langerhans 細胞組織球症 サルコイドーシス 頭部外傷 脳炎

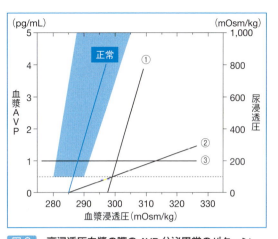

図9　高浸透圧血漿の際の AVP 分泌異常のパターン

[Robertson GL, et al.：Neurogenic disorders of osmoregulation. *Am J Med* 72：339-353, 1982]

すなわち，口渇中枢障害を伴う慢性の高ナトリウム血症は，口渇感の障害に加えて，AVP の部分的な障害が加わって起きる病態と考えられており，adipsic(hypodipsic)hypernatremia と表記されることが多くなっている.

大部分は，視床下部から下垂体周辺部に構造異常を伴う．先天性の病態としては頭部の正中形成異常(holoprosencephaly, 脳梁低形成など)，後天性疾患としては，Langerhans 細胞組織球症，頭蓋咽頭腫などの脳腫瘍などがあげられる．視床下部領域に異常を認めない症例の一部には，傍腫瘍症候群が含まれる．最近では，Na チャネルである Nax が，自己免疫反応によって障害を受けることが，脳の構造異常を認めない本症を引き起こすことが報告されている[3]．表4 に本症を生じうる代表的な疾患を示す．

2) 病因・病態

血漿浸透圧が高まると前視床下部の終盤脈絡器官，脳弓下器官にある浸透圧受容体が刺激され，その情報が視索上核，室傍核の大細胞ニューロンへ伝達され，AVP 分泌が亢進する．また，浸透圧受容体は視床下部前部に存在し，AVP 分泌と口渇感に基づく飲水行動を刺激する．

口渇中枢障害を伴う高ナトリウム血症は，視床下部障害による口渇感の低下あるいは欠如があり，そこに AVP 分泌の調節異常が加わって発症する．この AVP 分泌低下の程度は様々であり，尿崩症(diabetes insipidus：DI)として捉えるべき程度の低下がある場合には，adipsic DI あるいは hypodipsic DI(口渇中枢障害を伴う尿崩症)とよばれる．代表的な疾患としては，頭蓋咽頭腫の術後があげられる．口渇中枢障害を伴う慢性高ナトリウム血症で AVP 分泌の低下が軽度である場合には，海外の文献では，adipsic(hypodipsic)hypernatremia と記載されていることが多い.

Robertson らは hyperosmolar syndrome のなかで，浸透圧受容体の障害の程度により，AVP 分泌調節異常を3つに分類している(図9)[4]．

① AVP 分泌閾値が高浸透圧域にリセットされている
② AVP 浸透圧受容体の部分的破壊
③ 浸透圧受容体を介した AVP 分泌調節の欠如

従来提唱された本態性高ナトリウム血症として考えられていた病態は①のような状態から起きると想定されていた[1]．すなわち，血漿浸透圧の上昇に不相応な希釈尿となるが，さらに血漿浸透圧が上昇すると，尿浸透圧，血漿 AVP も上昇する．②は AVP 分泌の感受性の低下により，高浸透圧域における AVP 分泌が低下しており，臨床的には，口渇中枢障害に部分的尿崩症が伴った状態となる．③は口渇中枢障害に完全型尿崩症が伴った状態となる．

3) 臨床症候

高ナトリウム血症は通常無症状であり，臨床的には脱水症は存在しないことが多い．ただし，血清 Na が 170 mEq/L 以上の著しい高ナトリウム血症の場合には，脱力，不穏，振戦，昏睡などの報告がある．発熱や胃腸炎罹患などで，水分摂取量が減少し，喪失量が増加する場合には，けいれんや意識障害などの神経症状が出現することがありうる．新生児や乳幼児の場合には，精神発達遅滞の原因となりうる．また，ほかの視床下部・下垂体機能障害の症状を認めることがあり，摂食中枢の異常による過食・肥満，思春期早発症，体温の調節異常による高体温などの報告がある．下垂体前葉機能低下については，基礎疾患に依存する場合も多いが，様々な報告があり，それぞれの前葉機能低下に関連した症状として出現する．

4）診断と検査法

　診断上，重要な所見は，①明らかな脱水を伴わない，持続性，あるいは動揺性の高ナトリウム血症を認める，②高浸透圧血症にもかかわらず，口渇感が低下，あるいは欠如している，③高浸透圧血漿に不相応な血漿 AVP 上昇が不十分であること，④必須ではないが，視床下部の器質的疾患が存在すること，である．

　随時の採血で，すでに血漿浸透圧が明らかな高値を呈している場合も多く，その状況下で，口渇感がないことに加え，血漿 AVP の上昇が不十分，かつ希釈尿を証明することで診断される．もし，血漿浸透圧の上昇が不十分である場合には，水制限試験や高張食塩水負荷試験なども考慮されるが，結果として著明な高浸透圧血漿を引き起こす可能性もあり，迅速で血清ナトリウム値をモニタリングしながら，慎重に行う必要がある．また，すでに，頭蓋内・視床下部に器質的疾患の存在が明らかになっている場合もあるが，高ナトリウム血症を契機に視床下部病変が見つかる場合も多く，視床下部の器質的疾患を証明することも診断に重要となる．

5）治療法

　口渇中枢障害を伴う慢性高ナトリウム血症で AVP 分泌の低下が軽度である場合の治療の基本は，十分な水分投与である．水分量は維持量よりも少し多い 2,000 mL/m^2/日が適切であるとされ，口渇の有無にかかわらず摂取させる[5]．血清 Na 濃度が安定するような適切な食事以外での飲水量を決めていく必要がある．血清 Na 濃度が正常のときの体重を測定しておき，それを基準として，体重の増減を参考に摂取水分を調節する．それでも，高ナトリウム血症が是正されない場合は，デスモプレシン（DDAVP）を投与することも検討されるが，摂取水分過剰や DDAVP の過剰を引き起こし，水中毒による低ナトリウム血症をきたす可能性を考えておく必要があろう．

　AVP 分泌細胞の機能が強く障害された場合は中枢性尿崩症となり，浸透圧変化に AVP は反応しない．口渇感が欠如した完全型尿崩症は，頭蓋咽頭腫などの外科治療後にしばしば出現し，放置すると著しい脱水と高ナトリウム血症を呈し，その管理には非常に難渋する．本症の管理は容易ではない．成人では，経口 DDAVP 100〜250 μg/分2，点鼻で 3〜10 μg/分2 とし，飲水量の増減により体液バランスを保つようにする方法が推奨されているが，小児の場合，特に低年齢児では，DDAVP の過剰による水中毒のリスクなども考えあわせると，薬用量を決めることもむずかしい．少量から開始して水分調節を行い，血清 Na を繰り返し測定しながら，DDAVP の量を決めていくのが現実的であろう．

6）管理と予後

　AVP 分泌の低下が軽度であり，高ナトリウムの程度が重篤でない場合には，無症状でありうる疾患で，予後は原疾患の性質により規定される．adipsic DI の場合には，脱水の程度が強くなるリスクはより高くなる．脱水および高ナトリウム血症の症状として，倦怠感，嘔吐，起立性低血圧，筋力低下，神経過敏，けいれん，昏睡などを呈し，時に致命的となる．著しい高ナトリウム血症には，横紋筋融解や静脈血栓症が続発することもある．深部静脈血栓症や肺塞栓は通常の尿崩症に認めるが，口渇中枢障害を伴うと発症率が増加し，術後や長期の臥床，睡眠時無呼吸による多血症がリスク因子となる．合併症として，体温調節障害，肥満，および睡眠時無呼吸（閉塞性および中枢性）が多く認められ，特に睡眠時無呼吸は生命予後との関連が指摘されている[6]．

❖ 文献

1) Welt LG：Hypo- and hypernatremia. *Ann Intern Med* 56：161-164, 1962
2) Hammond DN, et al.：Hypodipsic hypernatremia with normal osmoregulation of vasopressin. *N Engl J Med* 315：433-436, 1986
3) Hiyama TY, et al.：Autoimmunity to the sodium-level sensor in the brain causes essential hypernatremia. *Neuron* 66：508-522, 2010
4) Robertson GL, et al.：Neurogenic disorders of osmoregulation. *Am J Med* 72：339-353, 1982
5) 横谷　進：本態性高ナトリウム血症（口渇中枢障害を伴う高ナトリウム血症）．田苗綾子，他（編），専門医による 新小児内分泌疾患の治療．診断と治療社，49-51．2007
6) Crowley RK, et al.：Clinical insights into adipsic diabetes insipidus：a large case series. *Clin Endocrinol*（*Oxf*）66：475-482, 2007

（水野晴夫）

E　腎性尿崩症

1）定義・概念

　ヒト（成人）では1日当たり約 1,700 L の血液が腎臓を通過し，このうち血漿成分の 20％ が糸球体で濾過される．この糸球体濾過量は1日 180 L におよび，このうち 80〜90％ は近位尿細管および Henle 係蹄下行脚で等張性に再吸収される．これらの領域の尿細管上皮細胞では，管腔側および基底膜側細胞膜に水チャネルであるアクアポリン1（AQP1）が恒常的に発現しており，

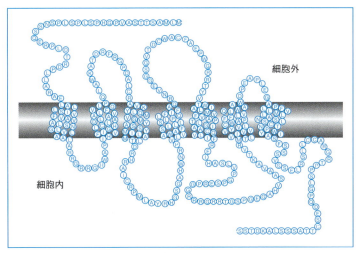

図10　バゾプレシンV_2受容体蛋白の二次構造

高い水透過性が保たれている．Henle係蹄上行脚，遠位曲尿細管，接合尿細管は水非透過性であり，糸球体濾過量の残りの10～20%は，集合管においてアルギニン・バゾプレシン（arginine vasopressin：AVP）依存性に再吸収され，最終的に糸球体濾過量の約1%が尿として排泄される．集合管上皮細胞（主細胞）では，基底膜側細胞膜にAQP3，AQP4が恒常的に，管腔側細胞膜にAQP2がAVP依存性に発現している．集合管の領域では管腔内に比べて腎髄質の間質の浸透圧が高く保たれているので，水が集合管主細胞を自由に通過できる状態，すなわち管腔側細胞膜にAQP2，基底膜側細胞膜にAQP3とAQP4が発現している場合には，管腔側から間質側に水が移動し尿の濃縮が行われる．

腎性尿崩症は腎集合管主細胞においてAVP不応が存在するために尿濃縮障害をきたす疾患群である．1992年にヒトバゾプレシンV_2受容体（V2R）遺伝子が[1,2]，1994年にヒトアクアポリン2（AQP2）遺伝子が単離され[3,4]，腎性尿崩症の分子レベルでの理解が深まるに至った．

2）病因・病態

a．X連鎖性潜性遺伝型腎性尿崩症

先天性腎性尿崩症の約90%はX連鎖性潜性遺伝形式を示し，X染色体上に存在するV2R遺伝子の変異に起因する．罹患者は男性であるが，女性保因者において不均等なX染色体不活化が起こると臨床症状を呈する症候性保因者となる．

V2R遺伝子は三つのエクソンからなる遺伝子で腎の集合管に選択的に発現している．ヒトV2R蛋白は371アミノ酸からなる7回膜貫通型GTP結合蛋白共役受容体である（図10）．膜蛋白であるV2Rは翻訳，合成されたあと，ポリリボゾームから小胞体の内腔に挿入され，ゴルジ体を経て輸送小胞に乗り込み細胞膜に到達する．小胞体からゴルジ体を経て輸送小胞に乗り込むためには，正しい立体構造が形成されている（正しくfoldingされている）必要がある．基底膜側細胞膜に発現したV2RにAVPが結合すると，受容体を介してGTP結合蛋白の活性化が起こりαサブユニット上のGDPがGTPと交換され，同時にαサブユニットから$\beta\gamma$サブユニットが解離する．GTP結合αサブユニットはアデニル酸シクラーゼを活性化しcAMPが生成される．cAMPはプロテインキナーゼA（protein kinase A：PKA）を刺激し，AQP2蛋白のリン酸化が行われる．

先天性腎性尿崩症において現在まで280以上のV2R遺伝子変異が報告されており，変異の分布は特定のドメインに集中することなく，蛋白全長にわたっている．多くの症例においてCOS7細胞などを用いて変異蛋白の機能解析が行われている．現在までに報告されているほとんどのミスセンス変異とインフレーム欠失，および一部のナンセンス変異では，小胞体内で正しい蛋白立体構造が形成されず（misfolding：折りたたみ異常），変異蛋白が小胞体内に停留するため，受容体蛋白は細胞膜まで到達できない．このようなタイプの変異の大部分は膜貫通領域に存在する変異である．また，少数の変異においてはGTP結合蛋白とのカップリングの障害やAVPとの結合親和性の障害を有すると報告されている．

b．常染色体潜性および顕性遺伝型腎性尿崩症

先天性腎性尿崩症の約10%は常染色体潜性または顕性遺伝形式を示し，それらの大部分はAQP2遺伝子

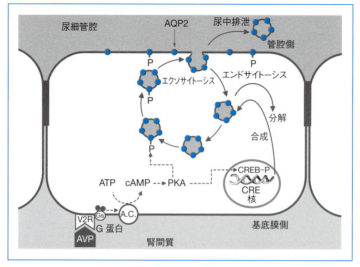

図11 集合管主細胞におけるアクアポリン2細胞内輸送

AVP：arginine vasopressin, V2R：vasopressin V_2 receptor, A.C.：adenylate cyclase, PKA：protein kinase A, CRE：cAMP-responsive element, CREB-P：CRE binding protein, AQP2：aquaporin 2

変異に起因する．ヒトAQP2遺伝子は12番染色体長腕に存在し，四つのエクソンからなる遺伝子である．AQP2蛋白は271アミノ酸からなりホモ四量体を構成している．AQP2は細胞質内の輸送小胞の膜に組み込まれた形で存在するが，AQP2がリン酸化されるとAQP2を含む輸送小胞は管腔側細胞膜へ移動し(trafficking)，エクソサイトーシスの様式で細胞膜にドッキングする．この結果，膜における水の透過性が増大し浸透圧の低い管腔側から浸透圧の高い間質側に水が移動する．PKAによるAQP2蛋白のリン酸化はC端側細胞内ドメインのセリン256に対して行われるが，セリン256をアラニンに置換すると膜へのtraffickingが障害されることが知られている．AVP刺激が消退するとAQP2を含む細胞膜はエンドサイトーシスの様式で輸送小胞を形成し細胞質内に回収される．このような輸送小胞を介したAQP2のtraffickingによって集合管主細胞の水透過性が調節されている(図11)．

常染色体潜性遺伝を示す腎性尿崩症において，現在までに約70種類のAQP2遺伝子変異が報告されており，その多くはミスセンス変異である(図12)．xenopus oocyteを用いた検討では，p.Thu125Metとp.Gly175Argを除いたほとんどのミスセンス変異は，misfolding(折りたたみ異常)のため小胞体に停留し細胞膜に到達できないことが示されている[5]．

常染色体顕性遺伝を示すAQP2変異としては，4種類のミスセンス変異，4種類の小欠失，1種類の塩基挿入が報告されている(図12)．興味深いことに，顕性遺伝を示すAQP2変異は，すべて細胞内ドメインのC端側に位置しており，細胞内輸送に重大な影響を与えると考えられている．xenopus oocyteを用いた検討ではp.Glu258Lys蛋白はゴルジ体に停留することが示されている[6,7]．

c．他の遺伝子異常による先天性腎性尿崩症

腎臓において尿の濃縮が行われるためには，集合管主細胞の細胞膜の水透過性が保たれていること，および，集合管の管腔内より腎髄質の間質のほうが高浸透圧に維持されている必要がある．集合管主細胞基底膜側細胞膜には，AQP3とAQP4が恒常的に発現している．AQP3ノックアウトマウスでは著しい多尿を呈するが，AQP4ノックアウトマウスにおける尿濃縮障害は軽度であったと報告されている．この点より，集合管基底膜側細胞膜ではAQP4よりAQP3が水透過性に関してより重要な役割を担っていると推測される．ヒトでは腎性尿崩症を呈した患者においてAQP3やAQP4の異常を認めたとの報告はない．

腎髄質の間質が高浸透圧に保たれていない場合には集合管における管腔側から間質への水の移動が行われず尿濃縮障害が発生する．ClC-K1(ヒトのホモログはClC-Ka)は腎特異的クロライドチャネルでHenle係蹄上行脚に発現しており，ノックアウトマウスでAVP不応性の多尿を示したと報告されている．すなわち，ClC-K1(ClC-Ka)は間質の高浸透圧を保つのに重要な役割を担っていると考えられるが，ヒトの腎性尿崩症患者においてこのチャネルの変異はみつかっていない．

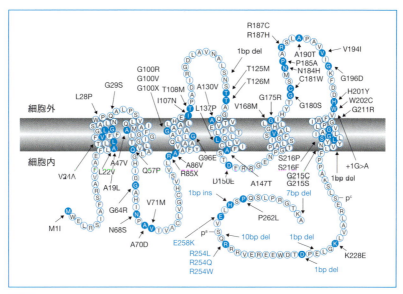

図12 アクアポリン2蛋白の二次構造
黒字は常染色体潜性，青字は常染色体顕性腎性尿崩症患者において見出された変異を示す

AQP1は近位尿細管とHenle係蹄下降脚に発現しており，これらの領域における等張性の水再吸収に寄与している．AQP1ノックアウトマウスでは著しい尿濃縮障害を示すことが知られているが，AQP1が欠損しているヒトでは尿の濃縮障害は軽度であったと報告されている．

3）臨床症候

腎性尿崩症の基本的な臨床症状は多尿とそれに基づく代償性の多飲であるが，新生児・乳児期には嘔吐，発熱，体重増加不良，便秘などの症状が前景に立つことも多い．V2R変異蛋白の違いによる症状の差は少ないが，p.Asp85Asn，p.Gly201Asp，p.Pro322Ser変異では，例外的に症状は比較的軽く，10歳頃から多尿が目立つようになると報告されている．AQP2遺伝子変異に基づく腎性尿崩症のうち，顕性遺伝を示すものは，潜性遺伝を示すものと比べて臨床的に軽症の傾向にあるといわれている．

4）診断と検査法

1日当たり成人で3,000 mL，小児では体表面積1 m²当たり3,000 mL以上の尿量を多尿と考える．診断の要点は，まず尿糖などによる浸透圧利尿を除外したうえで，水制限試験により心因性多尿を鑑別し，次に抗利尿ホルモンに対する反応性を検討し中枢性尿崩症を鑑別することにある．随意尿の尿浸透圧が600 mOsm/kg以上であれば尿崩症は否定的と考えられる．一方，任意の時点で血清浸透圧が300 mOsm/kg以上，かつ尿浸透圧が300 mOsm/kg以下の場合は尿崩症が強く疑われる．

水制限試験により，体重が制限前より5%以上減少した時点，もしくは血清浸透圧が300 mOsm/kgを上回った時点で，尿浸透圧が300 mOsm/kg以下であれば尿崩症と診断される．腎性尿崩症では，水制限後の血漿AVP濃度が高値となる．ただし，先天性腎性尿崩症の場合，新生児期より多尿が顕著で高張性脱水をきたしていることが多いため，水制限試験は危険を伴うことに留意すべきである．AVP前駆体のC末端を構成するコペプチンは，AVPに比べ体内で安定であり高い血漿濃度が観察できるため，AVPの代替マーカーとして尿崩症の鑑別に有用であると報告されている[8]．

尿崩症の診断が確定したら，次に抗利尿ホルモンに対する反応性を検討する．通常は，ピトレシン®注射液を体重1 kg当たり0.1 U（成人で5〜10 U）皮下注投与し，30分および60分後の尿浸透圧が300 mOsm/kgを上回らなかった場合，または尿浸透圧が投与前に比べ2倍未満の上昇にとどまった場合に腎性尿崩症と診断する．V2R遺伝子異常とAQP2遺伝子異常の鑑別は家族歴・性別から推測できることがあるが，それ以外の臨床像からは困難で，遺伝子解析によりなされる．

5）治療法

治療の基本は脱水を予防することである．新生児・乳児期には2〜3時間ごとの強制飲水が必要となることもある．脱水の程度が著しい場合や経口摂取が困難な場合には，経静脈的に水分を補充するが，糖濃度の高い輸液を行うと尿糖が陽性となり浸透圧利尿をきた

すことがあるので注意を要する．著しい多尿により，水腎症，腎機能障害，膀胱機能障害へと発展する可能性があるので，排尿をがまんすることなく頻回にかつ完全に排尿する習慣を身につけさせる．

薬物療法としてはサイアザイド系利尿薬(たとえば，ヒドロクロロチアジド 2～4 mg/kg/日)が用いられるが，同時に十分な塩分制限を行う必要がある．乳児期では，塩分制限を行う目的で低 Na 乳が用いられることもある．また，K の不足に対して，K 保持性利尿薬が併用されることもある．このような治療によって尿量を約 50% 減少させることが可能であるが，自由水クリアランスを負にする，すなわち血清浸透圧以上に尿を濃縮することはできない．インドメタシンなどのプロスタグランジン合成阻害薬は V2R 変異に基づく腎性尿崩症に対して有効であるが，AQP2 変異に基づく腎性尿崩症に対する効果は期待できないようである．

6) 管理と予後

腎性尿崩症では，新生児・乳児期に著しい成長障害をきたすことが多いが，適切な治療により幼児期以降の成長は改善傾向を示す．時として，水腎症を呈することがあり，軽微な腹部打撲を契機として急性の尿閉や尿路系の損傷をきたすことがある．

7) 最新知見

前述のとおり腎性尿崩症の病因となる多くの変異蛋白は misfolding(折りたたみの異常)のため小胞体に停留する．Morello らは in vitro の系において非ペプチド性，細胞透過性 V2R アンタゴニストである SR121463A が小胞体に停留している変異 V2R 蛋白の細胞膜への発現を増大させ機能の回復が得られることを示した[9]．同様に，in vitro の系においてグリセロールが小胞体に停留している変異 AQP2 蛋白を細胞膜にターゲッティングさせ機能を回復させることが可能であることが報告されている[10]．すなわち，これらの試みは，蛋白質の folding(折りたたみ)を触媒的に補助する化学シャペロンによって腎性尿崩症を治療できる可能性を示唆しており，変異 V2R に基づく腎性尿崩症患者に対し非ペプチド性，細胞透過性 V1aR アンタゴニストを投与したところ，尿浸透圧の上昇，尿量の減少が観察されたとの報告もある[11]．

さらに変異 V2R に基づく腎性尿崩症の治療として，変異 V2R 経由のシグナル伝達経路を迂回する方法が検討されている．β3 アドレナリン受容体は腎集合管に発現しており，その選択的アゴニスト BRL37344 投与で，細胞内 cAMP の上昇，PKA 活性化，AQP2 リン酸化を介して AQP2 を含む輸送小胞の管腔側細胞膜への trafficking が増加することが観察されている[12]．このことより，V2R 以外の腎集合管に発現している GTP 結合蛋白共役受容体を介した治療の可能性が示唆される．また，セカンドメッセンジャーとして cGMP を介したシグナル伝達経路を利用した治療も検討されている．シルデナフィル(バイアグラ®)は，生体内で cGMP を分解する 5 型ホスホジエステラーゼの酵素活性を阻害することにより細胞内 cGMP を上昇させ，PKA 活性化，AQP2 の管腔側細胞膜への trafficking を促進する[13]．Assadi らは，X 連鎖性潜性遺伝型腎性尿崩症の患者にシルデナフィルを投与し尿量減少，尿浸透圧上昇が観察されたと報告した[14]．一方，シルデナフィルが腎性尿崩症に有効ではなかったとの報告もあり[15]，さらに症例を増やしての検討が必要である．経口糖尿病治療薬メトホルミンは AMP 活性化プロテインキナーゼ(AMP-activated protein kinase：AMPK)を活性化し，各種基質分子のリン酸化を亢進するが，AMPK は腎集合管にも発現しているため，メトホルミンにより AQP2 のリン酸化，管腔側細胞膜への trafficking が促進されることが示されている[16]．したがって，メトホルミンも変異 V2R に基づく腎性尿崩症の治療薬になる可能性が示唆される．

❖ 文献

1) Birnbaumer M, et al.：Molecular cloning of the receptor for human antidiuretic hormone. Nature 357：333-335, 1992
2) Lolait SJ, et al.：Cloning and characterization of a vasopressin V2 receptor and possible link to nephrogenic diabetes insipidus. Nature 357：336-339, 1992
3) Deen PM, et al.：Requirement of human renal water channel aquaporin-2 for vasopressin-dependent concentration of urine. Science 264：92-95, 1994
4) Sasaki S, et al.：Cloning, characterization, and chromosomal mapping of human aquaporin of collecting duct. J Clin Invest 93：1250-1256, 1994
5) Robben JH, et al.：Cell biological aspects of the vasopressin type-2 receptor and aquaporin 2 water channel in nephrogenic diabetes insipidus. Am J Physiol Renal Physiol 291：F257-270, 2006
6) Asai T, et al.：Pathogenesis of nephrogenic diabetes insipidus by aquaporin-2 C-terminus mutations. Kidney Int 64：2-10, 2003
7) Marr N, et al.：Heteroligomerization of an Aquaporin-2 mutant with wild-type Aquaporin-2 and their misrouting to late endosomes/lysosomes explains dominant nephrogenic diabetes insipidus. Hum Mol Genet 11：779-789, 2002
8) Timper K, et al.：Diagnostic accuracy of copeptin in the differential diagnosis of the polyuria-polydipsia syndrome：A prospective multicenter study. J Clin Endocrinol Metab 100：2268-2274, 2015
9) Morello JP, et al.：Pharmacological chaperones rescue cell-surface expression and function of misfolded V2 vasopressin receptor mutants. J Clin Invest 105：887-895, 2000

10) Tamarappoo BK, et al.：Defective aquaporin-2 trafficking in nephrogenic diabetes insipidus and correction by chemical chaperones. *J Clin Invest* 101：2257-2267, 1998
11) Bernier V, et al.：Pharmacologic chaperones as a potential treatment for X-linked nephrogenic diabetes insipidus. *J Am Soc Nephrol* 17：232-243, 2006
12) Procino, G, et al.：β3 adrenergic receptor in the kidney may be a new player in sympathetic regulation of renal function. *Kidney Int* 90：555-567, 2016
13) Bouley R, et al.：Stimulation of AQP2 membrane insertion in renal epithelial cells in vitro and in vivo by the cGMP phosphodiesterase inhibitor sildenafil citrate(Viagra). *Am J Physiol Renal Physiol* 288：F1103-F1112, 2005
14) Assadi F, et al.：Sildenafil for the treatment of congenital nephrogenic diabetes insipidus. *Am J Nephrol* 42：65-69, 2015
15) Hinrichs GR, et al.：Treatment of nephrogenic diabetes insipidus patients with cGMP-stimulating drugs does not mitigate polyuria or increase urinary concentrating ability. *Kidney Int Rep* 5：1319-1325, 2020
16) Klein J D, et al.：Metformin, an AMPK activator, stimulates the phosphorylation of aquaporin 2 and urea transporter A1 in inner medullary collecting ducts. *Am J Physiol Renal Physiol* 310：F1008-F1012, 2016

（郷司克己）

F 乳幼児習慣性多飲多尿

1) 定義・概念

乳幼児において，器質的疾患なく，習慣的な多飲により，多尿をきたしている状態をいう．その際には，多飲多尿をきたす他の疾患，たとえば，糖尿病や尿崩症を否定する必要がある．

その病因については，心理的不安を抱えていたり，情緒不安定な親の養育過誤により，子どもが泣いたりぐずった際に人工乳，イオン飲料などの水分を与えることで対処することが習慣化してしまうことによって起きる．親のネグレクトが原因の場合や[1,2]，子どもに強制飲水させる虐待の場合でも[3]，結果として同様の症状が起きうる．児本人の要因による習慣性多飲は自閉スペクトラム症があるときや[4]，被虐待の心因反応，母児関係の歪み・希薄などの際に認められる．

2) 病因・病態

親の養育過誤や，本人の発達障害などが存在することで，水分を過剰に与える習慣が形成され，その習慣に対して，心理的に依存してしまうことが悪循環を導き，病態が形成される（図13）．親の判断で希釈した人工乳を大量に飲ませるなど，児への水分投与に対する親の正しい知識が不足している場合もある．多飲による水分過剰(overhydration)が持続すると，アルギニン・バゾプレシン(arginine vasopressin：AVP)は，慢性的に抑制され浸透圧の低い尿が大量に排泄される．多飲・水分過剰が持続すると，血漿量減少や浸透圧負荷に対するAVP閾値が低下しており[5]，尿濃縮力は軽度低下する．ただし，この腎濃縮力の低下は可逆的であり，飲水を制限すると回復する．

習慣的多飲が発見される契機が，低ナトリウム血症，けいれん，意識障害である場合も報告されている[6]．乳幼児は，体内の水分が排泄されるまでに比較的長時間を要し，overhydrationの状態が長引くこと，尿細管が未熟で生理的に糸球体尿細管不均衡にあり，Naの喪失をきたしやすいことから水中毒が起きやすいと考えられる[7]．

3) 臨床症候

児にとっては，過剰の水分を摂取することになり，希釈尿が大量に排泄される．乳児ではおむつ替えが頻回で，尿量が多いこと，幼児では頻回の多尿を認めることで気づかれる．ほしがる水分も尿崩症では冷水を好むのに対し，本症では，親や本人の嗜好で選択される．乳児期以降では，人工乳，ジュース，温かいお茶など様々な種類に及ぶ．尿崩症は一度に大量に飲水するのに対して，少量から普通量を頻回に飲む傾向にある．また，脱水を起こすことはほとんどないため，腎性尿崩症などにみられる不明熱や脱水によるけいれんなどの既往は通常認められない．

水分摂取過剰の程度が強い場合には，低ナトリウム血症となる．その程度が強くなり，浮腫，無熱性けいれん，意識障害などの症状をきたした報告も散見される[6]．

4) 診断と検査法

当初は，尿崩症との区別がつきにくい．実際の臨床の現場では，好きな遊びに夢中になっていたりすると

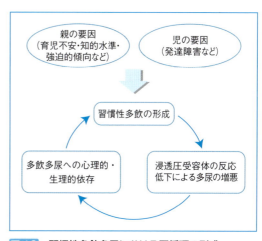

図13 習慣性多飲多尿における悪循環の形成

II 各 論

飲水をせずに数時間経過することがあるが，尿崩症であった場合には容易に脱水を起こしてしまうため，慎重に対応する必要があろう．問診の際，発症年齢，飲水の嗜好，一度に飲む飲水量，不明熱などの既往，多飲多尿の家族歴，飲み物の与え方，家庭の状況など詳細に病歴を聴取することが診断の手がかりとなる場合がある．また，中枢性尿崩症，腎性尿崩症とも，体重増加や成長率が悪い症例もあるため，成長曲線をつけることも重要であろう．

糖尿病，高カルシウム血漿など多尿をきたす疾患が除外されれば，尿崩症との鑑別診断を行っていくことになる．乳児期以降の患者であれば，日常の生活のなかで，制限をしない範囲で，水を飲まないで過ごせる時間帯，たとえば，就寝後の早朝の尿が採取でき，尿の濃縮が確認できれば，尿崩症の可能性が下がる．

水制限試験で尿浸透圧が血漿浸透圧の2倍以上に反応すれば，尿崩症は否定できる．ただし，4時間程度の水制限では，本症であっても尿浸透圧の上昇が不十分であることも多い．さらに，血漿浸透圧を290 mOsm/kg 未満では，AVPの十分な上昇が確認できないことも多く，水制限の時間が不十分であると，部分型中枢性尿崩症と診断してしまうことがあるので注意を要する．ただし，水制限試験の際には，かりに，その児が中枢性あるいは腎性尿崩症であった場合には，容易に脱水を起こすため，可能な限り，問診，診察，随時の検査の段階で，判断材料を多く集めておけると，その後の負荷試験などは行いやすくなる．

もし，尿崩症との鑑別がむずかしい場合には，副作用の出現に注意しながら，十分に注意して高張食塩水負荷試験を行い，血漿浸透圧を290 mOsm/kg以上として，尿浸透圧，AVPの分泌を確認する．下垂体後葉は，頭部MRIのT2強調像で，正所に高輝度に描出される．

5) 治療法

診断が確定したら，1日水分量の上限を決め，養育法や栄養の与え方の適正化を図る．背景に，養育者の心理的不安や，飲水に対する心理的依存がある場合には，必要に応じて，養育者や患児の心理検査や心理相談を行う．また，ネグレクトや虐待が疑われた場合には，児童相談所と相談するなど適切な対応を進める．

もし，児に自閉スペクトラム症が存在し，それに起因する多飲多尿の場合には，飲水を制限することは困難であることも多く，児童精神の専門医による原疾患への治療介入が必須となる．

6) 管理と予後

診断が適切になされ，適切な介入がなされれば予後は良好である．ただし，けいれん重積や意識障害で発症する児も存在するため，二次的に引き起こされる症状によっては予後に影響する．

家庭環境や，心理的問題が関与している場合に，それを改善することがむずかしい状況も存在するため，継続した介入，児童精神専門医による心理的な介入が必要な場合もある．

諸検査の結果，部分的尿崩症を除外しきれない場合には，頭蓋内の器質的疾患の否定を優先して，頭部MRIを含めて注意深く経過を追跡する必要がある．

❖ 文献

1) Kohn B, et al.：Hysterical polydipsia(compulsive water drinking) in children. Am J Dis Child 130：210-212, 1976
2) Accardo P, et al.：Excessive water drinking. A marker of caretaker interaction disturbance. Clin Pediatr(Phila)28：416-418, 1989
3) Arieff AI, et al.：Fatal child abuse by forced water intoxication. Pediatrics 103(6 to 1)：1292-1295, 1999
4) Terai K, et al.：Excessive water drinking behavior in autism. Brain Dev 21：103-106, 1999
5) Linquette M, et al.：Acute water intoxication from compulsive drinking. Br Med J 2：365, 1973
6) 小林朋子，他：無熱性けいれんを主訴に来院した水中毒の2症例．小児保健研究 65：577-584，2006
7) Houston IB, et al.：The growth and development of the kidneys. In：Davis JA, et al.(eds). Scientific Foundations of Paediatrics. William Heinemann medical book Ltd., London, 297-307, 1974

（水野晴夫）

G 低浸透圧症候群

低浸透圧血症は循環血液中のNa濃度が低下している病態であり，低ナトリウム血症としてとらえられる．低浸透圧血症をきたす病態や疾患(図14)を総称して低浸透圧症候群と呼称する．低浸透圧血症に伴う中枢神経系の症状は，水の移動による脳神経細胞容積の変化により生じる．頭蓋内容積の小さい小児では脳浮腫により脳循環障害をきたしやすい．したがって，低浸透圧血症の病態・診断・治療を考えるうえで，「浸透圧」の意味を正しく理解しておく必要がある．低浸透圧血症をきたす疾患のうち，遭遇する機会の多い抗利尿ホルモン不適切分泌症候群(syndrome of inappropriate secretion of ADH：SIADH)と，最近小児での報告が増えている中枢性塩喪失症候群(cerebral salt wasting syndrome：CSWS)を中心に述べる．

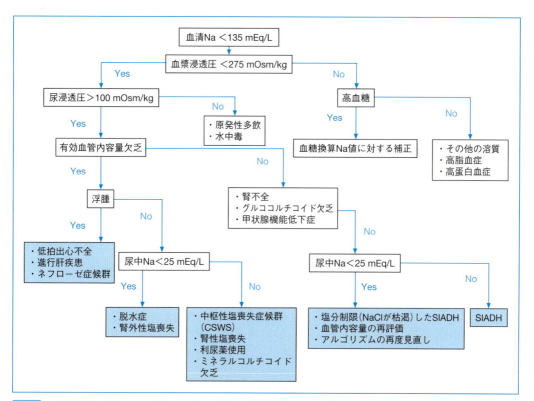

図14 低浸透圧血症をきたす低ナトリウム血症の鑑別診断アルゴリズム

[Repaske DR：Disorders of water balance. In：Brook CGD, et al.(eds), Brook's Clinical Pediatric Endocrinology, 6th ed., Wiley-Blackwell, Oxford, 343-395, 2009]

1) 浸透圧

a. 浸透圧と有効浸透圧

体液中のすべての溶質の濃度を反映する浸透圧に対して、有効浸透圧は細胞膜を介した移動が制限される溶質の濃度のみを反映する．血漿浸透圧は実測する方法と推定する方法がある[1,2]．

推定血漿浸透圧＝[2(Na+K)＋血糖(mg/dL)/18＋BUN(mg/dL)/2.8]

Na, K, マンニトール, グリセロールなどは細胞膜を介した移動が起こりにくいので，それらの溶質によって形成される浸透圧は有効浸透圧〔あるいは張度(tonicity)〕とよばれ，細胞内外での水の移動の原動力となり細胞容積の変化に寄与する．一方，尿素やブドウ糖(インスリンが正常に作用できる場合)は体液の主要な浸透圧形成物質であるが，細胞膜を比較的自由に通過するために細胞内外での浸透圧較差が生じにくく，有効浸透圧とはなりにくい．

有効血漿浸透圧＝血漿浸透圧−[血糖(mg/dL)/18＋BUN(mg/dL)/2.8−7.5]

単位換算→尿素窒素：mg/dL×(1/2.8)＝mmol/L,
ブドウ糖：mg/dL×(1/18)＝mmol/L

b. 等浸透圧性と等張性

輸液製剤の浸透圧と有効浸透圧の関係は以下のようである．

①0.9% 生理食塩水(Na 154 mEq/L, Cl 154 mEq/L, 浸透圧 308 mOsm/kg)は，体液に対して等浸透圧性かつ等張性である．

②5% ブドウ糖液(浸透圧 278 mOsm/kg)は体液に対して等浸透圧性であるが，Na 濃度の点において低張性である．

③市販輸液製剤は等浸透圧性に調製されているが，輸液開始液(Na 90 mEq/L 程度)，維持液(Na 35 mEq/L 程度)および 0.45% 生理食塩水(Na 77 mEq/L)は，いずれも Na 濃度が血清 Na 濃度より低いので低張性液とよばれる[2,3]．

2) 低ナトリウム血症の病態

低ナトリウム血症は循環血液中の水の増減によって，体内の Na 絶対量が減少しているものから増加しているものまであり，以下の三つに分類される[2~4]．

a. hypovolemic hyponatremia

体内の水と Na が減少しているが，Na の減少がより著しい病態である．

細胞外液量が減少する低ナトリウム血症の原因は，腸管，皮膚，腎臓からの体液喪失である．CSWS も含まれる．腎以外の原因では，細胞外液量減少に反応したレニン―アンギオテンシン―アルドステロン系の亢進により，腎尿細管での Na 再吸収が高まり，尿中への Na 排泄は低下（<20 mEq/L）する．0.9％生理食塩水の輸液により病態が速やかに改善することによっても，他の原因による低ナトリウム血症との鑑別ができる．

b. hypervolemic hyponatremia

体内の Na 量の増加があるが，それを上回る水分量の増加があるために，希釈性低ナトリウム血症をきたす病態である．

有効循環血液量の減少を伴うネフローゼ症候群，非代償性肝硬変症，うっ血性心不全などの浮腫性疾患である．血漿浸透圧低下を犠牲にしてでも循環血液量を維持するために，容量受容体や圧受容体からの非浸透圧性刺激によりアルギニン・バゾプレシン（arginine vasopressin：AVP）が分泌される．同時に，交感神経系を介してレニン―アンギオテンシン―アルドステロン系が活性化され，腎での水と Na の再吸収が高まる．一方，心不全では拡張した心筋から Na 利尿作用のある脳性ナトリウム利尿ペプチド（brain natriuretic peptide：BNP）や N 末端プロ脳性ナトリウム利尿ペプチド（NT-proBNP）が分泌され，低ナトリウム血症はさらに進行する．

c. euvolemic hyponatremia

体内の Na 量は変わらないで，水分のみがわずかに増加する水貯留を一次的な原因とする病態である．水中毒（water intoxication）も含まれる．

臨床的に，皮膚・粘膜の乾燥や起立性低血圧・脈拍数増加などの，体液量の減少や皮下浮腫や腹水などの体液量の過剰を示す所見を認めない．血清 BUN 値は正常～低下，尿酸値は低下する．SIADH もこのカテゴリーに含まれるが，慢性状態では体液量増加に対して Na 排泄機構が働き，体液量はほぼ正常化（euvolemia）する．副腎不全や重症甲状腺機能低下症は水利尿不全を伴うので，SIADH と類似した病態を呈する．

3）乳児の水貯留による低ナトリウム血症

生後 6 か月未満の乳児では尿希釈能は保たれているが，糸球体濾過量が低いために腎からの水排泄能には限界があり，過剰な水投与により低ナトリウム血症をきたす．また，希釈した人工乳を与え続けると蛋白が不足し，腎からの水排泄に必要な尿素などの溶質が 50 mOsm 以上に増加しないために，水排泄が障害されて低ナトリウム血症をきたす[2]．

4）運動誘発性低ナトリウム血症

マラソンランナーでの報告が多い．運動中の過剰な水摂取，汗からの Na 喪失，および AVP の過剰分泌が原因であり，しばしば筋けいれんを伴い，横紋筋融解症を発症することがある[2]．

1 抗利尿ホルモン不適切分泌症候群（SIADH）

1）定義・概念

SIADH は低浸透圧血症にもかかわらず AVP が不適切に分泌され，水分貯留による希釈性低ナトリウム血症をきたす病態として，1957 年に Schwartz と Bartter らにより提唱された[1]．

2）病因・病態

SIADH をきたす疾患を表 5[5]に示す．

a. SIADH の基本病態

SIADH の病態の基本は，循環血漿量減少や血圧低下などの非浸透圧性の AVP 分泌刺激（non-osmotic AVP stimulation）が存在しない状態で，AVP 分泌が抑制されるべき低浸透圧状態にもかかわらず AVP 分泌が持続することである．AVP の分泌動態により SIADH は四つの Type（A～D）に分類される（図 15）．Type D として，血中 AVP の増加を認めないものが腎の AVP 受容体タイプ 2（V2）遺伝子の機能獲得変異によることが明らかにされた．このことから SIADH ではなく syndrome of inappropriate antidiuresis（SIAD）のほうが，本病態を適切に表しているといえる[7]．なお，Type D の多くは乳児期にけいれんとともに発症する[8]．

SIADH では血中 AVP が正常範囲を超えて上昇している必要はなく，AVP 分泌が抑制されるべき低浸透圧状態においても分泌が持続するということが病態のポ

表5 SIADH の原因

中枢神経系疾患	髄膜炎，脳炎，頭部外傷，くも膜下出血，脳梗塞・脳出血，脳腫瘍，Guillain-Barré 症候群
肺疾患	肺腫瘍，肺炎，肺結核，肺アスペルギルス症，気管支喘息，陽圧呼吸
異所性バゾプレシン産生腫瘍	肺小細胞癌，膵癌
薬剤	ビンクリスチン，クロルフィブレート，カルバマゼピン，アミトリプチン，イミプラミン，選択的セロトニン再取り込み阻害薬（SSRI）

［厚生労働科学研究費補助金難治性疾患等政策研究事業「間脳下垂体機能障害に関する調査研究」班：バソプレシン分泌過剰症（SIADH）の診断と治療の手引き（平成 30 年度改訂）．日内分泌会誌 95（Suppl.）：18-20，2019］

イントであり，そのために過剰分泌とはいわない．また，SIADHであっても，尿量と不感蒸泄量以上の水分摂取がなければ低ナトリウム血症を呈さない[3,4,9]．

b．SIADHにおける体液量および細胞容積の調節

SIADHでは尿中へのNa排泄を促進し，増加した体液量を減少させてeuvolemic hyponatremia状態を維持しようとする調節機構が働く．そのためにSIADHでは浮腫や血圧上昇が認められない．その理由として，AVP受容体のdown-regulation（エスケープ現象ともよばれ，持続するAVP刺激により腎集合管細胞内の水チャネルであるアクアポリン2（AQP 2）の発現が減りAVPの抗利尿作用が減弱する）による尿量増加や，心房性ナトリウム利尿ペプチド（atrial natriuretic peptide：ANP）作用による尿中へのNa排泄増加が想定されている[10]．

3）診断と検査法

SIADHの診断の手引き（表6）[5]を示す．診断に際しては，以下の四つの点に注意する．第一に，高脂血症や高蛋白血症による偽性低ナトリウム血症や高血糖やマンニトール使用による血管内希釈による低ナトリウム血症を除外する．第二に，尿浸透圧は血漿浸透圧を常に超えている（＞300 mOsm/kg）必要はないが，AVPの作用がない最大希釈尿浸透圧（100 mOsm/kg）は超えなければならない．第三に，AVP分泌が抑制される浸透圧閾値が低く設定されたosmostat再設定（reset osmostat）の場合には，再設定閾値まで血漿浸透圧が低下した時点で希釈尿が排泄されるので，血清Na濃度が120 mEq/L以下に下がることはない（図15のType C）．実

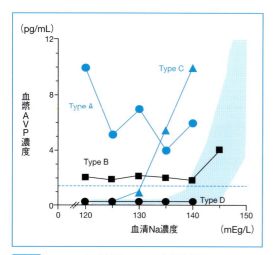

図15　SIADHにおけるAVPの分泌動態

Type A：AVP分泌が血漿浸透圧の調節を受けていない
Type B：AVP分泌は血漿浸透圧の調節を受けるが，AVPの基礎値が高い
Type C：AVPは血漿浸透圧の調節を受けるが，AVP分泌が抑制される浸透圧閾値が正常より低く再設定されている（reset osmostat）
Type D：AVPの作用は認められるが血漿中にAVPが検出されない．
影の部分は血清Na濃度に対するAVPの正常範囲．
〔Ellison D, et al．：The syndrome of inappropriate antidiuresis. N Engl J Med 356：2064-2072, 2007〕

表6　SIADHの診断の手引き

Ⅰ．主症候
　脱水の所見を認めない．
Ⅱ．検査所見
　1．血清ナトリウム濃度は135 mEq/Lを下回る．
　2．血漿浸透圧は280 mOsm/kgを下回る．
　3．低ナトリウム血症，低浸透圧血症にもかかわらず，血漿バソプレシン濃度が抑制されていない．
　4．尿浸透圧は100 mOsm/kgを上回る．
　5．尿中ナトリウム濃度は20 mEq/L以上である．
　6．腎機能正常．
　7．副腎皮質機能正常．
Ⅲ．参考所見
　1．倦怠感，食欲低下，意識障害などの低ナトリウム血症の症状を呈することがある．
　2．原疾患（表5）の診断が確定していることが診断上の参考となる．
　3．血漿レニン活性は5 ng/mL/h以下であることが多い．
　4．血清尿酸値は5 mg/dL以下であることが多い．
　5．水分摂取を制限すると脱水が進行することなく低ナトリウム血症が改善する．
Ⅳ．鑑別診断
　低ナトリウム血症を来す次のものを除外する．
　1．細胞外液量の過剰な低ナトリウム血症：心不全，肝硬変の腹水貯留時，ネフローゼ症候群
　2．ナトリウム漏出が著明な細胞外液量の減少する低ナトリウム血症：原発性副腎皮質機能低下症，塩類喪失性腎症，中枢性塩類喪失症候群，下痢，嘔吐，利尿剤の使用
　3．細胞外液量のほぼ正常な低ナトリウム血症：続発性副腎皮質機能低下症（下垂体前葉機能低下症）
［診断基準］
　確実例：ⅠおよびⅡのすべてを満たすもの．

〔厚生労働科学研究費補助金難治性疾患等政策研究事業「間脳下垂体機能障害に関する調査研究」班：バソプレシン分泌過剰症（SIADH）の診断と治療の手引き（平成30年度改訂）．日内分泌会誌95（Suppl.）：18-20, 2019〕

際，SIADHの30%が浸透圧再設定によるとされる．第四に，SIADHでは尿中へのNa排泄（Na＞20 mEq/L）が認められるが，水とともに塩分摂取も制限された場合には尿中へのNa排泄は低下し，低張性脱水症（尿Na＜20 mEq/L）との鑑別が困難になる[3,7]．

脱水の所見を認めないことはSIADHの診断に極めて重要である．血漿レニンと血清尿酸の低値は，脱水症では認められず，SIADHで認められる重要な検査所見である．低尿酸血症の理由は，AVPによるV1a受容体の持続的刺激により，尿酸トランスポーターからの尿排泄が促進するためとされる[3,7]．

低ナトリウム血症の鑑別の進め方を図14[1]に示す．

4）治療法

SIADHは通常一過性であるが，SIADHの原因に対する治療を行う．意識障害やけいれんなどの神経症状が出現した症候性低ナトリウム血症では，急性，慢性の経過にかかわらず低ナトリウム血症の改善が必要である．ただし，48時間以上経過した慢性低ナトリウム血症の場合には，脳神経細胞内の浸透圧形成物質であるNa，K，Mg，アミノ酸，糖アルコールなどを細胞外へ押し出して，細胞内張度を細胞外と同じにして細胞容積を保とうとする適応機構が働く．実際に血清Na濃度が110 mEq/L程度であっても神経症状が明らかでない場合もある．

しかし，この状態で急激なNa補正で細胞外液の浸透圧が上昇し脳容積が減少することにより，浸透圧性脱髄症候群（osmotic demyelination syndrome：ODS）を起こす危険性がある．低ナトリウム血症を治療する際にはこのような重篤な中枢神経障害の発症に注意し，血清Na濃度のモニタリングを行う[1,3,7]．

a．無症候性で血清Na＞120 mEq/Lの場合

治療の基本は水制限である．尿として排泄すべき溶質は500 mOsm/m^2/日であるので，AVPによる最大尿濃縮効果が1,000 mOsm/kgとすると，溶質の排泄のためには500 mL/m^2/日の自由水が必要となる．さらに不感蒸泄などの水分喪失量を500 mL/m^2/日と仮定すると，摂取する水を1,000 mL/kg/m^2/日に制限すれば低ナトリウム血症の進行を止め，改善させることができる．ただし，成長期にある小児では，溶質排泄に伴う利尿効果を促進する意味からも，塩分や蛋白質の摂取は制限しない（腎性尿崩症の場合は，逆に塩分と蛋白質の摂取を制限して腎への溶質負荷を減らすことにより尿量を減少させる）．最近，溶質形成を促進するために，尿素パウダーの経口摂取の有効性が報告されている[1,2,7]．

b．低ナトリウム血症発症後48時間以上経過し，無症候性の場合

この状態で急速なNa補正を行うとODS発症のリスクが高まる．そこで血清Na濃度の上昇を，1時間で0.5 mEq/L以下，あるいは24時間で12 mEq/L以下に抑える．なお，低ナトリウム血症が急性期（2日以内）か慢性期か明らかでない場合には慢性として対処する．

生理食塩水を静注してもNaは尿中にすぐに排泄されてしまうので，血清Na濃度は上昇せず自由水を負荷することになり，病態を悪化させることもある．

c．症候性低ナトリウム血症

倦怠感，頭痛，嘔気などが出現している状態である．脳浮腫による脳血流低下状態があり，脳機能障害進行や脳ヘルニアを防ぐために，速やかに血清Naを上昇させる必要がある．水制限に加えて，3%高張食塩水（Na 513 mEq/L）を1〜2 mL/kg/時間の速度で神経症状が改善するまで投与する．ただし，血清Naの上昇を1時間に1〜2 mEq/L以内に抑えないとODS発症の可能性がある．症候性で慢性経過の場合には，さらに慎重に血清Naを補正（0.5〜1 mEq/L/時間）する．

低ナトリウム血症による神経系症状が改善した後は高張食塩静注を中止し，水制限のみに切りかえる．

d．迅速に低ナトリウム血症を改善する方法

けいれん，意識障害が出現している低ナトリウム血症性脳症の状態では，3%食塩水（1〜2 mL/kg/時間）の投与とともに，貯留した水分を確実に除去するためにループ利尿薬であるフロセミド（ラシックス®）0.5 mg/kgの静注を行う．

e．Na濃度の上昇が急速で神経症状が出現あるいは悪化した場合

血清Na濃度をいったん治療開始前の濃度まで下げ，そこから再度治療をやり直す．血清Na濃度を下げる方法として，5%ブドウ糖点滴静注とバゾプレシン製剤（デスモプレシン）を併用する．

f．薬物療法

AVP作用を減弱させるデメクロサイクリン（経口）は効果が不安定で腎毒性がある．リチウムは現在用いられない．AVPの選択的V2受容体拮抗薬として開発されたトルバプタンとモザバプタンは，その水利尿作用により経口投与で緩徐に血清Na濃度を上げることができる．小児での使用経験はまだ少ない．

5）低ナトリウム血症の予防

発熱性疾患，呼吸器疾患，悪心や疼痛を伴う疾患では，non-osmoticな刺激によるAVPの分泌が亢進しているので，血清Na濃度より低い低張性液の輸液により医原性低ナトリウム血症（希釈性低ナトリウム血症）

表7 抗利尿ホルモン不適切分泌症候群（SIADH）と中枢性塩喪失症候群（CSWS）の相違点

	SIADH	CSWS
循環血漿量	↑	↓
循環血漿量減少を示す所見	−	＋
血清Na濃度	↓	↓
血漿浸透圧	↓	↓
尿中Na濃度	↑（＞20 mEq/L）	↑↑（しばしば＞150 mEq/L）
尿浸透圧	↑	↑
尿中尿酸排泄（発症初期）	↑	↑
尿中尿酸排泄（補正後）	正常化する	↑
時間尿量	↓	↑↑
血漿レニン活性	↓	↓
血漿アルドステロン	↓～正常	↓
血漿AVP	↑	↑～正常
血清BUN/クレアチニン比	↓～正常	↑
ヘマトクリット	↓	↑
血清尿酸	↓（水制限後には増加する）	↓（輸液後も増加しない）
血漿BNP，ANP	正常～↑	↑（増加していない例もある）
中心静脈圧	正常（＞5 cmH₂O）	↓
臨床所見	臥位で頸静脈拍動（右房収縮の伝播）あり，皮膚ツルゴール正常	臥位で頸静脈拍動消失 皮膚ツルゴール低下
治療	水制限	水，NaClの補充

が発症するリスクがある．アメリカ小児科学会は生後28日から18歳までの患児に対しては，維持輸液として0.9％生理食塩水をベースとしてKClとデキストロース（D-グルコース）を含む低張性でない輸液製剤を使用することを強く推奨している[7,11]．

2 中枢性塩喪失症候群（CSWS）

1）定義・概念

副腎不全が存在しない状態で，中枢神経系の病変に伴って急激な低ナトリウム血症が出現する"中枢性塩喪失"という病態が1950年に報告された．SIADHとの違いは多尿，脱水症状，循環血漿量減少を認めることである．ただし，両者がオーバーラップするような症例も報告されている[3,12]．

2）病因・病態

CSWSをきたす原因としては，開頭術後，くも膜下出血・脳出血，頭部外傷，髄膜炎，急性脳症などがあり，小児例の報告も増えている．

尿から大量のNaが喪失する原因として，頭蓋内病変に引き続いてNa利尿液性因子であるBNPやANPが心臓から分泌され，また BNPの一部は実際に脳（視床下部）から分泌されることが推測されている（頸静脈中のBNPの増加が観察される例がある）．さらに，腎臓への交感神経支配が遮断されることによりレニン—アンギオテンシン—アルドステロン系が抑制されて尿細管でのNa再吸収が低下し，Naが水とともに尿中へ喪失する．血中に増加したBNPやANPはレニン分泌を抑制するとともに，副腎球状帯でのアルドステロン産生を直接抑制する．ただし，すべての症例でBNPの増加が認められているわけではない．CSWSの経過は通常は一過性であるが，難治例も報告されている．基礎疾患として中枢性疾患が存在しない例もあり，腎からのNa喪失が主要な病態であることからrenal salt wasting（RSW）の呼称も用いられる[12]．

3）診断と検査法

CSWSとSIADHはともにAVPが増加するが，SIADHでのAVP分泌増加が病因であるのに対して，CSWSでのAVP増加は体液量低下に対する二次的反応である．CSWSの診断で重要なことは，水・Naバランスが負になっていることを確認することである．すなわち，体重減少や脱水徴候を確認し，発症前後での水分出納を評価する．中心静脈圧の低下は診断に有用である．生化学検査では，CSWSでは脱水により血清BUNは上昇するが，近位尿細管での尿酸再吸収が低下するために血清尿酸値は低下し血漿レニンは抑制される．しかし，レニンや尿酸の低値はSIADHでも認められる検査所見である．SIADHとCSWSの相違点を表7

に示した[12,13].

4）治療法

SIADHの治療としての水制限を行うと，脱水が進行して脳虚血が起こり，原疾患を悪化させる．鑑別が困難な場合には，診断的治療としてまず0.9％生理食塩水を投与し，血清Na濃度が上昇すればCSWSを考える．SIADHであれば循環血漿量の増加に伴いNa利尿が生じ，血清Na濃度はむしろ低下する．CSWSの治療の原則はNa補充と輸液であり，0.9％生理食塩水を用いる．Naバランスが改善しない場合には，3％食塩水を使用する．ミネラルコルチコイドのフルドロコルチゾンが有効とする報告がある[14,15].

❖ 文献

1) Repaske DR：Disorders of water balance. In：Brook CGD, et al. (eds), *Brook's Clinical Pediatric Endocrinology*. 6th ed., Wiley-Blackwell, Oxford, 343-395, 2009
2) Greenbaum LA. Hyponatremia. In：Kliegman RM, et al. (eds), *Nelson Textbook of Pediatrics*. 20th ed., Elsevier, Philadelphia, 353-357, 2016
3) Srivasta A, et al.：Disorders of posterior pituitary. In：Sperling MA (ed), *Sperling Pediatric Endocrinology*. 5th ed., Elsevier, Philadelphia, 357-394, 2021
4) 有阪　治：小児の水・電解質異常の特徴と管理．日本内科学会雑誌 92：790-798, 2003
5) 厚生労働科学研究費補助金難治性疾患等政策研究事業「間脳下垂体機能障害に関する調査研究」班：バソプレシン分泌過剰症（SIADH）の診断と治療の手引き（平成30年度改訂）．日内分泌会誌 95 (Suppl.)：18-20, 2019
6) Ellison D, et al.：The syndrome of inappropriate antidiuresis. *N Engl J Med* 356：2064-2072, 2007
7) Moritz ML：Syndrome of inappropriate antidiuresis. *Pediatr Clin North Am* 66：209-226, 2019
8) Bardanzellu F, et al.：Focus on neonatal and infantile onset of nephrogenic syndrome of inappropriate antidiuresis：12 years later. *Pediatr Nephrol* 34：763-775, 2019
9) 横谷　進：ADH不適切分泌症候群．小児内科 40：1762-1766, 2008
10) Verbalis JG：Whole-body volume regulation and escape from antidiuresis. *Am J Med* 119：S21-S29, 2006
11) Feld LG, et al.：Clinical practice guideline：Maintenance Intravenous fluids in children. *Pediatrics* 142：e20183083, 2018
12) Maesaka JK, et al.：Evolution and evolving resolution of controversy over existence and prevalence of cerebral/renal salt wasting. *Curr Opin Nephrol Hypertens* 29：213-220, 2020
13) 有阪　治：SIADHとCSWSの違いについて教えてください．小児内科 43：709-712, 2011
14) Taplin CE, et al.：Fludrocortisone therapy in cerebral salt wasting. *Pediatrics* 118：e1904-1908, 2006
15) Misra UK, et al.：Safety and efficacy of fludrocortisone in the treatment of cerebral salt wasting in patients with tuberculous meningitis：A randomized clinical trial. *JAMA Neurol* 75：1383-1391, 2018

〔有阪　治〕

H 夜尿症

1）定義・概念

5歳以降で，1か月に1回以上の夜尿が3か月以上続くものを夜尿症とし，さらに1週間に4日以上の夜尿を頻回，3日以下を非頻回と定義する．生来続いているか夜尿がなかった期間が6か月未満の夜尿を一次性夜尿症（夜尿症全体の75～90％），6か月以上夜尿が消失していた後に再び夜尿が出現したのを二次性夜尿症（10～25％）とする[1,2]．尿崩症，尿路感染症などの基礎疾患による夜尿があるので要注意である[1-5]（表8）．

また，夜尿だけを認めるのを単一症候性夜尿症（夜尿症全体の約90％），下部尿路症状を合併するのを非単一症候性夜尿症とする[1,2]．夜尿症は，5～6歳で約20％，小学校低学年で約10％台，中学生で1～3％，まれに成人にも認められる[5]．

2）病因・病態

夜尿症の原因は単一ではなく複数の要因が関与している[1,5]．①夜間多尿：夜間睡眠中のアルギニン・バゾプレシン（arginine vasopressin：AVP）分泌の軽度低下（ただ，夜間多尿型のすべてに認めるものではない），飲水過剰，夜間の尿中へのCa排泄の増加，塩分・蛋白質摂取過剰などの関与，②排尿筋過活動，③覚醒閾値の上昇（異常に睡眠頻度が深いことが夜尿に関与しているかは結論が出ていない），④遺伝的素因（両親か片親に夜尿症の既往がある児は，ない児に比して夜尿症が多い）．

上記因子に生活環境因子（夕食時に汁ものなどの飲水量が多い，夕食後の飲食，夕食後就寝するのが早い，など）も関与している．また，注意欠陥多動症障害（attention-deficit/hyperactivity disorders：ADHD）や自閉スペクトラム症（autism spectrum disorder：ASD）には，一般小児に比して夜尿症が多くみられる[5]．心因性（いじめ，虐待，恐怖体験など）の夜尿症もある．また，夜尿があることから自尊心の低下，劣等感を抱くようになる場合もある．日常診療での検査を表9に示す[1,3]．

3）治療法

夜尿症のアルゴリズムを図16に示す[1]．日常診療では，園児では基礎疾患がないと考えられるなら生活指導（表10）をし，就学時まで様子をみるのが一般的である．慢性便秘などの基礎疾患（表8）があれば，早めにその治療をする．基礎疾患がない単一症候性夜尿症で，園児でも家族が早めに夜尿症の治療を希望すれば，早めに治療する場合もある．

表8　夜尿をきたす基礎疾患

難治例，昼間の尿失禁を伴う，繰り返す尿路感染症，高血圧，多飲・多尿，身長の伸び不良，頑固な便秘・便失禁では特に注意

- 慢性便秘
- 腎疾患
  腎機能障害が進行していると低張多尿のための夜尿症がみられる．低形成腎，異形成腎，水腎症，慢性腎不全，腎性尿崩症，腎性高血圧など
- 下部尿路(膀胱から尿道)疾患
  先天性尿道狭窄，後部尿道弁，過活動膀胱，膀胱憩室，膀胱尿管逆流症，慢性尿路感染症，Hinmann 症候群など
- 脊髄疾患
  神経因性膀胱，脊髄髄膜瘤，仙骨形成不全，脊髄脂肪腫，二分脊椎，脊髄係留症候群など
- 尿管異所開口
  尿管が膀胱ではなく，外陰部，腟あるいは子宮に開口しているもので，女児にみられ生来の毎日の夜尿・昼間の尿失禁がある．非常にまれに男児にもみられる
- 内分泌疾患
  中枢性尿崩症，甲状腺機能亢進症，Cushing 症候群，ステロイド薬投与，褐色細胞腫．部分型中枢性尿崩症のなかには，夜尿症と診断されて見逃されていることがある．頭蓋咽頭腫，胚細胞腫瘍などの脳腫瘍(疑う場合には，初回の MRI 検査で異常がなくても年余にわたり MRI 検査する)，下垂体前葉機能障害の合併
- 心因性多飲症
- 糖尿病
- てんかん発作
  睡眠中の発作による尿失禁(夜尿)，問診で日中の意識発作消失などの有無を確認する．てんかんのコントロール不良の場合，脳波検査を行う
- 注意欠陥多動性障害(ADHD)，自閉スペクトラム症(ASD)
  尿失禁，便失禁の頻度が高い
- 睡眠時無呼吸症候群
- 高カルシウム尿症

＊：基礎疾患の治療と夜尿，尿失禁の改善は必ずしも平行しないことがあるので，夜尿，尿失禁の改善目的での基礎疾患の治療には十分な説明と同意が必要である

表9　検査

- 一般尿検査：尿蛋白陽性→腎疾患，尿糖陽性→糖尿病，腎性糖尿
- 昼間膀胱容量(ぎりぎりまでがまんしたときの1回の尿量，複数回)
- 夜間膀胱容量(起床時の最大排尿量，複数回)
- 夜間尿量(おむつ重量[夜尿量]+起床時尿量，複数回)
- 尿比重もしくは尿浸透圧(起床時尿，複数回)→低浸透圧尿/低比重尿の場合，抗利尿ホルモン製剤投与により改善することが期待できる
- 一般血液検査：腎性貧血など
- 一般肝・腎機能検査：慢性腎不全(腎性尿崩症)など
- 血圧：慢性腎不全(腎性尿崩症)，腎性高血圧
- 血漿 AVP：中枢性尿崩症で低値．心因性多飲症でも低値を示す場合もある
- 腹部超音波検査：泌尿器系の形態異常，残尿
- 尿崩症を疑えば，小児内分泌専門医か小児脳腫瘍専門脳外科医に紹介する．頭部(視床下部―下垂体部)MRI，水制限試験など実施
- 身長・体重測定：成長曲線作成が重要．身長の伸び不良→脳腫瘍による中枢性尿崩症，慢性腎不全(腎性尿崩症)

まず生活指導し改善しない場合には，①抗利尿ホルモン製剤(ミニリンメルト® OD 錠)治療か，②アラーム療法を開始する．治療開始して効果が少ないようなら，①→②，②→①へ変更する．それでも効果がないようなら①+②の治療を行う[1,6)]．ほかに，抗コリン薬，選択的 $β_3$ 受容体作動薬，漢方薬などがある[1)]．三環系抗うつ薬は，第一選択薬としては推奨されない[1)]．

a. 抗利尿ホルモン製剤(デスモプレシン)[1,7)]

デスモプレシン酢酸塩水和物口腔内崩壊錠(ミニリンメルト® OD 錠)120 μg，240 μg を，添付文書には就寝前投与と記載されているが，最近では使用後の血中濃度上昇時間を考慮して就寝 30〜60 分前に投与する傾向にある．また，添付文書には，尿浸透圧あるいは尿比重の低下(目安として，起床時尿浸透圧の平均値が 800 mOsm/L 以下あるいは尿比重の平均値が 1.022 以下)に伴う夜尿症に対して使用すると記載されているが，海外では尿浸透圧，尿比重には考慮せずに使用されている．ごくまれに，副作用として水中毒(低ナト

II 各 論

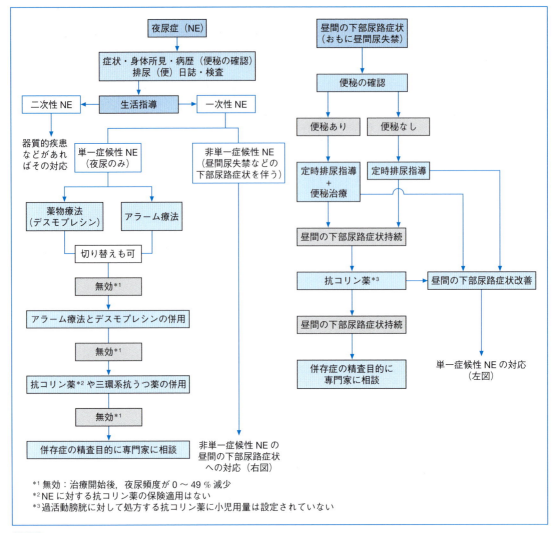

図16 夜尿症のアルゴリズム
〔日本夜尿症学会：夜尿症診療ガイドライン 2021. 診断と治療社，2021〕

表10 生活指導

- 規則正しい生活リズムの確立
- あせらない，怒らない→夜尿がないときには褒める，起こさない，他の子と比べない
- 飲食水での水分は，3 時間で約 80％ が尿になって排泄されるので，夕食は寝る(2～)3 時間前に終える→ただ，家庭の都合もあるので，むずかしい場合もある．夕食時の汁物は少なめにする，夕食後は飲・食を避ける
- 塩分は控えめにし，おかずはうす味にする．夕方からたんぱく質，牛乳の過剰摂取の制限
- 寝る前にトイレに行く
- 夏は，冷房はきき過ぎないようにする
- 冬は，風呂で温まってすぐ床につく，冷え性なら足元を温める，靴下をはく，セーターを着る
- 便秘の予防と改善

リウム血症，頭痛，浮腫など)があるので，夕食時から朝起きるまでは，コップ 1 杯程度の飲水にする．

尿崩症でない夜尿症に，尿崩症に使用するミニリンメルト® OD 錠と同量か多い量を使用しても問題ないか，との疑問がある．尿崩症に対しては補充療法だが，夜尿症に対しては薬理学的療法である．補充療法と薬理学的療法は違い，また飲水を行わない夜間のみ作用するように使用するので基本的には問題ない．

b. 夜尿アラーム療法[1,6]

夜尿直後にアラーム音で覚醒させるため尿意覚醒を促すと考えがちであるが，実際には，多くの症例において夜間睡眠中の膀胱容量が増大し，尿意覚醒をせずに朝まで排尿しないようになる．本人がアラーム音に気づいて止めるか，家族が起こして本人に止めさせる．その後トイレに行ってもよい．無理に起こさなくてもよいとの考えもある．一晩に2回以上夜尿をする場合は，1回目の夜尿時のみアラームを使用する．本人・家族のモチベーションが重要である．アラームの機器は，レンタルまたは購入する．

c. 抗コリン薬，選択的 β_3 受容体作動薬

過活動膀胱(尿失禁，頻尿)の治療薬である抗コリン薬や選択的 β_3 受容体作動薬が夜尿症治療に用いられる場合もある[1]．本剤は，夜尿症に対しては保険適用になっていない．過活動膀胱の病名をつける．夜尿治療開始3か月程度経ても改善しない場合や昼間の尿失禁を合併している場合には，ミニリンメルト® OD 錠かアラーム療法との併用で使用する(特にミニリンメルト® OD 錠との併用)．

d. 三環系抗うつ薬

1960年代から夜尿症治療薬として使用されてきたが，現在では，夜尿症治療の第一選択薬ではない[1]．使用する場合には，比較的少量，短期間投与とする．治療効果が判然としない場合には中止する．他剤との併用(例：ミニリンメルト® OD 錠との併用)で効果がある例も少なくない．ただ，重大な副作用として心毒性(刺激伝導障害，心筋機能障害)があるので，患者自身や家族にQT延長症候群などの既往があれば，投与前に小児循環器専門医への相談が推奨される．

4) 管理と予後

「そのうちに治るから様子をみましょう」といわれ，適切な生活指導や治療も受けずにいつの間にか10歳くらいになる子も少なくない．患者・家族には，治療しても必ずしもすぐには治らない場合も少なくないことを説明しておく．

いずれも治療の有効性は，30〜70%である．治療を開始しても，軽症で3〜6か月，中等症・重症では1〜3年を要する例も少なくない．基礎疾患がなく，いろいろと治療しても改善しない難治例は10%程度にみられる．また，再発率も高いので，効果があってもすぐに終了とするのではなく，一定期間は同剤・同量の治療を継続し，その後に漸減し，終了とする．3〜6か月治療しても改善傾向がないようなら，専門医に相談したほうがよい．

❖ 文献

1) 日本夜尿症学会：夜尿症診療ガイドライン 2021．診断と治療社，2021．
2) 西﨑直人：夜尿症の分類と基礎疾患の鑑別．小児内科 52：1575-1579，2020
3) 西 美和：多飲・多尿・頻尿．小児科診療 83(増刊)：152-156，2020
4) 西 美和：頻尿，昼間遺尿(昼間のもれ)．小児科臨床 72(増刊)：1208-1212，2019
5) 辻 章志：夜尿症の病因・定義・診断基準．小児内科 52：1565-1569，2020
6) 大友義之：夜尿症におけるアラーム治療．ドクターサロン 63：345-349，2019
7) 原 太一：抗利尿ホルモン製剤．小児内科 52：1645-1649，2020

(西　美和)

思春期発来異常

A 視床下部-下垂体-性腺系の発生・分化

思春期の発来は，視床下部，下垂体，性腺から分泌されるホルモンの相互作用により調節される．この視床下部-下垂体-性腺系(hypothalamic-pituitary-gonadal axis：HPG axis)の中枢は，視床下部視索前野に存在するGnRHニューロンである．GnRHニューロンからのGnRH分泌パターンは，約60分周期の基礎分泌(パルス状分泌)と排卵性分泌(サージ状分泌)に大別される．GnRHは，下垂体門脈に分泌され，下垂体前葉細胞に存在するGnRH受容体を介して，ゴナドトロピン(FSH/LH)の分泌を促す．通常，LH分泌は，GnRH分泌と1対1に対応しており，GnRHパルスとGnRHサージは，それぞれLHパルスとLHサージをまねく．FSHは，半減期が長いため，LHほどパルスが明確でない．下垂体からのゴナドトロピン分泌に対応して，性腺における性ホルモンが分泌される．性腺から分泌された性ホルモンは，視床下部に対してネガティブフィードバック機構で作用し，GnRHのパルスを抑制する．一方，性成熟期女性においては，エストロゲンは視床下部に対してポジティブフィードバック機構で作用し，ゴナドトロピンのサージをまねく．このエストロゲンのネガティブおよびポジティブフィードバックには，視床下部キスペプチン(別名，メタスチン)ニューロンが関与する(図1)．HPG系の機能は，二次性徴の発達や性成熟の制御において必須であり，この内分泌系の異常は，男児における停留精巣や小陰茎，および，男女における思春期発来の異常をまねく．

1) GnRHニューロンの発生・分化

GnRHニューロンは，嗅原基で発生し，嗅神経とともに脳へ遊走し，最終的に視床下部を中心とする領域に定着する．主たる存在部位は，視索前野であるが，

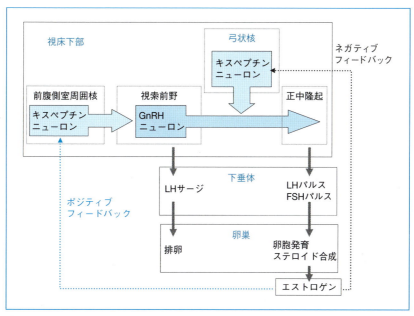

図1 エストロゲンのポジティブおよびネガティブのフィードバックとキスペプチン

II 各 論

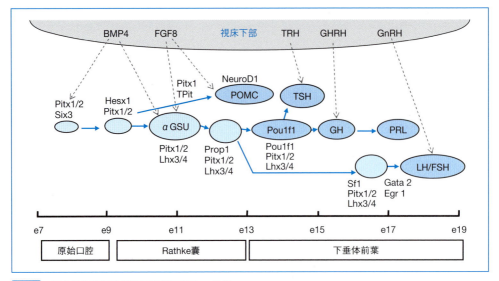

図2 マウスにおける下垂体前葉の発生・分化
e7～e19は在胎日数を示す
〔Kelberman D, et al.：Hypothalamic and pituitary development：novel insights into the aetiology. *Eur J Endocrinol* 157：S3-S14, 2007 より改変〕

室傍核，扁桃体などを含め，終神経から視床下部に広範囲に分布している．胎生期のGnRHニューロン遊走には，Anosmin-1，FGFR1，PROKR2/PROK2などが関与しており，これらの蛋白をコードする遺伝子の異常は，中枢性性腺機能低下症と嗅覚障害を中核症状とするKallmann症候群をきたすことが知られている．GnRHニューロンは，胎児期からGnRH分泌を開始する．GnRH分泌は，前述の性ホルモンのフィードバックとキスペプチンのほか，GABA，カテコラミン，CRH，βエンドルフィン，ニューロペプタイドYなどの神経伝達物質による調節を受ける．これらの神経伝達物質は，栄養や運動などにより分泌量が変動する．そのため，思春期の発来は，環境因子によって大きく影響される．

2）下垂体におけるゴナドトロピン産生細胞の発生・分化

下垂体前葉の形成は，口窩外胚葉からのRathke嚢の発生にはじまる．最終的に共通の前駆細胞から，5種類の機能細胞が分化する．その過程では，様々な液体因子や転写因子が時間的および空間的に相互作用する（図2）[1]．下垂体の初期発生過程では，原始口腔の時期から転写因子Pitx1/2が，Rathke嚢発生・形成時期からHesx1，Lhx3/4が発現する．その後，ACTH産生細胞以外の細胞系列ではProp1が，TSH，GHならびにPRL産生細胞ではPou1f1が発現し，分化を誘導する．ゴナドトロピン産生細胞の発生は，腹側間葉細胞におけるBMP2の発現に依存していると考えられる．この

BMP2は，下垂体腹側部でGATA2の発現を誘導する．GATA2とPOU1F1は，下垂体細胞の分化に関して相反する作用を有しており，POU1F1が発現しない状況下では，GATA2の作用によりゴナドトロピン産生細胞が形成され，POU1F1の発現下では，POU1F1 lineageへの分化が進むと推測されている．このほか，ゴナドトロピン産生細胞の発生，分化には，NR5A1（SF1/Ad4BP），EGR1，NR0B1（DAX1），NUPR1，TBX19，PITX2，OTX2などの転写因子やTGF-βなどの液性因子が関与する．PROP1，HESX1，LHX3，LHX4，SOX2，OTX2などの遺伝子変異が，ゴナドトロピン分泌障害を有する患者において，同定されている．

3）性腺の発生・分化

性腺体細胞発生は，腎臓の発生と密接に関連して生じる．まず，胎生5週頃に腹膜腔背側の後腹膜に胎芽期の腎臓である中腎が発生し，中腎の尿管に相当するWolff管〔中腎管（mesonephric duct）〕が出現する．その後，胎生第2か月中頃（6週）に，中腎は正中線両側で大きな卵円形器官となり発生中の生殖腺とともに泌尿生殖堤をつくる．そして，内胚葉由来の卵黄嚢から発生した胚細胞（原始生殖細胞）が，後腸腸間膜を遊走して胎生6～7週に泌尿生殖堤に合流する．すると，胚細胞が侵入した泌尿生殖堤は表面腹膜上皮が増殖を開始し，発生中の性腺は大部分が泌尿生殖堤腹膜側の上皮より発生する間葉組織からなる．この増殖上皮細胞と胚細胞は原始生殖索（primitive sex cord）を形成する．なお，最終的な腎臓である後腎は胎生6週，Wolff管の

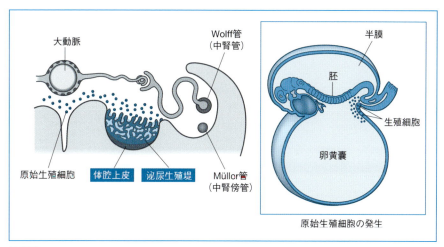

図3 原始生殖腺と原始生殖細胞の発生

下部から後方に向かい発生する尿管の先端に発生する．その後の性分化は，SRYの有無に従って精巣あるいは卵巣形成へと進む（**各論第6章**を参照）．

この原始生殖腺の発生・分化においては二つのことを強調したい（図3）．第一は，体腔上皮の形成に必須であるMYRF遺伝子のヘテロ変異が，精巣・卵巣・Müller管の形成不全とともに，横隔膜ヘルニア，心形成異常，脳症，眼症状を伴う疾患を呈することが判明したことである[2]．これは，体腔上皮形成が性腺発生に必須であることを示す．第二は，胚細胞（原始生殖胞）が唯一次世代に引き継がれるのみならず，胎児外成分から発生することである．これは生殖細胞の特異的な発生を示すものである．

4）HPG系の制御機構の発達

HPG系は，胎児期からホルモン分泌を開始する．すなわち，在胎80日までには，視床下部GnRHニューロンからのGnRH分泌と下垂体からのゴナドトロピンのパルスが出現する．なお，胎児期のGnRH分泌量には性差が存在する．このことは，男児では胎児精巣から産生されるアンドロゲンがネガティブフィードバック作用を生じるが，女児の胎児卵巣ではホルモン産生が行われないためであると推測される．

出生前後には，一過性に視床下部GnRHパルスジェネレーターが活発に活動し，明確なゴナドトロピンパルスを生じる．さらにこれに対応して，性腺からのステロイドの分泌増加が認められる．その後，幼児期から前思春期までの期間には，中枢性の制御により，視床下部のホルモン分泌が抑制される．また，この時期には，ネガティブフィードバック機構において，性ステロイドに対する感受性が亢進する．これら中枢性の抑制と性ステロイドへの感受性亢進の結果，ゴナドトロピンの基礎的パルス分泌パターンは持続するが，分泌量が著明に減少する．そのため，性ステロイドは低値となる．

前思春期後期に入ると，次第にGnRHパルスジェネレーターに対する中枢性の抑制機構や性ステロイドによるネガティブフィードバック機構の感受性が低下しはじめ，GnRH分泌量が増加する．また，下垂体ゴナドトロピン産生細胞のGnRHへの感受性も高まり，ゴナドトロピン分泌の増加と性ステロイド分泌の増加がみられるようになる．さらに思春期が進むに従い，中枢性の抑制とネガティブフィードバック機構の感受性がともに低下し続け，次第に成人にみられるGnRH分泌，ゴナドトロピン分泌のパターンが認められるようになる．これら内分泌学的な変化に呼応し，男児では精巣容積の増大，女児では乳房腫大にはじまる二次性徴の発達がみられるようになる．そして男児では，精子形成がみられるようになる．さらに，女児では，思春期中期から後期にかけて，視床下部に対するエストロゲンのポジティブフィードバック機構が成立し，周期的LHサージが生じるようになる．このようなLHサージにより，排卵と月経が確立される．これによって男女とも性成熟が完成される．

5）最新知見

これまでに，性成熟異常症患者家系の遺伝学的解析，および，動物実験などの基礎研究により，HPG系の機能に関与する多くの因子が同定されている．このうち，視床下部・下垂体の発生・分化に関与する遺伝子を，経時的に記載したものを図4の上部(a)に，機能分類で記載したものを図4の下部(b)に示す[3]（性腺については**各論第6章**を参照されたい）．これらの進歩により，視床下部・下垂体系の発生・分化の理解が急速

Ⅱ 各 論

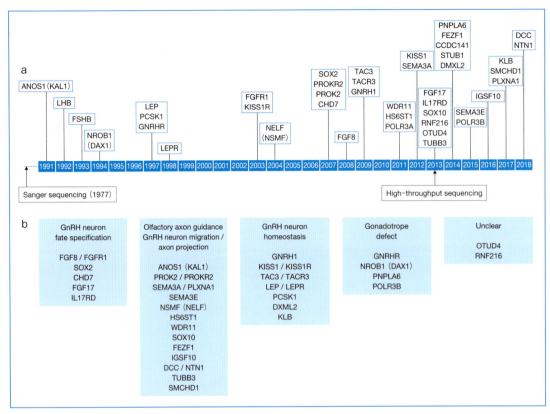

図4 視床下部・下垂体の発生・分化に関与する遺伝子
a：発見の年代順，b：機能分類別
〔Young J, et al.：Clinical Management of Congenital Hypogonadotropic Hypogonadism. *Endocr Rev* 40：669-710, 2019 より改変〕

に深まりつつある．

❖ 文献

1) Kelberman D, et al.：Hypothalamic and pituitary development：novel insights into the aetiology. *Eur J Endocrinol* 157：S3-S14, 2007
2) Hamanaka K, et al.：MYRF haploinsufficiency causes 46,XY and 46,XX disorders of sex development：bioinformatics consideration. *Hum Mol Genet* 28：2319-2329, 2019
3) Young J, et al.：Clinical management of congenital hypogonadotropic hypogonadism. *Endocr Rev* 40：669-710, 2019

〈緒方 勤〉

B 思春期の生理学

1 思春期発来の内分泌機構

1）性腺系の変化（gonadarche）

　思春期の開始を規定するのはGnRHの脈動的分泌上昇である．GnRHは間脳視床下部より分泌され，下垂体における性腺刺激ホルモンであるゴナドトロピン，すなわちLHとFSHの脈動的分泌回数と分泌頂値の上昇を促し，LHとFSHは性腺に働いて性ホルモン分泌と胚細胞の成熟を促進する（図5）[1]．このような視床下部－下垂体－性腺系（hypothalamo-pituitary-gonadal axis：HPG系）の活動は，胎生期に始まり，性分化とその他の神経系のプログラミングを行う．乳幼児期から活動は一時休止期（juvenile pause）に入って，ゴナドトロピン分泌は数時間に一度の少量の脈動的分泌となる．思春期年齢になるとこの系は再び活性化し，GnRH分泌の頻度・分泌頂値が上昇することによりゴナドトロピンの分泌も同様に変化する．性腺から分泌された性ホルモンは，GnRH，ゴナドトロピンの分泌に対して促進と抑制の両方向に働く．原発性性腺機能低下症（卵巣機能不全，精巣機能不全）ではゴナドトロピン分泌は上昇し，性ホルモン（性ステロイド）の補充によりネガティブフィードバックで抑制されるが，女性のゴナドトロピン周期的分泌パターンは性ホルモンのポジティブフィードバックやインヒビンの作用が関与する．
　性ステロイドの上昇は，ゴナドトロピン（LH/FSH）

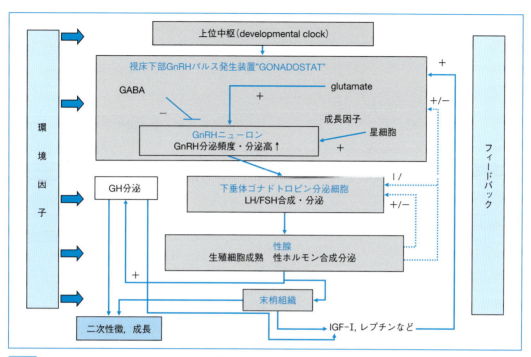

図5 視床下部・下垂体・性腺系の相互作用とコントロール
AA：amino acids, GABA：γ amino butyric acid
〔Bourginigon J-P：Control of the onset of puberty. In Pescovitz OH, et al.(eds), Pediatric Endocrinology：Mechanisms, Manifestations, and Management. Lippincott Williams & Wilkins, Philadelphia, 285-298, 2004 より引用一部改変〕

の分泌パターンの変化と分泌頂値の上昇に引き続いて起こる．LH/FSH は思春期が近くなるとまず夜間の分泌量が増加し，脈動的分泌パターンが明らかになってくる(図6)[2]．思春期が進むと昼間の分泌も上昇し，やがて一日中規則的な脈動的分泌を示すようになる．このような日内変動の変化と同時に，日差変動も明らかとなる[3]．連日早朝尿中 LH/FSH を測定すると，思春期には規則的な日差変動を示すようになり，やがてLH/FSH のサージが認められるようになり，排卵周期が確立する．

性腺からの性ステロイドの変化は，LH/FSH の初期の変化と同様，夜間〜早朝のみに上昇することから開始される．したがって外来での随時採血では性ステロイド(テストステロン，エストロゲン)の初期の上昇を見逃しやすい．思春期早発症など，思春期の異常を疑った場合，LH, FSH の夜間分泌動態を検査することが重要なのはこのためである．

2) 副腎系の変化(adrenarche)

HPG 系の目覚めと同時あるいは先行して，副腎における副腎性アンドロゲン分泌の上昇が認められる．これが adrenarche である．adrenarche は，内分泌的にはデヒドロエピアンドロステロンサルフェート(dehydroepiandrosterone sulfate：DHEA-S, 後述)の年齢に伴う上昇で示される．

adrenarche と関連した用語として，性毛発生(pubarche)がある．性毛は陰毛と腋毛があるが，多くは陰毛が先行するため，pubarche は陰毛発生とほぼ等しいと考えられる．陰毛は，女児では通常大陰唇上やその内側に現れ，徐々に恥骨上方に拡大していく．男児では陰嚢から発毛が始まる．HPG 系が保たれていても，副腎アンドロゲンが著しく低値であるような疾患では，pubarche はまったく認められないかあっても不完全なため，pubarche は adrenarche による副腎アンドロゲン分泌上昇によるものと考えられる．プバーキ開始時期には人種，肥満度などで差が認められる．

年齢による性ステロイドと DHEA-S の変化を図7[3]に示す．DHEA-S の標準範囲は幅が広く，個人差が大きいことがうかがえる[4]．

副腎アンドロゲンの緩徐な分泌上昇，adrenarche は，男児では7歳頃から，女児では6歳頃から開始される．

副腎アンドロゲン上昇の機序は，副腎皮質ステロイド合成酵素の活性と発現量の変化に伴い ACTH 分泌に反応して産生されるステロイド分画が変化するためと考えられる[5]．すなわち，ACTH 依存性にΔ5 ステロイド〔17OH プレグネノロン，デヒドロエピアンドロステロン(dehydroepiandrosterone：DHEA)〕がΔ4 ステロ

II 各論

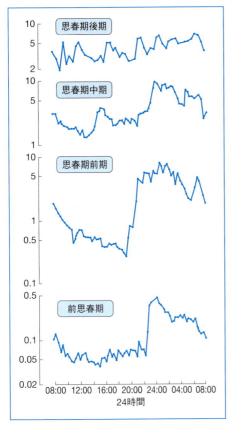

図6 前思春期,思春期前期,思春期中期,思春期後期のLH分泌日内変動

[Fujieda K:Pubertal development in Japanese boys. *Clin Pediatr Endocrinol* 2(Suppl. 3):7-14, 1993]

イド(17OHプロゲステロン,アンドロステンジオン)より相対的に多く上昇する.この結果として,DHEA-Sが血中の17ケトステロイドの多くの部分を占めるようになる.DHEA-Sは,adrenarcheのマーカーとなる.このとき,体表面積当たりのコルチゾール産生は不変であるので,コルチゾールに対するDHEA産生も相対的に上昇する.

adrenarcheがなぜ起こるのか,その機序は解明されているわけではない.一時,副腎の独立した成熟説があったが,現在は下垂体の成熟に伴うものと考えるのが主流である[6].下垂体からのACTHの前駆物質であるプロオピオイドメラノコルチン(proopiomelanocortin:POMC),プロラクチン,副腎皮質アンドロゲン分泌促進ホルモン(cortex androgen-stimulating hormone:CASH)などの刺激が,adrenarcheの原因と推測されている[7].このほか,インターロイキン6も副腎皮質網状層に強く発現し,DHEA産生を促進する[8].また,皮下脂肪の蓄積とレプチン値の上昇が17,20ライエース活性を上昇させてDHEA-S産生を促進することも

明らかとなってきた[9].インスリンやIGF-I,GHの関与も考えられるが明らかではない.これらの刺激により,胎児副腎の遺残を起源とする上記のような酵素特性をもった副腎網状層の前駆細胞が分化・成長して,副腎アンドロゲンの産生が亢進するのであろうと考えられる.

3) 成長ホルモン系の変化

性ホルモン系以外に大きく変化するのは,下垂体GHとIGF-Iである.GHは,1日に約6~8回のパルスを有する脈動的分泌を示すが,思春期にはこの回数は変化せず,パルスの大きさ,すなわち分泌頂値が増加し,結果的に,総分泌量が増加する(図5).これに伴い,肝からのIGF-I産生も増加する.測定はできないが,骨軟骨成長板など局所でのIGF-I産生も亢進すると思われる.後述するように,思春期に身長は急速に伸びるが,成長加速のメカニズムは性ホルモンの作用のみならず,GHの分泌量の増加も一役買っていると考えられる.このような思春期のGH分泌動態は,成人の末端肥大症と同様な状態を示すことも知られており,TRHやGnRHに対する奇異反応(本来反応しないはずのGHが上昇反応を示す)がみられることもある.

MRIにて下垂体は,あたかも腺腫のように上に凸となり,下垂体高は1cmを超えることも珍しくない.これは,思春期における下垂体ホルモン,特に性腺刺激ホルモンとGHの分泌量増加によるものと考えられる.

4) ステロイドホルモンと脳の神経回路構築

ステロイドホルモンが思春期の発達に重要な役割を果たすことはよく知られている[10].脳内のGnRHの遺伝子のプロモーター領域には,ステロイドと結合する部位があり,遺伝子発現が調節されている.しかし,ステロイドのネガティブフィードバックに対する感受性の低下はGnRHニューロンの核内ステロイド受容体の発現量の変化によるものかは不明である.

ステロイドが重要であると思われるのは,GnRH分泌に対してのみではない.思春期以降に活発になる異性への興味や性行動を司る脳内のおもな部分には,アンドロゲン,エストロゲン,プロゲステロンの核内受容体が豊富に発現しており,精神的・心理的成熟にこれらのホルモンが関与しているものと思われる[11].このような脳内の回路は胎生期にはできあがっていて,思春期に性ホルモン分泌が増加することで,その構築が再強化されると考えられる[12].この神経回路の構築は,胎生早期の脳の発達時期になされ,従来考えられていた胎生後期や新生児期早期よりはずっと早く,またその構築の再強化が成人期,すなわち二次性徴が終

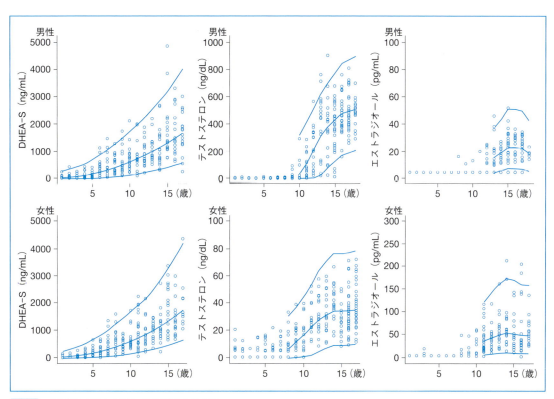

図7 ステロイドホルモンの年齢による変化
上段：男性，下段：女性
左：DHEA-S，中：テストステロン，右：エストラジオール
〔田中敏章，他：連日早朝尿ゴナドトロピン測定による女児の性腺機能の評価―思春期早発症女児の性腺抑制療法終了後の性腺機能の回復―．日内分泌会誌 77：199，2001〕

了してからなされるという考えともやや異なる．このことはラットの動物実験で確認されており，新生児期をすぎて思春期前に性腺摘出した雄ハムスターでは，思春期後に摘出した動物に比し，テストステロン補充による性行動改善の効果が落ちるという[13]．ただし，ヒトと齧歯類とが同じであるかは議論のあるところである．また，アンドロゲンの補充による社会行動の適応は，前思春期より思春期後のほうがより有効という報告がある[14]．これは，環境や社会の刺激に対する反応の感受性が，思春期に適当な性ステロイドに暴露されることによって高まるためと考えられる[15]．

2　二次性徴の発現機序

二次性徴は，これまでに述べた内分泌機構の変化によって起こる．

1）性の成熟

思春期の進行は Tanner らによって5段階に分類されている[16]．**総論第2章B** で Tanner 分類について説明されているので，ここでは詳細は述べないが，乳房発育，

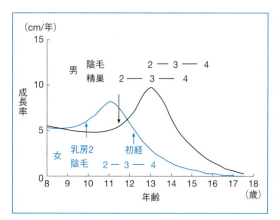

図8 二次性徴の発現・進行と成長率曲線
数字は Tanner 分類を示す．

陰毛，外性器発達のステージは必ずしも一致して進行はしない[17]（図8）．そこで，全体としての思春期発達を述べるときは，女子では乳房の発達を，男子では外性器，特に精巣容量を目安に，二次性徴発現を判断する．

女児の初期乳房発達は，乳腺の触知と乳輪の拡大・膨隆である．

男児の思春期は精巣容量の増大から始まる．陰茎は，精巣がある程度の大きさになり，男性ホルモンの産生量が増えてから大きくなってくる．精巣の体積が4 mLになると思春期に入ったと考えられる．ただし，3 mLを思春期のはじまりとする意見もある．このときの陰茎の大きさは前思春期と変わらない．

陰毛発生は，陰茎基部または陰唇周囲にまばらに柔らかい着色した毛が生えることからはじまるが，この時期は簡単な視診では見過ごす程度である．

なお，日本人女児の平均初潮年齢は，12歳3か月と考えられる．

図8に示すように，思春期発来・進行には性差が存在し，女性は男性よりも約1年早く思春期の変化が起こってくるが，成長曲線の変化には約2年の差がある．この性差は胎生期にすでにプログラミングされており，その要因の一つとしてアンドロゲン（男性ホルモン）暴露量の差が考えられる．たとえば，アンドロゲン不応症では正常男性より思春期発来が早く，ヒツジの動物実験では雌の胎仔が胎生期にアンドロゲンに暴露すると二次性徴が遅延する[18]が，詳細は不明である．また，小児における"juvenile pause"といわれる性腺系の休止期は，男児では生後6か月で始まるが，女児では生後2～3年を経過してから開始される[19]．さらに性腺異形成におけるLH/FSHの上昇は，女児のほうが大きい．病的状態についても男女差があり，思春期早発症の頻度は女児のほうが高く，GnRHアナログによる治療は女児のほうがLH/FSHの抑制が困難であることが多い[19]．一方で思春期遅発症は男児に多く，GnRHパルス療法に反応しやすいのは女児のほうである．

2）思春期の成長

思春期は，性腺が成熟して性ホルモンの分泌が亢進すると同時に，成長ホルモンの分泌も増加する．思春期には，いわゆる「成長加速（growth spurt）」が認められるが，この現象の主役は性ホルモン，準主役がGHであろう．これは，GH受容体異常のLaron型低身長症においても思春期の成長加速が弱いながら認められることでも支持される．小児の年間成長率の変化，成長率曲線を図8に示す．小児期に成長率はわずかずつ低下し，思春期のスパートに入る直前にもっとも成長率が低下する時期があるが，これをprepubertal dipと呼ぶ．この時期にGHの分泌刺激試験を行うと，GH欠損症（中等症）と同様の反応頂値の低下を認めることがあるので，注意を要する．

いわゆるスパートに入る時期はこのdipの時期と一致しており，男児で平均11歳前後，女児では9歳前後からである．成長率のピークは男子で13歳付近，女子で11～12歳であるが，±2歳程度は正常範囲と考えられる．ピーク後の身長増加率は比較的急速に低下し，3～5年で最終身長に到達する．スパートに入ってから成長が終了するまでの獲得身長を「思春期の身長の伸び」とすると，女児で平均20 cm，男児で平均25 cm程度と考えられる．成長スパートの開始時期は，女児で乳房のふくらみが始まる時期，男児では精巣容量が4 mLを超えた時期と大体一致するので，これらの徴候がみられたらその後どのくらい背が伸びるかの大まかな予想が立てられる．ただし，思春期の獲得身長は個人差が大きく，思春期開始時期やそのときの骨年齢，成長加速中の骨年齢の進む速度にもよるので，この予想はあくまで平均的な成長の場合であることを忘れてはならない．

3）思春期の心の成長

身体発育，性発育と同期して思春期には心理的にも成熟過程をたどる．この成熟に従い，起こりやすい精神疾患，心理的な問題も変化してくる．これらの変化は，ホルモン環境の変化，二次性徴の身体的変化と密接に関連していることはいうまでもない．先に述べたように，性ホルモンは脳の神経回路再構築や発達に多大な影響を及ぼし，さらにこれは男性ホルモンと女性ホルモンでは異なる．男性と女性の脳構造，特に特定の脳内核構造の大きさなどに差違が生じるのもこの頃である．この時期が性自認の確立と密接に結びついているのも，社会的な環境に加えこのような生物学的変化によるものも大きいと考えられる．

❖ 文献

1) Bourginigon J-P：Control of the onset of puberty. In Pescovitz OH, et al.(eds), Pediatric Endocrinology：Mechanisms, Manifestations, and Management. Lippincott Williams & Wilkins, Philadelphia, 285-298, 2004
2) Fujieda K：Pubertal development in Japanese boys. Clin Pediatr Endocrinol 2(Suppl. 3)：7-14, 1993
3) 田中敏章，他：連日早朝尿ゴナドトロピン測定による女児の性腺機能の評価—思春期早発症女児の性腺抑制療法終了後の性腺機能の回復—．日内分泌会誌 77：199, 2001
4) 日本公衆衛生協会小児基準値研究班（編）：日本人小児の臨床検査基準値．日本公衆衛生協会, 441, 453, 457, 1997
5) Gell JS, et al.：Adrenarche results from development of a 3 beta-hydroxysteroid dehydrogenase-deficient adrenal reticularis. J Clin Endocrinol Metab 83：3695, 1998
6) Taha D, et al.：Absent or delayed adrenarche in Pit-1/POU1F1 deficiency. Horm Res 64：175-179, 2005
7) Ehrhart-Bornstein M, et al.：Intraadrenal interactions in the

regulation of adrennocortical steroidogenesis. *Endocr Rev* 19：101-143, 1998
8) Biason-Lauber A, et al.：Effect of leptin on CYP17 enzymatic activities in human adrenal cells：new insight in the onset of adrenarche. *Endocrinology* 141：1446-1454, 2000
9) Sisk CL, et al.：The neural basis of puberty and adolescence. *Nat Neurosci* 7：1040-1047, 2004
10) Spear LP：The adolescent brain and age-related behavioral manifestations. *Neurosci Biobehav Rev* 24：417-463, 2000
11) Giedd JN, et al.：Brain development during childhood and adolescence：a longitudinal MRI study. *Nat Neurosci* 2：861-863, 1999
12) Tanner JM：Sequence and tempo in the somatic changes in puberty. In Grumbach MM et al.（eds）, *Control of the Onset of Puberty*. John Wiley & Sons, New York, 446-470, 1974
13) Matsuo N：Skeletal and sexual maturation in Japanese children. *Clin Pediatr Endocrinol* 2（Suppl. 1）：1-4, 1993
14) Zachmann M, et al.：Pubertal growth in patients with androgen insensitivity：indirect evidence for the importance of estrogens in pubertal growth of girls. *J Pediatr* 108：694-697, 1986
15) Kelly MJ, et al.：Estrogen modulation of G-protein-coupled receptor activation of potassium channels in the central nervous system. *Ann NY Acad Sci* 1007：6-16, 2003
16) Kosut SS, et al.：Prenatal androgens time neuroendocrine puberty in the sheep：effect of testosterone dose. *Endocrinology* 138：1072-1077, 1997
17) Cemeroglu AP, et al.：Comparison of the neuroendocrine control of pubertal maturation in girls and boys with spontaneous puberty and in hypogonadal girls. *J Clin Endocrinol Metab* 81：4352-4357, 1996
18) Lebrethon MC, et al.：Management of central isosexual precocity：diagnosis, treatment, outcome. *Curr Opin Pediatr* 12：394-399, 2000
19) Parent AS, et al.：The timing of normal puberty and the age limits of sexual precocity：variations around the world, secular trends and changes after migration. *Endocr Rev* 24：668-693, 2003

（堀川玲子）

C 思春期発来異常をきたす疾患

1 思春期早発症

1) 定義・概念

　本来の時期よりも早期に，性ホルモンの産生，あるいは曝露による性成熟徴候が生じる状態を指す．二次性徴の正常な発来時期は性別や民族，文化などによって異なるため，診断に当たってはそれぞれ該当する基準に当てはめて考える必要がある．「早期」は，二次性徴発来時年齢が同じ集団の平均発来年齢より－2.5～－3.0 SDを意味し，国際的には男性で9歳，女性では8歳以前に二次性徴の徴候を認める場合を指す．国内においては2018年に改訂された厚生労働省による診断基準の手引きがある（表1）[1]．臨床的には，二次性徴が早期に発来することで生じる成長と二次性徴のバランスが崩れ，およびそれに起因する様々な社会心理的問題，さらには本来のtarget heightよりも低い最終身長で終わることが問題となる．

2) 分類・発生頻度

　本疾患は，①ゴナドトロピン依存性思春期早発症（gonadotropin dependent precocious puberty：GDPP），②ゴナドトロピン非依存性思春期早発症，③正常バリアントを含む部分型思春期早発症，に大きく分類される．各疾患の詳細は後述する．

　頻度は全体では1/5,000～1/10,000とされる[2,3]．大部分は女性患者であり，男女比は1：8程度である．このうち特発性思春期早発症（idiopathic precocious puberty：IPP）が，女性では70～80%程度，男性では40%程度とされる[4]．このことは，男性における思春期早発症（Precocious Puberty：PP）では基礎疾患が存在する可能性が高く入念な鑑別が必要であることを意味する．また過誤腫によるものは男女差がなく，半数が1歳未満，ほとんどの症例が3歳までに発症する．

3) 臨床症候

a. 病歴

　二次性徴の発症のパターンを知ることは原疾患の鑑別に重要である．ゴナドトロピン依存性では二次性徴の進行は生理的な二次性徴と同様の経過をたどる．一方ゴナドトロピン非依存性や，他の内分泌疾患から二次的に発症した場合には，陰毛発育が先行するなど，非定型的な二次性徴の経過をたどる．

b. 身体所見

　Tanner分類に基づいたstage分類のほか，男児での精巣容量，男女での身長，体重，成長率の算出など，二次性徴の評価を行う．また基礎疾患検索のため，全身をくまなく診察する．脳腫瘍などの場合，視野狭窄や乳頭浮腫などの眼科的所見や尿崩症などの症状を認める．先天性副腎過形成症における皮膚色素沈着，McCune-Albright症候群におけるカフェオレ斑などはよく知られており重要な所見である．

4) 診断と検査法

　前思春期年齢に比して過剰な性ホルモン作用の存在の有無，二次性徴の進行の程度，病態（原因）などを知ることが目的である．また基礎疾患の有無についても併せて検索を行う．ここではPPの検査について俯瞰し，詳細は各疾患の項に譲る．

a. 成長曲線の作成

　二次性徴の徴候を認めても，いわゆる正常バリアン

II 各論

表1 中枢性思春期早発症の診断の手引き（平成30年度改訂）

I．主症候
  1．男児の主症候
    1）9歳未満で精巣，陰茎，陰嚢の明らかな発育が起こる．
    2）10歳未満で陰毛発生をみる．
    3）11歳未満で腋毛，ひげの発生や声変わりをみる．
  2．女児の主症候
    1）7歳6ヶ月未満で乳房発育が起こる．
    2）8歳未満で陰毛発生，または小陰唇色素沈着等の外陰部成熟，あるいは腋毛発生が起こる．
    3）10歳6ヶ月未満で初経をみる．
II．副症候　発育途上で次の所見をみる（注1）．
  1．身長促進現象：身長が標準身長の2.0 SD以上，または年間成長速度が標準値の1.5 SD以上．
  2．骨成熟促進現象：骨年齢－暦年齢≧2歳6ヶ月を満たす場合．
      または暦年齢5歳未満は骨年齢/暦年齢≧1.6を満たす場合．
  3．骨年齢/身長年齢≧1.5を満たす場合．
III．検査所見
    下垂体性ゴナドトロピン分泌亢進と性ステロイドホルモン分泌亢進の両者が明らかに認められる（注2）．
IV．除外規定（注3）
    副腎性アンドロゲン過剰分泌状態（未治療の先天性副腎皮質過形成（注4），副腎腫瘍など），性ステロイドホルモン分泌性の性腺腫瘍，McCune-Albright症候群，テストトキシコーシス，hCG産生腫瘍，性ステロイドホルモン（蛋白同化ステロイドを含む）や性腺刺激ホルモン（LHRH，hCG，hMG，rFSHを含む）の長期投与中［注射，内服，外用（注5）］，性ステロイドホルモン含有量の多い食品の大量長期摂取中の全てを否定する．
V．参考所見
    中枢性思春期早発症を来す，特定の責任遺伝子の変異（GPR54，KISS-1，MKRN3，DLK1）が報告されている．

［診断基準］
確実例
  1．Iの2項目以上とIII，IVを満たすもの．
  2．Iの1項目およびIIの1項目以上とIII，IVを満たすもの．
疑い例
    Iの年齢基準を1歳高くした条件で，その確実例の基準に該当するもの．なお疑い例のうちで，主症状発現以前の身長が標準身長の－1 SD以下のものは，治療上は確実例と同等に扱うことができる．
［病型分類］
    中枢性思春期早発症が診断されたら，脳の器質的疾患の有無を画像診断などで検査し，器質性，遺伝子異常に起因する，特発性の病型分類をする．

（注1）発病初期には，必ずしもこのような所見を認めるとは限らない．
（注2）各施設における思春期の正常値を基準として判定する．なお，基準値のない施設においては下記の別表1（文献1を参照）に示す血清ゴナドトロピン基準値を参考にする．
（注3）除外規定に示すような状態や疾患が現在は存在しないが，過去に存在した場合には中枢性思春期早発症を来しやすいので注意する．
（注4）先天性副腎皮質過形成の未治療例でも，年齢によっては中枢性思春期早発症をすでに併発している場合もある．
（注5）湿疹用軟膏や養毛剤等の化粧品にも性ステロイドホルモン含有のものがあるので注意する．

［厚生労働科学研究費補助金難治性疾患等政策研究事業「間脳下垂体機能障害に関する調査研究」班（編）：間脳下垂体機能障害の診断と治療の手引き（平成30年度改訂）．日内分泌会誌 95（Suppl.）：25-26，2019］

トとされるものが相当数含まれており，まずは実際に性ホルモンの作用があるかどうかの確認が必要である．ここで最も重要なのは成長曲線の作成と骨年齢である．これらで成長のスパートと骨年齢促進を認めれば，性ホルモンに対する曝露が一定期間以上続いた可能性がある．またスパートが生じた時期から遡って罹病期間のある程度の推測も可能である．正常バリアント，たとえば早発乳房（premature thelarche）では，成長スパートや骨年齢促進を通常認めない．

b．画像診断

①頭部MRI

頭蓋内基礎疾患の有無を検索するうえで重要な検査である．

②腹部～骨盤内画像検査（MRI，超音波検査）

腫瘍性病変など，原因疾患の有無の検索のほか，女性では卵巣や子宮の状態を把握するためにも用いられる．特に子宮は二次性徴の進行とともに形態や大きさが変化する．子宮の洋梨状の形，子宮内膜の存在のほか，子宮体部長径4 cm以上，卵巣容積1 cm^{3}は二次性徴期であることを示唆する[5]．

そのほか必要に応じて鑑別にあがる疾患別に適宜検査を追加する（例：McCune-Albright症候群での骨シンチグラフィなど）

c．内分泌学的検査

内分泌学的検査の目的はおもにゴナドトロピン依存性・非依存性の鑑別と，基礎疾患の有無の鑑別を行うことである．

ゴナドトロピン依存性・非依存性の鑑別はLHの基礎値，あるいはLHRH負荷試験におけるLHの頂値で判断することが多い．詳細は**総論第7章E**に譲る．

テストステロンは，二次性徴の有無を知るうえで有用な検査であるが，エストラジオールは測定感度が不足しており，単独での二次性徴の有無の鑑別は困難である．テストステロンは通常前思春期では測定感度以下であるが，生後1歳頃まではmini pubertyにより，測定できる値まで上昇していることがあり，注意が必要である．

胚細胞腫は男性のPPの原因となることがある．鑑別にhCG-βの測定は有用である．一方，エストラジオールの産生にはLH/FSH双方が必要であるため，女性においてhCG-β単独でPPの原因となることはなく，測定は不要である．

そのほか甲状腺機能低下症，先天性副腎過形成症の鑑別に必要な検査を行うこともある．

1. ゴナドトロピン依存性思春期早発症（GDPP）

1）定義・概念

PPのなかでも，ゴナドトロピンの分泌増加に伴い発症するもので，中枢性思春期早発症，真性思春期早発症ともいわれる．

2）病因・病態

視床下部・下垂体の成熟が早期に起こることによって生じる．病因は**表2**に記すが，原因が特定されないIPPとそれ以外とに大きく分けて考えることができる．臨床においてもこの鑑別は重要である．IPPの場合には，原因に対する治療は不要で，思春期早発によって生じる臨床的な問題点のみに対応すれば良い．それ以外では，必要に応じて原因に対する治療も行う．悪性疾患が含まれることがあるため，原因精査およびその鑑別は慎重に行う必要がある．

a．特発性思春期早発症（IPP）

診断は除外診断による．**表2**にかかげたその他の原因によるものをいずれも否定する必要がある．IPPの男女比は1：8程度[4]とされ，圧倒的に女児に多いのが特徴である．発症年齢は女児の場合，3歳未満はまれであり，5歳以降が多い[4]．

b．中枢神経系の異常

一般にGnRHの分泌は，より中枢からの抑制的な機構により制御されていると考えられており，その抑制的な機能に影響しうるあらゆる中枢神経系の変化はPPの原因となるとされる．したがって，神経膠腫（glioma）などの悪性腫瘍，視床下部の過誤腫，頭部外傷，脳炎，脳膿瘍，水頭症，頭部照射などはGDPPの鑑別としてあげられる．頭蓋内の画像検索（MRI）は有用な手段であるが，近年の報告では，6歳以上の女性の多くは特発性であり，神経学的症状を伴わない場合には必ずしも必要ではないとされる[6,7]．なお，脳腫瘍の放射線照射によるPPの場合，一過性にPPをきたすが，長期的にはゴナドトロピン分泌不全症をきたすことが少なくないことに留意する．

c．長期間の性ステロイド曝露

長期間性ステロイドに曝露された場合，中枢神経系の早熟化が生じ，最終的にGDPPを起こすことはよく知られている．これらは厳密にはGDPPとは異なる疾患単位と考えるべきであるが，実際の診療では鑑別にあがるので，注意が必要である．医原性でなければ，通常はゴナドトロピン非依存性思春期早発症に続発して生じると考えることができる．臨床的にはコントロールが不十分な先天性副腎過形成症の患者でよく経験される．IPPとの鑑別は病歴の聴取などで鑑別する．詳細は別項に譲る．

d．遺伝子異常

近年GnRHの上位に位置する神経細胞に発現し，視床下部−下垂体−性腺系をコントロールしているとされるKISS1とその受容体であるKISS1Rの機能獲得変異，およびMKRN3遺伝子の変異によって生じることが示されている[8〜10]．ただいずれも現段階での報告症例数は少なく，GDPPのなかで占める割合は少ないと思われる．常染色体顕性遺伝形式をとるため，家族歴が濃厚，かつIPPが考えられる場合には鑑別にあがる．

3）臨床徴候

ゴナドトロピン依存性なので，長期間の性ステロイド曝露によるもの以外は，二次性徴の徴候自体は生理的なものと変わりがない．なお過誤腫によるものなどで乳児期に生じるPPの場合には，最初の徴候が性器出血であることがある．主訴が「血尿」である場合があるので，注意が必要である．基礎疾患のあるものは，それに応じた臨床症状が加わる．

II 各 論

表2 思春期早発症の分類

		男児	女児
ゴナドトロピン依存性	特発性思春期早発症		
	中枢神経腫瘍	悪性腫瘍（視神経膠腫，胚細胞腫，星細胞腫など） 視床下部過誤腫，神経線維腫症I型など	
	その他の中枢神経系の器質的異常	脳炎，髄膜炎（後） 脳膿瘍 頭部外傷 水頭症 くも膜嚢胞 頭部照射 新生児仮死後，脳性麻痺	
	慢性的な性ステロイド暴露	先天性副腎過形成，性ホルモン投与など	
	遺伝子異常	KISSR/GRP54遺伝子機能獲得変異 KISSI遺伝子機能獲得変異	
ゴナドトロピン非依存性	同性 副腎	アンドロゲン産生副腎腫瘍 先天性副腎皮質過形成（CAH）[*1] cortisol resistance症候群	エストロゲン産生副腎腫瘍
	同性 性腺	Leydig細胞腫 家族性男性思春期早発症	莢膜細胞腫 顆粒膜細胞腫 輪状細管を伴う性索腫瘍[*2] 自律性機能性卵巣嚢腫
	同性 外因性	外因性アンドロゲン曝露	外因性エストロゲン曝露
	同性 その他	原発性甲状腺機能低下症 McCune-Albright症候群 hCG産生腫瘍 PHP1a[*3]	原発性甲状腺機能低下症 McCune-Albright症候群 アロマターゼ過剰症
	異性 副腎	エストロゲン産生副腎腫瘍	アンドロゲン産生副腎腫瘍 先天性副腎皮質過形成（CAH）[*4] cortisol resistance症候群
	異性 性腺	Sertoli細胞腫[*2]	Leydig-Sertoli細胞腫
	異性 外因性	外因性エストロゲン曝露	外因性アンドロゲン曝露
	異性 その他	アロマターゼ過剰症	アロマターゼ欠損症
部分型		早発乳房，早発乳房異型，早発月経，早発陰毛，思春期女性化乳房	

[*1]：21OHD，11OHD，[*2]：多くが，Peutz-Jeghers症候群に伴う，[*3]：GNAS遺伝子のAla366Ser変異のみ，[*4]：21OHD，11OHD，3βHSDD

4）診断と検査法

a．内分泌学的検査

LH/FSH依存的であるかどうかの判断には，一般にLHRH負荷試験のLHの頂値が最も有用とされる．諸説あるが，LH＞FSHもしくはLH＞3.3～5.0 mIU/mLが目安となると考えられる[3]．なおLHの基礎値が＞5 mIU/mLの場合も有意であり，この場合にはLHRH負荷試験は不要との意見もある．FSH単独では，判断がむずかしい場合が多い．エストラジオールは一般の測定系では感度が十分でなく良好な指標とはいえない．

b．画像検査

頭蓋内病変の有無の鑑別にMRIは重要な検査である．男児は全例，女児は6歳未満発症でMRIの検査が必須である[3]．悪性疾患や視床下部過誤腫などを含めた器質的変化などを確認するので造影による撮影を検討する．過誤腫はT1像では灰白質と同じintensityで描出され，腫瘍内も均一であり，ガドリニウムで造影されない．

5）治療法

a．治療の適応と考え方

PPのおもな問題点は，基礎疾患によるものを除けば，早期二次性徴発来による社会心理的問題と，最終身長の低下であり，治療目的は，二次性徴を消退させて社会心理的問題の改善をはかるとともに，最終身長予後の改善である．治療適応は，この2点が臨床的にどの程度深刻であるか，ということを基準に検討する．PPの診断が直接治療の必要性に結びつくものではない．治療をはじめる前に，症例ごとに治療の目的を明確にしておく必要がある．思春期早発自体の定義には民族差があり，曖昧な部分が残されるため，過剰治

療にならないよう，留意する．

最終身長予後の改善は，治療によるランダム化比較試験がないため，治療効果に関する一定の見解がない．一般に年少で発症し早期より治療を開始した例では治療効果が高く，年長で発症した場合や治療が遅れた場合には治療による身長予後改善効果が薄い．2009年のヨーロッパ小児内分泌学会(European Society for Pediatric Endocrinology：ESPE)のコンセンサスガイドライン[3]では，女児では6歳未満で発症した場合に最終身長の改善が期待できるとされている．男性については症例数が少なく，一定の見解に乏しい．女性に習えば，少なくとも7～8歳までに治療開始することが目安になると思われる．いずれにしろ安易に低身長予防を目的として治療を開始することは慎むべきである．

社会心理的問題への治療効果も同様に評価がむずかしい．治療と心理的側面についてデザインされた良好な研究は少なく，社会心理面に基づいた明確な治療開始基準は存在しない．考えられる目安としては，極端に早い二次性徴の発来や，女児での性器出血などにより，学校生活に支障をきたす場合などである．また精神発達遅滞などを合併している場合などでは，その症例ごとに治療目的や開始基準が異なる可能性がある．

治療開始に際しては，その目的を明確にし，あらかじめ治療中止の時期や基準をある程度決めておくことが望ましいと考えられる．

b．治療方法

GnRHアナログ製剤を使う．GnRHアナログ製剤は，LH/FSHの分泌がGnRHの脈動的分泌(pulsatile secretion)に依存していることを利用したものである．GnRHアナログ製剤による持続的なGnRHの血中濃度の上昇が内因性の脈動的なGnRH濃度変化をキャンセルし，その結果LH/FSHの分泌は抑制される[11]．本治療の長所は，重篤な副作用がないこと，中止をすれば確実に二次性徴を誘導できる点である．

製剤は，点鼻や皮下注射など様々な剤形があるが，治療の確実性からデポ製剤の皮下注射が第一選択である．30～60 μg/kgを毎月1回(4週ごと)投与する．効果が不十分と考えられたときは，180 μg/kgまで増量できる．また，最終身長に対する効果は治療中の成長率に依存しており，成長率は高用量でより強く抑制されるため，必要最小限を用いることが望ましい．なお，胚細胞腫，hCG産生腫瘍のときは，腫瘍に対する治療を優先する．過誤腫による思春期早発では腫瘍自体の物理的な問題による障害がなければ，外科的な治療は行わず，GnRHアナログによる治療のみを行う．この場合にはGnRHアナログが大量に必要になることがある．

ある程度二次性徴が進行した児では，初回投与後1週程度で性器出血を起こすことがある．GnRHアナログ製剤の本来のGnRH作用によるが，その後はLH/FSHの分泌は抑制されるので，あらかじめ保護者や本人に伝えておくとよい．また卵巣の嚢胞の腫大が促進することがあるため，治療前後での腹部超音波を考慮する．

c．治療効果判定

治療効果判定，およびコントロールの指標としてコンセンサスの得られたものは，存在しない[3]．一般には，成長率，骨年齢，男児では精巣容量を，女児では乳房発育などを指標とする．精巣容量の減少・乳房発育の停止に加え，成長率が成長曲線にのっているようであれば治療効果はおおむね良好と考えられる．LHの値も治療効果をみるうえでよい指標になりうる．基礎値LHを0.5 mIU/ml未満に維持する，といったやり方を提唱する専門家もいる．

d．治療中止

治療中止時期における一般的な基準は存在しない．先述のごとく，治療目的に応じて決定することになる．最終身長に関しては，より長期間の治療で身長予後の改善を認めるとする意見もあるが[12]，明確なエビデンスに乏しい[3]．遅くとも女子では骨年齢13歳，男子では骨年齢15歳で治療中止と考えるのが一般的である．

不要に治療期間を引き伸ばせることは，多くの点で問題を引き起こす可能性があり慎むべきである．たとえば相応の年齢になって二次性徴の発来がないことは，患者本人にとっては相応の心理ストレスになると考えられる．長期の性腺抑制療法による将来的な骨塩量の低下を懸念する考えもある[13]．

治療中止後は，LH/FSHの分泌は数か月で，性器出血は治療開始前に認めていたものはおおむね12か月以内に，なかったものは24か月以内で認めることが多い[14]．いずれにしろ治療中止後はしっかりと二次性徴が発来することを確認する必要がある．治療中止後の女性での生殖能力などについては，正常コントロールとは差がないことが近年報告されている[15]．

6) 管理と予後

治療による予後改善の報告は極めて限られているが，一般には良好であると考えられている．

身長予後は，日本人における治療成績では，最終身長の平均は男性163.2 cm($n=13$)，女性154.5 cm($n=63$)であり，男性の91%，女性の89%は成人身長のtarget rangeに入ったとされる[13]．

基礎疾患が存在する場合には，長期予後はそれらに依存すると考えられる．

7）最新知見

海外では新たな治療薬として，GnRHアナログ製剤であるhistrelin implantが実用化に向けて進められている．これは50 mgのhistrelinを含有する長さ3 cm，直径3 mmほどのインプラントを上腕に埋め込むと約65 μg/日のhistrelinが放出されるというもので，1回のインプラントで効果が約1年間持続する．2015年にはアメリカよりGDPPの患者を対象にした第Ⅲ相試験（オープンラベル試験）において，数年間の長期投与でも良好なコントロールを示すことが報告された[16]．毎月の通院が不要になるなど，治療効果をより確実にするためにも有用な治療法の一つと考えられ，今後国内でも導入される可能性がある．

❖ 文献

1) 厚生労働科学研究費補助金難治性疾患等政策研究事業「間脳下垂体機能障害に関する調査研究」班（編）：間脳下垂体機能障害の診断と治療の手引き（平成30年度改訂）．日内分泌会誌 95（Suppl.）：25-26, 2019
2) Teilmann, G, et al.：Prevalence and incidence of precocious pubertal development in Denmark：an epidemiologic study based on national registries. Pediatrics 116：1323-1328, 2005
3) Carel JC, et al.：Consensus statement on the use of gonadotropin-releasing hormone analogs in children. Pediatrics 123：e752-e762, 2009
4) Melmed S, et al.（eds），Williams Textbook of Endocrinology. 12th ed., Saunders, Elsevier, Philadelphia, 2012
5) Herter LD, et al.：Ovarian and uterine findings in pelvic sonography：comparison between prepubertal girls, girls with isolated thelarche, and girls with central precocious puberty. J Ultrasound Med 21：1237-1246；quiz1247-quiz1248, 2002
6) Pedicelli S, et al.：Routine screening by brain magnetic resonance imaging is not indicated in every girl with onset of puberty between the ages of 6 and 8 years. J Clin Endocrinol Metab 99：4455-4461, 2014
7) Kaplowitz PB：Update on Precocious Puberty：Who Should Be Treated? Adv Pediatr 67：93-104, 2020
8) Abreu AP, et al.：Central precocious puberty caused by mutations in the imprinted gene MKRN3. N Engl J Med 368：2467-2475, 2013
9) Silveira LG, et al.：Mutations of the KISS1 gene in disorders of puberty. J Clin Endocrinol Metab 95：2276-2280, 2010
10) Teles MG, et al.：A GPR54-activating mutation in a patient with central precocious puberty. N Engl J Med 358：709-715, 2008
11) Schally AV：Luteinizing hormone-releasing hormone analogs：their impact on the control of tumorigenesis. Peptides 20：1247-1262, 1999
12) Klein KO, et al.：Increased final height in precocious puberty after long-term treatment with LHRH agonists：the National Institutes of Health experience. J Clin Endocrinol Metab 86：4711-4716, 2001
13) Gilsanz V, et al.：Age at onset of puberty predicts bone mass in young adulthood. J Pediatr 158：100-105, 105 e1-e2, 2011
14) Tanaka T, et al.：Results of long-term follow-up after treatment of central precocious puberty with leuprorelin acetate：evaluation of effectiveness of treatment and recovery of gonadal function. The TAP-144-SR Japanese Study Group on Central Precocious Puberty. J Clin Endocrinol Metab 90：1371-1376, 2005
15) Fuqua, JS：Treatment and outcomes of precocious puberty：an update. J Clin Endocrinol Metab 98：2198-2207, 2013
16) Silverman LA, et al.：Long-Term Continuous Suppression With Once-Yearly Histrelin Subcutaneous Implants for the Treatment of Central Precocious Puberty：A Final Report of a Phase 3 Multicenter Trial. J Clin Endocrinol Metab 100：2354-2363, 2015

〈鹿島田健一〉

2. ゴナドトロピン非依存性思春期早発症

ゴナドトロピン非依存性思春期早発症は，脳下垂体からのゴナドトロピン分泌増加を伴わない性ステロイド増加により発症する．男児が男性化，女児が女性化を示す同性思春期早発症と，男児が女性化，女児が男性化を示す異性思春期早発症とがある．

原因疾患を鑑別するための臨床症候では，カフェオレ斑・骨病変（McCune-Albright症候群），多飲・視力障害（視床下部hCG産生腫瘍），男児では精巣容量の左右差（精巣腫瘍），陰茎発育と精巣容量との成熟の差（hCG産生腫瘍，家族性男性思春期早発症）などが重要である．

a hCG産生腫瘍

1）定義・概念

男児では，hCGがLH受容体を介して精巣Leydig細胞のテストステロン分泌を促進させるため，hCG産生腫瘍で男性化が引き起こされる．女児の卵胞発育と顆粒膜細胞でのアロマターゼ産生にはFSH作用が必要であるため，hCG産生腫瘍は一般的には女児では思春期早発症の原因とはならない．しかしごくまれではあるが，腫瘍がhCGとともにアロマターゼも産生し，ゴナドトロピン非依存性思春期早発症を発症した女児例が報告されている[1]．

2）病因・病態

原因は，肝腫瘍と胚細胞腫瘍である．胚細胞腫瘍は原始生殖細胞から発生する腫瘍の総称であり，病理学的には胚細胞腫，胎児性癌，卵黄嚢腫瘍，絨毛癌，テラトーマ，混合型胚細胞腫瘍などに分類される．hCGは，胎児性癌，絨毛癌，合胞体栄養膜細胞を含む胚細胞腫で多く産生される．

原始生殖細胞は卵黄嚢で発生した後，腸間膜を経て生殖隆起に到達する．このとき，性腺以外の組織に迷入した原始生殖細胞が，胚細胞腫瘍の発生母地となる．そのため性腺以外，視床下部，下垂体，縦隔，後腹膜，仙尾部といった正中部位に多く認められる．Klinefelter症候群における縦隔原発の胚細胞腫瘍の頻度は，一般頻度の30～50倍とされている．

3）臨床症候

テストステロン分泌亢進により，成長・骨年齢促進，陰茎・陰毛発育が認められる．精巣は，おもにFSH作用により精細管が発育することで容量が増大するため，LH作用のみが亢進するhCG産生腫瘍では，精巣容量の増大は軽度である．

腫瘍発生部位を推定する症候として，胸痛・咳嗽や喘鳴などの気道圧迫症状（縦隔），腹痛（後腹膜），多飲多尿・視力低下（視床下部），複視（松果体）などが重要である．

4）診断と検査法

血中テストステロン増加，LH/FSH基礎値低値，LHRH負荷試験における思春期前の反応，血中hCG高値が認められれば，診断可能である．頭蓋内の胚細胞腫瘍のうちhCG産生量の少ない組織型では，超高感度法で測定した血中／髄液中hCGβが腫瘍マーカーとしては有用である．血中αフェトプロテインは，hCG産生細胞とは異なる細胞で産生され，肝芽腫，卵黄嚢腫瘍で高値を示す．

腫瘍の局在は随伴する臨床症候から推定し，超音波，CT，MRIなどの画像検査で決定する．

5）治療法

治療方針を決定するために，腫瘍組織の生検が必要となる．頭蓋内胚細胞腫瘍のうち胚細胞腫は，放射線治療，化学療法に対する感受性が高い．胎児性癌，絨毛癌は，放射線治療，化学療法に対する感受性が高くなく，手術療法を併用することが多い．化学療法薬として，シスプラチンまたはカルボプラチン，エトポシド，ブレオマイシンなどが用いられる．

6）管理と予後

頭蓋内胚細胞腫瘍のうち，胚細胞腫の生命予後は比較的良好である．中枢神経外胚細胞腫瘍の予後は，残存腫瘍が全摘出できた場合は良好である．しかし，12歳以上の縦隔腫瘍は予後不良とされている．

頭蓋内胚細胞腫瘍の治癒後，精巣胚細胞腫瘍を発症した症例が報告されており，長期間にわたる経過観察が必要である．

❖ 文献

1) Shibata N, et al.：Peripheral precocious puberty in a girl with an intracranial hCG-producing tumor：case report and literature review. Endocr J. 2021. Jul 17. doi:10.1507/endocrj.EJ21-0117［Online ahead of print］

（佐藤真理）

b 家族性男性思春期早発症（familial testotoxicosis）

1）定義・概念

LH受容体の機能獲得型生殖細胞変異により発症する．常染色体顕性遺伝形式を示し，男児のみが症状を呈する．女児では思春期早発症を発症せず，生殖能力も保たれている．

2）病因・病態

LH受容体（LHCGR）遺伝子は2p21に座位し，11個のエクソンと10個のイントロンを有する．LH受容体は7回膜貫通型受容体であり，GTP結合蛋白を介して細胞内にシグナルを伝達する．エクソン1から10がN末端の細胞外ドメインをコードし，エクソン11が膜貫通ドメイン，細胞内ループ，細胞外ループ，C末端の細胞内ドメインをコードする．報告されている機能獲得型生殖細胞変異の多くが第6膜貫通ドメインに存在する．第6膜貫通ドメインはGTP結合蛋白の活性化に関与しており，この部分のアミノ酸変異で立体構造が変化することにより，リガンドなしでcAMP産生が増加すると報告されている[1]．

578番目のアスパラギン酸の変異が3種類（p.Asp578Tyr, p.Asp578Glu, p.Asp578Gly）認められているが，そのうちp.Asp578Gly変異はアメリカでの創始者変異とされている．一方，同じ578番目のアスパラギン酸の変異でもp.Asp578His変異は，Leydig細胞腫瘍患者でのみ，すなわち機能獲得型体細胞変異としてのみ報告されている．LH受容体変異は，通常Gs蛋白を介してアデニル酸シクラーゼを活性化しcAMP産生を増加させるが，p.Asp578His変異はGq蛋白を介してホスホリパーゼCを活性化し細胞増殖を促進する働きももつ[2]．

3）臨床症候

テストステロン分泌亢進により，成長・骨年齢促進，陰茎・陰毛発育が認められる．多くは4歳頃までに発症するが，陰茎は出生時から増大していることもある．精巣容量は，思春期早期から中期くらいの大きさまで両側性に増大するが，陰茎，陰毛の成熟度に比べると相対的に小さい．精巣容量増大は，Leydig細胞の過形成による．精巣容量の左右差を認める場合は，Leydig細胞腫瘍の可能性を考慮する．

4) 診断と検査法

臨床症候，家族歴より疑い，血中テストステロン増加，LH/FSH 基礎値低値，LHRH 負荷試験における思春期前の反応より診断する．テストステロン高値が継続することで，二次的にゴナドトロピン依存性思春期早発症が誘発されることがある．よって，ゴナドトロピン依存性思春期早発症の男児では，家族性男性思春期早発症の可能性も考慮する．確定診断は，末梢血白血球から抽出した DNA を用いた LH 受容体遺伝子解析で行う．

5) 治療法

ビカルタミドなどのアンドロゲン受容体拮抗薬と，骨成熟抑制を目的としたアナストロゾール，レトロゾールなどのアロマターゼ阻害薬との併用が，成人身長改善に有用であると報告されている．ゴナドトロピン依存性思春期早発症を合併した場合は，GnRH アナログを併用する．

6) 管理と予後

思春期年齢に達すると，成人男性として正常な LH 分泌パターンを示し，生殖能力を獲得する．しかし成人期に，造精機能が低下する症例や，精上皮腫（seminoma）を発症する症例が報告されている．

❖ 文献

1) Kosugi S, et al.：The role of Asp578 in maintaining the inactive conformation of the human lutropin/choriogonadotropin receptor. *J Biol Chem* 271：31813-31817, 1996
2) Liu G, et al.：Leydig-cell tumors causes by an activating mutation of the gene encoding the luteinizing hormone receptor. *N Engl J Med* 341：1731-1736, 1999

（佐藤真理）

c McCune-Albright 症候群

1) 定義・概念

GNAS1 遺伝子は 20q13 に座位し，GTP 結合蛋白の一つである Gs 蛋白の α サブユニット（$G_s\alpha$）をコードする．McCune-Albright 症候群は，GNAS1 遺伝子の機能獲得型体細胞変異に起因する疾患であり，ゴナドトロピン非依存性思春期早発症，皮膚カフェオレ斑，多骨性線維性骨異形成症を三主徴とする．発生の過程で生じる体細胞変異であるため，変異をもつ細胞はモザイク状に存在する．GNAS1 遺伝子の機能獲得型生殖細胞変異は致死的であるため，McCune-Albright 症候群は全例が孤発例である．女児の発症頻度は男児の 2 倍である．

2) 病因・病態

GTP 結合蛋白は三つのサブユニット（α, β, γ）で構

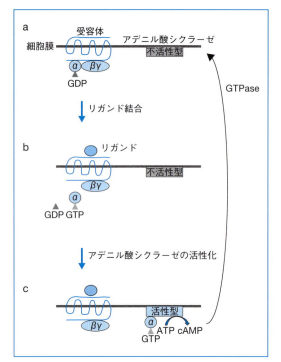

図9 Gs 蛋白のシグナル伝達機序

リガンドが受容体に結合していない状態では，GDP と結合した α サブユニットは，βγ サブユニットと三量体を形成している（a）．リガンドが受容体に結合すると，α サブユニットは GDP を切り離して GTP と結合し，βγ サブユニットから離れて（b）アデニル酸シクラーゼを活性化する（c）．その後，α サブユニットに内在する GTPase により GTP が GDP に加水分解され，α サブユニットはふたたび βγ サブユニットと三量体を形成する（a）

成され，7 回膜貫通型ホルモン受容体と共役して，細胞内のシグナル伝達に関与している．GTP 結合蛋白の一つである Gs 蛋白は，アデニル酸シクラーゼを活性化し，cAMP を増加させる働きをもつ．リガンドが受容体に結合していない状態では，GDP と結合した $G_s\alpha$ は，βγ サブユニットと三量体を形成している．リガンドが受容体に結合すると，$G_s\alpha$ は GDP を切り離して GTP と結合し，さらに βγ サブユニットから離れてアデニル酸シクラーゼを活性化する．その後，$G_s\alpha$ に内在する GTPase により GTP が GDP に加水分解されると，$G_s\alpha$ はふたたび βγ サブユニットと三量体を形成して不活性状態となる（図9）．

McCune-Albright 症候群の 95% 以上で，$G_s\alpha$ のコドン 201 のアルギニンの変異（p.Arg201Cys, p.Arg201His, p.Arg201Ser, p.Arg201Gly），またまれではあるがコドン 227 のグルタミンの変異（p.Gln227Arg, p.Gln227Lys）などが報告されている．これらの変異により，$G_s\alpha$ に内在する GTPase 活性が低下し，GTP が GDP に加水分解されずに $G_s\alpha$ と結合し続けることで，$G_s\alpha$ の活性状

態が維持される．精巣，卵巣，下垂体，甲状腺，副腎などの内分泌腺に変異細胞が存在すると，ゴナドトロピン非依存性思春期早発症，下垂体性巨人症，高プロラクチン血症，甲状腺機能亢進症，Cushing症候群（Cushing症候群の多くは新生児期発症）を発症する．メラノサイトで発現し，α-melanocyte-stimulating hormone（α-MSH）が結合するメラノコルチン1受容体も，Gs蛋白と共役している．メラノコルチン1受容体の働きが亢進することにより，メラニン産生が増加してカフェオレ斑を呈する．骨では$G_s\alpha$の活性化により，骨格系幹細胞の分化が抑制され，正常な骨や骨髄が未熟な線維性骨や線維性間質に置き換わり，線維性骨異形成症を発症する．

まれな病型として，偽性副甲状腺機能低下症ⅠA型でゴナドトロピン非依存性思春期早発症を合併した男児2例が報告されており，いずれも$G_s\alpha$のp.Ala366Ser変異を有していた[1]．この変異蛋白は，37℃で分解が促進し，33℃ではGDPとの結合能が低下するという性質をもつ．よって，体内では$G_s\alpha$の機能が低下して偽性副甲状腺機能低下症ⅠA型の表現型を呈し，温度の低い精巣では$G_s\alpha$とGTPとの結合が促進してゴナドトロピン非依存性思春期早発症を発症すると考えられている．

3）臨床症候

三主徴がそろうのは1/4程度であり，三主徴のうち一つの症状しか認められない者も多い．

ゴナドトロピン非依存性思春期早発症は女児に多く認められ，2歳頃までに発症する．LH作用，FSH作用ともに亢進する．女児では，自律性機能性卵巣囊胞が腫大，退縮を繰り返すことにより，乳房腫大とともに性器出血が認められる．卵巣囊胞の腫大に伴い，卵巣の大きさに左右差を生じる．男児では，陰茎・陰毛の発育とともに片側の精巣容量増大が認められる．精巣容量増大は，精細管の発育，精子形成，Leydig細胞の過形成による．

皮膚カフェオレ斑は，出生時，または生直後から認められ，辺縁が不整であることが特徴的である．骨病変と同側に多く，正中線を越えることは少ないとされているが，そうでない場合もある．成長とともに，大きさは増大する．

線維性骨異形成症は，大腿骨近位部，頭蓋底に多く認められ，病的骨折，骨変形（顔面の非対称的な変形など），骨痛などで気づかれる．病的骨折は6〜10歳頃に多く，それ以降は頻度が減少する．頭蓋顔面骨の骨病変のために，視神経管・視神経孔・聴神経孔が狭窄し，視力障害・聴力障害をきたすことがある．線維性骨異形成症の組織で，P排泄因子であるfibrinogen growth factor 23（FGF23）が産生され，低リン血症性くる病を合併することが知られている．GH分泌過剰は頭蓋顔面骨の変形を増悪させ，低リン血症は病的骨折・骨痛を増悪させる．

内分泌腺以外の合併症として，胃食道逆流，消化管ポリープ，肝細胞腺腫，膵管内乳頭粘液性腫瘍，血小板機能異常などが報告されている．血小板機能異常は，整形外科手術の際に失血量が多い原因の一つとされている．甲状腺癌，乳癌，骨・精巣の悪性腫瘍の合併も報告されている．Cushing症候群は4〜5歳以降，低リン血症は20歳以降に自然寛解する可能性がある[2]．

4）診断と検査法

ゴナドトロピン非依存性思春期早発症は，血中性ステロイド増加（エストラジオール，テストステロン），LH/FSH基礎値低値，LHRH負荷試験における思春期前の反応より診断される．女児では，腹部超音波で卵巣腫大の有無を検索するが，時期によっては腫大が確認できない場合もある．

線維性骨異形成症の病変は，単純X線，CTにてすりガラス様陰影として認められる．これらの検査で病変が明らかでない場合でも，^{99m}Tc-MDPを用いた骨シンチグラフィで病変が見出せることがある．

病変部位の細胞ではなく，末梢血白血球を用いての遺伝子解析では，GNAS1変異の検出率が低いとされてきた．最近，次世代遺伝子解析装置を用いた方法により，末梢血白血球でも遺伝子変異の検出感度が著しく向上したことが報告された[3]．

5）治療法

ゴナドトロピン非依存性思春期早発症の治療は確立していない．女児では，アロマターゼ阻害薬のアナストロゾール，レトロゾール，エストロゲン受容体阻害薬のタモキシフェンやフルベストラントが有効と報告されている．しかし，いずれも性器出血の抑制，成長・骨成熟促進の抑制には有効であるものの，卵巣囊胞の腫大を抑制することはできない．男児では，ビカルタミドなどのアンドロゲン受容体拮抗薬と，アナストロゾール，レトロゾールなどのアロマターゼ阻害薬とを併用する．

線維性骨異形成症に関しては，ビスホスホネートが骨痛には有効であるものの，骨病変の進行を抑制することはできない．

6）管理と予後

McCune-Albright症候群の成人女性では，視床下部-下垂体-卵巣系は成熟するものの，自律性機能性卵巣囊胞の腫大・退縮による不正性器出血も継続する．

よって，生殖能力は獲得しているものの，妊娠までの期間が長くかかる可能性がある．

❖ 文献

1) Nakamoto JM, et al.：Concurrent hormone resistance（pseudohypoparathyroidism type 1a）and hormone independence（testotoxicosis）caused by a unique mutation in the G alpha s gene. Biochem Mol Med 58：18-24, 1996
2) Collins MT, et al.：McCune-Albright syndrome and the extraskeletal manifestations of fibrous dysplasia. Orphanet J Rare Dis 7（Suppl. 1）：S4, 2012
3) Narumi S, et al.：Quantitative and sensitive detections of GNAS mutations causing McCune-Albright syndrome with next generation sequencing. PloS One 8：e60525, 2013

〔佐藤真理〕

3. 内分泌疾患に伴う続発性思春期早発症

1）甲状腺機能低下症に伴うゴナドトロピン非依存性思春期早発症

長期間無治療で，重度の原発性甲状腺機能低下状態である児の一部に，成長と骨成熟の遅延がありながら思春期早発症を呈する児が存在する[1]．

女児においては，乳房発育と性器出血が認められ，超音波では多嚢胞性の卵巣が認められる．男児では精細管の発育に伴う精巣の増大を認めるが，Leydig 細胞は成熟しない．そのため，血中テストステロンは前思春期レベルにとどまり，男性化徴候はなく，陰茎の発育は軽度で陰毛は認められない．頭部単純 X 線検査や MRI 検査では，長期間の甲状腺機能低下症のため，下垂体腫大に伴うトルコ鞍の拡大が認められる．TSH は著明に増加して 500 μU/mL を超えることも多く，PRL は軽度上昇し乳汁分泌が認められることもある．FSH は軽度上昇するが，LH は感度以下であり，エストラジオールは上昇する．甲状腺機能低下症の治療により検査所見や症状は改善する．男児における巨精巣は，適切な甲状腺ホルモン補充療法開始後も残存することがある．

原発性甲状腺機能低下症による思春期早発症の機序として，増加した TRH が FSH，PRL の分泌も刺激する説や，著明に増加した TSH が性腺における FSH 受容体も刺激するため FSH 様効果のみを誘導し，精巣の増大やエストラジオールの分泌を刺激するとの説がある[2,3]．結果として，中枢性思春期早発症とは異なり，男児においてはテストステロンの分泌を伴わない精巣の増大を認める．このように，甲状腺機能低下症に関連した思春期早発症は，ゴナドトロピン依存性に起こる二次性徴の不完全な形を呈する．

2）先天性副腎過形成症に伴うゴナドトロピン非依存性および依存性思春期早発症

種々のステロイドホルモン合成酵素の働きによって，性腺では性ホルモンが，副腎皮質においてはミネラルコルチコイド，グルココルチコイド，副腎アンドロゲンが生合成されている．これら酵素の先天的欠損により，副腎不全症状と非典型的な外性器，あるいは過剰な副腎アンドロゲンによる男性化症状を呈するものを先天性副腎過形成症（congenital adrenal hyperplasia：CAH）という．このうち，21 水酸化酵素欠損症の頻度が最も高く，症状の程度により古典型（塩喪失型，単純男性型）と非古典型に分類される．程度の差は，多くは残存酵素活性により説明が可能である．無治療，あるいは治療が不十分な CAH 症例では，成長促進，骨年齢促進，早発陰毛，思春期早発症，女性における男性化，月経不順などの症状が認められる．CAH に伴う思春期早発症は，ゴナドトロピン非依存性思春期早発症の原因として最多である．コルチゾールの合成が障害されるため ACTH が過剰分泌となり，合成が障害されていない副腎アンドロゲンが過剰に産生されることにより思春期早発症を発症する．また，治療が不十分で長期間副腎アンドロゲンに曝露されると，中枢が成熟しゴナドトロピン依存性の思春期早発症を合併することがある．その際には，原疾患とともにゴナドトロピン依存性思春期早発症の治療も併せて行う．11β 水酸化酵素欠損症においても，副腎アンドロゲンが過剰に産生されるため同様の症状を呈する．なお，3β 水酸化ステロイド脱水素酵素欠損症の男児では，男性化が不十分な非典型的な外性器を呈するが，女児では早発陰毛や男性化などの症状を呈する．

3）Cushing 症候群に伴うゴナドトロピン非依存性思春期早発症

Cushing 症候群は，何らかの原因によりコルチゾールの過剰分泌が持続している状態であり，小児内分泌疾患としてはまれである．7 歳未満の Cushing 症候群の原因としては副腎腫瘍が多く，特に乳幼児では原因の大部分を副腎腫瘍が占める．癌によるものが多いことも特徴である．グルココルチコイド以外のホルモン産生もみられ，特にアンドロゲン分泌性の副腎腫瘍（男性化腫瘍）が多く，思春期早発症をきたす[4,5]．その場合，コルチゾールとともに副腎アンドロゲンが上昇し，一方 LH，FSH は前思春期レベルにとどまる．女性化腫瘍による女児の思春期早発症はまれである．アンドロゲンの過剰分泌により，陰毛発育と成長促進のほか，男児では陰茎の増大，女児では男性化や月経異

常が認められる．アンドロゲン過剰による成長促進のため，グルココルチコイド過剰による成長障害が目立たないこともある．まれに，腫瘍がアロマターゼ活性をもつ場合があり，その際にはアンドロゲンがエストロゲンに変換される結果，乳房発育と女児では性器出血が出現する．

　Cushing症候群を合併するMcCune-Albright症候群では，線維性骨異形成症，皮膚カフェオレ斑とともに，それ自体がゴナドトロピン非依存性の思春期早発症の原因となる．

❖ 文献

1) Cabrera SM, et al.：Incidence and characteristics of pseudoprecocious puberty because of severe primary hypothyroidism. *J Pediatr* 162：637-639, 2013
2) Niedziela M, et al.：Severe hypothyroidism due to autoimmune atrophic thyroiditis--predicted target height and a plausible mechanism for sexual precocity. *J Pediatr Endocrinol Metab* 14：901-907, 2001
3) Anasti JN, et al.：A potential novel mechanism for precocious puberty in juvenile hypothyroidism. *J Clin Endocrinol Metab* 80：276-279, 1995
4) Magiakou MA, et al.：Cushing's syndrome in children and adolescents-- Presentation, diagnosis, and therapy. *N Engl J Med* 331：629-636, 1994
5) Sandrini R, et al.：Childhood adrenocortical tumors. *J Clin Endocrinol Metab* 82：2027-2031, 1997

❖ 参考文献

- Garibaldi L, et al.：Syndrome of precocious puberty and hypothyroidism. In：Kliegman RM, et al.(eds), *Nelson Textbook of Pediatrics*. 19 th ed., Saunders, Elsevier, 1891, 2011
- White PC：Congenital adrenal hyperplasia and related disorders. In：Kliegman RM, et al.(eds), *Nelson Textbook of Pediatrics*. 19 th ed., Saunders, Elsevier, 1930-1939, 2011
- White PC：Cushing Syndrome. In：Kliegman RM, et al.(eds), *Nelson Textbook of Pediatrics*. 19 th ed., Saunders, Elsevier, 1939-1941, 2011

（都　研一）

4. 部分型思春期早発症

　正常の思春期発来年齢前に単独の思春期徴候が現れるが，通常の二次性徴のように進行せず，骨成熟と成長の促進を伴わない場合をいう．通常は無治療でよいが，軽症あるいは初期の思春期早発症の可能性もあり，経過観察が必要である．

1) 早発乳房(premature thelarche)

　女児において，前思春期の時期に一過性に乳房発育のみを認めることがあり，早発乳房とよばれる．多くは2歳頃までに出現するが，出生時から継続して存在している場合もある．片側性のことや両側性のことがあり，その程度は，しばしば変動する．通常，骨成熟や成長の促進は認めず，外陰部の成熟も認めない．乳房発育は2年以内の経過で消退することが多いが，思春期年齢まで持続することもある．その後の二次性徴の進行や生殖能力は正常である．一時的なFSHとエストロゲンの分泌増加によると考えられているが，正確な機序は不明である．

　詳細な問診と，最低限の内分泌的評価および骨年齢の評価を行う．LH, FSHは前思春期レベルであり，エストラジオールは前思春期レベルか軽度上昇を示す．超音波検査にて，卵巣のサイズは前思春期相当であるが数個の小囊胞を認めることがある．一部の女児では骨成熟と成長の促進などエストロゲン効果が認められることがあり，超音波検査では卵巣，子宮の増大が認められる．それらはexaggeratedまたはatypical thelarcheとよばれ，自然軽快するため中枢性思春期早発症とは区別される．早発乳房は良性の疾患で治療は不要であるが，一部の症例では中枢性思春期早発症に移行するものや[1,2]，思春期早発症の初期，または外因性のエストロゲンに曝露されているものもある．そのため，継続した経過観察が重要である．

　思春期開始前，6〜7歳頃に，ホルモンの上昇を伴わない一過性の乳房発育が出現することもある．前述の早発乳房と同じ病態と考えられるが，半年から1年後くらいに本当の思春期が発来する．

2) 早発陰毛・早発腋毛(premature adrenarche/pubarche)

　前思春期の時期に陰毛，腋毛が出現するが，その他の二次性徴の進行を認めないものをいう．男児より女児に多く発生する．軽度の骨成熟および成長の促進を認めるが，概して進行は緩徐で最終身長には影響しない．思春期早発症とは異なるため治療は不要であるが，経過観察は必要である．思春期開始前に副腎アンドロゲンの分泌が軽度過剰になったためと考えられるが，正確な機序は不明である．しかし，一部で他のアンドロゲン過剰症状を認める例があり，その場合には他の疾患，特に21水酸化酵素欠損症による非古典型先天性副腎過形成症を除外する必要がある．3β水酸化ステロイド脱水素酵素欠損症や11β水酸化酵素欠損症でも早発陰毛をきたすが，頻度はまれである．良性の症状であるが，長期的にみると女児においてはアンドロゲン過剰症や多囊胞性卵巣症候群のリスクが高く，メタボリックシンドロームとなるリスク増加もいわれている[3]．在胎週数に比し低体重で生まれた児では，特に注意が必要である．

3) 早発月経(premature menarche)

　前思春期の時期に，他の二次性徴を欠いた状態で性

器出血が起こるものをいう．早発月経はまれであり，早発乳房，早発陰毛よりはるかに頻度が低い．外陰腟炎，異物，性的虐待など，他の性器出血をきたす原因を除外する必要がある．通常は1〜3回の出血のみであり，二次性徴は正常の時期に発来し，生殖能力は正常である．良性で自然寛解するため，治療は不要である[4]．LH，FSHは前思春期レベルであるが，卵巣からの自律的分泌によりエストラジオールは上昇することがある．時に，超音波検査にて卵巣に卵胞囊腫が認められる．

❖ 文献
1) Pasquino AM, et al.：Progression of premature thelarche to central precocious puberty. *J Pediatr* 126：11-14, 1995
2) Zhu SY, et al.：An analysis of predictive factors for the conversion from premature thelarche into complete central precocious puberty. *J Pediatr Endocrinol Metab* 21：533-538, 2008
3) Ibáñez L, et al.：Premature adrenarche-normal variant or forerunner of adult disease? *Endocrine Reviews* 21：671-696, 2000
4) Saggese G, et al.：Gonadotropin pulsatile secretion in girls with premature menarche. *Horm Res* 33：5-10, 1990

❖ 参考文献
・Garibaldi L, et al.：Incomplete (partial) precocious development. In：Kliegman RM, et al. (eds), *Nelson Textbook of Pediatrics*. 19th ed., Saunders, Elsevier, 1893-1894, 2011

（都　研一）

2 体質性思春期遅発症と性腺機能低下症

1. 体質性思春期遅発症

1) 定義・概念

思春期の開始は二次性徴のはじまりで判断され，男児では精巣容積が4 mLとなる（3 mLと記載されていることもあり）ところからはじまり，陰茎増大，陰毛出現へと進行していく．女児では乳房腫大からはじまり（Tanner分類2度），陰毛出現，初経へと進行し，思春期発来から初経までの期間は2.8±2.2（平均±SD）年である[1]．思春期遅発症はその思春期開始の平均的な時期から2〜2.5 SD遅くなっても思春期徴候の開始がない場合と定義される．体質性思春期遅発症は正常な思春期発来のスペクトラムと考えられるが視床下部－下垂体－性腺系の成熟が遅れることにより思春期発来時期が大変遅いもの，ただし自然に思春期が発来し二次性徴が完成していくものをいう[2]．表3に日本人二次性徴発現年齢の平均値を示す．その開始年齢は男児で10.8歳，女児で9.5〜10.0歳である[1,3]．身長計測に基づく成長学的な方法で求めた男児の思春期開始年齢は11.29±0.95歳という報告もある[4]．思春期開始年齢の±2 SDの範囲は男児で8.2〜13.4歳，女児で7.2〜12.8歳であり，思春期遅発と考える年齢は男児でおよそ14歳，女児で13歳といえる．体質性思春期遅発症は男児に多く，思春期遅発症を呈する男児の82%，女児の56%が体質性思春期遅発症であったという報告がある[5]．また家族に思春期遅発傾向の人がいることが多い[5]．

なお，本書では体質性思春期遅発症を低ゴナドトロピン性性腺機能低下症のなかの1項目としてあげたが，鑑別を重視するために便宜的にそのように扱ったものである．

2) 臨床症候

思春期発来の遅れと身長の伸びの低下を示す．身長の伸びのスパートの時期が遅れるため身長SDは一時的に−2 SDを下回ることもあり，二次性徴発現の遅れではなく低身長を主訴に病院を受診することも多い．やせのことが多い．体質性思春期遅発症では陰毛の発生など副腎系の性成熟も遅れるが，ゴナドトロピン単独欠損症では副腎系の性成熟は通常の年齢で起こる．体質性思春期遅発症の成長曲線の男児例を図10に示

表3 日本人男児・女児二次性徴発現年齢

	男　児	
	精巣>3 mL	陰毛発生
文献3	10.8±2.6 (8.2〜13.4)	12.5±1.8 (10.7〜14.3)

	女　児		
	乳房Tanner 2度	陰毛Tanner 2度	初経年齢
文献1	9.49±2.18 (7.31〜11.67)		12.24±1.86 (10.38〜14.1)
文献3	10.0±2.8 (7.2〜12.8)	11.7±3.2 (8.5〜14.9)	12.3±2.5 (9.8〜14.8)

平均値（歳）±2 SD（±2 SDの範囲）を示す
[田中敏章, 他：縦断的検討による女児の思春期の成熟と初経年齢の標準化. 日児誌 109：1232-1242, 2005/Matsuo N：Skeletal and sexual maturation in Japanese children. *Clin Pediatr Endocrinol* 2 (Suppl. 1)：1-4, 1993 より改変]

第 5 章 思春期発来異常

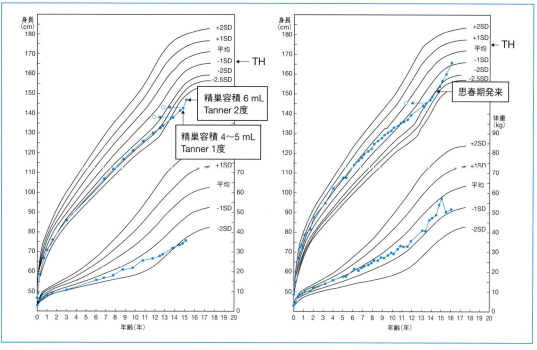

図10　体質性思春期遅発症の成長曲線（男児）
○：骨年齢，TH：target height

す．

3）診断と検査法

体質性思春期遅発症の診断には注意深い診察と経過観察が一番重要であり，思春期遅発症を呈する他の疾患，低ゴナドトロピン性性腺機能低下症，卵巣機能不全，精巣機能不全，低栄養や炎症性腸疾患，膠原病などの全身疾患による機能的性腺機能低下症などが除外され，かつ自然に思春期が発来した際に確定診断となる．

身長・体重の計測を行い，またこれまでの成長を確認するために成長曲線を作成し成長率を確認する．体質性思春期遅発症の男児では低ゴナドトロピン性性腺機能低下症の男児に比して，出生後2歳までに身長および体重SDスコアが低下傾向となるという報告もある[6]．思春期の開始早期は，特に男児では，本人が気づいていないこともあり，診察による思春期段階の確認は重要である．家族に思春期遅発症または遅発傾向の人がいることが多く，体質性思春期遅発症の男児の63％，女児の69％が思春期遅発症の家族歴があったという報告があり，また他の思春期遅発症を呈する疾患よりその頻度は高いとされる[5]ので，詳細な家族歴の問診も必要である．これまでの病歴で，神経学的症状，無嗅覚，嗅覚低下，頭部正中部の病気の既往，両側の精巣固定術の既往や悪性疾患による性腺へのダメージ

が考えられる場合などは，性腺機能低下症を考え速やかに精査を行う[7]．二次性徴の発来なく，成長が思春期前の正常範囲内でありながらゆっくりであること，思春期遅発の家族歴があること，身体所見上異常なく，嗅覚も正常であれば体質性思春期遅発症が疑われる．

男児14歳，女児13歳で思春期発来がなければ思春期遅発と考えられるが，その1歳前つまり男児13歳，女児12歳で思春期発来がなければ精査を考慮する．骨年齢は暦年齢より遅延し，男児では13歳未満，女児では11歳未満のことが多い．血液検査ではゴナドトロピン（LH/FSH）値，男児ではテストステロン値，女児ではエストラジオール値，またあわせてIGF-Ⅰ値などの測定を行う．体質性思春期遅発症ではIGF-Ⅰ値は暦年齢に比し低値を示し，テストステロン値，エストラジオール値が低値であれば性ステロイドの分泌低下（遅延）と考えられる．ゴナドトロピン分泌は脈動的であり，思春期早期は特に夜間に高値であるため日中測定したゴナドトロピン値が低値であっても必ずしも低値とはいえず，LHRH負荷試験が必要となる．LH/FSH高値があれば性腺に障害がある高ゴナドトロピン性性腺機能低下症と考えられ，LH/FSH値が低値であった場合は体質性思春期遅発症か視床下部－下垂体系に異常が存在する低ゴナドトロピン性性腺機能低下症であ

るが，両者の間で LH/FSH 値にオーバーラップがあり，その鑑別はむずかしい．ただし，低ゴナドトロピン性性腺機能低下症ではLHRH負荷試験におけるLH頂値<4.0 mIU/mL が53%であったのに対し，体質性思春期遅発症では全例≧4.0 mIU/mLであったという報告[8]や，LHRH 試験での LH 頂値<2.8 mIU/mL とhCG負荷試験後のテストステロン値<1.04 ng/mLでは感度90%で低ゴナドトロピン性性腺機能低下症と診断できるという報告，またさらに長期(18日間)でのhCG負荷後のテストステロン値<2.75 ng/mLを加えれば感度100%で鑑別できるという報告がある[9]．もし生後すぐの mini-puberty の時期にホルモン検査をした既往があれば，その際のゴナドトロピン値を参考にでき，ゴナドトロピン高値であれば体質性の可能性が高く，低値であれば低ゴナドトロピン性性腺機能低下症の可能性が高い．いまだ体質性思春期遅発症と低ゴナドトロピン性性腺機能低下症を鑑別するのはむずかしいのが現状である．

　低ゴナドトロピン性性腺機能低下症が疑われるときは頭部 MRI を実施し視床下部－下垂体周辺の異常の有無を確認する．嗅覚低下がある場合は Kallmann 症候群が疑われ，頭部 MRI にて嗅球の形成を確認する．高ゴナドトロピン性性腺機能低下症は女児に多い．女児では腹部超音波により卵巣，子宮の存在および成熟度の確認，また卵胞を確認することによりゴナドトロピンの刺激の有無を確認することができる．また Turner 症候群，Klinefelter 症候群の鑑別には染色体検査が必要となる．

4）治療法

　体質性思春期遅発症ではまずは注意深く思春期発来を待つということも一つのアプローチであり，思春期が発来し進行することを確認できれば体質性の診断を確定できる．あるいは患児の身長の伸びの促進や二次性徴の発達を同年齢児と一致させるために，少量の性ステロイド投与(男児でテストステロン投与，女児でエストロゲン投与)により二次性徴を進行させるとともに視床下部－下垂体－性腺系の成熟を促していくという方法もある．思春期は身体面の発達とともに精神面，感情面での発達もあり，思春期発来が遅れる児では精神面の負担となり心配，不安がつのることもある．治療により精神面での QOL にもよい影響を与えると考えられる[10]．男児ではエナント酸テストステロン(エナルモンデポー®)25～50 mg/回を1か月に1回筋注し，継続する．テストステロン投与で二次性徴は起こるが精巣の成長は起こさない．治療後精巣容積の増大および LH/FSH，テストステロン値の上昇があれば思春期が発来したとして治療を中断する．女児では二次性徴の誘発が必要になる場合はまれであるが，結合型卵胞ホルモン(プレマリン®)0.0625 mg(0.1錠)1日1回内服もしくは経皮用エストラジオール(エストラーナテープ)0.09 mgを隔日貼り替えで継続し，思春期発来(LH/FSH，エストラジオール値の上昇)が確認できれば治療を中止するという方法もある(**総論第7章F**も参照)．GH 治療は推奨されない．

5）最新知見

　体質性思春期遅発症と低ゴナドトロピン性性腺機能低下症を鑑別するための検査が多く検討されているが，まだ現在でも診断の gold standard はない．思春期発来前の男児にてインヒビン B(INHB)について検討し，低ゴナドトロピン性性腺機能低下症では50%において INHB 値が<35 pg/mL であったが，体質性思春期遅発症では全例が≧35 pg/mLであったという報告[8]や，INHB<110 pg/mL と LH 基礎値<0.3 mIU/mLの組み合わせは98.1%の特異度をもって低ゴナドトロピン性性腺機能低下症を鑑別できるという報告がある[11]．また近年，次世代シークエンスの発展により，体質性思春期遅発症の責任遺伝子として IGSF10，HS6HT1，FTO，EAP1 が明らかとなってきている[12]．

❖ 文献

1) 田中敏章，他：縦断的検討による女児の思春期の成熟と初経年齢の標準化．日児誌 109：1232-1242，2005
2) Palmert MR, et al.：Clinical practice. Delayed puberty. *N Engl J Med* 366：443-453, 2012
3) Matsuo N：Skeletal and sexual maturation in Japanese children. *Clin Pediatr Endocrinol* 2(Suppl. 1)：1-4, 1993
4) 田中敏章，他：小城成長研究データに基づく日本人男子の成長(第1編)生物学的定義に近似した成長学的な思春期開始の基準値の作成．日本成長学会雑誌 26：16-21，2020
5) Varimo T, et al.：Congenital hypogonadotropic hypogonadism, functional hypogonadotropism or constitutional delay of growth and puberty? An analysis of a large patient series from a single tertiary center. *Hum Reprod* 32：147-153, 2017
6) Reinehr T, et al.：Characteristic dynamics of height and weight in preschool boys with constitutional delay of growth and puberty or hypogonadotropic hypogonadism. *Clin Endocrinol (Oxf)* 91：242-431, 2019
7) Wei C, et al.：Recent advances in the understanding and management of delayed puberty. *Arch Dis Child* 101：481-488, 2016
8) Mosbah H, et al.：GnRH stimulation testing and serum inhibin B in males：insufficient specificity for discriminating between congenital hypogonadotropic hypogonadism from constitutional delay of growth and puberty. *Hum Reprod* 35：2312-2322, 2020
9) Segal TY, et al.：Role of gonadotropin-releasing hormone and human chorionic gonadotropin stimulation tests in differentiat-

ing patients with hypogonadotropic hypogonadism from those with constitutional delay of growth and puberty. *J Clin Endocrinol Metab* 94：780-785, 2009
10) Richman RA, *et al.*：Testosterone treatment in adolescent boys with constitutional delay in growth and development. *N Engl J Med* 319：1563-1567, 1998
11) Binder G, *et al.*：Inhibin B plus LH vs GnRH agonist test for distinguishing constitutional delay of growth and puberty from isolated hypogonadotropic hypogonadism in boys. *Clin Endocrinol*(*Oxf*) 82：100-105, 2015
12) Howard SR：The Genetic Basis of Delayed Puberty. *Front Endcrinol*(*Lausanne*) 10：423, 2019

（小山さとみ）

2. 低ゴナドトロピン性性腺機能低下症

a　Kallmann 症候群

1) 定義・概念

先天性低ゴナドトロピン性性腺機能低下症（congenital hypogonadotropic hypogonadism：CHH）は視床下部−下垂体−性腺（hypothalamus-pituitary-gonads：HPG）軸の最上位ホルモンである GnRH 産生・分泌の障害または作用不足によって引き起こされる疾患である．CHH 以外の低ゴナドトロピン性性腺機能低下症の鑑別疾患は**本章 C-2-2.-d**の**表9**を参照とする[1]．idiopathic hypogonadotropic hypogonadism（IHH），isolated GnRH deficiency は同じ病態を指す．IHH は最初に使用された言葉であり，原因が明らかになるにつれて使用頻度は少なくなった．CHH はヨーロッパで，isolated GnRH deficiency は北米で使用頻度が多い．

CHH の有病率は 10 万人に 1.2〜10 人と推定されている[2]．以前は男女比 5：1 で男性に多いとされていたが，最近の研究によると 2：1 に近い[3]．半数以上の CHH 患者に嗅覚障害が認められ，嗅覚障害を合併する CHH は Kallmann 症候群と呼ばれる．嗅覚障害を合併しない CHH は normosmic CHH（nCHH）または normosmic IHH（nIHH）と呼ばれる．Kallmann 症候群では GnRH ニューロンの発生や遊走，GnRH の分泌障害により CHH が，嗅球（olfactory bulb）の障害により嗅覚脱失や嗅覚減退といった嗅覚障害が起こる．この疾患は 1944 年に Franz Jozef Kallmann らの "The genetic aspects of primary eunuchoidism" のなかで初めて報告された．1991 年に Kallmann 症候群の原因遺伝子として ANOS1（KAL1）が初めて同定され，現在まで CHH と関連する遺伝子が 60 種類以上報告されている（**表4**）[4]．

2) 病因・病態

GnRH ニューロンは胎児期に嗅原基（嗅板：olfactory placode）で発生し，嗅神経とともに脳へ遊走し，最終的に視床下部を中心とする領域に定着する．CHH の直接的な病因は，GnRH 生成・分泌の異常や作用不足であり，病態はそれらによって引き起こされる下垂体ゴナドトロピンの欠乏による性ステロイドの分泌不全である．Kallmann 症候群は嗅上皮や嗅球の発生，GnRH ニューロンの発生，嗅覚ニューロンの伸長と GnRH ニューロンの遊走に関連する因子の異常が原因である[5]．

3) 臨床症候

思春期年齢になっても二次性徴が現れない，思春期年齢を過ぎても二次性徴が完成しない，女性であれば無月経や稀発月経を契機に受診することが多い．問診では小陰茎や停留精巣の既往，嗅覚障害の有無を確認する．成長曲線を描くことは体質性思春期遅発症（constitutional delay of growth and puberty：CDGP）との鑑別だけでなく，中枢神経系／浸潤性腫瘍といった器質的疾患，複合型下垂体機能低下症の鑑別にも重要である．その他，栄養状態や日常的な運動，ステロイドを含む常用薬の有無，放射線治療，化学療法の既往にも注意する．両親や同胞の思春期のタイミング，不妊の有無や CHH に関連する表現型の家族歴の聴取も行う．

Tanner 分類により二次性徴の成熟度を評価する．重症度には幅があり，海外の大規模な調査では平均 28 歳の Kallmann 症候群の男性の 13%，平均 27 歳の nIHH 男性の 41% に不完全であるが二次性徴開始の徴候があり[6]，平均 28.5 歳の CHH 女性の 51% に自発的な乳房発育開始（thelarche）が，10% に初経（menarche）があったと報告[7]されている．停留精巣や小陰茎があれば二次性徴が出現しないことが多く，精巣容量が非常に少ない（1 mL 未満）場合は CHH を示唆する[3]．adrenarche/pubarche は HPG 軸とは独立する別個の現象であり，CHH 女性の 88% に自発的な pubarche を認めたとされる[7]．しかし自発的な thelarche と自発的な adrenarche/pubarche に正の相関があったとのことで興味深い．CHH 男性では女性化乳房の頻度も多い[6]．

関連する表現型として難聴，歯牙異常，口唇口蓋裂，側彎や多指症などの骨格異常，鏡像運動，アタキシア（運動失調）の有無を評価する．四肢の長さ（arm span など）の測定，肥満や痩せの評価も行う．

新生児男児における伸展陰茎長 2.4 cm 未満の小陰茎や停留精巣は先天的なゴナドトロピン欠損を示唆している可能性がある．性分化に重要な妊娠初期は，胎児の GnRH ニューロンは機能しておらず，CHH はいわゆる性分化疾患の鑑別疾患ではない．妊娠後期は，GnRH に誘導された LH の分泌により，陰茎の成長と精巣の下降が起こるので，CHH を有する新生児男児で

II 各論

表4 先天性低ゴナドトロピン性性腺機能低下症（CHH）と関連する遺伝子

\multicolumn{6}{c}{Kallmann症候群}	\multicolumn{6}{c}{Kallmann症候群以外のCHH}
遺伝子	OMIM	場所	遺伝形式	表現型	備考	遺伝子	OMIM	場所	遺伝形式	表現型	備考
ANOS1 (KAL1)	300836	Xp22.31	X-linked	KS		GNRH1	152760	8p21.2	AR, oligo	nCHH	
FGFR1	136350	8p11.23	AD, AR, oligo	KS/nCHH	CPHD	GNRHR	138850	4q13.2	AR, oligo	nCHH	
FGF8	600483	10q24.32	oligo	KS/nCHH	CPHD	KISS1	603286	1q32.1	AR	nCHH	
FGF17	603725	8p21.3	oligo	KS/nCHH		KISS1R	604161	19p13.3	AR	nCHH	
PROK2	607002	3p13	AD, AR, oligo	KS/nCHH		TAC3	162330	12q13.3	AR	nCHH	
PROKR2	607123	20p12.3	AD, AR, oligo	KS/nCHH	CPHD	TACR3	162332	4q24	AR	nCHH	
CHD7	608892	8q12.2	AD, AR, oligo	KS/nCHH/CHARGE	CPHD	FSHB	136530	11p14.1	AR		FSHD
NSMF (NELF)	608137	9q34.3	AR, oligo	KS/nCHH		LHB	152780	19q13.33	AR		LHD
HS6ST1	604846	2q14.3	oligo	KS/nCHH		CCDC141	616031	2q31.2	AR, oligo	nCHH	
WDR11	606417	10q26.12	AD, oligo	KS/nCHH	CPHD	GLI2	165230	2q14.2	AD	nCHH	CPHD
SEMA3A	603961	7q21.11	AD, oligo	KS/nCHH		LHX3	600577	9q34.3	AR		CPHD
SEMA7A	607961	15q24.1	oligo	KS/nCHH		LHX4	602146	1q25.2	AD		CPHD
SEMA3E	608166	7q21.11	oligo	KS/nCHH/CHARGE?		PROP1	601538	5q35.3	AR		CPHD
PLXNA1	601055	3q21.3	AR, oligo	KS/nCHH		LEP	164160	7q32.1	AR	nCHH	OB
SOX10	602229	22q13.1	AD	KS	WS	LEPR	601007	1p31.3	AR	nCHH	OB
IL17RD	606807	3p14.3	oligo	KS/nCHH		PCSK1	162150	5q15	AR	nCHH	CPHD/OB
FEZF1	613301	7q31.32	AR	KS		GATA2	137295	3q21.3	AD	nCHH	CPHD
PTCH1	601309	9q22.32	AD	KS	GGS	PITX2	601542	4q25	AD		CPHD
TUBB3	602661	16q24.3	AD	KS	MS	OTUD4	608337	11q13.1	AR/oligo	nCHH	GHS
DCC	120470	18q21.2	AD, oligo	KS/nCHH		STUB1	607207	16p13.3	AR	nCHH	GHS
NTN1	601614	17p13.1	AD, oligo	KS/nCHH		RNF216	212840	7p22.1	AR/oligo	nCHH	GHS
AMH	600957	19p13.3	AD	KS/nCHH		PNPLA6	603197	19p13.2	AR	nCHH	GHS/BNS
AMHR2	600956	12q13.13	AD	KS/nCHH		SOX2	184429	3q26.33	AD	nCHH	CM/CPHD
NDNF	616506	4q27	AD	KS		SOX3	313430	Xq27.1	X-linked	nCHH	CPHD
GLCE	612134	15q23		KS/nCHH		IGSF10	617351	3q25.1	AD	nCHH	
DUSP6	602748	12q21.33	oligo	KS/nCHH		NR0B1	300473	Xp21.2	X-linked	nCHH	AHC
FLRT3	604808	20p12.1	oligo	KS/nCHH		OTX2	600037	14q22.3	AD	nCHH	CPHD
SPRY4	607984	5q31.3	oligo	KS/nCHH		POLR3A	614258	10q22.3	AR	nCHH	
KLB	611135	4p14	AD	KS/nCHH	OB	POLR3B	614366	12q23.3	AR	nCHH	4H
HESX1	601802	3p14.3	AD. AR	KS/nCHH	CPHD	DMXL2	612186	15q21.2	AD	nCHH	CPHD
SMCHD1	614982	18p11.32	AD	KS	CM/CPHD	TBX3	601621	12q24.21	AD	nCHH	CPHD/UM
						SRA1	603819	5q31.3	AR, oligo	nCHH	

X-linked：X連鎖性，AD：常染色体顕性遺伝形式，AR：常染色体潜性遺伝形式，oligo：oligogenecity，KS：Kallmann症候群，nCHH：嗅覚障害のない先天性低ゴナドトロピン性性腺機能低下症，CPHD：複合型下垂体ホルモン欠損症，OB：肥満，CM：先天性小眼球症，WS：Waardenburg症候群，MS：Moebius症候群，GHS：Gordon Holms症候群，BN：Boucher Neuhäuser症候群，AHC：先天性副腎低形成症，4H：4H症候群，UM：ulnar-mammary症候群
〔Cangiano B, et al.：Genetics of congenital hypogonadotropic hypogonadism：peculiarities and phenotype of an oligogenic disease. Hum Genet 140：77-111, 2021 より引用一部改変〕

は小陰茎や停留精巣を呈する場合がある．それに対し，新生児女児には特徴的な所見がない．CHH患者の小児期の身長は低くないが，minipubertyの時期にCHH男児の成長率がやや低下するという報告もある[8]．

一部は成人になってから受診するが，その場合は不妊，性欲低下，骨粗鬆症や骨折といった訴えの場合もある[7]．不安や抑うつなど心理的苦痛を合併することも多い．

表5　症状の一部として低ゴナドトロピン性性腺機能低下症をきたす症候群

症候群	症状	原因遺伝子
CHARGE症候群	網膜の部分欠損（コロボーマ），先天性心疾患，後鼻孔閉鎖，成長障害・発達遅滞，外陰部低形成，耳の異常（形態異常と難聴）	CHD7
Waardenburg症候群2型，4型	先天性感音難聴，色素異常，嗅覚障害，特徴的な顔貌，先天性心疾患，早期の白髪，Hirschsprung病	SOX10
Hartsfield症候群	全前脳胞症（視床下部・下垂体障害，嗅覚障害，特徴的な顔貌，発達遅滞），手足の形態異常（裂手，裂足）	FGFR1
4H症候群	髄鞘形成障害（hypomyelination），歯数減少（hypodontia）	POLR3B
Gorlin-Goltz症候群	基底細胞癌，歯原性角化囊胞，手掌・足底の小陥凹，大脳鎌石灰化，特徴的な顔貌，骨格異常，その他の腫瘍	PTCH1
Gordon Holmes症候群	小脳性運動失調，発達遅滞，骨格異常	OTUD4　STUB1　RNF216　PNPLA6
Boucher Neuhäuser症候群	小脳性運動失調，網脈絡膜変性症	PNPLA6
TUBB3 E410K症候群（atypical Moebius症候群）（3型先天性外眼筋繊維症）	眼筋麻痺（眼球運動制限，斜視，眼瞼下垂），発達遅滞，顔面筋力低下，気管／喉頭軟化症，声帯麻痺，周期性嘔吐症，末梢神経障害	TUBB3
ulnar-mammary症候群	上肢尺側異常（欠損，低形成，融合など），乳腺形成不全，アポクリン汗腺，肛門部異常	TBX3
その他	発達遅滞，多発ニューロパチー，中枢性甲状腺機能低下症，小児期の低血糖，糖尿病	DMXL2

幅広い表現型を呈する場合はCHHを合併する症候群（CHARGE症候群，Waardenburg症候群，4H症候群，Hartsfield症候群，Gorlin-Goltz症候群，Gordon Holmes症候群，Boucher-Neuhäuser症候群，TUBB3 E410K症候群，ulnar-mammary症候群など）も考慮する（表5）．

4）診断と検査法[2,9,10]

間脳下垂体機能障害に関する研究班による「ゴナドトロピン分泌低下症の診断と治療の手引き」（平成30年度改訂）から診断基準を引用する（表6）．また小児慢性特定疾病センター[2]に記載されている「Kallmann症候群の診断の手引き」も参考にする．診断基準では思春期がまったく発来しない（二次性徴の欠如の）場合の年齢基準が明示されており，男子で15歳以上，女子で14歳以上である．二次性徴の停止に関しての定義はないが，思春期開始後5年たっても二次性徴が完成しない場合，男性であれば18歳になっても二次性徴が不完全である場合には精密検査を考慮する．日本産科婦人科学会では『満18歳になっても初経の起こらないもの』が原発性無月経と定義されているが，ほとんどの女性が15歳になるまでに初経を経験する．介入時期という観点から，女性であれば15歳になっても初経がない場合には精密検査を考慮する．

a．ゴナドトロピンと性ホルモン

血中ゴナドトロピン（LH/FSH）は低値～正常値であり，高値ではない．LHのパルス状分泌は消失することが多い．パルスは残存しているが，振幅が減少して

表6　ゴナドトロピン分泌低下症の診断基準

Ⅰ　主症候
二次性徴の欠如（男子＞15歳，女子＞14歳）または二次性徴の停止
1. 月経異常（無月経，無排卵周期症，稀発月経）
2. 性欲低下，勃起障害，不妊
3. 陰毛・腋毛の脱落，性器萎縮，乳房萎縮

Ⅱ　検査所見
1. 血中LH，FSH高値ではない
2. LHRH分泌刺激試験に対して，血中LH，FSHは低／無反応（注）
3. 血中，尿中 E_2/T低値

Ⅲ　参考所見
小陰茎，停留精巣，尿道下裂，四肢の長い体型，嗅覚障害（Kallmann症候群），頭蓋内器質性疾患の合併ないし既往歴，治療歴または分娩時の大量出血の既往がある場合がある．また，Kallmann症候群ではMRIにて嗅球無形成または低形成を認めることが多い．ゴナドトロピン負荷に対して性ホルモン分泌増加反応を認めることが多いが，先天性では反応が低下することもある

Ⅳ　除外規定
ゴナドトロピン分泌を低下させる薬剤投与，高度肥満，神経性食欲不振症

［診断基準］
確実例　1．ⅠのいずれかとⅡのすべてを満たすもの
　　　　2．Kallmann症候群の基準を満たすもの
（注）視床下部性はLHRH連続投与後に正常反応を示すことがある

［厚生労働科学研究費補助金難治性疾患等政策研究事業「間脳下垂体機能障害に関する研究」班，日本内分泌学会：ゴナドトロピン分泌低下症の診断と治療の手引き（平成30年度改訂）．日内分泌会誌95（Suppl.）：44-49, 2019より一部改変］

いる場合もある．LH異常低値でも体質性思春期遅発CDGPと区別はできないが，FSH異常低値（1.0 mIU/mL未満）はCHHを示唆する．

CHH女性の血中エストラジオール（E_2）値は通常低いが，高感度の測定系では正常下限も場合もある．CHH男性のE_2も健常男性と比較して低いことが報告されている．CHH男性の血中テストステロン値は低値であり，部分的に思春期発来したCHH男性も同様に低値であったと報告されている．

Minipubertyは乳児のHPG軸が一過性に活性化する時期で，ゴナドトロピンは生後約1週間で上昇に転じ，性ホルモンは一時的に成人レベルまで上昇する．minipubertyと考えられる生後4～12週はCHHの早期診断のウィンドウ期である．

b．DHEA-S

副腎アンドロゲンであるデヒドロエピアンドロステロンサルフェート（dehydroepiandrosterone sulfate：DHEA-S）は15～16歳のCHH男性では年齢に比して正常であったとの報告がある．16～20歳のCHH男性のDHEA-Sは低めであったが，骨年齢で補正すると正常範囲であった．

c．LHRH負荷試験とhCG負荷試験

LHRH負荷試験はCHH患者に対して広く行われている検査だが，ゴナドトロピンの反応はさまざまであり，ゴナドトロピン基礎値のみで十分かもしれない．比較的少数ではあるが，GnRH受容体異常を有するCHH女性のLHRH負荷試験に対するLH頂値は正常～過大反応であり，多嚢胞性卵巣症候群（polycystic ovarian syndrome：PCOS）女性のそれと差がなかったという報告もある．よって，その他の検査と組み合わせて慎重な判断をする必要がある．CHH男性に対するhCG負荷試験は，10～16歳のCHH男子を後方視的に解析した結果，標準的な方法（hCGを3日間連続投与して4日目に検査）ではテストステロン値が上昇しない場合が多いことがわかっている．

d．インヒビンB

男性ではSertoli細胞から分泌されるホルモンであり，Sertoli細胞数と機能を反映し，FSHによりコントロールされる．またインヒビンBが上昇するとFSHが特異的に低下する．CHH男性は，小陰茎と停留精巣の有無にかかわらず，血中インヒビンB値は低値（30～60 pg/mL未満）のことが多い．インヒビンB値は精巣容量とよく相関し，治療前のインヒビンB値は生殖能力の予測因子であると報告されている．女性ではインヒビンBは小卵胞より分泌され，月経周期では卵胞期初期から上昇し中期にピークとなる．CHH女性における血中インヒビンB濃度はコントロールと比較して低値との報告があるが，男性に比べると研究は少ない．2021年10月現在，血中インヒビンBの測定はわが国では保険適用外である．

e．抗Müller管ホルモン（AMH）

CHH男性の血中抗Müller管ホルモン（anti-Müllerlan hormone：AMH）値は，新生児期および成人期（ゴナドトロピンまたはテストステロン治療の前後）について少数報告されている．minipubertyの時期は，AMH値はやや低く，遺伝子組み換え型ヒトLH製剤（recombinant LH：rLH）と遺伝子組み換え型ヒトFSH製剤（recombinant FSH：rFSH）の持続皮下注射によって正常化した．未治療のCHH成人男性のAMH値は成人コントロールと比較すると高く，前思春期と同等であった．rFSH治療によりAMH値はさらに増加し，hCG治療を追加するとAMH値は劇的に減少した．CHH女性の血中AMH値は健康な女性よりも低めであるが，2/3は正常範囲内であると報告されている．ゴナドトロピンまたはGnRH治療によりAMH値は上昇するので，CHH女性におけるAMH低値は卵巣予備能の評価ならびに生殖能力の予測には使用するべきではない．なお2021年10月現在，血中AMHの測定は血中インヒビンBと同様に保険適用外である．

f．ゴナドトロピン以外の下垂体ホルモン

他の下垂体ホルモン欠損も合併する場合があり，TSH，FT_3，FT_4，朝の血中ACTH・コルチゾール（または24時間蓄尿による1日遊離コルチゾール量），プロラクチン，IGF-Iの基礎値を測定し，必要に応じてそれぞれに対応する負荷試験も考慮する．高プロラクチン血症の除外は必要である．HPG軸以外の下垂体ホルモン分泌不全が疑われる場合には，複合型下垂体ホルモン欠損症を考慮する（表4も参考）．

g．嗅覚検査

半数以上のCHH患者に嗅覚障害が認められる．嗅覚障害があるという患者の訴えは信頼できる．しかし「嗅覚が正常である」という自己申告をしたCHH患者の約半数が，検査では嗅覚障害ありと判定されたという報告がある．よって，すべてのCHHの患者に嗅覚検査を行うべきである．わが国ではT＆Tオルファクトリーメーター®を用いた基準嗅力検査とアリナミン注射液®を用いた静脈性嗅覚検査が2021年1月現在に保険診療で行うことができる嗅覚検査である．

Kallmann症候群で認められる中枢性嗅覚障害では，嗅球および嗅溝の無形成または低形成を認めることが多いのでMRIも診断上有用である．嗅球は嗅上皮に存在する双極型の嗅覚受容細胞が嗅神経を形成して達す

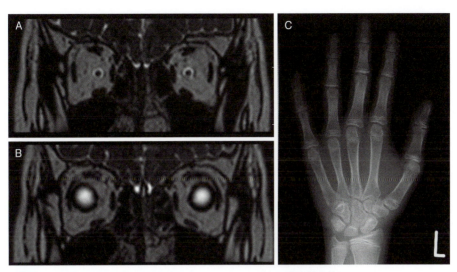

図11 ANOS1変異を有する先天性低ゴナドトロピン性性腺機能低下症(CHH)男性
A・B：頭部MRI(T2W-SPACE MPR [coronal])で嗅球が同定できない．C：暦年齢16歳0か月で成長板軟骨が未融合である．正常な嗅球，ならびにKallmann症候群のMRI画像は以下のURLでも閲覧できる．日本鼻科学会：嗅覚障害診療ガイドライン．日本鼻科学会会誌 56：487-556, 2017(https://minds.jcqhc.or.jp/n/med/4/med0376/G0001102)/緒方 勤，他：低ゴナドトロピン性性腺機能不全：分子遺伝学的および臨床的側面．日本生殖内分泌学会雑誌 11：11-16, 2006(jsre.umin.jp/06_11kan/p011-016.pdf)/小河孝夫，他：先天性嗅覚障害と診断した16例の臨床像とMRI所見．日本耳鼻科学会雑誌 118：1016-1026, 2015(https://www.jstage.jst.go.jp/article/jibiinkoka/118/8/118_1016/_pdf)

る終脳前端の突起である．さながら前頭葉を下から支えるフォークリフトのつめのような形で，下垂体より前方に位置する．嗅球を含めた冠状断撮影により嗅球，嗅索および嗅溝の有無を確認する(図11)．

先天性嗅覚障害はそれ以外の関連する合併症を有する症候性と関連する合併症を有しない非症候性に分類される．症候性の鑑別診断としてはKallmann症候群以外にCHARGE症候群，眼症状を伴う嗅覚脱失，先天性無痛無汗症，Klinefelter症候群があげられる．日本鼻科学会から「嗅覚障害診療ガイドライン」が刊行されている．

h．鏡像運動

鏡像運動とは一側の随意運動によって引き起こされる対側の対称部位に鏡像的に生じる不随意運動であり，健常な小児にも一時的に認められる．通常3～4歳で出現し，10歳前後で消失する．複雑な動作においては成人でも認めることがあり，高齢者で頻度は増加する．厳密な基準はないが，小児期後半を過ぎても認める場合には異常と考えられる．正式な評価方法は成書[11]を参照することをお勧めする．簡易的な方法としては，正面を向き，手掌を前に向け，手がそれぞれ同側の耳の横にある状態で少し開き，一側の母指と示指をくっつけたり離したりして，対側の手指の不随意運動を観察する方法(finger tapping)，または両手を膝の上に置いて，一側の前腕の回内回外を繰り返し，対側の不随意運動を観察する方法などがある．じゃんけんなどの日常動作でも確認できる．鏡像運動が認められるCHH男性はANOS1遺伝子変異を有することが比較的多い．

鏡像運動を認める先天性／遺伝性疾患は孤発性とその他の基礎疾患に伴うものに分類される．基礎疾患を伴うものとしてKallmann症候群以外に，Klippel-Feil症候群，Gorlin-Goltz症候群，Moebius症候群，脳梁欠損症などがある．

i．聴力検査

CHH患者における難聴の有病率は5～15％であると報告されている．先天性の感音難聴は通常，軽度または片側性の難聴である．伝音難聴はほとんど認められない．必要であればCTスキャンによる内耳の評価も行う．CHHに難聴が合併した場合，CHD7，SOX10，IL17RD遺伝子の変異を示唆している．

j．その他の検査や所見

CHHに手足の形態異常(裂手，裂足)が合併する場合にFGFR1遺伝子異常のことが多い．片側の腎欠損や腎の形態を腹部超音波などでチェックする．手根骨レントゲンで骨年齢を確認し，暦年齢と比較する．成長板軟骨が未癒合のことが多い．二重エネルギーX線吸収法による骨塩量の評価も行う．CHH患者における骨折リスクの評価ツールであるFRAX®(Fracture Risk Assessment Tool)の有効性は不明である．

II 各 論

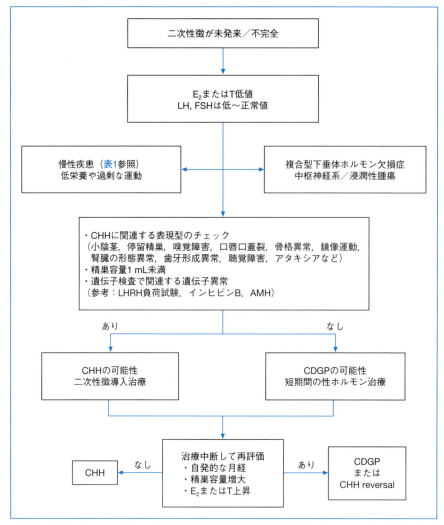

図12 診断から治療の流れ
CHH：congenital hypogonadotropic hypogonadism, CDGP：constitutional delay of growth and puberty

k．体質性思春期遅発症（CDGP）との鑑別

　思春期初期に両者を区別することは困難である．停留精巣の既往がある場合や精巣容量が非常に少ない場合にはCHHが，CDGPの家族歴が認められる場合にはCDGPがより疑われる．CDGPは低身長を呈し，小児期から骨年齢が遅延することが多い．しかし，CHHとCDGPを完全に区別できる指標は存在しない．CDGPとの鑑別するための生化学的な指標についてはGnRH刺激によるLH頂値，血中インヒビンB値，INSL3値，インヒビンB値とAMH値の組み合わせ，短期間と長期間hCG負荷によるテストステロン値，テストステロンプライミング後のインヒビンB値など多くの方法が提案されている．しかし，これはCHHとCDGPを確実に区別できる方法が確立していないことの裏返しであり，治療開始後も再評価することにより最終的な鑑別を行うことが望ましい．CHHとCDGPの遺伝的背景が共通もしくは異なるのかという疑問に対しても結論はでていない．

5）治療法

　治療のおもな目的は，二次性徴の発現・成熟と生殖能力の獲得であるが，骨密度，その他の健康維持のためにも治療が勧められる．小児期の目標は，生理的な思春期進行を模して，性成熟を促進・完成させることである．それに伴い，二次性徴発来不全による心理社会的な問題も改善する．診断から治療の流れを図12に示す．

　二次性徴の発現はテストステロン補充療法で可能であるが，生殖能力に対してはhCG–rFSH〔ヒト閉経後ゴナドトロピン（human menopausal gonadotropin：hMG）〕療法が最も期待できる．いずれの場合も生理的な思春

表7　ゴナドトロピン分泌低下症の治療の手引き

【男性ゴナドトロピン分泌低下症の治療の実際】
1. テストステロン補充療法：小児期からの治療は下記の順序で進める．
    1) エナント酸テストステロン（デポ剤：持続性注射剤）：12.5～25 mg/回を4週ごとに筋注から開始し，3～6か月ごとに 250 mg/回4週ごとに筋注まで2年程度かけて増量する．
    2) 成人量エナント酸テストステロン（デポ剤）：125 mg/回を2～3週ごとに筋注または 250 mg/回を3～4週ごとに筋注する．
2. hCG-rFSH 療法：小児期からの治療は下記の順序で進める．
    1) hCG は 125～250 単位を週1～2回皮下注射で開始，2年程度かけて成人量まで漸増，rFSH は 37.5 単位を週1～2回皮下注射より開始，1年程度で成人量まで漸増する．
    2) 成人量 hCG：1,500～3,000 単位/回，週2回皮下注射を行う．
       成人量 rFSH 製剤：75～150 単位/回，週2回皮下注射する．

【小児女性ゴナドトロピン分泌低下症の治療の手引き】
・基本的に女性ホルモンは貼付製剤（17βエストラジオール製剤）を使用することが望ましい．理由としては，貼付製剤ではエストロゲンは皮膚で吸収され，肝臓を通らずに標的器官に達するため，肝での IGF-I 合成に干渉することがないためである．
・現在国内で保険収載されている貼付製剤の最小量は 0.09 mg/枚である．2日に1回の貼り替えで 1/2 枚（0.045 mg）から開始し，生理的な思春期進行を模して，3～6か月ごとに 0.09 mg，0.18 mg，0.36 mg/2 日と倍量に増やし，性器出血を認めた時点でまたは2年程度経過した時点で黄体ホルモン製剤を追加し，Kaufmann 療法に移行する．
・年齢，身長，月経を誘発するまでの期間を考慮して開始量，増量速度は調整する．すでに年齢が進んでいる場合は，初期投与量を 0.09～0.18 mg/2 日から開始し，増量を早く進めるなど個別に対応する．逆に月経発来まで時間的余裕がある場合は，さらに少量の 0.09 mg の 1/4 枚から開始することもある．経口女性ホルモン剤を使用する場合も，少量から開始［例：プレマリン®またはジュリナ® 1/8 錠（粉砕して使用）］，3～6か月ごとに倍量とし，2年程度で Kaufmann 療法に移行する．
・思春期前小児にける成長促進と骨塩量増加，認知機能改善を目的とした極少量の女性ホルモン投与は，有効性が確立しておらず，ルーチンの投与は推奨されていない．

［厚生労働科学研究費補助金難治性疾患等政策研究事業「間脳下垂体機能障害に関する研究」班，日本内分泌学会：ゴナドトロピン分泌低下症の診断と治療の手引き（平成 30 年度改訂）．日内分泌会誌 95（Suppl.）：44-49，2019 より一部改変］

期進行に似せて少量より開始し漸増することが望ましいが，年齢などを考慮して初期から高用量で開始することもある．早期から精巣容量の確保を希望する場合には，初めから hCG-rFSH 療法を行ってもよい．

間脳下垂体機能障害に関する研究班による「ゴナドトロピン分泌低下症の診断と治療の手引き」（平成 30 年度改訂）から治療の手引きを引用する（表7）．CHH 男性に対する hCG-rFSH 療法は開始3か月後に平均血清テストステロン値が 300 ng/dL を超えることを目標とする．血清テストステロン値を参考に hCG 投与量を増減する（最大量は 5,000 単位/回）．rFSH（hMG）製剤は通常 75 単位で開始し，テストステロンが上昇しても精子形成が認められない場合は 150 単位まで増量する．それでも効果がないときは，投与回数を週3回まで増量する．Sato らは CHH 男児に対してさらにゆるやかなホルモン補充療法を提案している（表8）[12]．

精子数が改善することはあっても正常化することは少ないこと，精子濃度が低くても必ずしも不妊とは限らないことがわかっている．精巣容量が少ないこと，停留精巣は，生殖能力に対する負の予測因子である．海外では経皮吸収型のテストステロン製剤（ゲル剤）が利用可能な国もあり，注射剤と比較して安定した血中テストステロン濃度が期待できる利点があるが，他者との皮膚の接触をある程度避けなければならないという欠点もある．

CHH 女性に対しては，小児期ではまずエストロゲン

表8　先天性低ゴナドトロピン性性腺機能低下症の男児に対する治療例

	テストステロン療法	hCG＋rFSH 療法	
	テストステロンエナント酸エステル注射量（mg/月1回）	hCG（単位/週1回）	rFSH（単位/週1回）
中学入学を契機に開始	12.5	100	12.5
治療開始半年後	25	200	25
1年後	50	500	50
1年半後	75	1,000	75
2年後	100	1,500	75
2年半後	125	2,000	75
3年後	150		
3年半後	200		
成人期初期	250	3,000	150
成人期（full dose）	250	3,000*	150*

*週2～3回

製剤による二次性徴導入を行い，月経発来後は成人女性ゴナドトロピン分泌不全症の治療に移行する．開始時期は一般的な日本人女子の二次性徴開始年齢は9.5歳で，標準範囲としては±2歳である．したがって，二次性徴の導入開始年齢は，暦年齢12歳，遅くとも14歳までを目安とする．一方，女性ホルモン補充療法により二次性徴の進行とともに骨成熟も進行し，成長期は終了に向かう．女性ホルモン投与による二次性徴導入治療については，思春期獲得身長は10～15 cmと考えられているため，成人身長145 cm（−2.5 SD）以上を目指すとして逆算し，135 cmに到達していることを治療のもう一つの目安とする．子宮の成長を腹部超音波検査でモニターする．骨密度を測定し，骨塩量の増加を確認する．

6）管理と予後

CHHは治療可能な不妊症であるが，原因として常染色体顕性やX連鎖性遺伝形式が考慮される場合には患者とパートナーは適切な時期に遺伝カウンセリングが必要であることを知らされるべきである．しかし，表現型や遺伝的不均一性が高い疾患であることに留意しなければならない．

現時点で嗅覚障害を改善する治療はなく，心理面に配慮した説明を心がける．患者は嗅覚障害について不自由を実感していないことが多いが，生命に直結する可能性がある火災やガス漏れなどの事故，腐敗臭に気づかないために起こる食中毒については慎重に説明すべきであろう．

精液検査，AMHによる卵巣予備能検査について概説する．精液検査は内的因子（禁欲期間，体調，採取環境など），外的因子（気温，湿度など）により正常値を固定することは極めてむずかしい．2003年に日本泌尿器科学会から「精液検査標準化ガイドライン」が刊行されている．日本生殖医学会によると，精液検査は禁欲期間を2日以上7日以内とし，1か月以内に少なくとも2回の検査を行い，その平均値（2回の場合）または中央値（3回以上の場合）を採用し，精液量は比重1として重量法により測定するとされている．WHOマニュアルが示す正常下限値と検査機関の基準値とで大きく異なることがあるので注意する．AMHは性分化疾患を診療する際の精巣Sertoli細胞機能の指標であるが，卵巣予備能の検査としても使用される．女性の平均値は，20歳代前半の5 ng/mLから40歳代後半の0まで直線で表すことができるが，どの年代にも0の人が存在するので正常値を設定することはできない．低ゴナドトロピン性性腺機能低下症の女性はコントロール群と比較してAMHは高値であったが，生殖機能はコントロール群と同等だったとの報告がある[13]．AMHは卵巣に残っている卵子数の目安であり，生殖能力の指標とは異なることに注意する．

7）最新知見

2007年にCHHを有する同一患者において，異なる2種類の遺伝子のヘテロ接合性の機能喪失変異が発症に関与していることが報告された[14]．つまりCHH発症にはメンデルの遺伝形式以外に，oligogenicityが関連していることが明らかになったのである．oligogenicityについての最初の報告は1994年のKajiwaraらによる網膜色素変性症である．CHH以外の小児内分泌科医がかかわる疾患としてはBardet-Biedl症候群，家族性高コレステロール血症，性分化疾患，早期卵巣不全などにおいてoligogenicityが報告されている．その後，次世代シークエンサーによる大規模な遺伝子解析によりさらに増加しているが，表現型と因果関係があるかどうかについては慎重な判断が必要である．

CHHは生涯続く疾患と考えられていたが，10～20％のCHH患者において治療開始後に機能回復することがわかっている（CHH reversal/reversible）[15]．これはCDGPや思春期遅発症とは異なると考えられている．nCHHに限らずKallmann症候群においても認められ，出生時に停留精巣を有する重度のCHHにおいても起こりえる．現在まで臨床的な予測因子は存在しない．最近の知見では機能回復状態が持続しない，つまり機能低下が再発することが報告されているので[16]，機能回復後も定期的なフォローを継続したほうがよい．CHH reversal/reversibleに関しては，CHH男性に比べてCHH女性で情報が少ないので今後の報告が待たれる．

GnRHニューロンは嗅原基である嗅板から嗅神経に沿って脳内へ移動して視床下部に定着する．組織透明化とホールマウント免疫染色といった新しい技術を用いた研究により，GnRHニューロンの数はこれまで考えられていたよりも約5倍も多く，それらが視床下部以外の脳内領域にも移動していることが明らかになった[17]．それらが果たしている生殖能力以外の認知や行動に対する機能については今後明らかになるかもしれない．

CHHの新たな原因遺伝子の報告は2021年になっても続いている．遺伝子検査の実施は従来，大学病院の研究室などで行っていたが，公益財団法人かずさDNA研究所でも行うことができるようになった．7種類ある内分泌異常症の遺伝子解析パネルのなかの内分泌パネル3（性成熟疾患）で主要な原因遺伝子は網羅されている（2021年10月現在，保険適用外）．

❖ 文献

1) Palmert MR, et al.：Clinical practice. Delayed puberty. N Engl J Med 366：443-453, 2012
2) 小児慢性特定疾病情報センター 対象疾病 61：カルマン（Kallmann）症候群 https://www.shouman.jp/disease/details/05_29_061/（2021年12月10日アクセス）
3) Young J, et al.：Clinical Management of Congenital Hypogonadotropic Hypogonadism. Endocr Rev 40：669-710, 2019.
4) Cangiano B, et al.：Genetics of congenital hypogonadotropic hypogonadism：peculiarities and phenotype of an oligogenic disease. Hum Genet 140；77-111, 2021
5) Cho HJ, et al.：Nasal Placode Development, GnRH Neuronal Migration and Kallmann Syndrome. Front Cell Dev Biol 7：121, 2019
6) Pitteloud N, et al.：The role of prior pubertal development, biochemical markers of testicular maturation, and genetics in elucidating the phenotypic heterogeneity of idiopathic hypogonadotropic hypogonadism. J Clin Endocrinol Metab 87：152-160, 2002
7) Shaw ND, et al.：Expanding the phenotype and genotype of female GnRH deficiency. J Clin Endocrinol Metab 96：E566-E576, 2011
8) Varimo T, et al.：Childhood growth in boys with congenital hypogonadotropic hypogonadism. Pediatr Res 79：705-709, 2016.
9) 厚生労働科学研究費補助金難治性疾患等政策研究事業「間脳下垂体機能障害に関する研究」班, 日本内分泌学会：ゴナドトロピン分泌低下症の診断と治療の手引き（平成30年度改訂）. 日内分泌会誌 95（Suppl.）：44-49, 2019
10) Boehm U, et al.：Expert consensus document：European Consensus Statement on congenital hypogonadotropic hypogonadism--pathogenesis, diagnosis and treatment. Nat Rev Endocrinol 11：547-564, 2015
11) Woods BT, et al.：Mirror movements after childhood hemiparesis. Neurology 28：1152-1157, 1978
12) Sato N, et al.：Treatment situation of male hypogonadotropic hypogonadism in pediatrics and proposal of testosterone and gonadotropins replacement therapy protocols. Clin Pediatr Endocrinol 24：37-49, 2015
13) Cecchino GN, et al.：Impact of hypogonadotropic hypogonadism on ovarian reserve and response. J Assist Reprod Genet 36：2379-2384, 2019
14) Raivio T, et al.：Reversal of idiopathic hypogonadotropic hypogonadism. N Engl J Med 357：863-873, 2007
15) Sidhoum VF, et al.：Reversal and relapse of hypogonadotropic hypogonadism：resilience and fragility of the reproductive neuroendocrine system. J Clin Endocrinol Metab 99：861-870, 2014
16) Casoni F, et al. Development of the neurons controlling fertility in humans：new insights from 3 D imaging and transparent fetal brains. Development 143：3969-3981, 2016
17) Pitteloud N, et al.：Digenic mutations account for variable phenotypes in idiopathic hypogonadotropic hypogonadism. J Clin Invest 117：457-463, 2007

（吉井啓介）

b Kallmann 症候群以外の先天性低ゴナドトロピン性性腺機能低下症

1) 定義・概念

視床下部に到達したGnRHニューロンは正中隆起まで軸索を伸ばし，視床下部門脈にGnRHを分泌する．GnRHは下垂体ゴナドトロピン分泌細胞に存在するGnRH受容体を介してLH/FSHの産生・分泌を刺激する．nCHHの病態を理解することによりHPG軸の全体のホメオスターシスの理解が深まる．検査や治療に関しては前項のKallmann症候群（本章 C-2-a）を参照されたい．

2) 病因・病態

a. GNRH1/GNRHR

下垂体のゴナドトロピン産生細胞に存在するGnRH受容体をコードするGNRHR遺伝子異常は1997年に初めて報告された[1]．nCHHの原因としてはTACR3と同じく頻度が多い．表現型に幅があり，genotype-phenotype correlationがある程度確立されている[2]．GnRH治療により妊娠可能だった例も報告されている．HPG軸のマスターホルモンであるであるGnRHをコードするGNRH1遺伝子異常によるnCHHは2009年になって初めて報告された[3]．GNRH1遺伝子異常は非常にまれである．

b. KISS1/KISS1R

視床下部のGnRHニューロンに存在するキスペプチン受容体をコードするKISS1R（当時はGPR54）変異は2003年に初めて報告された[4,5]．その後の研究でキスペプチン（kisspeptin）系がGnRHの分泌に必須であり，正の調節因子であることが判明した．2012年にはキスペプチンをコードするKISS1遺伝子異常によるnCHHも報告された[6]．KISS1，KISS1R異常はnCHHのまれな原因である．キスペプチン系は生殖機能としての重要性が確認される以前は腫瘍抑制因子として研究されていた．現在は卵巣機能，受精卵の着床，胎盤形成，血管新生，インスリン分泌，腎臓の発達にも重要である可能性が示唆されている[7]．KISS1R遺伝子異常のnCHH女性はGnRH治療のみで不妊治療は成功しているので，キスペプチン系はLHサージ，着床に必須ではないと考えられている[8]．

c. TAC3/TACR3

TAC3によってコードされるニューロキニンB（neurokinin B）とTACR3によってコードされるその受容体の異常は2009年に初めて報告された[9]．TACR3遺伝子異常はnCHHのなかではGNRHR遺伝子異常と並んで頻度が高い．小陰茎や停留精巣を有する症例が多いが，CHH reversal/reversibleの頻度も多いことから胎児

期と成人期では TAC3/TACR3 の重要性が異なる可能性が指摘されている．

d．LHB/FSHB

二つのゴナドトロピンのうち一つのみが低値で，もう一つは正常または上昇しているという特異的なホルモンプロファイルを特徴とする．LHB 遺伝子異常は hCG 治療により精巣容量の増大と造精機能が回復する．FSHB 遺伝子異常は，女性では二次性徴や初経が認められず，LH 高値，FSH 低値，エストラジオール低値であった．胞状卵胞は認められたと報告されている．男性では二次性徴は認められたが，精巣容量は少なく，無精子症であり，LH 高値，FSH 低値，テストステロン低値，インヒビン B 低値であった．FSH 受容体異常は"高"ゴナドトロピン性性腺機能低下症であるが，男性で生殖能力に問題がなかったと報告があり，リガンドの異常よりも軽症である可能性がある．

e．NR0B1（DAX1）

副腎，精巣，視床下部，下垂体で発現している．NR0B1（DAX1）遺伝子異常は X 連鎖性先天性副腎皮質低形成だけでなく nCHH を引き起こす．保因者女性は思春期遅発をきたしたという報告がある．

f．LEP/LEPR

脂肪細胞から分泌される摂食抑制因子であるレプチンと視床下部に存在するレプチン受容体をコードする遺伝子（LEP, LEPR）の異常も nCHH と関連している．LEP 遺伝子異常を有する児に対するレプチン補充により正常の思春期が導入されたとの報告がある．前思春期の児に対するレプチン補充療法は思春期早発症を引き起こさない．

g．PCSK1

PCSK1 は変換酵素をコードして，ホルモン前駆体のプロセッシングに関与している．PCSK1 遺伝子異常は重度の肥満，小腸吸収障害，耐糖能障害，反応性低血糖に加えて nCHH にも関連している．

h．DMXL2

2014 年に発達遅滞，多発ニューロパチー，中枢性甲状腺機能低下症など幅広い表現型を有する CHH の原因として DMXL2 のハプロ不全が報告された．nCHH 発症の機序については GnRH ニューロンのネットワークの成熟の障害と考えられている．

i．KLB

FGF21/KLB/FGFR1 シグナル伝達は糖や脂質代謝に関連する重要であるが，FGFR1 異常と同様に KLB の異常は nCHH の原因となる．また合併症として肥満，耐糖能異常，インスリン抵抗性を示す．嗅覚障害を合併する CHH として Kallmann 症候群の原因遺伝子に分類されているが，nCHH を起こす機序として GnRH ニューロンの発生や遊走障害ではなく，GnRH 分泌障害と考えられている．

3）最新知見

キスペプチンは 54 個のアミノ酸から形成されるが，C 末端側の 10 個のアミノ酸が生理活性に重要な役割を果たしている．短いアミノ酸配列をとるキスペプチン-14，-13，-10 も存在するが，最近の研究ではキスペプチン-54 が血液脳関門（blood-brain barrier：BBB）を通過する可能性が示唆されている．研究レベルではあるが，末梢静脈内投与（キスペプチン負荷）による LH 値の変化による CHH の診断が試みられている[10]．

視床下部の存在するキスペプチン，ニューロキニン B，ダイノルフィン（dynorphin）を共発現する KNDy ニューロンはニューロキニン B 受容体（NK3R）も発現している．KNDy-NK3R シグナリングが GnRH パルスジェネレーター発生機構の本体であるという仮説がある．最近，キスペプチンをノックアウトしたラットにおいて，弓状核の TAC3 発現細胞にキスペプチンを導入することでその機能を回復できた，さらに弓状核のキスペプチンを対象としたコンディショナルノックアウトにより LH パルスが抑制されたとの報告あり仮説の裏づけが進んでいる[11]．

"先天性"ではなく"機能性"低ゴナドトロピン性性腺機能低下症ではあるが，女性アスリート特有の健康問題が取り上げられている．アメリカスポーツ医学会は①利用可能エネルギー不足，②視床下部性無月経，③骨粗鬆症を女性アスリートの三主徴（female athlete triad）と定義している．週に 10〜12 時間以上の激しい運動は過剰かもしれない．体重減少を伴わなくても，激しいトレーニングのみでも GnRH パルスジェネレーターの障害をきたす可能性がある．女性アスリートにおけるプロラクチン値の上昇も報告されている．

❖ 文献

1) de Roux N, *et al.*：A family with hypogonadotropic hypogonadism and mutations in the gonadotropin-releasing hormone receptor. *N Engl J Med* 337：1597-1602, 1997
2) Brioude F, *et al.*：Non-syndromic congenital hypogonadotropic hypogonadism：clinical presentation and genotype-phenotype relationships. *Eur J Endocrinol* 162：835-851, 2010
3) Bouligand J, *et al.*：Isolated familial hypogonadotropic hypogonadism and a GNRH1 mutation. *N Engl J Med* 360：2742-2748, 2009
4) de Roux N, *et al.* Hypogonadotropic hypogonadism due to loss of function of the KiSS1-derived peptide receptor GPR54. *Proc Natl Acad Sci U S A* 100：10972-10976, 2003
5) Seminara SB, *et al.* The GPR54 gene as a regulator of puberty. *N Engl J Med* 349：1614-1627, 2003

6) Topaloglu AK, et al.：Inactivating KISS1 mutation and hypogonadotropic hypogonadism. N Engl J Med 366：629-635, 2012
7) Bhattacharya M, et al.：Kisspeptin；beyond the brain. Endocrinology 156：1218-1227, 2015
8) Hugon-Rodin J, et al.：Complete Kisspeptin Receptor Inactivation Does Not Impede Exogenous GnRH-Induced LH Surge in Humans. J Clin Endocrinol Metab 103：4482-4490, 2018
9) Topaloglu AK, et al.：TAC3 and TACR3 mutations in familial hypogonadotropic hypogonadism reveal a key role for Neurokinin B in the central control of reproduction. Nat Genet 41：354-358, 2009
10) Abbara A, et al.：Kisspeptin-54 accurately identifies hypothalamic GnRH neuronal dysfunction in men with congenital hypogonadotropic hypogonadism. Neuroendocrinology. 2020 Nov 23. Online ahead of print
11) Nagae M, et al.：Direct evidence that KNDy neurons maintain gonadotropin pulses and folliculogenesis as the GnRH pulse generator. Proc Natl Acad Sci U S A. 118：e2009156118, 2021

（吉井啓介）

c 先天性複合型下垂体ホルモン欠損症に伴う性腺機能低下症

1）定義・概念

複数の下垂体前葉ホルモンの産生障害による先天性複合型下垂体ホルモン欠損症（congenital combined pituitary hormone deficiency：CPHD）の症状の一部として性腺機能低下症をきたす疾患である．

2）病因・病態

臨床で複数の下垂体ホルモンの障害を考えるうえで重要な疾患として中隔視神経異形成（septo-optic dysplasia：SOD），全前脳胞症（holoplocencephaly：HPS），下垂体茎断裂症候群（pituitary stalk interruption syndrome：PSIS）があげられる．

SODは眼科的な所見やMRI所見を契機に診断される．下垂体ホルモン分泌不全をきたす症例も多いと報告されているが，画像上，下垂体や下垂体茎に異常があってもホルモン異常のない症例も存在する．GHとTSH分泌不全の頻度が比較的多いことがわかっているが，性腺機能低下症の頻度は不明である．思春期早発症をきたした例も報告されている．

HPSは大脳半球の不完全な分離による正中構造の欠損である．顔面の形成異常や水頭症，てんかんや精神運動発達遅滞が主症状であり，下垂体ホルモン欠損を合併する場合もある．尿崩症をきたす頻度は多いが，低ゴナドトロピン性性腺機能低下症の頻度はわかっていない．

PSISは視床下部と下垂体をつなぐ下垂体茎が途切れている，または薄い（1 mm以下），下垂体前葉は無形成または低形成，下垂体後葉を認めないまたは異所性後葉を認めるのが特徴である．PSISは黄疸，低血糖，成長率の低下を契機に診断されることが多く，複数の下垂体ホルモン分泌不全を合併する場合がある．低ゴナドトロピン性性腺機能低下症がPSISの約半数で認められたという報告がある．PSISはHPSと同じ疾患スペクトラムに存在し，PSISはHPSの軽症型と考えられているので，HPSにおける性腺機能低下症の頻度は実際には多いのかもしれない．

下垂体転写因子を含む単一遺伝子疾患によるCPHDについてはKallmann症候群の表4ならびに視床下部・下垂体疾患の項（各論第3章）を参照されたい．臨床症候，診断と検査，治療については前々項のKallmann症候群の項（本章C-2-a）を参照のこと．

（吉井啓介）

d 器質性性腺機能低下症

1）定義・概念

後天性の低ゴナドトロピン性性腺機能低下症は表9に示すように多岐にわたる[1]．おもに視床下部や下垂体の器質的疾患が原因となるが，そのほかに炎症性疾患や内分泌疾患，神経性食欲不振症などでも生じる．

2）病因・病態

器質性の原因はおもに鞍上部腫瘍や中枢神経への放射線治療である．小児鞍上部腫瘍は胚細胞腫瘍，頭蓋咽頭腫が多く，学童期以降に好発する[2]．その他の原因はLangerhans細胞組織球症や下垂体炎などの炎症・浸潤性病変や頭部外傷などがある．本項では頭蓋咽頭腫，頭蓋内胚細胞腫瘍，放射線治療について述べる．

a. 頭蓋咽頭腫

胎生期の頭蓋咽頭管の遺残から発生する良性腫瘍で，下垂体茎漏斗部が発症部位として多い．約20%は小児期（15歳未満）に発生する．腫瘍の組織への直接浸潤や周囲組織への圧排で頭蓋内圧亢進症状や視力視野障害が生じる．高率に下垂体機能が障害され，成長障害，思春期遅発，甲状腺／副腎皮質機能低下や中枢性尿崩症をきたす．鞍上進展すると，視床下部を圧迫し体温低下，意識障害を生じる．頭部MRIで囊胞性腫瘤を有し，充実成分や囊胞壁は造影効果があり，石灰化をきたすことも多い．治療の第一は全摘出術だが，放射線治療も併用される．増殖は緩やかで転移もないが，再発が多く長期的な経過観察が必要となる．

b. 頭蓋内胚細胞腫瘍

原始生殖細胞～胚細胞の時期に生じた腫瘍で，松果体や鞍上部に多く発生する．発症のピークは10代で男児に多い．下垂体機能低下を認めることが多く，高率に尿崩症を呈する．また視力視野障害や頭蓋内圧亢進症状が生じる．腫瘍マーカーはAFP，hCGがある．病

表9 後天性低ゴナドトロピン性性腺機能低下症

器質性	機能性
・中枢神経系腫瘍 　頭蓋咽頭腫／頭蓋内胚細胞腫瘍／下垂体腺腫（プロラクチノーマなど）／その他脳・下垂体腫瘍 ・Rathke 囊胞 ・炎症浸潤性病変 　リンパ球性下垂体炎／Langerhans 細胞組織球症／サルコイドーシス／髄膜炎／下垂体出血壊死，膿瘍 ・放射線治療（>30 Gy） ・頭部外傷	・全身疾患 　炎症性腸疾患／ヘモクロマトーシス／慢性腎不全／気管支喘息／HIV，AIDS，結核，真菌症 ・内分泌疾患 　甲状腺機能低下症／高プロラクチン血症／糖尿病／Cushing 症候群／GH 分泌不全 ・ストレス 　過度の運動／心理ストレス／過度のダイエット（神経性食欲不振症）／栄養不良状態 ・肥満 ・薬剤 　グルココルチコイド／蛋白同化ホルモン／GnRH アナログ／麻薬など

変は尿崩症や低身長の診断時には画像上認めず（occult germinoma），数年の経過で明らかになることもある．治療は放射線治療や化学療法が主である．

c．中枢神経への放射線治療

視床下部－下垂体軸に異常をきたし，GH，LH/FSH の順で障害されやすい．低ゴナドトロピン性性腺機能低下症は 40〜50 Gy 以上で多くみられるが，30 Gy 以上でもリスクがある[3]．性腺機能低下は頭部照射直後でなく，遅れて生じることが多い[4]．

3）臨床症候

原疾患により様々な症状を呈し，性腺機能低下以外の下垂体機能低下症状を合併していることがある．性腺機能低下症状は二次性徴の遅発や発現不全，思春期における成長スパートがないため成長率の低下がみられる[5]．

4）診断と検査法

原因として腫瘍性病変が多く，早期診断が重要である．問診で頭痛，視力低下，視野障害，多飲・多尿，倦怠感の有無を確認し，成長率低下がないか成長曲線を作成する．鞍上部腫瘍では両耳側性半盲になることがあり，視力視野検査と眼底のうっ血乳頭の有無を確認する．尿崩症が初発症状のこともある．副腎皮質機能低下による仮面尿崩症に注意が必要である．頭部 MRI は下垂体も含めて詳細に検討する．

5）治療法

原疾患の治療が優先される．脳腫瘍は診断時に性腺機能低下だけでなく，GH 分泌不全，甲状腺機能低下や副腎皮質機能低下や中枢性尿崩症を呈し，治療を要することがある．性腺機能低下への性ホルモン補充については他項に譲る．

6）管理と予後

原疾患の種類や治療内容により予後は大きく異なる．性腺機能低下の治療目的は二次性徴の発現・成熟や生殖能力の獲得だが，わが国の小児がん患者の生殖能力の実態は十分に把握されておらず，今後の課題である[6]．近年小児がんの治療成績が向上し，長期間のフォローが必要となるが，詳細は日本小児内分泌学会の手引きを参照されたい．骨密度の低下，肥満，脂質代謝異常にも注意が必要で，頭蓋咽頭腫の治療後の患者にしばしば視床下部性肥満を認める[7]．頭部外傷による低ゴナドトロピン性性腺機能低下症は一過性が多いが，時に遅れて発症することや永続性のこともあり注意が必要である[8]．

7）最新知見

頭蓋内胚細胞腫瘍の腫瘍マーカーは AFP，hCG があるが，近年の報告では髄液中の胎盤性アルカリホスファターゼ（placental alkaline phosphatase：PLAP）が診断に有用である[9]．

❖ **文献**

1) Sbardella E, et al.：ENDOCRINOLOGY AND ADOLESCENCE：Dealing with transition in young patients with pituitary disorders. Eur J Endocrinol 181：R155-R171, 2019
2) Brain Tumor Registry of Japan（2005-2008）. Neurol Med Chir（Tokyo）57：9-102, 2017
3) van Santen HM, et al.：Hypogonadism in Children with a Previous History of Cancer：Endocrine Management and Follow-Up. Horm Res Paediatr 91：93-103, 2019
4) Vern-Gross TZ, et al.：Fertility in childhood cancer survivors following cranial irradiation for primary central nervous system and skull base tumors. Radiother Oncol 117：195-205, 2015
5) Raivio T, et al.：Constitutional delay of puberty versus congenital hypogonadotropic hypogonadism：Genetics, management

and updates. *Best Pract Res Clin Endocrinol Metab* 33：101316, 2019
6) Miyoshi Y, et al.：Gonadal function, fertility, and reproductive medicine in childhood and adolescent cancer patients：a national survey of Japanese pediatric endocrinologists. *Clin Pediatr Endocrinol* 25：45-57, 2016
7) Hoffmann A, et al.：Nonalcoholic fatty liver disease and fatigue in long-term survivors of childhood-onset craniopharyngioma. *Eur J Endocrinol* 173：389-397, 2015
8) Sav A, et al.：Pituitary pathology in traumatic brain injury：a review. *Pituitary* 22：201-211, 2019
9) Aihara Y, et al.；Placental alkaline phosphatase levels in cerebrospinal fluid can have a decisive role in the differential diagnosis of intracranial germ cell tumors. *J Neurosurg* 131：687-694, 2018

(菅原大輔)

3. 高ゴナドトロピン性性腺機能低下症

1) 定義・概念

性腺機能低下症(hypogonadism)は，障害部位により視床下部・下垂体障害による低ゴナドトロピン性性腺機能低下症(中枢性性腺機能低下症)と性腺機能障害による高ゴナドトロピン性性腺機能低下症(原発性性腺機能低下症)に分類される．本項が扱う高ゴナドトロピン性性腺機能低下症では，性腺(精巣あるいは卵巣)からの性ホルモン分泌低下により中枢に対するネガティブフィードバックがかからないため，ゴナドトロピン(LH/FSH)分泌が上昇する．男性と女性では思春期の異常の原因および徴候が異なる[1,2]．

性腺の機能には，性ホルモン分泌と配偶子形成という大きな二つの役割がある．性腺機能低下症では両者が障害される場合と，どちらか一方のみが障害される場合がある．障害機序により高ゴナドトロピン性性腺機能低下症は，①下垂体のゴナドトロピン産生細胞(ゴナドトローフ)から分泌される性腺刺激ホルモン(ゴナドトロピン)に対する性腺の反応性低下と，②性腺組織からの性ホルモン分泌低下，③性ホルモンに対する標的臓器の反応性低下，に大別される(表10)．小児慢性特定疾病の対象疾病リストでは，「30：高ゴナドトロピン性性腺機能低下症」に，「63：精巣形成不全」[3]，「64：卵巣形成不全」[4]，「65：63および64に掲げるもののほか，高ゴナドトロピン性性腺機能低下症」[5]が含まれる．

2) 病因・病態

a. 発生分化

GnRHニューロンは嗅板より発生し，嗅神経ニューロンとともに視床下部の内側基底部や視索前野に遊走してくる．下垂体前葉は外胚葉に由来し，胎生11週ま

表10 性腺機能低下症の分類

1. 低ゴナドトロピン性性腺機能低下症(中枢性性腺機能低下症)
2. 高ゴナドトロピン性性腺機能低下症(原発性性腺機能低下症)
   ①下垂体のゴナドトロピンに対する性腺の反応性低下
   ②性腺組織からの性ホルモン分泌低下
   ③性ホルモンに対する標的臓器の反応性低下

でに分化する．下垂体のゴナドトーフは前葉のなかで最後に成熟する．ゴナドトロピン分泌は下垂体門脈系が完成する胎生20～24週にピークとなり，以後閉経期までみられないほどの高値を示す．胎生後期になるとGnRHとゴナドトロピン分泌は低下する．

精巣の発達は胎生4～6週から開始し，11週までに各細胞が識別可能となる．胎生早期は胎盤由来hCGによりテストステロンとINSL3分泌が刺激され，中期から胎児由来LHが調節するようになる．Sertoli細胞からAMHが分泌され，Müller管退縮が促進される．胎生8週頃よりLeydig細胞から分泌されたテストステロンがジヒドロテストステロンに変換されて作用し，男性外性器・内性器の分化が進む．出生後のテストステロンは生後1～2か月がピークで，6か月までに前思春期レベルへ低下する．思春期に入るとLeydig細胞からのテストステロン産生によりSertoli細胞と胚細胞が増殖することで精巣容積が増加し，精子形成能を獲得する．最初の精子形成は思春期の成長ピークよりも早く，精巣容積が平均10～12 mLで開始する．

卵巣では胎生8～12週から原始生殖細胞が有糸分裂により卵原細胞になり，胎生12～16週から減数分裂の前期に入り一次卵母細胞になる．原始卵胞は胎生16週頃に出現し，前胞状卵胞が胎生24～26週に発達し，胞状卵胞(Graaf卵胞)は予定日近くに出現する．胎盤を通じて母体から移行する大量のエストロゲンのため，胎児自身の卵巣機能評価はむずかしいが，卵巣でのエストロゲン産生は胞状卵胞が発達する予定日近くまでゴナドトロピンに反応しない．

b. フィードバック機構

性腺から分泌される性ホルモンにより，下垂体のゴナドトロピン分泌はフィードバックを受けている．思春期開始は，性ホルモンに対するネガティブフィードバック感受性の低下と中枢からの抑制が解除されることにより，GnRHの脈動的分泌が増加することがトリガーとなっている．思春期中期になると性ホルモンは次第に増加し，視床下部ー下垂体にネガティブフィードバックをかけて至適なホルモンレベルを維持し，健

II 各　論

> **表11** 男性高ゴナドトロピン性性腺機能低下症の病因
>
> - 性腺の形成異常：精巣分化異常，染色体異常（Klinefelter 症候群，混合性性腺異形成症）
> - ホルモン合成障害：ステロイドホルモン合成障害
> - ホルモン作用障害：LH 不応症，アンドロゲン作用の異常
> - 性腺の二次的障害：性腺摘出術後，炎症（ムンプスなど），腫瘍の浸潤，外傷，血流障害，長期の停留精巣，放射線照射，化学療法，代謝性疾患（ガラクトース血症，ムコ多糖症，ヘモジデローシスなど）など
> - 症候群に伴うもの：Prader-Willi 症候群，Noonan 症候群など

> **表12** 女性高ゴナドトロピン性性腺機能低下症の病因
>
> - 性腺の形成異常：卵巣分化異常，染色体異常（Turner 症候群，混合性性腺異形成症）
> - ホルモン合成障害：ステロイドホルモン合成障害
> - ホルモン作用障害：LH 不応症，FSH 不応症，アンドロゲン作用の異常（完全型）
> - 性腺の二次的障害：性腺摘出術後，腫瘍の浸潤，放射線照射，化学療法，代謝性疾患（ガラクトース血症，ムコ多糖症，ヘモジデローシスなど），高アンドロゲン血症（PCOS など），自己免疫疾患など
> - 症候群に伴うもの：Prader-Willi 症候群など

常女性では性周期が保たれる．閉経期が近づくと原始卵胞消失による性ホルモン（エストロゲン，プロゲステロン）分泌低下に伴い，ゴナドトロピンは次第に高値となる．原発性性腺機能低下症では閉経期と同様にネガティブフィードバックがかからないため，ゴナドトロピンが高値となる．

c. 男児における病態

精巣で合成されるアンドロゲンの大部分を占めるテストステロンは，間質において Leydig 細胞より分泌される．精子の形成は精細管内において精細胞と Sertoli 細胞によって行われる．精巣内でテストステロンがパラクリンとして作用することにより精子形成を促進しているため，テストステロン産生が低下すると精子形成も原則的に障害される．逆に，がん治療後のように精子形成能が障害されていても，男性ホルモン産生は障害されていない例がしばしば見受けられる．

本症において性腺は，性腺消失・未分化性腺・性腺異形成・特定の細胞のみの欠落など，様々な組織像を示す．後天性の障害をのぞき，胎生期の男性ホルモン作用不全のために出生時より様々な程度の外性器男性化障害による性分化疾患（disorders of sex developments：DSD）の像を呈する．46,XY でもアンドロゲン作用が胎生期から完全に欠如している場合，外性器は完全女性型を呈するため，社会的性は女性が選択され，思春期になってはじめて思春期遅発や無月経で疾患に気づかれる．一方，男児で外性器の非典型的分化が軽度の場合や，後天性の性腺障害の場合は，二次性徴の遅れや欠如，不妊が診断の契機となる．

d. 女児における病態

女児の性腺機能低下は診断がむずかしく，Turner 症候群のように他の特徴的な身体徴候を有するもの以外は，思春期に二次性徴の遅れや欠如で気づかれる場合が多い．卵巣機能不全の程度により，二次性徴がまったく認められない場合から，乳房発育は起こるが月経が発来しない場合（原発性無月経），月経は起きるが稀発月経や続発性無月経などの月経異常，早発卵巣不全（早発閉経とも呼ばれていた），不妊まで，幅広い病像を呈する．

e. 病因

本疾患は精巣や卵巣自体が原因で機能異常をきたした状態の総称である．おもな病因を男女別に表11，12に示す．病因として男女ともに，性腺の形成異常（発生・分化過程の障害），ホルモン産生の障害，ホルモン作用の障害，性腺の二次的障害（後天性の障害），症候群に伴うものがある．

①性腺の形成異常

性腺形成不全は単一の疾患ではなく，多種多様な疾患が含まれる[6]．精巣形成不全（testicular dysgenesis）と卵巣形成不全（ovarian dysgenesis）は，精巣や卵巣の発生・分化の過程の障害により機能異常をきたした状態と定義される．精巣形成不全における遺伝子変異として，常染色体顕性遺伝疾患（NR5A1，WT1，GATA4，DMRT1，SOX9，ATRX，CBX2，DHH，MAP3K1），常染色体潜性遺伝疾患（ARX，TSPYL1），Y 連鎖遺伝疾患（SRY）などが報告されている[3]．胎生期からの男性ホルモン産生不全により出生時に DSD を呈することが多いが，遺伝子機能の残存により外性器の男性化が進み，思春期年齢で発見されることもある．卵巣形成不全における遺伝子変異としては，常染色体顕性遺伝疾患（NR5A1，FOXL2），常染色体潜性遺伝疾患

(WNT4)などが報告されている[4]．上記以外にも候補遺伝子の研究が精力的になされており，単一遺伝子異常による原発性性腺機能低下症の病因解明が進んでいくものと期待される．

頻度の高い性染色体異常による性腺形成異常として，Klinefelter症候群，Turner症候群，その他の性染色体異常症が含まれる．混合性性腺異形成症(45,X/46,XY)は同一個体において精巣成分と索状性腺が共存する状態であり，外性器の分化の程度は健常女性に近い例〜あいまいな外性器を持つ例〜健常男性に近い例まで幅が広く，社会的性は男性と女性の両方が症例により選択される．

精巣消失症候群(vanishing testis syndrome)は，表現型は完全に男性型に分化しており，染色体は46,XYであるにもかかわらず両側精巣を欠損している．一度完全に男性に分化した後に両側精巣が消失した状態である．精巣下降時の機械的障害や精索血管の血行不全などが考えられている．また兄弟例や双生児例の報告があることから遺伝的要因も否定しきれない．精巣決定因子の一つであるNR5A1遺伝子変異の報告もある．テストステロン分泌もみられないため二次性徴が欠如する．これに対して，精巣退縮症候群(testicular regression syndrome)は，染色体が46,XYの男性でありながら胎生期の性分化段階において両側精巣の発生障害を生じ，この精巣消失の時期によって種々の臨床像を呈する．Sertoli cell-only症候群は精細胞無形成症の一連の病態で，胎生期精巣において始原生殖細胞の卵黄嚢から精細管腔への遊走不全，あるいは分化や調節不全によると考えられている．

②性ホルモン合成障害

リポイド副腎過形成症は，コレステロールからプレグネノロンへのステロイド合成過程に関与するコレステロール移送蛋白であるsteroidogenic acute regulatory protein(StAR蛋白)に異常があるため，副腎および性腺におけるほとんどすべてのステロイドホルモンが合成できない．出生時より副腎不全症状を呈し，46,XY個体ではLeydig細胞からテストステロン分泌がないため外性器は女性型となる．精巣は，下降障害のため腹腔内，鼠径部，大陰唇に停留するが，構造は正常で胚細胞も認められる．46,XX個体では卵巣の卵胞形成は認められる．

3β水酸化ステロイド脱水素酵素欠損症は，副腎，性腺における3β水酸化ステロイド脱水素酵素が欠損するため，副腎不全および外性器異常をきたす．男児では精巣でのテストステロン合成が低下するため，尿道下裂，停留精巣などの外性器異常をきたす．女児では副腎からΔ5ステロイド系の男性ホルモンが過剰に分泌されるため，外性器の軽度の男性化(陰核肥大，陰唇癒合)をきたす．

17α水酸化酵素欠損症は，ミネラルコルチコイド過剰による高血圧と性ステロイド欠乏による性腺機能不全をきたす．46,XY個体の典型例においては，出生前のテストステロン欠乏のために外陰部の女性化をきたし，腟は盲端に終わる．部分欠損症では中間性のあいまいな外陰部を呈することもある．女性ではエストロゲン欠乏のために原発性無月経，乳房発育不全など二次性徴の欠如をきたす．

17β水酸化ステロイド脱水素酵素欠損症は，アンドロステンジオンからのテストステロン産生が障害される．46,XY個体では出生時の外性器は一見女児様であるが，女性型(無月経)〜男性型(小陰茎)まで，種々の程度の男性化障害を呈する．女性は無症状で，生殖能力も認められる

P450酸化還元酵素欠損症では，マイクロゾームに存在するすべてのP450酵素群に電子伝達を行う酵素であるP450酸化還元酵素(P450 oxidoreductase：POR)の異常により，21水酸化酵素と17α水酸化酵素の複合欠損を伴う．男児の場合は完全な男性型の外性器を形成するに十分な強力なアンドロゲンが産生されないため，小陰茎，尿道下裂，停留精巣をきたす．女児では陰核肥大，陰唇の癒合などの外陰部の男性化がみられる．

Smith-Lemli-Opitz症候群は，コレステロール合成の最終段階である7デヒドロコレステロール還元酵素をコードするDHCR7遺伝子の変異によって発症する．特徴的な症状として成長障害，小頭症，知的障害，特徴的顔貌，口蓋裂，外性器異常(男児)，合趾などがみられる．コレステロールから生成される副腎皮質ホルモンや性ホルモンの合成障害のため，二次的な副腎・性腺機能低下があり，補充療法を要する．

③ホルモン作用不全

LH不応症の男児では，Leydig細胞低(無)形成症を示し，アンドロゲン合成が障害され男児の外性器分化異常がみられる．機能低下が重度な例では女性型を示すものから，軽症例では小陰茎と二次性徴欠如，生殖能力低下を認める．卵巣の顆粒膜細胞におけるエストロゲン産生はおもにFSH依存性であるため，LH不応症の女児では二次性徴は正常であるが，稀発月経や無月経の原因となりうる．

FSH不応症では，上記の理由により女児の二次性徴不全や原発性・続発性無月経の原因となる．一方，男児では精子数減少に関与するが，外性器分化や二次性

徴には影響しないとされている．このほか，GNAS遺伝子異常による偽性副甲状腺機能低下症1a（pseudohypoparathyroidism, type 1a：PHP1a）では，複数のホルモンに対する反応性が障害され，様々な程度のゴナドトロピン不応症をきたす場合がある．

アンドロゲン不応症（androgen insensitivity syndrome：AIS）は，染色体が46,XYで精巣は存在するが，Müller管由来構造物（子宮）は存在しない46,XY DSDの一つである．Xq11-12に存在するアンドロゲン受容体遺伝子（AR）の異常によるアンドロゲン作用機構の障害のため，種々の程度の男性化障害を呈する．残存活性により，症状，内分泌検査所見には幅があり，完全型アンドロゲン不応症（complete androgen insensitivity syndrome：CAIS），不完全型アンドロゲン不応症（partial androgen insensitivity syndrome：PAIS），Reifenstein症候群，男性不妊症候群に分類される．外性器異常として女性型（無月経）〜男性型（男性不妊）まで，gender identityを含め種々の程度の男性化障害を呈する．精巣は存在するが，完全型や不完全型では鼠径部，腹腔内にとどまる．完全型では外性器は完全に女性型で，体型，性格も女性的である．思春期には乳房発育がみられる．不完全型では小陰茎，陰核肥大，陰唇癒合などの男性化が認められる．

エストロゲン不応症は，エストロゲン受容体（ESR）がエストロゲンに反応しないことを特徴とするまれな遺伝性疾患である．ESR1遺伝子変異をもつ患者として，高身長で骨端線閉鎖不全の成人男性や，思春期遅発症の若い女性が数例報告されている．男性はテストステロン値の上昇が認められるものの，性腺機能不全は明らかではない．

5α還元酵素欠損症（5αレダクターゼ欠損症）は，テストステロンからより活性の強いジヒドロテストステロンへの変換が障害される．新生児期に外性器異常で気づかれることが多く，女性型（将来的に無月経）〜男性型（小陰茎）まで，種々の程度の男性化障害を呈する．精巣が鼠径管，大陰唇または陰嚢内に存在するが，Müller管由来構造物（子宮）は存在しない．思春期には陰茎が軽度増大するなど部分的に男性化する．

④性腺の二次的障害（後天性の障害）

性腺の二次的障害による原発性性腺機能低下症の原因として，性腺摘出術後，性腺の炎症（ムンプスウイルスなどによる精巣炎），性腺腫瘍の浸潤，性腺の外傷，性腺への血流障害（捻転など），長期の停留精巣，がん治療（放射線照射，化学療法による性腺障害）など以外に，自己免疫疾患（多腺性自己免疫性症候群1型による卵巣機能不全など），代謝性疾患（ガラクトース血症，ムコ多糖症，ヘモジデローシスなど）などがあげられる．

近年男性の精巣腫瘍が増加傾向にあるが，造精機能障害，停留精巣，尿道下裂，精巣腫瘍をtesticular dysgenesis syndromeとしてまとめて捉えられている．様々な障害により精巣萎縮をきたすとインヒビンが低下し，ネガティブフィードバックがかからなくなってゴナドトロピン，特にFSHが増加する．これが精母細胞の増殖を促し，DNA傷害を修復する時間が少なくなって遺伝子変異が起こり浸潤性の精巣腫瘍が形成されると考えられている．

女性ではPCOSなどの高アンドロゲン血症により卵巣機能不全が起こる．PCOSは日本産婦人科学会により，月経異常（排卵障害），高LHまたは高アンドロゲン，卵巣の多嚢胞所見の三つをすべて満たすと定義されている．わが国では欧米と異なり肥満を伴う例が少ない．卵巣内の高アンドロゲン血症により主席卵胞の成熟を抑制し莢膜細胞と顆粒膜細胞の早期黄体化を促進して，多くの小卵胞を産生することにより多嚢胞性となり，月経周期が障害される．

⑤症候群に伴うもの

Prader-Willi症候群は，染色体15q11-13領域の父性発現遺伝子が作用しなくなることで発症するインプリンティング疾患で，肥満，糖尿病，低身長，性腺機能不全，発達遅滞，筋緊張低下，特異な性格障害・行動異常などを呈する．性腺性の機能低下に様々な程度の低ゴナドトロピン性性腺機能低下が加わる．胎児期より性腺機能低下が始まるため，新生児期の外性器低形成として，男児では停留精巣や小陰茎が90％以上に認められるが，女児では陰唇あるいは陰核の低形成は見逃されやすい．思春期には二次性徴発来不全を示す．

Noonan症候群は，低身長，思春期遅発，心形成異常，特徴的外表所見（眼間開離，翼状頸，外反肘など）により特徴づけられるRAS/MAPKシグナル伝達経路の賦活化に起因する疾患で，男児外性器形成異常をしばしば認める．罹患男性の生殖能力は停留精巣や外陰部低形成により低下する．

3）臨床症候

臨床症候は，病因が胎生期の性分化にかかわるか否か，性別，病因の重症度，合併症で異なる（表13）．男児では胎生期の異常とその重症度（主としてアンドロゲン産生能と反応性の程度）で外性器分化異常が起こり，出生時にDSDとして診断される．胎児期初期（第1三半期）の男性ホルモン作用不足は，外性器分化不全として，ミクロファルス（陰茎の構造異常を伴う小陰茎），尿道下裂，二分陰嚢，非典型的外性器（ambiguous

表13　性腺機能低下症の主な症状と徴候

男性	・外性器分化不全（ambiguous genitalia をはじめとする非典型的外性器，ミクロファルス，尿道下裂など） ・外性器発育不全（小陰茎，小精巣，停留精巣） ・思春期遅発・未発来 ・性的活動低下（勃起不全など） ・不妊
女性	・外性器異常（陰唇あるいは陰核の低形成，外性器男性化） ・思春期遅発・未発来 ・月経異常 ・性的活動低下 ・早発卵巣不全 ・不妊

genitalia），正常女性型外性器まで様々である．妊娠中後期（第2・3三半期）から乳児期の男性ホルモン欠乏では，小陰茎，小精巣，停留精巣となる．思春期における男性ホルモン欠乏は，思春期遅発，思春期未発来，女性化乳房など成人においては性的活動性の低下（勃起不全など）や不妊となる．

女児では外性器の男性化以外は，出生時には性腺機能低下に気づかれにくい．思春期年齢になっても乳房腫大・月経発来・陰毛発育が認められないか不完全といった二次性徴不全や，稀発月経，続発性無月経，早発卵巣不全，不妊となる．

性染色体異常による Klinefelter 症候群，Turner 症候群では，性腺機能以外の身体徴候から疑われて染色体検査を行い診断されることも多い．Klinefelter 症候群は，男性の性染色体に X 染色体が一つ以上多いことで生じる疾患の総称である[7]．性腺機能不全を主病態としている．長い四肢，思春期発来遅延，精巣萎縮，無精子症などを主徴とする．女性化乳房を認める場合がある．主な合併症として，悪性腫瘍，骨粗鬆症，自己免疫疾患，糖尿病，軽度の知的障害などが報告されている．身体的徴候が軽度の場合は見逃されやすく，男性不妊で発見されることもしばしばある．

Turner 症候群は，低身長，性腺異形成，特徴的身体徴候により特徴づけられる[8]．患者の成長パターンは出生時に正常下限程度で，小児期に健常女性の成長曲線から次第に離れていく経過をとり，思春期以降に成長スパートの欠如と最終身長到達の遅れにより特徴づけられる．性腺異形成は，卵母細胞の早期死滅による卵胞形成不全が原因である．卵母細胞が思春期前にほぼすべて消失したときは原発性無月経となり，思春期年齢を過ぎて40歳前に消失したときは続発性無月経となる．45,X では20％程度が続発性無月経を示す．稀に妊娠・分娩した患者が報告されているが，流産が高頻度である．性腺異形成の程度は，減数分裂時の相同染色体対合不全の程度に相関する．身体徴候は，外反肘や第4中手骨短縮などの骨格徴候，翼状頸やリンパ浮腫などの軟部組織徴候，大動脈縮窄や馬蹄腎などの内臓形成異常に大別される．

がん治療後の長期生存が可能となるに伴い，小児がん経験者（childhood cancer survivor：CCS）の晩期合併症が注目されている．内分泌異常の合併が多く，性腺機能異常は QOL にかかわる問題となる[9]．性腺は抗がん剤や放射線に対する感受性が高く，がん治療により障害を受けやすい．患者の性別，年齢，抗がん剤の種類や量，照射線量や照射野・分割数などによりリスクが異なるため，個別に評価を行い，性腺機能を定期的にフォローする必要がある[10]．女性患者では，高用量のアルキル化薬や造血細胞移植の前処置による全身照射は卵巣機能不全をきたすリスクが高い．視床下部・下垂体を照射野に含む頭蓋照射は 18 Gy 以上では視床下部活性化による思春期早発症，30 Gy 以上になるとゴナドトロピン分泌不全による性腺機能低下症のリスクが高まる．男児は小児期から障害を受けやすいが，女児の卵巣は思春期になるまで卵子形成が原始卵胞の状態で静止しているので，卵子の障害は男児の精子の障害より少ない．二次性徴開始後では原始卵胞からの成熟が開始されるので，精子同様障害を受けやすくなる．女児も卵巣のホルモン産生細胞（顆粒膜細胞）は障害を受け，二次性徴の欠如や進行停止がみられる．がん治療後に月経が回復しても卵巣予備能は低下している．思春期前の骨盤部への照射は子宮障害のリスクがある．がん経験者が妊娠・挙児を希望した場合には，治療歴について確認し，慎重に母体を管理する．男性患者では，高用量のアルキル化薬や造血細胞移植の前処置による全身照射などは造精能低下のリスクが高い．Leydig 細胞からのテストステロン産生能は比較的維持されやすいが，精子形成は障害を受けやすく，二次性徴が発現しても生殖能力の保持とは一致しない場合がある．成人のおもな精巣容量を規定する Sertoli 細胞および胚細胞に障害があるため，成人しても精巣容積の増加は不十分で 8～10 mL にとどまる．

4）診断と検査法

性腺機能低下症の診断の概要を表14 に示す．内分泌検査では血清ゴナドトロピン（LH, FSH）が高値を示し，男性では血清テストステロン，女性では血清エストラジオールが低値～基準範囲内となる．新生児期～乳児期と思春期以降における診断の流れを，以下に述べる．

表14 性腺機能低下症の診断

- 身体所見（外性器異常，二次性徴，性機能）
- 一般的臨床検査（電解質，コレステロール，一般検尿など）
- 内分泌検査（性腺系，副腎系，尿中ステロイドプロフィル測定など）
- 内分泌負荷試験（LHRH負荷試験，hCG負荷試験）
- 染色体検査（G分染法）および遺伝子検索（SRYなど）
- 画像検査（腹部超音波，腹部骨盤MRI，尿道造影，内視鏡）

①新生児期の診断の流れ

新生児期には非典型的外性器がなければ，何らかの理由で染色体検査を行っていない限り診断は困難である．非典型的外性器が認められる場合，日本小児内分泌学会により作成された「性分化疾患初期対応の手引き」[11]および「性分化疾患対応の手引き（小児期）」[12]に従って診断しフォローする．染色体検査（G分染法）およびSRYの検索（FISHまたはPCR），一般的臨床検査（電解質，コレステロール，一般検尿など），内分泌検査（性腺系，副腎系，尿中ステロイドプロフィル測定など），必要に応じて負荷試験（LHRH負荷試験，hCG負荷試験），画像検査（腹部超音波，腹部骨盤MRI，尿道造影など）を行う．血中テストステロンは，測定上ほかの物質との交差性が大きいため，単独の測定の診断的価値は限界があるが，hCG負荷試験での反応性をみることで，Leydig細胞からテストステロン分泌が可能な精巣かを判断できる．テストステロンの反応性が異常高値である場合や，テストステロン／ジヒドロテストステロン比の上昇がみられる場合は，アンドロゲン不応症や5αレダクターゼ欠損症の可能性が示唆される．ただし，ジヒドロテストステロン（DHT）は保険未収載である．女児では男児よりもゴナドトロピン上昇は遷延し，4歳頃まで比較的高値をとる．

②思春期年齢における診断の流れ

思春期年齢における診断は，体質性思春期遅発症との鑑別が必要となる．二次性徴の所見のみでは特異的ではないため，血中ホルモン測定（LH，FSH，テストステロン，エストラジオール）が必須となる．症例に応じて，染色体検査，LHRH負荷試験，hCG負荷試験を実施する．原発性性腺機能低下症があれば，女児で10歳以上遅くとも13歳，男児で12歳以上遅くとも15歳までにゴナドトロピンが上昇する．特に性腺組織の異形成や低形成がある場合は，FSHが有意に高値となる．腹部超音波，MRIにて子宮など女性内性器の有無を確認する．アンドロゲン不応症，5αレダクターゼ欠損症で社会的性が女性の場合では，子宮・卵巣が存在しない．二次性の性腺機能低下症が疑われる病歴や身体所見があれば，PRL，デヒドロエピアンドロステロンサルフェート（dehydroepiandrosterone sulfate：DHEA-S），甲状腺機能などの測定も症例に応じて行う．

女性の卵巣予備能の指標としてFSH，卵巣の胞状卵胞数と併せて，AMHが有用であるが，日本人小児の年齢別基準値は確立しておらず，保険未収載である．がんの治療中および治療後早期はAMH低値となるため評価時期に注意する．男児ではAMHはSertoli細胞で産生され，出生後は著明に高値であることから，DSDの診断において精巣成分の評価に利用される場合がある．インヒビンの測定は一般的ではなく，有用性は確立していない．

5）治療法

精巣形成不全の場合，外陰部形成術と性ホルモン補充療法が主となる．男性として養育された場合，尿道下裂修正術，精巣固定術，男性ホルモン投与が行われる．男性ホルモンは，陰茎サイズを大きくするために乳幼児期から思春期前に行われる短期間の少量投与と，思春期年齢に少量から漸増し成人期以降も続ける長期間の生理的補充投与がある．精巣の腫瘍化リスクがあるため精巣を摘出する場合がある．女性として養育された場合，精巣摘出，外陰部形成術（女性化外陰部形成術，尿道形成術・腟形成術）を行い，思春期年齢に女性ホルモンや黄体ホルモンの補充を行う．卵巣形成不全の場合，思春期年齢に女性ホルモンや黄体ホルモンの補充療法を行う．

男女ともに，適切な年齢から性ホルモン補充を，少量から開始するのが望ましい．標準的な思春期進行にあわせ，2年程度かけて成人の維持量へ移行させる．成人男性ではエナント酸テストステロン（エナルモンデポー®）125～150 mgを2～3週間に1回程度の頻度で投与することが多い．経口剤は現在製造中止となっている．塗布剤やゲルなどの経皮投与は海外では使用されているが，現在国内では使用困難である．テストステロン含有軟膏が一般薬として市販（グローミン®）されている．

女性ホルモン補充療法として，思春期年齢でエストロゲン製剤の投与により二次性徴を誘発し，その後，子宮の発達を確認した後，Kaufmann療法による月経誘導を行う．Turner症候群におけるエストロゲン補充療法について，総説が報告されている[13]．

多嚢胞性卵巣症候群の患者では，無月経等の月経異常，不妊に対してクロミフェン，hCG-FSH療法，腹腔鏡下卵巣多孔術，生殖補助医療などが行われる．インスリン抵抗性改善の目的で，肥満の改善，メトフォ

ミン製剤の投与が，多毛に対して低用量ピル，スピロノラクトンなどが検討されるが，薬物療法は効果出現までに時間がかかる．

6）管理と予後

性ホルモン補充の目的は，性的発育や性機能の維持だけでなく，骨密度維持，脂質代謝促進による動脈硬化予防，筋組織の維持と同化作用，精神心理作用など多岐にわたる．成人期も継続して補充することが望ましいので，治療導入時から長期の診療計画について説明し，理解を得ることが大切である．

適切な治療計画に基づいて治療を行えば，生命予後などは良好である．女性のエストロゲン治療は発癌性（子宮癌，乳癌の増加）や血栓症の報告はあるが，性腺機能不全に対する黄体ホルモンを組み合わせたKaufmann療法についてはこれらのリスクを増大させるという報告はなく，女性においては閉経年齢（〜50歳）まで使用することが望ましい．男性のテストステロン治療は，わが国では壮年期以降の使用は必ずしも行われていないが，海外ではアンドロゲンのゲル製剤を塗布して血中男性ホルモン値を上昇させ，QOLや性的能力を維持させる治療が行われている．

7）最新知見

近年，がん・生殖医療（Oncofertility）という新しい学問が発展し，がん治療により性腺が障害されて生殖能力（妊孕性：fertility）が低下もしくは消失するリスクが高い場合，妊孕性温存療法の適応について検討することが望まれるようになってきた．女性では卵子の凍結保存（受精卵凍結，未受精卵子凍結）が行われるが，初経前の女児に対しては卵巣組織凍結が唯一の方法である．初経後でも治療開始までに時間的猶予がない場合には，卵巣組織凍結が考慮される．ただし白血病など卵巣組織に腫瘍細胞の混入の危険性がある疾患では，一般的に推奨されない．男性では思春期以降は射出精子の凍結保存が行われる．精子採取が困難な場合には精巣内精子採取術（testicular sperm extraction：TESE）を検討する．しかし思春期前の精巣組織凍結保存は前臨床段階である．

❖ 文献

1) Rosenfield RL et al.：Puberty in the Female and its Disorders：Hypogonadism. In：Sperling MA, et al.（eds）, Sperling Pediatric Endocrinology. 5th ed, Elsevier, Amsterdam, 573-585, 2021
2) Palmert MR, et al.：Puberty and its Disorders in the Male：Delayed Puberty. In：Sperling MA, et al.（eds）, Sperling Pediatric Endocrinology. 5th ed, Elsevier, Amsterdam, 675-680, 2021
3) 小児慢性特定疾病情報センター　63：精巣形成不全 https://www.shouman.jp/disease/details/05_30_063/
4) 小児慢性特定疾病情報センター　64：卵巣形成不全 https://www.shouman.jp/disease/details/05_30_064/
5) 小児慢性特定疾病情報センター　65：63および64に掲げるもののほか，高ゴナドトロピン性性腺機能低下症 https://www.shouman.jp/disease/details/05_30_065/
6) 柴田浩憲，他：性腺形成不全．内分泌症候群（第3版）Ⅲ．日本臨床社，298-301，2019
7) Groth KA, et al.：Clinical review：Klinefelter syndrome--a clinical update. J Clin Endocrinol Metab 98：20-30, 2013
8) Gravholt CH, et al.：Clinical practice guidelines for the care of girls and women with Turner syndrome：proceedings from the 2016 Cincinnati International Turner Syndrome Meeting. Eur J Endocrinol 177：G1-G70, 2017
9) Gebauer J, et al.：Long-Term Endocrine and Metabolic Consequences of Cancer Treatment：A Systematic Review. Endocr Rev 40：711-767, 2019.
10) 日本小児内分泌学会CCS委員会：小児がん経験者（CCS）のための内分泌フォローアップガイド．日本小児内分泌学会（編），小児内分泌学会ガイドライン集．中山書店，278-308，2018
11) 日本小児内分泌学会性分化・副腎疾患委員会：性分化疾患初期対応の手引き（2011.1策定，2017.7修正）．日本小児内分泌学会（編），小児内分泌学会ガイドライン集．中山書店，63-71，2018
12) 日本小児内分泌学会性分化委員会，厚生労働科学研究費補助金難治性疾患克服研究事業 性分化疾患に関する研究班：性分化疾患対応の手引き（小児期）．日本小児内分泌学会（編），小児内分泌学会ガイドライン集．中山書店，72-77，2018
13) Klein KO, et al.：Estrogen Replacement in Turner Syndrome：Literature Review and Practical Considerations. J Clin Endocrinol Metab 103：1790-1803, 2018

（三善陽子）

第6章 性分化疾患と性発達異常を伴う疾患

A 性の分化機構

1) 性分化疾患

染色体，性腺，解剖学的性（内性器，外性器）が非定型的である先天的状態を性分化疾患（disorders of sex development：DSD）とよぶ．DSDは幅広い疾患群の総称で，様々な要因により様々な表現型を生じうる．わが国でのDSD各疾患の有病率は停留精巣 1/100，尿道下裂 1/125～1/300，Turner症候群 1/2,000～1/2,500，その他のDSD 1/2,500～1/3,000と報告されている[1]．容易には法律上の性を決定できない判別不明性器を有するDSDの場合，その約半数は性染色体異常症と先天性副腎過形成症である[2]．

新生児期にDSDを見逃され社会生活で確立した性別や名前が変更を余儀なくされることは，患者家族に多大な心理的負担を与える．さらに，合併症としての下垂体前葉機能低下症や副腎皮質機能低下症の見逃しは，低血糖や副腎クリーゼにより発達予後や生命予後を悪化させうる．したがって，判別不明性器を有するDSDは新生児期の心理社会的かつ医学的な救急疾患といえる．

DSDは性染色体の構成と性分化カスケードの障害部位により分類できる（**総論第7章H 表18参照**）[3]．性染色体の構成からは，①性染色体性DSD，②46,XY DSD，③46,XX DSDに大別される．性分化カスケードの障害部位からは，①未分化性腺の発生過程の障害，②性特異的な性腺分化過程の障害，③内外性器の分化過程の障害に分けられる．DSD症例の診断，治療，管理，遺伝カウンセリングを行う際には，以下に述べる性分化の機構を理解し，各症例の病態生理をできるだけ正確に把握することが求められる．

2) 性分化の機構

性分化（sex differentiation）は個体の性的表現型を分化・発達させるすべての過程を指す．ヒトの性分化は胎児期（特に第1三半期）と思春期に急速に進行する．前者を一次性徴，後者を二次性徴と称する．性分化が完遂すると，個体は生殖能力を獲得する．

性分化の要諦は性腺の分化にある．まず男女共通の未分化性腺が形成され，Y染色体上のSRYが作用すると，未分化性腺は胎児精巣に，SRYが作用しないと，未分化性腺は胎児卵巣に分化する．ここまでの過程が性決定（sex determination）で，このあとの過程が狭義の性分化（sex differentiation）とよばれる．胎児精巣では体細胞分化が先行し，胎児卵巣では生殖細胞分化が先行する．性腺の位置，内・外性器の分化は，胎児精巣の体細胞由来の液性因子（ホルモン）が存在するとき男性型に，存在しないとき女性型に向かう．よって，性分化では，男性表現型が誘導型で，女性表現型が原型である．この性分化の機構は遺伝的プログラムの時間的，空間的，階層的な支配のもとに制御されている（**図1**）[4〜6]．

a. 性腺の分化

性腺は男女共通の未分化性腺を形成し，その後に，46,XYでは胎児精巣へ，46,XXでは胎児卵巣へ分化する．胎児精巣の分化と胎児卵巣の分化は互いに拮抗し，胎児精巣の分化を促進する分子は卵巣分化を抑制し，胎児卵巣の分化を促進する分子は精巣分化を抑制する．胎児精巣は体細胞分化によりホルモン産生細胞を有するが，減数分裂を伴わない．胎児卵巣は生殖細胞分化により減数分裂細胞（卵母細胞）を伴うが，ホルモン産生細胞を欠く．すなわち，性ホルモン産生と配偶子形成の観点から，男女間で大きく機能が異なる胎児性腺が形成される．そして，胎児精巣と胎児卵巣は，思春期を経て，ホルモン産生能と配偶子形成能の両者を有する成人型性腺へと成熟する．

①未分化性腺の形成

未分化性腺は，未分化体細胞（前駆支持細胞，前駆ステロイド産生細胞，結合組織細胞など）と原始生殖細胞からなる．未分化体細胞は70%が体腔上皮，30%が中腎に由来し，ホルモン産生細胞の分化や性腺の形態保持に必須である[7,8]．この未分化体細胞の形成過程の

II 各　論

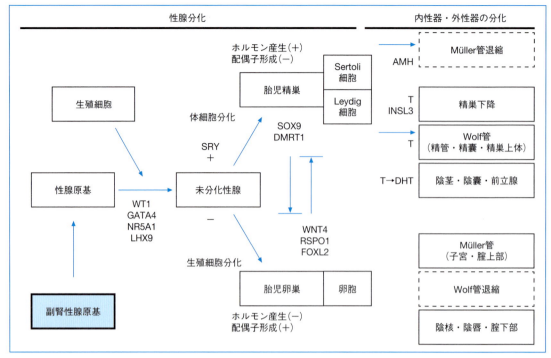

図1 ヒトの性分化の機構
T：テストステロン，DHT：ジヒドロテストステロン

完全な障害は性腺無形成を生じ，不完全な障害は様々な程度の性腺形成障害をまねく．この性腺無形成は性腺外の症状を伴わないタイプと種々の合併徴候を伴うタイプ，さらに Müller 管無形成を伴うタイプと伴わないタイプに分類される．46,XY 性腺無形成に Müller 管形成不全が合併しているときには，一過性に抗 Müller 管ホルモンが分泌された可能性よりも，Müller 管無形成を伴う性腺無形成である可能性が高い．未分化性腺の形成過程が男女共通であることに一致して，性腺無形成の 46,XX DSD と 46,XY DSD の同胞発症が報告されている．

原始生殖細胞は胚盤葉上層（epiblast）のうち，将来，胚体外中胚葉に分化する領域から生じ，遊走して未分化性腺に合流する．この原始生殖細胞は配偶子形成能の獲得に必須で，この細胞の欠落は体細胞成分のみからなる未分化性腺形成をまねく．46,XY では体細胞成分の分化を経て生殖細胞を欠く胎児精巣が形成され，46,XX では卵母細胞への分化およびその後の体細胞成分形成が起こらないため重度の性腺異形成を生じる．

未分化性腺の形成過程は GATA4，WT1，NR5A1，LHX9 など様々な転写因子の制御を受けている．近年，WT1 ないし NR5A1 のヘテロの病的バリアントが 46,XY DSD のみならず，46,XX 精巣性ないし卵精巣性 DSD で同定されている[9,10]．WT1 や NR5A1 が未分化性腺の形成過程のみならず，性特異的分化以降の過程にも関与する分子であるためと推測されている．

②未分化性腺の性特異的分化

未分化性腺の性特異的分化は SRY に依存する．46,XY の性腺では，SRY によりまず Sertoli 細胞が分化し，Leydig 細胞や精細管周囲筋様細胞（peritubular myoid cell）など他の精巣内の体細胞は Sertoli 細胞の存在下に分化する．一方，46,XX の性腺では，Sertoli 細胞不在の環境下により胎児卵巣が分化する．

この過程における SRY の役割は以下の二つの病態とマウスを使った基礎研究から説明されている．第一に，SRY の病的バリアントが 46,XY DSD 症例で同定されることである．SRY 異常症による 46,XY DSD 症例は大部分で完全女性型外性器をもつ重度の性腺異形成を示す．さらには，同一の SRY 病的バリアントが同一家系内の生殖能力を保持する男性と完全女性型外性器を有する 46,XY DSD 女性に共有されているとの報告がある[11]．この SRY の病的バリアントは極めて軽微の機能低下を生じ，各個体のわずかな遺伝因子や環境因子の差異により確率論的に正常の精巣か完全型の性腺異形成のいずれかを生じると考えられている．第二に，精子減数分裂時の abnormal Xp；Yp interchange に

起因する SRY 陽性 46,XX DSD と SRY 陰性 46,XY DSD の存在である．同一発症原因であるにもかかわらず，SRY 陰性 46,XY DSD が SRY 陽性 46,XX DSD の約 1/100 しか存在しないことは，SRY 陰性 46,XY DSD が Turner 症候群の軟部組織と内臓徴候に関与するリンパ管形成遺伝子を SRY と同時に欠失するため，極めて流産しやすいことで説明される．なお，SRY 陽性 46,XX DSD の表現型は転座 Y 染色体のサイズにより二つに大別され，転座する Y 染色体成分が大きい場合にはほぼ正常の精巣形成を示し，小さい場合には卵精巣形成と外性器異常を高率に呈する．これは，Y 染色体成分が大きい場合には X 染色体の不活化が SRY まで波及しないためにすべての細胞で SRY が発現することに対し，小さい場合には SRY に波及するためにおおむね半数の細胞では SRY が発現しないためと説明されている．第三に，Sry トランスジェニック XX マウスが雄性外性器をもつこと，Sry ノックアウト XY マウスが雌性外性器をもつことから，マウス性腺の性特異的分化においても Sry が重要な役割を担うことを示している．よって，SRY は性特異的な性腺分化で最も重要な性決定を担う分子と考えられている．

性分化の臨界期における SRY の Sertoli 細胞特異的な一過性発現がどのように制御されているかは未解明である．GATA4，WT1，NR5A1，MAP3K4，GADD45G，CBX2 などの様々な分子のみならず，SRY のプロモーター領域の DNA 脱メチル化やヒストンの脱メチル化などエピジェネティックな因子によっても制御を受けている[12]．

③胎児精巣の分化

胎児精巣は Sertoli 細胞や Leydig 細胞を有し，精巣の下降，内・外性器の男性化を引き起こす．この過程の障害は 46,XY 性腺異形成をまねく．そして，この過程が男性特異的であることに一致して，46,XY 性腺異形成の同胞発症は 46,XY のみに限定される．

この過程には多数の分子が関与する．そのなかでは SOX9 が最も重要である．SOX9 転写の活性化の誘導・維持には，SRY，NR5A1，SOX9 自身が重要な役割を担っていて，SOX9 の性腺特異的エンハンサーと結合し，胎児精巣を誘導する．SOX9 の転写誘導に重要なエンハンサーが Enh13，転写維持に重要なエンハンサーが TESCO（testis-specific enhancer of SOX9 expression core element）と考えられている[13]．実際に，SOX9 のヘテロの病的バリアントは屈曲肢異形成症（campomelic dysplasia）のみならず，大部分で 46,XY 性腺異形成を生じる．さらに SOX9 のタンデム重複が 46,XX 精巣性 DSD で，SOX9 上流の性腺特異的エンハンサーのヘテロの欠失が 46,XY 性腺異形成で，性腺特異的エンハンサーのヘテロの重複が 46,XX 精巣性 DSD でそれぞれ同定されている[13〜15]．他の胎児精巣分化に重要な分子は DMRT1，FGF9/FGFR2 などである．いずれも，SOX9 を中心とした精巣分化に必須な分子の重要な役割として，卵巣分化に重要な分子の発現や作用を抑制している．

④胎児卵巣の分化

胎児卵巣は体細胞成分の分化を欠くためホルモン産生能をもたないが，減数分裂進行を反映する卵母細胞（および原始卵胞）を有する．この卵母細胞は相同染色体の対合により特徴づけられ，思春期における卵胞発育およびそれに伴う卵巣の体細胞分化に必須である．この過程の障害は 46,XX 性腺異形成をまねく．そして，この過程が女性特異的であることに一致して，生殖細胞発生の異常による 46,XX 性腺異形成の同胞発症は 46,XX のみに限定される．

この過程では，減数分裂開始が必須である．ここでは，X 染色体の再活性化や相同染色体の密接な対合が必須で，相同染色体の対合不全は Turner 症候群と同様に性腺異形成を引き起こす．ここで重要な点は，性腺機能障害の程度が X 染色体上の遺伝子量とは無関係で，相同染色体同士の対合不全領域の長さに比例することである[16]．

体細胞成分で発現する遺伝子も，体細胞と卵母細胞の協調作用を介して卵巣形成に関与する．この過程でも多くの分子が関与するが，FOXL2 および WNT4 が重要な役割を担っている．実際に，FOXL2 のヘテロの病的バリアントは眼瞼狭小のみならず，一部で卵巣機能不全を併発する．また，WNT4 のヘテロの病的バリアントが Müller 管無形成と軽度の男性化徴候（痤瘡，多毛）を示す 46,XX 女性で，WNT4 を含む染色体の部分重複が精巣分化障害による 46,XY DSD で同定されている．そのほか，WNT4 シグナルに関連する R-spondin 1 や β-catenin も卵巣分化に重要な分子で，FOXL2 や WNT4 と同様に，胎児精巣分化に重要な分子である SOX9 や DMRT1 などの発現や作用を抑制している．

b．性腺の位置および内・外性器の性分化

46,XY における性腺の位置および内・外性器の男性化はおもに胎児精巣由来のホルモン作用に起因し，46,XX では胎児卵巣の有無とは無関係に胎児精巣由来のホルモン不在下の原型として内・外性器は女性型となる．重要な胎児精巣由来のホルモンは，テストステロン（testosterone：T），insulin like-3（INSL3），抗 Müller 管ホルモン（anti-Müllerian hormone：AMH）である．このうち，Leydig 細胞における T と INSL3 産生は，第 1

II 各 論

三半期の性分化の臨界期では胎盤由来のゴナドトロピン（human chorionic gonadotropin：hCG）により，その後の第2三半期以降では胎児自身の下垂体由来のLHにより調節される．Tは直接的な作用のみならず，一部は標的細胞内の5α還元酵素の作用でジヒドロテストステロン（dihydrotestosteron：DHT）に変換されて間接的にアンドロゲン受容体に作用する．精巣の下降，Wolf管の分化は直接的な作用で，外性器の男性化は間接的な作用による．Sertoli細胞からのAMH分泌は，NR5A1，WT1，GATA4，SOX9などの種々の分子により調節されMüller管を退縮させる．

①性腺の位置

性腺は腹腔内で発生し，46,XYでは精巣に分化し陰嚢まで下降し，46,XXでは卵巣に分化し腹腔内にとどまる．精巣の下降は腹腔内の移動と鼠径部からの移動の二つのステップに大別される．腹腔内の移動は一過性の大量hCG刺激下に産生されたTによる頭側懸垂靱帯の消退，INSL3による精巣導帯の発達によりもたらされる．鼠径部からの移動は少量の持続するLH刺激下に産生されたT作用によりもたらされる．先天性リポイド副腎過形成やアンドロゲン不応症の精巣が必ずしも腹腔内にとどまらないことから，Tの作用は少量で十分である可能性がある．一方，Insl3ノックアウトマウスが完全な腹腔内停留精巣を呈することから，INSL3の作用はTに比してより重要な可能性がある[18]．実際に，INSL3やその受容体遺伝子RXFP2の病的バリアントが少数の停留精巣患者で同定されている．

さらに重要なことは，INSL3が精巣の下降のみに関与することに対し，Tは精巣機能にも関与することである．Insl3ないしその受容体であるInsl3rノックアウトマウスでは，停留精巣に対する精巣固定術が生殖能力を回復させる[17,18]．一方，T低下による停留精巣では，精巣固定術を行っても内分泌環境の異常は存続するため，生殖能力は必ずしも回復しない．

②内性器の分化

男性・女性ともに，Müller管とWolf管が出現し，その後性腺の性に合致する性管のみが分化し，他方はアポトーシスで退縮する．Müller管はAMH作用により退縮し，AMHが作用しないときに子宮・卵管・腟上部に分化する．Wolf管はT作用により精巣上体・輸精管・精嚢に分化し，Tが作用しないときに退縮する．したがって，精巣分化障害による46,XY DSDでは，Müller管が残存し，Wolf管が消退するが，アンドロゲン合成や作用障害による46,XY DSDでは，Müller管もWolf管も消退する．

AMHやその受容体遺伝子AMHR2の異常症では，46,XY男性でMüller管が遺残し，persistent Müllerian duct syndrome（PMDS）が発症する．PMDSは精巣の下降を物理的に障害し，両側性の腹腔内精巣をまねく．

③外性器の分化

男女共通の未分化な外性器はDHT作用により陰茎・陰嚢に分化し，DHTの作用のないとき陰核・陰唇・腟下部となる．この男性外性器の分化は第1三半期における一過性の大量hCG刺激下で産生されたTに由来するDHTに起因している．第1三半期におけるDHT作用を阻害する病態（精巣分化障害，男性ホルモン産生障害，5α還元酵素異常症，アンドロゲン不応症など）は女性型外性器から尿道下裂まで様々な外性器の形態異常を伴う．この病態でみられる尿道下裂などの形態異常を伴い平均値−2.5 SD未満の短い陰茎をミクロファルス（microphallus）とよぶ[19]．一方，第2三半期以降では，少量の持続するLH刺激下で産生されたTに由来するDHTにより，第1三半期で男性型に分化した外性器が次第に成長していく．第2三半期以降のDHT作用を阻害する病態（ゴナドトロピン分泌不全など）は尿道下裂などの外性器の形態異常を伴わない．この病態でみられる尿道下裂などの形態異常を伴わない平均値−2.5 SD未満の短い陰茎を小陰茎〔ミクロペニス（micropenis）〕とよぶ[19]．したがって，尿道下裂を有する症例ではゴナドトロピン分泌不全は否定的と考え，小陰茎を有する症例ではゴナドトロピン分泌不全の可能性を第一に想定する．

❖ 文献

1) 大山建司：性分化疾患の実態調査結果．日児誌 115：1-4, 2011
2) Lee PA, et al.：Global disorders of sex development update since 2006：perceptions, approach and care. Horm Res Paediatr 85：158-180, 2016
3) 緒方 勤, 他：性分化異常症の管理に関する合意見解．日児誌 112：565-578, 2008
4) Ono M, et al.：Disorders of sex development：new genes, new concepts. Nat Rev Endocrinol 9：79-91, 2013
5) Mäkelä JA, et al.：Testis development. Endocr Rev 40：857-905, 2019
6) Stévant I, et al.：Genetic Control of Gonadal Sex Determination and Development. Trends Genet 35：346-358, 2019
7) Liu C, et al.：Mapping lineage progression of somatic progenitor cells in the mouse fetal testis. Development 143：3700-3710, 2016
8) Liu C, et al.：Lineage specification of ovarian theca cells requires multicellular interactions via oocyte and granulosa cells. Nat. Commun 6：6934, 2015
9) Igarashi M, et al.：Identical NR5A1 missense mutations in two unrelated 46,XX individuals with testicular tissues. Hum Mutat 38：39-42, 2017
10) Gomes NL, et al.：A 46,XX testicular disorder of sex develop-

11) E Vilain, et al.: Familial case with sequence variant in the testis-determining region associated with two sex phenotypes. Am J Hum Genet 50: 1008-1011, 1992
12) Kuroki S, et al.: Epigenetic regulation of mouse sex determination by the histone demethylase Jmjd1a. Science 341: 1106-1109, 2013
13) Gonen N, et al.: Sex reversal following deletion of a single distal enhancer of Sox9. Science 360, 1469-1473, 2018
14) Cox JJ, et al.: A SOX9 duplication and familial 46,XX developmental testicular disorder. N Engl J Med 364: 91-93, 2011
15) Croft B, et al.: Human sex reversal is caused by duplication or deletion of core enhancers upstream of SOX9. Nat Commun 9: 5319, 2018
16) Ogata T, et al.: Turner syndrome and female sex chromosome aberrations: deduction of the principal factors involved in the development of clinical features. Hum Genet 95: 607-629, 1995
17) Zimmermann S, et al.: Targeted disruption of the Insl3 gene causes bilateral cryptorchidism. Mol Endocrinol 13: 681-691, 1999
18) Overbeek PA, et al.: A transgenic insertion causing cryptorchidism in mice. Genesis 30: 26-35, 2001
19) Palmer JS. Management of abnormalities of the external genitalia in boys. In: Wein AJ, et al.(eds), Campbell-Walsh Urology. 11th ed., Elsevier, Philadelphia, 3368-3398, 2016

(石井智弘)

ment caused by a Wilms' tumour factor-1(WT1)pathogenic variant. Clin Genet 95: 172-176, 2019

B 46,XY DSD

1) 定義・概念

46,XY DSD は，46,XY の核型をもつ性分化疾患(disorders of sex development：DSD)の総称であり，性腺，内性器，外性器に様々な程度で男性化障害を生じる疾患群である．

2) 病因・病態

46,XY DSD の病因・病態は，「性腺(精巣)の分化異常」「アンドロゲンの合成，作用異常」「その他」の三つに分けて考えると理解しやすい(表 1)[1]．

a. 性腺(精巣)の分化異常

性腺(精巣)の分化異常は，その程度や時期により完全型性腺異形成(pure または complete gonadal dysgenesis：CGD，Swyer 症候群)，部分型性腺異形成(partial gonadal dysgenesis：PGD)，精巣退縮症候群などの病態をとりうる．CGD は，未分化性腺が胎児精巣に分化する前の段階〔テストステロン(testosterone：T)，抗 Müller 管ホルモン(anti-Müllerian hormone：AMH)が分泌される前〕で異常が生じるため，表現型は完全女性型かつ Müller 管由来構造が存在する．一方，PGD では精巣分化障害が部分的なため T や AMH 分泌の程度も様々であり多様な表現型をとりうる．

卵精巣性 DSD(ovotesticular DSD)は，一個体が精巣組織と卵巣組織(卵胞を有することが必須)をともに有する病態である．46,XX の核型が最も高頻度である

表 1 46,XY の分類

A. 性腺(精巣)分化異常	1. 完全型または部分型性腺異形成 　　SF1/NR5A1, WT1, GATA4, FOG2/ZFPM2, CBX2, SRY, SOX9, SOX8, MAP3K1, ESR2/NR3A2, DMRT1, TSPYL1, DHH, SAMD9, ARX, MAMLD1/CXorf6 2. 卵精巣性 DSD 3. 精巣退縮症候群
B. アンドロゲン合成，作用障害	1. アンドロゲン合成障害 　　LH 受容体変異，Smith-Lemli-Opitz 症候群，先天性リポイド過形成，P450 側鎖切断酵素異常症，3β 水酸化ステロイド脱水素酵素欠損症，17α 水酸化酵素/17,20 リアーゼ欠損症，P450 酸化還元酵素欠損症，シトクロム b5 欠損症，AKR1C2 異常症，17β 水酸化ステロイド脱水素酵素欠損症，5α 還元酵素欠損症 2. アンドロゲン作用障害 　　アンドロゲン不応症 3. 薬物，内分泌攪乱物質
C. その他	1. 症候群に伴うもの 　　総排泄腔遺残，Robinow 症候群，Aarskog 症候群，hand-foot-genital 症候群など 2. Müller 管遺残症候群 3. 無精巣症 4. 尿道下裂(単独) 5. 停留精巣 6. 環境因子

[Chan YM, et al.: Disorders of sex development. In: Melmed S, et al.(eds), Williams Textbook of Endocrinology. 14th ed., Elsevier, Philadelphia, 867-936, 2019 より一部改変]

II 各論

表2 46,XY DSD にかかわる遺伝子とその表現型

		疾患名	責任遺伝子	座位	遺伝形式	性腺	Müller管構造	外性器	その他徴候
1. 性腺（精巣）の分化異常	単一遺伝子異常	Denys-Drash 症候群	WT1	11p13	AD	精巣異形成	+/−	F/A/H	腎症（早期腎不全），Wilms 腫瘍
		Frasier 症候群	WT1	11p13	AD	精巣異形成	+/(−)	F/(A/H)	腎症（緩徐進行）
		SF-1 異常症	NR5A1 (SF1)	9q33.3	AD/AR	精巣異形成	+/−	F/A/H	重症型：原発性副腎不全，軽症型：部分型性腺異形成，男性化障害
		GATA4 異常症	GATA4	8p23.1	AD	精巣異形成	−	F/A/H/Micro	先天性心疾患
		ZFPM2/FOG2 異常症	ZFPM2 (FOG2)	8q23.1	AD	精巣異形成	+/−	F/A	先天性心疾患
		CBX2 異常症	CBX2	17q25.3	AR	卵巣	+	F	
		SRY 異常症	SRY	Yp11.3	Y	精巣異形成/卵精巣	+/−	F/A	
		屈曲肢異形成症（Campomelic dysplasia）	SOX9	17q24-q25	AD	精巣異形成/卵精巣	+/−	F/A	四肢短縮と彎曲，肩甲骨低形成，呼吸不全
		SOX8 異常症	SOX8	16p13.3	AD	精巣異形成	+/−	F/A	
		MAP3K1 異常症	MAP3K1	5q11.2	AD	精巣異形成	+/−	F/A/H/Micro	
		NR3A2（ESR2）異常症	NR3A2 (ESR2)	14q23.2	AD/AR	精巣異形成	+/−	F/A	
		DMRT1 異常症	DMRT1	9p24.3	AD	精巣異形成/卵精巣	+	F	
		sudden infant death with dysgenesis of the testes syndrome (SIDDT)	TSPYL1	6q22.1	AR	精巣異形成	−	F/A	乳児突然死
		DHH 異常症	DHH	12q13.1	AR	精巣異形成，精巣	−	F/A	minifascicular neuropathy
		MIRAGE 症候群	SAMD9	7q21.2	AD	精巣異形成，精巣	−	F/A/H	
		X-linked lissencephaly with abnormal genitalia (XLAG)	ARX	Xp22.13	XR	精巣異形成	−	A	X連鎖性滑脳症，てんかん，体温調節障害
		MAMLD1 異常症	MAMLD1 (CXORF6)	Xq28	XR	精巣（Leydig細胞機能不全）	−	H	
		HHAT 欠損症	HHAT	1q32.2	AR	精巣異形成	+	F	軟骨異形成
		WWOX 欠失	WWOX	16q23.1-q23.2	AD	精巣異形成	+	A	
		FGFR2 異常症	FGFR2	10q26	AD	精巣異形成	+	F	頭蓋狭小，肘膝関節可動制限，低身長
	責任遺伝子を含んだ染色体異常	WAGR(O) 症候群	WT1	11p13	AD	精巣異形成	+/−	F/A/H	Wilms 腫瘍，無虹彩，精神発達遅滞，（肥満）
		9p−症候群	DMRT1	9p24.3	9pモノソミー	精巣異形成	+/−	F/A	三角頭蓋，小頭症，特異顔貌，精神発達遅滞
		alpha-thalassemia/mental retardation syndrome, X-linked (ATRX)	ATRX	Xq13.3	XR	精巣異形成	−	F/A/M	αサラセミア，精神発達遅滞
		DAX1 重複	NR0B1 (DAX1)	Xp21.3	dup	精巣異形成/卵巣	+/−	F/A	
		WNT4 重複	WNT4	1p36.12	dup	精巣異形成	+	A	精神発達遅滞

（次ページにつづく）

第6章 性分化疾患と性発達異常を伴う疾患

	疾患名	責任遺伝子	座位	遺伝形式	性腺	Müller管構造	外性器	その他徴候
2. アンドロゲンの合成・作用の異常	Smith-Lemli-Opitz症候群	DHCR7	11q13.4	AR	精巣	−	様々	特異顔貌,合指(Ⅱ,Ⅲ趾),心形成異常,コレステロール低値
	LH不応症	LHCGR	2p16.3	AR	精巣	−	F/A/Micro	Leydig細胞低形成
	先天性リポイド過形成	STAR	8p11.2	AR	精巣	−	F/A/Micro	副腎腫大
	P450側鎖切断酵素異常症	CYP11A1	15q24.1	AR	精巣	−	F/A	
	3β水酸化ステロイド脱水素酵素欠損症	HSD3B2	1p13.1	AR	精巣	−	A	
	17α水酸化酵素欠損症,17,20リアーゼ欠損症	CYP17A1	10q24.3	AR	精巣	−	F/A/Micro	低レニン性高血圧,低カリウム血症
	Antley-Bixler症候群,P450酸化還元酵素欠損症	POR	7q11.2	AR	精巣	−	A/M	頭蓋骨早期癒合,橈骨上腕骨癒合
	シトクロムb5欠損症	CYB5A	18q22.3	AR	精巣	−	A/H	メトヘモグロビン血症,17,20リアーゼ単独欠損
	AKRIC2/4異常症	AKR1C2(AKR1C4)	10p15.1	AR(? digenic)	精巣	−	様々	
	17β水酸化ステロイド脱水素酵素欠損症	HSD17B3	9q22.23	AR	精巣	−	F/A	思春期に部分的男性化
	5α還元酵素欠損症	SRD5A2	2p23.1	AR	精巣	−	A/Micro	思春期に部分的男性化
	アンドロゲン不応症	AR(NR3C4)	Xq12	XR	精巣	−	F/A/Micro/M	
3. その他	Hand-foot genital症候群	HOXA13	7p15	AD	精巣	−	H	手指,足趾形成異常
	Opitz GBBB症候群	MID1	Xp22	XR	精巣	−	H	特異顔貌,喉頭気管食道異常,腎形成異常
	Robinow症候群	WNT5A/ROR2	3p14/9q22	AD/AR	精巣	−	H/M	低身長,特異顔貌,四肢中部短縮
	BNC2異常症	BNC2	9p22	AD	精巣	−	H	
	IMAGe症候群	CDKN1C	11p15.4	AD(paternally imprinted)	精巣	−	H/Micro/M	IUGR,骨幹端異形成,副腎低形成
	Müller管遺残症候群	AMH AMHR	19p13.3 12q13.13	AR AR	精巣 精巣	+ +	M M	

AD:常染色体顕性遺伝,AR:常染色体潜性遺伝,XR:X染色体潜性遺伝,Y:Y連鎖性,dup:重複,F:女性型,A:中間型,Micro:小陰茎,M:男性型,H:尿道下裂

[Chan YM, et al.:Disorders of sex development. In:Melmed S, et al.(eds), Williams Textbook of Endocrinology. 14th ed., Elsevier, Philadelphia, 867-936, 2019/石井智弘:性分化疾患.「小児内科」「小児外科」編集委員会(編),小児疾患診療のための病態生理2.改訂5版,東京医学社,447-456,2015 より改変]

が,SRY,SOX9,DMRT1異常などに起因する46,XY症例も報告されている.

未分化性腺から胎児精巣への分化が障害される原因としては,単一遺伝子異常,染色体の構造異常(欠失,重複,再構成など)などが報告されているが(表2)[1,2],遺伝学的に診断可能なものは30〜40%程度である[3].以下に代表的な遺伝子異常,染色体構造異常に関し言及する.

①単一遺伝子異常

▶NR5A1(SF1)

SF1は,核受容体スーパーファミリーに属し,性腺と副腎の分化,ステロイド産生,生殖にかかわる少なくとも30以上の遺伝子を制御している転写因子である[4].近年では,解糖系などエネルギー代謝にかかわる遺伝子も制御していることが報告されている[5].当初報告されたSF1異常の症例は,マウスでのSf1完全欠失例と同様に副腎不全を合併していたが,その後の症例の蓄積から副腎不全合併例は非常にまれであることが明らかとなっている.46,XY DSD症例の10〜15%にSF1遺伝子異常を認めたとの報告もあり,46,XY DSDの原因としては比較的高頻度と考えられている.通常はハプロ不全により発症しPGDの表現型をとることが多いが,その表現型は多様であり,女性型を示す重症例から尿道下裂+停留精巣,両無精巣症,不妊

症などにおいても SF1 遺伝子異常が報告されている．

▶ WT1

WT1 の異常では，Denys-Drash 症候群，Frasier 症候群，WAGR(O)症候群の三つの表現型が代表的である．

Denys-Drash 症候群は，WT1 の DNA 結合領域に存在する四つの zinc finger 構造のうち，N 端側の三つをコードするエクソン 7~9 にミスセンス変異をヘテロ接合性に有し，変異蛋白がドミナントネガティブに作用することにより病態を生じると考えられている．外性器の表現型は，完全女性型から正常外性器を示す例まで様々であるが，重症型の尿道下裂や性別判定に迷うような曖昧な外性器異常を示すことが多い．

Frasier 症候群は，イントロン 9 の splicing donor site のヘテロ接合性変異が WT1 蛋白の isoform の割合（＋KTS／－KTS）を変化させることが原因と考えられている．KTS は 3 番目と 4 番目の zinc finger の間に存在する三つのアミノ酸（lysine-threonine-serine）であり，正常では KTS を有する isoform（＋KTS）と有さない isoform（－KTS）の両方が存在する．＋KTS isoform は SRY の発現に関与することが示唆されているが[6]，Fraiser 症候群の変異アリルからは＋KTS isoform は産生されないため＋KTS／－KTS の不均衡が生じることが病因と考えられている[7]．典型例では性腺は索状性腺であり，Müller 管構造を有する完全女性型の表現型を示す．性腺芽腫（gonadoblastoma）などの性腺腫瘍を高率（60％）で合併するため早期の性腺摘出が推奨されている[8]．

WAGR(O)症候群は，W：Wilms 腫瘍，A：無虹彩，G：尿生殖奇形，R：精神発達遅滞，(O)：肥満を示す WT1 を含む 11p13-p12 領域を欠失した隣接遺伝子症候群であり，この領域には WT1 以外に眼の分化に重要な PAX6，肥満に関与する BDNF などが存在する．外性器異常は，停留精巣，小陰茎など軽度のことが多いが，尿道下裂や性逆転をきたした例も報告されている．

▶ SRY

SRY は性分化臨界期に強く発現して（受精後 42 日頃から発現が認められ 44 日がピーク[9]）前駆指示細胞から Sertoli 細胞への分化を促し，未分化性腺が胎児精巣に分化するためのスイッチを入れる遺伝子である．SRY の変異は DNA 結合にかかわる HMG box 内に多く，CGD の約 10％ で SRY 変異が同定されると報告されている[10]．SRY 変異症例の多くは，CGD タイプの社会的女性である．

▶ SOX9

SOX9 は未分化性腺から胎児精巣分化の過程において SRY の下流に位置し，精巣分化へのハブとなる重要な転写因子である．SOX9 は campomelic dysplasia（CD）

の原因遺伝子であり，CD の XY 症例の約 75％ で性腺異形成を生じると報告されているが，その表現型は完全男性型から完全女性型まで幅広い[10]．SRY の変異が HMG box 内に集中しているのに対し，SOX9 変異は遺伝子全般にわたり認められる．近年，SOX9 遺伝子の上流のエンハンサー領域と考えられる部位に微少欠失を認める症例が複数報告されている[11]．

② 染色体の構造異常

▶ 9p24-pter 欠失

この領域に存在する DMRT1 が原因遺伝子として想定されている．DMRT1 は SOX9 とともに卵巣への分化に拮抗する役割をもつとされている．DMRT1 自体の変異は長らく未同定であったが，部分欠失（エクソン 3，4）とミスセンス変異（R111G）が，それぞれ卵精巣性 DSD と CGD を生じた症例が報告され，DMRT1 が性分化において重要な役割を担っていることが証明された[12]．欠失領域が大きいと三角頭蓋，小頭症，精神発達遅滞などの症候が認められる（9p モノソミー）．

▶ Xp21 重複

この領域に存在する DAX1 の重複が 46,XY 症例において，精巣異形成，性逆転に関与する．DAX1 の機能喪失変異では先天性副腎低形成，低ゴナドトロピン性性腺機能低下症，精巣の組織異常，不妊を生じることから，DAX1 の適切な発現量が正常な性分化に必要であることが示唆される．

b．アンドロゲン合成・作用の異常

アンドロゲン合成や作用にかかわる酵素，受容体の異常が複数報告されている（表2）[1,2]．胎児精巣までの分化過程は正常であるため精巣は存在し，AMH は正常に分泌されるため Müller 管構造は認められない．アンドロゲン不応症（androgen insensitivity syndrome：AIS，X 染色体潜性遺伝）以外は，常染色体潜性遺伝形式をとる．アンドロゲン合成にかかわる酵素の多くは副腎でのステロイド産生にも関与しており，これら酵素の異常では生後早期より副腎不全をきたすことがあるため注意が必要である．以下に代表的疾患である 5α 還元酵素欠損症と AIS について言及する．

① 5α 還元酵素欠損症

5α 還元酵素 type 2 の異常により，T がより活性の強いジヒドロテストステロン（dihydrotestosterone：DHT）に変換されないことに起因する疾患である．T は内性器の分化に，DHT は外性器の分化に関与するため，Wolff 管由来の精巣上体，精管，精囊は正常に分化しているが，外性器の男性化は不十分であり，二分陰囊，尿道下裂および／あるいは小陰茎，尿生殖洞など曖昧な外性器を呈することが多い．精巣の分化は正常であ

るが，鼠径管や陰唇陰囊隆起部に存在することが多い．Müller 管構造は存在しない．本疾患では思春期に男性化徴候が進行することが知られており，増加した T や 5α 還元酵素 type 1 の作用が想定されている．また，女性として養育された場合には，12 歳以上で 6 割程度の症例が性別違和を感じると報告されており[13]，性別決定の際には考慮すべき事項と考える．

②アンドロゲン不応症(AIS)

アンドロゲン受容体遺伝子(androgen receptor：AR/NR3C4)異常に起因し，AR 機能低下の程度により完全型(complete AIS：CAIS)～部分型(partial AIS：PAIS)～軽症型(mild AIS：MAIS)まで様々な表現型を示す．

CAIS では，外性器は完全女性型，子宮は存在せず，陰毛や腋毛は欠如するかわずかに認める程度である．乳児期～小児期には両側鼠径ヘルニア，思春期には無月経を契機に診断されることが多い．性腺(精巣)を温存した場合，思春期には女性として矛盾しない大きさの乳房発育を認めるが，乳頭部の発育や色素沈着は未熟である．性同一性障害は認められない．

PAIS の表現型は幅広く，典型的には近位型尿道下裂，二分陰囊，小陰茎などを認めるが，より CAIS に近いものでは陰核肥大のみを認め，より軽症例では尿道下裂のみの症例も存在する．

MAIS では，通常，男性への性分化は正常であるが，思春期に女性化乳房，成人期に不妊を認める．また，MAIS は AR の CAG リピート伸長に起因する Kennedy 病〔球脊髄性筋萎縮症(spinal and bulbar muscular atrophy)〕においても認められる[14]．

AIS の遺伝子変異は，これまでに 500 以上報告されている．変異は遺伝子全長に及び hot spot は存在しないが，ligand binding domain の変異が最も頻度が高い．約 30％ の変異が de novo である．同一家系内で同一変異をもつ患者間でも異なる表現型を示すことがあり，遺伝子変異と表現型は必ずしも一致しない．CAIS では臨床的に診断された症例の 90〜95％ 程度で変異が同定されるが，PAIS では 1/3 未満である[15]．また，AR には 200 以上の coregulator 蛋白が存在するが，これまでに AIS で coregulator に変異を有する症例は同定されていない．

c．その他

外性器異常を伴う症候群や Müller 管遺残などが含まれる．Müller 管遺残は，両側または片側停留精巣の手術時に子宮や卵管の存在が確認され診断されることが多く，片側停留精巣の対側に鼠径ヘルニアを認めヘルニア囊内に子宮や卵管などを認める例が多い(80％)[16]．

3) 臨床症候

外性器異常が最も特徴的な症候である．外性器形成障害を評価する分類(**総論第 2 章 B** 参照)を利用し，外性器所見を正確かつ客観的に評価することが重要である．陰茎長(陰核幅)，尿道口の位置，陰囊(陰唇)の形態，尿道下裂や尿生殖洞の有無，性腺触知の有無や触診感，性腺の位置，左右差などを評価する．小陰茎の診断基準(−2.5 SD 未満)は，日本人では伸展陰茎長が新生児で 2.4 cm，3〜7 歳で 3.0 cm 未満と報告されている[17]．出生直後には浮腫が存在し，数日後には異なった外観を示す場合があるため注意が必要である．色素沈着は副腎疾患を疑う所見であり，副腎不全の可能性を念頭におく．外性器が完全女性型の社会的女性例では，思春期年齢に二次性徴を認めない(CGD)，無月経(AIS など)を契機に診断に至ることがある．5α 還元酵素欠損症，17β 水酸化ステロイド脱水素酵素欠損症，PAIS では，通常，思春期に男性化徴候を生じる．PAIS(社会的男性)では，思春期年齢で女性化乳房を生じることが多い．また，外性器以外の症候(表 2)[1,2]が診断の一助になることもあるため，全身をくまなく評価することも重要である．

4) 診断と検査法

上述の臨床症候を正確に評価したうえで適切な検査法を選択する．家族歴，既往歴(周産期を含む)もできる限り詳細に聴取する．

a．血液・尿検査

染色体検査(G 分染法，SRY の FISH 解析)，LH，FSH，T，副腎系検査(ACTH，17OHP，コルチゾール，PRA，アルドステロン，DHEA-S など)，電解質，血糖，血液ガス，コレステロール(Smith-Lemli-Opitz 症候群)，一般検尿(WT1 異常症)などは必須の検査である．生後間もない時期のゴナドトロピン，性腺系ホルモンは，母体エストロゲンの影響を受けるため，日齢 7 以降頃に再評価することが望ましい．AMH(未保険収載)は，思春期前の Sertoli 細胞機能の指標となり，低値は精巣分化の異常を示唆する．尿ステロイドプロフィールは，副腎と性腺のステロイド代謝産物を網羅的に評価できるたいへん有用な検査である．46,XY DSD の診断，鑑別では，P450 酸化還元酵素欠損症を含む副腎ステロイド合成酵素異常や 5α 還元酵素欠損症などでの有用性が報告されている．

b．画像検査

超音波，MRI などで性腺，内性器の評価を行う．Müller 管構造の存在は，AMH の作用が不十分であることを反映しており，性腺(精巣)形成段階での障害が示唆されるため(表 2)[1,2]，46,XY DSD の病因を考えるうえで重要な所見である．

c．内分泌負荷試験

hCG 負荷試験で精巣成分の有無(正確には Leydig 細

胞のアンドロゲン産生能評価)を確認する．mini-puberty の時期(生後 2～6 か月)には，自然に思春期同等レベルまで T 分泌が増加するので負荷試験が不要な場合もある．5α 還元酵素欠損症，17β 水酸化ステロイド脱水素酵素欠損症の診断に hCG 負荷後の T/DHT(10 以上)，T/アンドロステンジオン(0.8 未満)などが用いられるが，感度，特異度が 100％ではないため[18]，確定診断には遺伝子検査を行うことが望ましい(現在，DHT，アンドロステンジオンは受託中止項目となっている)．

d．遺伝学的検査

アレイ comparative genomic hybridization(CGH)や次世代シークエンサーの普及により網羅的解析が可能となり，疾患に関与すると考えられる複数の copy number variation(CNV)や新規遺伝子異常が同定されてきている．症状や生化学的検査データからの確定診断が困難な症例では，遺伝子検査で確定診断を得ることで，将来的な性腺腫瘍や性別違和を生じる可能性を予測できる利点がある．ただし，前述したように 46,XY DSD で既知の遺伝子変異が同定されるのは 30～40％程度である．

e．外科的検査

最終的な診断，病態把握のため，全身麻酔下で腹腔鏡，膀胱鏡，性腺(精巣)生検が必要なことがある．

5) 治療法

a．内科的治療

①小陰茎に対する T 治療

T 治療により陰茎長(幅)を増大させる目的は，ⅰ)立位排尿を可能にすること，ⅱ)男性としての性自認を揺らがせないこと，ⅲ)尿道下裂修復術に必要な陰茎増大を目指すこと，などがある．具体的方法としては，テストステロンエナント酸エステル(エナルモンデポー®)25 mg/回，筋注を 1 か月ごとに 3 回まで投与する．通常は 1 回の注射当たり＋0.5 cm ほどの伸びが得られる．伸びが不十分の場合は，AIS や 5α 還元酵素欠損症などのアンドロゲン作用不全や外性器原基の異常が疑われる．5α 還元酵素欠損症に対しては DHT 外用薬(日本未発売)が有効である．

②性腺機能低下に対する性ホルモン補充療法

性腺機能低下例では，通常，社会的性に見合った性ホルモン補充を適切な時期より開始する．補充は少量より開始し，半年ごと程度に徐々に増量して 2～3 年で成人量に到達できるようにするが，開始時の投与量，増量時期，成人量までの期間は症例ごとに検討し調整されるべきである．また，性同一性の揺らぎが高頻度で認められるような病態では，治療前に患者が性別違和を感じていないか確認したうえで適切な補充療法を行うべきである．

b．外科的治療(外陰形成術や性腺摘出術など)

選択した社会的性別に見合った形成手術を行う．性腺摘出は，性腺機能や悪性化リスクなどを考慮したうえで実施される．近年，欧米を中心に外陰形成や性腺摘出は患者本人の意思決定ができる年齢まで待つべきとの考え方も出てきている．

6) 管理と予後

日本小児内分泌学会性分化副腎疾患委員会作成の性分化疾患対応の手引きには，「性分化疾患は，その取り扱いについて経験の豊富な施設で扱うべき疾患である」と明記されており，多職種による DSD 診療チームのある施設でフォローされることが望ましい．また，今後は患者団体などのピアサポートとの連携もより重要になってくると考える．

a．生命予後と生活の質(quality of life：QOL)

一般的に DSD 自体の生命予後は良好であり，副腎疾患や症候群など他の症候を合併する場合は，その疾患の重症度や管理が生命予後に関連する．

46,XY DSD 患者の QOL に関しては，近年，ヨーロッパ 6 か国での共同研究の成果が報告された[19]．46,XY

表3 性別違和の頻度(12 歳以上，46,XY)

疾患	養育上の性	総患者数	性別違和の患者数	頻度
部分型アンドロゲン不応症	女性	46	5	10.9％
	男性	35	5	14.3％
完全型アンドロゲン不応症	女性	98	0	0％
	男性	0	—	—
5α 還元酵素欠損症	女性	117	69	59.0％
	男性	26	0	0％
17β 水酸化ステロイド脱水素酵素欠損症	女性	51	20	39.2％
	男性	2	0	0％
小陰茎	女性	8	0	0％
	男性	64	2	3.1％
陰茎切断	女性	6	3	50％
	男性	0	—	—
無陰茎	女性	11	6	54.5％
	男性	10	0	0％
総排泄腔外反症	女性	21	6	28.6％
	男性	5	0	0％
膀胱外反症	女性	3	2	66.7％
	男性	161	2	1.2％

〔de Vries ALC, et al.：Disorders of sex development and gender identity outcome in adolescence and adulthood：understanding gender identity development and its clinical implications. Pediatr Endocrinol Rev 4：343-351, 2007 より改変〕

表4 胚細胞腫瘍の発症リスク

リスク	疾患	悪性化リスク(%)	推奨される治療	研究数	患者数
高リスク群	性腺異形成(+Y)，腹腔内	15〜35	性腺摘出	12	>350
	PAIS，陰嚢外	50	性腺摘出	2	24
	Fraiser症候群	60	性腺摘出	1	15
	Denys-Drash症候群(+Y)	40	性腺摘出	1	5
中間リスク群	Turner症候群(+Y)	12	性腺摘出	11	43
	17βHSD3D	28	モニター	2	7
	性腺異形成(+Y)，陰嚢内	不明	生検と放射線？	0	0
	PAIS，陰嚢内	不明	生検と放射線？	0	0
低リスク群	CAIS	2	生検と？	2	55
	卵精巣性DSD	3	精巣成分除去？	3	426
	Turner症候群(−Y)	1	なし	11	557
無リスク群？	5αRD	0	未解明	1	3
	Leydig細胞低形成	0	未解明	2	？

PAIS：部分型アンドロゲン不応症，17βHSD3D：17β水酸化ステロイド脱水素酵素欠損症，CAIS：完全型アンドロゲン不応症，5αRD：5α還元酵素欠損症

[Hughes IA, et al.：Consensus statement on management of intersex disorders. Arch Dis Child 91：554-563, 2006]

DSD(社会的男性87例，男性化を伴う社会的女性60例，男性化を伴わない社会的女性110例)において，身体的疾患を有する患者の精神症状(抑うつと不安)の指標であるhospital anxiety and depression scale (HADS)を健常人と比較すると，社会的男性で抑うつと不安が，男性化を伴う社会的女性で不安が，健常人と比して有意に高いという結果であった．

b．性別違和

性別違和に関しては，女性として性決定された場合に性別違和をきたしやすい病態が複数報告されており(表3)[13]，性別決定の際には考慮されるべき事項の一つと考える．胎生期のアンドロゲン曝露が影響するという報告があるが，生後の性同一性を正確に予測することは現状では困難である．

c．性腺腫瘍

DSDでは，病態により高頻度でgonadoblastomaなどの性腺腫瘍を合併することが知られているため，腫瘍発生のリスクや性腺機能などをふまえ，性腺摘出術が考慮される．Y染色体を有すること(Y染色体上のTSPY)，性腺異形成，腹腔内性腺などが腫瘍発生のハイリスク因子である．表4[8]に疾患ごとの腫瘍発生リスクを示す．

7) 最新知見

様々な遺伝学的検査手法が普及してきた現在においても，46,XY DSDの半数以上は原因が不明であり[3]，今後の解明が待たれる．また，QOLを含めた成人期以降の長期予後に関しては不明な点が多く，長期間の症例を集積した研究が必要と考える．

❖ **文献**

1) Chan YM, et al.：Disorders of sex development. In：Melmed S, et al. (eds), Williams Textbook of Endocrinology. 14th ed., Elsevier, Philadelphia, 867-936, 2019
2) 石井智弘：性分化疾患．「小児内科」「小児外科」編集委員会(編)，小児疾患診療のための病態生理2. 改訂5版，東京医学社，447-456，2015
3) Eggers S, et al.：Disorders of sex development：insights from targeted gene sequencing of a large international patient cohort. Genome Biol 17：243, 2016
4) Ferraz-de-Souza B, et al.：Steroidgenic factor-1 (SF-1, NR5A1) and human disease. Mol Cell Endocrinol 336：198-205, 2011
5) Baba T, et al.：Glycolytic genes are targets of the nuclear receptor Ad4BP/SF-1. Nat Commun 5：3634, 2014
6) Hammes A, et al.：Two splice variants of the Wilms' tumor 1 gene have distinct functions during sex determination and nephron formation. Cell 106：319-329, 2001
7) 池田昌弘：Drash症候群(WT1遺伝子異常症)．腎と透析 54：487-492，2003
8) Hughes IA, et al.：Consensus statement on management of intersex disorders. Arch Dis Child 91：554-563, 2006
9) Hanley NA, et al.：SRY, SOX9, and DAX1 expression patterns during human sex determination and gonadal development. Mech Dev 91：403-407, 2000
10) Harley VR, et al.：The molecular action and regulation of the testis-determining factors, SRY (sex-determining region on the Y chromosome) and SOX9 [SRY-related high-mobility group (HMG) box 9]. Endocr Rev 24：466-487, 2003
11) Kon M, et al.：Submicroscopic copy-number variations associated with 46,XY disorders of sex development. Mol Cell Pediatr 2：7, 2015
12) Ledig S, et al.：Partial deletion of DMRT1 causes 46,XY ovotesticular disorder of sex development. Eur J Endocrinol 167：119-124, 2012
13) de Vries ALC, et al.：Disorders of sex development and gender

identity outcome in adolescence and adulthood: understanding gender identity development and its clinical implications. *Pediatr Endocrinol Rev* 4:343-351, 2007
14) Grunseich C, et al.: Spinal and bulbar muscular atrophy: pathogenesis and clinical management. *Oral Dis* 20:6-9, 2014
15) Mongan NP, et al.: Androgen insensitivity syndrome. *Best Pract Res Clin Endocrinol Metab* 29:569-580, 2015
16) Josso N, et al.: Clinical aspects and molecular genetics of the persistent Müllerian duct syndrome. *Clin Endocrinol*(*Oxf*) 47:137-144, 1997
17) Ishii T, et al.: A cross-sectional growth reference and chart of streched penile length for Japanese boys aged 0-7 years. *Horm Res Pediatr* 82:388-393, 2014
18) Maimoun L, et al.: Phenotypical, biologica, and molecular heterogeneity of 5α-reductase deficiency: an extensive international experience of 55 patients. *J Clin Endocrinol Metab* 96:296-307, 2011
19) de Vries ALC, et al.: Mental health of a large group of adults with disorders of sex development in six European countries. *Psychosom Med* 81:629-640, 2019

（濱島　崇）

C　46,XX DSD

1）定義・概念

核型は46,XXをもち，その後の性腺および内外性器の分化形成が非典型的な性分化疾患（disorders of sex development：DSD）をいう．通常，46,XXであれば，性腺は卵巣に分化し，性器はMüller管由来の子宮などから構成される内性器，陰唇，腟などから構成される外性器に分化し，表現型は女性となる．46,XX DSDは，これらのプロセスのいずれかが正常に進まないために生じる．シカゴコンセンサス・ステートメント[1]が出される以前の呼称では，女性仮性半陰陽や男性化XX女性とよばれていたものがこの分類に入る．46,XX DSDの原因で最も多いのは21水酸化酵素欠損症（21-hydroxylase deficiency：21OHD）であるが，新生児マススクリーニング対象疾患でもあり，現在の日本で診断することは比較的容易である．逆に21OHDを除くと，非典型的外性器を伴う46,XX DSDは希少である．

2）病因・病態

46,XX DSDをきたすおもな病態としては三つに分類できる（表5）[1,2]．すなわち，①性腺の分化形成異常によるもの，②性腺は正常卵巣に分化するものの，その後何らかの原因でアンドロゲンが過剰になるもの，③その他，である．以下，この三つの病態についてそれぞれ述べる．一般の臨床においては，上記三つのどれに該当するかという点の鑑別が優先される．さらに②の場合にはどういった内分泌学的異常が基盤にあるか明確に診断する．それぞれの病態によって治療法が異なるからである．

a. 性腺の発生異常による46,XX DSD

性腺の発生異常の結果として卵精巣，精巣，性腺異形成などが生じた場合が該当する．精巣成分（Sertoli細胞およびLeydig細胞）が性腺にあれば，抗Müller管ホルモン，アンドロゲンが産生され，内外性器分化の男性化をきたす．こうした異常の多くは性腺分化に関与する遺伝子の病的バリアントの関与が疑われるが，SRYの転座を除き，実際に遺伝学的異常がみつかるケースは少数である．今までに判明している原因遺伝子については後述する．

b. アンドロゲン過剰による46,XX DSD

おもにステロイド産生酵素異常によるもので，先天性副腎過形成（congenital adrenal hyperplasia：CAH）やアロマターゼ欠損症が含まれる．そのほかに母体要因や環境要因によるアンドロゲン過剰なども含まれる．このうち，CAH，特に21OHDはDSDの原因として最多である．詳細はCAHの別項（**各論第7章C-****-2.**）を参照されたい．アロマターゼ欠損症については後述する．環境因子としては，母体へのアンドロゲン作用のある薬剤の投与や母体のアンドロゲン産生腫瘍の罹患などがある．

表5　46,XX DSDの病因分類

a	性腺（卵巣）発生異常	1. 卵精巣性 2. 精巣性 3. 性腺異形成	SRY転座，SOX9重複など
b	アンドロゲン過剰	1. 胎児性 2. 胎児性および胎盤性 3. 母体性	21OHD，11OHD，3βHSDD アロマターゼ欠損症，P450酸化還元酵素欠損症 アンドロゲン産生腫瘍，アンドロゲンへの曝露など
c	その他		総排泄腔外反症，腟閉鎖症，その他の形態異常症候群など

［Hughes IA, et al.: Consensus statement on management of intersex disorders. *Arch Dis Child* 91:554-563, 2006 より改変］

c. その他

「その他」に分類される病態として原因となるものの多くは内外性器の発生異常に伴うものである．その他の形態異常や症候を伴うことも多く，全身の診察を入念に行う．

以上のうち，特に 46,XX DSD に特異的疾患であり，かつ重要な疾患概念として，アロマターゼ欠損症と Rokitansky 症候群について以下に記す．

①アロマターゼ欠損症（CYP19A1 異常症）

まれな疾患である．アロマターゼは CYP19A1 遺伝子にコードされ，アンドロゲン（C19 ステロイド）をエストロゲン（C18 ステロイド）に変換する酵素である．卵巣ではエストロゲンの産生を担うが，欠損するとその前駆物質であるアンドロゲンが過剰になり，胎児においては様々な程度の外性器の男性化を生じさせる．性腺は卵巣に分化しているため，内性器は正常女性型である．外性器以外には，46,XX の場合，二次性徴の欠落，乳房発育不良，原発性無月経，高身長に加え，アンドロゲン過剰の状態でありながら，骨年齢が遅延するなどの臨床的特徴をもつ．検査所見では高アンドロゲン血症，高ゴナドトロピン血症，LHRH 負荷試験での過剰反応を認める．なお 46,XY 症例では，高身長を認めるものの，二次性徴は正常であり，骨年齢は 46,XX 症例同様に遅延する．このことは男性においても骨成熟はおもにエストロゲンが担っているという知見に合致する[3]．

胎盤で発現するアロマターゼは胎児由来のアンドロゲンが母体に流入することを防ぐため，アロマターゼ欠損症の児を妊娠した母体は，妊娠期間中，多毛などの男性化徴候をきたし，出産とともに軽快することが知られている．

原因は CYP19A1 遺伝子の機能喪失バリアントによるもので，常染色体潜性遺伝形式をとる．内分泌学的検査で疑い，遺伝学的検査によって診断を確定する．社会的性は通常女性を選択する[4]．

なお CAH の一型である P450 酸化還元酵素欠損症もアロマターゼ活性が阻害されるため，母体は妊娠中に男性化徴候を示すとされる．

②Rokitansky 症候群

Rokitansky が 1838 年にはじめて報告した疾患で，Mayer-Rokitansky-Küster-Hauser（MRKH）症候群ともよばれる．46,XX 個体において正常女性型の外陰部，正常な卵管卵巣をもちながら，Müller 管由来構造物の無形成（aplasia）により子宮および腟が欠損する（多くは上部 1/3 だが全体に及ぶものもある）．二次性徴では乳房腫大，恥毛発育などは正常に発来するものの，性器出血がなく，ほとんどの例は原発性無月経を契機に診断される．本疾患は症候群であり，腎の形成異常（無形成，馬蹄腎など），骨格形成異常（椎骨，肋骨，四肢，口蓋など），心形成異常，難聴などを伴うことがある．そのうち Müller 管構造物の欠損のみの典型的なものが全体の 64% を占めるとされ，一方，骨格形成異常，腎形成異常，心形成異常を伴う Müllerian duct aplasia-renal agenesis-cervicothoracic somite dysplasia（MURCS）は 12% 程度とされる．頻度は女性出生の 1/4,000〜1/5,000 と推測される．孤発例が大半で，原因としては遺伝子異常のほか，環境因子などが想定されている．そのなかで WNT4 のハプロ不全が唯一遺伝学的な原因として同定されているものであるが，本症候群全体に占める割合は少ない．WNT4 異常では軽度のアンドロゲン高値を認めるものの，外性器は正常女性型，卵巣機能も正常〔LH，FSH，エストラジオール（E_2）は正常値〕であり，常染色体顕性遺伝形式をもつ．

3）臨床症候

46,XX DSD の多くは新生児期の非典型的な外性器で発見される．46,XX DSD は成人期以降も二次性徴の欠如や無月経などを契機に発見されることがあるが，その時期は各疾患の病態や重症度によって異なる．

おもな 46,XX DSD 疾患で，非典型的内外性器以外の臨床症候としては以下のものがあげられる．

①CAH（21OHD，11β 水酸化酵素欠損症（11OHD），3β 水酸化ステロイド脱水素酵素欠損症（3βHSDD）：皮膚色素沈着，体重増加不良，活気不良．

②P450 酸化還元酵素欠損症（Antley-Bixler 症候群）：骨格の異常．

③アロマターゼ欠損症，P450 酸化還元酵素欠損症：妊娠中の母体の男性化徴候．

4）診断と検査法

新生児期に非典型的外性器をもつ患者の診断では，医学的，社会的緊急事態として，まずは社会的性の決定を迅速に行えるように留意しながら診断を進める．他の DSD と同様，医学的に正確な診断（遺伝学的診断を含む）と社会的性の決定に必要な情報とは必ずしも一致しない．また同じ疾患単位であっても，重症度により社会的性が異なる場合がある．まず DSD の診断と検査は，①核型（Y 染色体もしくは SRY の有無），②性腺の表現型（卵巣，精巣，卵精巣，異形成など），③外性器内性器の表現型，④合併症の有無，の四つの事項を速やかに確認することを目的とする．特に 46,XX DSD で最も頻度の高い 21OHD ではしばしば副腎不全を起こすことがあり，全身状態には常に留意する．

II 各　論

表6　正常女児の陰核サイズ

在胎週数/日齢・月齢		陰核幅 (平均±SD mm)	陰核長 (平均±SD mm)
preterm	25〜32週	5.6±0.8	6.5±1.3
	33〜36週	5.1±0.9	5.1±1.2
term	3〜6日	4.4±1.2	4.3±1.1
	21〜26日	4.5±1.3	4.2±1.2
	1か月	4.6±1.3	4.8±1.1
	2か月	4.3±1.1	5.0±1.3
	3か月	4.0±1.0	4.4±0.9
	4〜6か月	4.1±1.1	4.9±1.1
	7〜12か月	4.1±1.1	4.7±1.1
	3歳	4.3±1.1	5.3±1.2

[横谷　進, 他:未熟児・新生児・乳児・幼児における陰茎および陰核の大きさの計測―先天性内分泌疾患の早期発見にそなえて―. ホルモンと臨床 31:1215-1220, 1983 より改変]

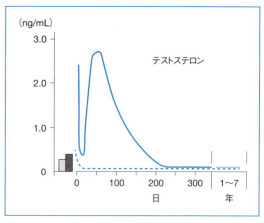

図2　生後の血清テストステロンの変動値
―――:男児, ----:女児. 棒グラフは臍帯血中のテストステロン濃度(■:男児, □:女児)

[Nakamoto JM, et al.: Puberty. In: Kappy MS, et al.(eds), Pediatric Practice Endocrinology. 1st ed., McGraw-Hill Professional, 258, 2010]

a. 身体所見

上記のうち, 外性器の表現型と性腺の触知の有無, および一部の合併症については身体所見から判別可能である.

外性器の所見は, 陰核肥大の程度, 尿道口と腟口の開口部と肛門からの距離, 陰唇癒合の程度などを確認する. 46,XX DSD の内外性器の男性化の評価法としては, 21OHD の外性器異常をもとに考案された Prader 分類が用いられる(総論第2章B参照). 陰核の大きさは陰核包皮までを含めて外側から定規をあてて測定する(表6)[5].

性腺の触知の有無は, 触診で可能なことも多いが, 超音波を併用することで, より確実に診断ができる. 一般に鼠径部を越えて下降した性腺は相応のテストステロン産生能をもち, 精巣成分をもつと考えられる. またその場合同側の Müller 管由来の構造物は退縮していると考えてよい. 一般に精巣は表面が滑らかで弾力を有するのに対し, 卵巣は固く触れ, 表面も滑らかでない.

副腎不全の徴候である活気不良, 哺乳不良の有無, あるいは皮膚色素沈着の有無は, CAH の鑑別として重要である. 皮膚色素沈着は, 副腎不全による ACTH 過剰分泌によって生じ, 外陰部, 乳輪, 手掌線, 指の爪の周囲, 口唇, 歯肉などで認める. その他の外表の形態異常の有無, 骨格変形の有無など全身を注意深く観察することも重要である.

b. 一般検査

副腎不全の結果としてみられる低ナトリウム血症や高カリウム血症, 低血糖などは, 21OHD などの CAH に合併する可能性がある. ただしこれらの異常は, 特に新生児期早期には必ずしも明らかでないことが多く, 注意する.

c. 内分泌学的検査

おもに性腺と副腎の検査を行う.

副腎は, 21OHD, 11OHD をはじめとする 46,XX DSD をきたす CAH の有無とその鑑別が重要である. それぞれ疾患特異的であるとされる 17OHP やデオキシコルチコステロン(deoxycorticosterone:DOC)は, いずれも 100% の特異度, 感度をもつものではなく, 総合的に評価することが望ましい. ガスクロマトグラフ質量分析計(GS/MS)を用いた尿中ステロイドプロフィールは, 児に負担をかけずに多くの情報を得ることができ, 有用な検査である[6]. また ACTH 負荷試験は診断の精度を上げるため, 副腎疾患が疑われる場合には積極的に考慮する.

性腺の評価は, 機能的には精巣成分の有無をみることが目的となる. 卵巣, 特にエストロゲン産生を担う顆粒膜細胞は, 出生直後にはまだ十分に分化していないと考えられ, その機能の有無を新生児期に内分泌学的に評価することは現実的に困難であると考えられる. 一般的には, 基礎値で LH/FSH, テストステロン, エストラジールの血中濃度を測定する. 精巣機能確認のために一般的には hCG 負荷試験が行われる一方で, 生後早期から乳児期早期までに生理的 LH 高値の時期(mini-puberty)があるため, hCG 負荷試験は乳児期早期には不要という考えもある. ただし新生児期から乳児期早期のテストステロン基礎値については, その正常値が著明に変動すること(図2[7], 表7[8]), また正常女児でも, 胎児副腎由来とされるステロイドの上昇に

表7 新生児期から乳児期早期男児のテストステロン正常値

出生時	1.15～4.0
生後1週	0.10～0.35
生後15～60日	1.15～2.3
以降前思春期	<0.10
成人男性	2.3～8.65

単位：ng/mL

〔Brook CGD, et al.（eds）：Brook's Clinical Pediatric Endocrinology. 5th ed., Wiley-Blackwell, Hoboken, 559, 2005 より引用改変〕

表8 新生児期から乳児期のAMH正常値

	女児	男児
臍帯血	<0.4	7.4～610.7
日齢1～30	<0.4	23.8～124.0
日齢31～120	0.8	46.8～173.0
月齢4～12	1	67.4～197.0

値は5～95パーセンタイル
単位：ng/mL

〔Guibourdenche J, et al.：Anti-Müllerian hormone levels in serum from human foetuses and children：pattern and clinical interest. Mol Cell Endocrinol 211：55-63, 2003 より引用改変〕

表9 LH/FSH比

	女児	男児
月齢2～5か月	<0.32	≧0.32

〔Johannsen TH, et al.：Sex Differences in Reproductive Hormones During Mini-Puberty in Infants With Normal and Disordered Sex Development. J Clin Endocrinol Metab 103：3028-3037, 2018〕

伴う交差反応により，測定できる程度にまで血中テストステロン上昇を認めることがあるとされる[9]ことなどを留意する．

AMHは新生児期では精巣でのみ産生されること，Sertoli細胞から分泌されmini-pubertyの影響を受けないことから，精巣分化の有無を知るよい指標になると考えられる（表8[10]，9[11]）．

以上をふまえると，精巣成分の有無を評価するうえでは，内分泌学的な評価だけではなく，性腺の下降の有無やMüller管構造物（子宮）の有無など，他の状態と併せて総合的に判断することが求められる．卵巣形成の有無についてはおもに画像的検索に負うため，正確な判断はむずかしく，最終的には腹腔鏡などによる確認を要することが多い．

d．画像検査

画像検査のおもな目的は，性腺，内性器，泌尿生殖洞の状態の確認である．

性腺の位置（腹腔内，鼠径管内，陰嚢内など），および形状は，精巣成分の有無を知るうえで非常に有用である．内性器は，Müller管由来である子宮の有無を確認することが重要である．子宮が確認できず，外性器の男性化が明らかである場合，両側の性腺が精巣に分化している可能性が高い．

画像検査の方法としては超音波検査，MRIがある．超音波検査は迅速かつ非侵襲的にできる検査であり，鼠径部など下降した性腺や，子宮の有無などを知るうえで有用である．ただ腹腔内性腺の詳細な情報を得るにはむずかしいことが多い．一方MRIは性腺を含め詳細な解剖学的情報を得ることができる．特にMRIのdiffusion画像では精巣は高信号を示し，精巣成分の判別に有用とされる．現実的には，超音波検査とMRIを組み合わせて性腺，内性器を評価する．CTは解剖学的に得られる情報が多くない一方，被ばくの問題もあり，特殊な事情がない限り積極的に選択はされない．

泌尿生殖洞がある場合，外性器形成術に必要な情報を得る目的などで，尿道腟造影や膀胱尿道鏡によって，尿道，腟の状態などを確認する．

e．腹腔鏡および性腺生検

腹腔鏡検査は内科的検査に比べれば比較的侵襲が大きいものの，性腺の様子およびその組織を直接確認できるため，意義の大きい検査である．画像上詳細不明な腹腔内性腺が疑われる際には積極的に考慮される．社会的性の決定に必要と判断されれば，早期に行う．適応については泌尿器科医とよく検討する．

f．SRY・染色体検査

染色体検査はDSDであれば，全例が対象となる．検査の目的は性染色体の核型を知ることであるが，最も重要なのはSRYの有無である．一般的な方法としてG分染法（保険収載），fluorescence in situ hybridization（FISH）法によるSRYの検出（保険収載），PCR法によるSRYの検出などがある．検査の手法に応じて得られる情報の性質や，かかる時間などを考慮のうえ，選択する．

G分染法は古典的な方法であり，X，Y染色体のほか，常染色体の情報が構造異常（Y染色体の部分転座など）も含めて得られる利点がある．ただし，30個という比較的少数のリンパ球に基づく検査で低頻度モザイクを見逃す可能性がある，結果判明まで通常2～3週を要する，といった問題がある．特に検査にかかる時間は社会的性決定という迅速性を考慮すると，別の方法との併用を検討する．

FISH法によるSRYの検出は，多数のリンパ球（100～200個）を用いるため，低頻度モザイクの検出が

表10 46,XX DSD の原因となる代表的な遺伝子

		遺伝子	蛋白の種類	OMIM	遺伝子座	遺伝形式	性腺	Müller管構造物	外陰部	その他の特徴
性腺の分化異常	常染色体への転座	SRY	転写因子	480000	Yp11.3		精巣もしくは卵精巣	−	M/A	
	重複や周辺領域のCNV	SOX9		608160	17q24.3	AD?	ND	−	M/A	
		SOX3		313430	Xq27.1	AD?	精巣	ND	M/A	
	4番目ZFドメインのミスセンス病的多型	WT1		607102	11p3	AD?	精巣，卵精巣		M/A	
	R92W	NR5A1 (SF1, AD4BP)		184757	9q33.3	AD?	卵巣〜卵精巣〜精巣	−〜+	F〜A〜M	R92W多型のみ46,XX DSD を認める．社会的性は男性から女性まで幅広い
	機能喪失変異欠失	WNT4	シグナル分子	603490	1p36.12	AD	卵巣	−	F	Rokitansky症候群（ヘテロ変異）
				611812		AR	卵精巣		A	SERKAL症候群（胎生致死）（ホモ変異）
		RSPO1		609595	1p34.3	AR	精巣もしくは卵精巣		M/A	手掌角化症合併
アンドロゲン過剰（性腺は卵巣）		HSD3B2*	酵素	201810	1p12	AR	卵巣	+	A	
		CYP21A2		201910	6p21.23	AR		+	A	先天性副腎過形成（CAH）
		CYP11B		202010	8q21.23	AR		+	A	
		POR	補酵素	124015	7q11.23	AR		+	A	Antley-Bixler症候群
		CYP19A1	酵素	107910	15q21.2	AR		+	A	妊娠中の母体男性化徴候

ND：not determined, A：atypical genitalia not appear to be clearly either male or female, F：female like genitalia, M：male like genitalia
*：外性器の男性化はないか，あっても軽度であり，性別判定に困難をきたすことは通常ないとされる
[Ono M, et al.：Disorders of sex development：new genes, new concepts. Nat Rev Endocrinol 9：79-91, 2013 より改変]

可能である．結果判明までの日数も1週間程度と，G分染法に比べ迅速である．ただし得られる情報はSRY遺伝子のコピー数とその位置のみである．社会的性決定という迅速性が求められるなかで1週間程度の検査期間が十分といえるかどうかは評価が分かれる．

PCR法によるSRYの検出は，PCR法にて患者DNAを増幅，SRY遺伝子の有無を検出するもので，血液を含めた組織検体がごく少量あれば可能な検査である．通常半日〜1日で結果が判明し，感度の高い検査法である．迅速性という観点からいえば最も望ましい検査法でもある．しかし商業ベースでは行われておらず，研究室レベルでの検査となる．またSRYの有無を確認する検査で，Y染色体の構造やモザイクの有無が不明であるといった限界もある．G分染法など他の検査法との併用を前提に，あくまで迅速検査の一つとして捉える．

g．分子遺伝学的検査（表10）[12]

分子遺伝学的検査は，おもに二つに分けられる．すなわち，①性腺の発生分化に必要な遺伝子異常の検索，②性ステロイド産生や外性器形成にかかわる遺伝子異常の有無の検索である．46,XX DSDでは，①，②いずれの場合も，社会的性決定が分子遺伝学的検査に依存するケースは想定しにくい．したがって社会的性決定に当たっては，まずは染色体，核型に加え，詳細な内分泌学的検査，画像検査を優先する．ただし遺伝学的検査は合併症の有無や長期予後，治療法の選択を考えるうえで重要であり，その観点で積極的に考慮する．副腎不全を起こす可能性がある21OHDは新生児マススクリーニングも含め早期に内分泌学的に診断が可能である．46,XX DSDでは，特に①の場合，80%はSRYの転座によるもので，SRY陰性のものでは遺伝子検査をしても原因が明らかでないケースが多い[13]．表10に46,XX DSDの原因となる代表的な遺伝子を示す[12,14]．

h．社会的性の選択

すでに述べたように，新生児期に非典型的外性器をもち，男女の性別判定が困難な場合は，社会医学的緊急事態であり，検査，診断もまずは社会的性の決定を速やかに行うことを目的とする．

46,XX DSDの場合，原因として最も多くを占める

CAH〔21OHD，11OHD，3βHSDD，P450酸化還元酵素欠損症（PORD）〕は，外性器の男性化が顕著であっても，XX であれば，原則女性を選択することでコンセンサスが得られている[4]．逆に，表現型が男性でCAH が疑われた症例では，必ず性腺の位置を確認し，46,XX の可能性を確認する．CAH 以外の場合には，外性器の男性化の程度や内分泌学的な検査結果などをふまえ，社会的性を慎重に検討，決定をすることになる．

社会的性決定で大切なことは，①出生届は生後14日までであるが，正当な理由があれば届け出を遅らせることができる，②チーム医療が必要となり，小児泌尿器科医，小児内分泌科医，看護師，臨床心理士などの参加が求められる，③医学的情報は遅滞なく医療スタッフの間で共有し，医療スタッフ側からの説明に齟齬のないように配慮する，④医学的情報は両親とも遅滞なく共有する，⑤最終的な判断は両親が参加した形での話し合いのなかで行う，などである．医療スタッフは両親の児への気持ち（愛情）を尊重し，寄り添うための配慮が求められる．もし性腺〜内外性器以外に身体的問題がなければ，そのことを強調し，児がその他の面で健康である旨をはっきりと伝えることも方法の一つである．また両親にとって，社会的性が決まるまでの間，周囲への対応に難渋することが予測される．これらについても話し合う機会を設ける．社会的性は，遅くとも生後1か月以内，可能であれば2週以内に決定したい．

また幼児期以降，特に二次性徴などを契機に決められた社会的性と性自認が一致しない，いわゆる gender dysphoria（性別違和／性同一障害）が生じる可能性があり，常に慎重な配慮に基づくフォローアップをする．必要に応じて，臨床心理士など専門家を交えたカウンセリング，適切な治療への移行を図る[2,7,15,16]．

5) 治療法

基本的には選択された社会的性に合わせて，性に不一致な構造物を摘出し，外陰部は社会的性に合わせるよう形成術が施される．外陰部形成術は，精神的影響などを考え，生後6か月から1歳半頃までに行うことが多い．経験豊富な小児泌尿器科医が行うことが推奨される．腟形成術は小児期に行われるが，思春期以降の再手術を要する場合がある．

性腺を摘出した場合などでは，二次性徴期以降，性腺補充療法を行う．

その他 CAH ではグルココルチコイドを補充するが，それらについては別項（**各論第7章 C-1-2.参照**）に譲る[2,7]．

6) 管理と予後

他の DSD と同様，社会的性決定後も継続的な多職種チームによるフォローアップを要する．予後については，大半を占める CAH については別項（**各論第7章 C-1-2.参照**）に譲る．CAH 以外による 46,XX DSD の長期予後について，まとまった検討はほとんどされていない状況である[17]．今後の症例の集積と大規模な解析が待たれる．

❖ 文献

1) Hughes IA, et al.：Consensus statement on management of intersex disorders. *Arch Dis Child* 91：554-563, 2006
2) Hiort O, et al.：Management of disorders of sex development. *Nat Rev Endocrinol* 10：520-529, 2014
3) Belgorosky A, et al.：Genetic and clinical spectrum of aromatase deficiency in infancy, childhood and adolescence. *Horm Res* 72：321-330, 2009
4) Baronio F, et al.：46,XX DSD due to androgen excess in monogenic disorders of steroidogenesis：genetic, biochemical, and clinical features. *Int J Mol Sci* 20：4605, 2019
5) 横谷 進，他：未熟児・新生児・幼児における陰茎および陰核の大きさの計測―先天性内分泌疾患の早期発見にそなえて―．ホルモンと臨床 31：1215-1220，1983
6) Homma K, et al.：Reference values for urinary steroids in Japanese newborn infants：gas chromatography/mass spectrometry in selected ion monitoring. *Endocr J* 50：783-792, 2003
7) Nakamoto JM, et al.：Puberty. In：Kappy MS, et al.(eds), *Pediatric Practice Endocrinology*. 1st ed., McGraw-Hill Professional, New York, 258, 2010
8) Tetlow LJ, et al.：Tests and normal values in pediatric endcrinology. In：Brook CGD, et al.(eds) *Brook's Clinical Pediatric Endocrinology*. 5th ed., Wiley-Blackwell, Hoboken, 523-564, 2005
9) Tomlinson C, et al.：Testosterone measurements in early infancy. *Arch Dis Child Fetal Neonatal Ed* 89：F558-F559, 2004
10) Guibourdenche J, et al.：Anti-Müllerian hormone levels in serum from human foetuses and children：pattern and clinical interest. *Mol Cell Endocrinol* 211：55-63, 2003
11) Johannsen TH, et al.：Sex differences in reproductive hormones during mini-puberty in infants with normal and disordered sex development. *J Clin Endocrinol Metab* 103：3028-3037, 2018
12) Ono M, et al.：Disorders of sex development：new genes, new concepts. *Nat Rev Endocrinol* 9：79-91, 2013
13) Délot EC, et al.：Nonsyndromic 46,XX testicular disorders of sex development. In：Adam MP, et al.(eds), GeneReviews® [Internet]. University of Washington, Seattle, 1993-2021 http://www.ncbi.nlm.nih.gov/books/NBK1416/（2021年10月26日アクセス）
14) Eozenou C, et al.：Testis formation in XX individuals resulting from novel pathogenic variants in Wilms'tumor 1(WT1) gene. *Proc Natl Acad Sci U S A* 117：13680-13688, 2020
15) 位田 忍：性別判定．位田 忍，他（編）：性分化疾患ケースカンファレンス．診断と治療社，15-18，2014
16) 長谷川行洋：性分化の基本．たのしく学ぶ小児内分泌．診断と治療社，404-432，2015

17) Amaral RC, et al.：Quality of life of patients with 46,XX and 46,XY disorders of sex development. *Clin Endocrinol*(*Oxf*) 82：159-164, 2015

（鹿島田健一）

Turner 症候群

1) 定義・概念[1]

Turner 症候群は 1 本の完全な X 染色体をもつものの，もう一方の性染色体が完全または部分的に欠如し，それに伴って一つまたはそれ以上の疾患に典型的な臨床症候を表現型女性が呈する染色体疾患である．Xq24 に遠位欠失をもつ女性は早期卵巣不全以外の Turner 症候群の特徴を伴わないため，また SHOX 遺伝子が存在する X 染色体短腕(Xp22.33)の微小欠失をもつ女性も低身長と骨格異常以外の異常のリスクは高くないため，これらの場合は Turner 症候群とは診断しない．さらに 45,X/46,XY(バリアントを含む)で表現型が男性の場合も Turner 症候群の診断から除外される．

2) 病因・病態[2]

Turner 症候群の頻度は出生女児の 2,000 人に 1 人程度とされる．核型は 45,X(モノソミー核型)が 40〜50% を占めるが，そのほかにも 45,X/46,XX モザイク核型を 15〜25%，同腕染色体を 20%，環状 X 染色体を少数に認める．10〜12% の Turner 女性は Y 染色体成分をもっており，3% が 45,X/46,XY のモザイク核型である．45,X 胚の形成は，ヒトの生殖では非常に頻繁に起こるが，99% は自然流産する．X 染色体の由来は 60〜80% の症例では母方，15〜35% の症例では父方，残りの症例では接合後欠損によるものであり，X 染色体の親由来が表現型の多様性に影響を与える可能性が示唆されている[3]．

Turner 症候群において遺伝子型が表現型に与える影響については，エピジェネティックな変化，RNA 発現の変化，蛋白質—蛋白質の変化など，複雑な機構が推測されているが，これらの変化の正確な影響はまだ解明されていない．唯一，Turner 症候群における表現型との関連が明らかになっているのが，SHOX 遺伝子であり，遺伝子産物は転写調整因子として，NPPB と FGFR3 の発現を制御し，SOX5，SOX6，SOX9 や他の遺伝子と相互作用することで成長板内の軟骨細胞の増殖と成熟を制御し，身長と骨格形成に関連している．SHOX ハプロ不全は一般的に脊柱側彎症，小顎症，高口蓋，Madelung 変形，四肢短縮に関連する．そのほかにも X 染色体上の TIMP1，KDM6A，KDM5C，RPS4X，CSF2RA，IL3RA などの遺伝子が Turner 症候群の病態に関与していると想定されている．TIMP1 ハプロ不全に加えて，22 番染色体上の TIMP3 遺伝子に特定の変異が存在すると，二尖性大動脈弁と大動脈拡張のリスクが 10 倍以上増加するが，機能については解明されていない．

3) 臨床症候

本疾患では表 11[2]にあげるような種々の症状をきたす．

a. リンパ管異常[1,4]

リンパ浮腫はリンパ管の低形成や無形成が起因と考えられており，リンパ液のうっ滞と腫脹が生じ，翼状頸や後頭部毛髪線低位，手足の爪の変形，耳介形態異常，乳頭の低形成を引き起こす．重度の場合は胎児水腫となり致死的である．頸部のリンパ浮腫は在胎 10〜14 週目の超音波検査で nuchal translucency の増加として観察される．翼状頸は本疾患の先天性心疾患と強い関連が示されている．四肢のリンパ浮腫はモノソミー型の患者に最も一般的に認められ，通常は 2 歳までに消失するが，生涯にわたって持続し，何歳であっても再発することがあると報告されている．

b. 頭頸部

上記の翼状頸，耳介形態異常，後頭部毛髪線低位のほか，耳介低位，小顎症，口蓋形態異常が生じる．これらの解剖学的構造異常と免疫系の欠損により慢性または再発性中耳炎が起こりやすく，中音域の感音難聴，伝音難聴を引き起こす．

c. 心臓[1,2]

大動脈二尖弁(15〜30%)，大動脈縮窄症(7〜18%)などの先天性心疾患が 23〜50% で認められ，モザイク型よりもモノソミー型で頻度が高い．大動脈二尖弁の頻度は 46,XX 核型に対して 30〜60 倍である．大動脈拡張は大動脈径インデックス(aortic size index：ASI)〔上行大動脈径(cm)/体表面積(m^2)〕が 2.0 cm/m^2 以上もしくは 95 パーセンタイル以上で診断される．大動脈拡張が進行すると大動脈解離のリスクとなるため 16 歳以上で上行性大動脈の直径が 4 cm 以上，または ASI が 2.5 cm/m^2 以上の場合に予防手術が推奨される．QT 延長や高血圧も合併しやすい．

d. 腎臓[5]

馬蹄腎や重複腎盂尿管などの腎発生異常が 29〜38% で認められる．馬蹄腎は Turner 症候群患者の 7〜20% で認め，逆に馬蹄腎を呈する小児および若年成人の 4% に Turner 症候群を認める．その他，重複腎盂尿管，腎回転異常，無形成，腎嚢胞，異常血管，尿管閉塞，下大静脈後尿管，腎盂拡張なども報告されている．

表11 Turner症候群に関連する症状とおおよその有病率

			症状	頻度
成長			成長障害と成人身長低下	95〜100%
			乳児期の体重増加不良・成長障害	50%
内分泌・代謝疾患			高ゴナドトロピン性性腺機能低下症	90〜95%
			思春期発来	21〜50%
			月経自然発来	15〜30%
			定期的な自然月経	2〜3%
			耐糖能異常	15〜50%
			1型糖尿病	頻度不明（10倍）
			2型糖尿病	10%（4倍）
			甲状腺炎と甲状腺機能低下症	15〜30%
			男性型体組成	頻度不明
			自己免疫疾患	頻度上昇
			脂質異常症	37〜50%
消化器・肝障害			肝酵素上昇	50〜80%
			セリアック病	8%
			炎症性腸疾患	2〜3%
心臓			大動脈二尖弁	14〜34%
			大動脈縮窄症	7〜14%
			大動脈拡張・動脈瘤	3〜42%
			高血圧	50%（小児20〜40%，成人60%）
腎臓			馬蹄腎	10%
			腎盂・尿管・血管の位置異常・重複	15%
			腎無形成症	3%
表現型的特徴	目		内眼角贅皮	20%
			近視	20%
			斜視	15%
			眼瞼下垂	10%
			赤緑色覚異常	8%（≒男性の有病率）
	耳		中耳炎	60%
			難聴	30%
			外耳の変形	15%
	口		小顎症	60%
			高口蓋	35%
			歯の発育異常	頻度不明
	頸部		後頭部毛髪線低位	40%
			幅の広い短頸	40%
			翼状頸・項部の過剰な皮膚	40%
	胸郭		盾状胸・幅広い胸	30%
			陥没乳頭	5%
	皮膚，爪，毛髪		皮膚の隆起数の増加	30%
			手足のリンパ浮腫	25%（monosomy 65%）
			多発性色素性母斑	25%
			爪低形成/異形成	10%
			白斑	5%
			脱毛症	5%
	骨格		骨年齢の遅れ	85%
			骨密度減少（無治療時）	50〜80%
			外反肘	50%
			第4中手骨短縮	35%
			外反膝	35%
			先天性股関節脱臼	20%
			脊柱側彎症	10%
			Madelung変形症	5%
神経認知・心理社会的問題			感情的な未熟さ	〜40%
			特定領域の（非言語的）学習障害	〜40%
			心理的・行動的問題	〜25%
その他			フィブリノーゲン高値	65%

〔Gravholt CH, et al.：Turner syndrome：mechanisms and management. Nat Rev Endocrinol 15：601-614, 2019 より引用一部改変〕

e. 骨格異常・低身長[6]

脊柱側彎症，頸肋骨，小顎症，高口蓋，中手骨短縮，外反膝，および Madelung 変形が生じる．さらに四肢中部短縮により低身長も生じる．これらはおもに SHOX ハプロ不全による．成長障害は Turner 症候群における最も一般的な異常であり，胎児期にはじまり，生後3年以内に明らかになることが多い．思春期の成長スパートの欠如も加わり，成人身長は各人種の平均値より 20 cm 低くなる．

f. 原発性性腺機能低下症・無月経・性腺芽腫 (gonadoblastoma)[2,6]

Turner 症候群の卵巣発育は在胎 12 週までは正常であるが，在胎 18 週から急速な線維性変性が生じ，卵母細胞の減少が促進され，卵巣機能不全となる．FSH 値と LH 値は乳児期から幼児期に高値となり，6歳頃まで徐々に低下，その後，一般的な思春期年齢で再び上昇する．ほとんどの患者で原発性または二次性の無月経，そして最終的には不妊となる．自然妊娠を経験するのは 5% でモザイク型に多い．自然流産の割合は 30〜45% と高い．さらに性腺機能低下症から骨量減少症，骨粗鬆症を引き起こす．また脳卒中や虚血性心疾患のリスクも高くなる．Y 染色体成分を有する患者において，gonadoblastoma の罹患率が増加するが，悪性腫瘍化リスクは，Y 染色体成分の存在およびモザイク性(遺伝子型)や男性化の程度(表現型)によって決定される．

g. 自己免疫疾患[1,2]

橋本病による甲状腺機能低下症が最も有病率が高いが，ほかにも Basedow 病や 1 型糖尿病，潰瘍性大腸炎や Crohn 病，関節リウマチ，乾癬，白斑，ぶどう膜炎，円形脱毛症も起こしやすい．

h. 神経認知・心理社会的問題[2]

ほとんどで知能は正常範囲であるが，非言語的な学習障害が特徴的である．50〜75% が計算障害(一般集団では 6〜10% の有病率)，視覚空間認知障害，視覚運動協調の問題からの発達性協調運動障害を呈し，顔や感情の認識も悪い．これらから心理社会的問題が生じ，孤立しやすい．注意欠如多動性障害も学校年齢の 25% に認める．環状 X 染色体は知的障害，学習障害，不適応行動と関連しているが，環状染色体上の XIST の損失により環状染色体上の遺伝子が不活性化されず，発現されたままとなることに起因すると考えられている[3]．これらの症状は個人差が大きく，神経発達機能は発達の過程で動的に変化し，適切な介入によって有意に改善する可能性がある．

4) 診断と検査法[1,7]

原因不明の成長障害や思春期遅発を認める女性では，その他の表現型の有無にかかわらず Turner 症候群を疑って，末梢血リンパ球にて標準的な染色体検査(G 分染法)を行うことが推奨される．モザイク型 Turner 症候群が強く疑われるものの標準的な染色体検査で確認できない場合は繰り返し G 分染法を行うか，fluorescence in situ hybridization (FISH) 検査を検討する．モザイク率が低いものの臨床的に Turner 症候群が強く疑われる場合には，皮膚線維芽細胞や頬粘膜細胞などの染色体検査を検討する．

特定の遺伝子や座位の有無，環状染色体または小さなマーカー染色体や不均衡転座の確認には SHOX や XIST，DYZ3，SRY などの FISH 検査や whole chromosome painting 解析が有用である．さらに末梢血リンパ球での検査で Y 染色体成分が陰性にもかかわらず，男性化が存在する場合には，少なくとも頬粘膜細胞など二〜三つの組織を検査して不明瞭な Y 成分を探索する．

5) 治療法

a. 低身長

各論第 2 章 F を参照されたい．

b. 原発性性腺機能低下症

正常な身体・社会的な発達のため，11〜12 歳の間でゴナドトロピンの上昇を認める場合にエストロゲン治療を開始し，2〜3 年で成人量に増やし，Kaufmann 療法へ移行していくことが推奨される[1]．思春期に対する本疾患の影響については事前に患者本人に理解できる言葉で繰り返し説明しておく．LH と FSH は 11 歳もしくはそれ以前より毎年測定し，これらが年齢正常域内であれば思春期の自然発生を期待して経過観察する．抗 Müller 管ホルモン (anti-Müllerian hormone：AMH) が低値でインヒビン B が測定感度以下の場合は卵巣機能不全が予測される．わが国のガイドラインでは成長ホルモン治療により 12 歳以降，遅くとも 15 歳までに 140 cm に達した時点で少量エストロゲン療法を開始するとされている[7,8]．エストラジオール貼付剤を 2 日ごとに貼り替える．量は 1 回 0.09 mg で開始し，6〜12 か月ごとに 1 回量を 0.18 mg，0.36 mg，0.72 mg に段階的に増量する．結合型エストロゲン(プレマリン® 0.625 mg/錠)の場合には 1 日 1 回の経口内服を 1 回 1/10 錠で開始し，6〜12 か月ごとに 1 回量を 1/4 錠，1/2 錠，1 錠に段階的に増量する．Kaufmann 療法への移行は，上記の最大量(成人量)で 6 か月を経過するか，途中で消退出血が起こるかのいずれか早い時点で行う．

c. Y 染色体成分を有する患者における性腺摘出[1]

Y 染色体成分を有する Turner 症候群における

表12 Turner症候群における小児期から成人期のスクリーニング検査

項目	診断時評価	診断後評価：小児期	診断後評価：成人期
体重・BMI	○	受診ごと	受診ごと（1年ごと）
血圧	○	受診ごと	受診ごと
心臓超音波検査	○	初回検査で問題なければどちらかを5年ごと	3～5年ごと（1年ごと*）
大動脈MRI検査	○ 無鎮静で可能になってから		妊娠希望時，その他必要時～10年ごと
甲状腺機能	○	1年ごと	1年ごと
脂質	×	×	心リスク時に1年ごと
肝機能検査	×	10歳以降で1年ごと	1年ごと
肝臓超音波検査	×	必要時	必要時
HbA1c・空腹時血糖	×	10歳以降で1年ごと	1年ごと
25水酸化ビタミンD	×	10歳以降で2年ごと	3～5年ごと
セリアック病スクリーニング	×	10歳以降で2年ごと	有症状時
腎臓超音波検査	○	×	有症状時
聴力検査	○ 9～12か月時	3年ごと	3～5年ごと
眼科診察	○ 12～18か月時	有症状時	有症状時
歯科診察	○	有症状時	有症状時
先天性股関節形成異常	○新生児	新生児の間	×
皮膚科診察	○	1年ごと	1年ごと
骨密度（DEXA）	×	×	5年ごと
骨格評価	×	5～6歳時・12～14歳時	有症状時
神経心理学的評価	早期（就学前），入学時，進学時		困難が生じた時点

＊：大動脈拡張，動脈硬化，高血圧，大動脈起始部径3 cm超などリスクがあるとき

〔Gravholt CH, et al.：Clinical practice guidelines for the care of girls and women with Turner syndrome：proceedings from the 2016 Cincinnati International Turner Syndrome Meeting. Eur J Endocrinol 177：G1-G70, 2017 より引用一部改変〕

gonadoblastomaの発生率は約10％である．思春期年齢から発生しやすいため思春期前に性腺摘出術を要するが，早期に診断がなされている場合には1～2歳で性腺摘出を行うことが推奨される[7]．

6）管理と予後

本疾患では高血圧，肥満，高脂血症などの合併も多く，これらも含めて生涯にわたる包括的かつ継続的な健康管理・治療・支援が必要となる（表12）[1]．

a．トランジション[1]

小児医療から成人医療への移行期に多くの患者の受診が途絶え，併存疾患の診断治療が不十分となりやすい．このようなことを防ぐためにも患者本人にTurner症候群の病態や治療の目的，今後起こりうる状態やその予防などを理解させることが必要であり，年齢や理解度に応じて段階的に時間をかけて説明する．Turner症候群に典型的な神経認知的特性から生じる心理社会的リスクに関しては生活の質（quality of life：QOL）に影響を及ぼさないよう対処しておくことが重要である．患者・家族の支援には患者会も有用である．

b．妊娠[1,2]

自然妊娠の場合も生殖補助医療による妊娠の場合も子癇前症や胎児機能不全や児頭骨盤不均衡，分娩停止が一般集団よりも多く認められる．また，大動脈解離のリスク評価も必要である．Turner女性の卵巣予備能が急速に低下し，妊娠確率も急速に減ることや，生殖補助医療の検討を不必要に遅らせないように伝えることが重要である．諸外国では卵子提供や，卵巣機能が持続する若いモザイク型Turner女性における12歳以降での卵子凍結保存も選択肢とされている．

7）最新知見

生殖能力温存のため片側卵巣組織をいくつかの切片に分けて凍結保存する卵巣凍結保存は癌患者の生殖能力温存では一般化してきているが，Turner女性においては有効性や安全性が十分に確認されてはいない．このため国際コンセンサスでは若年Turner女性に対する卵巣凍結保存は日常診療として行う前に，適切なカウンセリングとインフォームドコンセントを行ったうえ，安全で管理された研究環境下で行われるべきだとしている[9]．

❖ 文献

1) Gravholt CH, et al.：Clinical practice guidelines for the care of

girls and women with Turner syndrome：proceedings from the 2016 Cincinnati International Turner Syndrome Meeting. *Eur J Endocrinol* 177：G1-G70, 2017
2) Gravholt CH, *et al.*：Turner syndrome：mechanisms and management. *Nat Rev Endocrinol* 15：601-614, 2019
3) Viuff M, *et al.*：Epigenetics and genomics in Turner syndrome. *Am J Med Genet C Semin Med Genet* 181：68-75, 2019
4) Atton G, *et al.*：The lymphatic phenotype in Turner syndrome：an evaluation of nineteen patients and literature review. *Eur J Hum Genet* 23：1634-1639, 2015
5) Granger A, *et al.*：Anatomy of turner syndrome. *Clin Anat* 29：638-642, 2016
6) Pinsker JE：Clinical review：Turner syndrome：updating the paradigm of clinical care. *J Clin Endocrinol Metab* 97：E994-E1003, 2012
7) 日本小児内分泌学会：ターナー（Turner）症候群. 小児慢性特定疾病情報センター，2014 https://www.shouman.jp/disease/details/05_41_088/（2021年1月3日アクセス）
8) 日本小児内分泌学会薬事委員会：ターナー症候群におけるエストロゲン補充療法ガイドライン. 日小児会誌 112：1048-1050, 2008
9) Schleedoorn MJ, *et al.*：International consensus：ovarian tissue cryopreservation in young Turner syndrome patients：outcomes of an ethical Delphi study including 55 experts from 16 different countries. *Hum Reprod* 35：1061-1072, 2020

（松井克之）

E Klinefelter 症候群

1) 定義・概念

女性化乳房や様々な程度の男性ホルモン欠乏症，精巣萎縮に FSH 上昇をきたす疾患として 1942 年に Klinefelter により報告された[1]．その後，性染色体の異常によって引き起こされること，多くの症例が 47,XXY の核型を有することが明らかにされたが[2]，根底となる分子メカニズムは不明のままである．広義には X 染色体を 2 本以上，Y 染色体を 1 本以上有する男性原発性性腺機能低下症と定義される．47,XXY がおおよそ 9 割を占める以外に 46,XY/47,XXY のモザイクや，48,XXYY，48,XXXY，49,XXXXY などのバリアントが含まれるが，モザイク症例は過小に見積もられている可能性が高い．

頻度は男性 500～700 出生に 1 人の割合とされ，男性における性染色体異常症としても，また原発性性腺機能低下症としても最も頻度の高い疾患である[3,4]．成人男性における頻度は 2,500 人に 1 人とされることから，約 3/4 は診断されていないことになる．

2) 病因・病態

過剰な X 染色体は減数分裂の際の分離不良によるもので，約半数は母親に由来し，残りの半数が父親に由来する[5]．どちらの場合も高齢になると発症リスクが高まるとされるが[6]，そうではないとする説もある[7]．

不妊症の原因は精母細胞が年齢依存的に急速に減少することによる造精機能障害である．思春期前には胚細胞は減少しているが精細管は保たれているのに対し，成人の精巣では広く線維化し，精細管は硝子化して精子形成部位がほとんど残存していない．精細管の硝子化を引き起こすメカニズムは不明だが，過剰な X 染色体上に存在する遺伝子の発現増加や，Sertoli 細胞と Leydig 細胞のアポトーシス活性の異常などが想定されている．

3) 臨床症候（表 13）[8]

臨床像は幅広く，無精子症以外の症候を認めない例や，受診対象とならない例も多数存在すると考えられる[8-10]．モザイク症例では軽症例が多く，また，X 染色体の数が多いほど知的障害が重度となり他の先天異常の合併も重度となる．

a. 体型の特徴

比較的高身長，やせ型体型，下肢長増加が認められ，指が長い例が多い．思春期以降に肥満体型を呈することもある．比較的高身長については SHOX 遺伝子の量効果と，染色体不均衡による非特異的成長抑制効果の総和として説明される．

b. 外性器異常

新生児～乳児期に停留精巣，小陰茎，尿道下裂などの外性器異常をきっかけに行われた染色体検査から偶然診断されることがある．

c. 二次性徴

思春期発来はほぼ正常だが，血中テストステロン（testosterone：T）が次第に低下するために，髭が薄い，体型がしっかりせず，声変わりしないなど，二次性徴の発達は不完全であることが多い．また，おおよそ 1/3～2/3 に女性化乳房がみられる．

d. 不妊症

成人期にはほぼ必発である．精巣サイズは小さいまま，成人でも 6 mL を超えることはまれとされる．精細管の硝子化・線維化によって硬く触知される．成人の大部分に無精子症・乏精子症がみられ，不妊率は 99% といわれている．しかしながら，補助生殖医療の急速な進歩により若年患者の生殖能力を保持できる可能性が出てきた[11]．

e. 知能・認知

大多数の知能は正常かやや低下する．動作性知能指数（intelligence quotient：IQ）に比して言語性 IQ が低い傾向にある．言語発育に障害があり，集中力や忍耐力に欠けることがあり，学習障害児のなかから診断され

表13 Klinefelter症候群における臨床症候と発生頻度

	臨床症候	頻度(%)
成人	不妊	>99
	無精子症	>95
	小精巣	>95
	精巣内精子採取術による精子確認	30～50
	髭の成長鈍化	60～80
	陰毛の減少	30～60
	腹部脂肪沈着	～50
	筋肉量減少	～40
	メタボリックシンドローム	46
	2型糖尿病	10～39
	骨減少症	～40
	骨粗鬆症	5～10
	僧帽弁逸脱	0～50
	虚血性心疾患	リスク増加：～1.5倍
	深部静脈血栓症・肺塞栓症	リスク増加：3～6倍
	自己免疫疾患	リスク増加
	振戦(Parkinson病様)	>25
	乳癌	リスク増加：20～50倍
	変形性膝関節症	リスク増加：4倍
小児	学習障害	>75
	言語発達遅滞	>40
	小陰茎	10～25
	縦隔癌	リスク増加
全患者	女性化乳房	28～75
	停留精巣	27～37
	ゴナドトロピン上昇	>75
	テストステロン低下	>75
	高身長	>30
	精神障害	>25
	先天異常	リスク増加
	骨折	リスク増加：2～40倍
	自閉スペクトラム症(ASD)	30～50

〔Gravholt CH, et al.：Klinefelter syndrome：integrating genetics, neuropsychology, and endocrinology. Endocr Rev 39：389-423, 2018 より引用一部改変〕

ることがある．パーソナリティ障害や問題行動を起こすことも多いとされる．

f．合併症

漏斗胸や側彎などの骨格異常を認めることがある．また，悪性腫瘍の合併リスクが高く，乳癌や精巣外胚細胞腫瘍などが知られる．また，自己免疫疾患，特に甲状腺機能低下症や関節リウマチ，全身性エリテマトーデスなどの合併もある．T低値による内臓脂肪の増加に起因するインスリン抵抗性増大をきたすことから2型糖尿病やメタボリックシンドロームの発症リスクも指摘されている．骨密度の低下や骨粗鬆症にも注意が必要である．そのほか，僧帽弁逸脱や下肢静脈瘤，深部静脈血栓症との関連も知られている．

4）診断と検査法

上記の症状により臨床的に診断し，確定には染色体検査(G分染法)を行う．モザイク型の症例ではfluorescence in situ hybridization(FISH)法によるX染色体分析が有用な場合がある．

無侵襲的出生前遺伝学的検査(新型出生前診断)で判明する場合や，濾紙血を用いた新生児マススクリーニングを提唱するグループもあるが，出生後に末梢血を用いた染色体検査を実施して診断を確定することが推奨される[12]．

思春期以降の場合，T低値，ゴナドトロピン(LH, FSH)高値を認める[7]．T値は当初は正常範囲の場合でも次第に低下してくるが，その正確なメカニズムは不明である．LHRH負荷試験ではゴナドトロピンの高反応を認める．胚細胞とSertoli細胞が消失するため血中インヒビンBと抗Müller管ホルモン(anti-Müllerian hormone：AMH)は低下する．血中エストラジオール(E_2)，あるいはE_2/T比はしばしば上昇し，女性化乳房を引き起こす．

精巣生検は診断確定のためには通常不要であるが，成人においては精細管の萎縮，精子形成の欠如，Leydig細胞の過形成が特徴とされる．

5）治療法

根本的治療はなく，すべて対症療法にとどまる．

乳幼児期では外性器異常を呈する場合が治療対象となる．小陰茎に対してはデポ型テストステロン製剤(エナルモンデポー® 1回25 mg筋注，4週ごとに2～3回)を投与する．停留精巣や尿道下裂に対しては外陰形成術を行うが，gender identity確立の観点から，1～2歳までに行うことが推奨されている．

思春期以降では二次性徴の発達や体型の男性化が不完全な場合，デポ型テストステロン製剤を投与する．13歳以降では男性ホルモン治療の適否を判断すべきである．1回25 mg(3～4週ごとに筋注)から開始し，段階的に1回量を125～250 mgまで漸増し，維持量とする．筋肉量維持や骨密度増加のためにもT補充は重要である．

不妊治療として造精能を回復させる治療法はないが，顕微鏡下精巣内精子採取術・顕微授精により妊娠成立が可能となっている[11]．

女性化乳房は男性ホルモン補充を行っても必ずしも軽快せず，アロマターゼ阻害薬や抗エストロゲン薬も有効ではない．乳腺組織の発達が高度な場合，乳癌の

発症リスクを考慮して摘出することが望ましい.

6）管理と予後

治療や生活指導などを早期に開始することで患者の生活の質（quality of life：QOL）を改善することができ，生殖能力の保持や，合併症の予防・進行抑制に関しても有効と思われることから，早期診断することが重要である．

学童期には集団生活への適応に関して介入や指導が重要で，心理社会的な支援が必要となる場合もある．

思春期発来前後には生殖能力温存に関するカウンセリングも必要である．本症の次子再発率は低く，家族や親戚で同じ症候群の患者が生まれる可能性はほとんどない．

また，メタボリックシンドロームや悪性腫瘍をきたすリスクが高いことから，長期的な健康管理を含めた定期フォローアップが重要である．

糖尿病，心血管疾患，呼吸器疾患，消化器系疾患に起因して死亡率は高いとされ，平均余命は5～6年短い[13]．

7）最新知見

2020年，本疾患に関してははじめてといえる診療ガイドラインがEuropean Academy of Andrologyから発表された[12]．GRADEシステムを使ったガイドラインで，本疾患患者の診療に当たって，小児期から思春期，成人期までをカバーする内容であり，一読されることをお勧めする．

❖ 文献

1) Klinefelter HF, et al.：Syndrome characterized by gynecomastia, aspermatogenesis without a-Leydigism, and increased excretion of follicle-stimulating hormone. J Clin Endocrinol 2：615-627, 1942
2) Jacobs PA, et al.：A case of human intersexuality having a possible XXY sex-determining mechanism. Nature 183：302-303, 1959
3) Bojesen A, et al.：Prenatal and postnatal prevalence of Klinefelter syndrome：a national registry study. J Clin Endocrinol Metab 88：622-626, 2003
4) Morris JK, et al.：Is the prevalence of Klinefelter syndrome increasing? Eur J Hum Genet 16：163-170, 2008
5) Thomas NS, et al.：Aberrant recombination and the origin of Klinefelter syndrome. Hum Reprod Update 9：309-317, 2003
6) Eskenazi B, et al.：Sperm aneuploidy in fathers of children with paternally and maternally inherited Klinefelter syndrome. Hum Reprod 17：576-583, 2002
7) Lanfranco F, et al.：Klinefelter's syndrome. Lancet 364：273-283, 2004
8) Gravholt CH, et al.：Klinefelter syndrome：integrating genetics, neuropsychology, and endocrinology. Endocr Rev 39：389-423, 2018
9) Groth KA, et al.：Clinical review：Klinefelter syndrome-a clinical update. J Clin Endocrinol Metab 98：20-30, 2013
10) Smyth CM, et al.：Klinefelter syndrome. Arch Intern Med 158：1309-1314, 1998
11) Corona G, et al.：Sperm recovery and ICSI outcomes in Klinefelter syndrome：a systematic review and meta-analysis. Hum Reprod Update 23：265-275, 2017
12) Zitzmann M, et al.：European Academy of Andrology guidelines on Klinefelter syndrome endorsing organization：European Society of Endocrinology. Andrology 9：145-167, 2021
13) Bojesen A, et al.：Increased mortality in Klinefelter syndrome. J Clin Endocrinol Metab 89：3830-3834, 2004

（向井徳男）

F　その他の性染色体異常による性分化疾患

▪45,X/46,XY モザイク

1）定義・概念

Y染色体の脱落によると考えられており，45,X/46,XYの核型以外にも 45,X/47,XYY，45,X/46,XY/47,XYY，45,X/46,X＋mar/46,XY など様々な核型がある[1]．

2）病因・病態

頻度は羊水染色体検査による調査では1万人当たり1.7人とされているが，95％は正常男性型で出生する[2]．一部が性分化疾患を呈し，混合性性腺異形成，卵精巣性性分化疾患，Turner症候群の形態をとる．種々の臓器の異常はTurner症候群でみられるものと類似しており，45,X細胞に関連している[3]．

3）臨床症候

内性器は低形成で時に片側性である．抗Müller管ホルモン（anti-Müllerian hormone：AMH）の同側性産生によりWolff管構造は精巣組織がある骨盤側に存在し，Müller管構造（子宮・卵管）は精巣組織がない骨盤側に存在する[4]．外性器はTurner女性から様々な程度の非典型外性器（尿道下裂，小陰茎など）や正常男性型と幅広く，内性器の局在に合わせて非対称となることが多い[4]．性腺は索状性腺，異形成精巣，異形成卵巣，卵精巣などを呈する[1]．正常男性表現型の45,X/46,XY個体も47％で性腺異常を伴う[2]．15～40％で性腺芽腫（gonadoblastoma）などの胚細胞腫瘍が発生する[1]．原発性性腺機能低下症と不妊症を呈するが，男性患者では9割程度で自然に思春期が発来する[3]．男性患者で外性器異常がなければ思春期を完了する可能性が高いが，3割程度はのちに男性ホルモン補充が必要であり，生殖能力も不明である[2]．Turner症候群と同様で低身長のほかに，大動脈二尖弁，大動脈縮窄症，大動脈拡

張症などの心疾患，馬蹄腎または片側腎無形成などの腎異常，外反肘，脊柱側彎症，脚長差などの骨格異常，伝音難聴や自己免疫疾患なども認めうる[5]．

4）診断と検査法

染色体検査として末梢血リンパ球でG分染法を行うが，末梢血リンパ球におけるモザイク比率は他の臓器における比率とは一致しないため頬粘膜や皮膚線維芽細胞，性腺など他の臓器の染色体検査も必要となることがある．性腺機能を評価するため内分泌検査を，内性器や性腺の形態を評価するために超音波検査やMRI検査，腹腔鏡検査を行う．特に性腺固定術を行う患者で性腺が超音波検査で十分明確でない場合には腹部骨盤部造影MRIが推奨される[6]．性腺の病理診断やgonadoblastomaの評価のために性腺生検を行う．

5）治療法

出生前のアンドロゲン曝露や外性器の発達，思春期以降の精巣機能，および性腺の位置を考慮して性決定する．決定した性に適合するように性適合手術（外陰部形成術，その他の性成分の摘除術）を行う．女性の場合はgonadoblastomaのリスクを考慮し，性腺摘除を行う．男性の場合は精巣固定術を行うが，索状性腺は摘除する．性腺機能低下症に対しては決定した性に合わせた性ホルモン補充を行う．

6）管理と予後

精巣固定術を行い精巣が残っている場合は定期的に精巣超音波検査を行い，gonadoblastomaを認めれば摘除術を行う．45,X/46,XYモザイクの男女ともにTurner症候群のガイドラインに従ってスクリーニングや生涯にわたるモニタリングが推奨される[5]．

■46,XX/46,XYキメラ

キメラは一個体で完全に別のゲノムをもつものであり，46,XX/46,XYキメラでは46,XXのゲノムと46,XYのゲノムが同時に存在する[7]．病態としては卵精巣性性分化疾患の形態をとる．性腺は一個人で精巣および卵巣が存在，もしくは同一の性腺で精巣組織および卵巣組織が存在する[4]．診断，検査，治療などは45,X/46,XYモザイクと同様に行う．

❖ 文献

1) Chan YM, et al.：Disorders of sex development. In：Melmed S, et al.(eds), *Williams Textbook of endocrinology*. 14th ed., Elsevier, Philadelphia, 867-936, 2019
2) Chang HJ, et al.：The phenotype of 45,X/46,XY mosaicism：an analysis of 92 prenatally diagnosed cases. *Am J Hum Genet* 46：156-167, 1990
3) Martinerie L, et al.：Impaired puberty, fertility, and final stature in 45,X/46,XY mixed gonadal dysgenetic patients raised as boys. *Eur J Endocrinol* 166：687-694, 2012
4) Guerrero-Fernández J, et al.：Management guidelines for disorders/different sex development(DSD). *An Pediatr(Barc)* 89：315.e1-315.e9, 2018
5) Dumeige L, et al.：Should 45,X/46,XY boys with no or mild anomaly of external genitalia be investigated and followed up? *Eur J Endocrinol* 179：181-190, 2018
6) Weidler EM, et al.：Clinical management in mixed gonadal dysgenesis with chromosomal mosaicism：Considerations in newborns and adolescents. *Semin Pediatr Surg* 28：150841, 2019
7) Hercent A, et al.：Various Genital and Reproductive Phenotypes in 46,XX/46,XY Chimeras. *Sex Dev* 13：271-277, 2019

（松井克之）

機能性無月経

1）定義・概念

機能性無月経（functional hypothalamic amenorrhea：FHA）は，視床下部―下垂体―卵巣系の機能抑制による無月経で，構造異常や器質的異常は伴わない[1～3]．

無月経は，周期的な月経が発来すべき年齢層の女性において一定期間月経が来ない状態である．発来状況によって原発性・続発性と，内因性エストロゲン分泌の程度によって第1度・第2度と，障害部位によって視床下部性・下垂体性・卵巣性・子宮―腟性と分類される[4]．満18歳までに初経の発来がないものを原発性無月経[5]，これまであった月経が3か月以上停止したものを続発性無月経という[6]．FHAは原発性にも続発性にも生じる．視床下部からのGnRHはパルス状に分泌されるため，下垂体からのゴナドトロピン分泌もパルス状に分泌される．GnRH分泌異常はLH/FSH分泌異常に，LH/FSH分泌異常は卵胞発育や排卵の異常につながる[4]．一定のGnRHパルスが存在し，LH/FSHが正常～正常低値を示し，エストロゲン分泌が保たれる場合は第1度無月経，GnRHパルスが少なく，LH/FSHが低値，エストロゲン分泌も低下した状態は第2度無月経である[4]．

2）病因・病態

FHAの原因はストレス，体重減少，激しい運動である[2,3]．

女性の性機能の成長は体重・体脂肪と深く関連し，初経の発来には一定の体重・体脂肪が必要である[7]．思春期女性の無月経の原因は，減食による体重減少が最も多く，無月経は摂食障害をしばしば伴うにもかかわらず，FHAでは理想体重を維持し，摂食障害の診断基準を満たさない場合もある．

水泳，バスケットボール，マラソン，バレーボール，

新体操などの過度な運動を原因とする相対的なエネルギー不足による無月経も大きな割合を占める[7]．女性アスリートの三徴（female athlete triad：FAT）の定義は摂食障害の有無にかかわらない low energy availability，月経異常と低骨密度で，FAT の月経の機能障害は視床下部性であるが，FAT の基準の月経異常は無月経までとはされていない[8]．

ストレスによる FHA の病態は，GnRH ニューロンの活動を抑制する CRH などのホルモンや様々な神経伝達物質を介する，GnRH 分泌の脈動性の消失と考えられている[2〜4]．また，脂肪細胞から分泌されるレプチンは GnRH 分泌を促進させるが，無月経を合併している神経性食欲不振症（anorexia nervosa：AN）やアスリートでは低値を示す[2,4]．

FHA の患者において遺伝学的背景を有する可能性もある．55 人の FHA の患者で，6 人に先天性の低ゴナドトロピン性性腺機能低下症で認められる遺伝子（FGFR1，PROKR2，GNRHR，ANOS1）に変異が確認されたという報告がある[9]．

3）臨床症候

接食障害を伴う場合には，AN に陥ることがある．体重減少が 5 kg 以上または 10 kg 以上になると無月経に至るとされる[7]．無月経の程度は体重減少の程度と相関し，体重減少が著しいほど卵巣機能は低下し，第 2 度無月経に陥る[7]．無月経が持続すると骨量減少をきたし骨折のリスクが高まる．エストロゲン濃度低下に加え，摂食障害があると栄養障害が加わり，さらにリスクが高まる[7]．思春期の続発性無月経では骨量減少症と骨粗鬆症の頻度は 52% で，骨密度が最も減少していたのは AN であったと報告されている[10]．

4）診断と検査法[3,7]

まず，脳腫瘍や下垂体炎症などの器質的疾患を除外する．

①思春期の開始時期，初経年齢，無月経期間，体重減少の有無，既往歴，ストレス，摂食状況，運動の種類と量，常用する薬剤などを問診．

②身長，体重，BMI，血圧，脈拍，体温などの測定，全身の診察．

③血算，生化学検査，LH/FSH，エストラジオール（E_2），PRL や甲状腺機能や副腎機能も評価．

④超音波検査や骨盤 MRI 検査により子宮の大きさを評価，中枢神経系疾患が疑われれば頭部 MRI．

⑤骨減少症と骨粗鬆症の評価のために骨密度，無症候性の椎体骨折の評価のために側面の脊柱 X 線検査[11]．

⑥第 1 度無月経，第 2 度無月経の鑑別には，従来はゲスターゲン（プロゲステロン），エストロゲンテストが用いられた．ゲスターゲン単独で消退出血をみるものを第 1 度無月経，ゲスターゲンのみでは出血を認めず，エストロゲンを併用して消退出血をみるものを第 2 度無月経と判定する[4]．ゲスターゲン，エストロゲンテストでは出血が起こるまで数日を要する．内因性のエストロゲン分泌がある場合には頸管粘液が観察され，超音波検査で内膜肥厚が観察できるので，この所見でも第 1 度，第 2 度の鑑別は可能である[4]．

5）治療法

体重減少やストレスなどの誘因が明らかな FHA では，その原因の除去が第一である．ライフスタイルの改善の指導や心理カウンセリングなどを行う[3]．明らかな外的誘因を認めない第 1 度無月経では，数か月間の経過観察が可能である．一方，第 1 度無月経でも長期間，無月経が持続する場合，原因の除去が困難であるか除去後も無月経が改善しない場合，第 2 度無月経の場合は薬物療法を考慮する．また，骨塩量の減少を認める場合も，早期の治療開始が望ましい．

正常月経周期が回復しない場合は，性ステロイドホルモンの補充療法を行う．第 1 度無月経に対しては Holmstrom 療法，第 2 度無月経に対しては性中枢および子宮への効果を期待して Kaufmann 療法を行う．

6）管理と予後

標準体重の 70% を下回る極度の体重減少性無月経では，貧血の助長や体力の消耗を避けるために月経の誘導を行わず体重の回復を待つ[7]．体重が元の体重または標準体重の 90%，BMI 19 程度まで体重が回復すると血中 E_2 値が上昇し，月経が回復することが多い[7]．FHA の患者においては，抗 Müller 管ホルモン（anti-Müllerian hormone：AMH）は正常で卵巣の予備能は正常である[12]．

長期間に及ぶ FHA では，将来心血管合併症リスクがある可能性がある[13]．アスリートにおける脂質代謝異常があると報告されている[3]．

7）最新知見

FHA に対する根本的な治療として，レプチンによる E_2 の増加や排卵周期の再開や骨形成マーカーの上昇の報告や[14]，キスペプチンの有用性についての報告がある[15]．

❖ 文献

1) Gordon CM：Clinical practice. Functional hypothalamic amenorrhea. *N Engl J Med* 363：365-371, 2010
2) Sowińska-Przepiera E, *et al.*：Functional hypothalamic amenorrhoea-diagnostic challenges, monitoring, and treatment. *Endokrynol Pol* 66：252-260, 2015
3) Sophie Gibson ME, *et al.*：Where have the periods gone? The

evaluation and management of functional hypothalamic amenorrhea. J Clin Res Pediatr Endocrinol 12(Suppl. 1)：18-27, 2020
4) 水沼英樹：女性の各ライフステージにおける生理と病理. 基礎から学ぶ女性医学. 診断と治療社, 31-51, 2020
5) Practice Committee of American Society for Reproductive Medicine：Current evaluation of amenorrhea. Fertil Steril 90(5 Suppl.)：S219-S225, 2008
6) 日本産科婦人科学会（編）：産科婦人科用語集・用語解説集. 改訂第4版, 日本産科婦人科学会, 214, 2018
7) 日本女性医学学会（編）：やせを伴う続発性無月経. 女性医学ガイドブック　思春期・性成熟期編　2016年度版. 金原出版, 10, 56-65, 2016
8) Committee Opinion No. 702：Female athlete triad. Obstet Gynecol 129：e160-e167, 2017
9) Caronia LM, et al.：A genetic basis for functional hypothalamic amenorrhea. N Engl J Med 364：215-225, 2011
10) Wiksten-Almströmer M, et al.：Reduced bone mineral density in adult women diagnosed with menstrual disorders during adolescence. Acta Obstet Gynecol Scand 88：543-549, 2009
11) Ward LM, et al.：The management of osteoporosis in children. Osteoporos Int 27：2147-2179, 2016
12) La Marca A, et al.：Serum anti-müllerian hormone levels in women with secondary amenorrhea. Fertil Steril 85：1547-1549, 2006
13) O'Donnell E, et al.：Clinical review：Cardiovascular consequences of ovarian disruption：a focus on functional hypothalamic amenorrhea in physically active women. J Clin Endocrinol Metab 96：3638-3648, 2011
14) Welt CK, et al.：Recombinant human leptin in women with hypothalamic amenorrhea. N Engl J Med 351：987-997, 2004
15) ayasena CN, et al.：Subcutaneous injection of kisspeptin-54 acutely stimulates gonadotropin secretion in women with hypothalamic amenorrhea, but chronic administration causes tachyphylaxis. J Clin Endocrinol Metab 94：4315-4323, 2009

（菅野潤子）

H 多嚢胞性卵巣症候群（PCOS）

1）定義・概念

a. 定義

多嚢胞性卵巣症候群（polycystic ovary syndrome：PCOS）は，月経異常，男性化徴候，卵巣の多嚢胞性腫大所見を主徴とする症候群である．肥満/インスリン抵抗性を伴うことが多いため，これを主徴に加えることもある．排卵障害を伴う月経異常は，結果的に卵巣の多嚢胞性変化を生じる．また，原因は明らかではないが，卵巣のステロイド産生に異常があり，卵巣性男性ホルモンの過剰により男性様発毛や中等度～重度の痤瘡などの男性化徴候をきたす．

基礎疾患があり多嚢胞性卵巣の所見を呈するものは含まれない．

次の概念でも述べるように，これらの典型的な主徴は成人白人女性の所見をもとに定義されてきた．思春期のPCOSでは，これらの所見と正常の成熟途中の生理的所見がかなり重複するため，必ずしもこの定義が当てはまらないことも多い．また，アジア人は男性化徴候が明らかでなく，肥満を伴わないことも少なくないことから，特に思春期年齢のアジア人PCOSの徴候には，幅があることを理解する必要がある．

b. 概念

PCOSは，1935年に両側卵巣の多嚢胞性腫大と肥満・男性化徴候を伴う月経異常を主徴とするStein-Leventhal症候群が報告された．以後，成人においては排卵障害を伴う症候群として一般化したが，必ずしも特徴的徴候を有さないPCOS症例が増加し，診断基準があいまいとなっていた．海外では，1990年にアメリカ国立衛生研究所（National Institutes of Health：NIH）が排卵障害と高アンドロゲン血症の二つを必ず満たすという診断基準を作成し，2003年にESHRE/ASRMの，いわゆるRotterdam Criteriaが策定され，排卵障害，高アンドロゲン血症，多嚢胞性卵巣（PCO）所見のうち二つを満たすものとし，これが世界的には最も多く使用されてきた[1]．2009年にはAndrogen Excess Society（AES）が高アンドロゲン血症を認めないPCOSの存在に疑問を呈し，2012年にAmsterdam Criteriaが発表されたが[2]，いまだ議論は継続している．さらに，思春期のPCOSは成人と病像が同一ではないため，異なる診断基準が必要であることから，国際ワーキンググループが結成され2015年に思春期女児のための診断の手引きが発表された[3]．さらに，2019年に国際ワーキンググループのコアメンバーが思春期女児のPCOSについて，病因・診断・治療についてのupdateを報告[4]，別の国際ワーキンググループが2018年にシステマティックレビューを行い，recommendationを発表している[5]．

一方わが国では，欧米との表現型が異なることが指摘されており，特に肥満を伴う例が少ないこと，東アジア系では高アンドロゲン血症でも男性様発毛の多毛をきたさない例が多いことから，欧米の定義をそのまま当てはめることには無理があると考えられた．そこで日本産科婦人科学会は，1993年に生化学データを盛り込み，排卵障害，高LH，卵巣のPCO所見の三つを必ず満たすという基準を設定した．しかし，LH測定系の問題などが明らかとなって，2007年にはこれを改定し，月経異常（排卵障害），高LHまたは高アンドロゲン，卵巣のPCO所見の三つを必ず満たす，という基準を設定した[6]．

II 各　論

PCOSは生殖年齢女性の6〜15%で認められる疾患であり、成人女性の高アンドロゲン血症の原因の72〜84%を占めている。慢性的な排卵障害に至るため、生殖能力に障害を及ぼし、不妊の原因となる。また、糖代謝異常やメタボリックシンドロームとの関連も明らかとなっており、社会的観点からもその予防、早期発見・早期治療が重要である。

2）病因・病態

a. 病因

PCOSの病因は、卵巣におけるステロイド産生の異常とインスリン抵抗性亢進など、多因子と考えられている。これには遺伝的要素と、出生前と生後の環境因子によるエピジェネティックな修飾の関与が報告されている。

①遺伝的要素

近年のゲノムワイド関連解析(genome wide association study：GWAS)によると、漢民族では11の独立したリスク部位において疾患関連リスクの高い15の一塩基多型(single nucleotide polymorphism：SNP)が報告されている。リスク部位の遺伝子としては、THADA, LHCGR, FSHR, C9orf3, DENND1A, YAP1, RAB5B, INSR, TOX3, SUMO1P1, HMGA2 があげられている[6]。このうち、THADA, LHCGR, FSHR, DENND1A, YAP1, INSRはコーカシアン(白人)でも再現されており[7]、PCOSの独立した遺伝的要因であることが強く示唆されている。これらの遺伝子には、ゴナドトロピン-卵巣系のステロイドホルモン合成調節に関与する因子や、インスリン-糖代謝に関連する因子が含まれる。また、Fibrillin3, POMCなどの特定の遺伝子多型の関連も報告されている[8]。

②環境因子・エピジェネティックな修飾

GWASで明らかとなったPCOSと関連するSNPsに関して、PCOS罹患者とコントロールのmRNA発現の差が肥満の有無によって異なることが報告されている[9]。LHCGRは、非肥満者においてPCOSがコントロールより有意に発現量が高いことが認められるが、肥満者では有意差はない　一方INSRは肥満者においてPCOSはコントロールより有意に発現量が低いが、非肥満者では有意差はない。

また、PCOSとコントロールでは、上記のSNPsにおけるCpGサイトのメチル化に有意差があることが示されており、出生前および生後における環境因子によるエピジェネティックな修飾が関与していることが示唆されている。

最近では、マイクロバイオームの種の多様性(α-diversity)がPCOSや肥満では減少していることから、PCOSの表現型の形成に腸内細菌叢が関与している可能性も報告されている[4]。

以上をまとめたのがWitchelらによって示された図である(図3)[4]。

b. 病態

基本的な病態は、卵巣内の高アンドロゲン血症である。高アンドロゲン血症が、卵巣原発であるか、下垂体LH分泌増加が原発性の問題であるかは議論がある。卵巣原発の場合、卵巣のLHに対する感受性亢進が、卵巣内のステロイド合成に異常をきたすと考えられている。卵巣内高アンドロゲンは、卵巣内での主席卵胞の成熟を抑制し莢膜細胞と顆粒膜細胞の早期黄体化を促進して、多くの小卵胞を産生する。このことにより、卵巣は多嚢胞性となり、月経周期は障害される。また、排卵障害を起こすため、慢性化すると生殖能力低下に至る。

卵巣性のアンドロゲン分泌亢進は、男性様発毛、中等度〜重度の面皰など男性化徴候をきたす。多毛は、全身性多毛のhypertrichosisとは異なり、男性型の発毛をみることが特徴である。

3）臨床症候

a. 月経異常

①標準的な月経

▶初経と無排卵性月経

日本人女児の標準的初経年齢は12歳3か月とされている。原発性無月経は、初経が15歳までに起こらない場合をいうが、乳房腫大から2〜3年を経過しても月経が起こらない場合は、思春期のテンポが遅いと考える。初経後3〜5年は正常でもしばしば無排卵性月経がみられる。月経が周期的でなく、過多月経などの場合は無排卵性月経が示唆される。

▶標準的性周期

思春期年齢における標準的性周期は成人と同じく21〜45日であるが、95パーセンタイル信頼区間は83日とする報告もある[3]。性周期は、ほとんどの女児において初経後約3年で確立するが、視床下部-下垂体-性腺系(hypothalamus-pituitary-gonadal axis：HPG系)の成熟が完了し、排卵周期が完全に確立するまでには5年を要することも少なくない。

②月経異常

月経異常には、原発性無月経、3か月以上月経を認めない稀発月経がある。これらの定義は、思春期年齢ではいまだHPG系は成熟途上であるため、生理的・標準的所見とかなり重複する。稀発月経は思春期年齢PCOSの初期徴候とはならないので注意を要する。

ただし、初経後3〜5年の間であっても、継続して稀

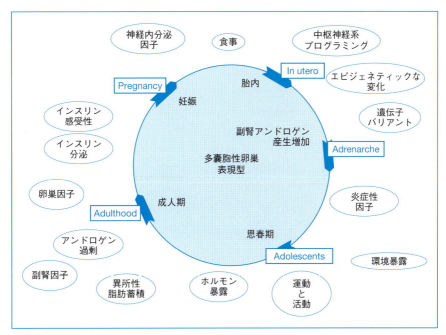

図3 PCOSの成因

〔Witchel SF, *et al.*：Polycystic Ovary Syndrome：Pathophysiology, Presentation, and Treatment With Emphasis on Adolescent Girls. *J Endocr Soc* 3：1545-1573, 2019 より引用改変〕

発月経である場合は，PCOSになるリスクがあると考えられる．

b．アンドロゲン過剰
①臨床所見
男性様発毛（hirsutism），中等度～重度の面皰，月経異常を認めた場合，アンドロゲン過剰を疑う．

▶男性様発毛

男性様発毛では，口周囲，胸腹部，陰毛，背部，大腿などに，産毛ではない男性様の硬い発毛を認める．男性様発毛のみの所見は，正常の初経前後の女児にもよくみられるので，これのみでPCOSの所見とはいえない．

▶痤瘡（面皰）

思春期女児でも痤瘡はよくみられるが，炎症を伴っていたり，塗布薬の治療に反応不良で改善がみられず持続する場合，アンドロゲン過剰を疑う．

②検査所見
アンドロゲン過剰の検査所見については次項で述べるが，臨床的なアンドロゲン過剰所見を伴っていることが必須であり，検査所見のみでアンドロゲン過剰の判断を行うのは適切ではない．

4）診断と検査法
a．診断
①月経異常
初経年齢，その後の月経周期の聴取を行う．この病歴聴取が最も重要である．

②アンドロゲン過剰所見
▶臨床所見

男性様発毛，重症～中等症の痤瘡（面皰）．図4[10]にFerriman-Gallwey（FG）スコアを示す．白人成人女性の場合，FGスコアで評価するのが一般的であるが，思春期女児，特にアジア人はPCOSでも多毛をきたさないことも多いとされ，FGスコアで評価するのはむずかしい．

▶検査所見

血中テストステロンの上昇が持続的に繰り返し証明される．テストステロン高値の判断は，それぞれのアッセイにおける年齢・性別標準値の95パーセンタイル以上，と考えられるが，テストステロンのイムノアッセイにおける中間代謝物の交差反応が大きいことから，現在のところ，高品質のタンデム質量分析法が最も信頼のできる結果をもたらすと考えられている．

さらに，血中テストステロン値は日内変動があり，性周期や性ホルモン結合蛋白（sex hormone binding globulin：SHBG）値によっても変動するので，必ず複

Ⅱ 各　論

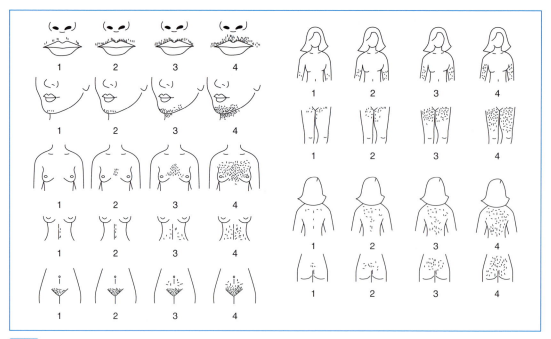

図4　Ferriman-Gallweyスコア
男性様発毛の程度を示す．アジア人には当てはまらないことが多いので注意を要する
〔Hatch R, et al.：Hirsutism：implications, etiology, and management. Am J Obstet Gynecol 140：815-830, 1981〕

数回の検査を行う．

異常高値のカットオフ値としては，イムノアッセイの抽出法の場合 0.55 ng/mL，高速液体クロマトグラフィータンデム質量分析（LC-MS/MS）法の場合 0.42 ng/mL，と報告されている[3]．

血中 LH 値は，アンドロゲン過剰があると高値となり，分泌パルスの頻度も高くなる．テストステロンのアッセイに問題がある場合で，LH の上昇が高アンドロゲン血症を支持するデータとなりえ，テストステロンの代替マーカーとなりえるのではないか，という提案が日本産科婦人科学会からなされている．PCOS で高アンドロゲン血症のある思春期女児では，PCOS のないコントロールの健常女児よりも LH のパルス頂値，平均濃度が有意に高いことが報告されている．一方，肥満の女児でもテストステロン値の上昇がみられるが，LH は分泌頻度は増えるものの，分泌頂値は低下する．

このほか，血中の抗 Müller 管ホルモン（anti-Müllerian hormone：AMH）値の上昇，ケトステロイドの上昇が報告されているが，診断基準にいれるだけのカットオフ値設定のエビデンスはまだない[4]．

③多嚢胞性卵巣所見

元来，思春期健常女児の 30〜40％ は多嚢胞性卵巣形態（polycystic ovary morphology：PCOM）を呈するため，PCOM 所見のみで PCOS を診断しないようにする．

成人では PCOM は，卵胞期（月経周期 2〜6 日）の経腟三次元超音波にて，一つの卵巣に卵胞が 24 個以上，と定義される．径 4〜10 mm の比較的大きな卵胞が 6 個以上，卵巣内に広く分布し，基質の増生を伴わない所見は，アンドロゲン過剰とは関連せず，病的所見でもない．

思春期女児の卵巣は，初経後 16 歳までの間に容積が最大となり，小さな卵胞の数も最大となる．PCOS の女児の卵巣は健常女児よりも容積が大きく，卵胞数も多いが，両者の間には重なりも多い．したがって，思春期年齢での PCOM の診断基準を設定するのはむずかしいが，過渡的な基準として，卵巣容積 12 cm^3 より大きい場合，卵巣は腫大していると考えられる．思春期年齢においては卵胞数の基準設定はできない．思春期年齢の女児に対し，経腟超音波は行わないので，確実な所見を得るには腹部 MRI を行う（図5）[11]．

④鑑別診断

鑑別診断を表14 に示す．

鑑別診断を行うために，17 ヒドロキシプロゲステロン（17OHP），アンドロステンジオン，デヒドロエピアンドロステロンサルフェート（dehydroepiandrosterone sulfate：DHEA-S），甲状腺ホルモン，ゴナドトロピン，AMH などを適宜追加して測定する．AMH は，PCOS

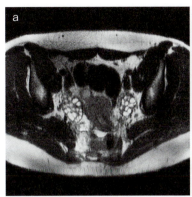
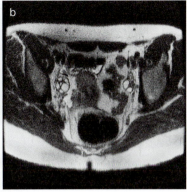

図5 PCOSと正常思春期女児の卵巣所見
a：PCOS，b：正常思春期女児
〔Brown M, et al.：Ovarian imaging by magnetic resonance in adolescent girls with polycystic ovary syndrome and age-matched controls. J Magn Reson Imaging 38：689-693, 2013〕

表14 多嚢胞性卵巣症候群：鑑別診断

疾患	鑑別のための検査項目
非古典型先天性副腎過形成症（21水酸化酵素欠損症）	17OHP，デオキシコルチコステロン，17ヒドロキシプレグネノロン，アンドロステンジオンなど
11β水酸化酵素欠損症	
その他の先天性副腎過形成症（P450酸化還元酵素欠損症，3β水酸化ステロイド脱水素酵素欠損症など）	
Cushing症候群（原発性色素結節性副腎皮質疾患）	コルチゾール
Cushing症候群を伴わない副腎腫瘍	ステロイド測定，腹部画像診断
グルココルチコイド受容体異常によるグルココルチコイド不応症，グルココルチコイド単独欠損症	ステロイド測定，ACTH
卵巣性アンドロゲン分泌腫瘍	ステロイド測定，腹部画像診断
McCune-Albright症候群	線維性骨異形成症，カフェオレ斑など
甲状腺機能低下症	TSH，FT_3，FT_4
高プロラクチン血症	PRL，下垂体画像診断

で正常コントロールよりも有意に高値を示すが，PCOSを伴わない稀発月経例とは差がない．

b．わが国における診断基準（表15）[12]

日本産科婦人科学会生殖・内分泌委員会で2007年に作成された．主として成人を対象とした基準であるため，思春期年齢を対象とする小児における診断基準としては当てはまらない可能性はある．

c．その他の特徴的所見

①インスリン抵抗性

PCOSではインスリン抵抗性が高いことが知られている．BMIで調整後の空腹時インスリン，24時間インスリン総分泌量，経静脈ブドウ糖負荷試験（intravenous glucose tolerance test：IVGTT）に対するインスリン反応のすべてが高値であると報告されており，卵巣性アンドロゲン過剰との直接の関連が示唆されているが，インスリン抵抗性そのものは診断基準に含まれないことに留意する[3]．

インスリン抵抗性は2型糖尿病，メタボリックシンドロームと関連するので，それらの疾患の予防・早期発見・早期治療が重要である．

②肥満

PCOSはインスリン抵抗性とともに肥満を伴うことが多い．非肥満のPCOSにおいても内臓脂肪の蓄積が認められる．肥満の思春期女児は，思春期のすべてのステージにおいて高アンドロゲン血症を示すことが報告されており，脂肪組織の過剰がPCOSの表現型形成に関与していると考えられている（図6）[13]．

③子宮内発育遅延と低出生体重（small for gestational age：SGA）

SGAはインスリン抵抗性体質を形成し，生後の成長捕捉が体脂肪量の増加やアンドロゲン過剰，早発陰毛と密接に関連し，女児ではPCOSのリスクが上昇する

II 各論

表15 多嚢胞性卵巣症候群の診断基準

(日本産科婦人科学会 生殖・内分泌委員会, 2007)
I. 月経異常
II. 多嚢胞性卵巣
III. 血中男性ホルモン高値 または LH基礎値高値かつFSH基礎値正常

注1) I〜IIIの全てを満たす場合を多嚢胞性卵巣症候群とする.
注2) 月経異常は無月経・稀発月経・無排卵周期症のいずれかとする.
注3) 多嚢胞性卵巣は, 超音波断層検査で両側卵巣に多数の小卵胞がみられ, 少なくとも一方の卵巣で2〜9 mmの小卵胞が10個以上存在するものとする.
注4) 内分泌検査は, 排卵誘発薬や女性ホルモン薬を投与していない時期に, 1 cm以上の卵胞が存在しないことを確認のうえで行う. また, 月経または消退出血から10日目までの時期は高LHの検出率が低い事に留意する.
注5) 男性ホルモン高値は, テストステロン, 遊離テストステロンまたはアンドロステンジオンのいずれかを用い, 各測定系の正常範囲上限を超えるものとする.
注6) LH高値の判定は, スパック-Sによる測定ではLH≧7 mIU/mL(正常女性の平均値+1×標準偏差)かつLH≧FSHとし, 肥満例(BMI≧25)ではLH≧FSHのみでも可とする. 他の測定系による測定値は, スパック-Sとの相違を考慮して判定する.
注7) クッシング症候群, 副腎酵素異常, 体重減少性無月経の回復期など, 本症候群と類似の病態を示すものを除外する.

〔苛原 稔:クリニカルレクチャー 5) PCOSの新しい診断基準. 日産婦誌 60:N185-N190, 2008〕

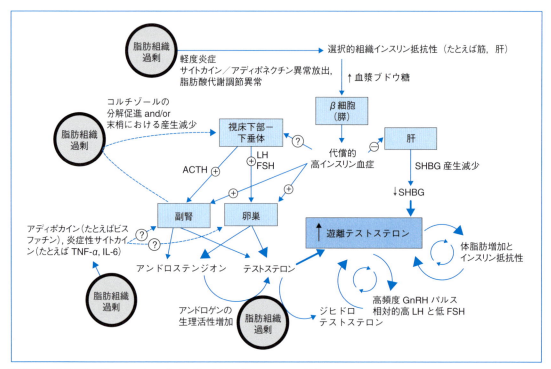

図6 過剰脂肪組織とアンドロゲン過剰・月経異常, PCOSの関連

〔Anderson AD, et al.:Childhood obesiy and its impact on the development of adolescent PCOS. *Semin Reprod Med* 32:202-213, 2014 より引用一部改変〕

ことが報告されている.

5) 治療法

a. 予防

SGA, 肥満の予防はPCOSのリスクを軽減する.

b. 治療

第一の治療目標は月経異常の改善であり, 月経異常の治療のみでアンドロゲン過剰が改善することも多い. アンドロゲン過剰症, 肥満・インスリン抵抗性そのものを治療対象とすべきかは個々の症例で判断する[3,14].

①月経異常に対する治療

▶経口避妊薬〔低用量ピル(oral contraceptive pill:OCP)〕

卵巣機能抑制により卵巣性アンドロゲン過剰を抑制

し，hirsutism の治療となる．保険適応外の治療となる．

▶**黄体ホルモン**

子宮内膜のサイクルを矯正するが，OCP のほうが効果がある．

▶**GnRH アナログ**

OCP の代替治療である．

②アンドロゲン過剰に対する治療

アンドロゲン過剰症状改善は，患児の精神的な負担を軽減するので重要である．高度な男性化徴候に積極的に介入するには，美容的な処置や以下の薬剤使用を考慮してもよい．

▶**スピロノラクトン**

アンドロゲンとその受容体の結合を競合的に阻害する．

▶**その他**

酢酸シプロテロン（わが国では現在使用されていない），フルタミドはアンドロゲン受容体結合競合阻害，受容体アンタゴニスト．フィナステリドは 5α 還元酵素と競合する．塩酸エフロルニチン軟膏は顔面の男性様発毛に用いられる．

③肥満・高インスリン血症に対する治療

ⅰ）食事指導，ⅱ）運動療法，ⅲ）メトホルミン，ピオグリタゾンが用いられることもある．メトホルミンは，月経異常に対しても第一選択とすることもある[4]．

6) 管理と予後

わが国ではまだ見過ごされがちな症候群であるため，早期発見・早期治療介入が重要である．

SGA 出生や肥満の増加に伴い，本症は増加する可能性があり，将来の2型糖尿病・メタボリックシンドローム増加につながること，適切な治療がなされなければ生殖能力低下に至ること，男性化徴候による精神的負担増大が社会参加を阻害する可能性があることから，社会的にも問題は大きいと思われる．

7) 最新知見

GWAS などにより，遺伝的背景が明らかになってきたほか，SGA や肥満・インスリン抵抗性との関連もエビデンスが蓄積されている．

一方，思春期PCOS の診断のむずかしさが指摘され，より確実な診断のための手引きが国際ワーキンググループにより作成された．同ワーキンググループにより，治療の手引きも含めたレビューが作成された[4]．

❖ 文献

1) Rotterdam ESHRE/ASRM-Sponsored PCOS Consensus Workshop Group：Revised 2003 consensus on diagnostic criteria and long-term health risks related to polycystic ovary syndrome. *Fertil Steril* 81：19-25, 2004
2) Fauser BC, et al.：Consensus on women's health aspects of polycystic ovary syndrome（PCOS）：the Amsterdam ESHRE/ASRM-Sponsored 3rd PCOS Consensus Workshop Group. *Fertil Steril* 97：28-38. e25, 2012
3) Witchel SF, et al.：The Diagnosis of Polycystic Ovary Syndrome during Adolescence. *Horm Res Paediatr* 83：376-389, 2015
4) Witchel SF, et al.：Polycystic Ovary Syndrome：Pathophysiology, Presentation, and Treatment With Emphasis on Adolescent Girls. *J Endocr Soc* 3：1545-1573, 2019
5) Teede HJ, et al；International PCOS Network；Recommendations from the international evidence-based guideline for the assessment and management of polycystic ovary syndrome. *Fertil Steril* 110：364-379, 2018
6) Chen ZJ, et al.：Genome-wide association study identifies susceptibility loci for polycystic ovary syndrome on chromosome 2p16.3, 2p21 and 9q33.3. *Nat Genet* 43：55-59, 2011
7) Shi Y, et al.：Genome-wide association study identifies eight new risk loci for polycystic ovary syndrome. *Nat Genet* 44：1020-1025, 2012
8) Louwers YV, et al.：Cross-ethnic meta-analysis of genetic variants for polycystic ovary syndrome. *J Clin Endocrinol Metab* 98：E2006-E2012, 2013
9) Jones MR, et al.：Systems Genetics Reveals the Functional Context of PCOS Loci and Identifies Genetic and Molecular Mechanisms of Disease Heterogeneity. *PLoS Genet* 11：e1005455, 2015
10) Hatch R, et al.：Hirsutism：implications, etiology, and management. *Am J Obstet Gynecol* 140：815-830, 1981
11) Brown M, et al.：Ovarian imaging by magnetic resonance in adolescent girls with polycystic ovary syndrome and age-matched controls. *J Magn Reson Imaging* 38：689-693, 2013
12) 苛原　稔：クリニカルレクチャー 5）PCOS の新しい診断基準．日産婦会誌 60：N185-N190, 2008
13) Anderson AD, et al.：Childhood obesiy and its impact on the development of adolescent PCOS. *Semin Reprod Med* 32：202-213, 2014
14) Barbieri RL, et al.：Treatment of polycystic ovary syndrome in adolescents. UpToDate
http://www.uptodate.com/contents/treatment-of-polycystic-ovary-syndrome-in-adolescents（2021年7月1日アクセス）

〈堀川玲子〉

トランスジェンダーと性別違和

思春期の二次性徴の嫌悪に対し，からだがこれ以上望まない性別の方向に成熟しないようホルモン療法を行うことがある．国際ガイドライン[1]に，「思春期を抑制するのも発来させるのも，中立的な行為とはいえない」と明記されているように，この治療の可否の決断はむずかしい．

本項では，定義や概念の整理をしたうえで，国際ガ

表16 ICD-11の記述（試訳）

ICD-11：青年期および成人期の性別不合
青年期および成人期の性別不合は，体感される性別（gender）と，割り当てられた性別（sex）との顕著な不一致によって特徴づけられる．それは以下のうち少なくとも二つ以上によって示される．
1) 体感される性別との不一致により，一次および二次性徴（青年期においては予想される二次性徴）への強い嫌悪または不快感．
2) 体感される性別との不一致により，一次および二次性徴（青年期においては予想される二次性徴）の一部またはすべてから解放されたいという強い欲求．
3) 体感される性別の一次および二次性徴（青年期においては予想される二次性徴）を獲得したいという強い欲求．
　体感される性別の人として扱われたい（生活し受け入れられる）という強い欲求を感じる．体感される性別の不一致は，少なくとも数か月は持続しなければならない．思春期の開始前には診断することはできない．非典型的異性役割行動や嗜好のみでは，この診断を付与する根拠にはならない．

イドラインである World Professional Association for Transgender Health（WPATH）の「SOC-7」[1]）と日本精神神経学会による「性同一性障害に関する診断と治療のガイドライン（第4版改．2021年現在，第5版改訂作業中）」[2]）とに依拠しつつ，思春期のホルモン療法の適用と実施について概説する．

1）定義・概念

a. 精神疾患概念としての「性別違和」

性同一性障害から性別違和へと診断名を変更したのが，2013年のアメリカ精神医学会による DSM（精神疾患の診断・統計マニュアル）の改訂第5版[3]）である．「青年および成人の性別違和」における主症状は，指定された（出生時に割り当てられた）性別と，体験・表出する（identity をもつ）性別とに著しい不一致を示すことである．診断には，「その状態は，臨床的に意味のある苦痛，または社会，学校，または他の重要な領域における機能の障害と関連している」という，いわゆる「B基準」を満たさねばならない．つまり，苦痛や社会的機能障害が認められることで精神疾患としてみなすことができるとした概念である．

少なくとも6か月以上，B基準に加え，六つある条件のうち二つを満たせば「性別違和」とされる．六つとは，①著しい不一致，②一次および／または二次性徴から解放されたい（思春期においては，予想される二次性徴の発達をくい止めたい）という強い欲求，③割り当てられた性別とは異なる一次および／または二次性徴を強く望む，④割り当てられた性別とは異なる性別になりたいという強い欲求，⑤割り当てられた性別とは異なる性別として扱われたい強い欲求，⑥割り当てられた性別とは異なる性別に典型的な感情や反応をもっているという強い確信，である．たとえば，⑤と⑥および B 基準だけ満たしさえすれば，自らの一次／二次性徴への不快感や自らもっていない一次／二次性徴への強い希求がなくとも診断されるため，身体への医学的介入を望んでいなくても，つけられる診断ともいえる．

b. 精神疾患概念ではないが医療概念ではある「性別不合」

精神疾患としての性別違和に対し，WHO による ICD（国際疾病分類）の第11版[4]）ではこれまでの性転換症など，いくつかの性同一性障害群に入れられていた診断名を一掃して「性別不合」とし，「精神および行動の障害（F コード）」から除外することを決定した．そして「性の健康に関連する状態」という新たな章に組み入れ，2022年1月からの施行を目指している．その記述の試訳を表16に示す．この分類では，割り当てられた性別とは異なる性別の性徴への強い欲求や，不一致であることへの著しい不快感が継続的に示されることが含まれる．少なくとも三つある条件のうち二つを満たす必要があり，いずれも身体への違和が含まれているため，DSM とは異なり，医学的介入を必要とする可能性を示唆した内容となっている．さらに DSM との大きな違いは，それを精神疾患ではなく，性の健康のために医療的対応をする状態として捉えていることである．脱精神病理化を行うことにより，これまで当事者が被ってきた社会的スティグマを小さくする狙いがあるとされる．

c. 非医療概念としての「トランスジェンダー」

トランスジェンダーとは，出生時に割り当てられた性別や性のありようとは異なるありようへの identity をもつ状態を指す．SOC-7 では「文化的に定義されたジェンダー・カテゴリーを横断あるいは超越する，多様性のある集団を表す形容詞．彼らのジェンダー・アイデンティティ（gender identity）は，出生時に割り当てられた性別とは異なるが，その程度は様々である」[5]）という定義を紹介している．

この概念の重要な点としては，性別違和や性別不合とは異なり，一切，病理や医療といった意味合いが付

表17 思春期におけるホルモン療法の適用基準

WPATHによる適用基準
1. 長く持続する強いジェンダーへの非同調性あるいは性別違和(抑制されている場合と,表出している場合がある)がみられること.
2. 思春期の発来によって,性別違和が出現,あるいは悪化していること.
3. 治療を妨げうる(たとえば,治療の継続に影響するような)心理的,医学的,社会的問題が併存している場合,治療をはじめるのに十分な程度に,本人の置かれている状況や活動が安定するよう対処されていること.
4. 本人のインフォームドコンセント(説明同意)があること.特に,医学的な同意が可能な年齢に達していない場合には,親や他の保護者・後見人が治療に同意し,治療プロセスの全過程において子をサポートすることができること.

日本精神神経学会による施行条件
1. 性別違和の持続.
2. 実生活経験(real life experience):本人の望む新しい生活についての必要十分な検討ができていること.
3. 身体的変化に伴う状況的対処:身体的変化に伴う心理的,家庭的,社会的困難に対応できるだけの準備が整っていること.
4. 予測不能な事態に対する対処能力:予期しない事態に対しても現実的に対処できるだけの現実検討力を持ち合わせているか,精神科医や心理関係の専門家などに相談して解決を見出すなどの治療関係が得られていること.
5. 身体的条件:十分な問診,身体的診察と必要な検査を行い,ホルモン療法を行うことで健康に重篤な悪影響を及ぼす疾患などが否定されていること.
6. 二次性徴抑制療法開始時期は,Tanner 2度以降,望む性別へのホルモン療法開始時期は15歳以上.
7. インフォームド・デシジョン:ホルモン療法の方法,効果と限界,起こりうる副作用について改めて十分な説明を行い,理解していることを確認したうえで,文書で同意を得ること.未成年に対して行う治療であるから,親権者など法定代理人の同意を得ること(親権者が2名の場合は2名の同意を要する).
8. 家族への説明:親権者など法定代理人を含む家族にも,ホルモン療法の効果と限界,起こりうる副作用について十分な説明を行うこと.

随しないことにある.定義内にも「一致しない」や「違和がある」といったネガティブな文言はなく,「ジェンダー・カテゴリーを横断,超越」という中立的な表現となっている.この概念は,トランスジェンダーの当事者が自己定義するなかで用いられてきた歴史をもち,尊厳と誇りを内包させた用語として現在は使用されてきている.

2) 思春期のホルモン療法に関するガイドラインに基づいた対応

以上,概念が乱立しているものの,現在望まれる医療体制としては,受診者がgender identityを確認し,そのidentityに見合う表現方法の選択肢を様々に模索し,性別違和を緩和するための医学的治療について自己決定していくことを援助することであり,そして医学的治療が必要な場合は,それを健康的に受けられるようにすることであるといえる.

小児内分泌医は,思春期のトランスジェンダーが二次性徴を嫌悪した場合に,思春期遅延療法を実施するか否か,さらには遅延療法後に望む性別へのホルモン療法を実施するか否かという判断を,児と家族を含めた様々な専門領域の医療チーム内で長い時間をかけて十分検討するメンバーの一員であり,実施する場合には,健康で安全な治療を統括することを担う.

a. 二次性徴抑制療法・望む性別へのホルモン療法の適用

表17に,二つのガイドラインによるホルモン療法適用基準について示す(表化のため内容を整理している).適用か否かの判断には,ていねいな聞き取りとアセスメントを要する.特に日本のガイドラインにおいては,「種々の葛藤や不安に対する耐性が獲得されていて,行動化(衝動的な身体的治療への移行,自傷行為,薬物依存,自殺企図など)や操作(「死ぬ」などの脅しによって周囲を思いどおりに動かそうとするなど)をしないことも必要である」という条件も含め,「精神科医や心理関係の専門家などに相談して解決を見出すなどの治療関係が得られていること」といった医療従事者との関係性を重んじるところがある.

適用判断は医療チームで行い,医師一人で行うものではない.精神科医,心理職,小児内分泌医,その他の科の医師,看護師,医療ソーシャルワーカー,必要に応じて学識経験者らとの合議によって決定される.チームには性同一性障害学会認定医が入ることが望まれる.

二次性徴抑制療法は,Tanner 2度以上であれば年齢

は問わないが，同意能力の問題もあり，本人が12歳未満の場合には特に慎重に適応の検討が要される．このとき，「二次性徴抑制療法は時間を稼ぐための治療（gender identityを探求する時間を担保する治療）」であることを説明し，過大な期待を与えないことも必要だろう．二次性徴を抑制したうえで，さらに性化ホルモン療法を行えば，より望みの性別に典型的な見かけを獲得できる可能性が高まる一方，生殖能力は完全に失われる．インフォームドコンセントおよびデシジョンの不十分な状態でホルモン療法に進むことは禁忌である．

b. 二次性徴抑制療法・望む性別へのホルモン療法の実施

日本のガイドラインにおいては，Tanner 2～3度にある男性の二次性徴の進行抑制には，GnRHアゴニスト，あるいはプロゲスチン（黄体ホルモン類似物）か抗アンドロゲン薬を使用する．同時期の女性の二次性徴の抑制および月経の停止目的のためにはGnRHアゴニストかプロゲスチンを使用する．Tanner 4度以降の者には，二次性徴がすでに進行しているため，GnRHアゴニストなどは二次性徴抑制の目的では使用できないが，たとえば月経停止を目的として使用することはできる．

二次性徴抑制療法は，漫然と行わず，2年程度をめどに望む性別へのホルモン治療（エストロゲン製剤やゲスタゲン製剤，あるいはアンドロゲン製剤）への移行を行うか，中止をするかを検討することとなっている．二次性徴抑制療法は思春期後期までに終了することが望ましい．また，同年代の二次性徴との大きな齟齬をきたさぬよう，15歳未満で望む性別へのホルモン治療に移行をすることは推奨されていない．移行する性別へのホルモン療法開始可能年齢は15歳であるとはいえ，18歳未満で開始する場合には相応の慎重さが求められ，性同一性障害学会認定医がチームに入ることが望ましい．

二次性徴抑制療法は，副作用についても未整理である．10年間のケースの追跡[6]によれば問題はないといわれるものの，長期的予後はいまだ出ていない．近年のレビューでは，身体組成の変化や発育遅延，身長発育速度，骨密度，骨代謝などに問題が生じることが報告されている[7,8]．

この領域は小児内分泌学においても新たなテーマであり，今後のデータの蓄積が強く望まれる．

❖ 文献

1) World Professional Association for Transgender Health（WPATH）：*Standards of Care Version 7*（*SOC-7*），2011（中塚幹也，他（監訳）．トランスセクシュアル，トランスジェンダー，ジェンダーに非同調な人々のためのケア基準．第7版，世界トランスジェンダー・ヘルス専門家協会，2014）https://www.wpath.org/media/cms/Documents/SOC%20v7/SOC%20V7_Japanese.pdf（2021年9月2日アクセス）
2) 日本精神神経学会「性同一性障害に関する委員会」：性同一性障害に関する診断と治療のガイドライン（第4版改）．日本精神神経学会，2018 https://www.jspn.or.jp/uploads/uploads/files/activity/gid_guideline_no4_20180120.pdf（2021年9月2日アクセス）
3) American Psychiatric Association：*Diagnostic and Statistical Manual of Mental Disorders*．5th ed., American Psychiatric Association, Washington, DC, 2013（髙橋三郎，他（監訳）：DSM-5 精神疾患の診断・統計マニュアル．医学書院，2014）
4) WHO：ICD-11 for Mortality and Morbidity Statistics. https://icd.who.int/browse11/l-m/en#/http://id.who.int/icd/entity/90875286（2021年9月2日アクセス）
5) Bockting WO：From construction to context：Gender through the eyes of the transgendered. *SIECUS Report* 28：3-7, 1999
6) Cohen-Kettenis PT, et al.：Puberty suppression in a gender-dysphoric adolescent：A 22-year follow-up. *Arch Sex Behav* 40：843-847, 2011
7) Chew D, et al.：Hormonal treatment in young people with gender dysphoria：a systematic review. *Pediatrics* 141：e20173742, 2018
8) Rew L, et al.：Review：Puberty blockers for transgender and gender diverse youth-a critical review of the literature. *Child Adolesc Mental Health* 26：3-14, 2021

〔佐々木掌子〕

第7章 副腎疾患

A 副腎の発生・分化

　副腎は腎上極に存在する三角錐形の内分泌腺で中胚葉由来の皮質と外胚葉由来の髄質よりなる．ヒト成人では副腎皮質は，組織学的に三層〔外側被膜直下に球状層(zona glomerulosa)，中間に束状層(zona fasciculata)，内側に網状層(zona reticularis)〕に分かれる[1]．球状層は皮質の約5%を占め，ミネラルコルチコイドを分泌し，束状層は皮質の約70%を占め，おもにグルココルチコイドを分泌する．網状層は内側の25%を占め，副腎性アンドロゲンを分泌する．

　胎児期の副腎皮質は成人副腎と異なり，特有な胎児層，成人型副腎皮質と類似した永久層，胎児層と永久層の間に存在する移行層の三層で構成される(図1)[1]．

　副腎の発生であるが，副腎皮質と生殖腺は共通の原基から分化していく(図2)[2～4]．副腎生殖腺共通原基に始原生殖細胞が侵入し，その後，副腎皮質原基と生殖腺原基に分離する．副腎皮質原基から胎児皮質が形成される途中に交感神経から由来する神経堤細胞が副腎の内方に侵入し，そこで細胞索や細胞集団をなして配列する．これら神経の細胞が副腎髄質となるが，クロム塩で褐色に染まることからクロム親性細胞(chromaffin cells)ともよばれる．神経堤細胞が侵入する頃に副腎皮質は被膜化される．この時期には胎児層，永久層が認められるようになる．さらに血管新生や副腎皮質細胞群の内部で層構造を形成する過程を経て，副腎の分化が進む．胎児期の副腎皮質の大半は胎児層であ

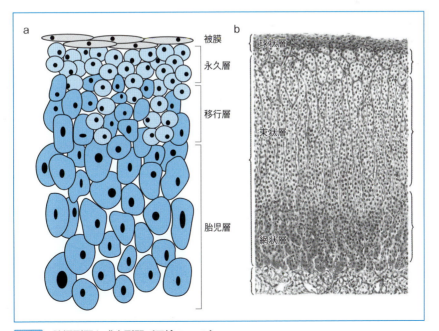

図1　胎児副腎と成人副腎〔口絵7；p.iv〕
a：胎児副腎，b：成人副腎
〔Mesiano S, et al.：Developmental and functional biology of the primate fetal adrenal cortex. *Endocr Rev* 18：378-403, 1997〕

II 各 論

る．永久層は成人副腎皮質へと出生後分化増殖する．機能的には胎児層は成人の網状層に類似する．胎児層は副腎アンドロゲンを，永久層はコルチゾールを，移行層は妊娠3期にコルチゾールを産生する．

　胎児期の胎生皮質は胎生6か月頃より急速に増大し，出生まで成長を続ける[1]．このときの副腎重量は約1.5gとなり，総体重比では成人の約35倍に相当する．出生後，形態的にも機能的にも大きな変化を示す．出生時，副腎重量は左右合計で平均6gであるが，生後数日間のうちに退縮する．この急速な変化を起こすメカニズムの詳細は不明である．胎盤由来の何らかの胎児副腎の増殖因子が推定されているが，同定されてはいない．また胎児期の低酸素状態から，出生直後の正常な酸素分圧の変化がトリガーになるという考えもある．

　急速な胎児副腎の縮小後，生後6か月以降ではすべて永久副腎にかわってしまう．このときの副腎重量は左右合計5gである．出生時に永久皮質球状層，および束状層は組織学的に識別できるまで発達している．一方，網状層は4歳頃から出現し，15歳以上で完全に分化する(図2)．

　胎児副腎では妊娠8～9週に3β水酸化ステロイド脱水素酵素(3βHSD)タイプⅡが一過性に発現し，コルチゾール産生を行う．このコルチゾールのために，視床下部―下垂体―副腎軸が抑制，副腎アンドロゲンの産生を低下させ，女児の外性器の男性化を防いでいると考えられている[5]．その後妊娠中期にかけて3βHSDタイプⅡの発現は低下し，硫酸抱合活性は上昇する．そのためデヒドロエピアンドロステロンサルフエート(dehydroepiandrosterone sulfate：DHEA-S)を大量に産生することができる．このDHEA-Sが胎盤に移行し，エストリオールに変換される．

❖ 文献

1) Mesiano S, et al.：Developmental and functional biology of the primate fetal adrenal cortex. Endocr Rev 18：378-403, 1997
2) Fujieda K, et al.：Molecular basis of adrenal insufficiency. Pediatr Res 57：62R-69R, 2005
3) Hammer GD, et al.：Minireview：transcriptional regulation of adrenocortical development. Endocrinology 146：1018-1024, 2005

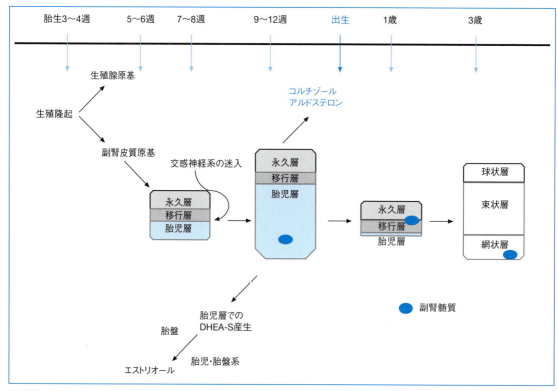

図2　副腎の発生・分化
出生後，胎児層は急速に退縮し，1歳までに消失する．球状層，束状層は3歳までに発達する．一方網状層は4歳頃から発達する
[Fujieda K, et al.：Molecular basis of adrenal insufficiency. Pediatr Res 57：62R-69R, 2005/Hammer GD, et al.：Minireview：transcriptional regulation of adrenocortical development. Endocrinology 146：1018-1024, 2005/Pihlajoki M, et al.：Adrenocortical zonation, renewal, and remodeling. Front Endocrinol (Lausanne) 6：27, 2015 より作成]

4) Pihlajoki M, et al.：Adrenocortical zonation, renewal, and remodeling. Front Endocrinol(Lausanne)6：27, 2015
5) Goto M：Pituitary-adrenal axis during human development. Clin Pediatr Endocrinol 16：37-44, 2007

（田島敏広）

B 副腎ホルモン産生・作用

　ヒトの体内で生理的活性をもつステロイドホルモンは，コルチゾールに代表されるグルココルチコイド，アルドステロンに代表されるミネラルコルチコイド，性ホルモンであるエストロゲン，プロゲステロン，テストステロンが含まれる．これらはいずれもコレステロールを基質とし，同じ生成経路を共有する(図3)．目的とするホルモン合成に必要とする酵素反応が異なるため，副腎や性腺(精巣，卵巣)は，それぞれの生成物に応じた組み合わせの酵素を発現させることでその機能を果たす．副腎皮質におけるおもに産生するステロイドは，ミネラルコルチコイド(アルドステロン)，グルココルチコイド(コルチゾール)の二つであるが，アンドロゲン(副腎アンドロゲン)も微量ながら生成され，病的な状態〔たとえば先天性副腎過形成(congenital adrenal hyperplasia：CAH)〕では，その産生過剰が臨床上問題となる．

1) 副腎皮質ホルモンの産生経路

　コレステロールは主として血中のLDLが副腎の膜上に発現するLDL受容体を介して副腎皮質細胞に取り込まれ，ステロイド産生に利用される(図4)．細胞内のコレステロールは，酵素反応の場をミトコンドリア，小胞体(endoplasmic reticulum：ER)の間で変えながら，最終産物であるアルドステロン，コルチゾールになる(図4)．

　反応を司る酵素は6種類であり，そのうち五つは約500アミノ酸残基からなり活性部位にヘムをもつチトクロムP450とよばれる酸化酵素のグループに属する(表1)．この名称は還元状態で一酸化炭素と結合して450 nmに吸収極大を示す色素ということに由来する．残りの一つは水酸化ステロイド脱水素化酵素の一つである3β水酸化ステロイド脱水素化酵素タイプⅡ (Type Ⅱ 3β-hydroxysteroid dehydrogenzase：Type Ⅱ 3βHSD)である．これら六つの酵素はそれぞれミトコンドリア，ERに局在する(図4)．

　従来，生化学的には副腎のステロイド産生には，6種以上の酵素反応が必要であり，それぞれの反応に対応した数の酵素が副腎で発現していると考えられていた．しかし近年，一つの酵素が一部の複数の酵素反応を担うことが判明した(図3, 表1)．

　副腎皮質は球状層，束状層，網状層の三つに分かれるが，それぞれ発現する酵素が異なることで三つの層の間での機能が分化し，アルドステロン，コルチゾール，アンドロゲンを産生する(図3)．

　ACTHによるコルチゾール産生調節作用は，時間的にみて長時間型と短時間型の2種ある．長時間型は，おもにコルチゾール産生酵素の遺伝子レベルでの発現量の調節による．一方，短時間の調節は，ステロイド

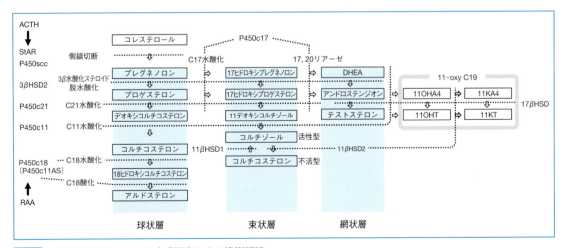

図3　副腎皮質のステロイド合成酵素とその代謝経路
RAA：renin-angiotensin-aldosterone system(レニン—アンギオテンシン—アルドステロン系)，DHEA：dehydroepiandrosterone(ジヒドロエピアンドロステロン)，11-oxy C19：11-oxygenated C19 steroids(11-酸化C19ステロイド)，11OHA4：11β-hydroxyandrostenedione(11β水酸化アンドロステンジオン)，11OHT：11β-hydroxytestosterone(11β-水酸化テストステロン)，11KA：11 ketoandrostenedione(11ケトアンドロステンジオン)，11KT：11 ketotestosterone(11ケトテストステロン)

II 各　論

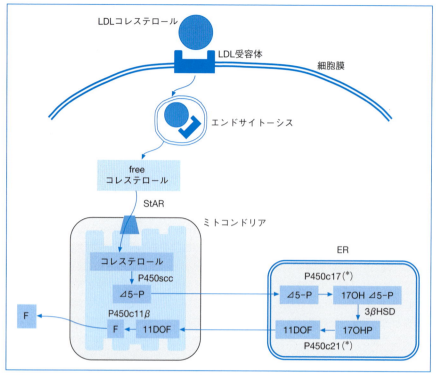

図4 ステロイド産生の細胞内局在

ER：endoplasmic reticulum（小胞体），Δ5-P：pregnenolone（Δ5-プレグネノロン），17OH Δ5-P：17 hydroxy-pregnenolone（Δ5-17 ヒドロキシプレグネノロン），17OHP：17 hydroxyprogesterone（17 ヒドロキシプロゲステロン），11DOF：11 deoxycortisol（11 デオキシコルチゾール），F：cortisol（コルチゾール）
＊：補酵素として P450 酸化還元酵素を必要とするもの

表1 ステロイド合成に関与する酵素

| 酵素名 | | 遺伝子 | 染色体 | 酵素活性 | 細胞内局在 | 電子供給源 |
日本語名	略名					
側鎖切断酵素	P450sc	CYP11A1	15q23-24	C20α 水酸化	ミトコンドリア	adrenodoxin reductase（FeRed）
				C20 水酸化		
				C20-22 側鎖切断		
11 水酸化酵素	P450c11β	CYP11B1	8q21-22	C11 水酸化	ミトコンドリア	
18 水酸化酵素	P450c18（P450c11AS）	CYP11B2	8q21-22	C11 水酸化	ミトコンドリア	
				C18 水酸化		
				C18 酸化		
17 水酸化酵素/17,20 リアーゼ	P450c17	CYP17	10q24.3	C17 水酸化	ER	P450 酸化還元酵素
				17,20 リアーゼ活性		
21 水酸化酵素	P450c21	CYP21A2	6p21.1	C21 水酸化	ER	
3β-水酸化ステロイド脱水素酵素タイプII	Type II 3βHSD	3βHSD2	1q13	3β 水酸化ステロイド脱水素化	ER	―

産生の最初のステップ，コレステロールからプレグネノロンへの反応に対して行われる．ここで重要なのが steroidogenic acute regulatory protein（StAR）とよばれるコレステロール輸送蛋白である（図4）．副腎皮質細胞内のコレステロールはミトコンドリアに移動し，そこでステロイド合成の最初のステップである P450scc の作用を受ける．しかし，ミトコンドリアは内外膜の二重膜で覆われ，その間は親水性でコレステロールは単

体では通過できない．StAR はコレステロールを細胞質からミトコンドリア内へ輸送する．ACTH は StAR の調節を介し，急速なグルココルチコイド産生の変化を調節する．StAR は胎盤を除くステロイド産生組織のすべてに発現する[1,2]．

2）副腎皮質で産生されるホルモン

副腎皮質からは代表的なミネラルコルチコイドであるアルドステロンとグルココルチコイドであるコルチゾールが産生される．また副腎アンドロゲンとよばれる副腎由来のアンドロゲン，あるいはその前駆物質も併せて産生される．

a．ミネラルコルチコイド

アルドステロンは副腎皮質球状層で合成される．デオキシコルチコステロン（desoxycorticosterone：DOC）以降の反応は，球状層にのみ発現する P450c18（P450c11AS）が担う[1]（図3）．腎臓の集合管に作用してナトリウムイオン（Na^+）の再吸収とカリウムイオン（K^+）の排泄を促進する．Na^+ の再吸収によって間質液の浸透圧を上昇させ，水の再吸収を促進，体液量を保持する役割を果たす．アルドステロンは，集合管上皮細胞内のアルドステロン受容体を介し，尿管側に発現する上皮型 Na チャネル（ENaC）を活性化，Na の再吸収に働く（図5）．

アルドステロン受容体は比較的特異性が低く，コルチゾールとも結合する．集合管では，コルチゾール分解酵素である，11β水酸化ステロイド脱水素酵素タイプⅡが発現しており，コルチゾールがアルドステロン受容体に結合することを防ぐことでアルドステロンに対する特異性を担保している．

アルドステロンの作用過剰では Na の再吸収が亢進すると同時に，水分が保持され循環血漿量が増加，血圧が上昇する．通常高ナトリウム血症をきたすことはない．一方作用不足では，尿中に Na が喪失すると同時に水分が失われ，脱水，低ナトリウム血症，高カリウム血症を起こす．この状態を一般に「塩喪失」とよぶ．

b．グルココルチコイド

コルチゾールは副腎皮質束状層で合成され，その作用は多岐にわたる．主として，糖新生の促進，炎症反応の抑制，様々なホルモンの作用を円滑にする許容作用などである．一般的にはこれらをまとめて，抗ストレス作用とよぶ．生命維持に必須なホルモンである．グルココルチコイドの作用が急激に不足することで生じる急性副腎不全（副腎クリーゼ）はしばしば致死的であり，医学的緊急事態である．グルココルチコイドの必要量は，状況によって短時間に大きく変動すること

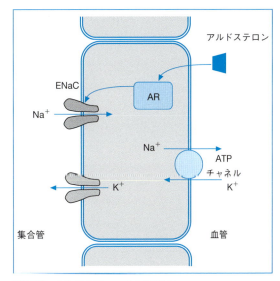

図5　アルドステロンの作用機序
アルドステロンは，集合管上皮細胞内のアルドステロン受容体を介し，尿管側に発現する上皮型 Na^+ チャネル（ENaC）を活性化する．これにより Na^+ の集合管から尿細管上皮細胞内への輸送を亢進させる．集合管の上皮細胞に取り込まれた Na^+ は Na, K-ATPase ポンプを介して血管内へ K^+ と交換する形で運ばれる
MR：アルドステロン受容体

が特徴である．日内変動に加え，ストレス時などでは数倍から 10 倍程度まで，急激に増加する．

グルココルチコイドの作用はグルココルチコイド受容体（glucocorticoid receptor：GR）を介して発現する．ほぼすべての臓器が標的である．近年では脳が主要な標的臓器の一つとして認識されており，様々な情動や認知機能に対する作用も判明している．

大量のグルココルチコイドは，抗炎症作用，抗腫瘍作用をもつ．これを利用して，薬剤としても用いられる．作用時間やアルドステロン作用の有無などが異なる複数のアナログが化学的に合成され，様々な目的に応じて使い分けられる（表2）[2]．薬物として長期にわたり大量のグルココルチコイドを投与した場合には，様々な副作用が問題となる（本章 D 参照）．特に小児では成長障害を生じるため，注意する．

c．副腎アンドロゲン

副腎アンドロゲンは，「副腎より分泌されるアンドロゲン」を指す言葉であるが，一般的に副腎アンドロゲンとされている DHEA，DHEA-S およびアンドロステンジオンは，アンドロゲン受容体への結合能という点で，ほとんど生理活性をもっていない．これらの機能の本態はアンドロゲン前駆物質である．副腎より分泌され，末梢（毛根，皮脂腺，前立腺，脂肪細胞など）でアンドロゲン活性をもつテストステロンやジヒドロテストステロン（dehydrotestosteron：DHT）などに変換

表2　おもなグルココルチコイド製剤の薬理情報

		抗炎症作用	HPA抑制	アルドステロン作用	半減期
短時間作動型	コルチゾール	1	1	1	8〜12
中間型	プレドニゾン	3	4	0.75	12〜36
	プレドニゾロン	3	4	0.75	12〜36
	メチルプレドニン	6.2	4	0.5	12〜36
長時間作動型	デキサメタゾン	26	17	0	36〜54
ミネラルコルチコイド	フルドロコルチゾン	12	12	125	24〜36

〔Shlomo M, et al.(eds), *Williams Textbook of Endocrinology*. 13th ed., Elsevier, Philadelphia, 506, 2015 より引用改変〕

され，初めてアンドロゲンとして機能する．

一方，少量のテストステロンは，副腎より直接産生される．女性では血中テストステロンのおもな供給源の一つである．副腎の網状層に17βHSDタイプV（AKR1C3遺伝子にコードされる）が発現しており，アンドロステンジオンがテストステロンに変換される．病的な状態，たとえば21水酸化酵素欠損症（21OHD）や，11β水酸化酵素欠損症などでは，テストステロンの過剰産生の原因となる．

従来理解されていた副腎由来のアンドロゲン，およびその合成経路は，近年の研究で大きな修整を迫られた．まず，ヒトの新たなアンドロゲンとして，11-oxygenated C19 ステロイド（11-oxy C19）が発見された（図3）[3]．これはアンドロステンジオンやテストステロンが，P450c11と11β水酸化ステロイド脱水素酵素11βHSDの作用を受けて生成されるものである．特に11ケトテストステロン（11KT）は強力なアンドロゲン作用をもつ．21OHDなど，アンドロステンジオンが過剰となる環境では，11KTを含めた11-oxy C19の産生過剰が生じ，外性器の男性化を生じる要因の一つになると考えられている[4,5]．

もう一つは，backdoor経路である．こちらは胎生期において，強力なアンドロゲンであるDHTを，テストステロンを介さずに産生する経路として同定された（詳細は**本章C-1-2**を参照）．DHTは外性器の男性化を生じるうえで必須のアンドロゲンと考えられているが，従来は，テストステロンが唯一の基質であり，外性器の皮膚に発現する5α還元酵素タイプIIが血中のテストステロンをDHTに変換すると考えられていた[6,7]．近年の研究では，backdoor経路は，副腎以外に，肝臓，胎盤，精巣が協調的に働くことで機能している可能性が示された[8]．

3）副腎皮質ホルモン産生の調節
a．アルドステロン

アルドステロンの分泌を制御するおもな因子は，アンギオテンシンII，血清K濃度，ACTHである．このうち，アンギオテンシンIIと血清K濃度は，P450c18の発現レベルを上げ，アルドステロン合成を促進する[1]．アンギオテンシンIIはレニン—アンギオテンシン—アルドステロン（RAA）系の一つであり，血管収縮とアルドステロン分泌促進により生体内で最も強い昇圧物質として機能する．RAA系は，血漿循環量の減少，遠位尿細管内のNa濃度の低下，交感神経刺激によって賦活化される．血清K濃度はRAA系とは独立してアルドステロン分泌を調節する．

ACTHのアルドステロン合成への影響は限定的である．コルチゾールに比べ，アルドステロンは血中濃度が約1/1,000であり，わずかの基質量でアルドステロンの生理的必要量を担うことができること，ACTHはCYP450c18の転写活性に影響を与えないことなどが，その理由である．このことは，下垂体からのACTH分泌不全では，コルチゾール不足は生じるものの，塩喪失は原則生じないことと整合性をもつ．

b．コルチゾール

コルチゾールの分泌調節は，視床下部―下垂体―副腎系（HPA系）を介して調節される．視床下部よりCRH，下垂体よりACTHが分泌される．副腎で産生されたコルチゾールは，視床下部下垂体へネガティブフィードバックをかけ，HPA系を調節する．

HPA系の特徴は，日内変動やストレスへの反応がある点である．早朝で最も活動性が高く，夕から夜間にかけて最も低くなる（図6）[2]．この日内変動は，生後6か月・12か月から形成され，3歳頃に完成する[1]．身体に発熱や大きな外傷などのストレスが加わった際には，HPA系は強く刺激され，通常の数倍から10倍程度のコルチゾールが分泌される．

こうした変動は，ワンポイントでの採血による副腎機能低下や，副腎機能亢進の評価を困難にする．副腎の評価に一定時間の血中副腎ステロイドの積分値として評価可能な尿中ステロイド分析や，負荷試験が多用されるのは以上の理由による．

またACTHは副腎皮質組織の増殖因子としての側面

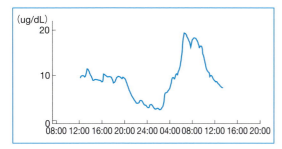

図6　血中コルチゾールの日内変動

縦軸は血中コルチゾール濃度，横軸は時刻．小刻みな脈動的な分泌を伴い，大きな日内変動を認める．血中濃度は，24時前後で最低に，8時頃にピークとなる．

〔Shlomo M, et al.(eds), *Williams Textbook of Endocrinology*. 13th ed., Elsevier, Philadelphia, 123, 2015 を引用改変〕

をもち，副腎皮質のサイズはACTH依存的である．薬理量のグルココルチコイド使用は，negative feedbackによるACTH分泌低下と，それに続発する副腎皮質の萎縮，医原性の副腎皮質機能低下の原因となる．薬理的なグルココルチコイド投与を中止した後，副腎機能が正常に回復するまでの数か月は，この萎縮が正常のサイズに戻るまでの時間である．一方，先天性副腎過形成のように，ACTH応答性があり，かつ長期間ACTHの分泌過剰にさらされた副腎は過形成となり，臓器の腫大をもたらす．

　二次性徴が開始する約2年前，おおむね7〜8歳の頃に，副腎からの副腎アンドロゲン(DHEA，DHEA-S，アンドロステンジオン)の産生が亢進する．これをadrenarcheとよぶ．ACTH不応症など，adrenarcheがない場合でも正常に二次性徴は発来するため，二次性徴とは独立した現象とされる．adrenarcheの詳細な発生機構や生理的意義は不明である．21OHDなどの患者ではアンドロゲン産生を適切に抑えるコルチゾールの必要量が増えることがあり，注意する[1,9]．

❖ **文献**

1) Brook CGD, et al.(eds), *Brook's Clinical Pediatric Endocrinology*. 6th ed., Wiley-Blackwell, Hoboken, 2010
2) Shlomo M, et al.(eds), *Williams Textbook of Endocrinology*. 13th ed., Elsevier, Philadelphia, 2015
3) Imamichi Y, et al.：11-Ketotestosterone Is a Major Androgen Produced in Human Gonads. *J Clin Endocrinol Metab* 101：3582-3591, 2016
4) Turcu, AF, et al.：Adrenal-derived 11-oxygenated 19-carbon steroids are the dominant androgens in classic 21-hydroxylase deficiency. *Eur J Endocrinol* 174：601-609, 2016
5) Baronio F, et al.：46,XX DSD due to Androgen Excess in Monogenic Disorders of Steroidogenesis：Genetic, Biochemical, and Clinical Features. *Int J Mol Sci* 20：4605, 2019
6) Fukami M, et al.：Backdoor pathway for dihydrotestosterone biosynthesis：implications for normal and abnormal human sex development. *Dev Dyn* 242：320-329, 2013
7) Fukami M, et al.：Cytochrome P450 oxidoreductase gene mutations and Antley-Bixler syndrome with abnormal genitalia and/or impaired steroidogenesis：molecular and clinical studies in 10 patients. *J Clin Endocrinol Metab* 90：414-426, 2005
8) O'Shaughnessy PJ, et al.：Alternative(backdoor)androgen production and masculinization in the human fetus. *PLoS Biol* 17：e3000002, 2019
9) Miller WL：Androgen synthesis in adrenarche. *Rev Endocr Metab Disord* 10：3-17, 2009

(鹿島田健一)

C 副腎皮質機能低下症

1 先天性原発性副腎皮質機能低下症

1. 先天性副腎低形成症

a　DAX1異常症

1) 定義・概念

　X連鎖性先天性副腎低形成は副腎低形成，低ゴナドトロピン性性腺機能低下症，精子形成障害(生殖能力低下)を主要徴候とする，X連鎖潜性遺伝性疾患である．1994年にNR0B1遺伝子(DAX1)の機能喪失変異により発症することが報告された[1]．

2) 病因・病態

　DAX1は核内受容体に属し，リガンドが不明のオーファン受容体である．副腎の発生・分化に重要な転写調節因子で，視床下部内腹側核・下垂体前葉ゴナドトロピン産生細胞，副腎皮質，精巣(Leydig細胞およびSertoli細胞)・卵巣(おもに顆粒膜細胞)などに発現している．DAX1の正確な生物学的役割は明らかではない．現在，DAX1は副腎前駆幹細胞に発現し，細胞増殖前のステロイド産生細胞への分化抑制として働くと考えられている．

　組織学的には永久副腎皮質の形成障害および空胞形成を伴う巨大細胞で形成された胎児副腎皮質様の所見(cytomegalic form)を呈する．

3) 臨床症候(表3)[2,3]

a. 副腎低形成症

　グルココルチコイド，ミネラルコルチコイド，副腎アンドロゲンのいずれもの分泌が低下する．一部の症例ではミネラルコルチコイド分泌低下の症状が先行する．発症時期は，新生児期〜成人期まで様々であるが，乳児期発症例が全体の60%を占める．同一家系内でも発症時期が異なる例が存在する．

II 各論

表3 DAX-1異常症（X連鎖性）診断基準

Ⅰ．臨床症状
1. 副腎不全症状：発症時期は新生児期から成人期までさまざまである
   哺乳力低下，体重増加不良，嘔吐，脱水，意識障害，ショックなど
2. 皮膚色素沈着
   全身のび慢性の色素沈着
3. 低ゴナドトロピン性性腺機能不全
   停留精巣，ミクロペニス，二次性徴発達不全（年長児）（注1）
4. 精子形成障害

Ⅱ．検査所見
1. 全ての副腎皮質ホルモンの低下
   (1) 血中コルチゾールの低値
   (2) 血中アルドステロンの低値
   (3) 血中副腎性アンドロゲンの低値
   (4) 尿中遊離コルチゾール低値
   (5) ACTH負荷試験で全ての副腎皮質ホルモンの分泌低下
   (6) 尿中ステロイドプロフィルにおいて，ステロイド代謝物の全般的低下，特に新生児期の胎生皮質ステロイド異常低値（注2）
2. 血中ACTH，PRAの高値
3. 血中ゴナドトロピン低値
4. 画像診断による副腎低形成の証明

Ⅲ．遺伝子診断
DAX1（NR0B1）遺伝子の異常

Ⅳ．除外項目
・SF1異常症
・ACTH不応症（コルチゾール分泌低下，アルドステロン正常）
・先天性リポイド過形成症

Ⅴ．副腎病理所見
永久副腎皮質の形成障害と，空胞形成を伴う巨大細胞で形成された胎児副腎皮質の残存とを特徴とするcytomegalic formを示す

Ⅵ．参考所見
Duchenne型筋ジストロフィー症，精神発達遅滞，成長障害，glycerol kinase欠損症を伴うことがある
（注1）例外的にゴナドトロピン非依存性の思春期早発症をきたした症例の報告がある
（注2）国内ではガスクロマトグラフ質量分析－選択的イオンモニタリング法による尿ステロイドプロフィル（保険未収載）が可能であり，診断に有用である（ただし本検査のみで先天性副腎低形成症と先天性リポイド過形成との鑑別は不可）

［診断基準］
確実，ほぼ確実例を対象とする
確実例：Ⅰ，Ⅱ，ⅢおよびⅣを満たすもの
ほぼ確実例：Ⅰ，ⅡおよびⅣを満たすもの
疑い例：Ⅳを満たし，ⅠおよびⅡの一部を満たすもの

［「副腎ホルモン産生異常に関する調査研究」班（研究代表者：柳瀬敏彦）：診断基準・重症度分類．厚生労働科学研究費補助金難治性疾患等政策研究事業（難治性疾患制作事業）　副腎ホルモン産生異常に関する調査研究　平成26年度総括・分担研究報告書，33-34，2016より引用一部改変］

b. 低ゴナドトロピン性性腺機能低下症

"minipuberty"の時期にゴナドトロピン分泌が確認されることから，ゴナドトロピン分泌不全の発症時期は乳児期早期より後と考えられる．GnRHポンプによる思春期導入の成績が不良なことから，本症の低ゴナドトロピン性性腺機能低下症は，視床下部と下垂体両方の障害による．大部分の症例は思春期発来が欠如するが，一部の症例では思春期発来後に完成に至らず中途停止する．出生時に陰茎の大きい症例や思春期早発症を認めた症例も報告されている．

保因者（女性）は通常無症状であるが，低ゴナドトロピン性性腺機能低下症を有する症例の報告がある．

c. 精子形成障害

Nr0b1ノックアウトマウスは精子形成障害を認め，ヒトにおいても生殖能力低下を認める．hCG負荷にてテストステロン産生は正常にみられるが，ゴナドトロピン補充療法による生殖能力獲得は困難であり，精子形成障害は低ゴナドトロピン性性腺機能低下のみによるものではない．

d. その他

NR0B1遺伝子は，DMD遺伝子，GK遺伝子，IL1RAPL1遺伝子と隣接している（図7）．DAX1遺伝子を含む欠失による隣接遺伝子症候群ではDuchenne型筋ジストロフィー（DMD），glycerol kinase（GK）欠損

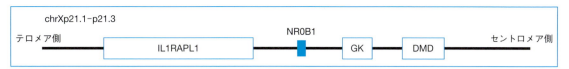

図7 DAX1遺伝子とその周辺領域

症，発達遅滞(IL1RAPL1欠失による)を伴うことがある．

4) 診断と検査法
男児の副腎低形成症では，本症を第一に疑う．NR0B1遺伝学的検査により確定診断をする．

5) 治療法
原発性副腎皮質機能低下症に対して，グルココルチコイド，ミネラルコルチコイドの補充を行う．低ゴナドトロピン性性腺機能低下症に対し，一般的にテストステロン療法を行う．

6) 管理と予後
本症男性で，ゴナドトロピン療法に加え，顕微鏡下精巣内精子回収術(testicular sperm extraction：TESE)と顕微授精(intracytoplasmic sperm injection)により挙児を得た報告がある[4]．

❖ 文献
1) Muscatelli F, et al.: Mutations in the DAX-1 gene give rise to both X-linked adrenal hypoplasia congenita and hypogonadotropic hypogonadism. Nature 372：672-676, 1994
2) Achermann JC, et al.：NR0B1-Related Adrenal Hypoplasia Congenita. In：Adam MP, et al.(eds), GeneReviews® [Internet]. University of Washington, Seattle, 1993-2021.
3) 「副腎ホルモン産生異常に関する調査研究」班(研究代表者：柳瀬敏彦)：診断基準・重症度分類．厚生労働科学研究費補助金難治性疾患等政策研究事業(難治性疾患制作事業) 副腎ホルモン産生異常に関する調査研究 平成26年度総括・分担研究報告書, 2016
4) Frapsauce C, et al.：Birth after TESE-ICSI in a man with hypogonadotropic hypogonadism and congenital adrenal hypoplasia linked to a DAX-1(NR0B1) mutation. Hum Reprod 26：724-728, 2011

(天野直子)

b SF1異常症

1) 定義・概念
NR5A1遺伝子の機能喪失変異により発症する疾患の総称である．

2) 病因・病態
SF1は視床下部—下垂体—副腎—性腺の発生および組織特異的機能に重要な，核内受容体に属する転写調節因子である．各種ステロイドホルモン生合成(チトクロムP450ファミリー)や副腎の発生分化(DAX1, StAR, MC2R)に関与する遺伝子群の転写活性能を有する．さらに，Nr5a1ノックアウトマウスにおいて，副腎および視床下部内腹側核の欠如，ゴナドトロピン分泌低下，脾臓低形成とXY個体の性腺異形成および外陰部の男性化障害(sex reversal)を呈する．ヒトにおいてはNR5A1ヘテロ接合性変異によりSF1異常症を発症する．副腎の機能・形態は正常で原発性副腎皮質機能低下症を呈さない性腺症状のみの症例が大多数で，副腎低形成を伴う症例は後述の3例のみ報告されている[1]．

3) 臨床症候(表4)[2]

a. 副腎低形成症
1例目は，核型46,XYの完全女性型外陰部を有する女性でp.Gly35Gluヘテロ接合性変異が同定された．2例目は，核型46,XXの女性でp.Arg255Leuヘテロ接合性変異が同定された．画像評価で卵巣が存在し，内分泌学的評価で明らかな原発性性腺機能低下所見を認めなかった．3例目は，核型46,XYの完全女性型外陰部を有する女性でp.Arg92Glnホモ接合性変異が同定された．

b. 46,XY DSD[3,4] (各論第6章B参照)
46,XY性分化疾患(disorders of sex development：DSD)症例で，SF1異常症(NR5A1ヘテロ接合性変異陽性)の割合は約20%と報告されている．Müller管遺残はないことが多い．

c. 46,XX原発性性腺機能低下症
SF1異常症例(46,XY DSD)の母(NR5A1ヘテロ接合性変異陽性)において早発閉経が報告されている．核型46,XXの原発性性腺機能低下症におけるNR5A1変異陽性頻度は，1.4〜1.6%程度である．

4) 診断と検査法
NR5A1遺伝学的検査により確定診断をする．

5) 治療法
原発性副腎皮質機能低下症を有する場合には，グルココルチコイド，ミネラルコルチコイドの補充を行う．46,XY DSD例では，性分化疾患への対応を行う(各論第6章B参照)．

❖ 文献
1) Achermann JC, et al.：A mutation in the gene encoding steroidogenic factor-1 causes XY sex reversal and adrenal failure

II 各 論

表4 SF-1/Ad4BP 異常症（常染色体性）診断基準

I．臨床症状
　1．副腎不全症状：伴わない場合がある
　　　哺乳力低下，体重増加不良，嘔吐，脱水，意識障害，ショックなど
　2．46,XY 性分化疾患
　　　さまざまな程度の性分化異常を呈する

II．検査所見
　1．副腎不全症状を有する場合：全ての副腎皮質ホルモンの低下
　　（1）血中コルチゾールの低値
　　（2）血中アルドステロンの低値
　　（3）血中副腎性アンドロゲンの低値
　　（4）尿中遊離コルチゾールの低値
　　（5）ACTH 負荷試験で全ての副腎皮質ホルモンの分泌低下
　　（6）尿中ステロイドプロファイルにおいて，ステロイド代謝物の全般的低下，特に新生児期の胎生皮質ステロイド異常低値
　2．副腎不全症状を有する場合：血中 ACTH の高値
　3．画像診断による副腎低形成の証明

III．遺伝子診断
　SF1/Ad4BP（NR5A1）遺伝子の異常

IV．除外項目
　・DAX1 異常症
　・ACTH 不応症（コルチゾール低値，アルドステロン正常）
　・先天性リポイド過形成症

［診断基準］
　確実，ほぼ確実例を対象とする
　確実例：I，II，IIIおよびIVを満たすもの
　ほぼ確実例：I，IIおよびIVを満たすもの
　疑い例：IVを満たし，IおよびIIの一部を満たすもの

［「副腎ホルモン産生異常に関する調査研究」班（研究代表者：柳瀬敏彦）：診断基準・重症度分類．厚生労働科学研究費補助金難治性疾患等政策研究事業（難治性疾患制作事業）　副腎ホルモン産生異常に関する調査研究　平成26年度総括・分担研究報告書, 35, 2016 より引用一部改変］

in humans. *Nat Genet* 22：125-126, 1999

2)「副腎ホルモン産生異常に関する調査研究」班（研究代表者：柳瀬敏彦）：診断基準・重症度分類．厚生労働科学研究費補助金難治性疾患等政策研究事業（難治性疾患制作事業）　副腎ホルモン産生異常に関する調査研究　平成26年度総括・分担研究報告書, 2016

❖ 参考文献
・Lin L, et al.：Heterozygous missense mutations in steroidogenic factor 1 (SF1/Ad4BP, NR5A1) are associated with 46,XY disorders of sex development with normal adrenal function. *J Clin Endocrinol Metab* 92：991-999, 2007
・Sorahia Domenice, et al.：Wide spectrum of NR5A1-related phenotypes in 46, XY and 46, XX individuals. *Birth Defects Res C Embryo Today* 108：309-320, 2016

（天野直子）

c IMAGe 症候群

1) 定義・概念

子宮内発育遅延（Intrauterine growth retardation：IUGR），骨幹端異形成（Metaphyseal dysplasia），先天性副腎低形成（Adrenal hypoplasia congenita），男児にのみ認める尿道下裂，小陰茎などの外性器異常（Genital anomalies）の四徴の頭文字から1999年にVilainらにより"IMAGe Association"として報告された[1]．2012年に原因遺伝子として，CDKN1Cが同定された[2]．

2) 病因・病態（図8）[3]

CDKN1Cは，ゲノムインプリンティング（ゲノム刷り込み現象）により親由来で発現の異なる遺伝子である．父由来アリル上のCDKN1C遺伝子の発現は低く，母由来アリル上のCDKN1C遺伝子の発現は高い．CDKN1Cは核蛋白質で，細胞周期の停止（G1期）を維持する働きを有する．副腎以外に，胎盤，心臓，脳，肺，骨格筋，腎臓，膵臓，精巣や眼などに発現がある．本症は，発現の高い母由来アリル上のCDKN1C遺伝子に機能獲得変異が存在している場合にのみ発症する．変異はCDKN1C遺伝子のPCNA（proliferating cell nuclear antigen）-binding domainの271〜279番目のアミノ酸に集中している．変異による機能亢進の機序は，PCNA結合による分解を受けない変異体が細胞周期の停止の維持に働くためと考えられている．

なお，CDKN1C機能喪失変異により，過成長を特徴とするBeckwith-Wiedemann症候群を発症する．

3) 臨床症候（表5）[4]

a. IUGR

頭囲は正常範囲であることが多いが，一部の症例では頭囲も−2SD未満である．出生後も成長障害が持続する．

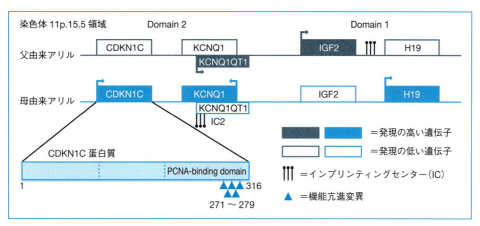

図8 IMAGe 症候群の病因
[Bennett J, et al.：IMAGe Syndrome. In：Adam MP, et al.(eds), *GeneReviews*® [Internet]. Seattle（WA）：University of Washington, Seattle, 1993-2021 より引用一部改変]

表5 IMAGe 症候群診断基準

Ⅰ．臨床症状
　1．子宮内発育遅延（intrauterine growth retardation：IUGR）
　2．骨幹端異形成症（metaphyseal dysplasia）
　3．先天性副腎低形成（adrenal hypoplasia congenita）：副腎不全症状，皮膚色素沈着
　4．外性器異常（genital anomalies）：ミクロペニス，尿道下裂など
Ⅱ．検査所見
　1．全ての副腎皮質ホルモンの低下：軽症例の報告がある
　　（1）血中コルチゾールの低値
　　（2）血中アルドステロンの低値
　　（3）血中副腎性アンドロゲンの低値
　　（4）ACTH 負荷試験で全ての副腎皮質ホルモンの分泌低下
　2．血中 ACTH の高値
　3．画像診断による副腎低形成の証明
　4．X 線による長管骨の骨幹端異形成
　5．高カルシウム尿症を認める場合がある
　6．骨年齢の遅延
Ⅲ．遺伝子診断
　cyclin-dependent kinase inhibtor 1（CDKN1C）遺伝子（機能獲得変異）
Ⅳ．除外項目
　・DAX1 異常症
　・SF1/Ad4BP 異常症
　・ACTH 不応症（コルチゾール低値，アルドステロン正常）
　・先天性リポイド過形成症
［診断基準］
　確実，ほぼ確実例を対象とする
　確実例：Ⅰのすべて，ⅡおよびⅢを満たすもの
　ほぼ確実例：Ⅰの一部，ⅡおよびⅢを満たすもの
　疑い例：Ⅰ，Ⅱの一部，およびⅢを満たすもの

［「副腎ホルモン産生異常に関する調査研究」班（研究代表者：柳瀬敏彦）：診断基準・重症度分類．厚生労働科学研究費補助金難治性疾患等政策研究事業（難治性疾患制作事業）　副腎ホルモン産生異常に関する調査研究　平成 26 年度総括・分担研究報告書，36，2016 より引用一部改変］

b．骨幹端異形成・その他の骨形成異常

骨幹端異形成のほかに骨年齢遅延，骨端異形成（epiphyseal dysplasia），骨量減少（osteopenia）を認める．骨所見は年齢依存性で，5 歳までにほとんどの症例で明らかとなる．その他，進行性の側彎を有する症例も存在する．

c．先天性副腎低形成

ほとんどの症例が生後 1 か月以内に副腎不全を発症する．一部に軽症例の存在が報告されている．

d．外性器異常（男児のみ）

尿道下裂，停留精巣，小陰茎を有する．思春期は正常に発来するが，生殖能力について不明である．

上述の四徴以外に前額突出耳介低位や小顎などの特徴的顔貌，高カルシウム血症・高カルシウム尿症による腎石灰化，筋緊張低下などを認めうる．

4）診断と検査法

上述の四徴を認める場合に，本症を疑い，CDKN1C遺伝学的検査により確定診断をする．

5）治療法

a．骨幹端異形成・その他の骨形成異常

側彎を含め，適切な時期に整形外科的な管理を行う．

b．先天性副腎低形成

グルココルチコイド，ミネラルコルチコイドの補充を行う．

c．外性器異常（男児のみ）

精巣固定術・外陰部形成術などを行う．

6）管理と予後

原発性副腎皮質機能低下症の管理と側彎などの整形外科的合併症の管理が予後に影響する．

7）最新知見

IUGR，低身長，若年成人発症糖尿病を有し，副腎機能低下症のない家系の解析で，表現型を有する個体に一致してCDKN1C変異(p.Arg281Ile)を同定した[5]．

Silver-Russell症候群でCDKN1C変異陽性例(p.Arg279Leu)が報告されている[6,7]．

❖ 文献

1) Vilain E, et al.：IMAGe, a new clinical association of intrauterine growth retardation, metaphyseal dysplasia, adrenal hypoplasia congenital, and genital anomalies. *J Clin Endocrinol Metab* 84：4335-4340, 1999
2) Arboleda VA, et al.：Mutations in the PCNA-binding domain of CDKN1C cause IMAGe syndrome. *Nat Genet* 44：788-792, 2012
3) Bennett J, et al.：IMAGe Syndrome. In：Adam MP, et al.(eds), GeneReviews® [Internet]. Seattle(WA)：University of Washington, Seattle, 1993-2021
4) 「副腎ホルモン産生異常に関する調査研究」班（研究代表者：柳瀬敏彦）：診断基準・重症度分類．厚生労働科学研究費補助金難治性疾患等政策研究事業（難治性疾患制作事業） 副腎ホルモン産生異常に関する調査研究 平成26年度総括・分担研究報告書, 2016
5) Kerns SL, et al.：A novel variant in CDKN1C is associated with intrauterine growth restriction, short stature, and early-adulthood-onset diabetes. *J Clin Endocrinol Metab* 99：E2117-E2122, 2014
6) Brioude F, et al.：CDKN1C mutation affecting the PCNA-binding domain as a cause of familial Russell Silver syndrome. *J Med Genet* 50：823-830, 2013
7) Sabir AH, et al.：Familial Russell-Silver Syndrome like Phenotype in the PCNA Domain of the CDKN1C Gene, a Further Case. *Case Rep Genet* 2019：1398250, 2019

〈天野直子〉

d　MIRAGE症候群

1）定義・概念

MIRAGE症候群はSAMD9遺伝子変異を病因とする単一遺伝子疾患であり，先天性副腎低形成症に加えて様々な合併症を併発する全身性疾患である．MIRAGE症候群の名称は六つの主要徴候である造血異常(**M**yelodysplasia)，易感染性(**I**nfection)，成長障害(**R**estriction of growth)，先天性副腎低形成症(**A**drenal hypoplasia)，性腺症状(**G**enital phenotypes)，消化器症状(**E**nteropathy)に由来する（表6）[1]．2020年現在，世界で45例が報告されており，うち16例はわが国からのものである．MIRAGE症候群の臨床診断基準は未確定である．暫定的に全身性疾患として臨床的に認識可能な「MIRAGE主要徴候を三つ以上有する患者」をMIRGAGE症候群と捉え，以下に概説する．

2）病因・病態

MIRAGE症候群の原因は7番染色体長腕(7q21)に位置するSAMD9遺伝子のヘテロ接合性ミスセンス変異である．通常，両親にはSAMD9変異はなく，患者において新生した変異(de novo変異)である．SAMD9は細胞増殖抑制因子と考えられる分子であり，実際，野生型SAMD9を培養細胞に強制発現すると軽度の増殖抑制が観察される．この実験を変異型SAMD9で行うと，野生型SAMD9よりも強い増殖抑制がみられる[1]．MIRAGE症候群における全身性の成長障害と器官低形成（副腎，精巣，卵巣，胸腺など）の基礎には変異型SAMD9による過剰な増殖抑制があると想定されるが，その分子機構は十分に解明されていない．

3）臨床徴候（表6）[2]

MIRAGE症候群の6徴候は出生直後からすべてがみられるわけではなく，乳児期をかけ徐々に揃ってゆくことが多い．以下に時期別の臨床像を説明する．

a．出生前～新生児期の臨床像

MIRAGE症候群患者でみられる最初期の異常は子宮内発育遅延である．大半の患者は妊娠後期に胎児心拍低下など胎児状態不良の徴候が出現し，緊急帝王切開で早産児として出生する．出生直後は呼吸障害や動脈管開存症など未熟性に伴う合併症がみられるほか，輸血を要する水準の血小板減少症が高頻度にみられる．副腎皮質機能低下症は，典型的には出生直後から認識可能な全身性皮膚色素沈着から疑われ，内分泌学的評価を経て診断に至る．ただし，MIRAGE症候群において副腎皮質機能低下症は必発ではなく，2020年現在の報告例のうち約30%において副腎不全を認めない．このほか，46,XY個体では外陰部異常（尿道下裂，停留精巣，二分陰嚢，小陰茎）がほぼ全例でみられ，最

表6 MIRAGE症候群の六つの主要徴候とその他の異常

	概要	既報例における頻度
造血異常(<u>M</u>yelodysplasia)	乳児期早期の血小板減少症,貧血 幼児期のモノソミー7骨髄異形成症候群	83%
易感染性(<u>I</u>nfection)	反復性の侵襲性感染症,日和見感染症	96%
成長障害(<u>R</u>estriction of growth)	子宮内発育遅延,出生後成長障害	98%
先天性副腎低形成症(<u>A</u>drenal hypoplasia)	生直後からの副腎皮質機能低下症	71%
性腺症状(<u>G</u>enital phenotypes)	46,XY個体における尿道下裂,停留精巣 46,XX個体における卵巣形成異常	97%
消化器症状(<u>E</u>nteropathy)	慢性難治性下痢 食道通過障害	83%
その他	自律神経異常(腹部疝痛,高血圧,異常発汗など) 腎機能障害(蛋白尿,尿細管機能障害)	19% 19%

[Tanase-Nakao K, et al.:MIRAGE Syndrome. In:Adam MP, et al.(eds), GeneReviews® [Internet]. Seattle(WA):University of Washington, Seattle, 1993-2021]

重症例では社会的性として女性が選択される.46,XX個体において卵巣異形成が剖検で確認された例があるが[1],一般的に卵巣の機能異常は思春期まで認識できない.

b. 乳児期の臨床像

易感染性と消化器症状は生直後には明らかでなく,生後2~3か月頃から顕在化する.易感染性を疑う初期症状として頻度が高いものとして反復性の誤嚥性肺炎があげられる.しかし新生児集中治療室(neonatal intensive care unit:NICU)の診療においては誤嚥性肺炎がまれではないため,診断特異性が低い.易感染性を積極的に疑うべき感染症として,敗血症,髄膜炎,尿路感染症,細菌性関節炎,肛門周囲膿瘍などの侵襲性細菌性感染症やサイトメガロウイルス肺炎,カンジダ肺炎など免疫不全宿主に生じる感染症があげられる.易感染性が明らかな患者においても,リンパ球絶対数の軽度低値(1,000/μL前後),血清IgG軽度低値を除くと診療レベルの免疫学的検査所見は正常範囲である場合が多い.MIRAGE症候群では感染症に伴う発熱が高頻度に起きるのと同時に,自律神経障害を疑わせる短時間の弛張熱(感染徴候がなく,炎症反応亢進も伴わない)が生後6か月頃からしばしばみられる.加えて自己炎症症候群様の数日単位の発熱発作(感染徴候を欠くが炎症反応亢進を伴う)がみられる場合もあり,侵襲性感染症との鑑別が問題となる.これらの発熱エピソードの反復のため,NICU入院の長期化や頻回の入退院を余儀なくされる例も多い.

MIRAGE症候群の消化器症状として,慢性難治性下痢と食道通過障害が高頻度にみられる.食道通過障害のため経鼻経腸栄養チューブの長期留置を要する症例もある.

c. 幼児期以降の臨床像

乳児期早期に高頻度にみられる血小板減少症,貧血は生後6か月頃までに寛解する場合が多い.しかし,一部の患者において1~2歳過ぎから血小板減少症や白血球減少症などの造血異常が再びみられるようになり,モノソミー7骨髄異形成症候群がその原因であることがある.

2~3歳以降に認識されるようになる合併症として,自律神経障害(発作性の腹部疝痛,高血圧,異常発汗など)と腎機能障害(蛋白尿,尿細管機能障害)がある[3,4].

出生後の成長障害は大半の患者でみられるが,その程度は全身状態と栄養状態の影響を受ける.正常範囲までのキャッチアップ成長を示した例もあるが[3],その頻度はまれである.既報例の大半において重度の知的障害を認めるが,ごく軽度の障害のみを示す患者も存在する[3].

4)診断と検査法

a. 臨床診断

MIRAGE症候群の臨床症状にどの程度の幅広さが存在するかは未確定であり,今後の臨床研究が必要である.文献的報告例の臨床像をまとめると,男児では6徴候中5徴候以上 外陰部異常をきたさない女児ではG徴候(性腺症状)を除く5徴候中4徴候以上を有する場合が多い.このような症例では,MIRAGE症候群を疑いSAMD9遺伝子解析を考慮すべきである.

b. 遺伝子診断

MIRAGE症候群はSAMD9遺伝子の変異を病因とする単一遺伝子疾患であり,確定診断は遺伝子解析による.通常は末梢血試料の解析で診断が確定するが,まれに造血細胞に生じたモノソミー7や7番染色体の片親性ダイソミーにより7番染色体にコードされる

SAMD9の変異アリルが喪失し，典型的な遺伝子解析所見が得られない場合がある．

5）治療法，管理と予後

単一遺伝子疾患であるMIRAGE症候群に対する根本的治療法はない．合併症を予測し適切な医学的管理を行うことが重要である．各徴候に対応した管理方針を記載する．

a．造血異常

乳児期早期の血小板減少症，貧血に対しては必要に応じて輸血を行う．MIRAGE症候群は経過中にモノソミー7骨髄異形成症候群を合併するリスクが高いため，症候群の診断が確定した症例においては速やかに小児血液腫瘍科医へコンサルテーションを行うことが望ましい．

b．易感染性

MIRAGE症候群の易感染性のメカニズムは不明であるが，既報例の起因病原体から液性免疫，細胞性免疫，自然免疫のすべてが機能不十分である可能性がある．予防的な抗菌薬投与が行われる場合が多いが，その有用性を支持するまとまったデータはない．補充量の免疫グロブリン投与が感染症の頻度，重症度の低下と関連したとの報告があり[1]，血清IgG低値の患者では考慮する．

c．成長障害

MIRAGE症候群における成長障害に対し特異的な介入方法はない．栄養状態をできるだけよく保ち，感染症や呼吸障害などの全身合併症をコントロールすることが重要である．

d．先天性副腎低形成症

先天性副腎皮質機能低下症が確かめられた場合，ほかの病型と同様にグルココルチコイド，ミネラルコルチコイドの補充療法を行う．MIRAGE症候群の副腎皮質機能低下症は遅発発症する場合もあり[3]，症候群診断時点で副腎機能が正常な場合でも定期的な再評価が望ましい．

e．性腺症状

男児の尿道下裂，停留精巣，小陰茎などについては必要に応じ外科的治療を行う．MIRAGE症候群の長期生存例は少なく，思春期発来への影響はよくわかっていない．思春期開始が遅延する場合は原発性性腺機能低下症を疑い，臨床的評価を行う．

f．消化器症状

難治性下痢と食道通過障害は大半の症例でみられ，成長障害の原因としても重要である．成分栄養剤の使用を余儀なくされる場合が多い．注入時に腹痛が強く，完全静脈栄養で長期管理された例もある．下痢，食道通過障害のいずれにおいても有効な治療法は確立していない．

6）最新知見

遺伝性骨髄不全（骨髄異形成症候群を含む）においてSAMD9およびパラログ遺伝子SAMD9Lの生殖細胞系列変異が高頻度にみられることが報告された[5,6]．報告例のなかにはMIRAGE症候群，運動失調－汎血球減少症候群（SAMD9L変異を病因とする症候群）に合致する全身合併症を認める症例もあったが，造血異常以外の異常を欠く症例も報告された．このことから，SAMD9異常症の臨床症状はMIRAGE症候群にとどまらず，部分症状のみを呈する患者が一定数存在することが予想される．

❖ 文献

1) Narumi S, et al.：SAMD9 mutations cause a novel multisystem disorder, MIRAGE syndrome, and are associated with loss of chromosome 7. Nat Genet 48：792-797, 2016
2) Tanase-Nakao K, et al.：MIRAGE Syndrome. In：Adam MP, et al. (eds), GeneReviews® [Internet]. Seattle(WA)：University of Washington, Seattle, 1993-2021
3) Shima H, et al.：Two patients with MIRAGE syndrome lacking haematological features：role of somatic second-site reversion SAMD9 mutations. J Med Genet 55：81-85, 2018
4) Ishiwa S, et al.：A girl with MIRAGE syndrome who developed steroid-resistant nephrotic syndrome：a case report. BMC Nephrol 21：340, 2020
5) Bluteau O, et al.：A landscape of germ line mutations in a cohort of inherited bone marrow failure patients. Blood 131：717-732, 2018
6) Schwartz JR, et al.：The genomic landscape of pediatric myelodysplastic syndromes. Nat Commun 8：1557, 2017

〔鳴海覚志〕

e sphingosine-1-phosphate lyase insufficiency syndrome

1）定義・概念

スフィンゴシンリン酸リアーゼ活性低下症候群（sphingosine-1-phosphate lyase insufficiency syndrome：SPLIS）とは，2017年に報告されたスフィンゴ脂質の代謝異常症の一つである[1,2]．SPGL1遺伝子の機能喪失変異により発症する常染色体潜性遺伝病である．本疾患は，ステロイド抵抗性ネフローゼ症候群，原発性副腎機能低下症，原発性性腺機能不全（男性のみ），原発性甲状腺機能低下症，リンパ球減少・免疫異常，神経学的異常（脳神経異常，発達遅滞）など多彩な臨床症候を呈する症候群である．

2）病因・病態[3]

スフィンゴ脂質とは，スフィンゴイドを基本骨格とする複合脂質の総称で，生体膜を構成する主要脂質で

ある．スフィンゴ脂質は分解され生物活性を有する中間代謝産物となる．sphingosine-1-phosphate lyase（SPL）は，細胞内に存在し，スフィンゴ脂質代謝経路の最終段階で働き，sphingosine-1-phosphate（S1P）をホスホエタノールアミン（phosphoethanolamin：PE）とhexadecenalに分解するビタミンB_6依存性酵素である．S1Pは，G蛋白共役受容体のS1P受容体群を介して，細胞の生死・移動・増殖，神経・心臓発生，炎症，血管新生などに関与するとされる．さらに，S1P受容体を介さず，核内S1Pは遺伝子発現におけるエピジェネティック制御機構にも関与している．SPLISの病態はおもにSPL欠損によるS1Pとその上流のスフィンゴ脂質の蓄積と考えられている．

3) 臨床症候[1,2,4]

a. ネフローゼ症候群

ネフローゼ症候群は，先天性もしくは乳児期発症が多く，ステロイド抵抗性，急速に進行して末期腎疾患に至る．腎病理所見では，巣状分節性糸球体硬化症やびまん性メサンギウム硬化症を呈する．

b. 原発性副腎機能低下症

一部の症例でミネラルコルチコイド分泌不全を伴う．典型的には10歳頃までに発症する．副腎に石灰化を認める報告もある[5]．

c. 原発性性腺機能低下症（男性）

本症の男性は，出生時に小陰茎，停留精巣，小精巣を伴いうる．hCG負荷試験に対するテストステロン反応不良，LHRH負荷試験に対するゴナドトロピン過剰反応，AMH・インヒビンB低値が報告されている．女性の性腺機能は不明である．

d. 原発性甲状腺機能低下症

一部の症例で報告がある．発症時期は不明である．

e. リンパ球減少

本症では易感染性があり，リンパ球減少を認める．敗血症などの感染症と関連して死亡する症例も多い．新生児マススクリーニングでT cell receptor excision circle（TREC）の異常を指摘された症例や，リンパ球数の減少とともにCD3陽性T細胞数，B細胞数，NK細胞数の減少を認めた症例も報告されている．

f. 神経学的異常[6]

脳神経Ⅲ，Ⅳ，Ⅵの欠損の症状として眼瞼下垂，斜視，弱視などが起こりうる．

一部の症例で発達遅滞・退行・末梢神経障害・けいれん・小頭などの報告がある．

g. 感音難聴

一部の症例で報告がある．

両側性・片側性の両方があり，進行性かつ重症である．

h. 魚鱗癬

新生児期から出現しうる．皮膚生検で表皮の菲薄化と角化亢進を認める．

4) 診断と検査法

前述の臨床症候から疑い，SPGL1の遺伝学的検査により確定診断する．

5) 治療法

現在，根本的な治療法はないため，各臨床症候に対して個別に治療を行う．

a. ネフローゼ症候群

末期腎疾患に至った症例については腎移植を考慮する．

b. 原発性副腎機能低下症

グルココルチコイドおよび必要に応じてミネラルコルチコイド補充を行う．

c. 原発性性腺機能低下症（男性）

思春期年齢以降にテストステロン補充を行う．小陰茎に対して少量テストステロン補充を行うことも検討する．

d. 原発性甲状腺機能低下症

LT_4補充を行う．

e. リンパ球減少

臨床症候に応じて，免疫グロブリン投与を検討する．

f. 神経学的異常

臨床症候に応じて療育支援やリハビリ療法などを検討する．

g. 感音難聴

必要に応じて補聴器装着を検討する．

6) 管理と予後

診断時に認めない臨床症候も含めた定期的なサーベイランスを行い，臨床症候出現の有無について評価する．

❖ 文献

1) Lovric S, et al.：Mutations in sphingosine-1-phosphate lyase cause nephrosis with ichthyosis and adrenal insufficiency. *J Clin Invest* 127：912-928, 2017
2) Prasad R, et al.：Sphingosine-1-phosphate lyase mutations cause primary adrenal insufficiency and steroid-resistant nephrotic syndrome. *J Clin Invest* 127：942-953, 2017
3) Choi YJ, et al.：Sphingosine phosphate lyase insufficiency syndrome（SPLIS）：A novel inborn error of sphingolipid metabolism. *Adv Biol Regul* 71：128-140, 2019
4) Weaver KN, et al.：Sphingosine phosphate lyase insufficiency syndrome. In：Adam MP, et al.（eds）, *GeneReviews*® [Internet]. University of Washington, Seattle, 1993-2021
5) Janecke AR, et al.：Deficiency of the sphingosine-1-phosphate lyase SGPL1 is associated with congenital nephrotic syndrome and congenital adrenal calcifications. *Hum Mutat* 38：365-372,

6) Atkinson D, et al.：Sphingosine 1-phosphate lyase deficiency causes Charcot-Marie-Tooth neuropathy. *Neurology* 88：533-542, 2017

（天野直子）

2．先天性副腎過形成症

a 21水酸化酵素欠損症

1）定義・概念

先天性副腎過形成症（congenital adrenal hyperplasia：CAH）は，副腎皮質ホルモンの生合成に関与する酵素の活性低下により，コルチゾールの産生・分泌が低下し，その結果ACTHの過剰分泌をきたし副腎が過形成となる疾患の総称である．

21水酸化酵素欠損症（21OHD）はCAHのなかで最も頻度が高く90～95％を占める．臨床的に古典型と非古典（non-classical：NC）型に大別される．古典型は塩類喪失（salt-wasting：SW）型（古典型の75％），単純男性（simple vilirizing：SV）型（古典型の25％）に分類されるが臨床像は連続しておりコルチゾール不足に加え，アルドステロン不足の症状がどの程度強いかの違いである．古典型の頻度は世界的に約10,000～20,000人に1人とされており国内でも18,000人に1人である．重症例では新生児期に副腎不全を呈するため診断と治療は緊急性を要する．さらに女児においては胎生期の副腎アンドロゲン産生過剰による外性器男性化を伴うため性分化疾患（disorder of sex development：DSD）としての対応も必要とする．

NC型は新生児期には無症状で小児期以降に早発陰毛や骨成熟促進，女性での月経不順や多毛などを呈することがある．頻度は人種差があり欧米では100～1,000人に1人であるが，日本ではまれで200万人に1人と推定される．

2）病因・病態

a．ステロイド代謝異常と臨床像の関係

①アルドステロン・コルチゾール産生障害による副腎機能低下（新生児期～成人期）

21水酸化酵素はステロイドホルモン合成過程において，副腎のみで働く酵素である．アルドステロンを合成する球状層でプロゲステロン（Prog）をデオキシコルチコステロン（DOC）に，コルチゾールを合成する束状層で17ヒドロキシプロゲステロン（17OHP）を11デオキシコルチゾール（11DOF）に変換させるステップで働く．

アルドステロン分泌不全により低ナトリウム血症，高カリウム血症，脱水をきたす．新生児期・乳児期の体重増加不良も関連症状である．

コルチゾール分泌不全により食欲低下や哺乳不良，全身倦怠感，悪心・嘔吐をきたす．コルチゾールは血圧や血糖維持に重要であるが，分泌不全では特に感染症罹患などのストレス時に見合った分泌ができず血圧低下（ショック）や低血糖など重篤な症状に進行する．胎生期のコルチゾール産生障害の影響で副腎髄質形成も不十分であるため，血圧低下にはエピネフリン欠乏も関与している．コルチゾール不足により分泌亢進したACTHの影響でメラノサイトでのメラニン産生が促進し皮膚・粘膜の色素沈着をきたす．

②副腎アンドロゲン産生過程のステロイド代謝物過剰による外性器男性化（胎生期の女児）（図9）

コルチゾール分泌低下は視床下部─下垂体系にネガティブフィードバックを起こしCRH・ACTH分泌が促進する．その結果，21水酸化酵素の上流に位置する17OHPを代表とする中間代謝物が過剰となりアンドロゲン産生過程の代謝経路に影響を及ぼす．一般に性分化において外性器の男性化に重要なアンドロゲンはジヒドロテストステロン（DHT）であり，通常は精巣において産生されたテストステロン（T）が外性器皮膚組織でDHTに変換されることによって外性器男性化が進む．副腎で産生される主要なアンドロゲンはDHEAやアンドロステンジオン（A4）であるが活性はTに比較し弱い．また副腎においてはこれら代謝物からTのステップは主流ではない．

近年，胎生期のDHT産生経路にはTを介する古典的経路のほかにTを介さないalternative（backdoor）経路が重要であることが判明してきた．この経路では外性器皮膚においてアンドロステロン（An）からDHTが産生される．最近の研究ではこの経路にかかわる酵素の発現組織には胎盤や肝も含まれており，臓器間でのステロイド代謝がダイナミックに行われることが証明された[1]．この機序によれば21OHDの女児では，副腎で過剰に産生された17OHPが肝臓で17OHアロプレグネノロン（17OHAlloP5）に変換された後に再び副腎でAnに代謝され，過剰なAnによって外性器皮膚でDHTが産生され外性器男性化をきたすと考えられている．

③副腎アンドロゲン過剰による成長・生殖能力への影響（小児期～成人期）（図10）

21OHDでは成長過程で早発陰毛や骨年齢促進など，副腎アンドロゲン過剰症状を起こす．また，副腎アンドロゲン過剰は男女ともに生殖能力低下にも関連する．21水酸化酵素の活性低下によりアンドロゲン作用を及ぼす重要な代謝物が何であるか，またどのような経路かは不明であった．最近の研究でTと同様の作用

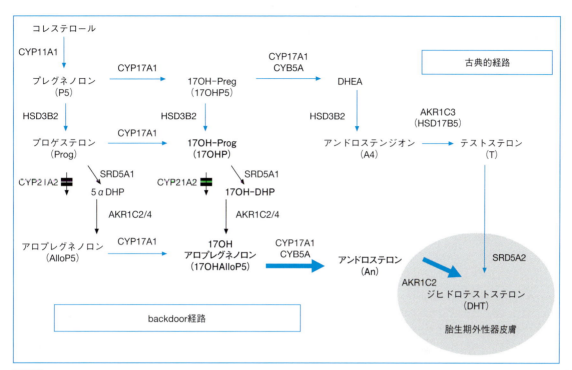

図9 21OHD における胎生期 backdoor 経路主体の外性器男性化機序

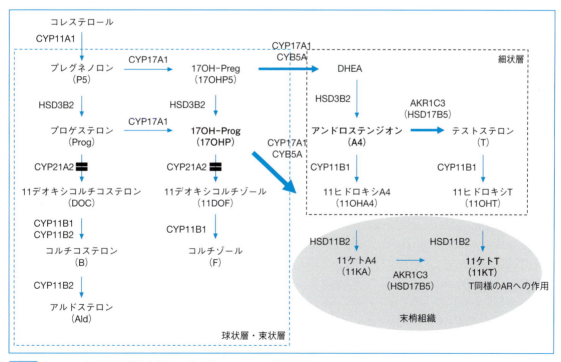

図10 21OHD における副腎由来アンドロゲン 11oxC19 産生経路

をもっている副腎由来アンドロゲンが 11 ケトテストステロン（11KT）であることがわかった．副腎の A4 が CYP11B1 によって 11OHA4 となり血中に分泌され，末梢組織で最終的に 11KT となる．21OHD ではさらに 21 デオキシコルチゾール（21DOF）由来の 11OHA4 産生も推測されている[2]．11OHA4 や 11KT は 11-oxygenated

II 各　論

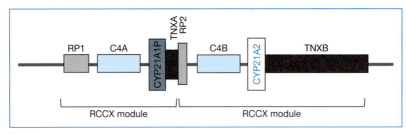

図11　RCCX module の構成

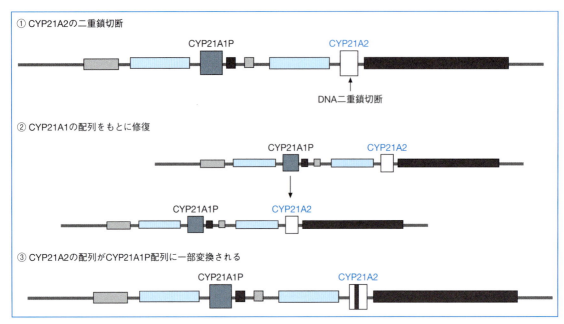

図12　micro-conversion の機序

C19 steroids（11oxC19）とよばれ，今後の臨床で男女ともに副腎由来アンドロゲンの指標となることが期待されている[3,4]．

b．遺伝学的背景

①遺伝子変異の由来

原因遺伝子 CYP21A2 の異常によって引き起こされる常染色体潜性の疾患である．

CYP21A2 は 6 番染色体短腕（6p21.33）に位置する．6p21.3 は HLA を規定する複数の遺伝子が約 4 Mb にわたって存在する領域であり CYP21A2 は class III 領域に位置している．35 kb の距離に 98% の相同性をもつ偽遺伝子 CYP21A1P が並んでおり，これらは隣接する（STK19，C4A，TNXB などの）遺伝子とともに RCCX module とよばれる genetic unit を形成している（図11）[5,6]．21OHD をきたす CYP21A2 の遺伝子異常は，減数分裂時の RCCX module の再構成や CYP21A1P 由来の変異に関連している．代表的なメカニズムは以下の二つである．

▶ micro-conversion（図12）

減数分裂時の DNA 二重鎖切断と修復過程で生じる．具体的には CYP21A2 の遺伝子配列の一部に DNA 二重鎖切断が生じ，修復の際に CYP21A1P を供与遺伝子として複製されるため組み込まれた部分が CYP21A1P 配列となる．hot spot とよばれる変異はすべてこの機序によって生じたと考えられ，21OHD の原因の 75% を占める（図13）．

▶ large deletion and conversion（図14）

減数分裂時の交差過程で生じる．通常は DNA の相同領域において一対の相同染色体の非姉妹染色分体間で非常に正確に組み換えが行われる．一般には CYP21A2 を含む領域の RCCX module を二つ有している．CYP21A2 と CYP21A1P のように module の配列は非常に相似しているためにこの領域で相同染色体の不等交差が起こり，RCCX module の 30 kb 欠失および

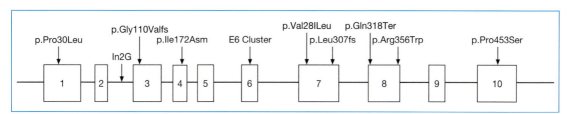

図13 CYP21A2遺伝子変異のhot spot（CYP21A1P由来）

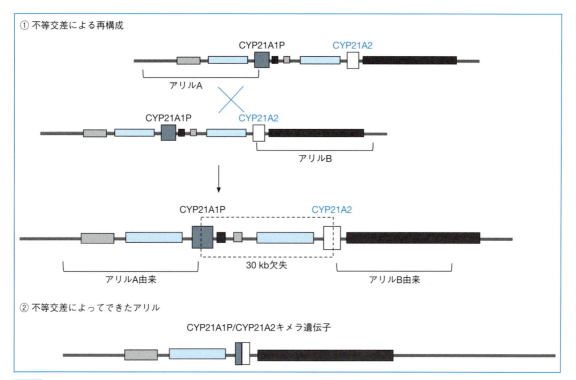

図14 large deletion and conversion

CYP21A2とCYP21A1Pのキメラ遺伝子形成が生じる．21OHDの原因の約20～30％を占める．

通常は両親がこれらの変異を片アリルにもち，患者では複合ヘテロ接合変異となる．しかし，このように変異を生じやすい背景のため，患者の約1～2％は片アリルが*de novo*変異であると考えられている[6]．残りの5％程度はCYP21A1Pと関連しない変異であり，これまでに200種類以上の変異が報告されている[7]．

② 遺伝子変異と重症度の関係

変異型の残存活性により臨床的重症度が異なり，ある程度の遺伝子型—表現型関連があることが知られている．一般的にSW型は残存活性なし，SV型は活性1～2％，NC型は活性20～60％を反映している．

不等交差によって生じる30 kb欠失およびほとんどのキメラ遺伝子には活性がなくSW型を示す．またhot spotの変異ではイントロン2変異（In2G），エクソン3の8塩基欠失（p.Gly110Valfs），エクソン6の変異（E6 cluster），エクソン7の1塩基挿入（p.Leu307fs），エクソン8の2種類の1塩基置換（p.Gln318Terとp.Arg356Trp）がSW型を示すことが多い．

SV型と関連するのはエクソン4のp.Ile173Asmが代表である．NC型は，エクソン1のp.Pro30Leu，エクソン7のp.Val281Leu，エクソン10のp.Pro453Serが相当する．また不等交差で生じたキメラ遺伝子のうち偽遺伝子CYP21A1Pの割合が少ないもの（CH-4，CH-9）はエクソン1のp.Pro31Leuのみが変異部位として含まれるためNC型を呈する．

一方でIn2Gの20％はSV型，p.Ile172Asmの23％はSW型，p.Pro30Leuの30％は古典型であったとの研究報告もあり，実際には必ずしも残存活性と一致しない[8]．

また前述したように21OHDでは複合ヘテロ接合変

異で発症する症例が多いが，その場合は酵素活性の残存する変異を反映した表現型となる．そのためNC型の患者では片アリルに古典型の変異を有している可能性があり，遺伝カウンセリングの際に重要である．

なお，21OHDは臨床診断が基本であり，遺伝学的診断については国際的にもガイドラインで必須の位置づけとしていない．特に1アリル上に変異が複数ある場合などは解釈を慎重に行う必要がある．

3）臨床症候
a．新生児期
古典型の女児では外性器男性化が様々な程度で認められる．Prader分類では陰核肥大のみ（Ⅰ度）から陰唇癒合や共通泌尿生殖洞のために男児と誤認されうる形態（Ⅴ度）まで幅がある．Prader分類Ⅴ度であっても内性器は子宮・卵巣であり陰囊様組織内に性腺は触知しない．色素沈着も伴うため出生直後から本症を疑われることが多い．一方男児では色素沈着を認めるものの女児と比較し気づかれにくく生後1週を過ぎて哺乳不良などが目立ちはじめる頃に受診し，すでに脱水や電解質異常を呈してから介入開始となることが多い．

副腎機能低下症の症状は哺乳力低下，体重増加不良，嘔吐として出現し，治療開始されない場合は生後10日から20日頃までに脱水や電解質異常が進行し意識障害，ショックなどの重篤な副腎不全をきたす．全身のびまん性色素沈着，特に外陰部，乳輪，腋窩，臍などに目立ち，口唇や口腔粘膜にも認める．皮膚所見は脱水が進行するにしたがってより目立ってくる．

b．小児期以降
古典型は新生児期に治療開始されており維持療法中であるが，小児期は感染症に罹患しやすいため身体的ストレス時の副腎不全発症リスクを常に有している．ストレス時量の十分な内服ができない場合は急速に出現しうる．胃腸炎では経口内服が困難となり低血糖，血圧低下による意識障害を起こしうる．嘔吐や下痢は副腎不全症状でもあり，経口治療以外でのステロイド補充によって早期に対応する必要がある．

また維持療法の補充量が不足し副腎アンドロゲン過剰の抑制がむずかしい場合には成長加速・骨年齢促進がみられる．また，男児では思春期早発徴候，女児では陰核肥大や多毛などの男性化徴候が出現する．反対に補充量が過量となれば成長障害や肥満などのCushing徴候をきたしうる．どちらも最終身長に影響を及ぼす．

SV型は新生児マススクリーニング検査（new born screening：NBS）を受けていない場合には4歳頃までにアンドロゲン過剰による恥毛出現や成長促進が出現する．女児では新生児期に気づかれないレベルの外性器男性化を伴う．

NC型ではNBSを契機に診断されていない場合，早発陰毛やざ瘡・骨年齢促進が現れ，思春期以降に女性では多毛，ざ瘡の増加，月経不順などを認める．まったく無症状で，家族検索などで偶然みつかることもある．

4）診断と検査法
21水酸化酵素欠損症の診断の手引きを表7に示す[9]．

a．診断の契機
出生直後に性分化疾患としての精査を要する女児やSW型ではNBSの知らせよりも前に対応をはじめることになる．外性器変化に気づかれない女児やSV型ではNBSでの17OHP高値が診断の契機になることが多い．受診は生後2週前後となるが，この時期に診断されることで感染症罹患によるショックや低血糖などの重篤な副腎不全を未然に防ぐことが可能となる．

外性器異常やNBSで早期に発見された場合にはSW型でも塩類喪失を認めないことがある．重度の塩類喪失（Na＜130 mEq/L，K＞7 mEq/L）は生後1週を過ぎた時点から認めはじめ，日を追うごとに悪化する危険性がある．体重増加不良を伴っており，この時期を過ぎる前に診断することが重要である[10]．NBSで精密検査の知らせがあれば出生医療機関と連携し迅速な対応を開始し，臨床症状から疑わしい児であればNBSの結果が届く前でも精査を開始する．

b．NBSで17OHP高値を示す児の鑑別
17OHPは21OHD以外のCAHでも上昇する．具体的にはP450酸化還元酵素欠損症，11β水酸化酵素欠損症（11βOHD），3β水酸化ステロイド脱水素酵素欠損症（3βHSDD）では17OHP上昇を伴うためまれではあるが鑑別は重要である．

また17OHP測定はenzyme-linked immunosorbent assay（ELISA）法で実施されているが胎児副腎由来ステロイド成分の干渉を受けると偽高値を示す．特に低出生体重児，早産児では胎生皮質が退縮する前に生まれるためにNBSで偽陽性となりやすい．またこれらの児では種々のストレスでの上昇も認められている．NC型の場合，NBSを契機に受診し精査診断されうるが新生児期は無症状でありコルチゾール不足を示唆するような検査上の異常値も認めない．

鑑別が困難な場合はガスクロマトグラフ質量分析法（GC/MS）による尿ステロイド代謝物の解析（尿ステロイドプロフィール）が有用であり現在，国内1施設で対応している[11]．

CAHでは超音波検査で腫大した脳回様と表現される副腎を認めることがある．腫大がなくても否定はで

表7	新生児期における 21 水酸化酵素欠損症の診断のための手引き

臨床症状
　1. 副腎不全症状
　　　哺乳力低下，体重増加不良，嘔気・嘔吐，脱水，意識障害，ショックなど．
　2. 男性化徴候
　　　女児における陰核肥大，陰唇癒合，共通泌尿生殖洞．女性における多毛．
　　　男子における伸展陰茎長の増大．男性における無精子症．
　3. 皮膚色素沈着
　　　全身のび慢性の色素沈着．
　　　口腔粘膜，口唇，乳輪，臍，外陰部に強い色素沈着．
　4. 低身長
　　　男女とも副腎アンドロゲンの過剰は早期身長発育を促すが，早期骨端線閉鎖により最終的には低身長をきたす．
検査所見
　血清 17OHP の高値
参考検査所見
　1. 尿中 PT 高値（注1）
　2. 尿中 Pregnanetriolone (Ptl) 高値．尿中 11-hydroxyandorosterone (11OHAn)/Pregnanediol (PD) 高値（注2）．
　3. 尿中 17KS 高値，尿中 17-OHCS 高値（注3）．
　4. 血漿 ACTH 高値
　5. PRA 高値
　6. 低ナトリウム血症，高カリウム血症
遺伝子診断
　P450c21 遺伝子（CYP21A2）の異常
除外項目
　・3β 水酸化ステロイド脱水素酵素欠損症
　・P450 酸化還元酵素欠損症
　・11β 水酸化酵素欠損症
　（注1）　新生児期においては特異性が低い．
　（注2）　国内では尿 Ptl はガスクロマトグラフ質量分析－選択的イオンモニタリング法による尿ステロイドプロフィル（保険未収載）で測定可能であり，診断に有用である．いっぽう，ガスクロマトグラフ法では偽高値となる．
　（注3）　新生児において基準値はなく，特異性も低い．
診断基準
　除外項目を除外したうえで，
　・臨床症状を認め，新生児マススクリーニングで 17OHP 高値が認められれば診断可能．
　・副腎不全，塩喪失状態を認めない男性化徴候を認める女児では血清 17OHP 高値であれば診断可能．ただし，血清 17OHP-RIA 法の在胎週数別，年齢別基準範囲は必ずしも確立していない．
　・副腎不全，塩喪失状態を認めない男児では血清 17OHP 高値で色素沈着を認める場合は診断可能．ただし，血清 17OHP-RIA 法の在胎週数別，年齢別基準範囲は必ずしも確立していない．
　・新生児期に臨床症状を認めない男児，女児において血清 17OHP 上昇のみの場合には，偽陽性，一過性高 17OHP 血症，あるいは非古典型の可能性がある．（とくに早期産児の場合偽陽性が多いことに注意）．ガスクロマトグラフ質量分析－選択的イオンモニタリング法による尿 Ptl により鑑別診断可能である．

〔日本小児内分泌学会：21-水酸化酵素欠損症「診断の手引き」．小児慢性特定疾病情報センター，2014　https://www.shouman.jp/disease/instructions/05_25_054/ より引用一部改変〕

きない．女児では子宮を認めることで診断補助となる．まれに先天性副腎腫瘍が 17OHP 上昇を契機に発見されることもある．

5) 治療法

a. ホルモン補充療法

治療の基本は不足している副腎ホルモンの補充療法である．初期治療，維持治療については「21-水酸化酵素欠損症の診断・治療ガイドライン（2014年改訂版）」から引用した（表8）[12]．

診断時の臨床症状の程度によって初期治療のヒドロコルチゾン（HDC）投与量を調整する．副腎クリーゼが疑われる場合には HDC 50 mg/m^2 をボーラス静注し 100 mg/m^2/日で開始する．同時に脱水治療（水分を 150～200 mL/kg/日，Na を 10 mEq/kg/日程度）や低血糖があればブドウ糖補充も行う．副腎クリーゼが否定的であれば HDC はより少量で開始してよい．5～7日ごとに漸減し生後3～4週までには維持療法量に移行する．SV 型でも潜在的なアルドステロン欠乏が存在しており，以前から欧米のガイドラインでは古典型全例がフルドロコルチゾン（FC）補充対象になっている．もともと新生児期にはアルドステロン抵抗性があり，また乳児期には母乳や人工乳からの Na 摂取量のみでは不十分なため食塩を1歳頃までは併用する．実際には症例ごとに個別化対応し電解質やレニン活性，体重増加などをみながら補充量を設定する．なお，急性期治療で HDC 50 mg/m^2 以上使用中はアルドステロン作

表8 初期治療と維持療法の投与量の目安

		ヒドロコルチゾン(HC) (mg/m²/日，分3)	フルドロコルチゾン(FC)* (mg/日，分2～3)	塩化ナトリウム* (g/kg/日，分3～8)
初期治療	新生児期	25～100**	0.025～0.2	0.1～0.2
維持療法	新生児期 乳児期	10～20	0.025～0.2	0.1～0.2
	幼児期 学童期 思春期	10～15	0.025～0.2	
	成人期	10～15***	0.025～0.2****	

*：FCと塩化ナトリウムは，古典型21OHDの塩喪失型では必要となることがほとんどである．
FCと塩化ナトリウムは血清Na，血清K，血漿レニン活性または濃度，体重増加などをみながら投与量を設定する
**：臨床症状の程度によって投与量を調節する．副腎クリーゼを疑う場合には，まずHCをボーラス投与(50 mg/m²)する
***：成人期ではプレドニンまたはデキサメタゾンに変更も可能である
****：年齢とともに必要量が減少し，中止できることもある
〔日本小児内分泌学会マス・スクリーニング委員会，他：21-水酸化酵素欠損症の診断・治療のガイドライン(2014年改訂版) http://jspe.umin.jp/medical/files/guide20140513.pdf〕

表9 ストレス量投与の目安例

身体的ストレスの程度	具体的な状況	HC投与量
軽度	予防接種 微熱までの上気道炎	維持量
中等度*	高熱(＞38.5℃)を伴う感染症 嘔吐，下痢，摂食不良，不活発 小手術，外傷，歯科治療，熱傷	維持量の3～4倍ないし 50～100 mg/m²/日**
重度*	敗血症，大手術	100 mg/m²/日**

*：副腎クリーゼを疑う場合，全身麻酔による手術前の場合，ストレス量が内服困難な場合には，まずHC 50 mg/m²(乳幼児25 mg，学童50 mg，成人100 mg)非経口的にボーラス投与する．ライン確保がむずかしい場合には，ヒドロコルチゾンコハク酸エステルを筋注投与する(日本ではリン酸エステルは静注適応のみ)
**：静注する場合には，6時間ごとに分割してボーラス投与するより，持続投与が望ましい
〔日本小児内分泌学会マス・スクリーニング委員会，他：21-水酸化酵素欠損症の診断・治療のガイドライン(2014年改訂版) http://jspe.umin.jp/medical/files/guide20140513.pdf〕

用もあるためFC補充は不要である．

小児期にはHDCを用いて症例ごと，年齢ごとにきめ細やかな量設定が必要である．至適量は成長率や骨年齢の変化などを含めた総合的な判断で調整する．

「21-水酸化酵素欠損症の診断・治療ガイドライン(2014年改訂版)」でのストレス時のステロイド量を表に示した(表9)[12]．

発熱性疾患(＞38.5℃)，胃腸炎，小手術，外傷などの状況では，HDCを増量させる必要がある．患者が安定化すれば維持療法に戻す．発熱を伴わなくても激しい咳嗽など体力を消耗する場合には同様に対応する．一方心理的ストレスに対しての増量は不要とされている．内服が困難な場合には医療機関での治療が必要であるが，時期を逸せずに受診できるように日頃からの指導が重要である．最近，HDCの在宅自己注射が保険診療で認められた．緊急受診に先立って用いることで，より安全に医療機関での治療に繋げることが可能となる．

b．罹患女児の外性器男性化への対応

罹患女児は卵巣と子宮を有するため社会的性は通常は女性を選択する．陰核肥大や陰唇癒合に対して幼児期頃までに形成術が行われることが多い．女性としての生殖能力が保たれ，過去の研究で性自認不一致が少数であることが社会的性を選ぶ根拠となっている[13]．欧米のガイドラインでは性分化疾患の専門チームに両親も参加したうえで手術やその時期について長所短所を示し選択を支援することが奨められている[14]．

6) 管理と予後

NBSにより早期診断と治療介入が可能となり生命予後は改善された．ストレス時対応を確実に行い副腎

クリーゼを防ぐことで，神経学的後遺症なく成人年齢に達することができる．副腎不全リスクがあることを示す医療情報カードの携帯も緊急時には有用である．

グルココルチコイドの過不足どちらも成人身長に影響する．過去の研究論文のメタアナリシスでは一般集団に比べて平均−1.4 SD（10 cm）低かったと報告されている[15]．

成人身長に達した後はHDCのかわりに長時間作用型のプレドニゾロンやデキサメタゾンを選択する場合もある．21OHD自体の合併症のほかに，グルココルナコイドの過剰による合併症にも注意が必要である．骨密度低下や内蔵型肥満からの代謝疾患（糖尿病，脂質異常，高血圧）の合併率が高くなると報告されている[16]．

グルココルチコイド不足が続くと，男女ともに生殖能力に影響を受ける．詳細は**本章C-①-2.-f**を参照されたい．

7) 最新知見

今後期待される治療法として，より日内変動に沿ったグルココルチコイドの補充法，副腎アンドロゲン過剰産生を抑制する薬剤などが研究されている[17]．

高速液体クロマトグラフィタンデム質量分析（LC-MS/MS）はNBSの偽陽性率を低下させる．またLC-MS/MSによる副腎由来アンドロゲン（前述の11oxC19）を測定は，維持療法中のアンドロゲン過剰のマーカーとして期待される．

❖ 文献

1) O'Shaughness PJ, et al.：Alternative (backdoor) androgen production and masculinization in the human fetus. *PLoS Biol* 17：e3000002, 2019
2) Kamrath C, et al.：Androgen excess is due to elevated 11-oxygenated androgens in treated children with congenital adrenal hyperplasia. *J Steroid Biochem Mol Biol* 178：221-228, 2018
3) Turcu AF, et al.：Adrenal-derived 11-oxygenated 19-carbon steroids are the dominant androgens in classic 21-hydroxylase deficiency. *Eur J Endocrinol* 174：601-609, 2016
4) Rege J, et al.：11-ketotestosterone is the dominant circulating bioactive androgen during normal and premature adrenarche. *J Clin Endocrinol Metab* 103：4589-4598, 2018
5) Yang Z, et al.：Modular variations of the human major histocompatibility complex class III genes for serine/threonine kinase RP, complement component C4, steroid 21-hydroxylase CYP21, and tenascin TNX (the RCCX module). A mechanism for gene deletions and disease associations. *J Biol Chem* 274：12147-12156, 1999
6) Baumgartner-Parzer S, et al.：EMQN best practice guidelines for molecular genetic testing and reporting of 21-hydroxylase deficiency. *Eur J Hum Genet* 28：1341-1367, 2020
7) Pignatelli D, et al.：The complexities in genotyping of congenital adrenal hyperplasia：21-hydroxylase deficiency. *Front Endocrinol* 10：432, 2019
8) New MI, et al.：Genotype-phenotype correlation in 1,507 families with congenital adrenal hyperplasia owing to 21-hydroxylase deficiency. *Proc Natl Acad Sci U S A* 110：2611-2616, 2013
9) 日本小児内分泌学会：21-水酸化酵素欠損症「診断の手引き」．小児慢性特定疾病情報センター，2014 https://www.shouman.jp/disease/instructions/05_25_054/（2021年11月12日アクセス）
10) Gau M, et al.：The progression of salt-wasting and the body weight change during the first 2 weeks of life in classical 21-hydroxylase deficiency patients. *Clin Endocrinol (Oxf)* 94：229-236, 2021
11) Koyama Y, et al.：Two-step biochemical differential diagnosis of classic 21-hydroxylase deficiency and cytochrome P450 oxidoreductase deficiency in Japanese infants by GC-MS measurement of urinary pregnantrioline/tetrahydroxycortisone ratio in 11β-hydroxyandrosterone. *Clin Chem* 58：741-747, 2012
12) 日本小児内分泌学会マス・スクリーニング委員会，他：21-水酸化酵素欠損症の診断・治療のガイドライン（2014年改訂版）http://jspe.umin.jp/medical/files/guide20140513.pdf（2021年9月21日アクセス）
13) Dessens AB, et al.：Gender dysphoria and gender change in chromosomal females with congenital adrenal hyperplasia. *Arch Sex Behav* 34：389-397, 2005
14) Speiser PW, et al.：Congenital adrenal hyperplasia due to steroid 21-hydroxylase deficiency：an endocrine society clinical practice guideline. *J Clin Endocrinol Metab* 103：4043-4088, 2018
15) Muthusamy K, et al.：Clinical review：adult height in patients with congenital adrenal hyperplasia：a systematic review and metanalysis. *J Clin Endocrinol Metab* 95：4161-4172, 2010
16) Tamhane S, et al.：Cardiovascular and metabolic outcomes in congenital adrenal hyperplasia：a systematic review and meta-analysis. *J Clin Endocrinol Metab* 103：4097-4103, 2018
17) Merke DP, et al.：Congenital adrenal hyperplasia due to 21-hydroxylase deficiency. *N Engl J Med* 383：1248-1261, 2020

（高橋郁子）

b 先天性リポイド副腎過形成症

1) 定義・概念

本症はsteroidogenic acute regulatory protein（StAR）の機能低下により，副腎や性腺から産生されるすべてのステロイドホルモンが欠乏し，ステロイドホルモン産生細胞に過形成と細胞質内の脂肪滴蓄積を特徴とする疾患である[1]．非典型的な外性器を発症しうる46,XY性分化疾患としても位置づけられる．わが国の先天性副腎過形成症のなかでは，21水酸化酵素欠損症の次に多く，約4％を占める[2]．

2) 病因・病態

本症はStARをコードするSTAR遺伝子の両アリル性の機能喪失型の病的バリアントに起因する常染色体潜性遺伝疾患である．ただし，ドミナントネガティブ効果を示すSTARの片アリル性の病的バリアントが人

II 各　論

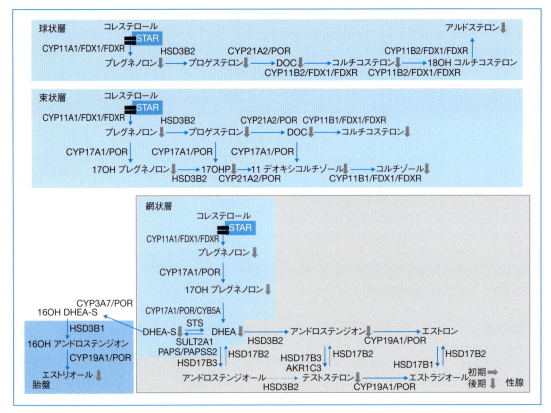

図15 先天性リポイド副腎過形成症のステロイドホルモン生合成障害

種の異なる2例で報告されている[3,4]．STARのp.Glu258*が東アジアで創始者効果を有するため，本症は日本人，韓国人，中国人に多く，欧米人では非常にまれである．p.Glu258*はStAR機能を完全に喪失させると考えられていて，わが国では症例の約80%で同定される[5]．

StARは副腎，性腺のすべてのステロイドホルモン産生細胞に強く発現する．StARはステロイドホルモンの需要の急速な高まりに応じて，コレステロールをミトコンドリア外膜から内膜へ転送し，ステロイドホルモンを産生する．このコレステロールのミトコンドリア内膜への供給は，すべてのステロイドホルモン生合成に共通する律速段階となっている．よって，本症の主病態はコレステロールをミトコンドリア内膜へ迅速に供給することができず，需要に見合ったステロイドホルモンを産生できないことである（図15）．上位ホルモンの刺激下に副腎や性腺のステロイドホルモン産生細胞は過形成を示し，コレステロールエステルが主成分と考えられる脂肪滴を細胞質に蓄積する．さらに，ステロイドホルモン産生組織中にマクロファージが集積し，そのマクロファージの細胞質内にも同様の脂肪滴が蓄積する[6]．これらの組織学的特徴のため「リポイド過形成」とよばれる．

本症では，副腎と精巣のステロイドホルモン分泌不全は出生時に存在するが，卵巣のステロイドホルモン分泌不全は思春期以降に顕在化する．この発症時期の解離はtwo-hit theoryで説明されている（図16）[7]．前提としてステロイドホルモン産生にStARを介する経路（StAR依存性経路）と介さない経路（StAR非依存性経路）が想定されている．正常ではStAR依存性経路により十分なステロイドホルモンが作られるが，本症ではStAR依存性経路が働かないため，StAR非依存性経路を介して少量のステロイドホルモンが作られる．この状態で上位ホルモンの刺激が持続すると，細胞質内への脂肪滴の蓄積に伴いStAR非依存性経路が働かなくなり，最終的にステロイドホルモン産生能が廃絶する．卵巣機能低下が遅発性なのは，副腎や精巣に比して卵巣ではStAR非依存性経路がより機能している可能性，卵胞が月経周期ごとに発育して性ホルモンを産生するためにステロイドホルモン産生能が廃絶するまでに猶予があることなどが推測されている．

3）臨床症候

本症は古典型と非古典型の二つの病型に分けられる（表10）．わが国では，本症の80%が古典型，20%が

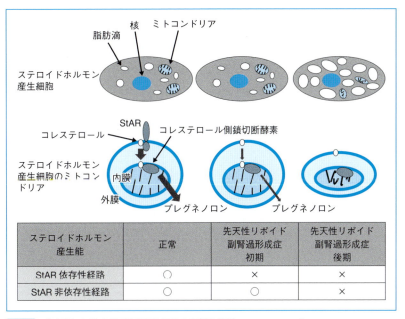

図16 先天性リポイド副腎過形成症の病態生理（two-hit theory）

表10 先天性リポイド副腎過形成症の病型と臨床症状

性染色体	XY		XX	
病型	古典型	非古典型	古典型	非古典型
副腎不全	新生児期〜2歳	2歳以降	新生児期〜2歳	2歳以降
非典型的な外性器	女性型	尿道下裂＆二分陰嚢〜男性型	—	—
性ホルモン分泌低下	＋	—	±→＋*	—
生殖能低下	＋	±	±→＋*	±

*：経時的に悪化

非古典型である[5]．ただし，両病型は連続したスペクトラムを形成するため，特に46,XX症例においては両病型の区別は時に困難となる．

a．古典型

古典型の本症は重症で，すべての副腎皮質ホルモンの分泌不全を呈し，新生児期ないし乳児期早期に副腎不全を発症する．古典型の10%に新生児仮死がみられる[5]．46,XY症例では，胎生期のテストステロン分泌不全を反映して，外性器は女性型を示す．46,XX症例の90%では，乳房発育や初経が遅延なく自然に発来する[5]．しかし，その後月経不順となり早発閉経に至ることが多く，50%で女性ホルモン補充を要する[5]．46,XX症例の一部で卵巣囊腫がみられる．茎捻転のリスクを有するため，46,XX症例では定期的な卵巣超音波が推奨される．

b．非古典型

2歳以降に副腎不全が顕性化．ミネラルコルチコイド分泌能が保持，46,XY症例で完全男性型の外性器，の三徴候のうちのいずれかを満たす場合に非古典型と定義される[5]．男女ともに一部で軽症の高ゴナドトロピン性性腺機能低下症がみられるが，性ホルモン補充を要する症例の報告はない．よって，ACTH不応症との鑑別は時に困難となる[8]．46,XX症例では，ホルモン補充療法なしで妊娠，出産に至ったとの報告もある[9]．非古典型の46,XX症例の一部でも卵巣囊腫をみられるため，定期的な卵巣超音波を検討する．

4）診断と検査法

副腎ホルモン産生異常に関する調査研究班の診断の手引き（2020年度改訂版）を示す（表11）．副腎，性腺由来のすべてのステロイドホルモンが低値，さらに血漿ACTH，血漿レニン，血清ゴナドトロピンがすべて高値を示し，外性器が完全女性型の場合には古典型の本症を疑う．一般検査では，他の原発性副腎皮質機能低下症と同様に，低ナトリウム血症，高カリウム血症，低血糖に注意する．画像診断では腹部CTが有用である．脂肪蓄積によるCT値低下（fatty attenuation）を伴う

II 各 論

表11 先天性リポイド副腎過形成症の診断の手引き

臨床症状
1. 副腎不全症状
   哺乳力低下，体重増加不良，嘔吐，脱水，意識障害，ショックなど．
2. 皮膚色素沈着
   全身のびまん性の色素沈着．
   口腔粘膜，口唇，乳輪，臍，外陰部に強い色素沈着．
3. 非典型的な外性器（注1）
   46,XY症例で男性外性器形成障害（大部分で女性型外性器，少数で性別不定性器や尿道下裂）
4. 高ゴナドトロピン性性腺機能不全
   思春期発来および進行不全，早発卵巣不全

検査所見
1. 全ての副腎皮質ホルモンの低下
   (1) 血中コルチゾール低値
   (2) 血中アルドステロン低値
   (3) 血中副腎アンドロゲン低値
   (4) 尿中ステロイドプロフィルにおいて，ステロイド代謝物の全般的低下，特に新生児期の胎生皮質ステロイド代謝物低値（注2）
2. 血漿ACTH高値
3. 血漿レニン高値
4. 低Na血症，高K血症，低血糖症
5. 血中LH，LSH高値

画像検査（腹部CT）
   Fat densityを伴う副腎皮質の腫大（注3）

遺伝子診断
   STAR遺伝子ないしCYP11A1遺伝子の異常（注4）

除外項目
・先天性副腎低形成症
・ACTH不応症
・21-水酸化酵素欠損症
・3β水酸化ステロイド脱水素酵素欠損症

(注1) 性染色体の構成にかかわらず，大部分で外性器は女性型であるが，一部外性器の軽度の男性化を示す46,XY女性例（STAR異常，CYP11A1異常），外性器が完全な男性型を示す46,XY男子例（STAR異常症）が存在する．
(注2) 国内ではガスクロマトグラフ質量分析-選択的イオンモニタリング法による尿ステロイドプロフィルが可能であり，診断に有用である（ただし本検査のみで先天性リポイド過形成症と先天性副腎低形成症との鑑別は不可）．
(注3) 先天性リポイド過形成症（とくにCYP11A1異常）でも副腎の腫大を認めない場合があり，その場合先天性副腎低形成との鑑別は難しい．
(注4) 1歳以降に副腎不全症状や皮膚色素沈着が顕性化する非古典型の多くでは，ミネラルコルチコイド産生能や性ホルモン産生能は保持される．このため，ACTH不応症との鑑別には遺伝子解析が必須である．

診断基準
   確実，ほぼ確実例を対象とする．
      確実例：Ⅰ＋Ⅱ＋Ⅲ＋Ⅴ，ないしⅠ＋Ⅱ＋Ⅳ＋Ⅴを満たすもの
      ほぼ確実例：Ⅰ＋Ⅱ＋Ⅴを満たすもの
      疑い例：Ⅰ＋Ⅴ，ないしⅡ＋Ⅴを満たすもの

［副腎ホルモン産生異常に関する調査研究班．2020年度改訂版］

副腎腫大は古典型の86％でみられる本症に特異的な所見である（図17）[5]．ただし，副腎腫大がみられなくても，本症は否定できない．46,XY症例では，超音波で陰嚢／陰唇から鼠径管にかけて精巣を同定できる．STAR遺伝子解析は診断に有用である．特に，副腎腫大がみられない症例ではコレステロール側鎖切断酵素欠損症との鑑別に，卵巣機能が保持されている古典型および非古典型の46,XX症例，精巣機能が保持されている非古典型の46,XY症例ではACTH不応症との鑑別に用いられる．

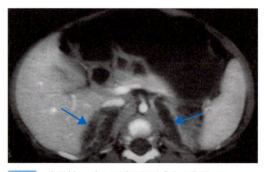

図17 先天性リポイド副腎過形成症の腹部CT

5）治療法

治療やモニタリングに関する明確なコンセンサスはない．

a．副腎皮質ホルモン

副腎低形成症に準じた補充療法を行う．ヒドロコルチゾン補充は，古典型，非古典型にかかわらず，ほぼ全例で必要となる．フルドロコルチゾン補充は，古典型の全例，非古典型の63％で必要となる[5]．21水酸化酵素欠損症のガイドラインを参考に，新生児期～乳児期のヒドロコルチゾン10～25 mg/m^2/日，幼児期以降のヒドロコルチゾン10～15 mg/m^2/日，フルドロコルチゾン0.025～0.2 mg/日を治療量の目安とする．身体的ストレス時にはヒドロコルチゾンを普段の3～4倍ないしは50～100 mg/m^2/日に増量して内服させる．

b．外性器形成術と性ホルモン

古典型や非古典型の46,XY症例では，法律上の性に一致させて，男性ないし女性の外性器形成術を行う．古典型の46,XY症例で法律上の性を女性に決定された場合，両側精巣を摘出し，思春期相当年齢で女性ホルモン補充を開始する．古典型の46,XX症例では，二次性徴が進行しない場合や早発閉経になった場合に女性ホルモン補充を開始する．治療薬の選択や投与量の調整は他の高ゴナドトロピン性性腺機能低下症に準じる．

6）管理と予後

本症の生命予後に関するデータは乏しい．生命予後に影響するのは，副腎クリーゼである．身体的なストレス下でのヒドロコルチゾン内服量の増量，クリーゼを疑った場合のヒドロコルチゾンの自己皮下注，迅速な医療機関受診について患者とその家族へ定期的に確認する．

7）最新知見

てんかんや知能障害などの中枢神経合併症が本症の10～20％で認められることが判明した[5]．この合併が副腎クリーゼや低血糖による二次的なものか，他の要因によるものか現時点では不明である．

❖ 文献

1) Stocco DM, et al.：Regulation of the acute production of steroids in steroidogenic cells. Endocr Rev 17：221-244, 1996
2) 柳瀬敏彦．厚生労働省「副腎ホルモン産生異常に関する調査研究班」の研究概要紹介―疫学研究を中心に―．最新医学 67：1981-1988, 2012
3) Baquedano MS, et al.：Unique dominant negative mutation in the N-terminal mitochondrial targeting sequence of StAR, causing a variant form of congenital lipoid adrenal hyperplasia. J Clin Endocrinol Metab 98：E153-E161, 2013
4) Ishii T, et al.：Pubertal and adult testicular functions in nonclassic lipoid congenital adrenal hyperplasia：a case series and review. J Endocr Soc 3：1367-1374, 2019
5) Ishii T, et al.：Clinical features of 57 patients with lipoid congenital adrenal hyperplasia：criteria for nonclassic form revisited. J Clin Endocrinol Metab 105：e3929-e3937, 2020
6) Ishii T, et al.：Gonadal macrophage infiltration in congenital lipoid adrenal hyperplasia. Eur J Endocrinol 175：127-132, 2016
7) Bose HS, et al.：The pathophysiology and genetics of congenital lipoid adrenal hyperplasia. N Engl J Med 335：1870-1878, 1996
8) Metherell LA, et al.：Nonclassic lipoid congenital adrenal hyperplasia masquerading as familial glucocorticoid deficiency. J Clin Endocrinol Metab 94：3865-3871, 2009
9) Hatabu N, et al.：Pubertal development and pregnancy outcomes in 46,XX patients with nonclassic lipoid congenital adrenal hyperplasia. J Clin Endocrinol Metab 104：1866-1870, 2018

〈石井智弘〉

c コレステロール側鎖切断酵素欠損症

1）定義・概念

本症はP450コレステロール側鎖切断酵素（P450scc）をコードするCYP11A1遺伝子変異により，乳児期または小児期における急性副腎不全を発症しうるまれな疾患である[1]．ACTHと血漿レニン活性は上昇し，副腎ステロイドは低下する．46,XY患者は女性型の外性器所見を呈する．StAR異常症と異なり，典型的な副腎腫大を認めない[2]．

2）病因・病態

本症は15番染色体q23-24に存在するCYP11A1遺伝子のヘテロ接合，複合型ヘテロ接合，またはホモ接合性変異に起因する[1]．本遺伝子は，ステロイド生合成の第1段階であるコレステロールからプレグネノロンへの変換酵素であるコレステロール側鎖切断酵素（P450scc）をコードしている．P450sccは胎盤に発現し，妊娠の維持に必要なプロゲステロンの産生に重要なことから，CYP11A1の変異は致死的と考えられた．2000年にTajimaらによってP450scc異常によるリポイドCAHが報告され，今までに約19例が同定されている[3-5]．常染色体潜性遺伝形式をとる（図18）．

P450sccは，C20,22炭素結合の20αヒドロキシル化，22ヒドロキシル化，およびC20,22の分離の三つの連続した反応を触媒している[6]．これらの反応のそれぞれは，adrenodoxin reductase（AdRed）とadrenodoxin（ferredoxin）とよばれるフラボ蛋白質からなる電子移動鎖を介してnicotinamide adenine dinucleotide（NAD）を還元して寄付する一対の電子を必要とする[6]．この過程の障害によりグルココルチコイド，ミネラルコルチコイド，および性ステロイドを含む副腎および性腺ステロイドの合成を障害させる[2]．

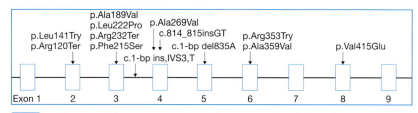

図18 現在までに同定されている P450scc（CYP11A1 遺伝子）変異の部位

表12 P450scc（CYP11A1 遺伝子）異常によるリポイド副腎過形成症

患者	1	2	3	4	5	6	7	8
核型	46,XY	46,XX	46,XY	46,XY	46,XY	46,XY	46,XY	46,XX
副腎不全発症時期	4歳	7か月	9日	21か月	9日	8日	9歳	5歳
外性器	陰核肥大 陰唇癒合	女性	女性	女性	女性	女性	尿道下裂 停留精巣	女性
副腎画像所見	正常	不明	副腎描出（−）	正常	不明	正常	正常	石灰化 低形成
遺伝子変異	c.814_815 Ins GT	p.Arg353Try p.Ala359Val	c.1-bp del835A c.1-bp del835A	p.Ala359Val p.Ala359Val	p.Leu141Try p.Val415Glu	c.1-bp del835A IVS3	p.Leu222Pro	p.Ala269Val
酵素活性（%）(in vitro)	0	8	0	11	38/0	0	6.9	11

患者	9	10	11	12	13	14	15
核型	46,XX	46,XY	Nd	46,XY	46,XX	46,XX	46,XX
副腎不全発症時期	新生児	1.2歳	1.2歳	4.75歳	1.5歳	新生児	新生児
外性器	女性	小さい陰茎	女性	男性	女性	女性	女性
副腎画像所見	検出されない（U/S）	小（CT）	Nd	Nd	小（CT）	Nd	Nl（U/S）
遺伝子変異	p.Arg232Ter p.Arg232Ter	p.Arg232Ter p.Phe215Ser		p.Arg232Ter p.Phe215Ser	p.Arg232Ter p.Phe215Ser	p.Arg232Ter p.Arg232Ter	p.Arg120Ter p.Arg120Ter
酵素活性（%）(in vitro)	0	0/3.5	0	0/3.5	0/3.5	0	0

3）臨床徴候

グルココルチコイド，ミネラルコルチコイドの分泌低下により重度の早期発症の副腎不全を呈する古典型症例から，1歳から9歳など後発年齢で副腎不全を呈する非古典型症例が報告されている[1,6]．非古典型では，ほかに高ACTH血症による色素沈着を呈する．また性腺でのステロイド合成も障害されているため，46,XY核型でも外性器は女性型である．症例により外陰部が陰核肥大，陰唇癒合から尿道下裂，停留精巣を認める例があり，変異型や残存酵素活性に応じて副腎機能や性成熟の臨床像に幅を認める（表12）．

4）診断と検査法

診断の手引きについては表11を参照されたい．副腎，性腺由来のすべてのステロイドホルモンが低値，さらに血漿ACTH，レニン，血清ゴナドトロピンがすべて高値を示し，外性器が完全女性型の場合には古典型の本症を疑う．

画像診断では腹部CT，腹部超音波が施行される．StAR異常症と異なり，副腎腫大を認めないことが報告されている[1,6]．症例により点状石灰化を伴う副腎低形成所見の報告も認める[5]．

非古典型の症例も報告されており，このような病態においては遺伝子診断が病因解明の決め手となる．

5）治療法

グルココルチコイド，ミネラルコルチコイド投与を初期，維持，ストレス時とも21水酸化酵素欠損症などの原発性副腎皮質機能低下症に準じて行う．

46,XYの古典型例で法律上の性を女性とされている場合，両側精巣の摘出を行い，思春期年齢にはエストロゲン補充を行う．46,XX女性で古典型かつ早発閉経となり二次性徴が進行しない場合は，エストロゲン補充を開始する．二次性徴が出現する例ではその後の卵巣囊胞の合併に注意する．非古典型では性腺ステロイドホルモン分泌不全の状態に応じて性ステロイドホル

モンを投与する．

6）管理と予後

本症は症例数が少なく，長期的な生命予後や生殖予後に関するデータに乏しい．生命予後に影響するのは，副腎クリーゼへの対応である．身体的なストレス時でのヒドロコルチゾンの増量や筋注製剤の使用について十分な説明を行い，副腎不全が疑われる場合に迅速な医療機関への受診を行うよう患者，家族へ説明する．

❖ 文献

1) Online Mendelian Inheritance in Man®：P450scc DEFICIENCY.
 https://www.omim.org/entry/613743?search=P450scc&highlight=p450scc (accessed 2021-04-01)
2) 日本小児内分泌学会：リポイド副腎過形成症「診断の手引き」．小児慢性特定疾病情報センター，2020
 https://www.shouman.jp/disease/instructions/05_25_050/（2021年4月1日アクセス）
3) Tajima T, et al.：Heterozygous mutation in the cholesterol side chain cleavage enzyme (P450scc) gene in a patient with 46,XY sex reversal and adrenal insufficiency. J Clin Endocrinol Metab 86：3820-3825, 2001
4) Katsumata N, et al.：Compound heterozygous mutations in the cholesterol side-chain cleavage enzyme gene (CYP11A) cause congenital adrenal insufficiency in humans. J Clin Endocrinol Metab 87：3808-3813, 2002
5) Kim CJ, et al.：Severe combined adrenal and gonadal deficiency caused by novel mutations in the cholesterol side chain cleavage enzyme, P450scc. J Clin Endocrinol Metab 93：696-702, 2008
6) Sahakitrungruang T, et al.：Partial defect in the cholesterol side-chain cleavage enzyme P450scc (CYP11A1) resembling nonclassic congenital lipoid adrenal hyperplasia. J Clin Endocrinol Metab 96：792-798, 2011

（宇都宮朱里）

d 17α水酸化酵素欠損症

1）定義・概念

本症は先天性副腎過形成症の成因の一つであり，副腎のステロイド合成酵素P450c17αをコードするCYP17A1遺伝子の変異によりミネラルコルチコイド過剰による高血圧と副腎性アンドロゲン欠乏による性腺機能不全を特徴とする[1,2]．非典型的な外性器異常を発症しうる46,XY性分化疾患としても位置づけられている．1966年にBiglieriらによりはじめて高血圧および低カリウム血性アルカローシスならびに性腺機能低下を伴う女性症例が報告された[3]．わが国での頻度は2.6％と報告されている[4]．

2）病因・病態

本症は副腎皮質と性腺に発現する17α水酸化酵素をコードするCYP17A1遺伝子の機能喪失型の両アリル変異に起因する常染色体潜性遺伝疾患である．本遺伝子は第10染色(10q24.3)に位置しており，1987年にクローニングされた[5]．

17α水酸化酵素は17α水酸化酵素および17,20リアーゼ（切断酵素）活性の両方を有する．したがって，本症には17α水酸化酵素と17,20リアーゼの複合欠損症，それぞれの単独欠損症の3病型がある[2]．

a．17α水酸化酵素欠損症／17,20リアーゼ欠損症

CYP17A1遺伝子の100以上の突然変異は，点突然変異，小さな挿入または欠失，スプライス部位の変化，およびまれに大きな欠失と関連している[6,7]．これら変異は，遺伝子全体で同定されるが，多くはC末端近くで発生し，酵素活性のための最後の14個のアミノ酸の重要性が報告されている．最も一般的に認める変異には，エクソン6のp.Try329(Asp, Ter, フレームシフト TAC→AA 418X)，p.Arg362(CysまたはHis)，p.His373(対 Leu，Asn，またはAsp)が含まれる[6,7]．

患者の副腎では，DOCとコルチコステロンを合成するが，DOCは高血圧および低カリウム血症を引き起こす．コルチコステロンは弱いグルココルチコイド作用をもつため，副腎不全を呈することはまれである[2,6]．17,20リアーゼ活性の障害により，副腎でのデヒドロエピアンドロステロン(dehydroepiandrosterone：DHEA)やデヒドロエピアンドロステロンサルフェート(dehydroepiandrosterone sulfate：DHEA-S)の副腎アンドロゲン欠乏が生じ(図19)[8]，陰毛および腋窩毛が欠如する症状を呈しうる．アンドロゲンとエストロゲンの両方の生産はCYP17A1の17,20リアーゼ活性と17ヒドロキシステロイド基質を必要とするため，本症で認める二次性徴の欠如は主要な特徴の一つである[6]．

b．17,20リアーゼ単独欠損症

本症のまれな病型として認める．これらの症例では，ミスセンス変異(p.Glu305Gly)は17,20リアーゼ活性を優先的に損ない，17水酸化酵素活性はほとんど影響を受けない[6]．変異p.Arg347HisまたはCysやp.Arg358Gln変異はCYP17A1とP450酸化還元酵素欠損症との相互作用やチトクロムb5との相互作用低下を伴う17,20リアーゼ活性欠乏を呈する[9]．

副腎皮質束状層でのコルチゾール産生は保持されるが，網状層や性腺での17ヒドロキシプログネノロンからDHEAへの変換障害のため，DHEA-S，テストステロン，エストラジオール(E_2)が欠乏する．ACTH過剰は認めないため，副腎過形成は生じない．

3）臨床徴候(表13)

a．17α水酸化酵素欠損症／17,20リアーゼ欠損症

副腎においてDOC，コルチコステロンなどのミネラ

II 各論

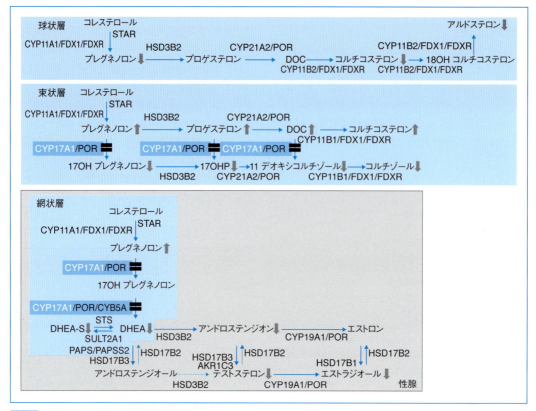

図19 17α水酸化酵素欠損症の代謝異常
〔石井智弘：17α-水酸化酵素欠損症(17α-OHD).横谷　進，他(編)，専門医による新小児内分泌疾患の治療．改訂第2版，診断と治療社，137-138, 2017〕

表13 17α水酸化酵素欠損症の臨床症状

性染色体	XY		XX		
	古典型		古典型		
病型	17α水酸化酵素／17,20リアーゼ欠損症	17,20リアーゼ単独欠損症	17α水酸化酵素／17,20リアーゼ欠損症	17,20リアーゼ単独欠損症	非古典型
副腎不全	−	−	−	−	−
高血圧	＋	−	＋	−	−
非典型的な外性器	女性型〜尿道下裂／二分陰囊	女性型〜尿道下裂／二分陰囊	−	−	−
思春期遅発	＋	＋	＋	＋	−
生殖能低下	＋	＋	＋	＋	＋

ルコルチコイド過剰による高血圧と性腺における性ホルモン欠乏機能不全を認める[7,9]．

46,XY核型では完全女性型から非典型的な外性器（尿道下裂，二分陰囊）を有する乳児例や，46,XX核型では原発性無月経および低カリウム血症を有する高血圧などを契機として診断に至る．血圧と血清DOC値は関連していないと報告される．

生殖能力低下を契機として診断される非古典型の女性症例も報告される．その場合では，高血圧や低カリウム血症はみられず，卵胞期のプロゲステロン高値とE₂低値を認める[10]．

b. 17,20リアーゼ単独欠損症

高血圧のみられない非典型例である．46,XYでは外性器形成障害のために出生時に尿道下裂・二分陰囊から女性型外性器まで幅広い表現型で確認される．女性では原発性無月経を契機とする例がある．男性では，

表14 17α水酸化酵素欠損症 診断の手引き

```
臨床症状
  主症状
    1. 高血圧
       DOCやBの過剰産生による若年高血圧(注1)
    2. 性腺機能低下症(注2)
       外陰部は女性型. 原発性無月経, 乳房発育不全などの二次性徴の欠落
       男女とも性毛(腋毛, 恥毛)の欠如
  副症状
    ミネラルコルチコイド過剰による低K血症に伴い, 筋力低下を認めることがある
  参考検査所見
    1. PRA低値, 血漿ACTH高値ではない
    2. 血清DOC, コルチコステロン(B)の基礎値, ACTH負荷後のこれらの高値
    3. 血清テストステロン, エストロゲンの低値
    4. 尿中17OHCS, 17KSの低値
    5. 尿ステロイドプロフィルでのプロゲステロン, DOC, コルチコステロン代謝物の高値(注3)
  遺伝子診断
    P450c17遺伝子(CYP17)の異常
  除外項目
    ・21水酸化酵素欠損症
    ・11β水酸化酵素欠損症
    ・POR欠損症
    (注1) まれに高血圧の認められない症例が存在する
    (注2) 軽症46,XY症例で外性器の男性化を認める症例もある. 軽症46,XX症例では月経を認める症例もある
    (注3) 国内ではガスクロマトグラフ質量分析—選択的イオンモニタリング法による尿ステロイドプロフィル
         (保険未収載)が可能であり, 診断に有用である
  診断基準
    除外項目を除外したうえで,
    ・主症状を認める場合は各種検査を参考にして診断する
    ・主症状のうちの1, 3を認める場合は副症状, 各種検査を参考にして診断する
```

[日本小児内分泌学会:17α-水酸化酵素欠損症「診断の手引き」. 小児慢性特定疾病情報センター, 2020 https://www.shouman.jp/disease/instructions/05_25_053/より引用一部改変]

低血圧, 二卵性陰嚢, および微小陰茎や生殖器の成熟不全などの様々な状態を示す. 罹患した男女ともに思春期徴候が進行せず, 生殖能力低下を呈する[7,10].

4) 診断と検査法

診断の手引きを示す(表14)[11]. 46,XY性分化疾患では本疾患を念頭におく. 低カリウム血症の有無にかかわらず, 性腺機能低下症, 高血圧症の小児例は本疾患の評価を考慮する. 一般検査では, 低カリウム血症, 代謝性アルカローシスに注意する. 内分泌学検査では, 血漿ACTHの高値, レニンの低値, ACTH負荷後の血清DOC・18ヒドロキシDOC・コルチコステロン・18ヒドロキシコルチコステロンすべての高値を示す. 尿ステロイドプロフィルによるDOCとコルチコステロンの代謝産物高値を認める. 血清アルドステロンは低値になることが多いが, 一部でレニン低値にもかかわらず, 血清アルドステロンが正常ないしは高値を示す場合が報告されている.

原発性無月経を認める女児においてはゴナドトロピン高値, テストステロン値低下, E_2値低下を認め性腺不全が示唆される. LHRH負荷後のLH高値, hCG負荷後のテストステロン低値が典型的な所見である.

17,20リアーゼ単独欠損症ではアンドロステンジオン(AD)低値とテストステロン低値と性腺刺激ホルモン高値を示す. 特徴として, 基礎値またはhCG刺激での17OHP/AD比が上昇している. 新生児期では通常 > 100 μg/dLであるDHEA-Sが, 出生後急激に低下している[7].

5) 治療法

a. グルココルチコイド

DOCの過剰を抑制し, 血圧をコントロールする目的でグルココルチコイドを投与する[2,7,10]. 小児期は成長障害作用の少ないヒドロコルチゾンを用いる. ヒドロコルチゾンは新生児〜乳児期は10〜20 mg/m²/日, 幼児期以降10〜15 mg/m²/日を目安とする. 成人身長獲得後には半減期の長いデキサメタゾンのほうが血圧コントロールに有用と考えられている. 治療指標として, 血圧の正常化, 血中レニン, 血清DOCの正常化を目指す. この場合, グルココルチコイド療法だけでは良好な血圧制御が達成できない可能性があるため, 次に記載するミネラルコルチコイド受容体阻害薬などの使用が必要になる可能性がある.

グルココルチコイド補充直後に, 速やかなDOCの

II 各　論

低下とレニン―アンギオテンシン系の回復遅延により塩喪失をきたすことがある．血清電解質や血中レニンを参考に一時的にフルドロコルチゾンや塩化ナトリウム（Na）を併用する場合もある．

b．降圧薬

グルココルチコイド投与のみで血圧は多くの症例で低下する．高血圧が持続する場合には，カルシウム（Ca）阻害薬，アミロライド，ミネラルコルチコイド受容体阻害薬などの降圧薬を併用する[2,7]．

c．外性器形成術と性ホルモン

46,XY の症例では，出生時における法律上の性の決定が最優先事項である．完全女性型で法律上の性を女性と決定した場合には，両側精巣を摘出し，思春期年齢ではエストロゲン補充を行う．46,XX 症例では高ゴナドトロピン性性腺機能低下症に対して，性ホルモン補充を行う．

6）管理と予後

血圧コントロールが良好であれば生命予後は悪くないと推測される．罹患女性の体外受精で挙児を得た1例報告や生殖補助医療による非古典型女性8例の妊娠報告がある[12,13]．性腺腫瘍のリスク，性別不和のリスクについても詳細な報告はなされていない．小児期に17,20リアーゼ単独欠損症と診断していても，思春期以降に17α水酸化反応が徐々に障害されるとの報告があるため，病型によらず長期的な血圧管理が必要である．

❖ 文献

1) Online Mendelian Inheritance in Man®：STEROID 17-ALPHA-MONOOXYGENASE, CYTOCHROME P450, SUBFAMILY XVII, CYP17, P450C17, S17AH, STEROID 17-HYDROXYLASE/17,20-LYASE.
https://www.omim.org/entry/609300?search=CYP17A1&highlight=cyp17a1 (accessed 2021-04-01)
2) 田辺晶代，他：17α-水酸化酵素欠損症．日本臨牀 63（増刊3）：292-295, 2005
3) Biglieri EG, et al.：17-Hydroxylation deficiency in man. J Clin Invest 45：1946-1954, 1966
4) 日本小児内分泌学会：17α-水酸化酵素欠損症．小児慢性特定疾病情報センター，2020
https://www.shouman.jp/disease/details/05_25_053/ (2021年4月1日アクセス)
5) Chung BC, et al.：Cytochrome P450c17 (steroid 17 alpha-hydroxylase/17,20 lyase)：cloning of human adrenal and testis cDNAs indicates the same gene is expressed in both tissues. Proc Natl Acad Sci U S A 84：407-411, 1987
6) Auchus RJ：Steroid 17-Hydroxylase and 17,20-Lyase Deficiencies, Genetic and Pharmacologic. J Steroid Biochem Mol Biol 165 (Pt A)：71-78, 2017
7) 藤枝憲二：先天性副腎過形成（11β-OH と 17α-OH 欠損症）．血圧 7：39-45, 2000
8) 石井智弘：17α-水酸化酵素欠損症（17α-OHD）．横谷進，他（編），専門医による新小児内分泌疾患の治療．改訂第2版，診断と治療社，137-138, 2017
9) Sherbet DP, et al.：CYP17 mutation E305G causes isolated 17,20-lyase deficiency by selectively altering substrate binding. J Biol Chem 278：48563-48569, 2003
10) Auchus RJ：The genetics, pathophysiology, and management of human deficiencies of P450c17. Endocrinol Metab Clin North Am 30：101-119, 2001
11) 日本小児内分泌学会：17α-水酸化酵素欠損症「診断の手引き」．小児慢性特定疾病情報センター，2020
https://www.shouman.jp/disease/instructions/05_25_053/ (2021年4月1日アクセス)
12) Marsh CA, et al.：Fertility in patients with genetic deficiencies of cytochrome P450c17 (CYP17A1)：combined 17-hydroxylase/17,20-lyase deficiency and isolated 17,20-lyase deficiency. Fertil Steril 101：317-322, 2014
13) Paulo H de Mello Bianchi, et al.：Successful live birth in a woman with 17α-hydroxylase deficiency through IVF frozen-thawed embryo transfer. J Clin Endocrinol Metab 101：345-348, 2016

〈宇都宮朱里〉

ⓔ　11β水酸化酵素欠損症

1）定義・概念

11β水酸化酵素欠損の二つのアイソザイムのうちの一つである CYP11B1 の機能低下により，グルココルチコイド産生の低下，アンドロゲン過剰による男性化，DOC の過剰による低レニン性高血圧をもたらす常染色体潜性疾患である[1,2]．非典型的な外性器を発症しうる46,XX 性分化疾患としても位置づけられる．海外での報告は先天性副腎過形成症の約5～8% でモロッコ系ユダヤ人に比較的多いとされるが，わが国での頻度は CAH 全体の1% 前後である[1,3]．

2）病因・病態

染色体 8q21 に位置する CYP11B1 遺伝子変異に起因する常染色体潜性遺伝性疾患である．1987年に Chua らによりクローニングされ，種々の遺伝子変異が同定されているが変異の hot spot は知られていない[4]．遺伝子型と表現型には一定の相関がみられる．CYP11B1 遺伝子変異により，11β水酸化酵素の活性低下は，束状層での11デオキシコルチゾールからコルチゾールの産生，DOC からコルチコステロンの産生が障害され，11デオキシコルチゾールと DOC が過剰となる（図20）．二次的に ACTH が高値となり，副腎過形成が生じ，過剰な副腎アンドロゲン合成をもたらす[2]．

11β水酸化酵素は11β水酸化反応のみならずコルチコステロンメチルオキシダーゼ（CMO）反応の両者を触媒する酵素で，二つのアイソザイムが存在する．一つは束状層で発現する CYP11B1 で，より高い11β水酸化活性を有し，コルチゾール産生に寄与する．もう

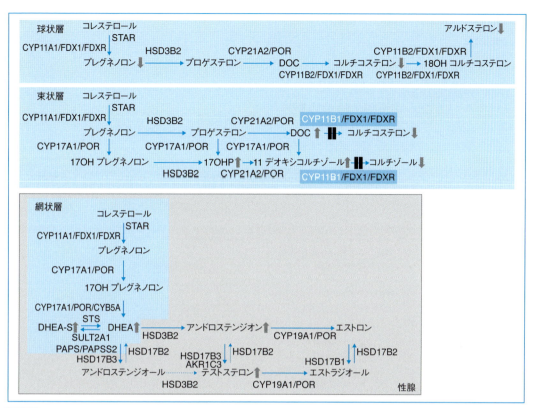

図20 11β水酸化酵素欠損症の代謝異常

表15 11β水酸化酵素欠損症の病型と臨床症状

性染色体	XY		XX	
病型	古典型	非古典型	古典型	非古典型
副腎不全	±	−	±	−
高血圧	+	±	+	±
非典型的な外性器	陰茎肥大	−	陰核肥大，陰唇癒合，共通泌尿生殖洞	−
思春期早発	+	+	+	+
男性化（多毛，痤瘡，月経不順など）	NA	NA	+	+
生殖能低下	±	±	+	±

NA：該当せず

一つは球状層で発現する CYP11B2 でより高い CMO 活性を有し，アルドステロン産生に寄与する．両者はアミノ酸で 93％ の相同性を示す．11β 水酸化酵素欠損症（11βOHD）という場合は，通常 CYP11B1 を指す．

3）臨床徴候（表15）

11βOHD の古典型は，11β 水酸化酵素活性（＜10％ の残留活性）の重度の障害によって引き起こされる可能性が高く，DOC の蓄積による高血圧は，症例の約 3 分の 2 で起こるが，多くは生後数年の幼少〜青年期に出現するため 21 水酸化酵素欠損症に誤認される症例も少なくない[5]．罹患女性では，出生時より陰核肥大など性の不明瞭化がみられ，高血圧を呈する．男児では，ざ瘡・陰茎肥大・色素沈着などの過剰アンドロゲン症状がみられる．古典的な 11βOHD をもつ男女ともに性的早熟性と骨成熟と急速な出生後成長を受け，成人期の低身長に至る．さらに非古典型として DOC は増加するにもかかわらず，高血圧を呈さない例や塩類喪失が前面に出る症例もあるため注意を要する[5]．

4）診断と検査法

診断の手引きを示す（表16）[6]．17ヒドロキシプロゲステロン（17OHP），11 デオキシコルチゾール，DOC，性ステロイドなどは増加し，DOC 増加に呼応して血漿

表16 11β水酸化酵素欠損症 診断の手引き

臨床症状
　主症状
　1. 高血圧
　　　DOC 過剰産生による若年高血圧（注1）
　2. 男性化（46,XX 女性）
　　　生下時陰核肥大，陰唇陰嚢融合など外性器男性化
　　　出生後も男性型体型，乳房発育不良，多毛などの男性化症状の進行
　3. 性早熟（46,XY 男性）
　　　男児において性器肥大，陰毛出現などの性早熟
　副症状
　低身長（男女とも）
　　　男女とも副腎アンドロゲンの過剰は早期身長発育を促すが，早期骨端線閉鎖により最終的には低身長をきたす．
参考検査所見
　1. 血漿 ACTH 高値
　2. PRA 低値
　3. 血清 DOC，11-デオキシコルチゾールの基礎値，負荷後 ACTH の高値（注2）．
　4. 血清テストステロン高値，DHES（DHEA-S）高値
　5. 尿ステロイドプロフィルにおける DOC，11-デオキシコルチゾール代謝物高値（注3）．
遺伝子診断
　P45011β 遺伝子（CYP11B1）の異常
除外項目
　・21-水酸化酵素欠損症
　・17α-水酸化酵素欠損症
　（注1）まれに高血圧が認められない症例が存在する．
　（注2）生後6か月までは，免疫化学的測定—直接法による血中ステロイドホルモン測定は診断に必ずしも有用
　　　　ではない．測定に胎生皮質ステロイドの影響を受けるからである．
　（注3）国内ではガスクロマトグラフ質量分析—選択的イオンモニタリング法による尿ステロイドプロフィル
　　　　（保険未収載）が可能であり，診断に有用である．
診断基準
除外項目を除外したうえで，
　・主症状のうち1，2を認める場合は副症状，各種検査を参考にして診断する
　・主症状のうち1，3を認める場合は副症状，各種検査を参考にして診断する
　・注1のように高血圧を認めない例では，主症状2または3，副症状，各種検査を参考にして診断する

〔日本小児内分泌学会：11β-水酸化酵素欠損症「診断の手引き」．小児慢性特定疾病情報センター，2020　https://www.shouman.jp/disease/instructions/05_25_052/より引用一部改変〕

レニン活性は低下する．本疾患では ACTH 刺激に対し11デオキシコルチゾールが正常に比べ3倍以上に増加する[7]とされ診断に有用となる．尿ステロイドプロフィルによる DOC と11デオキシコルチゾールの代謝産物の高値が認められる．また CYP11B1 遺伝子解析は確定診断ならびに予後推測に際して有用であり，十分な遺伝カウンセリングのもとに行う[8]．

5）治療法
a．グルココルチコイド
　副腎アンドロゲンと DOC 過剰を抑制する目的でグルココルチコイドを投与する[2]．21水酸化酵素欠損症と同じく，グルココルチコイド補充療法が中心となる．小児期は成長障害作用の少ないヒドロコルチゾンを用いる．ヒドロコルチゾンは新生児～乳児期は10～20 mg/m^2/日，幼児期以降10～15 mg/m^2/日を目安とする．成人身長獲得後には半減期の長いデキサメタゾンのほうが血圧コントロールに有用と考えられている．治療強度のモニタリングは，臨床的には年齢相応の成長曲線や骨年齢，性成熟が得られているかどうか，さらに，血圧や性ステロイド，血漿レニン活性，DOC，11デオキシコルチゾールなどの検査所見のチェックが必要となる．

b．降圧薬
　十分なグルココルチコイド投与下でも高血圧が持続する場合，一部の症例ではスピロノラクトンなど血圧のミネラルコルチコイド受容体阻害薬をはじめとしてカルシウム（Ca）阻害薬，アミロライドなどの降圧薬を併用する[2]．

c．外性器形成術
　46,XX の症例では，出生時における法律上の性の決定が最優先事項である．卵巣と子宮を有するため，女性を選択される場合が多い．陰核肥大，陰唇癒合に対しては形成手術を行う．

6）管理と予後
　11βOHD における成人身長低下は，診断時の年齢に関係なく，臨床および生化学的値の安定に起因する[9]

ため，細やかな管理が重要となる．

古典的な 11βOHD の患者に妊娠成功の唯一の例の報告がある[10]．testicular adrenal rest tumor(TART)の存在とグルココルチコイド療法の効果に加えて，性的および心理社会的要因は男性の生殖能力低下の要因となることが報告されている[11]．

副腎クリーゼへの対応は 21 水酸化酵素欠損症に準ずる．身体的なストレス時でのヒドロコルチゾンの増量や筋注製剤の使用について十分な説明を行い，副腎不全が疑われる場合に迅速な医療機関への受診を行うよう患者，家族へ説明する．

本症のリスクのある妊娠に対する出生前診断・治療について，21 水酸化酵素欠損症と同様に，罹患女児を除く 7/8 に対する不利益が示唆されるため現時点では研究レベルの段階である[12]．

❖ 文献

1) Online Mendelian Inheritance in Man®：ADRENAL HYPERPLASIA IV, STEROID 11-BETA-HYDROXYLASE DEFICIENCY, 11-BETA-HYDROXYLASE DEFICIENCY, ADRENAL HYPERPLASIA, HYPERTENSIVE FORM, P450C11B1 DEFICIENCY.
   https://www.omim.org/entry/202010（accessed 2021-04-01）
2) 渡邉早苗, 他：11β-水酸化酵素欠損症．日本臨牀 63（増刊 3）：288-291, 2005
3) 日本小児内分泌学会：11β-水酸化酵素欠損症．小児慢性特定疾病情報センター, 2020
   https://www.shouman.jp/disease/details/05_25_052/（2021 年 4 月 1 日アクセス）
4) Chua SC, et al.：Cloning of cDNA encoding steroid 11betahydroxylase(P450c11). Proc Natl Acad Sci U S A 84：7193-7197, 1987
5) Bulsar K, et al.：Clinical perspectives in congenital adrenal hyperplasia due to 11β-hydroxylase deficiency. Endocrine 55：19-36, 2017
6) 日本小児内分泌学会：11β-水酸化酵素欠損症「診断の手引き」．小児慢性特定疾病情報センター, 2020
   https://www.shouman.jp/disease/instructions/05_25_052/（2021 年 4 月 1 日アクセス）
7) Azziz R, et al.：11 beta-hydroxylase deficiency in hyperandrogenism. Fertil Steril 55：733-741, 1991
8) Parajes S, et al.：Functional consequences of seven novel mutations in the CYP11B1 gene：four mutations associated with nonclassic and three mutations causing classic 11｛beta｝-hydroxylase deficiency. J Clin Endocrinol Metab 95：779-788, 2010
9) Hochberg Z, et al.：Growth and pubertal development in patients with congenital adrenal hyperplasia due to 11-beta-hydroxylase deficiency. Am J Dis Child 139：771-776, 1985
10) Simm PJ, et al.：Successful pregnancy in a patient with severe 11-beta-hydroxylase deficiency and novel mutations in CYP11B1 gene. Horm Res 68：294-297, 2007
11) Falhammar H, et al.：Clinical outcomes in the management of congenital adrenal hyperplasia. Endocrine 41：355-373, 2012
12) Speiser PW, et al.：Congenital adrenal hyperplasia due to steroid 21-hydroxylase deficiency：an Endocrine Society clinical practice guideline. J Clin Endocrinol Metab 95：4133-4160, 2010

（宇都宮朱里）

f 3β 水酸化ステロイド脱水素酵素欠損症

1) 定義・概念

3β 水酸化ステロイド脱水素酵素欠損症(3β-hydroxysteroid dehydrogenase deficiency：3βHSDD)［OMIM 201810］は，副腎・性腺に特異的なⅡ型 3βHSD の先天的な欠損により，副腎不全・塩喪失症状をきたすと同時に，46,XY 症例では胎生期アンドロゲン産生障害による外性器の男性化障害(非典型的外性器)が生じる．このため 3βHSD 欠損症は先天性副腎過形成であると同時に，非典型的外性器を発症しうる DSD でもある．常染色体潜性遺伝疾患で，その発症頻度は 100 万人に 1 人とされ，CAH 全体の約 1.3% を占めるまれな疾患である[1,2]．

2) 病因・病態

3βHSD には 93.5% の相同性をもつ二つのアイソザイム(Ⅰ型，Ⅱ型)が存在し，前者は胎盤，肝臓，皮膚などの末梢組織に広く発現し，後者は副腎と性腺に限局して発現する．3βHSD 欠損症は，Ⅱ型の遺伝子(HSD3B2)の病的多型のため，副腎性腺におけるⅡ型 3βHSD 酵素活性の低下によって種々のステロイド代謝が障害されることで生じる[1,3]．ちなみにヒトでのⅠ型 3βHSD 欠損症は知られていない．胎生致死と推測されている[4]．

3βHSD は，Δ5-ステロイド(プレグネノロン，17OH プレグネノロン，DHEA)を Δ4-ステロイド(プロゲステロン，17OHP，アンドロステンジオン)に変換する酵素である．その欠損は，基質(Δ5-ステロイド)の過剰と，生成物(Δ4-ステロイド)，さらにはその下流のステロイドの産生障害を生じる．これにより副腎球状層におけるミネラルコルチコイド，束状層におけるグルココルチコイド，性腺における性ステロイド(アンドロゲン，エストロゲン)の産生が，「理論上」すべて障害される(図 21)．

3βHSD 欠損症の主症状の多くは，前述した 3βHSD を介したステロイド合成反応が進まないことで説明可能である．すなわち，グルココルチコイド，ミネラルコルチコイド産生障害による副腎不全・塩喪失症状，胎生期アンドロゲン産生障害による 46,XY 症例における外性器の男性化障害(非典型的外性器)である．

一方，これらでは説明がむずかしい臨床症状もある．46,XX 症例における外性器の男性化，17OHP の逆

Ⅱ 各 論

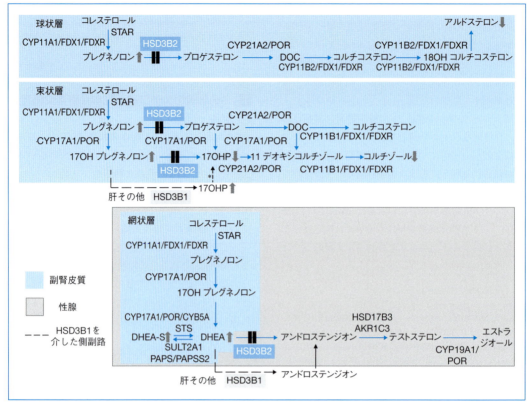

図21 Ⅱ型3βHSD欠損症におけるステロイド産生の病態とⅠ型3βHSDを介した側副路

3βHSD欠損症のステロイド代謝．副腎皮質，性腺におけるΔ5-ステロイド（プレグネノロン，17OHプレグネノロン，DHEA）がΔ4-ステロイド（プロゲステロン，17OHP，アンドロステンジオン）へと変換される反応が障害される．その欠損は，基質（プレグネノロン，17OHプレグネノロン，DHEA）の過剰と，生成物（プロゲステロン，17OHP，アンドロステンジオン，さらにはその下流のステロイド）の産生障害を生じる．一方，おもに肝臓におけるⅠ型3βHSDが副腎から流出した大量のΔ5-ステロイドを基質とし，側副路として反応を進めることに留意する．この際，副腎の21水酸化酵素（CYP450c21）はKm値が低く，反応を進めるには約40 ng/mLの17OHPの濃度を必要とする．このため，血中には高濃度の17OHPが残留し，さらにはその後の反応を介したコルチゾルの産生不足が生じると考えられている（図中*）［詳細は文献3を参照］．

表17 3βHSD欠損症の病型と臨床症状

性染色体	46,XY		46,XX	
病型	古典型	非古典型	古典型	非古典型
副腎不全	+	±	+	±
非典型的な外性器	女性型〜尿道下裂／二分陰嚢	−	軽度の男性化	−
思春期早発	+	+	+	+
男性化（多毛，痤瘡，月経不順など）	NA	NA	+	+
生殖能低下	±	±	±	±

NA：該当せず

説的な異常高値である．これらは，末梢のⅠ型3βHSDを介した側副路により説明可能とされている[1,3,5]（図21）．

3）臨床症候

3βHSD欠損症の臨床症状は，①胎生期のアンドロゲンの過不足による非典型的外性器（DSD），②副腎由来の過剰アンドロゲンや性腺における性ステロイド産生障害が複合した性ホルモンの過不足による二次性徴および生殖機能の問題，③グルココルチコイド，ミネラルコルチコイド産生障害による副腎不全，の三つに分けて考えることができる（表17）．

非典型的外性器は，46,XX症例では男性化は軽度で，陰核肥大や軽度の陰唇癒合にとどまり，性別判定困難となることは原則ない[6,7]．

表18　3βHSD欠損症　診断の手引き

臨床症状
1. 副腎不全症状
   哺乳力低下，体重増加不良，嘔吐，脱水，意識障害，ショックなど．
2. 皮膚色素沈着
   全身のび慢性の色素沈着．
   口腔粘膜，口唇，乳輪，臍，外陰部に強い色素沈着．
3. 外性器所見
   46,XY症例では尿道下裂，停留精巣などの不完全な男性化．
   46,XX症例では正常女性型から軽度の陰核肥大，陰唇癒合（軽度の男性化）．

参考検査所見
1. 血漿ACTH高値
2. PRAの高値
3. Pregnenolone/Progesterone, 17-OH pregnenolone/17-OH progesterone, DHEA/Δ4-androstenedione 比の上昇（注1）
4. 低ナトリウム血症，高カリウム血症

遺伝子診断
　タイプⅡ3βHSD遺伝子（HSD3B2）の異常

除外項目
・21水酸化酵素欠損症
・11β水酸化酵素欠損症
・17α水酸化酵素欠損症
・P450酸化還元酵素欠損症
（注1）内分泌学的にΔ5-/Δ4-ステロイド比の上昇がマーカーになるが17OHP，Δ4-androstenedioneの上昇を認める場合もある．いくつかの検査項目は保険収載されていないが，一部の民間検査機関で測定可能である．ただし生後6か月までは，免疫化学的測定-直接法による血中ステロイドホルモン測定は診断に必ずしも有用ではない．（測定に胎生皮質ステロイドの影響を受けるからである．）

診断基準
　除外項目を除外したうえで，
・三つの臨床症状を認める場合は診断可能．
・染色体検査は時間がかかるため，副腎不全をきたしている場合は治療が優先される．この場合症状が落ちついてから，各種検査結果を総合して診断を確定する．必要があれば遺伝子診断を行う．

〔日本小児内分泌学会：3β-ヒドロキシステロイド脱水素酵素欠損症「診断の手引き」．小児慢性特定疾病情報センター，2014　https://www.shouman.jp/disease/instructions/05_25_051/ より引用一部改変〕

　性腺機能は，一般的に考えれば，Ⅱ型3βHSDの機能喪失により性腺でのテストステロン，エストロゲンの産生が障害され，性腺機能低下症をきたすと予測される．しかし実際には，幼少期より治療が開始されコントロール良好であれば，46,XX女性，46,XY男性は自然経過で二次性徴を遂げる症例が多い[7,8]．これらは，Ⅰ型酵素による側副路によると考えられる．むしろ，核型，重症度にかかわらず，adrenarche以降，思春期早発症傾向を認める傾向にある[6,7,8]．

　生殖能力は，46,XX女性においては月経不順，46,XY男性では乏精子症などの報告があり，一般人口に比べて低下していると考えられる[7]．

　副腎不全は，重症の塩喪失型では，他の重症型CAH同様，新生児期から乳児期早期に生じ，多くは臨床症状と電解質異常（低ナトリウム血症，高カリウム血症）を契機に診断される．ただし適切に発見し，治療開始することは困難な場合もあり，46,XX症例で非典型的外性器を伴わない症例のなかには，診断されずに死亡することもあると考えられる．

　出生時に症状を認めず，後に男性化徴候で発見される軽症型，いわゆる非古典型の存在も知られる．小児期から思春期にかけての男性ホルモン過剰症状（早発陰毛や成長促進など）や原発性無月経で診断に至った例も報告されている．しかし，通常の多嚢胞性卵巣症候群（polycystic ovarian syndrome：PCOS）との区別などで，議論の余地があり，詳細な実態および臨床的意義は不明である．

　最終身長については，まとまった報告はないものの，適切に治療されていれば，正常と大きく変わらないとされる[7]．

4）診断と検査法

　診断の手引きを示す（表18）[9]．正確に診断することがむずかしい疾患であることに留意する．近年の本疾患の研究では，遺伝学的に本疾患と確定した患者のうち，臨床的に他疾患と診断されていたケースは25％であった[6]．非典型的外性器，新生児期から乳児期に副腎不全を発症した症例では本疾患を鑑別にあげる．17OHP高値をきたすことがあるため，新生児マススクリーニングでCAHの要精密検査対象となる児も鑑別対象である．内分泌学的には，3βHSDの基質である，

表19 3βHSD欠損症の内分泌学的診断の基準

		新生児	小児(Tanner I)	Tanner II〜III	成人
ACTH負荷後	17OHプレグネノロン(ng/mL)	125.6	54.9	66.7(≦23.9)	96.1(≦49.8)
基礎値		27.9	8.8	22.9(≦11.6)	52.8(≦15.0)
ACTH負荷後	17OHプレグネノロン/コルチゾール比	434	216	487(≦67)	4010(≦151)
基礎値		461	94	181(≦59)	1943(≦43)

( )内はアンドロゲン過剰の症状があり，3βHSD遺伝子に病的多型を認めない症例のデータ
[Lutfallah C, et al.: Newly proposed hormonal criteria via genotypic proof for type II 3beta-hydroxysteroid dehydrogenase deficiency. J Clin Endocrinol Metab 87：2611-2622, 2002／Mermejo LM, et al.: Refining hormonal diagnosis of type II 3beta-hydroxysteroid dehydrogenase deficiency in patients with premature pubarche and hirsutism based on HSD3B2 genotyping. J Clin Endocrinol Metab 90：1287-1293, 2005 を引用改変]

17OHプレグネノロン値や，コルチゾールと17OHプレグネノロンとの比を用いて診断可能である(表19)[10,11]．遺伝学的検査は商業ベースで解析でき(保険未収載)，確定診断上有用である．DSDであり，適切な社会的性決定のために，内性器の解剖学的な構造，性腺の位置は画像検索で確認する．同時に染色体検査も併せて施行する．

5) 治療法
a. 社会的性決定

46,XX症例は，外性器の男性化はあっても軽度であり，生殖能力も期待できることから，女性を選択することでコンセンサスが得られている[12]．

46,XY症例では，外性器が男性化に応じて男性を選択することは46,XX同様，コンセンサスが得られていると考えてよい．一方，外性器の男性化が著しく障害されており，社会的女性を選択する46,XY症例では，事前に考慮すべき点がある．本来可能な男性としての生殖能力獲得が困難となること，将来的に性自認が男性になる可能性が否定できないこと，である．3βHSD欠損症では性腺は精巣であること，末梢のI型を介した側副路の存在から，胎生期に相応のアンドロゲンに脳が曝露されている可能性は否定できない．近年の海外からの46,XY DSDのジェンダーに関する長期予後報告では，3βHSD欠損症46,XY女性2例のうち，1例で男性への性別変更を必要とした[13]．本疾患で46,XYかつ女性を選択するケースは，絶対数が非常に少なく長期予後に関するまとまった報告はない．今後の検討が待たれる．

b. 薬物治療

3βHSD欠損症の治療は，症例数が少ないため，治療に関する明確なコンセンサスがない．それぞれの治療目的を明確にしながら管理をする．

副腎に対しては，副腎不全(塩喪失を含む)の予防と，副腎とその側副路に由来する過剰アンドロゲンに起因する臨床症状の管理，この二つが大きな治療目標である．性腺機能不全が生じた場合，それぞれの性腺に応じた性ステロイドを投与，適切な二次性徴の獲得とその後の生殖能の獲得につとめる[1,7,12]．

副腎とその側副路に由来する過剰アンドロゲンに対しては，21水酸化酵素欠損症(21-hydroxylase deficiency：21OHD)などと比較して多めのグルココルチコイドが必要であるとされる(海外の報告で，12〜18 mg/m^2/日程度)[7,8,12]．ストレス時に追加投与が必要であることは，他の副腎不全と同様である．塩喪失に対してはフルドロコルチゾンを用いる．

アンドロゲンの抑制は，社会的性とlife stageによって目的が異なることに留意する．社会的性が女性である場合には，男性化予防を目的とした治療が小児期から成人期に一貫して必要となる．過量投与による医原性Cushing症候群に注意する[6]．社会的男性では，成人期以降良好な生殖能力を得るために副腎由来のアンドロゲンを適切に抑制する．一方，21OHDのように，適切な副腎由来のアンドロゲン抑制がどの程度思春期早発症の予防や最終身長予後を改善するか，という点は明らかでない．

治療効果判定のマーカーとしては，17OHプレグネノロン(保険未収載)や副腎アンドロゲン，なかでも半減期が長く日内変動が少ないDHEA-S(保険収載)などが考えられる．ただし，明確な目標値は存在しない．

性腺機能不全を認めた場合には，それぞれの性に応じた性腺補充療法を行う．

c. 外科的治療

46,XY症例で社会的女性を選択した場合には，性腺摘出を行う．非典型的外性器に対しては，社会的性に応じた治療を行う．

d. 心理社会的支援

本疾患は，DSDの側面をもつこと，さらにその長期予後が明らかでないことに留意し，随時適切な心理社会的支援を行う．46,XX女性では，副腎由来のアンドロゲンによる影響に配慮する．46,XYで女性を選択し

た場合には，前述の如く，性自認について慎重な経過観察が求められる．

6) 管理と予後

本症の生命予後や生殖予後に関する長期的なデータは乏しく，不明である．副腎クリーゼへの対応は21水酸化酵素欠損症に準じる．身体的なストレス下でのストレス量のヒドロコルチゾンの内服，クリーゼを疑った場合の迅速な医療機関受診などについて定期的に患者とその家族が重要である．前述のごとく，本疾患は性分化疾患としての側面があり，継続的な心理社会的サポートが必要である．

❖ 文献

1) Simard J, et al.：Molecular biology of the 3beta-hydroxysteroid dehydrogenase/delta5-delta4 isomerase gene family. Endocr Rev 26：525-582, 2005
2) 「副腎ホルモン産出異常に関する調査研究」班(研究代表者：梶野浩樹)厚生労働科学研究費補助金難治性疾患等政策研究事業 副腎ホルモン産生異常に関する調査研究 平成22年度総括・分担研究報告書．2011
3) Miller WL, et al.：The molecular biology, biochemistry, and physiology of human steroidogenesis and its disorders. Endocr Rev 32：81-151, 2011
4) Brook CGD, et al.(eds)：Brook's Clinical Pediatric Endocrinology. 6th ed., Wiley-Blackwell, Hoboken, 2009
5) Takasawa K, et al.：Two novel HSD3B2 missense mutations with diverse residual enzymatic activities for Delta5-steroids. Clin Endocrinol (Oxf) 80：782-789, 2014
6) Guran T, et al.：Revisiting Classical 3beta-hydroxysteroid Dehydrogenase 2 Deficiency：Lessons from 31 Pediatric Cases. J Clin Endocrinol Metab 105：dgaa022, 2020
7) Al Alawi AM, et al.：Clinical perspectives in congenital adrenal hyperplasia due to 3beta-hydroxysteroid dehydrogenase type 2 deficiency. Endocrine 63：407-421, 2019
8) Benkert AR, et al.：Severe salt-losing 3beta-hydroxysteroid dehydrogenase deficiency：Treatment and outcomes of HSD3B2 c.35G>A homozygotes. J Clin Endocrinol Metab 100：E1105-E1115, 2015
9) 日本小児内分泌学会：3β-ヒドロキシステロイド脱水素酵素欠損症「診断の手引き」．小児慢性特定疾病情報センター, 2014
https://www.shouman.jp/disease/instructions/05_25_051/
(2021年11月12日アクセス)
10) Lutfallah C, et al.：Newly proposed hormonal criteria via genotypic proof for type II 3beta-hydroxysteroid dehydrogenase deficiency. J Clin Endocrinol Metab 87：2611-2622, 2002
11) Mermejo LM, et al.：Refining hormonal diagnosis of type II 3beta-hydroxysteroid dehydrogenase deficiency in patients with premature pubarche and hirsutism based on HSD3B2 genotyping. J Clin Endocrinol Metab 90：1287-1293, 2005
12) Baronio F, et al.：46,XX DSD due to Androgen Excess in Monogenic Disorders of Steroidogenesis：Genetic, Biochemical, and Clinical Features. Int J Mol Sci 20：4605, 2019
13) Loch Batista R, et al.：Psychosexual aspects, effects of prenatal androgen exposure, and gender change in 46,XY disorders of sex development. J Clin Endocrinol Metab 104：1160-1170, 2019

(鹿島田健一)

g P450酸化還元酵素欠損症

1) 定義・概念

P450酸化還元酵素(P450 oxidoreductase：POR)はすべてのミクロゾームP450酵素と一部の非P450ミクロゾーム酵素の活性化に関与する電子伝達系補酵素で，日本の先天性副腎過形成症の約2.4%を占める[1]．発生頻度に性差はない[2,3]．

2) 病因・病態

P450酸化還元酵素欠損症(P450 oxidoreductase deficiency：PORD)は，7q11.23にあるPOR遺伝子異常による機能喪失で発症する常染色体潜性遺伝疾患である．この異常により，胎盤，副腎，性腺など様々なステップでのステロイドホルモン合成が障害され，性分化異常，骨形成異常，副腎機能低下など多彩な症状を呈する(図22)[4]．

3) 臨床症候

a. 性分化異常

CYP17A1，CYP19A1，CYP21A2の活性低下によるテストステロンやジヒドロテストステロン(dihydrotestosterone：DHT)の合成異常，アンドロゲンからエストロゲンへの変換異常により86.7%[5]に性分化異常をきたす．性分化異常の程度は女性でより重症となりやすい．女性では，胎盤のCYP19A1活性低下により，テストステロン蓄積とbackdoor経路による過剰なDHTが外性器の男性化をきたすため，陰核肥大，陰唇癒合など中等度の外性器異常をきたすことが多く，21OHDとの鑑別が重要となる[5]．男性では，精巣のCYP17A1の活性低下により外性器の男性化不全をきたすため，小陰茎，停留精巣，尿道下裂などが起こる[6]．

b. 骨形成異常

骨形成異常は84%[5]にみられ，CYP51A1，squalene epoxidase(SQLE)，CYP26A1，CYP26B1，CYP26C1の活性低下により，顔面正中部変形，頭蓋骨融合，手足の変形，大関節の骨融合(橈尺骨癒合)，大腿骨屈曲などがみられる[2,4](図23)．骨変形の重症度にはgenotype-phenotype correlationがあり，Arg457HisやAla-287Pro変異とほかの組み合わせ>Arg457Hisホモ接合性変異>Cys569Tyr，Gly539Arg，Leu577Arg，Tyr326Aspの変異グループで重症となる[3]．

c. 副腎機能

CYP17A1，CYP21A2，CYP19A1の活性低下により副腎機能低下が起こる．ACTH負荷試験を施行したところ，70%の症例が副腎機能低下を示したが，多くは

II 各　論

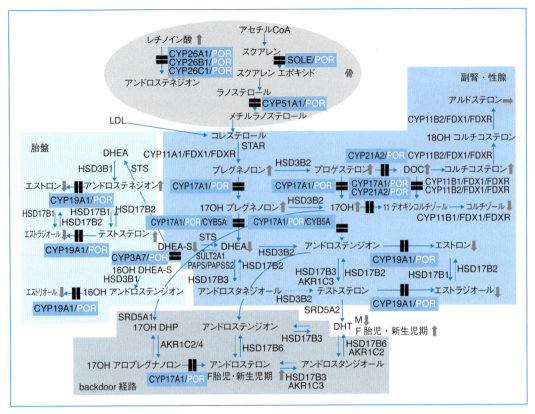

図22　P450 酸化還元酵素欠損症の代謝異常
[深見真紀，他：チトクローム P450 オキシドレダクターゼ(POR)異常症の分子基盤：POR 遺伝子発現制御機構．日生殖内分泌会誌 17：17-20，2012]

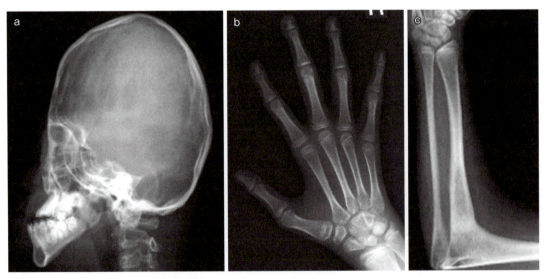

図23　P450 酸化還元酵素欠損症の骨所見
a：頭蓋骨 X 線写真．頭蓋骨縫合早期癒合を示す，b：手 X 線写真．クモ状指を示す，c：肘関節 X 線写真．上腕骨橈骨癒合を示す

軽症で通常の生活での副腎機能低下はあまり問題にならず，ストレス時に副腎機能が不充分になることがある[2,3,4]．ACTH 刺激試験では，0分，30分，60分のコルチゾールを測定し，コルチゾール基礎値が＜8 μg/dL，負荷後＜18 μg/dL を副腎機能低下と評価する．コルチゾール基礎値は基準値内のことが多いが，ACTH

表20 P450 酸化還元酵素欠損症　診断の手引き

臨床症状
　主症状
　　1．外性器異常
　　　女児における陰核肥大，陰唇の癒合などの外陰部の男性化
　　　男児における小陰茎，尿道下裂，停留精巣などの不完全な男性化
　　2．骨症状(注1)
　　　頭蓋骨癒合症，顔面低形成，大腿骨の彎曲，関節拘縮，クモ状指
　副症状
　　1．二次性徴の欠如，原発性無月経
　　2．母体の妊娠中期からの男性化と児出生後の改善
　　3．副腎不全
検査所見
　血清 17-OHP の高値(注2)
参考所見
　1．ACTH 負荷試験：CYP21 と CYP17 酵素活性の複合欠損の生化学診断(注3)
　　ACTH 負荷試験後のプロゲステロン，17-OH プレグネノロン，17-OH プロゲステロン，デオキシコルチコステロン，コルチコステロンの上昇
　　デヒドロエピアンドロステロン(DHEA)，アンドロステンジオン(Δ4A)の上昇は認めない．
　2．尿中ステロイドプロファイルによる CYP21 と CYP17 酵素活性の複合欠損の生化学診断(注4)．新生児期〜・乳児期早期：尿中プレグナントリオロン(Ptl)高値，および 11-ヒドロキシアンドロステロン(11-OHAn)/プレグナンジオール(PD)低値．乳児期後期以降：プレグネノロン，プロゲステロン，デオキシコルチコステロン，コルチコステロン，17OHP，21-デオキシコルチゾール代謝物高値
　3．特徴的骨レントゲン所見(橈骨上腕骨癒合症，大腿骨彎曲など)
遺伝子診断
　POR 遺伝子の異常
除外項目
・21-水酸化酵素欠損症
・17α-水酸化酵素欠損症
・3β 水酸化ステロイド脱水素酵素欠損症
・アロマターゼ欠損症
(注1) まれに骨奇形が軽度，あるいは認めない症例が存在する．その場合は内分泌検査や遺伝子診断を行い診断する．
(注2) 新生児期においては正常上限付近のことが多い．
(注3) CYP21 と CYP17 活性の低下を証明する必要がある．いくつかの検査項目は保険収載されていないが，一部の民間検査機関で測定可能である．ただし生後 6 か月までは，免疫化学的測定−直接法による血中ステロイドホルモン測定は胎生皮質ステロイドの影響を受け，生化学診断は必ずしも有用ではない．
(注4) 国内ではガスクロマトグラフ質量分析−選択的イオンモニタリング法による尿ステロイドプロフィル(保険未収載)が可能であり，診断に有用である．
診断基準
　除外項目を除外したうえで，
・主症状をすべて認め，血清 17-OHP が上昇している場合は診断可能．
・骨症状および特徴的骨レントゲン所見を認めない場合は検査所見，参考所見を検討し診断する．
・グルココルチコイドの補充方法，量については各症例によって異なる．突然死の報告もあるので，ストレス時のグルココルチコイドの補充について症例ごとに必要性を検討すべきである

〔日本小児内分泌学会：P450 酸化還元酵素欠損症「診断の手引き」．小児慢性特定疾病情報センター，2020　https://www.shouman.jp/disease/instructions/05_25_055/より引用一部改変〕

負荷試験をすると低反応を示すことが多い[6]．

d．思春期・二次性徴

思春期異常は男性より女性で重症となる．CYP17A1 異常によりアンドロゲン産生が低下，CYP17A1 と CYP19A1 異常によりエストロゲン産生が低下する．日本の研究で，男性は思春期以降にテストステロン補充例はいなかったが，女性では 78％ に女性ホルモン補充が行われていた[5]．また CYP51A1 活性低下により，成人女性の 46.7％ に卵巣嚢腫がみられる[2]．P450 酸化還元酵素欠損症の卵巣嚢腫発生のメカニズムは，エストロゲンの産生障害がゴナドトロピンを活性化させ，減数分裂の再開と卵母細胞の成熟に重要な減数分裂活性化ステロールの産生障害によると考えられている．

e．発達

日本人の P450 酸化還元酵素欠損症のうち詳細は不明であるが 17％[5]に発達遅滞を認め，21OHD よりも高頻度に発達遅滞を合併する可能性がある[5]．

f．母体の男性化

CYP19A1 欠乏により妊娠中の母体のテストステロンが蓄積するため 40.8％[5]に男性化(声が低くなる，にきび，多毛，鼻が大きくなる)を認める[2,6]．POR 遺伝子の Arg457His 変異では起こりやすい[3]．

g．その他

CYP26A1，B1，C1 活性低下により，鎖肛や腎形態異常を認めることがある．血圧は通常正常であるが，DOC 上昇による二次的な軽度高血圧を認めることがあるので注意する[4]．皮膚色素沈着は一般的にみられない[6]．

4）遺伝子異常

POR 遺伝子異常のうち Arg457His 変異は日本人の 70％ 以上にみられ，Ala287Pro 変異は白人に多い．Arg457His 変異は，17α 水酸化酵素活性が 3％ しか残存していないが，Ala287Pro 変異は 40％ 残存している．日本人は変異箇所により下記の三つのグループに分けられる[5]．

A）Arg457His ホモ接合性変異
B）Arg457His 複合ヘテロ接合性変異
C）その他の変異

酵素残存活性は A＞B，骨変形の重症度は B＞A（酵素残存活性と骨変形の重症度は比例する），副腎機能低下の重症度は B＞A ではあるが，ステロイド産生能は B でも維持されている．ACTH 負荷試験の低反応具合は B＞A，男性外性器の重症度は B＞A で高い．女性外性器の重症度は変わらない[6]．

5）診断と検査法

診断基準は表20[7]参照．日本の診断時年齢は 0.21 歳で，多くは生後 3 か月未満に診断がつけられる[5]．尿ステロイドプロフィールは P450 酸化還元酵素欠損症と 21OHD の鑑別に有用である．遺伝子診断も有用である．副腎の CYP21A2 活性低下により，血液中の 17OHP の蓄積が生じ，新生児マススクリーニングでの 17OHP 値は高値となるが，21OHD に比べると低い傾向にある[6]．典型例は，17OHP，コルチコステロン，DOC は上昇する[3]．DHEA，コルチゾール基礎値，アルドステロン，アンドロステンジオンは様々な値をとる[6]．

6）治療法

治療法に明確なものはまだないが，ステロイド補充が必要な患者にはグルココルチコイド投与を行う 21OHD ガイドライン[8]に沿った投与量から開始し，身長増加率，体重増加率，血圧，血清 Na，PRA をみながら適宜増減する．性腺ホルモン補充が必要な患者には，男女それぞれの性に必要な性ホルモン投与を適切な時期に投与する．

7）管理と予後

日本の調査で，診断時は全員がグルココルチコイドを投与されていた．内訳は 33％ が毎日投与，67％ がストレス時のみの投与だった．経過フォロー中では，50％ が毎日投与，40％ がストレス時のみで，7％ はグルココルチコイドは投与されていなかった[5]．ACTH 負荷試験で副腎皮質機能低下を示すときは，特にストレス時においてグルココルチコイド補充が必要かどうか慎重に対応する[2]．ミネラルコルチコイド不足は P450 酸化還元酵素欠損症ではみられないが，Ala-287Pro のホモ接合性変異では DOC 上昇による高血圧が報告されており，定期的な血圧モニタリングは必要である[2]．

❖ 文献

1) 日本小児内分泌学会：P450 酸化還元酵素欠損症．小児慢性特定疾病情報センター，2020
https://www.shouman.jp/disease/details/05_25_055/（2021 年 9 月 1 日アクセス）
2) Bai Y, et al.：Cytochrome P450 oxidoreductase deficiency caused by R457H mutation in POR gene in Chinese：case report and literature review. *J Ovarian Res* 10：16, 2017
3) Dean B, et al.：P450 oxidoreductase deficiency：a systematic review and meta-analysis of genotypes, phenotypes, and their relationships. *J Clin Endocrinol Metab* 105：dgz255, 2020
4) 深見真紀，他：チトクローム P450 オキシドレダクターゼ（POR）異常症の分子基盤：POR 遺伝子発現制御機構．日生殖内分泌会誌 17：17-20, 2012
5) Yatsuga S, et al.：Clinical characteristics of cytochrome P450 oxidoreductase deficiency：a nationwide survey in Japan. *Endocr J* 67：853-857, 2020
6) Fukami M, et al.：Cytochrome P450 oxidoreductase deficiency：rare congenital disorder leading to skeletal malformations and steroidogenic defects. *Pediatr Int* 56：805-808, 2014
7) 日本小児内分泌学会：P450 酸化還元酵素欠損症「診断の手引き」．小児慢性特定疾病情報センター，2020
https://www.shouman.jp/disease/instructions/05_25_055/（2021 年 9 月 1 日アクセス）
8) 日本小児内分泌学会マス・スクリーニング委員会，他：21-水酸化酵素欠損症の診断・治療のガイドライン（2014年改訂版），2014
http://jspe.umin.jp/medical/files/guide20140513.pdf（2021 年 9 月 1 日アクセス）

（八ツ賀秀一）

h 先天性副腎過形成患者の生殖能力

21OHD の欧米での後ろ向き観察研究では挙児希望の患者のうち，生殖能力を有するのは男性で 23～67％，女性で 54％ に過ぎないと報告されている[1]．また近年の欧米診療ガイドラインには，CAH 患者で，生殖能力低下を認める患者では，産婦人科，泌尿器科，生殖医療科など専門的な診療科での診療が望ましいと明記されており，思春期以降，成人期にかけて患者の生殖能力についての評価や他科連携での治療管理が望まれる[2]．

1）女性

CAH 女性患者の生殖能力は，複合的要因（図24）[3]

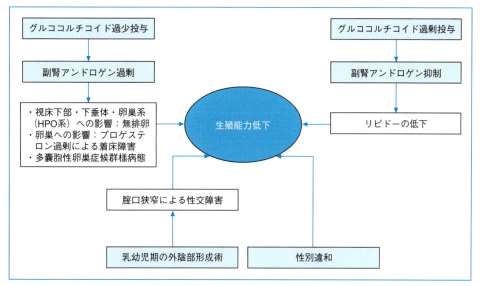

図24 先天性副腎過形成症女性患者の生殖能力低下の複合的要因

〔Tajima T：Health problems of adolescent and adult patients with 21-hydroxylase deficiency. *Clin Pediatr Endocrinol* 27：203-213, 2018 より引用改変〕

により一般的集団より低下している[4,5]．文献的にも，21OHD 女性の出産率は低いことが知られており，そのなかでも塩喪失型では特に低いとされている[3]．その原因として，高アンドロゲン血症による月経不順や排卵障害，多囊胞性卵巣症候群，プロゲステロン過剰による着床障害，また性器手術後の腟口狭窄による性交障害，心理的な問題があげられる[6]．Casteras らの CAH 女性の妊娠に関する調査研究では，塩喪失型 81 例のうち，72 例は過去に妊娠を試みたことがないとされる一方，挙児希望のある 9 例の女性では 8 例で妊娠が成立したと報告された[7]．また単純男性型の 25 例では 14 例が妊娠を試み，13 例で妊娠が成立していた[7]．CAH 女性において妊娠率は決して低くないものの，挙児希望の女子が少ないことが推測される[8]．本症女性が妊娠出産に至るまでには，思春期の時点で疾患理解や副腎ホルモン調整の必要性が確認でき，妊娠をあらかじめ準備できることが必要となる[9]．

卵巣の副腎遺残腫瘍の頻度は男性で認める testicular adrenal rest tumor（TART）に比較してまれとされる[10]．適切なグルココルチコイド，ミネラルコルチコイド調節により卵胞期のプロゲステロン値を<0.6 ng/mL とした場合には，一般的集団との妊娠率に近づくとの報告もある[7]．21OHD 女性の性別違和は約 5% とも報告されている[2]．卵管閉塞や子宮内膜症などの原因を除外し，ステロイドホルモン量の調節の後でも不妊である際には，排卵誘発や体外受精について生殖医療科への紹介を考慮する[2]．

2) 男性

CAH 症患者の生殖能力は，女性患者とは異なる複合的要因（図25）[3]により一般的集団より低下している[2,4,11]．特に治療コントロールが不良の際には生殖能力が低下する．男性患者の 42% で無（乏）精子症であったことが報告されている．要因として，まず副腎アンドロゲン過剰が精巣機能や LH/FSH 値を低下させ精巣萎縮に至ることがあげられる．アンドロステンジオン/テストステロン比が>2 である場合，副腎アンドロゲン過剰に伴うゴナドトロピンは抑制され不妊の要因となりうるとの報告がある[2]．次いで，TART が生殖能力が低下する要因の一つであり，また不妊症の予測因子として重要視されている．胎生期に副腎組織が精巣内に迷入した際，小児期あるいは成人期の不充分な内科治療に起因する過剰な ACTH 刺激により TART が形成される．TART は 2〜18 歳の古典型症例において 21〜28% で認められ，年齢とともに増加する[8,12]．通常，小さく両側性で触知しづらいが超音波検査で描出可能である[8,12]．悪性所見はないが精巣組織を物理的に障害し，正常閉塞性無（乏）精子症をきたす[3]．現時点では，ひとたび TART が形成されると，グルココルチコイドを増量しても TART を消退させることはむずかしい．TART が形成される前に精子凍結保存を考慮すべきであるとの意見もある．

3) 遺伝カウンセリング

小児期の患者，成人期医療へ移行する思春期年齢，非古典型の成人例と妊娠を計画している患者のパート

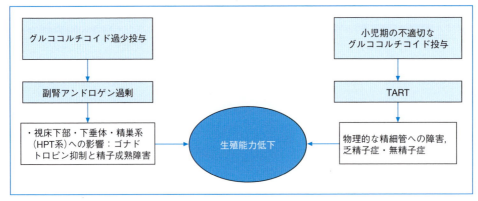

図25 先天性副腎過形成症男性患者の生殖能力低下の複合的要因

〔Tajima T：Health problems of adolescent and adult patients with 21-hydroxylase deficiency. *Clin Pediatr Endocrinol* 27：203-213, 2018 より引用改変〕

ナーに対して遺伝カウンセリングを行うことが推奨されている[2]．

CAH患者が次世代を希望する際には，次世代のCAH再発率に関連して，本人およびパートナーのCYP21A2遺伝子解析の適応の有無について妊娠前に遺伝カウンセリングをしておくとよい．

古典型症例の疾患頻度が1/1万～2万と報告されていることから，一般集団の1/50人から71人が保因者であることが予測される．その中央値1/60人（～2%）を用いると，患者は120人に1人の頻度で子が罹患児である可能性が推測される[2]．非古典型患者では，約70%の頻度で1アリルが古典型の重症変異ともう一方の1アリルが非古典型となる軽症変異からなる複合ヘテロ接合性であるとされる．そのため，計算上は子が古典型の罹患児の頻度は1/250人（$[0.7×0.5]×[0.02×0.5]=0.4\%$）と推定される．一方，過去の後ろ向き観察研究では非古典型女性の子では1.5～2.5%とより高い罹患頻度の報告も認めており，個別の評価を確定するためにも，CYP21A2遺伝子型についての評価を妊娠前に行うことが望ましい[2]．

❖ 文献

1) Jääskeläinen J, *et al.*：Sexual function and fertility in adult females and males with congenital adrenal hyperplasia. *Horm Res* 56：73-80, 2001
2) Speiser PW, *et al.*：Congenital adrenal hyperplasia due to steroid 21-hydroxylase deficiency：An endocrine society clinical practice guideline. *J Clin Endocrinol Metab* 103：4043-4088, 2018
3) Tajima T：Health problems of adolescent and adult patients with 21-hydroxylase deficiency. *Clin Pediatr Endocrinol* 27：203-213, 2018
4) Han TS, *et al.*：Treatment and health outcomes in adults with congenital adrenal hyperplasia. *Nat Rev Endocrinol* 10：115-124, 2014
5) Reichman D, *et al.*：Fertility in patients with congenital adrenal hyperplasia. *Fertil Steril* 101：301-309, 2014
6) Meyer-Bahlburg HF：What causes low rates of child-bearing in congenital adrenal hyperplasia? *J Clin Endocrinol Metab* 84：1844-1847, 1999
7) Casteràs A, *et al.*：Reassessing fecundity in women with classical congenital adrenal hyperplasia（CAH）：normal pregnancy rate but reduced fertility rate. *Clin Endocrinol*（*Oxf*）70：833-837, 2009
8) Claahsen-van der Grinten HL, *et al.*：Testicular drenal rest tumors in adult males with congenital adrenal hyperplasia：evaluation of pituitary-gonadal function before and after successful testis-sparing surgery in wight patients. *J Clin Endocrinol Metab* 92：612-615, 2007
9) 井ノ口美香子：性とは何か―からだの性・こころの性：内分泌学的側面から―．小児保健研究 79(2)：109-113, 2020
10) Chen HD, *et al.*：Ovarina adrenal rest tumors undetected by imaging studies and identified at surgery in three females with congenital adrenal hyperplasiaunresponsive to increased hormone therapy dosage. *Endocr Pathol* 28：146-151, 2017
11) Falhammar H, *et al.*：Frtility, sexuality and testicular adrenal rest tumors in adult males with congenital adrenal hyperplasia. *Eur J Endocrinol* 166：441-449, 2012
12) Martinez-Aguayo A, *et al.*：Testicular adrenal rest tumors and Leydig and Sertoli cell function in boys with classical congenital adenal hyperplasia. *J Clin Endocrinol Metab* 92：4583-4589, 2007

〈宇都宮朱里〉

3. グルココルチコイド単独欠損症

a ACTH不応症

1) 定義・概念

ACTH不応症（家族性グルココルチコイド欠損症：familial glucocorticoid deficiency）は原発性副腎皮質機能低下症に含まれる疾患である．ACTHに対する副腎皮質の反応性が先天的に欠如または低下しているために，グルココルチコイドと副腎アンドロゲンの分泌不

全が起こる．レニン―アンギオテンシン系の調節を受けるアルドステロンの合成および分泌は保たれている．常染色体潜性遺伝形式をとる．病理学的には，グルココルチコイドを分泌する球状層と副腎アンドロゲンを分泌する網状層の萎縮や，全体の萎縮といった副腎低形成がみられることが多い．

2）病因・病態

本疾患の主たる病態がACTHに対する副腎皮質の不応であることから，本疾患の病因としてはACTH受容体に関連する異常が想定されていた．1993年に最初に同定されたのはACTH受容体をコードするMC2R遺伝子異常である[1]．次いで，ACTH受容体(7回膜貫通型G蛋白質共役型受容体)が細胞膜上に存在するために必須である蛋白質をコードするMRAPが原因遺伝子として同定された[2]．2000年にはACTH不応症にアカラシア(achalasia)と無涙症(alacrimia)を合併するTriple A症候群(またはAllgrove症候群)の原因遺伝子が，ALADINをコードするAAAS遺伝子であることが報告された[3]．この蛋白はWDリピート配列をもち核細胞質間の物質の移動に関与する．

2010年代以降ACTH不応症の責任遺伝子が相次いで報告され，本疾患がACTHシグナルの障害に限定されない広いスペクトラムをもつ疾患単位であることが明らかになってきた．そのブレークスルーとなったのは，責任遺伝子NNT[4]およびTXNRD2[5]の発見である．この二つの遺伝子がコードする蛋白質は，いずれもミトコンドリアにおける抗酸化ストレス機構に重要であり，その機能喪失はミトコンドリアにおける酸化ストレスの増強を引き起こす(**本章C-1-3.-b**参照)．さらに，先に述べたTriple A症候群の病因であるALADIN遺伝子の異常は，酸化ストレスの増強を引き起こすことも示されている．すわなち，正常なグルココルチコイド産生において細胞内における抗酸化ストレス機構の維持が重要であることが明らかになってきた．ChanらはACTH不応症患者300人以上を超えるコホート研究にておおよそ60%に病的遺伝子異常が同定されたとしており(図26)[6]，学会報告(16th European Congress of Endocrinology)であるがミトコンドリア呼吸鎖の補酵素の構成要素であるGPX1およびPRDX3遺伝子変異症例を報告している[6]．なお図26[6]中ではACTH不応症の原因遺伝子に含まれるStARおよびCYP11A1の遺伝子異常は，わが国では先天性リポイド過形成として独立して分類される．また同コホートにてX連鎖性副腎低形成症の原因遺伝子であるDAX1, NROB1の異常が数名に同定されている．さらに2012年には染色体の安定性やゲノム複製に関与す

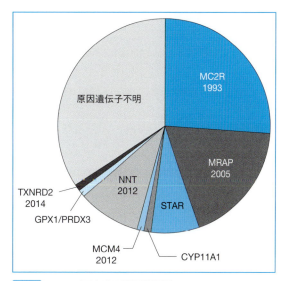

図26　ACTH不応症の原因遺伝子
ACTH不応症(家族性グルココルチコイド欠損症)患者コホートの解析にて同定された遺伝子異常
〔Chan LF, et al.：Whole-Exome Sequencing in the Differential Diagnosis of Primary Adrenal Insufficiency in Children. *Front Endocrinol (Lausanne)* 6：113, 2015 より引用改変〕

るMCM4遺伝子の異常によるACTH不応症[7]が報告された．

3）臨床症候

乳児期に認められる嘔吐，哺乳力低下，低血糖とこれに伴うけいれん，failure to thriveが主症状である．低血糖はしばしば感染症を契機として判明する．ACTH高値による色素沈着は生後1か月頃から徐々に目立つ．遷延する低血糖はときに神経学的なダメージを残す．新生児黄疸の遷延が認められることもある．MC2R遺伝子異常では高身長が認められる．MCM4遺伝子異常ではNK細胞の機能異常による免疫不全や成長障害を伴う．Triple A症候群(Allgrove症候群)では，ACTH不応症に無涙症(alacrima)とアカラシア(achalasia)を伴う．精神運動発達遅滞，構音障害，筋力低下，運動失調，自律神経障害などがみられる．

4）診断と検査法

血中ACTH高値，血中コルチゾール低値，副腎アンドロゲン(DHEA・DHEA-S・アンドロステンジオン)が低下する．ACTH負荷に対してコルチゾールは低反応～無反応である．腹部超音波・CTなどの画像所見では副腎は正常から低形成である．表21[8]に副腎皮質刺激ホルモン(ACTH)不応症の診断の手引きを示す．MC2R, MRAP, AAAS遺伝子は，かずさ遺伝子検査室にて，保険診療として解析が可能である．

5）治療法

治療はグルココルチコイドの補充であり，生涯にわ

表21 ACTH不応症の診断の手引き

臨床症状
1. 副腎不全症状：発症時期は新生児期から成人期までさまざまである
   哺乳力低下，体重増加不良，嘔吐，脱水，意識障害，ショックなど．
2. 全身の色素沈着
3. Triple A症候群の場合にはACTH不応に加え無涙症，アカラシア，精神運動発達の遅れを程度の差があるが伴う．

検査所見
1. 全ての副腎皮質ホルモンの低下
   a. 血中コルチゾールの低値
   b. 血中副腎性アンドロゲンの低値
   c. 尿中17-OHCS/コルチゾール，17-KSの低値
   d. ACTH負荷試験でコルチゾールの上昇なし
2. 血中ACTHの高値
3. 血漿アルドステロンは正常．血漿レニン活性または濃度正常

遺伝子診断
   MC2R（ACTH受容体）遺伝子の異常，MRAP遺伝子の異常，Triple A症候群はALADIN遺伝子異常

除外項目
・副腎低形成症
・21水酸化酵素欠損症
・先天性リポイド過形成症

診断基準
   確実例：Ⅰ，ⅡおよびⅢを満たすもの
   ほぼ確実例：ⅠおよびⅡを満たすもの

［日本小児内分泌学会：副腎皮質刺激ホルモン（ACTH）不応症「診断の手引き」．小児慢性特定疾病情報センター，2014 https://www.shouman.jp/disease/instructions/05_19_039/より引用一部改変］

たりグルココルチコイドの補充が必要である．

6）管理と予後

発熱などのストレスの際には副腎不全を起こして重篤な状態に陥ることがあるため，ストレス時における十分なグルココルチコイド投与が必要である．適切に診断されグルココルチコイド補充が開始されれば予後は良好であるが，診断の遅れに起因する遷延する低血糖はときに神経学的なダメージを残しうる．

b NNT遺伝子異常症

1）定義・概念

ACTH不応症（家族性グルココルチコイド欠損症）のなかで，原因がNNT遺伝子異常によるもの．常染色体潜性遺伝形式をとる．

2）病因・病態

2012年にNNTがACTH不応症（家族性グルココルチコイド欠損症）の責任遺伝子であることが報告された[4]．症例はNNT遺伝子のホモ接合性変異を有しており両親はヘテロ接合性でこの遺伝子変異を有する．インスリン分泌能低下による耐糖能異常をきたす突然変異$NNT^{-/-}$マウスが以前より知られていたが，あらためて$NNT^{-/-}$マウスの副腎を解析した結果，グルココルチコイドを産生する束状層の構造異常が認められ，ACTH負荷試験にてコルチコステロン（ヒトではコルチゾール）の反応が不良であることが確認された[4]．ミトコンドリアは酸素を使ってエネルギーであるATPを生産するオルガネラである．ゆえに，時に生体にとって有毒となりうる活性酸素が大量に発生する場であり常に酸化ストレスに晒されているため，抗酸化システムの機能維持は極めて重要である．NNTは水素分子をミトコンドリアの膜間スペースからマトリックスへ移動させる働きを担うが，その際に$NADP^+$を還元することでNADPHを供給する．NNTによって産生されたNADPHは主要な抗酸化システムであるグルタチオンシステムおよびチオレドキシンシステムにて利用される（図27）．グルタチオンレダクターゼ（glutathione reductase：GR）は，NADPHを利用して酸化型グルタチオン（glutathione disulfide：GSSG）を還元型グルタチオン（glutathione：GSH）に変換する．酸化ストレス状態の場合はこのバランスが崩れてGSSGが優位となる．強力な還元剤であるグルタチオンペルオキシダーゼ（glutathione peroxidase：GPX）は，GSHの存在下で過酸化水素（H_2O_2）を水に還元する．NNT遺伝子異常によりNNT機能が低下するとNADPH供給量の低下により，抗酸化システム機能が低下する．その結果としての細胞における酸化ストレス増強がACTH不応症における副腎グルココルチコイド産生低下の病因であると考えられている．実際，NNT遺伝子異常によるACTH不応症の患者リンパ球において，酸化ストレスマーカー蛋白であるニトロチロシンの発現が増強していることが確認されている[9]．副腎白質ジストロフィー，21水酸化酵素欠損症，自己免疫性副腎機能低下症，STAR・CYP11A1・MCR2R・MRAP遺伝子異常が否定

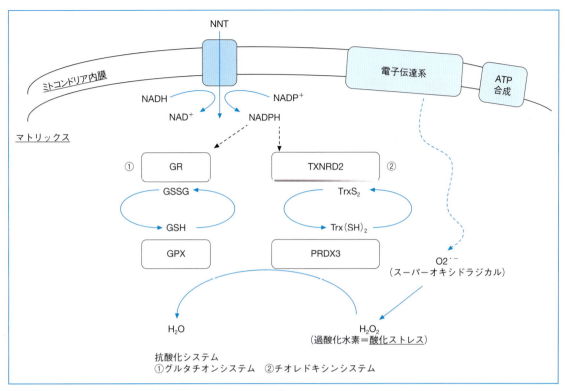

図27 ミトコンドリアにおける抗酸化システムとNNTの働き
電子伝達系・ATP合成と同じくミトコンドリア内膜に存在するNNTは，ミトコンドリアにおける抗酸化作用に重要である．GR（グルタチオンレダクターゼ），GSSG（酸化型グルタチオン），TrxS$_2$（酸化型チオレドキシン），Trx(SH)$_2$（還元型チオレドキシン），TXNRD2（チオレドキシンレダクターゼ2）

された50例の原発性副腎不全患者についてNNT遺伝子解析を行った報告では，26％（13家系，18患者）にホモまたはヘテロ接合性NNT遺伝子変異が同定されている[10]．このことは，NNT遺伝子異常は原発性副腎不全では比較的頻度の高い異常であることを示している．

3）臨床症候

ACTH不応症に共通するグルココルチコイド欠損に伴う症状（嘔吐，哺乳力低下，低血糖とこれに伴うけいれん，failure to thrive）が主症状である．発症時期は新生児期というよりはむしろ生後しばらく経過してからのことが多い．2012年の最初の報告以降，NNT遺伝子異常によるACTH不応症が相次いで報告され，ゴナドトロピン非依存性思春期早発症，無精子症，精巣機能不全，肥大型心筋症，甲状腺機能低下症といった多彩な症状が合併することが明らかになった[10]．NNTは全身にubiquitiesに発現しており，その機能は細胞の機能維持に重要である抗酸化ストレスであることから，NNT遺伝子異常を有する症例は副腎外の症状出現にも注意した継続的なフォローアップが必要である．

4）診断・治療・予後

本章C-1-3.-aと同様である．副腎外の合併症に応じた治療が必要になる．新しく遺伝子異常が同定された疾患であり，長期予後に関しては今後の症例の集積を待つ必要がある．

c TXNRD2遺伝子異常症

1）定義・概念

ACTH不応症（家族性グルココルチコイド欠損症）のなかで，原因がTXNRD2遺伝子異常によるもの．常染色体潜性遺伝形式をとる．

2）病因・病態

NNT遺伝子異常によるACTH不応症（家族性グルココルチコイド欠損症）の報告後，副腎でのステロイド産生における酸化還元調節の重要性に注目が集まった．NNT異常症を報告したMetherellらのグループは，遺伝的原因が判明していない近親婚のACTH不応症家系についてミトコンドリア抗酸化システムの構成要素をターゲットとした解析を行い，新たな原因遺伝子TXNRD2を明らかにした[5]．発端者は色素沈着をきっかけにACTH高値とグルココルチコイドの分泌低下が判明したが，それまでにグルココルチコイド分泌不全に伴う症状は認めていなかった．遺伝解析によりTXNRD2遺伝子にホモ接合性のストップコドンとな

表22 TXNRD2異常症患者の臨床症状

症例	性別	年齢(歳)	診断時の年齢(歳)	診断のきっかけ	関連する臨床症状	色素沈着の程度	コルチゾール(μg/dL)(9:00 am)[a]	ACTH(pg/mL)(9:00 am)[b]	ACTH負荷試験コルチゾール頂値(μg/dL)[c]
発端者	女性	33.8	10.8	色素沈着	診断時まで無症状	中等度	<0.36	160	未試行
発端者の同胞	女性	27.1	4.5	色素沈着	診断時まで無症状	重度	<0.90	500	<0.90
発端者の子1	男性	13.9	2.9	スクリーニング	軽度の新生児黄疸	なし	2.36	8,130	2.21
発端者の子2	女性	9.5	6.9	スクリーニング	無症状	軽度	5.73	514	1.2
発端者の子3	女性	8.6	0.1	スクリーニング	無症状	重度	1.02	3,249	5.33
発端者の子4	女性	7.4		(正常)	無症状	なし	9.50	23.2	38.14
発端者の甥	男性	2.1	0.1	哺乳力低下	心形成異常による心不全	軽度	1.67	>1,240	6.89

[a]:朝(9:00 am)のコルチゾール(μg/dL):基準値 7.25~21.75,朝(9:00 am)
[b]:ACTH(pg/mL):基準値 <50
[c]:ACTH負荷試験におけるコルチゾール最大値(μg/dL):基準値 20.00<

[Prasad R, et al.: Thioredoxin Reductase 2(TXNRD2)mutation associated with familial glucocorticoid deficiency(FGD). J Clin Endocrinol Metab 99:E1556-E1563, 2014]

る変異が同定された.チオレドキシン(thioredoxin:Trx)は,分子内に酸化還元活性を有するSH基をもつ抗酸化酵素であり,細胞内シグナル伝達にも関与する.TXNRD2は抗酸化システムの一つであるチオレドキシンシステムにおいて重要なチオレドキシンレダクターゼ2(thioredoxin reductase2:TXNRD2)のサブタイプでありミトコンドリアに存在し,NADPHを利用して酸化型チオレドキシン(TrxS$_2$)を還元型チオレドキシン〔Trx(SH)$_2$〕に変換する(図27).強力な抗酸化酵素であるペルオキシレドキシン3(peroxiredoxin3:PRDX3)はTrx(SH)$_2$を利用して過酸化水素(H$_2$O$_2$)を水に還元する.図27中のPRDX3はミトコンドリアに特異的である.細胞内にはグルタチオンがmMレベルで存在するのに対して,チオレドキシンはμMレベルしか存在しないため,抗酸化システムとしてはグルタチオンシステムが優位であるが,チオレドキシンシステムはグルタチオン低下時に誘導されたり,一部の転写因子への強い還元作用を有するため細胞内シグナル伝達において重要である.さらに副腎のセルラインであるH295R細胞を用いたin vitro機能解析により,この症例に同定された遺伝子変異が確かに細胞内での酸化ストレスを増強することが確認された[5].

3)臨床症候

重度の子宮内発育遅延,心形成異常,造血障害により致死的であるTxnrd2 nullマウスの存在が本症例の報告以前より知られていた[11].ヒトにおけるTXNRD2異常症は色素沈着が主要な症状であり重篤な症状は報告されていない(表22)[5].

4)診断・治療・予後

本章C-[1]-3.-[a]と同様である.新しく遺伝子変異が同定された疾患であり,今後の症例の集積を待つ必要がある.

❖ 文献

1) Clark AJ, et al.: McLoughlin L, Grossman A: Familial glucocorticoid deficiency associated with point mutation in the adrenocorticotropin receptor. Lancet 341:461-462, 1993
2) Metherell LA, et al.: Mutations in MRAP, encoding a new interacting partner of the ACTH receptor, cause familial glucocorticoid deficiency type 2. Nat Genet 37:166-170, 2005
3) Tullio-Pelet A, et al.: Mutant WD-repeat protein in triple-A syndrome. Nat Genet 26:332-335, 2000
4) Meimaridou E, et al.: Mutations in NNT encoding nicotinamide nucleotide transhydrogenase cause familial glucocorticoid deficiency. Nat Genet 44:740-742, 2012
5) Prasad R, et al.: Thioredoxin Reductase 2(TXNRD2)mutation associated with familial glucocorticoid deficiency(FGD). J Clin Endocrinol Metab 99:E1556-E1563, 2014
6) Chan LF, et al.: Whole-exome sequencing in the differential diagnosis of primary adrenal insufficiency in children. Front Endocrinol(Lausanne) 6:113, 2015
7) Gineau L, et al.: Partial MCM4 deficiency in patients with growth retardation, adrenal insufficiency, and natural killer cell deficiency. J Clin Invest 122:821-832, 2012
8) 日本小児内分泌学会:副腎皮質刺激ホルモン(ACTH)不応症「診断の手引き」.小児慢性特定疾病情報センター,2014
https://www.shouman.jp/disease/instructions/05_19_039/
(2021年11月12日アクセス)
9) Fujisawa Y, et al.: Impact of a novel homozygous mutation in nicotinamide nucleotide transhydrogenase on mitochondrial DNA integrity in a case of familial glucocorticoid deficiency. BBA Clin 3:70-78, 2015
10) Roucher-Boulez F, et al.: NNT mutations:a cause of primary adrenal insufficiency, oxidative stress and extra-adrenal defects. Eur J Endocrinol 175:73-84, 2016
11) Conrad M, et al.: Essential role for mitochondrial thioredoxin

reductase in hematopoiesis, heart development, and heart function. Mol Cell Biol 24：9414-9423, 2004

(藤澤泰子)

4. 副腎白質ジストロフィー

1) 定義・概念

副腎白質ジストロフィー(adrenoleukodystrophy：ALD) [OMIM 300100] は，副腎不全と中枢神経系の進行性脱髄を主体とするX連鎖性遺伝性疾患である[1~4]．代謝系疾患の一つでペルオキシソーム病に分類され，指定難病対象疾患(指定難病20)である．ABCD1遺伝子の異常を病因とし，極長鎖脂肪酸の蓄積を認める．多彩な臨床病型が存在し，臨床経過も予後も多様である．

2) 病因・病態

ペルオキシソーム膜に局在し極長鎖脂肪酸の膜輸送に関与するALD蛋白(ALD protein：ALDP)をコードするABCD1遺伝子(Xp28)の異常による[5]．極長鎖脂肪酸の輸送障害によりペルオキシソームにおけるβ酸化が低下し，全身組織に飽和極長鎖脂肪酸が蓄積することで細胞障害を引き起こすと考えられている．

発症頻度は男児2万～5万人に1人の割合と推定されている．国内では1990～1999年の全国調査において286人のALD患者が報告され，3万～5万男児に1人の頻度と推定されている[6]．このうち154人を対象に行われた二次調査ではAddison型は含まれなかったが，欧米ではAddison型が6～14％を占めることから，わが国では見逃されていた可能性がある．

3) 臨床症候

ALDの病型は臨床症状と発症年齢により，小児大脳型，思春期大脳型，副腎脊髄ニューロパチー(adrenomyeloneuropathy：AMN)，成人大脳型，小脳・脳幹型，Addison型，女性発症者，その他(発症前男性)に分類される(表23)[3,4]．ALDの主要症状は，精神症状，知能障害，視力低下，歩行障害，錐体路徴候，感覚障害，自律神経障害，副腎不全症状である．ALD患者の80％以上が副腎機能低下を生涯のうちに認めると推測されている[7]．

Addison型の発症は2歳以降成人期まで認められるが3～10歳の発症が多く，原因不明の嘔吐や活気不良，体重減少，色素沈着など非特異的な副腎不全症を認める．副腎機能検査では生後5週から発症の報告もある[8]．小児から成人以降も大脳型やAMNなどに進展する場合があるので，注意深いフォローが必要である．慢性副腎不全による症状として，全身倦怠感，脱力感，体重減少，消化器症状を認め，低血糖，低血圧，精神

表23 ALDの病型分類

a) 小児大脳型(CCALD)：発症年齢は3～10歳．視力・聴力低下，性格・行動変化，学業成績低下，歩行障害などで発症し，数年で寝たきりの経過をとることが多い．
b) 思春期大脳型(AdolCALD)：発症年齢は11～21歳．小児大脳型に類似も，やや緩徐に進行する．
c) adrenomyeloneuropathy(AMN)：10代後半～成人．痙性対麻痺で発症し，軽度の感覚障害を伴うことが多い．緩徐に進行するが，半数程度は大脳型に移行する．
d) 成人大脳型(ACALD)：性格変化，認知症，精神症状で発症し，比較的急速に進行する．
e) 小脳・脳幹型：小脳失調，下肢の痙性不全麻痺を示す．
f) Addison型：無気力，食欲不振，体重減少，皮膚の色素沈着など副腎不全症状のみを呈する．しかし経過中に神経症状が明らかになる例もあり，注意を要する．
g) 女性発症者：女性保因者の一部はAMNに似た臨床症状を呈する．

表24 ALDの診断と検査法

a) 画像診断(頭部MRI，頭部CT)
b) 極長鎖脂肪酸検査
c) 遺伝子検査
d) 副腎機能検査
e) 神経生理学的検査
f) 神経心理学的検査

症状，ショックが診断契機となる場合もある．フィードバック機構によるACTH分泌亢進に伴って，全身性，びまん性に色素沈着を認め，露出部，瘢痕部，腋窩，乳輪，手掌の皮溝，摩擦部，爪床，歯肉，頬粘膜，舌，口唇，外陰部などに多くみられる．急性副腎不全の原因として頻度が高いのは，感染症の罹患，服薬中断である．

4) 診断と検査法(表24)

a. 頭部画像検査

小児大脳型，思春期型，成人大脳型では，大脳白質の脱髄部位に一致して，CTで低吸収域，MRI T2強調像で高信号域を認める．頭部MRI(Loes score)と神経心理検査により進行度を評価する．

b. 血中極長鎖脂肪酸分析

ALD患者の血液や組織中には極長鎖脂肪酸が蓄積しており重要な診断マーカーとなる[9]．血清または血漿中のlignoceric acid(C24：0)，pentacosanoic acid(C25：0)，hexacosanoic acid(C26：0)の値と，それぞれのbehenic acid(C22：0)との比を評価する．発症前男性患者では出生時より血中極長鎖脂肪酸の増加を認める．女性保因者でも約80％に増加を認めるが，正常

であっても保因者でないとはいえない点に注意する．

c. ABCD1 遺伝子検査

ABCD1 遺伝子の病的変異により発症し，800 以上の変異が報告されている．同一変異・同一家系でも発症時の病型は様々であるため，遺伝子変異による病型予測は困難だが，ALD の診断および家系解析による発症前診断に有用である．発端者の 3〜10% 前後は de novo 変異で，ALD 男性患者の母親は必ずしも保因者とは限らない．

d. 副腎皮質機能低下症

グルココルチコイド分泌不全が先行し，ミネラルコルチコイド分泌不全の合併頻度はより少なく遅れて発症する[10]．血中 ACTH 高値，コルチゾール低値，低ナトリウム血症，高カリウム血症，低血糖などを認める．ALD の予後改善には，神経症状のみならず，副腎不全もできるだけ早期に診断することが重要である．電解質，血算，血糖，ACTH，コルチゾール，レニン，アルドステロン，DHEA-S，迅速 ACTH 負荷試験（コルチゾールとアルドステロン測定）により副腎機能を評価する．副腎機能は日内変動や採血ストレスによる変動があるため，早朝安静時の採血が望ましい．24 時間尿中遊離コルチゾール，血中コルチゾール日内変動，画像検査（副腎超音波，CT または MRI）も参考となる．診断基準として日本内分泌学会が 2015 年発表した「副腎クリーゼを含む副腎皮質機能低下症の診断と治療に関する指針」[11]が参考になる．

病理組織検査では副腎皮質の束状帯内層から網状帯の細胞が明るく膨れ，細胞質に極長鎖脂肪酸を有するコレステロールエステル由来と考えられる多数の小葉状・筋状の細隙がみられる[12]．変性細胞はやがてつぶれて硝子化巣となり，非常に進行した例では副腎皮質が極めて薄く皮質細胞をほとんど認めなくなる．髄質には変化を認めない．

5) 治療法

a. 造血細胞移植

大脳型 ALD に対して唯一有効な治療法であり，発症後できるだけ早期の移植が推奨される[3,13]．移植自体のリスクを低減させるために，非血縁者間臍帯血移植や骨髄非破壊的前処置が導入されている．副腎不全に対する治療効果はない．

b. 副腎皮質ホルモン補充

副腎不全に対して，グルココルチコイド補充療法を行う．疾患予後の点から，現在は可能な限り生理的コルチゾールの分泌量と日内変動に近い至適補充療法が望まれている．副腎機能が完全に廃絶している場合は，ヒドロコルチゾン（コートリル®）を 10〜15 mg/m²/日を分 3 で経口投与する[11,14]．残存副腎機能により補充量を調節し，過剰投与を避ける．体調不良時のステロイド増量をあらかじめ指導して，急性副腎不全（副腎クリーゼ）の発症を予防するため体調不良時の増量を指導する．通常ミネラルコルチコイドの補充は不要であるが，塩喪失症状が改善されない場合は，酢酸フルドロコルチゾン（フロリネフ®）の併用を検討する．

c. ロレンツォオイル

オレイン酸とエルカ酸を 4：1 の割合で配合したロレンツォオイルは，血中極長鎖脂肪酸レベルを正常化しても症状を改善させることはできない．発症前からの予防的投与も有効性は確立していない．現在はいずれの病型の ALD に対しても積極的には推奨されない[3]．

6) 管理と予後

神経症状を発症した患者では，経管栄養を含む栄養管理，誤嚥性肺炎などの感染防止，清潔保持，抗けいれん薬，筋緊張をやわらげる薬剤とともに，リハビリ，訪問看護，教育的配慮など，療育環境の整備が大切である．

ALD において副腎不全は病状や生命予後にかかわるため，早期診断と適切なホルモン補充を行い，診断後も定期的な副腎機能評価が必要である．また原因不明の Addison 病男性患者では，ALD の可能性を念頭において極長鎖脂肪酸を測定することが重要である[15]．

発症前患者では，現時点ではどの病型になるのか，いつ発症するのかは予測できないため，定期的な診察と頭部 MRI の評価を行い，大脳型発症を確認次第，造血細胞移植を検討する．

7) 最新知見

ALD 診断のための極長鎖脂肪酸の測定や遺伝子検査が 2020 年保険収載された．原因不明の原発性副腎不全の男性患者や，後天的にはじまった神経症状（視力障害，性格変化など）では，ALD の可能性を積極的に疑い，極長鎖脂肪酸検査や頭部 MRI 検査を実施することが大切である．大脳型 ALD では発症後できるだけ早期の移植が治療予後にかかわることから，新生児マススクリーニングの適応疾患に ALD を加える試みが 2013 年ニューヨーク州で開始されアメリカで広まりつつある[10,16]．国内でも 2021 年より一部地域でパイロット研究として実施されている．ALD の遺伝子治療として，造血幹細胞にレンチウイルスベクターを使用して ABCD1 遺伝子を導入し，患者に移植する多施設共同研究が海外で行われており，安全性と有効性に関する今後の報告が注目される．

❖ 文献

1) Moser HW, et al.：X-linked adrenoleukodystrophy. Nat Clin Pract Neurol 3：140-151, 2007
2) Shimozawa N, et al.：X-linked adrenoleukodystrophy：diagnostic and follow-up system in Japan. J Hum Genet 56：106-109, 2011
3) 日本先天代謝異常学会（編）：副腎白質ジストロフィー（ALD）診療ガイドライン 2019. 診断と治療社, 2019
4) 下澤伸行（監），副腎白質ジストロフィー診察ハンドブック 2013 作成委員会（編）：副腎白質ジストロフィー診察ハンドブック 2013　ALD 患者を支えている関係者の皆様へ．西濃印刷, 2013
5) Mosser J, et al.：Putative X-linked adrenoleukodystrophy gene shares unexpected homology with ABC transporters. Nature 361：726-730, 1993
6) Takemoto Y, et al.：Epidemiology of X-linked adrenoleukodystrophy in Japan. J Hum Genet 47：590-593, 2002
7) Huffnagel IC, et al.：The natural history of adrenal insufficiency in X-linked adrenoleukodystrophy：An international collaboration. J Clin Endocrinol Metab 104：118-126, 2019
8) Eng L, et al.：Early onset primary adrenal insufficiency in males with adrenoleukodystrophy：Case series and literature review. J Pediatr 211：211-214, 2019
9) Takemoto Y, et al.：Gas chromatography/mass spectrometry analysis of very long chain fatty acids, docosahexaenoic acid, phytanic acid and plasmalogen for the screening of peroxisomal disorders. Brain Dev 25：481-487, 2003
10) Zhu J, et al.：The changing face of adrenoleukodystrophy. Endocr Rev 41：577-593, 2020
11) 日本内分泌学会, 他：副腎クリーゼを含む副腎皮質機能低下症の診断と治療に関する指針. 日内分泌会誌 91 (Suppl.)：1-78, 2015
12) 笹野公伸, 他：変性・壊死・炎症・ストレスに伴う変化. 飯島宗一, 他（責任編集）, 現代病理学大系第 17 巻 B 内分泌系. 中山書店, 139-145, 1991
13) Peters C, et al.：Cerebral X-linked adrenoleukodystrophy；the international hematopoietic cell transplantation experience from 1982 to 1999. Blood 104：881-888, 2004
14) Bornstein SR, et al.：Diagnosis and treatment of primary adrenal insufficiency：An endocrine society clinical practice guideline. J Clin Endocrinol Metab 101：364-389, 2016
15) Miyoshi Y, et al.：Clinical aspects and adrenal functions in eleven Japanese children with X-linked adrenoleukodystrophy. Endocr J 57：965-972, 2010
16) Regelmann MO, et al.：Adrenoleukodystrophy：Guidance for adrenal surveillance in males identified by newborn screen. J Clin Endocrinol Metab 103：4324-4331, 2018

（三善陽子）

5. アルドステロン合成酵素欠損症

1）定義・概念
アルドステロン合成酵素が先天的に欠損するため，アルドステロン低下症状を呈するもの．

2）病因・病態（図 28）[1]
アルドステロン合成酵素欠損症（aldosterone synthase deficiency：ASD）は，8q24.3 にある CYP11B2 遺伝子の異常によりアルドステロン欠乏が起こる常染色体潜性遺伝性疾患である[2]．1 型（ASD1）は，18 水酸化酵素活性と 18 酸化酵素活性の両者が喪失しているため，より重症となる．一方，2 型（ASD2）は，18 酸化酵素活性は喪失しているものの 18 水酸化酵素活性が維持されているため，レニン―アンギオテンシン系の調節によりアルドステロンは基準値内に維持されることが多い．

3）臨床症候
典型的な症状は年齢により様々であるが，乳幼児期～小児期には，低ナトリウム血症，高カリウム血症，代謝性アシドーシス，脱水，嘔吐，成長障害などを呈する．思春期から成人期では通常症状は消失する．45 人の ASD 患者のまとめでは，44/45 の患者が低ナトリウム血症を呈し，40/45 に高カリウム血症を認め，生後 3 か月間に多くみられ，特に生後 5 日目の症状が顕著であった[3]．血漿レニン活性も様々であるが，ASD1 では上昇していることが多い．

4）診断と検査法
DOC，コルチコステロン（B），18 ヒドロキシコルチコステロン（18OHB），アルドステロンなどを測定することにより診断が行われる[4]．ASD1，ASD2 ともに，レニン活性は高値を示し，DOC 上昇，尿中 B 代謝物の増加を認める．ASD1 では，18OHB/アルドステロン比

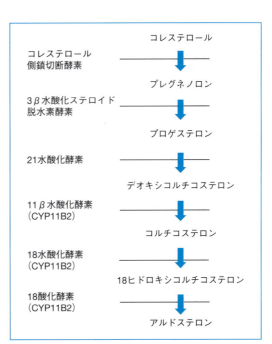

図28　副腎皮質球状層でのアルドステロン生合成経路
アルドステロン合成酵素（CYP11B2 遺伝子によってコードされる）は三つの反応を触媒する
［柴田洋孝：アルドステロン生合成作用の分子生物学　アルドステロンの生合成・分泌機構．The Lipid 24：223-229, 2013 より改変］

が10未満，18OHBが低～正常，血液と尿のアルドステロンが感度以下～低，B/18OHB比の上昇がみられる．ASD2では血液と尿の18OHBが上昇，尿アルドステロンは軽度低下，血液アルドステロンは正常下限～正常，18OHB/アルドステロン比が100以上，18OHB/アルドステロン比は上昇する．ASD2では，Na喪失に反応したアンギオテンシンIIの上昇によりACTH感受性が高まるため，コルチゾールが高い傾向にある．

鑑別疾患として，偽性低アルドステロン症1型と先天性副腎過形成症があげられる．

5）治療法

ASD1，ASD2ともにフルドロコルチゾン（0.1～0.3 mg/日）の補充を行う．重症な場合は点滴による脱水，電解質異常の補正が必要である．さらに乳児ならびに幼児の多くは経口Na補充（2～3g/日）を必要とする．

6）管理と予後

レニン活性やアルドステロン中間代謝物の正常化には数か月かかることが多いが，正常化しない場合もある．経口Na補充は血漿レニン活性が正常に低下すれば中止できることもある．小児期のフルドロコルチゾン補充は必要である．

❖ 文献

1) 柴田洋孝：アルドステロン生合成作用の分子生物学　アルドステロンの生合成・分泌機構．The Lipid 24：223-229, 2013
2) Peter M：Congenital adrenal hyperplasia：11 beta-hydroxylase deficiency. Semin Reprod Med 20：249-254, 2002
3) Miao H, et al.：Analysis of novel heterozygous mutations in the CYP11B2 gene causing congenital aldosterone synthase deficiency and literature review. Steroids 150：108448, 2019
4) Li N, et al.：Novel mutation in the CYP11B2 gene causing aldosterone synthase deficiency. Mol Med Rep 13：3127-3132, 2016

〈ハツ賀秀一〉

6. 偽性低アルドステロン症

偽性低アルドステロン症（pseudohypoaldosteronism：PHA）は，アルドステロン分泌と腎糸球体機能は正常であるにもかかわらず，遠位尿細管におけるアルドステロンに対する反応が低下し，Na再吸収障害が起こる疾患である．本性は，病態から3型（I型，II型，二次性PHA）に分類される．PHA I型は塩喪失を認め，血漿レニンおよびアルドステロン値の上昇，低ナトリウム血症，高カリウム血症，代謝性アシドーシスを呈する．PHA II型は，高血圧，塩貯留症状を認め，レニン活性は正常かつ血中アルドステロンも正常から低値を示すことから真の意味でPHAの定義には当てはまらないが，PHAに病態が類似しているためII型とよばれている．さらに，PHA Iに類似した症状を呈するが，尿路形成異常や尿路感染症に伴って腎でのアルドステロン不応が起こる病態として，二次性PHAが知られている．

アルドステロンは，標的細胞である遠位尿細管，集合管における主細胞およびタイプAおよびB介在細胞に発現するミネラルコルチコイド受容体（mineral corticoid receptor：MR）に結合して作用を発揮する．その中心的な作用はNa^+の再吸収である．最近，Shibataらは介在細胞のそれぞれの細胞におけるMRが循環血漿量やK^+濃度に応じて選択的にリン酸化されることで恒常性を保っていることを明らかにした[1]（図29）．主細胞において，アルドステロンはMRに結合したのち核内に移動してアルドステロン誘導蛋白の合成を促進する．アルドステロン誘導蛋白は管腔側にある上皮性Naチャネル（epithelial sodium channel：ENaC，アミロライド感受性Naチャネル）の発現を亢進させ，さらに機能を促進する．またミトコンドリアにおけるATP産生を増加させて血管側にあるNa^+-K^+-ATPaseの発現を亢進させる．これらの作用の結果，Na^+再吸収が行われる．細胞内K^+は，ENaCと共発現する腎髄質外部K^+チャネル（renal outer medullary potassium channel：ROMK1）により管腔側（尿側）に分泌される．一方介在細胞では，血管側のK^+濃度や循環血漿量に反応してMRのリガンド結合領域（ligand binding domain：LBD）におけるリン酸化のオンオフが行われる．K^+濃度が上昇するとLBDがリン酸化されアルドステロンが結合できず，主細胞におけるアルドステロン作用のみとなりK^+はROMK1により管腔側（尿側）に分泌される．しかし循環血漿量が低下すると，LBDは脱リン酸化されアルドステロンが結合し，介在細胞におけるH^+およびHCO_3^-の排泄が高まり，その結果主細胞におけるROMK1によるK^+分泌が抑制される．以上のように，アルドステロンはK^+を極めて合理的な調節機構によって制御している．

a 偽性低アルドステロン症 I 型（PHA I）
1）定義・概念

偽性低アルドステロン症 I 型（PHA I）は遺伝性疾患であり，その基本病態はアルドステロンに対する不応性である．レニン－アンギオテンシン－アルドステロン系は亢進しているが塩喪失を認め，血漿レニンおよびアルドステロン値の上昇，低ナトリウム血症，高カリウム血症，代謝性アシドーシスを呈する．

2）疫学

1958年のCheekとPerryらの報告以来[2]，現在まで

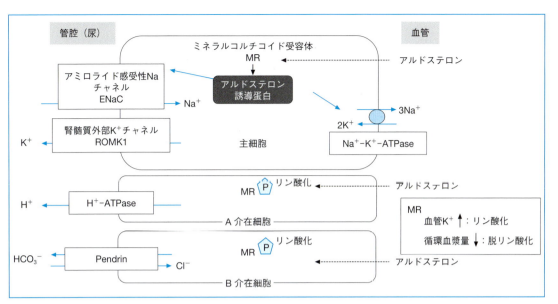

図29　遠位尿細管主細胞および介在細胞におけるアルドステロン作用

主細胞におけるアルドステロン作用はMRに結合して核に移行しアルドステロン誘導蛋白の合成を促進し，管腔側（尿側）にあるアミロライド感受性Naチャネル（ENaC）および血管側にあるNa$^+$-K$^+$-ATPaseの発現を促進する．さらにENaCの輸送を高める．Naと交換で血管側から細胞内に流入したKは腎髄質外部K$^+$チャネル（ROMK1）を通して管腔側（尿側）に排泄される．介在細胞では血管側のK$^+$濃度および循環血漿量によりMRリガンド結合領域のリン酸化と脱リン酸化が起こることで選択的に酸塩基バランスやK$^+$バランスを保っている

表25　偽性低アルドステロン症I型の分類

	腎型（PHA IA）	全身型（PHA IB）
遺伝形式	常染色体顕性	常染色体潜性
罹患臓器	腎臓	全身（腎臓，汗腺，唾液腺，大腸，肺）
発症時期	生後数週～数か月	新生児期
症状	哺乳力低下，体重増加不良，嘔吐，脱水，低血圧	
病因	ミネラルコルチコイド（MR）のハプロ機能不全	アミロライド感受性上皮型Naチャネル（ENaC）の機能喪失
責任遺伝子	NR3C2（MRをコードする）	SCNN1A, SCNN1B, SCNN1G（ENaCのサブユニットをコードする）
予後	比較的軽度，3歳までに軽快する	重症，終生にわたって持続する

に100例以上の症例が報告されている[3]．PHA Iの発症頻度は1：47,000，そのうちMRの異常によるものは1：66,000，ENaC異常は1：166,000と推定されている[4]．日本人においても複数の遺伝子変異が報告されている[5]．

3）病因・病態

常染色体顕性遺伝と常染色体潜性遺伝の二つの遺伝形式をとる．常染色体顕性遺伝形式をとるものはMRの異常によって起こり，腎尿細管のみの異常を呈し比較的軽症である．一方常染色体潜性遺伝形式をとるものはENaCの異常によって起こり，全身の臓器にて塩喪失をきたすため重症である（表25）．

a．腎型（PHA IA）

PHAのおよそ65％を占める[3]．遺伝形式は常染色体顕性遺伝，時に孤発例あり．MRをコードする遺伝子NR3RC2の異常（半量不全）により発症する．MRは腎臓以外にも発現しているが，特にMRの必要性が高い腎臓において半量不全の影響が現れることから腎型とよばれる．本症ではMRの機能異常によるアルドステロン作用不全のため，低ナトリウム血症および高カリウム血症および塩喪失による低血圧と，その結果としてのレニン―アンギオテンシン―アルドステロン系の亢進がみられる．発症時期は生後数週間から数か月である．症状は比較的軽症であり1日当たり3～10gのNaCl投与にて低ナトリウム血症は改善する．成長とともに改善し1～3歳を過ぎる頃には塩類の補充を必要としなくなることが多い．

Ⅱ 各論

b．全身型（PHA ⅠB）

常染色体潜性遺伝．ENaC を構成する三つのサブユニット（α，β，γ）をコードする遺伝子（SCNN1A，SCNN1B，SCNN1G）のホモ変異または複合ヘテロ接合変異により発症する．ENaC は腎尿細管以外に汗腺，唾液腺，大腸，肺にも発現しているため全身型とよばれる．塩類喪失症状は腎型より強く，より重症な経過をとる．発症は新生児期であり，哺乳障害，胆嚢炎，呼吸障害や気管支分泌物の増加，反復する呼吸器感染症湿疹や皮膚炎の合併も報告されている．1996 年の Chang らの報告[6]以来，30 例以上の報告があり，アルドステロンへの反応性を有する α サブユニットをコードする SCNN1A 異常によるものがほとんどである[3]．β，γ サブユニットは単独では機能はなく，α サブユニットの機能を増強する役割をもっており，これらの異常も少数報告されている．NaCl の補充のみでは治療効果が不十分である症例が多く，重篤な高カリウム血症に対してイオン交換樹脂あるいは透析による K 除去が必要となる場合もある．NaCl の補充が長期に必要となることが多い．新生児〜乳児期における適切な診断と治療が行われれば予後は比較的良好な疾患である．

4）診断と検査法

低ナトリウム血症および高カリウム血症，高クロール性代謝性アシドーシス，尿中 Na^+ 排泄増加および尿中 K^+ の排泄低下にもかかわらず血漿レニン値およびアルドステロン値が高値であった場合に本疾患を疑う．鑑別としては低ナトリウム血症および高カリウム血症の存在から副腎不全をきたす疾患があげられる．

5）治療法

塩喪失による細胞外液量の低下に対して，補液を行う．脱水・ショックをきたしている症例では，等張液をボーラス投与する．塩喪失に対する補充の一部は経口的な Na 投与にて行う．全身型では，高カリウム血症が重篤となる．陽イオン交換樹脂投与や，インスリン・グルコース療法を行う．

腎型（PHA ⅠA）は比較的軽症であり，1 g/kg/日の食塩投与にて低ナトリウム血症は改善する．1〜3 歳を過ぎると補充を必要としなくなることが多い．

全身型（PHA ⅠB）では，一生涯にわたり，相当量の食塩補充が必要になる．

ｂ 偽性低アルドステロン症Ⅱ型（PHA Ⅱ）

1）定義・概念

偽性低アルドステロン症Ⅱ型（PHA Ⅱ）は，腎臓での NaCl 再吸収亢進による循環血液量増大とそれに伴う高血圧，さらに高カリウム血症，高クロール性代謝性アシドーシスを特徴とするまれな遺伝性疾患である．多くは家族内に発症し常染色体顕性遺伝形式を示す．1970 年に Gordon らが第 2 例を詳細に報告したため Gordon 症候群[7]または家族性高カリウム性高血圧症ともよばれる．

2）疫学

正確な発症率は明らかではないが，これまで世界で約 180 例の報告がある[8]．

3）病因・病態

サイアザイド感受性 Na^+-Cl^- 共輸送体（thiazide sensitive NaCl cotransporter：NCC）の活性化による Na^+ の再吸収亢進が本疾患の病因である．WNK キナーゼである WNK1 と WNK4 が最初に同定された責任遺伝子である[9]．WNK4 は NCC のリン酸化（＝活性化）を担う oxidative stress responsive serine rich 1（OSR1）および Ste20-related proline alanine-rich kinase（SPAK）の上流に位置し，NCC の機能を活性化する．WNK4 機能亢進型変異は OSR1 および SPAK を活性化する．その結果 NCC のリン酸化が促進され機能の活性化や発現増加が引き起こされる．WNK1 は腎細胞において ENaC の活性亢進に働き，また WNK4 非依存的に OSR1 および SPAK を介した NCC 活性化に関与する[10]．WNK1 および WNK4 の遺伝子異常が同定されない PHA Ⅱ が多いことからさらなる分子遺伝学的探索が進み，新たな責任遺伝子として Kelch-like 3（KLHL3）[11]と cullin 3（CUL3）が同定された[12]．KLHL3 と CUL3 は複合体を形成する．この複合体は WNK1，WNK4 をユビキチン化し，WNK1，WNK4 のプロテアソーム分解を促進することで，NCC 活性化の低下とそれに伴う Na^+ の再吸収抑制に働く．KLHL3 および CUL3 の遺伝子異常が存在すると，上記の WNK1，WNK4 ユビキチン化が阻害されるため，プロテアソーム分解を免れた WNK1，WNK4 により NCC 活性が促進される．よって，これまで同定された責任遺伝子 WNK1，WNK4，KLHL3，CUL3 はすべて NCC 活性を促進することで Na^+ 再吸収を亢進させることが明らかになった．Boyden らによる PHA Ⅱ 52 家系の解析によると，WNK1 または WNK4 の変異が同定されたのは 13％ であったが，一方 KLHL3 または CUL3 の変異が 79％ を占めていた[12,13]．

高カリウム血症および代謝性アシドーシスは，遠位尿細管にある NCC の活性化に伴い Na^+ の再吸収が亢進するため，ENaC への Na^+ の到達が減少するため，ENaC の働きが低下し，その結果 ENaC 機能依存性の ROMK1 機能低下による二次的な K^+ および H^+ の分泌低下によると考えられている[4,14]．

原因遺伝子が WNK1，WNK4，CUL3 による PHA Ⅱ は常染色体顕性遺伝形式を示し，原因遺伝子が

KLHL3の場合，常染色体顕性遺伝形式と常染色体潜性遺伝形式の両方の遺伝形式を示す．臨床的にはCUL3によるものが低年齢で診断されより重症であり，両アリル性KLHL3遺伝子異常（常染色体潜性）がこれに続き，片アレル性KLHL3，WNK4，WNK1の順に軽症の症状を示す[8,14]．

4）診断と検査法

発症年齢は10～20歳頃～若年成人が多いが，小児例の報告もある．腎機能低下のない高カリウム血症はほぼ必発であり最初に出現する所見である．その後に高血圧を発症する．代謝性アシドーシス，高クロール血症，低レニン（多くは測定感度以下）が認められる．アルドステロン値は低値から正常範囲までみられる．時に高カルシウム尿症が認められることがある[8]．慢性の高カリウム血症や代謝性アシドーシスのため成長障害が認められることがある．鑑別疾患はPHA Ⅰ，腎不全，腎尿細管性アシドーシス，低レニン性低アルドステロン症があげられる．

5）治療法

本疾患の治療は食塩制限とサイアザイド系利尿薬投与である．サイアザイド系利尿薬はNCCを阻害することにより，本疾患における高血圧のみならず，高カリウム血症や代謝性アシドーシスにも効果がある．治療開始後1週間程度で血液データの異常と高血圧は改善する[8]．投与量は血圧の正常化を目標に調整する．経過でサイアザイド系利尿薬の投与量の増量が必要になったり，他の降圧薬が必要になる場合もある[8]．成人における心血管系イベントの発症を抑止することが治療目的である．また腎機能の維持にも注意を払う．また若年者において代謝性アシドーシスの改善は成長障害，精神運動発達遅滞，さらに歯と骨の形成異常の防止となる．

c 二次性偽性低アルドステロン症

1）定義・概念

尿路感染症や，尿路形成異常に伴いPHA Ⅰに類似した病態（血漿レニンおよびアルドステロン値の上昇，低ナトリウム血症，高カリウム血症，代謝性アシドーシス）がみられることがあり，これを二次性（続発性，一過性）PHAとよぶ．おもに新生児や乳児にてみられる異常である．1983年の最初の報告から2009年までに少なくとも90例以上が報告されており[15]，PHA Ⅰよりはるかに頻度が高いと考えられている．

2）病因・病態

尿路形成異常や尿路感染症が引き金となり，尿細管におけるアルドステロン抵抗性が惹起される．その病因としては尿細管性の未熟性を背景として，尿細管におけるMR受容体の減少が起きる可能性[16]などが推測されているが，詳細は明らかではない．

3）臨床症状

主要症状は非特異的であり哺乳不良，体重増加不良，嘔吐，下痢，多尿，脱水兆候などである．本疾患のほとんどは生後3か月未満に発症する[15]．尿路感染症や尿路形成異常以外のまれな基礎疾患として尿細管間質性腎炎，全身性エリテマトーデス（systemic lupus erythematosus：SLE）腎症，鎌状赤血球性腎症が報告されている[15]．

4）診断と検査法

基礎疾患による症状とともに，血漿レニンおよびアルドステロン値の上昇・低ナトリウム血症・高カリウム血症・代謝性アシドーシスが認められる．

電解質異常および非特異的な症状 not doing well は副腎不全と共通しており，発症時期も乳児期早期であることから，初期の段階で副腎過形成と診断されグルココルチコイド補充がなされた例も複数報告されている．ACTHおよび17ヒドロキシプロゲステロンが正常であることやアルドステロン値が上昇していることから鑑別が可能である[15]．

5）治療法

基本的には基礎疾患（尿路感染症や尿路形成異常）に対する治療により，症状や電解質異常は改善するが，時に急激に重症化し致死的な高カリウム血症を呈する症例も報告されている[15]．

❖ 文献

1) Shibata S, et al.：Mineralocorticoid receptor phosphorylation regulates ligand binding and renal response to volume depletion and hyperkalemia. Cell Metab 18：660-671, 2013
2) Cheek DB, et al.：A salt wasting syndrome in infancy. Arch Dis Child 33：252-256, 1958
3) Zennaro MC, et al.：30 YEARS OF THE MINERALOCORTICOID RECEPTOR：Mineralocorticoid receptor mutations. J Endocrinol 234：T93-T106, 2017
4) 遠藤 彰：偽性低アルドステロン症（type Ⅰ）．日本臨牀 別冊（内分泌症候群［第3版］Ⅱ）：145-149, 2018
5) Tajima T, et al.：Clinical features and molecular basis of pseudohypoaldosteronism type 1. Clin Pediatr Endocrinol 26：109-117, 2017
6) Chang SS, et al.：Mutations in subunits of the epithelial sodium channel cause salt wasting with hyperkalaemic acidosis, pseudohypoaldosteronism type 1. Nat Genet 12：248-253, 1996
7) Gordon RD, et al.：Hypertension and severe hyperkalaemia associated with suppression of renin and aldosterone and completely reversed by dietary sodium restriction. Australas Ann Med 19：287-294, 1970
8) Ellison DH：Pseudohypoaldosteronism Type Ⅱ. In：Adam MP, et al.(eds), GeneReviews® [Internet]. University of Wash-

ington, Seattle, 1993-2021.
https://www.ncbi.nlm.nih.gov/books/NBK65707/（2021年9月1日アクセス）
9) Wilson FH, et al.：Human hypertension caused by mutations in WNK kinases. Science 293：1107-1112, 2001
10) Chávez-Canales M, et al.：WNK-SPAK-NCC cascade revisited：WNK1 stimulates the activity of the Na-Cl cotransporter via SPAK, an effect antagonized by WNK4. Hypertension 64：1047-1053, 2014
11) Louis-Dit-Picard H, et al.：KLHL3 mutations cause familial hyperkalemic hypertension by impairing ion transport in the distal nephron. Nat Genet 44：456-460, S451-453, 2012
12) Boyden LM, et al.：Mutations in kelch-like 3 and cullin 3 cause hypertension and electrolyte abnormalities. Nature 482：98-102, 2012
13) Healy JK：Pseudohypoaldosteronism type II：history, arguments, answers, and still some questions. Hypertension 63：648-654, 2014
14) 熊谷直憲：偽性低アルドステロン症II型．日小児腎臓病会誌 27：71-75, 2014
15) Bogdanović R, et al.：Transient type 1 pseudo-hypoaldosteronism：report on an eight-patient series and literature review. Pediatr Nephrol 24：2167-2175, 2009
16) Kuhnle U, et al.：Transient pseudohypoaldosteronism in obstructive renal disease with transient reduction of lymphocytic aldosterone receptors. Results in two affected infants. Horm Res 39：152-155, 1993

（藤澤泰子）

2 後天性原発性副腎皮質機能低下症

1）定義・概念

後天性原発性副腎皮質機能低下症は，両側副腎皮質の後天的な原因による破壊または萎縮などによって，副腎皮質ホルモンの生合成・分泌が低下する状態である．原発性の慢性副腎皮質機能低下症は，1855年にThomas Addisonによりはじめて報告された疾患であることから，Addison病ともよばれている．その後，種々の遺伝子異常による原発性副腎皮質機能低下症が同定されたことから，Addison病は後天性の成因による病態を総称する用語として用いられている．

2003年から2007年に，内科・小児科・泌尿器科を対象に行ったわが国の疫学調査[1]では，Addison病の全国推定患者数は911人（平均年齢64.8歳）で，自己免疫性が49％，感染性が27％（内，53％が結核性，3％が真菌性），その他が11％と報告されている．イタリアの小児原発性副腎皮質機能低下症に対する大規模コホート研究（n＝803）では，先天性が95％を占め，自己免疫性4.5％，その他の後天性原発性副腎皮質機能低下症が1.1％と報告されている[2]．2015年1月よりAddison病は指定難病に選定され，診断基準，重症度分類，診療指針が作成された．

2）病因・病態

副腎皮質の破壊または萎縮によって原発性副腎皮質機能低下症を生じる後天的成因を表26[3]に示す．狭義のAddison病は，自己免疫性（特発性）と非自己免疫性（感染・腫瘍・出血など）のものを指す．自己免疫性の4割が副腎単独（特発性），6割が自己免疫性多内分泌腺症候群の部分症といわれている[4]．

両側副腎の少なくとも90％以上の破壊によって発症するとされ，コルチゾール，アルドステロン，副腎アンドロゲンの3系統すべての生合成・分泌が低下し，これらのホルモンの総合的な脱落症状を呈する．また，コルチゾールの分泌低下の結果として，ネガティブフィードバック機構が欠如するため，下垂体前葉からのACTH分泌が亢進する．

また，薬剤により副腎ホルモン産生障害をきたすことで原発性副腎皮質機能低下症を生じることがある．ステロイドホルモン合成酵素阻害薬（ミトタン，メチラポン），抗真菌薬（フルコナゾール，ケトコナゾール），リファンピシンなどが知られている．

3）臨床症候

原発性副腎皮質機能低下症の臨床症候は，グルコ・ミネラルコルチコイド欠乏による副腎不全症状とACTH過剰症状として捉えられる．前者では慢性症状として，活気低下，易疲労感，筋力低下，食欲不振，体重減少，低血圧などを認める．また，嘔吐や下痢などの消化器症状を伴い，塩分を欲しがることも多いが，これらはいずれも非特異的な症状である．ACTH分泌亢進に伴う皮膚・粘膜の色素沈着は，歯肉や乳輪，爪床などに顕著に認められ，疾患特異性が高い所見である．急性感染症や外傷などによって急激に発症する場合は，急性副腎不全をきたし，塩喪失，脱水，

表26　後天性原発性副腎皮質機能低下症の原因

1. 自己免疫
   特発性（他の自己免疫疾患の合併がない）
   自己免疫性多内分泌腺症候群1型，2型（第13章B参照）
2. 感染症
   結核，真菌，サイトメガロウイルス，HIV
3. 悪性腫瘍の副腎転移
4. 浸潤性病変
   アミロイドーシス，ヘモクロマトーシス
5. 両側副腎出血・梗塞
   Waterhouse-Friderichsen症候群（敗血症）
   外傷性，抗凝固療法，抗リン脂質抗体症候群

〔Stewart PM, et al.：Glucocorticoid deficiency. In：Melmed S, et al.（eds）, Williams Textbook of Endocrinology. 13th ed, Elsevier, Amsterdam, 524-533, 2015 より改編〕

循環不全，意識障害などが認められる．

後天性原発性副腎皮質機能低下症では，その原因となる疾患あるいは病態の徴候を伴う．

4）診断と検査法

一般検査所見では，低血糖，低ナトリウム血症，高カリウム血症，代謝性アシドーシス，軽度の貧血や末梢血好酸球増多，相対的リンパ球増多などを認める．一方で，これらを認めないことで原発性副腎皮質機能低下症は否定できない．

内分泌学的検査として，早朝空腹時の血中コルチゾール値<4 μg/dL あるいは迅速ACTH負荷試験（コートロシン®250 μg/m²静注）時の血中コルチゾール値<15 μg/dLであれば原発性副腎不全が強く疑われる[5]．副腎皮質分泌予備能が低下している場合，コルチゾール基礎値が正常であっても，ACTH負荷試験で低反応をきたす場合がある．ACTHの上昇は原発性を示唆する所見であるが，特に乳幼児の場合，採血手技や検体量などが検査結果に影響しうるため慎重な評価が必要である．原発性副腎皮質機能低下症の場合，ミネラルコルチコイド欠乏症の所見として，高レニン血症を認める．血中アルドステロン値は低値を示すことが多いが，コルチゾールと同様に，基礎値が正常範囲にとどまることがあることに留意する．副腎不全の所見を認め，原発性と二次性の鑑別を要する場合は，インスリン負荷試験あるいはCRH負荷試験を実施する．

特発性Addison病（自己免疫性副腎皮質炎）では，抗副腎抗体陽性のことが多く（60～70％），ステロイド合成酵素のP450c21，P450c17などが標的自己抗原とされている．

画像検査では，副腎結核の場合，CTやMRIにおいて副腎の腫大や石灰化が，特発性Addison病では副腎の萎縮傾向が認められる．副腎出血も超音波検査やCT，MRIにて検出可能である．

後天性原発性副腎皮質機能低下症では，その原因となる疾患あるいは病態の診断を行う必要がある．特に小児例では先天性原発性副腎不全症との鑑別が重要である．副腎ステロイドホルモン産生酵素欠損症は特徴的な血中および尿中ステロイドプロフィールを示すため，診断が比較的容易であるが，先天性副腎低形成やACTH不応症は後天性原発性副腎皮質機能低下症との鑑別が容易でないことがある．責任遺伝子が同定されている疾患では，遺伝子解析が鑑別に有用である[6]．

5）治療法

後天性原発性副腎皮質機能低下症の治療の原則は，不足するグルコ・ミネラルコルチコイドの補充と，原因となる疾患，病態の治療である．

グルココルチコイドとして，ヒドロコルチゾン（コートリル®）を乳児期10～20 mg/m²/日，幼児期以降10～15 mg/m²/日を目安として分3にて投与する[5]．成長抑制の観点から，デキサメタゾンは推奨されない．適正なヒドロコルチゾン維持量は症例ごとに大きく変化することに留意し，全身状態，成長曲線，血圧，検査所見を参考にする．発熱性疾患，胃腸炎，手術，外傷などのストレス時には，維持量の3～4倍を内服するように患者や家族に指導する（**総論第8章B**参照）．

ミネラルコルチコイド分泌不全を疑う所見として，高カリウム血症や血中レニン高値の遷延，体重増加不良，低血圧などを認める場合は，フルドロコルチゾン（フロリネフ®）を，年齢を問わず0.025～0.2 mg/日，分2～3にて投与する[5]．

6）管理と予後

後天性原発性副腎皮質機能低下症では，原因となる疾患，病態により予後が左右される．管理上注意すべき点は，副腎クリーゼの予防と早期治療である．

グルココルチコイドの不足は，活気不良や色素沈着の増悪を認め，副腎クリーゼの発症リスクを高める一方，過剰になると成長率の低下，肥満，高血圧をまねく．ミネラルコルチコイドの不足は，血中レニン高値を認め，過剰になると高血圧をまねく．補充量の適正化は，全身状態，成長曲線，血圧，検査所見を参考に総合的に判断する．

7）各論

a．副腎出血

副腎は3本の動脈が流入する血流の豊富な臓器だが，静脈血の流出路は1本と制限があり血管壁も脆弱であるため，ストレス下のACTH分泌亢進による流入血流量の増加に加え，急激な大静脈圧の上昇を伴うと副腎内圧が上昇することで，出血を生じるとされる[7]．解剖学的に右副腎静脈は左に比して短く大静脈圧上昇の影響を受けやすいため，副腎出血は右側に多いとされている．

小児の副腎出血は，感染や腫瘍浸潤に伴うものを除けば，新生児副腎出血と外傷性が大部分である．抗凝固療法中や出血性疾患に随伴するもの，抗リン脂質症候群の合併症としての両側副腎の出血梗塞も報告されている．診断は超音波検査，CT，MRIなどの画像検査によってなされ，片側の場合，無症状で偶発的に発見されることも多いが，両側に大量出血を認める場合，急性副腎不全をきたしうることを念頭に，早急な対応が求められる．

以下，新生児副腎出血について述べる．

新生児の副腎は，胎児性副腎皮質が急速に退縮して

II 各論

外側から永久副腎皮質が発育・成長する過程で、充血しているため出血しやすい状態にあるといえる。産道通過や産科的合併症、呼吸補助手技などによる機械的圧迫、低酸素血症が加わることで副腎出血をきたすと考えられている。

新生児副腎出血は新生児の0.2～0.3％に認められる。無症状で偶発的に発見される例から、貧血、黄疸、腹部膨満、上腹部腫瘤から診断に至る例、さらにはまれながら急激な経過で副腎不全に至る例まで、その臨床像は多様である。重症例では、急激な呼吸障害や循環不全を呈して死亡する例もあり、多くは生後1週間以内に症状が出現する。嘔吐、下痢、哺乳不良、低血糖による冷汗、けいれん、意識障害や発熱といった症状を認めることもある。これらの症状を認めた場合には、感染症を含む他の全身性疾患の鑑別と併行して、超音波検査にて副腎出血の有無を確認する。超音波検査上、副腎近傍の腫瘤性あるいは区域性病変として描出される場合、副腎囊胞・膿疱、神経芽腫をはじめとした腫瘤性病変、肺分画症などとの鑑別を要する場合がある。急速なヘマトクリット低下や腹腔内出血あるいは陰囊血腫を伴う場合は副腎出血を強く疑う。

臨床診断後はただちに、症状に応じて輸液、輸血、ビタミンK投与、ヒドロコルチゾン投与を行う。副腎出血を認め、副腎不全を疑う症状を認める場合は、躊躇なく治療を開始する。腹腔内出血を伴う高度出血を認める場合、開腹止血を考慮する。

無症候性の副腎出血や、重症例において早期治療により救命しえた症例では、出血は徐々に吸収され石灰化していくため、定期的な超音波検査フォローを行う。副腎石灰化は必ずしも副腎皮質機能低下を示唆するものではない。副腎皮質機能不全を呈しステロイドホルモン補充を要した例でも、経過中に離脱が可能になった症例の報告もあるため、状態安定後に補充療法の適否の再検討が必要である。

b. 急性敗血症およびWaterhouse-Friedrichsen症候群

急性敗血症に起因した両側副腎出血を伴う急性後天性原発性副腎皮質機能低下症は、Waterhouse-Friedrichsen症候群(WFS)とよばれる。WFSの本態は、感染細菌が産生するエンドトキシンによる播種性血管内凝固(disseminated intravascular coagulation：DIC)と不可逆性ショックであり、続発性に両側副腎出血による急性副腎不全を生じるとされる。1911年にRupert Waterhouseによってはじめて報告された。急激に発症し致死的な経過をたどるため、診断・治療が遅れた場合の致死率はおおよそ50％とされる。

起因菌としては、髄膜炎菌がよく知られており、髄膜炎菌感染症の3～4％にWFSがみられる。肺炎球菌、インフルエンザ桿菌、大腸菌、溶血性連鎖球菌、ブドウ球菌なども起因菌となりうることが報告されている。

WFSの臨床経過としては、先行する上気道あるいは消化器症状に続いて、急激な高熱から急速に循環不全に陥る。DICによる紫斑、出血斑や鼻腔、口腔内、消化管出血も随伴することが多い。ショックの進行に伴い、急速な体温低下、意識障害の進行を認め、発熱から数時間～数日で致死的な経過をたどる。

WFSに特異的な臨床・検査所見は知られていないが、発熱後に急激なショック症状と皮膚粘膜下の出血傾向を認める場合は、WFSを疑い、早期に治療介入を行う必要がある。循環確保と抗菌薬投与に加え、DICに対する抗凝固療法を行い、必要に応じて血液製剤による補充、血栓溶解療法を併用する。

WFSの経過は急激かつ重篤であるため、十分に系統的検査が実施された例は少なく、副腎皮質機能に関する詳細な検討は乏しい。ショックに至る機序は不明であり、副腎不全の有無、病態への関与も明らかではない。副腎皮質ステロイド投与には賛否があるが、有効という報告もあることから、副腎不全の評価を待たず、抗ショック療法として副腎皮質ステロイド(ヒドロコルチゾン$50～100\ \mathrm{mg/m^2}$)の投与を行うのが一般的である[8]。

昨今、救急医療の領域では、敗血症をはじめとした重症全身性疾患における相対的副腎不全に対して、重症関連コルチコステロイド障害(critical illness-related corticosteroid insufficiency：CIRCI)と呼称し、診断治療方針を定める試みがなされている。重症全身性疾患を背景に、カテコラミンを要する循環不全や低血糖を認める場合、CIRCIを疑い、評価のうえでヒドロコルチゾンによるストレスカバー投与を検討する。小児においてCIRCIにおける副腎不全の評価に随時血中コルチゾール値やACTH負荷による評価が検討されている[9]が、CIRCIの診断・評価や治療方針は成人領域でもまだ議論がなされている段階[10]であり、今後小児における検討が進むことが期待される。

❖ 文献

1) 藤枝憲二, 他：副腎ホルモン産生異常症の全国疫学調査．「副腎ホルモン産生異常に関する調査研究」班(研究代表者：梶野浩樹), 厚生労働科学研究費補助金難治性疾患等政策研究事業　副腎ホルモン産生異常に関する調査研究　平成22年度総括・分担研究報告書, 89-102, 2011
2) Capalbo D, *et al*：Primary Adrenal Insufficiency in childhood：data from a large nationwide cohort. *J Clin Endocrinol*

Metab dgaa881, 2020 [online ahead of print]
3) Stewart PM, et al.：Glucocorticoid deficiency. In：Melmed S, et al.(eds), Williams Textbook of Endocrinology. 13th ed, Elsevier, Philadelphia, 524-533, 2015
4) Charmandari E, et al.：Adrenal insufficiency. Lancet 383：2152-2167, 2014
5) 日本内分泌学会，他：副腎クリーゼを含む副腎皮質機能低下症の診断と治療に関する指針. 日内分泌会誌 91 (Suppl.)：1-78, 2015
6) Amano N, et al.：Genetic defects in pediatric-onset adrenal insufficiency in Japan. Eur J Endocrinol 177：187-194, 2017
7) 杉山美帆他：副腎出血．日本臨牀 別冊(内分泌症候群[第3版] Ⅱ)：32-36, 2018
8) Karki BR, et al.：Waterhouse-Friderichsen Syndrome. In：StatPearls [Internet]. Treasure Island(FL)：StatPearls Publishing, 2021
9) Levy-Shraga Y, et al.：Critical illness-related corticosteroid insufficiency in children. Horm Res Paediatr 80：309-317, 2013
10) Annane D, et al.：Guidelines for the diagnosis and management of critical illness-related corticosteroid insufficiency (CIRCI) in critically ill patients (Part Ⅰ)：Society of critical care medicine (SCCM) and European society of intensive care medicine (ESICM) 2017. Crit Care Med 45：2078-2088, 2017

（髙澤 啓）

3 二次性副腎皮質機能低下症

1) 定義・概念

下垂体前葉からの ACTH 分泌は，主として視床下部から分泌される CRH，アルギニン・バゾプレシン (arginine vasopressin：AVP)による分泌刺激と副腎皮質から分泌されるコルチゾールによるネガティブフィードバック機序による分泌抑制によって制御されている．下垂体，視床下部あるいはさらに上位の中枢障害により，あるいは過剰なコルチゾールによる抑制状態により，ACTH 分泌が低下・欠乏した状態を ACTH 分泌不全という．ACTH 分泌が一過性であれば症状を呈することはほとんどないが，慢性的な ACTH 分泌不全状態では副腎が萎縮し，その結果として副腎皮質機能は著しく低下する．この状態を二次性(続発性)副腎皮質機能低下症という．

海外の報告[1]では，二次性副腎皮質機能低下症の有病率は，人口10万人当たり15〜28人と報告されており，医原性(副腎皮質ステロイド長期投与)が最も多い．また，下垂体前葉機能低下症の62〜76%がACTH 分泌不全を呈するとされる．

2) 病因・病態

ACTH 分泌不全を起こす原因を表27[2]に示す．いずれの原因においても，下垂体からの ACTH 分泌が低下・欠乏することで，二次的な副腎萎縮を生じ副腎皮質機能低下を呈する．二次性副腎皮質機能低下症の病態の主体はコルチゾールの生合成・分泌の低下である．ミネラルコルチコイドであるアルドステロンの生合成・分泌は，主としてレニン—アンギオテンシン系により制御・調節されているため，ACTH 分泌不全ではアルドステロンの分泌は低下しない．

先天性二次性副腎皮質機能低下症の大部分は原因不明であり，原因遺伝子が同定される例は 10% 未満に過ぎない[3]．ACTH 単独欠損症は，下垂体からの ACTH 分泌のみが障害され，他の下垂体ホルモン分泌には異常がない病態を指す．下垂体前葉機能低下症のなかでも ACTH 単独欠損症はまれであり，ACTH 分泌不全を認める場合には，他の下垂体ホルモンの分泌低下を伴う場合が多い．

3) 臨床症候

二次性副腎皮質機能低下症の本態は，グルココルチコイドであるコルチゾール欠乏である．ACTH が完全に欠損している場合は，重症低血糖やショックに至り，ただちに診断・治療が行われなければ致死的となる．ACTH 分泌不全の臨床症候として，不活発，易疲労性，食欲不振，体重減少などの慢性副腎皮質機能低下症状を呈し，感染などのストレスを契機に急性副腎不全に陥ることがある．

原発性副腎皮質機能低下症で認める，ACTH 分泌亢進による皮膚・粘膜の色素沈着は，二次性副腎皮質機能低下症ではみられない．また，ACTH 分泌不全に他の下垂体ホルモンの分泌低下を伴う場合には，それに伴う症状が随伴する．

表27 二次性副腎皮質機能低下症の原因

1. 先天性
    a．先天異常：異所性下垂体，中枢神経系形態異常
    b．遺伝性：複合下垂体前葉機能低下症(PROP1 異常症など)
        ：ACTH 単独欠損症(Tpit 異常症，POMC 異常症など)
2. 後天性
    a．脳腫瘍：視床下部・下垂体腫瘍，転移性腫瘍
    b．頭部外傷
    c．感染
    d．浸潤性病変：サルコイドーシス，肉芽腫
    e．その他：分娩障害，リンパ球性下垂体炎など
3. 医原性
    a．副腎皮質ステロイド長期投与
    b．脳腫瘍摘出後，放射線照射後
    c．コルチゾール産生腫瘍摘出後
    d．免疫チェックポイント阻害薬

〔明比祐子，他：慢性副腎皮質機能低下症(原発性，続発性). 日本臨牀 別冊(内分泌症候群[第3版] Ⅱ)：9-13, 2018 より引用一部改変〕

4) 診断と検査法

　二次性副腎皮質機能低下症では，血中ACTH，コルチゾールの基礎値はいずれも低値を示すことが多いが，正常範囲にとどまることもあるため注意を要する．そのためACTH分泌能の評価としてインスリンあるいはCRH負荷試験が行われる．負荷後血清コルチゾール値頂値が18 μg/dL以上であれば二次性副腎皮質機能低下症は否定できる．二次性副腎皮質機能低下症の診断のためのゴールデンスタンダード検査はインスリン低血糖試験であるが，低血糖によるけいれんや低血糖治療のためのグルコース投与による低カリウム血症などを生じる危険性があるため，十分な注意が必要である[4]．

　副腎皮質分泌能の評価にはACTH負荷試験が行われる．副腎皮質が萎縮している場合，コルチゾールの分泌低下が認められる．通常，ミネラルコルチコイド分泌低下は伴わず，血中レニン，アルドステロン，電解質の異常は認めない．

5) 治療法

　二次性副腎皮質機能低下症の治療の原則は，グルココルチコイドの補充であり，通常，ミネラルコルチコイドの補充は要さない．グルココルチコイドの補充には，ヒドロコルチゾン（コートリル®）が用いられることが多い．補充量は，全身状態，成長曲線，血圧，検査所見を参考に決定されるが，ヒドロコルチゾン<10 mg/m^{2}を目安とする[4]．シックデイ対応の指導も並行して行う．

　視床下部・下垂体病変による二次性副腎皮質機能低下症では，グルココルチコイド補充による仮面尿崩症の可能性があること，甲状腺機能低下症合併時にはグルココルチコイド補充を甲状腺ホルモン補充に先行して行う必要がある点に留意する．薬物相互反応によりグルココルチコイドの薬効低下を生じる薬剤として，リファンピシンや一部の抗てんかん薬，ピオグリタゾン塩酸塩などが知られており，併用時にはグルココルチコイド増量を考慮する．

6) 管理と予後

　二次性副腎皮質機能低下症の治療管理において，急性副腎不全を予防することが予後の改善につながる．イギリス，カナダ，アメリカからの報告では，視床下部・下垂体病変をもつ小児の死亡率は一般の3～4倍であり，死因の12～25％が低血糖あるいは副腎不全であったとされる[1]．アメリカの報告では，全死亡の24％が突然死あるいは原因不明の死亡であり，そのおおよそ半数が副腎不全症を疑わせる経過であったとされる．低血糖既往のある6歳未満の小児の死亡率は31～54人に1人と報告されている．

7) 各論

a. 先天性ACTH単独欠損症

　ACTH単独欠損症は，下垂体前葉ホルモンのうちACTHのみの分泌が障害される病態であり，まれな先天性のものでは後述する遺伝子異常が指摘され，大多数の成人発症例には自己免疫機序が想定されている．先天性ACTH単独欠損症は，遺伝学的要因により下垂体前葉のACTH産生細胞の発生・分化障害あるいはACTH生合成・分泌異常を生じる．

　下垂体前駆細胞からACTH産生細胞への分化およびACTH前駆体であるプロオピオメラノコルチン（pro-opiomelanocortin：POMC）の発現には，TBX19遺伝子がコードする転写因子Tpitが必須である．TBX19遺伝子変異によるACTH単独欠損症は常染色体潜性遺伝形式をとり，ヘテロ接合体は無症状である．Tpit異常症では，ACTHを完全に欠損するため，新生児期に重症低血糖と遷延性胆汁うっ滞性黄疸で発症し，未診断での新生児死亡例も多いと推測される．MRI上，下垂体の形態は正常である[5]．

　POMC遺伝子異常はACTH生合成障害を生じ，常染色体潜性遺伝形式のACTH単独欠損症を呈する．POMCはα-melanotropin（α-MSH），β-MSH，βエンドルフィンの前駆体でもあるため，肥満や毛髪色素異常（赤毛）といった症状を合併しうる．ヘテロ接合体では，ACTH分泌は正常であるが，肥満を認める．POMC異常症でも，同様にACTHを完全に欠損するため，新生児期に重症低血糖と遷延性胆汁うっ滞性黄疸で発症する．新生児期に赤毛，幼児期早期から高度肥満を認める[6]．

　Tpit異常症およびPOMC異常症はいずれも新生児期より重症低血糖をきたすため，可及的速やかに急性副腎不全の診断・介入（ヒドロコルチゾン投与）を行う必要がある．

　分類不能型免疫不全とACTH単独欠損を生じるdeficient anterior pituitary with variable immune deficiency（DAVID）症候群は，NFKB2遺伝子異常による常染色体顕性遺伝性疾患である．免疫不全症状と同様にACTH分泌不全の有無は，同一変異あるいは同一家系内でも異なる．ACTH分泌不全の発症は幼児以降であることが多く，GH分泌不全や甲状腺機能低下の合併例も報告されている[7]．

b. 医原性

　副腎皮質ステロイド薬の長期投与やコルチゾール産生腫瘍による内因性グルココルチコイド過剰は，ネガティブフィードバック機構により下垂体前葉からの

ACTH分泌を抑制する．ACTH分泌抑制が長期にわたると副腎皮質の萎縮が生じ副腎皮質機能が低下するため，急激なステロイド薬の中止やコルチゾール産生腫瘍の摘出により，急性副腎不全を生じる可能性がある（グルココルチコイド離脱症候群）．

視床下部—下垂体—副腎(hypothalamo-pituitary-adrenal：HPA)系の抑制の程度は，ステロイド薬の種類，投与期間，投与量に影響される．一般的に，成人においてはプレドニゾロン 7.5 mg/日（ヒドロコルチゾン 30 mg/日，デキサメタゾン 0.75 mg/日）以上を 3 週間以上投与した場合に副腎萎縮と副腎皮質機能低下を考慮すべきとされる[8]．これより低用量あるいは短期間の投与であっても，負荷試験による評価ではHPA系の抑制は一定の割合で生じていることも報告されている[9]が，臨床上有意な抑制はまれである．プレドニゾロン 7.5 mg/日からの減量は，2〜4 週ごとに 1 mg，あるいはヒドロコルチゾンに変更後，2.5 mg/週の減量を行い 10 mg/日となったのちに ACTH 負荷試験で評価を行う[8]．

小児における体系的な検討は乏しいが，上記のような成人におけるデータから生理的補充量の 2 倍を超える薬理量のステロイド薬が長期投与される場合には，HPA系の抑制について考慮しなければならないといえる．HPA系抑制が回復するまでの期間は，投与量や投与期間にも左右されるが，通常 6〜9 か月はかかるとされる．ストレスカバーの明確な指導・対応に加え，減量・中止の際には副腎不全に十分な注意を払う必要がある．

❖ 文献

1) Patti G, et al.：Central adrenal insufficiency in children and adolescents. *Best Pract Res Clin Endocrinol Metab* 32：425-444, 2018
2) 明比祐子，他：慢性副腎皮質機能低下症（原発性，続発性）．日本臨牀 別冊（内分泌症候群［第 3 版］Ⅱ）：9-13, 2018
3) 石井智弘：小児の副腎皮質機能低下症．日本臨牀 別冊（内分泌症候群［第 3 版］Ⅱ）：59-65, 2018
4) 日本内分泌学会，他：副腎クリーゼを含む副腎皮質機能低下症の診断と治療に関する指針．日内分泌会誌 91（増刊）1-78, 2015
5) Couture C, et al.：Phenotypic homogeneity and genotypic variability in a large series of congenital isolated ACTH-deficiency patients with TPIT gene mutations. *J Clin Endocrinol Metab* 97：E486-E495, 2012
6) Farooqi IS, et al.：Heterozygosity for a POMC-null mutation and increased obesity risk in humans. *Diabetes* 55：2549-2553, 2006
7) Klemann C, et al.：Clinical and immunological phenotype of patients with primary immunodeficiency due to damaging mutations in NFKB2. *Front Immunol* 10：297, 2019
8) Stewart PM, et al.：The Adrenal Cortex. In：Melmed S, et al.(eds), *Williams textbook of endocrinology*. 13th ed., Elsevir, Philadelphia, 489-555, 2015
9) Joseph RM, et al.：Systemic glucocorticoid therapy and adrenal insufficiency in adults：A systematic review. *Semin Arthritis Rheum* 46：133-141, 2016

（高澤　啓）

D　Cushing 症候群（Cushing 病を含む）

1）定義・概念

Cushing 症候群は副腎皮質からのグルココルチコイド（コルチゾール）の慢性的な分泌過剰によって引き起こされる視床下部—下垂体系によるコルチゾール分泌調整機構が破綻している状態である．

2）病因・病態

小児ではステロイド製剤の内服薬，外用薬などから生じる医原性の Cushing 症候群が最も多いが，それを除く小児での Cushing 症候群の発生頻度は成人を含む全体の 2〜5 人/1,000,000 人年のうち 10% とされており 1：4 で女性のほうが多い．Cushing 症候群は ACTH 依存性と ACTH 非依存性に分けられ，ACTH 依存性 Cushing 症候群は Cushing 病，腫瘍性もしくは視床下部分泌調節異常による corticotropin-relesing factor (CRF)-ACTH 分泌過剰および異所性 ACTH 産生症候群であり，ACTH 非依存性 Cushing 症候群は副腎性である．

a．ACTH 依存性 Cushing 症候群

1997 年のわが国の統計では全 Cushing 症候群のうち ACTH 依存性は 40% であり，そのうち下垂体性は 9 割を占める．7 歳以上では成人と同じく Cushing 症候群の 75% が ACTH 分泌性下垂体腺腫による Cushing 病で，思春期以前は男児の頻度が高いが思春期以降は女児のほうが高くなる．ACTH 依存性 Cushing 症候群では ACTH 分泌過剰に伴い両側の副腎過形成をきたす．Cushing 病は下垂体のコルチコトロフの腺腫による ACTH 過剰分泌であるが，異所性 ACTH 産生症候群は神経芽細胞腫や褐色細胞腫，膵臓の Langerhans 細胞癌，胸腺腫瘍，カルチノイドなどからの異所性 ACTH 産生が含まれる．まれに視床下部や異所性の CRH 過剰分泌による ACTH の過剰分泌によるものがある．

b．ACTH 非依存性 Cushing 症候群

1997 年のわが国の統計では全 Cushing 症候群のうち ACTH 非依存性は 60% であり，7 歳以下の Cushing 症候群では副腎の腺腫や癌，両側性の過形成がおもな病

II 各　論

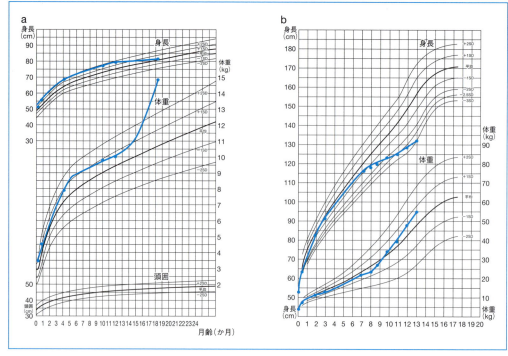

図30 Cushing 症候群の成長曲線と身体所見
a：副腎癌の1歳半男児，b：Cushing 病の13歳男児
a，b いずれも著しい体重増加と成長率の低下を認める

因で女児に多い．小児の副腎腫瘍は小児腫瘍全体の0.6％を占め，副腎腫瘍としては5歳以下の発症が40〜50歳代とともに二峰性の発生頻度の頂点を示している．副腎腫瘍の9割が片側性であり，小児では片側の副腎腫瘍のうち7割が悪性である．コルチゾール分泌のみが増加する場合は腺腫の場合が多いが，癌ではさらにミネラルコルチコイドとアンドロゲンが過剰産生されるため男性化をきたす．小児で副腎腫瘍をきたす特異的な疾患としてBeckwith-Wiedemann症候群やLi-Fraumeni症候群がある．一方，両側性の副腎腫瘍はまれであるが，そのなかにMcCune-Albright症候群，多発性内分泌腫瘍症1型，Carney症候群の原発性色素沈着性結節性副腎皮質病変や多発性結節性副腎過形成なども含まれる[1]．

3）臨床症候

Cushing 症候群ではコルチゾール過剰による蛋白合成抑制と異化合成の促進，脂肪合成と糖新生の促進，ミネラルコルチコイド作用によって種々の症状をきたすが，成人とは異なり成長期の小児では中心性肥満と成長率の低下がコルチゾール分泌過剰によって最も早く表れる徴候である．これは小児のCushing症候群を疑うのに最も重要な所見で，単純性肥満では体重増加に伴う成長率の増加が認められるところ，Cushing 症候群の場合は肥満にもかかわらず成長率が低下するのが特徴的である（図30）．この成長率の低下は高コルチゾール血症が視床下部からのSRIF分泌を増加させることでGH分泌を抑制しIGF-Ⅰ産生を低下させるためである．さらに直接成長板軟骨の骨化や増加も抑制するという機序で生じる．ただし筆者らは肥満も成長率の低下も男性化も認めず，高血圧のみ認め原発性アルドステロン症を疑い経過観察していたところ，肥満，男性化をきたした副腎癌の症例を経験している．それ故に満月様顔貌，顔面紅潮，筋力低下，buffalo hump，背部痛，頭痛，高血圧，男性型多毛，痤瘡，紫色線条，皮膚の菲薄化，皮下溢血，黒色表皮腫，無月経，二次性徴の遅延，思春期であれば男性化などのほかに不機嫌や強迫的行動などが認められれば高コルチゾール血症によるものを念頭において検査を進める必要がある．図30の2例は同じ成長障害を認めたが図30aの乳児は罹病期間が短いため男性化と不機嫌のみ認めたのに対し，罹病期間が数年におよぶと思われる図30bの思春期男児は顔面所見，皮膚所見，脂肪分布の異常など典型的なCushing徴候を認めた（図31）．

4）診断と検査法

臨床症状，内分泌学的検査所見，画像所見に加えてグルココルチコイドの投与などを除外できれば診断が

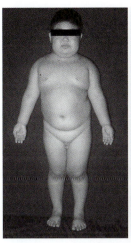
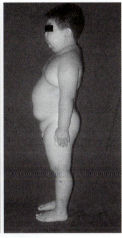

図 31 Cushing 症候群の身体所見
図 30b と同一症例

ほぼ確実となる．

a．病歴

学校での身体計測値などをもとに成長曲線を記載する．二次性徴の発来の有無，すでに初経を認めていれば月経の有無，頭痛，乳幼児では不機嫌の有無をていねいに問診する．周期性に非典型的な Cushing 徴候や食事誘発性の Cushing 徴候の有無．家族歴の詳細な問診は必須である[1]．

b．身体所見

Cushing 病の診断の手引き[2]による主症候は，①特異的所見（満月様顔貌，中心性肥満または水牛様脂肪沈着，幅 1 cm 以上の皮膚の伸展性赤紫色皮膚線条，皮膚の菲薄化および皮下溢血，近位筋萎縮による筋力低下，小児における肥満を伴った成長遅延），②非特異的症候（高血圧，月経異常，痤瘡，多毛，浮腫，耐糖能異常，骨粗鬆症，色素沈着，精神症状）であり①および②から一つ以上あれば Cushing の所見であることから注意深く診察をすすめる．ほかにも顔面紅潮，男性型多毛，黒色表皮腫などの皮膚所見，外性器の二次性徴の評価を行う．骨年齢も評価するが Cushing 病では必ずしも進行せず，高度な肥満と男性化を認める Cushing 症候群では進行している．

c．一般検査

血球数と白血球分画，一般生化学検査，尿検査を行う．高コルチゾール血症は好中球増加と好酸球減少をきたす．高血糖，高コレステロール血症のほかに特に異所性 ACTH 産生症候群では ACTH が Cushing 病より数倍高くなることもあり，その副腎皮質への過剰な刺激からデオキシコルチコステロンの産生が増加して低カリウム血症をきたすことがある．

d．内分泌学的検査

図 32[3]に診断のアルゴリズムを示す．Cushing の診断にはコルチゾール過剰分泌の確認が必須で，血中コルチゾール値の測定で 5 μg/dL 以上であることと 3 日間連日 24 時間蓄尿による尿中遊離コルチゾールの測定がすべての測定において 70 μg/m²/日以上であることを示す．特に小児において尿中遊離コルチゾールは血液中のコルチゾール結合蛋白（corticosteroid-binding globulin：CBG）の影響を受けないため感度が約 90% とよい．小児では確実に 24 時間蓄尿できていなければ偽陰性を生じやすく，一方，5 L/m²/日を超す尿量でも偽陽性になりうる．なお心理的ストレスや抑うつ状態，拒食症や栄養失調，水分摂取過多，肥満，コントロール不良の糖尿病などでは高くなるため偽陽性となり，これらの感度は 70% 程度とされている．逆にネフローゼ症候群や腎不全では尿中へのコルチゾール排泄が落ち，重症患者では CBG やアルブミンが低くなるため偽陰性になりやすいので注意を要する．Cushing 病の診断の手引き[2]では同時測定での血中 ACTH とコルチゾールが高値から正常を示すことが必須で，さらに尿中遊離コルチゾールが高値から正常を示した場合，①一晩少量デキサメタゾン抑制試験と②血中コルチゾール日内変動の確認へと進む．日内変動が消失している場合，深夜睡眠時（23〜24 時）のコルチゾール値が 5 μg/dL 以上を示す．ただし小児ではカットオフ値を 4.4 μg/dL とすると感度 99%，特異度 100% とする報告がある[4]．①，②を満たす場合，③CRH 負荷試験，④一晩大量デキサメタゾン抑制試験へと進む．CRH 負荷試験では Cushing 病は ACTH の反応があり，Cushing 症候群は反応がないことで鑑別できるが，デキサメタゾン抑制試験と併用した少量デキサメタゾン抑制-CRH 負荷試験のほうがより感度が上がる．図 32[3]にあるデスモプレシン（DDAVP）は負荷試験試薬としては保険未収載である．

①一晩少量デキサメタゾン抑制試験

夜 23 時か 24 時にデキサメタゾン［Cushing 病を疑う場合は 0.5 mg/m²体表面積（最大 0.5 mg），Cushing 症候群を疑う場合は 1 mg/m²体表面積（最大 1 mg）もしくは 15 μg/kg］を経口投与する．翌朝 8 時の朝食前に採血（血清コルチゾール，場合により血漿 ACTH，血清アルドステロン）を測定する．血清コルチゾールが 3 μg/dL 以上で subclinical Cushing 病を，5 μg/dL 以上で Cushing 病を，10 μg/dL 以上で Cushing 症候群を疑う．血中アルドステロン 5 ng/mL 未満，血漿 ACTH は 10 pg/mL 未満で抑制がされている．

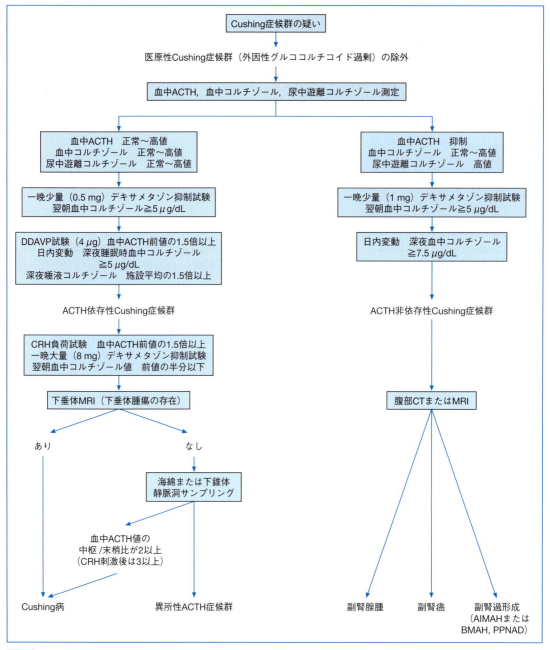

図32 Cushing 症候群の診断アルゴリズム
〔大月道夫：Cushing 症候群・副腎性 subclinical Cushing 症候群の診断と治療．日内会誌 107：674-680, 2018〕

② **CRH 負荷試験**[5]

早朝空腹時に採血後ヒト CRH（1.5 μg/kg・最大 100 μg）を 30 秒程度かけて静注し，投与前，15 分，30 分，60 分後に採血する．Cushing 病では静注後の血中 ACTH 頂値が前値の 1.5 倍以上に増加する．

③ **少量デキサメタゾン抑制-CRH 負荷試験**[5]

デキサメタゾンを 30 μg/kg/日（最大 2 mg）を分 4 で 2 日間内服させ，最終内服 2 時間後にヒト CRH を（1.5 μg/kg・最大 100 μg）を 30 秒程度かけて静注し，投与前，15 分，30 分，60 分後に採血し，血漿 ACTH と血清コルチゾールを測定する．正常では抑制されるが，Cushing 病，異所性 ACTH 産生症候群，副腎性 Cushing 症候群では CRH 投与後 15 分での血清コルチゾールが 1.4 μg/dL 以上となる．なかでも Cushing 病は反応が大きく前値と比べて 35％ 以上反応し，異所性 ACTH 産生症候群，副腎性 Cushing 症候群と鑑別可能である．

④一晩大量デキサメタゾン抑制試験

当日朝8時に採血，その夜23時にデキサメタゾン〔120 μg/kg（最大8 mg）〕を経口投与し，翌日9時に採血し血中のコルチゾールとACTHを測定する．血中コルチゾールが前値の半分以下に抑制されればCushing病と診断し，副腎性Cushing症候群，異所性ACTH産生症候群は抑制されないので両者の鑑別が可能である．ただし，著明な高コルチゾール血症の場合，血中コルチゾールが1/2未満に抑制されない例もあるので注意を要する．さらに異所性ACTH産生症候群ではCT，CEA，ガストリン，NSE，クロモグラニンBなど他の腫瘍マーカーの上昇を認める場合があり鑑別に有用である．

▶副作用・注意すべき点

正常者でもストレスや精神疾患，急性および慢性疾患やデキサメタゾンの腸管からの吸収率が低く抑制が認めない場合もあるため迅速法の偽陽性率は12～30%とされる．またカルバマゼピンやフェノバルビタール，フェニトイン，リファンピシンなどによる肝臓でのP450酵素の誘導に伴う代謝率が亢進し，抑制が不十分になりやすい．逆にステロイドやベンゾジアゼピン系薬剤投与中は抑制が強くなる可能性がある．よって理想的にはこれらの内服薬は試験の数週間前に可能であれば中止しておく．肝疾患，腎疾患ではデキサメタゾンのクリアランスが亢進している可能性がある．ほかに高用量で血圧上昇，血糖上昇の可能性があるので注意する．

e. 画像検査

Cushing病を疑う場合は頭部MRIが必須である．造影剤で強く描出される下垂体腺腫を認めなければ直径10 mm以下の微小腺腫を疑う．この場合は可能であれば3テスラの3 mm以下の厚さで，造影剤を用いたdynamic contrast-enhanced MRIで下垂体を撮影する．微小腺腫は正常下垂体細胞と比べて穏徐に造影されるため正常下垂体組織のなかに低信号の病変が描出される．ただしこのように下垂体内に低信号を認めた場合は良性囊胞との鑑別が必要である．この造影MRIで局在が確認できないCushing病に対して異所性ACTH産生症候群との鑑別に選択的静脈洞（海綿静脈洞または下錐体静脈洞）サンプリングを行ってACTHの中枢/末梢（C/P）比を測定して局在を同定する．C/P比が2以上（CRH負荷後は3以上）であればCushing病と判断する．さらに下錐体海綿静脈洞サンプリングの場合，微小腺腫の左右局在も診断可能である[6]．腹部超音波とCTはCushing病と副腎腫瘍との鑑別に有用である．

副腎原発腫瘍の多くは片側性で，腺腫の場合は腫瘍径2～3 cmの円形で内部が均一な軟部組織の濃度の腫瘤で不均一に斑状に造影される場合が多く，腫瘍に付属する正常副腎と対側の副腎は萎縮している．副腎癌の多くは径5 cm以上で辺縁不整で内部に石灰化，出血，壊死などを伴う．異所性ACTH産生症候群が疑われる場合は頸部，胸郭，腹部，骨盤のCTもしくはMRIで腫瘍検索する必要がある．^{131}I-アドステロール副腎シンチグラフィやSRIF受容体シンチグラフィ，^{18}F-FDG-PET/CTも有用であるが施設が限定される．

f. 分子遺伝学的検査

小児期発症のCushing病ではAIP，MEN1，CDKN1B，PRKAR1A，DICER1，UPS8などの遺伝子異常によるものを念頭において検索を進める必要がある[7]．副腎腫瘍においてMcCune-Albright症候群ではGNAS1遺伝子変異を検索するが体細胞変異であるため末梢血液中では変異が同定できない場合も多い．ほかにAIP，MEN1，CDKN1B，CDKN2C，PDE11A，PRKAR1A，PDE8B，ARMC5，PDE11A，PDE8B遺伝子も候補であるが何よりp53癌抑制遺伝子の遺伝子変異によるLi-Fraumeni症候群の検索が必須で，変異を認めた場合の遺伝カウンセリングが重要である[1]．

5）治療法

治療の目標はコルチゾールの正常化と高コルチゾール血症によって引き起こされる合併症に対する治療および治療後のホルモン補充であるが，診断治療法の進歩にもかかわらずCushing症候群の死亡率は2.5%であることを念頭において適切な治療を進める必要がある．ただし診断が未確定な場合や，症状を伴わない高コルチゾール血症に対して血液中のコルチゾールを正常化するのみの目的で治療を行うことは慎重になるべきである[6]．

a. 外科治療

治療の第一選択は腫瘍の外科的切除である．小児のCushing病では80～85%が直径10 mm以下の被膜化されていない微小腺腫で，経験豊富な脳神経外科医であれば経蝶形骨洞手術などで外科的切除可能であるが，手術後の5年後寛解率は65～75%とされている．術後の夜23時の血中もしくは唾液中コルチゾール値で寛解もしくは残存腫瘍の有無を判断する．術後は尿量と電解質を数時間ごとに測定し一過性の尿崩症や抗利尿ホルモン不適切分泌症候群（syndrome of inappropriate secretion of antidiuretic hormone：SIADH）の出現に注意を要する．手術によって寛解できなかったCushing病に対して内科治療，放射線治療でも無効であった場合は，両側副腎摘出も検討される．副腎腫瘍に関しても外科的切除が第一選択である．近年成人では腹腔鏡手

術が広く行われるようになってきている．

b．内科治療

手術で寛解が得られなかったCushing病や腫瘍の同定ができない異所性ACTH産生症候群などではステロイド産生阻害薬の適応となる．下垂体腺腫のACTH産生細胞は5型SRIF受容体(SST5)を発現しており，これに対して作用する治療としてSST5に対する作動薬のパシレオチドが適応となる．パシレオチドパモ酸塩がCushing病に対しても保険適用になり，成人10 mg～40 mgを小児では体表面積換算で4週ごとに筋注する．投与中は胆石の副作用以外にGHの抑制も注意しつつ投与する[8]．

副腎に対する治療として，メチラポン，ミトタンが選択肢となる．即効性のあるメチラポン(250 mg～1 gで1日1回～4回を適宜増減)は11β水酸化酵素を阻害することでコルチゾール産生を抑制するが可逆性である．一方ミトタン(1日量1.0～5.3 g/m^{2}体表面積，分3)[9]は複数のステロイド合成酵素の阻害に加えて，投与量が多い場合は非可逆的に副腎皮質細胞の細胞死を誘導するため効果が表れるのに時間がかかることから治療開始時でのメチラポンとの併用，再発予防の補助療法，手術困難例や難治例に用いられる．メチラポンの場合は前駆物質である11デオキシコルチゾールが増加しコルチゾールの測定と交差反応を示し，ミトタンはCBGの増加も誘導するためいずれもみかけの血液中のコルチゾールが増加するため，尿中の遊離コルチゾールを測定することで有効性を判断する．またミトタンはコルチゾールの代謝も促進するため，大用量のミトタン投与を行っている場合，グルココルチコイドで補充療法を行っているにもかかわらず副腎不全症状が認められるときにはグルココルチコイドの投与量を増量する必要がある．さらに治療効果があるほどコルチゾールの正常分泌も損なわれるため生理量のステロイド補充は必要である．また中枢神経系に対する副作用も注意して投与する必要があるが現在薬物の血中濃度の測定はできない．メチラポンはコルチゾール産生を低下させる一方，ミネラルコルチコイド作用のあるDOCと副腎由来のアンドロゲンを増加させるため血圧が上昇し，女児では男性化をきたす．一方ミトタンには副作用として消化器症状のほかに神経症状があるため本来であれば血中濃度をみながら調整すべきであるが，国内で血中濃度が測定できないため投与量の増量は週間隔で慎重に行うべきである．

c．放射線治療

Cushing病において巨大下垂体腺腫で腫瘍サイズの減少を図る場合，手術で腫瘍が取りきれなかった場合，再発した場合などでガンマナイフなどの放射線治療が適応となるが，小児では放射線治療単独で78％が寛解したとの報告もある[8]．

6）管理と予後

Cushing病の手術後に副腎機能が回復するのは平均的に12か月ほど要し，短期に回復する場合はCushing病の再燃を示唆するとの報告がある[10]．また術後に一過性もしくは永続的な尿崩症に加えて，高コルチゾール血症のGH分泌に対する抑制は1～2年持続することから下垂体前葉機能にも注意を要する．両側副腎摘出した場合はNelson症候群の発生に注意する．小児では両側副腎摘出後50％でNelson症候群を生じるとの報告がある．また両側副腎摘出後は永続的に生理量のグルココルチコイド，ミネラルコルチコイドの補充が必要であるが，一方，片側の副腎腫瘍の場合は下垂体からのACTH分泌と正常副腎皮質からのコルチゾール分泌は抑制されており，その回復には術後平均6か月かかると報告されている[11]．よってその間は生理量のグルココルチコイド補充療法が必要である．その回復具合の評価は指針[12]によると朝の内服前8時の採血で血清コルチゾール値18 μg/dL以上であり，CRH負荷試験，インスリン負荷試験(小児では推奨されていない)，GHRP2負荷試験(副腎皮質機能検査としては保険適用なし)などの負荷試験では，ACTHが前値の2倍以上でコルチゾール頂値18 μg/dL以上のときに正常と判断し，逆に早朝コルチゾール値が4 μg/dL未満であれば，まだ副腎機能は回復していないと判断する．ただし新生児・乳児期は血液中のCBGが少ないために正常でもコルチゾール値が低く出ることがあるため注意を要する．

❖ 文献

1) Stratakis CA：Cushing syndrome in pediatrics. *Endocrinol Metab Clin North Am* 41：793-803, 2012
2) 日本小児内分泌学会：クッシング(Cushing)病「診断の手引き」．小児慢性特定疾病情報センター，2014 https://www.shouman.jp/disease/instructions/05_18_033/ (2021年9月7日アクセス)
3) 大月道夫：Cushing症候群・副腎性subclinical Cushing症候群の診断と治療．日内会誌 107：674-680, 2018
4) Batista DL, et al.：Diagnostic tests for children who are reffered for the investigation of Cushing syndrome. *Pediatrics* 120：e575-e586, 2007
5) 石井智弘：CRF負荷試験．小児内科 51：454-456, 2019
6) Nieman LK, et al.：Treatment of Cushing's Syndrome：An Endocrine Society Practice Guideline. *J Clin Endocrinol Metab* 100：2807-2831, 2015
7) Nishioka H, et al.：Cushing's disease. *J Clin Med* 8：1951, 2019
8) Feelders RA, et al.：Medical treatment of Cushing's disease. *J*

Clin Endocrinol Metab 98：425-438, 2013
9) National Cancer Institute：Childhood adrenocortical carcinoma treatment（PDQ®）-Health processional version. https://www.cancer.gov/types/adrenocortical/hp/child-adrenocortical-treatment-pdq#cit/section_7.3（2021年9月7日アクセス）
10) Tatsi C, et al.：Recovery of hypothalamic-pituitary-adrenal axis in paediatric Cushing disease. Clin Endocrinol（Oxf）94：40-47, 2021
11) Berr CM, et al.：Time of recovery of adrenal function after curative surgery for Cushing's syndrome depents of etiology. J Clin Endocrinol Metab 100：1300-1308, 2015
12) 日本内分泌学会, 他：副腎クリーゼを含む副腎皮質機能低下症の診断と治療に関する指針. 日内分泌会誌 91（Suppl.）：1-78, 2015

（内木康博）

E 高血圧を特徴とする疾患

1 グルココルチコイド奏効性アルドステロン症

1）定義・概念

グルココルチコイド奏効性アルドステロン症（glucocorticoid-remediable aldosteronism：GRA）は，原発性アルドステロン症（primary aldosteronism：PA）の一病型として，家族性アルドステロン症Ⅰ型（familial hyperaldosteronism type Ⅰ：FH-Ⅰ）ともよばれる常染色体顕性遺伝性疾患である．単一遺伝子異常によるまれな遺伝性高血圧疾患であり，後述する遺伝子再構成により副腎皮質束状層から，ACTH依存性にアルドステロンが過剰産生されることで，降圧薬抵抗性の高血圧を呈する．PA類似の病態ながら副腎腺腫は認めず，両側副腎過形成を呈し，グルココルチコイド投与により高血圧やアルドステロン過剰分泌が改善することから，dexamethasone-suppressible hyperaldosteronism として1966年にはじめて報告され[1]，1992年にその遺伝学的機序が明らかにされた[2]．

国内では数家系の報告があるが，疫学的頻度は不明である．海外ではPAの約1％[3]，小児高血圧の3％程度[4]と報告されている．

2）病因・病態（図33[5]，本章Bの図3参照）

副腎皮質束状層に発現しコルチゾール生合成に関与する11β水酸化酵素（CYP11B1）をコードするCYP11B1遺伝子と，球状層に発現しアルドステロン生合成に関与するアルドステロン合成酵素（CYP11B2）をコードするCYP11B2遺伝子は，95％の相同性を有し，染色体8q21領域上で，直列に位置している．GRA

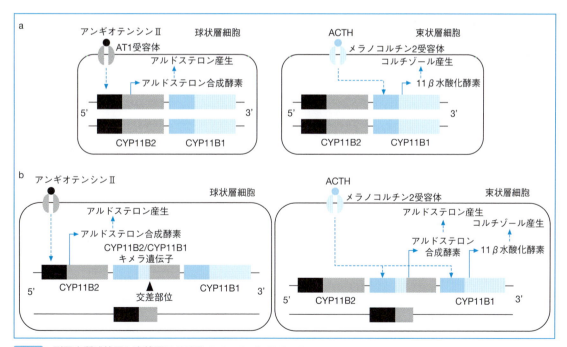

図33 副腎皮質球状層と束状層におけるCYP11B2とCYP11B1
a：健常者の副腎皮質球状層細胞・束状層細胞，b：GRA患者の副腎皮質球状層細胞・束状層細胞
■ CYP11B2 プロモーター領域， ■ CYP11B2 コーディング領域， ■ CYP11B1 プロモーター領域， ■ CYP11B1 コーディング領域
〔林 美恵, 他：グルココルチコイド反応性アルドステロン症（GRA）．ホルモンと臨床60：189-192, 2012より引用一部改変〕

は，CYP11B1遺伝子プロモーター領域とCYP11B2のコーディング領域が不均等交差により再構成されたキメラ遺伝子によって生じる．

キメラ遺伝子は，CYP11B1遺伝子プロモーター領域をもつため，ACTH依存性にCYP11B2活性をもつ蛋白質を発現する．球状層におけるアンギオテンシンⅡ依存性に発現する正常なアルドステロン産生に加え，上述のキメラ遺伝子が内因性ACTHに反応し，副腎束状層からアルドステロンが分泌されることで，過剰症状を呈する．

3）臨床症候

アルドステロン過剰による低レニン血症，Na再吸収亢進，K排泄増加，水分貯留を生じ，多くは20歳以下で高血圧を発症する．常染色体顕性遺伝形式をとるため，若年発症高血圧の家族歴を有することが多い．

4）診断と検査法

小児の高血圧患者では，家族歴の有無にかかわらず本症を鑑別疾患にあげる．特に20歳以下の若年発症や，PAまたは40歳未満発症の脳卒中の家族歴を有するPA患者では本症が疑われる[3]．また，大部分のGRA患者では血清K値は正常範囲にとどまる．キメラ遺伝子を有する例の大半が，小児期に重度の降圧薬抵抗性高血圧を呈し，若年性脳出血をきたすという報告がある[4]一方，同一家系内患者のなかでも，無症状例を含め高血圧の程度や諸検査値は多様であることも報告されている[6]．

PAと一致する内分泌所見，すなわち血漿レニン活性あるいは活性レニン濃度低値および血清アルドステロン高値を認め，低用量デキサメタゾン負荷試験後の血清アルドステロン値低下および尿中18ヒドロキシコルチゾール・尿中18オキソコルチゾール高値を認める場合，本症を疑い，分子遺伝学的検査法によるキメラ遺伝子同定により確定診断を行う．

5）治療法[3]

第一選択薬はグルココルチコイド投与であり，下垂体からのACTH分泌を抑制することで血圧を正常化する．早朝のACTH分泌増加を抑制するために，低用量デキサメタゾン0.125〜0.25 mg（成人量）を就寝前に内服する．グルココルチコイド投与で十分な降圧効果が認められない場合，抗アルドステロン薬（スピロノラクトン，エプレレノン）を投与する．

小児例では，グルココルチコイド過剰による成長障害に留意し，血圧をコントロールできる最小量を投与する．また，男児ではスピロノラクトンの抗アンドロゲン作用による副作用（女性化乳房など）を避けるために，エプレレノンが推奨されている．

6）管理と予後

GRAの重篤な合併症として，脳動脈瘤破裂による若年発症の出血性脳卒中があげられ，生命予後を規定する．遺伝学的に診断が確定したGRA症例においては，数年ごとのMRアンギオグラフィによるスクリーニングが推奨される[6]．

7）最新知見

遺伝学的検査の普及に伴い，キメラ遺伝子を有する例の表現型および重症度が多様であることがわかってきた．遺伝学的に診断された既報357例（60家系）のレビューでは，23％が高血圧を呈さず，高カリウム血症を呈した例は14％であったと報告されている[7]．高血圧の家族歴は診断において重要であるが，家族歴がないことでGRAは否定できない．

❖ 文献

1) Sutherland DJ, et al.：Hypertension, increased aldosterone secretion and low plasma renin activity relieved by dexamethasone. *Can Med Assoc J* 95：1109-1119, 1966
2) Lifton RP, et al.：A chimaeric 11 beta-hydroxylase/aldosterone synthase gene causes glucocorticoid-remediable aldosteronism and human hypertension. *Nature* 355：262-265, 1992
3) Funder JW, et al.：The management of primary aldosteronism：case detection, diagnosis, and treatment：an endocrine society clinical practice guideline. *J Clin Endocrinol Metab* 101：1889-1916, 2016
4) Aglony M, et al.：Frequency of familial hyperaldosteronism type 1 in a hypertensive pediatric population：clinical and biochemical presentation. *Hypertension* 57：1117-1121, 2011
5) 林 美恵，他：グルココルチコイド反応性アルドステロン症（GRA）．ホルモンと臨床 60：189-192，2012
6) Litchfield WR, et al.：Intracranial aneurysm and hemorrhagic stroke in glucocorticoid-remediable aldosteronism. *Hypertension* 31：445-450, 1998
7) Monticone S, et al.：GENETICS IN ENDOCRINOLOGY：The expanding genetic horizon of primary aldosteronism. *Eur J Endocrinol* 178：R101-R111, 2018

（高澤 啓）

2 見かけの鉱質コルチコイド過剰症候群

1）定義・概念

見かけの鉱質コルチコイド過剰症候群（apparent mineralocorticoid excess：AME）の名称は，原発性アルドステロン症様のミネラルコルチコイド過剰徴候，すなわち低カリウム低レニン性高血圧，代謝性アルカローシスを認めながら，血中アルドステロンの上昇を認めないことから命名された[1]．ミネラルコルチコイド受容体（mineralocorticoid receptor：MR）発現臓器でのコルチゾールの不活化を行う11β水酸化ステロイド脱水素酵素（11β hydroxysteroid dehydrogenase：11β

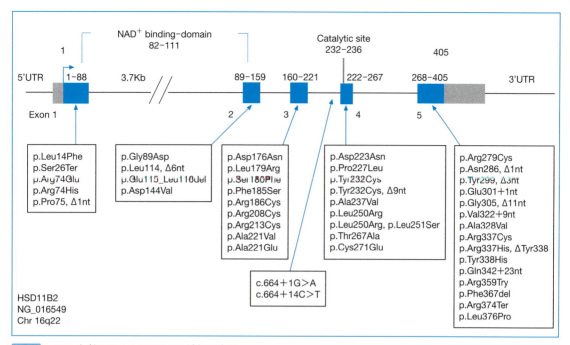

図34 AME患者におけるHSD11B2遺伝子変異

〔Carvajal CA, et al.：Classic and Nonclassic Apparent Mineralocorticoid Excess Syndrome. *J Clin Endocrinol Metab* 105：dgz315, 2020/Yau M, et al.：Clinical, genetic, and structural basis of apparent mineralocorticoid excess due to 11β-hydroxysteroid dehydrogenase type 2 deficiency. *Proc Natl Acad Sci U S A* 114：E11248-E11256, 2017 より引用一部改変〕

HSD)2の障害により生じる常染色体潜性遺伝性疾患であり，単一遺伝子異常による遺伝性高血圧症の一つである．11βHSD2をコードするHSD11B2遺伝子の両アリル変異により発症することが1995年に報告[2]されて以降，40種以上の疾患原性変異が確認されている[3]（図34）[3,4]．

国内では2家系の報告があるが，疫学的頻度は不明である．同胞発症例を含め，全世界で約110例が報告されている[5]．

2）病因・病態（図35）

11βHSDには二つのアイソザイムが確認されている．1型（11βHSD1）はおもに肝臓や膵臓に発現し，生体内ではreductaseとしてコルチゾンをコルチゾールに再活性化する働きが主であるとされる．2型（11βHSD2）はおもに腎臓の遠位尿細管や集合管に発現し，コルチゾールを不活性体のコルチゾンに不活化するdehydrogenaseとして作用する．コルチゾールはMRに対し，アルドステロンと同等の結合能を有し，かつアルドステロンの1,000～2,000倍の濃度で循環血漿中に存在するが，11βHSD2によって不活化されることで，アルドステロンのみがMRに結合し局所での生理作用を発揮する[3,5]．AMEでは，11βHSD2の欠損によりコルチゾールが腎臓で不活化されず，MRに結合することで，不適切なアルドステロン作用を生じ，ミネラルコルチコイド過剰症状を呈する．

3）臨床症候

新生児期から小児期に発症し，ミネラルコルチコイド過剰症状として，重症高血圧を呈する．古典的AMEでは，出生前後の成長障害，低カリウム血症による多飲・多尿や四肢麻痺，腎石灰化などを伴う．HSD11B2遺伝子異常における残存酵素活性と，重症度〔出生時体重・診断時年齢・血清K値など〕や生化学的重症度（尿中コルチゾール代謝物/コルチゾン代謝物比）との相関が確認されている[5]．

4）診断と検査法

小児期に低レニン性低アルドステロン性高血圧を認めた場合，本症を疑う．尿中ステロイドプロフィールにおける尿中コルチゾール代謝物/コルチゾン代謝物比〔[tetrahydrocortisol（THF）+alloTHF]/tetrahydrocortisone（THE）〕の上昇は特徴的な所見である．HSD11B2遺伝子に両アリル変異を同定することで診断を確定する．

小児期に低レニン性低アルドステロン性高血圧を呈する疾患として，Liddle症候群や医原性（薬剤性）AMEを鑑別する．グリチルリチンや漢方薬（甘草）などの薬剤には11βHSD2の活性を抑制する作用があるため，

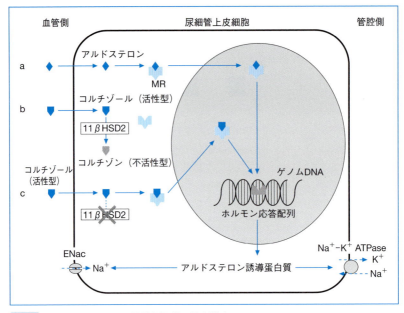

図35 鉱質コルチコイド過剰症候群の発症機序
a：アルドステロン作用発現の機序．アルドステロンは尿細管上皮細胞の細胞質でMRと結合後，核内に移行し，アルドステロン作用を発揮する
b：コルチゾールの不活化．健常者では，コルチゾールは尿細管上皮細胞で11βHSD2により，コルチゾンに変換されることで不活化される
c：AME患者におけるコルチゾール不活化障害．AME患者では，11βHSD2の障害により，コルチゾールが不活化されず，MRに結合し，過剰なアルドステロン作用を発揮する
MR：ミネラルコルチコイド受容体，11βHSD2：2型11β水酸化ステロイド脱水素酵素，ENaC：上皮型Naチャネル

服薬歴を確認する．

5）治療法

治療は，減塩食とK補充に加え，抗アルドステロン薬（MR拮抗薬）を投与する．スピロノラクトンは抗アンドロゲン作用による副作用（女性化乳房など）を生じうるため，MR選択性の高いエプレレノンが推奨されている[5]．MR拮抗薬の効果は限定的であり，血圧の正常化を目的に，Ca拮抗薬やアミロライド，Naチャネル阻害薬であるトリアムテレンなどが併用される[3,5]．デキサメタゾン投与による内因性ACTH・コルチゾール分泌の抑制も一部で有効とされるが，小児期には成長障害が悪化するリスクがあり推奨されない．

6）管理と予後

酵素活性の障害程度により重症度は異なるが，未治療あるいは適切な治療がなされない場合，高血圧や低カリウム血症により，心血管，腎，網膜，脳血管に障害が発生する．重症例では，小児期の死亡例や脳血管障害例も報告されており，早期診断，早期治療が重要である．

7）最新知見

より軽症な表現型を呈する非古典型AMEという疾患概念が提唱されている[3,6]．若年性に低レニン性低アルドステロン性高血圧を認めた127例のなかで，9例（7.1％）が血中コルチゾール/コルチゾン比の上昇および血中コルチゾン低値をきたしており，そのうち2例にHSD11B2遺伝子変異が片アリル性に確認された[6]．非古典型AMEの発症には，遺伝学的素因（HSD11B2遺伝子あるいはそのプロモーター領域の片アリル性の変異，エピジェネティック修飾因子など）に加え，いわゆるsecond hitとして環境因子などによる11βHSD2抑制が生じることで，高血圧を生じる機序が推定されている[3]．

❖ 文献

1) Ulick S, et al.：A syndrome of apparent mineralocorticoid excess associated with defects in the peripheral metabolism of cortisol. *J Clin Endocrinol Metab* 49：757-764, 1979
2) Mune T, et al.：Human hypertension caused by mutations in the kidney isozyme of 11 beta-hydroxysteroid dehydrogenase. *Nat Genet* 10：394-399, 1995
3) Carvajal CA, et al.：Classic and nonclassic apparent mineralocorticoid excess syndrome. *J Clin Endocrinol Metab* 105：dgz315, 2020
4) Yau M, et al.：Clinical, genetic, and structural basis of apparent mineralocorticoid excess due to 11β-hydroxysteroid dehydrogenase type 2 deficiency. *Proc Natl Acad Sci U S A* 114：E11248-E11256, 2017

5) 宗　友厚：11βHSDタイプ2欠損症（AME症候群）．日本臨牀 別冊（内分泌症候群［第3版］Ⅱ）：131-135, 2018
6) Tapia-Castillo A, et al.：Clinical, biochemical, and genetic characteristics of "nonclassic" apparent mineralocorticoid excess syndrome. *J Clin Endocrinol Metab* 104：595-603, 2019

（高澤　啓）

3　原発性アルドステロン症

1）定義・概念

アルドステロンの自律性分泌のため，高血圧を中心とするアルドステロン過剰症状を呈する．二次性高血圧の大部分はアルドステロン症で，難治高血圧の20％，すべての高血圧患者の8％がアルドステロン症といわれており，ほとんどが孤発例である[1]．

2）病因・病態[1]

アルドステロンは遠位尿細管で細胞外液と電解質の恒常性を調節しており，遠位ネフロンのMRを活性化させ，上皮型Naチャネル（ENaC）の発現を増やす．NaはENaCを介して再吸収され，K^+とH^+を排出する．

アルドステロンは副腎球状帯で合成され，アンギオテンシンⅡ，K，程度は低いがACTH，エンドセリン1，エストロゲン，ユーロテンシンⅡなどの制御下にある．主要な調節因子はレニン-アンギオテンシン系（renin-angiotensin system：RAS）である．腎の傍糸球体装置で産生されるレニンがアンギオテンシノーゲンをアンギオテンシンⅠに変換，アンギオテンシン変換酵素（angiotensin-converting enzyme：ACE）によりアンギオテンシンⅡに変換され，副腎アンギオテンシン受容体を介して，アルドステロン合成が行われる．RASの役割は，Na濃度と血管内ボリューム，血圧の調節である．レニンは傍糸球体装置緻密斑でCl^-の減少を感知して産生される．

a．形態的分類[1,2]

①アルドステロン産生腺腫（aldosterone-producing adenoma：APA）：35％
②両側副腎過形成（bilateral adrenal hyperplasia：BAH）：65％
③片側副腎過形成（unilateral adrenal hyperplasia：UAH）：まれ
④グルココルチコイド反応性アルドステロン症（glucocorticoid-remidable aldosteronism：GRA）：まれ
⑤副腎皮質癌（adrenocortical carcinoma）：まれ

APAは2cm以下の小さい腫瘍のことが多いが，副腎皮質癌は4cm以上の大きな腫瘍のことが多い．

表28　原発性アルドステロン症の症状

古典的症状
高血圧　18～25％
難治性高血圧　8％
低カリウム血症　9～37％
循環血液量増加
代謝性アルカローシス
その他の症状
頭痛（女性　57～59％，男性　42～43％）
網膜症（まれ）
神経筋症状
腎性尿崩症
不整脈
耐糖能異常
心肥大
血管壁肥厚
軽度高ナトリウム血症

b．遺伝的分類[1,2]

家族性はPAの1～5％ですべて常染色体顕性遺伝形式をとる．

①FH-Ⅰ or GRA

CYP11B1プロモーター領域とアルドステロン合成酵素のCYP11B2のハイブリッド遺伝子が異所性に発現することによりアルドステロンが過剰分泌する[3]．

②FH-Ⅱ

CLCN2遺伝子異常によるClチャネル異常でグルココルチコイド治療に反応しないAPAやBAHとなる．

③FH-Ⅲ

KCNJ5遺伝子異常によるKチャネル異常．小児期発症の重症高血圧，低K血漿，高アルドステロン/レニン比，著明な副腎肥大を特徴とする．

④FH-Ⅳ

CACNA1H遺伝子異常によるCaチャネル異常．ときどきけいれんや神経学的異常と関連している．

3）臨床症候[1]（表28）

特異的な症状に乏しく，高血圧に関連した症状を呈する．一次性か二次性かの鑑別が重要であり，アルドステロン過剰の程度にもよるが，中等度～高度の高血圧，低カリウム血症，代謝性アルカローシスはミネラルコルチコイド過剰を強く疑う所見である．しかし，高血圧しか所見がないことも多い．患者のなかには正常血圧もいて，重度の高血圧は診断に必須ではない．高血圧の有無にかかわらず，低カリウム血症は高アルドステロンを考慮する．

4）診断と検査法

スクリーニングと確定診断のフローチャートは，「原発性アルドステロン症のガイドライン」を参照にする[4]．ガイドラインでは高血圧患者全例としている

が, 費用対効果のエビデンスが未確立のため, PA 高頻度と考えられる高血圧患者での積極的なスクリーニングが推奨されている[5].

a. スクリーニング

血漿アルドステロン (plasma aldosterone concentration：PAC) と血漿レニン活性 (plasma renin activity：PRA) を測定し PAC (pg/mL)/PRA 比 (ng/mL/時) (aldosterone-renin ratio：ARR) を算出する. ARR が＞200 と PAC が＞120 pg/mL の組み合わせが推奨されている[5]. PAC が＜120 pg/mL でも PA は完全には否定できない. 低カリウム血症はアルドステロン分泌を阻害するので, 検査前は補正したほうがよい[1].

b. 機能確認検査

アルドステロンの自律分泌を確かめる検査. カプトプリル試験, 生理食塩水負荷試験, フロセミド立位試験, 経口食塩負荷試験があり, 少なくとも 1 種類の陽性の確認が推奨されている[6]. いずれの検査が最適かは未確立である. 実施の容易さ, 安全性の面からまずカプトプリル試験の実施が推奨されている[5].

c. 病型・局在診断[4]

副腎腺腫の確認および副腎癌除外のため thin slice での副腎 single-detector row CT を撮影する[5]. デキサメタゾン抑制アドステロール副腎シンチグラフィで, 腫瘍側副腎への取り込み増加を確認する. 副腎静脈サンプリング (adrenal venous sampling：AVS) は手術例には必須である. AVS の成功率向上には multi-detector row CT による右副腎静脈の解剖学的走行の確認および術中迅速コルチゾール測定が有用である[5].

5) 治療法[1]

PA では, 本態性高血圧と比べて, 脳・心血管合併症の頻度が高いので, 適切な治療が必要である[5]. 片側性病変は, アルドステロン過剰の正常化と高血圧の治癒・改善が期待できるため, 患側の腹腔鏡下副腎摘出術を行う. 両側性病変では MR 拮抗薬を第一選択とする薬物療法を行う[6]. 両側副腎摘出で APA または UAH の 30～70％の高血圧が治癒する. MR 拮抗薬は BAH では第一選択薬である. 低用量グルココルチコイド (例：デキサメタゾン) は GRA に著効する[1].

6) 管理と予後

MR 拮抗薬による薬物治療では, 血圧, 血清 K, PRA を指標に用量調整を行う[7]. 降圧効果が同等であれば, 手術治療で心房細動の罹患率が減少し, MR 拮抗薬では, 本能性高血圧と比べて心房細動のリスクが 82％ 高い[8].

7) 最新知見

家族性および孤発性 APA の腫瘍性細胞上の K チャンネル Kir3.4 の KCNJ5 遺伝子変異により, アルドステロン合成が亢進する病態がある. KCNJ5 遺伝子変異例は, アルドステロン産生が強く, 診断年齢が若く, 腺腫が大きく, アジア人の頻度が高い[9].

❖ 文献

1) Papadopilou-Marketou N, et al.：Hyperaldosteronism. In：Feingold KR, et al. (eds), Endotext ［Internet］. MDText. com, South Dartmouth, 2020
2) Kamilaris CDC, et al.：Adrenocortical tumorigenesis：Lessons from genetics. Best Pract Res Clin Endocrinol Metab 34：101428, 2020
3) He X, et al.：Hereditary causes of primary aldosteronism and other disorders of apparent excess mineralocorticoid activity. Gland Surg 9：150-158, 2020
4) 日本内分泌学会：原発性アルドステロン症の診断治療ガイドライン-2009-. 日内分泌会誌 86 (Suppl. 2)：1-19, 2010
5) 日本内分泌学会, 他 (編)：わが国の原発性アルドステロン症の診療に関するコンセンサス・ステートメント. 日内分泌会誌 92 (Suppl.), 1-49, 2016
6) 日本内分泌学会 (編)：内分泌代謝科専門医研修ガイドブック. 診断と治療社, 2018
7) 柴田洋孝：2) 原発性アルドステロン症の診断と治療. 日内会誌 107：1761-1765, 2018
8) Rossi GP, et al.：Adrenalectomy lowers incident atrial fibrillation in primary aldosteronism patients at long term. Hypertensio 71：585-591, 2018
9) 大村昌夫, 他. 原発性アルドステロン症の診断と治療. 日内会誌 107；446-452, 2018

（ハツ賀秀一）

F 褐色細胞腫

1) 定義・概念

褐色細胞腫・パラガングリオーマは副腎髄質または傍神経節のクロム親和性細胞から発生するカテコラミン産生腫瘍で, 前者を褐色細胞腫 (pheochromocytoma：PCC), 後者をパラガングリオーマ (paraganglioma：PGL) とよび, 神経内分泌腫瘍の一つである.

2) 病因・病態

クロム親和性細胞は胎生初期の神経堤細胞に由来し, 副腎髄質に腫瘍を形成すれば副腎褐色細胞腫, 副腎外の交感神経節や副交感神経節に生じれば副腎外褐色細胞腫 (PGL) となる. また局所浸潤や遠隔転移によりクロム親和性細胞以外に発生した場合には悪性褐色細胞腫と診断する. PCC はかつて「10% 病」といわれていたが, 遺伝性の頻度が 30% 以上占めることが明らかになりその概念が変わってきた[1].

表29 褐色細胞腫・パラガングリオーマの診断基準

必須項目
　①副腎髄質または傍神経節組織由来を示唆する腫瘍（注1）
副項目
　①病理所見：特徴的な所見（注2）
　②検査所見
　　1）尿中メタネフリンの高値（注3）
　　2）尿中アドレナリンまたはノルアドレナリンの高値（注3）
　　3）クロニジン試験陽性（注4）
　　1），2），3）のうち1つ以上の所見があるときを陽性とする
　③画像所見
　　1）腫瘍に^{123}I-MIBGの取り込み（注5）

確実例：1）必須項目①＋副項目①を満たす場合
　　　　2）必須項目①＋副項目②と③を満たす場合
ほぼ確実例：必須項目①および副項目②-1）を満たす場合
疑い例：1）必須項目①および副項目②-2）または②-3）を満たす場合
　　　　2）必須項目①および副項目③を満たす場合
除外項目：偽性褐色細胞腫，神経芽細胞種，神経節細胞腫
（注1）現在，過去の時期を問わない
（注2）腫瘍細胞の大部分がクロモグラニンA染色陽性であること．パラガングリオーマ疑いで副項目②が陰性の場合はdopamine β-hydroxylase染色が陽性であること
（注3）基準値上限の3倍以上を陽性とする．尿中メタネフリン分画はメタネフリン，ノルメタネフリンの少なくともいずれかの高値，偽陽性や偽陰性があるため，反復測定が推奨される
（注4）ノルアドレナリン高値例のみ，負荷後に前値の1/2以上あるいは500 pg/mL以上の場合を陽性とする

〔日本内分泌学会（編）：褐色細胞腫・パラガングリオーマ診療ガイドライン2018．日内分泌会誌94（Suppl.）：1-87, 2018〕

3）臨床症候

カテコラミン過剰による主要5症状「5H」（hypertension, hypermetabolism, hyperglycemia, headache, hyperhidrosis）以外にも，成人では副腎偶発腫瘍として発見される場合や，小児では体重減少，成長率低下，易疲労感，不安，振戦，けいれん，消化器症状，血尿，排尿時痛，背部痛，関節痛，乳酸アシドーシスなどを契機に診断される場合もあるが無症候性，正常血圧性の副腎偶発腫瘍として発見されたり，ドパミン産生PGLでは起立性低血圧でみつかる場合もある．アドレナリン産生腫瘍は低血圧やショックを呈する場合もある．食事，排尿，薬物など種々の誘因により高血圧クリーゼが惹起される．

4）診断と検査法（表29）[2]

a．病歴

発作性高血圧，治療抵抗性高血圧，PCCを含む内分泌腫瘍の家族歴，副腎偶発腫瘍など家族歴の聴取は必須である．

b．身体所見

成長曲線から成長率，体重の変化を確認する．血圧，心拍数，発汗と血管収縮による皮膚の蒼白の有無を確認する．診察時の腹部の触診や仰臥位などで高血圧クリーゼを生じる場合もあるため疑わしい場合は慎重に診察する．また間欠的に高血圧を認める患者もいることから可能であれば24時間持続血圧測定を行うのが望ましい．高血圧を認めれば眼底の高血圧性変化の有無を確認する．

c．一般検査

採血にて血液濃縮，高血糖，高コレステロール血症，好中球優位の白血球増多，CRP上昇，代謝性アシドーシスの有無，尿潜血，蛋白の有無，心電図，心臓超音波による不整脈，高血圧性変化の評価を行う．神経芽細胞腫のスクリーニングである尿中のバニリルマンデル酸（VMA），ホモバニリン酸（HVA）がPGLで上昇する場合があるが，後述するカテコラミンなどを測定することで鑑別が可能である．

d．内分泌検査

外来でのスクリーニング検査として血中カテコラミン分画と随時尿中メタネフリン分画がある．採血は空腹時，20分以上安静臥床で行う．またカテコラミン測定に影響する薬物使用歴と食品摂取の聴取（アセトアミノフェン，三環系抗うつ薬，フェニルピペリジン系オピオイド，充血除去薬などの薬剤，バナナ，フルーツジュース，ナッツ，ポテト，トマト，豆類などのカテコラミン含有食品，バニラ，チーズ，赤ワイン，コーヒーなどカテコラミン遊離刺激食品）も必須である．PCCでは血漿アドレナリン濃度，PGLでは血漿ノルアドレナリン濃度の増加を認めるが正常とのオーバーラップが多いことから正常上限の3倍以上もしくは血漿アドレナリン＋ノルアドレナリン≧2,000 pg/mLで

陽性とする．随時尿中メタネフリン分画は正常上限の3倍以上もしくは≧500 ng/mg・Crで陽性とする．

褐色細胞腫・パラガングリオーマ診療ガイドライン2018[2]による生化学的所見では，①尿中総メタネフリン分画（メタネフリン＋ノルメタネフリン；正常の3倍以上もしくは≧1.8 mg/日）の高値，②24時間尿中アドレナリン（≧35 μg/日）またはノルアドレナリンの高値（≧170 μg/日）（正常の3倍以上），③クロニジン試験陽性のうち一つ以上の所見があるときを陽性とするとあるが，海外のガイドライン[1]では血中遊離メタネフリン分画か尿中メタネフリン分画を用いることが推奨されている．というのもカテコラミンの測定値には各種薬剤のほかにもストレスが影響し偽陽性が生じやすいのに反してメタネフリン，ノルメタネフリンはクロマフィン腫瘍から持続的に分泌されるため診断価値が高い特異的マーカーである．それを受けてわが国でも2019年から血漿遊離メタネフリン分画の測定が保険適用になったことから，スクリーニングとして適当なのは随時尿中メタネフリン，ノルメタネフリン濃度（要クレアチン補正）の増加（＞500 ng/mg・Cr），もしくは随時採血の血中遊離メタネフリン分画である[3]．

e．画像検査

CT，MRI，MIBGシンチグラフィなどを実施する．副腎偶発腫瘍でみつかる場合も多く画像診断の第一選択はCTであるが疾患特異度は低く，頭蓋底や頸部などアーチファクトが多い部位の撮影やgermlineに遺伝子変異を伴う場合は過剰な放射線被ばくを避けるためにMRIを優先する．MRIはコントラスト分解能は高いが疾患特異度は低い．造影CTは高血圧クリーゼのリスクとなりうるため原則禁忌であるが，現在使用されている造影剤では発作の誘発はほぼないと報告されており，必要があれば厳重な管理下で行う．CTの吸収値やMRIのchemical shiftにより脂肪が存在しないことから副腎腫瘍と鑑別可能である．^{123}I-MIBGシンチグラフィはPCCに特異的な診断法で，機能評価も可能であることから集積が陽性ならPCCと診断可能であるが感度が低く，また遊離した^{123}Iの甲状腺への集積を防ぐためヨードによる甲状腺ブロックが必要である．^{18}F-FDG PETは特異度は低いが感度が高いためPCCの診断，特に悪性例の全身検索に有用であるが，良性でも集積がある．近年海外からは感度特異度とも高い^{68}Ga-SRIF受容体アナログを使ったPETの報告がある[4]．

f．分子遺伝学的検査

18歳未満で発症した患者では60％以上にgermline mutationを認め，10歳未満では70％で変異を認める．特にSDHB遺伝子変異は腹部PGLにおける頻度が高く，遠隔転移が多いことから，悪性度評価の指標になる．現在保険未収載であるが治療方針を決定する目的で症例に応じて検討すべきである[1]．さらに遺伝子解析に当たって発端者ならびに親族に対する遺伝カウンセリング体制が整った施設で行うことが推奨される．病因遺伝子検索は褐色細胞腫・パラガングリオーマ診療ガイドライン2018[2]のフローチャートを参照されたい．

5）治療法

a．内科治療（表30）[1,5,6]

診断後はカテコラミン過剰症状のコントロールを行う目的で迅速な心血管系・代謝合併症の評価と術前1週間以上かけて十分な血圧管理が必要である．まず選択的α_1受容体拮抗薬を常用量から開始，降圧目標に達するまで数日ごとに漸増，降圧不十分な場合，Ca拮抗薬を追加投与する．頻脈・頻脈性不整脈，心筋障害，心不全，虚血性心疾患合併例ではβ遮断薬を併用する．β遮断薬の先行投与は高血圧発作を引き起こすため禁忌である．α・β遮断薬はβ遮断作用がα遮断作用より強く血圧上昇発作の危険性があり推奨されない．起立性低血圧および術後過降圧予防のため食塩負荷と外液輸液による循環血漿量の是正が重要である．高血圧クリーゼにはフェントラミンの静注および点滴静注が有効である．これらの降圧薬で難治性の腫瘍に対してカテコラミン合成酵素阻害薬であるメチロシンが12歳以上で保険適用になり500 mg/日　分2から開始して中枢神経系の副作用に注意して使用する必要がある．

b．外科治療

PCCは手術療法による腫瘍切除が治療の第一選択である．術中の出血量も多く，高血圧，頻脈，不整脈など術中合併症も多いため厳重な麻酔管理が必要となる．また常に悪性の可能性を念頭におき，腫瘍被膜を損傷しないように最新の注意が必要である．比較的小さな副腎褐色細胞腫に対する腹腔鏡下副腎摘出術の成績は，手術時間，出血量，入院期間のいずれもが開放手術に比べてすぐれ，標準術式になりつつある．一方，PGLと6 cm以上の浸潤を認めるPCCは開腹による拡大手術が必要である．外科的に完全に切除できれば速やかに降圧するため，血圧が下がりすぎないよう，降圧薬の即時中止と必要であれば術直後は昇圧薬の投与を行う．

c．放射線治療

現在はまだ治験中ではあるが転移性，難治性のPCC・PGLに対して^{131}I-MIBGによる内放射線治療が

表30 実際に用いられる降圧薬

選択基準	種類	一般名（商品名）	半減期	用量	注意点
第一選択	選択的α₁受容体拮抗薬	ドキサゾシン（カルデナリン®）	9〜12時間	1〜32 mg/日/m² 分1〜4	
		プラゾシン（ミニプレス®）	2時間	2〜20 mg/日/m² 分2〜3	
		ウラピジル（エブランチル®）	3〜5時間	30〜120 mg/日/m² 分2	
α遮断薬のみで血圧コントロール困難な場合	Ca拮抗薬	アムロジピン（アムロジン®）	36時間	2.5〜10 mg/日/m² 分1〜2	
		ニフェジピン徐放剤（アダラート®CR）	24〜60時間	20〜280 mg/日/m² 分1〜2	
頻脈・不整脈合併時	選択的β₁受容体拮抗薬	プロプラノロール（インデラル®）	4時間	30〜120 mg/日/m² 分3	
		アテノロール（テノーミン®）	6〜7時間	50〜100 mg/日/m²	
		メトプロロール（セロケン®）	3〜7時間	60〜120 mg/日/m² 分3	
非推奨	αβ非選択的受容体拮抗薬	カルベジロール（アーチスト®）	4〜8時間	1.25〜20 mg/日/m² 分1〜2	β＞α作用より血圧上昇
		ラベタロール（トランデート®）	3〜9時間	150〜450 mg/日/m² 分3	β＞α作用より血圧上昇 ¹³¹I-MIBG集積阻害

〔日本内分泌学会（編）：褐色細胞腫・パラガングリオーマ診療ガイドライン2018. 日内分泌会誌94(Suppl.)：1-87, 2018より作成〕

表31 変異遺伝子ごとのパラガングリオーマの管理指針

疾患（変異遺伝子）	スクリーニング検査	フォローアップ
神経線維腫症1型	血圧測定，皮膚所見 眼科診察 尿中メタネフリン測定	毎年血圧，皮膚所見，眼科診察，メタネフリン測定 高血圧やメタネフリン高値を認めた際には腹部画像検査
多発性内分泌腫瘍症2型	血圧測定 尿中メタネフリン測定 血中カルシトニン・Ca・intact PTH測定 甲状腺超音波	毎年血圧測定，メタネフリン，Ca測定（予防的甲状腺切除していない場合はカルシトニンも測定） 高血圧やメタネフリン高値を認めた際には腹部画像検査
von Hippel-Lindau病	血圧測定 尿中メタネフリン測定 血中カルシトニン・Ca・intact PTH測定 甲状腺超音波	毎年血圧測定，眼科診察，メタネフリン測定，胸部腹部骨盤腔画像検査 隔年で頭部と脊髄MRI撮影
遺伝性SDHx変異	血圧測定 尿中メタネフリン測定 頭頸部，胸腹部，骨盤腔の造影MRIもしくはCT オクトレオチドスキャンもしくは¹⁸F-FDG-PET/CT（SDHB遺伝子変異患者）もしくは¹⁸F-FDOPA-PET/CT（SDHD遺伝子変異患者）	毎年血圧測定，メタネフリン測定，胸部腹部骨盤腔画像検査 2〜3年ごとに全身MRI撮影
TMEM127遺伝子もしくはMAX遺伝子変異	血圧測定 尿中メタネフリン測定 頭頸部・胸腹部・骨盤腔の造影MRIもしくはCT	毎年血圧測定，メタネフリン測定 2〜3年ごとに全身MRI撮影
EPAS1遺伝子変異	血圧測定 血中ヘモグロビン，尿中メタネフリン測定 頭頸部・胸腹部・骨盤腔の造影MRIもしくはCT	毎年血圧測定，メタネフリン測定 2〜3年ごとに全身MRI撮影
FH遺伝子変異	血圧測定 尿中メタネフリン測定 頭頸部・胸腹部・骨盤腔の造影MRIもしくはCT ¹⁸F-FDG-PET/CT	毎年血圧測定，婦人科，皮膚科診察，メタネフリン測定 毎年腎臓または全身MRI撮影

〔Favier J, et al.：Paraganglioma and phaeochromocytoma：from genetics to personalized medicine. Nat Rev Endocrinol 11：101-111, 2015より引用一部改変〕

一部の先進医療を行う医療機関で行われている．

6）管理と予後

5年生存率は成人が50%前後に比べて小児では90%と良好であるが悪性化率が成人の10%に比べて小児では47%と高く，悪性の場合，10年生存率が30%と悪い．ノルアドレナリン優位，副腎外発生，多発性，両側性，病理組織所見のスコアリング高値，SDHB遺伝子変異を認めれば悪性を示唆するが，遠隔転移がなくても良性と断定できる確実な診断法がないため，小児において悪性の頻度が高く，良・悪性の判断がむずかしいことを診断時に十分説明しておくことと，寛解後も外来で血中，尿中カテコラミンと代謝産物である尿中総メタネフリン分画，少なくとも随時尿中メタネフリン，ノルメタネフリン濃度（要クレアチン補正），もしくは随時採血の血中遊離メタネフリン分画を定期的に測定して，長期的に再発の有無を経過観察する必要がある[7]．なお腫瘍の遺伝子解析が広く行われるようになって全患者の30%でgermline mutationが認められるようになり，各々の患者がどの遺伝子に変異をもつかによって行うべき管理指針が示された（表31）[7]．

❖ 文献

1) Lenders JW, et al.：Pheochromocytoma and paraganglioma：an endocrine society clinical practice guideline. *J Clin Endocrinol Metab* 99：1915-1942, 2014
2) 日本内分泌学会（編）：褐色細胞腫・パラガングリオーマ診療ガイドライン2018．日内分泌会誌94(Suppl.)：1-87, 2018
3) 大楠崇浩：褐色細胞腫—ER・ICUにおける診断と治療．*Intensivist* 7：631-644, 2015
4) Ilias I, et al.：A Bayesian look at the new 2019 guidelines for imaging of pheochromocytoma/paraganglioma with emphasis on extra-adrenal disease. *Hell J Nucl Med* 22：142, 2019
5) Mazza A, et al.：Anti-hypertensive treatment in pheochromocytoma and paraganglioma：current management and therapeutic feature. *Endocrine* 45：469-478, 2014
6) Pham TH, et al.：Pheochromocytoma and paraganglioma in children：a review of medical surgical management at a tertiary care center. *Pediatrics* 118：1109-1117, 2006
7) Favier J, et al.：Paraganglioma and phaeochromocytoma：from genetics to personalized medicine. *Nat Rev Endocrinol* 11：101-111, 2015

〈内木康博〉

第8章 甲状腺疾患

A 甲状腺の発生・分化

1) 甲状腺器官形成

甲状腺は由来の異なる二系統の組織，すなわち甲状腺ホルモン産生細胞(甲状腺濾胞細胞)とカルシトニン(CT)産生細胞(C細胞)の融合により形成される．甲状腺濾胞細胞は，舌根部付近に生じる内胚葉細胞に由来する(正中原基)．C細胞は，左右一対の鰓後体に由来する細胞であり，その起源は神経堤細胞である(側方原基)．正中原基と側方原基は，それぞれのもとの位置から移動し，最終的な甲状腺の位置で融合する．融合過程でそれぞれの原基の形状は喪失し，それぞれの細胞は混ざり合い，単一器官としての甲状腺を形成する．この過程を経て，蝶ネクタイのような独特なマクロ構造をとる．甲状腺濾胞細胞が甲状腺濾胞を形成するのは，このような解剖学的な発生過程が終了した後である．

甲状腺濾胞とは，単層の甲状腺濾胞細胞が中空球状に配置することにより形成される三次元構造である．甲状腺濾胞は甲状腺ホルモンの原材料を貯蔵する場であると同時に，甲状腺ホルモン合成反応の一部を行う場ともなっており，甲状腺ホルモン供給の物流センターの役割をはたしている．なお，C細胞は濾胞と濾胞の間隙に分散して存在する．

甲状腺の器官形成過程はおもにマウスで精力的に解析されている．以下は特に断りのない限り，マウスの知見に基づく記載である．甲状腺は前腸内胚葉に由来する器官であるが，ほかに肺，肝臓，膵臓が同様の由来をもつ(図1)．肺，肝臓，膵臓の初期器官形成過程が精力的に研究されているのに対し，甲状腺発生の研究は遅れをとっている印象は否めない．しかし，モルフォゲン濃度依存的な分化プログラムの制御や，中胚葉組織との相互作用など，前腸内胚葉由来器官に共通した分子機構が想定されており，甲状腺発生機構を理解するうえで，前腸内胚葉全体の発生過程の理解も重

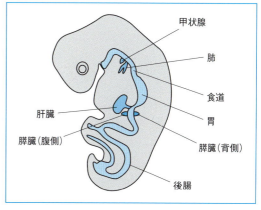

図1 前腸内胚葉に由来する器官(甲状腺，肺，肝臓，膵臓)

要である．甲状腺器官形成過程(図2)は，他の内胚葉由来器官と同様，一群の細胞集団を甲状腺分化へと運命づけ，甲状腺濾胞細胞の形質獲得に向け「分化のスイッチを入れる」ことではじまる．この最初期過程を発生生物学用語で決定(specificationもしくはdetermination)とよぶ．甲状腺原基が識別可能となる最初の変化は，原始咽頭の腹側壁における前腸内胚葉上皮の肥厚である(マウス胎生8.5日)．このような区画された細胞層の肥厚は，初期器官形成過程に共通のイベントであり，器官形成過程の持続に必要なシグナルの生成に関連した構造と考えられている．分子レベルでは，Pax8，Nkx2-1，Foxe1などの甲状腺転写因子群の発現により周囲組織と区別される．その後この正中部肥厚は厚み(深さ)を増し，胎生9.5日には内胚葉層からの分離をはじめる．

このような甲状腺初期発生の分子機序については不明な点が多いが，遺伝子改変ゼブラフィッシュおよび遺伝子改変マウスでの検討から，甲状腺原基近傍の中胚葉から分泌されるFgf8が役割をはたすと考えられている[1]．中胚葉と内胚葉の相互作用の観点では，心臓中胚葉の近傍に位置する腹側咽頭内胚葉が心筋細胞の決定，分化に影響することが知られている．一方，

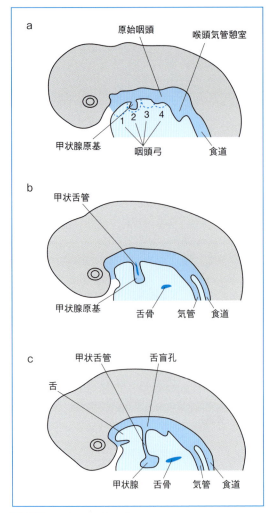

図2　甲状腺の初期発生
a：甲状腺原基の出現，b：移動の開始，甲状舌管の形成，c：舌盲孔の形成，甲状舌管の消失

発生中の心臓が甲状腺形成に影響を及ぼすことを示唆する研究もある．疫学的にも，甲状腺形成異常患者に先天性心疾患の合併頻度が高いことが知られている[2]．なお，甲状腺は通常右葉が左葉よりも大きく非対称な形状をとるが，右胸心ではその関係が逆転するとされている．甲状腺形成にかかわる何らかのシグナルが心臓原基から送られているのではないかと推測されている．

胎生9.5日，陥入をはじめた甲状腺原基は，増殖しながら周囲の中胚葉組織へ侵入する．胎生10日にはフラスコ様形状となり，その後に憩室状に変化する．咽頭床のかつて甲状腺原基が位置した部位には小さい孔が残り（舌盲孔），移動中の甲状腺原基と交通している（甲状舌管）．胎生11.5日には甲状舌管は消失し，甲状腺と咽頭床の交通はなくなる．この時期，甲状腺は側方へと拡張するようになる．胎生15日に甲状腺原基は最終的な位置に到達し，気管の腹側に接する位置をとる．

甲状腺の移動を制御する分子機構については大部分不明である．甲状腺特異的転写因子の一つであるFoxe1のノックアウトマウスでは甲状腺原基の移動異常（異所性甲状腺）が起きるため，甲状腺移動は周辺組織のリモデリングなどによる受動的過程ではなく，甲状腺細胞そのものが関与する能動的過程と考えられている．

マウス胎生15～16日になると両葉，および両葉間を結ぶ峡部といった甲状腺の全体構造は明瞭となり，成体期の甲状腺の形態と同様になる．胎生15.5日には組織学的には甲状腺濾胞およびC細胞が観察されるようになる．

2）組織学的分化

甲状腺の形態形成が完了するヒト胎生11週頃になると機能的・組織学的分化がはじまり，甲状腺濾胞が形成されるようになる．濾胞形成の程度は組織学的分化の指標と認識されており，分化が進むにつれ濾胞が成長し，径が大きくなる．なお，ヒトでは，濾胞径の増大が成人期に至るまで続くことが知られている[3]．

濾胞が成長すると同時に，甲状腺ホルモン合成に必要な分子群［Na^+/I^-シンポーター（Na^+/I^- symporter：NIS），サイログロブリン，甲状腺ペルオキシダーゼなど］の発現量が増加し，甲状腺ホルモンが合成されるようになる．ヒト胎児甲状腺標本を用いた免疫組織化学による検討では，これらの甲状腺特異的分子のなかではサイログロブリンが最も早く胎生7週には検出可能となる[4]（図3）[5]．また，NISは胎生11週の時点では細胞質内にとどまるが，胎生15週になると甲状腺細胞基底面に限局する成熟した発現パターンをとるようになる．

3）甲状腺転写因子の役割

a．Nkx2-1

胎生期，Nkx2-1は中枢神経（視床下部，漏斗，下垂体前葉），肺（気管上皮，肺上皮），甲状腺（甲状腺濾胞細胞，C細胞）に発現する．Nkx2-1ノックアウトマウスは前脳と肺の重度の形態形成異常をおもな表現型とするが，下垂体と甲状腺も欠損する．Nkx2-1ノックアウトマウスの詳細な検討では，発生過程で甲状腺原基は出現するものの，胎生10日にはすでに甲状腺原基のサイズが小さく，その後に消失する．鰓後体も類似した時間経過で消失する．以上から，Nkx2-1は甲状腺分化の決定に必須ではないが，甲状腺濾胞細胞とC細胞

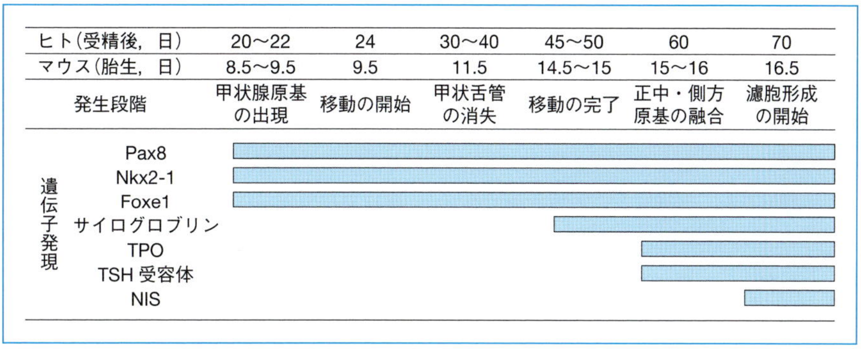

ヒト（受精後，日）	20〜22	24	30〜40	45〜50	60	70
マウス（胎生，日）	8.5〜9.5	9.5	11.5	14.5〜15	15〜16	16.5
発生段階	甲状腺原基の出現	移動の開始	甲状舌管の消失	移動の完了	正中・側方原基の融合	濾胞形成の開始

遺伝子発現: Pax8, Nkx2-1, Foxe1, サイログロブリン, TPO, TSH受容体, NIS

図3 甲状腺の発生段階と遺伝子発現パターン

〔Fernández LP, et al.：Thyroid transcription factors in development, differentiation and disease. *Nat Rev Endocrinology* 11：29-42, 2015 より引用一部改変〕

の初期の生存に必要と考えられる．また，器官形成途中からNkx2-1を欠乏する時間制御的ノックアウトマウスにおいて甲状腺濾胞サイズの小型化を認めたことから，Nkx2-1は組織学的分化過程においても役割をはたすと考えられる．

b. Pax8

胎生期，Pax8は甲状腺と腎に発現する．腎では，形成初期に腎形成索，中腎細管に発現し，その後，後腎皮質に発現する．甲状腺では，甲状腺濾胞細胞において，甲状腺分化決定直後から成体期まで発現する．Pax8ノックアウトマウスでは，甲状腺原基が形成され移動も開始するが，胎生12日には甲状腺濾胞細胞は同定不可能となる．出生したマウスの甲状腺はほぼC細胞のみで構成される．PAX8変異をもつヒト甲状腺濾胞細胞の病理学的観察から，Pax8もNkx2-1と同様，器官形成初期の甲状腺濾胞細胞の生存だけでなく，後期の分化過程（組織学的分化）においても役割をはたすと考えられる．

c. Foxe1

胎生期，Nkx2-1とPax8が甲状腺原基特異的に発現するのと対照的に，Foxe1は甲状腺，舌，喉頭蓋，口蓋，後鼻孔，食道など喉頭と咽頭弓で広範囲に発現する．Foxe1ノックアウトマウスは重度の口蓋裂と甲状腺形成異常（甲状腺無形成もしくは異所性甲状腺）を呈し，出生48時間以内に死亡する．甲状腺原基は胎生8.5日の分化決定は正常であるが，胎生9.5日においても咽頭床にとどまっており，正常に移動を開始できないと考えられる．その後，甲状腺濾胞細胞は消失するか，舌下部に小さな遺残物として残るのみとなる．以上から，マウスではFoxe1は甲状腺分化決定には関与しないが，移動開始に関与すると推測される．なお，機能低下型FOXE1変異保有ヒト患者の甲状腺形態は典型的には高度な甲状腺低形成である．遺伝子改変マウスの知見をヒトの病態にどこまで外挿できるかについては注意が必要である．

❖ 文献

1) Lania G, et al.：Early thyroid development requires a Tbx1-Fgf8 pathway. *Dev Biol* 328：109-117, 2009
2) Olivieri A, et al.：A population-based study on the frequency of additional congenital malformations in infants with congenital hypothyroidism：data from the Italian Registry for Congenital Hypothyroidism(1991-1998). *J Clin Endocrinol Metab* 87：557-562, 2002
3) Brown RA, et al.：Histometry of normal thyroid in man. *J Clin Pathol* 39：475-482, 1986
4) Szinnai G, et al.：Sodium/iodide symporter(NIS) gene expression is the limiting step for the onset of thyroid function in the human fetus. *J Clin Endocrinol Metab* 92：70-76, 2007
5) Fernández LP, et al.：Thyroid transcription factors in development, differentiation and disease. *Nat Rev Endocrinology* 11：29-42, 2015

（鳴海覚志）

B 甲状腺ホルモンの産生・代謝・作用

生体のあらゆる代謝に関与する甲状腺ホルモンの産生・分泌は，視床下部－下垂体－甲状腺系において厳密に制御されている．視床下部室傍核で合成されたTRHは下垂体門脈を介して下垂体前葉のTSH産生細胞を刺激して，TSH産生・分泌を促進する．TSHは甲状腺濾胞細胞を刺激して甲状腺ホルモンの合成・分泌を促進し，分泌された甲状腺ホルモンはフィードバック機構を介して視床下部のTRHおよび下垂体のTSH合成・分泌を抑制する．

II 各論

甲状腺ホルモン合成過程は複雑で，TSHシグナル伝達・無機ヨウ素輸送・ヨウ素有機化・ヨウ素再利用などが多くの輸送体・酵素により担われている．したがって，どの合成過程の障害においても甲状腺機能低下症が生じる．血中に分泌された甲状腺ホルモンは結合蛋白と結合して輸送され，肝臓などの末梢組織で脱ヨウ素酵素により生理作用をもつ活性型に変換される．そして，標的組織の細胞内に取り込まれ，核内受容体を介して標的遺伝子の発現を調節する．

1）甲状腺ホルモンの産生

a．TSHのシグナル伝達（図4）

下垂体前葉のthyrotrophから分泌されるTSHは甲状腺濾胞細胞膜上にあるTSH受容体（TSHR）に結合する．TSHRは764アミノ酸からなる7回膜貫通型のG蛋白共役型受容体であり，長い細胞外ドメインを有している．甲状腺濾胞細胞の分化・増殖・甲状腺ホルモン合成・甲状腺ホルモン分泌にかかわるTSH作用を伝達する役割を担っている[1]．TSH結合によりTSHRはGsおよびGq蛋白を介してアデニル酸シクラーゼおよびホスホリパーゼC（phospholipase C：PLC）とカップリングし，cAMPおよびホスファチジルイノシトール4,5-二リン酸（phosphatidylinositol 4,5-bisphosphate：PIP_2）が細胞内に増加し細胞機能を活性化する．cAMP系シグナルはホルモン分泌と濾胞細胞の分化・増殖・ヨウ素取り込みに，PIP_2系シグナルはヨウ素有機化などのホルモン合成にそれぞれ関与する．なお，高濃度のTSH存在下ではおもにGq蛋白を介してPLCを活性化するとされる．

b．ヨウ素輸送（図5）

甲状腺ホルモンはヨウ素を構造のなかに含む唯一のホルモンであり，その合成過程でヨウ素は不可欠である．1層の濾胞上皮細胞に囲まれた特有な構造を有する甲状腺濾胞細胞は，血中から濾胞細胞へのヨウ素取り込みとともに上皮細胞から濾胞腔へのヨウ素放出も担う．ヨウ素取り込みを担う蛋白はNa^+/I^-シンポーター（Na^+/I^- symporter：NIS）であり，後者のヨウ素放出を担う蛋白はペンドリン（PDS）である[2]．

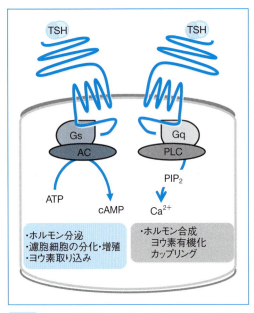

図4　TSH受容体を介するシグナル伝達と作用

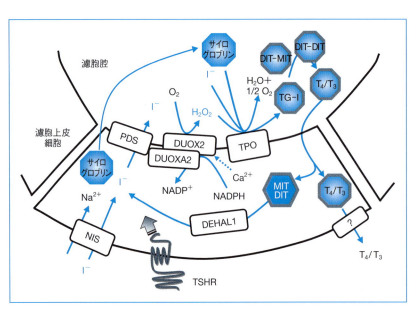

図5　甲状腺濾胞細胞における甲状腺ホルモン合成

NIS蛋白は618アミノ酸よりなる約90 kDの13回膜貫通構造を有しており，甲状腺以外にも唾液腺などに発現が認められる．甲状腺濾胞細胞のbaso-lateral membrane上に局在しTSHにより発現が誘導され，過剰のヨウ素ではNIS発現が低下する．NISは血中から少なくとも2個以上のナトリウム（Na）と1個のヨウ素を取り込むとされる．

PDS蛋白は780アミノ酸からなる86 kDの膜蛋白である．甲状腺濾胞細胞のapical membraneとともに内耳・尿細管などに発現が認められる．甲状腺濾胞細胞ではCl^-/I^-交換体，内耳ではリンパ液量の調節，腎ではHCO_3^-放出を担っているとされる．

c. ヨウ素有機化（図5）

濾胞細胞に取り込まれた無機ヨウ素は，濾胞細胞の濾胞腔に接する領域で甲状腺ペルオキシダーゼ（thyroid peroxidase：TPO）によりサイログロブリンのチロシン残基上に有機化されて保存される．この過程に必要なH_2O_2は濾胞腔側細胞膜に存在するNADPHオキシダーゼファミリーに属するdual oxidase 2（DUOX2）蛋白により合成・放出される[2]．また，DUOX2の活性化には成熟因子であるDUOX2 activating factor（DUOXA2）が必須である．

サイログロブリンは甲状腺濾胞細胞のみで作られる66 kDの糖蛋白であり，生合成されたサイログロブリンは濾胞腔内に放出され甲状腺ホルモン合成に重要な役割を担う．一方，TPO蛋白は933アミノ酸からなるヘム蛋白であり，無機ヨウ素酸化・サイログロブリンのチロシン残基に付加〔monoiodityrosine（MIT）とdiiodotyrosine（DIT）合成〕・ヨウ素化チロシン残基の縮合（カップリング）によりT_4とT_3を産生する．TPOは自己免疫性甲状腺疾患で検出されるマイクロゾーム抗体が認識する主要な自己抗原でもある．

d. ヨウ素再利用（図5）

濾胞細胞内リソゾームにおいて蛋白分解酵素によりサイログロブリンから離脱されたT_3とT_4が血中に放出されるが，この詳細な機構は不明である．ヨウ素化チロシン（MIT，DIT）もサイログロブリンから分離されるが，ごく微量が血流に達するだけである．これらは濾胞細胞内のiodothyrosine dehalogenase（DEHAL1）により脱ヨウ素化され，遊離したヨウ素は甲状腺内で再利用される[3]．

2）甲状腺ホルモンの作用

a. 甲状腺ホルモン輸送

T_3とT_4は甲状腺ホルモン結合蛋白と結合され血中を輸送される．おもな結合蛋白は，全体の約75%を占めるT_4結合グロブリン（throxine binding globulin：TBG），T_4結合プレアルブミン（トランスサイレチン；transthyretin：TTR），およびアルブミンである．末梢組織で甲状腺ホルモン作用を発揮するFT_4，T_3は，それぞれ血清総T_4の約0.03%，血清総T_3の0.3%である．血清総T_4高値にもかかわらずTSHが基準値内の場合には，異常アルブミン血症・TTR異常症を疑う．

b. 甲状腺ホルモン活性化・不活性化（図6）

甲状腺からおもに分泌される甲状腺ホルモンはT_4であるが，標的組織で生理活性を有するT_3へ変換する5'脱ヨウ素酵素（iodothyronine deiodinase：DIO）が必要である．この酵素には1型（DIO1）と2型（DIO2）があり，それぞれ肝・腎と下垂体－中枢神経系に発現している[4]．DIO1のおもな役割は血中のT_3濃度の維持であり，甲状腺機能低下状態では活性が低下する．T_4からT_3への変換とともに3,3',5'trioidothyronine（reverse T_3：rT_3）から3,3'diiodothyronine（T_2）へ変換するが，5'脱ヨウ素反応によりT_4からrT_3およびT_3からT_2への不活化反応も担う．一方，DIO2は5'脱ヨウ素反応のみを行い，甲状腺機能低下状態では活性が上昇する．プロピルチオウラシル（propylthiouracil：PTU）によりDIO1活性は阻害されるが，DIO2は影響を受けない．

甲状腺ホルモンの不活性化にかかわる酵素は3型脱ヨウ素酵素（DIO3）であるが，中枢神経・皮膚・胎盤などに存在して5'脱ヨウ素反応によりT_4をrT_3に，T_3をT_2にそれぞれ変換する．甲状腺機能亢進状態では活性が低下，機能低下状態では活性が上昇し，中枢神経を過剰なT_3から防御している．〔以上の3種類のDIOはまれなアミノ酸であるセレノシスチンを活性中心に有する．〕

c. 甲状腺ホルモン作用（図7）

①作用機構

核内受容体ファミリーに属する甲状腺ホルモン受容体（thyroid hormone receptor：TR）にはαとβの2種類

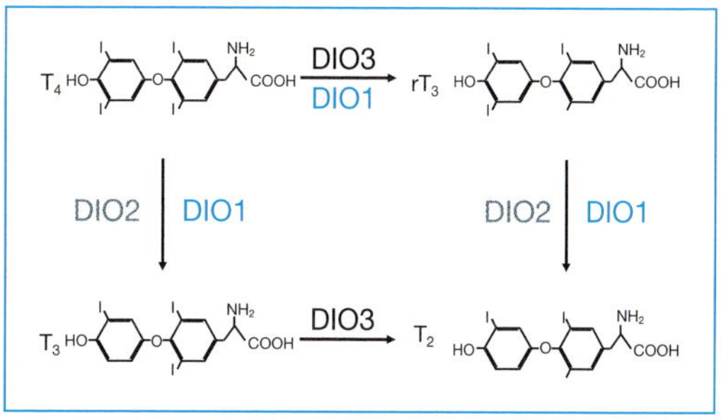

図6 脱ヨウ素酵素による甲状腺ホルモン活性化・不活性化

DIO1：type 1 iodothyronine deiodinase
DIO2：type 2 iodothyronine deiodinase
DIO3：type 3 iodothyronine deiodinase

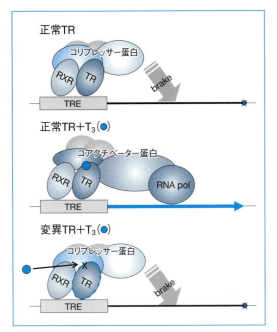

図7 甲状腺ホルモン受容体（TR）による標的遺伝子の発現調節

表1 甲状腺ホルモンの標的臓器と主要TR

標的臓器	TR	TRA異常症の表現型
視床下部－下垂体－甲状腺系	$β2+β1≫α$	正常
肝臓	$β>α$	SHBG高値
中枢神経系	$α≫β$	認知・運動障害
心臓	$α≫β$	徐脈
骨	$α≫β$	成熟障害・異形成
筋肉	$α≫β$	基礎代謝低下
腸管	$α≫β$	便秘

のアイソフォームがあり，スプライシングの違いからTRα1, 2およびβ1, 2が生じる．TRβはT₃の標的臓器である肝・脳などに分布するが，心臓ではTRαが優位とされる．TRの構造はA/B, C, D, E/Fの四つのドメインからなり，CドメインはDNA結合領域を，Dドメインは核移行シグナルを，E/Fドメインはホルモン結合をそれぞれ担う．

核内に移行したTRは核内受容体であるレチノイドX受容体（retinoid X receptor：RXR）とヘテロ二量体を形成して標的遺伝子のプロモーター上のT₃応答配列（T₃ response element：TRE）とよばれる特異的塩基配列に結合する．T₃がTRに結合していないときには，TRはT₃によって正に調節される標的遺伝子を抑制している（サイレンシング作用），これにはコリプレッサーとよばれるコファクター蛋白が関与している[5]．TRがT₃と結合するとコリプレッサーが解離し，転写活性を促進するコアクチベーター蛋白がよび込まれてTRと会合する．コリプレッサーはヒストンの脱アセチル化酵素を，コアクチベーターはヒストンのアセチル化酵素を有している．このように，T₃はTRを介する複雑な機構で標的遺伝子の転写を制御している．

②脳の発達・機能維持作用

T₄はおもに血液脳関門（blood-brain barrier：BBB）に存在する有機陰イオントランスポーター群（organic anion transporting polypeptide：Oatp）を介してアストログリアに取り込まれる[6]．ここでDIO2によりT₃に変換されmonocarboxylate transporter 8（MCT8）によりニューロンに移行，そしてTRに結合して中枢神経におけるT₃作用が発揮される．

③成長促進作用

成長期における甲状腺ホルモン不足は軟骨内骨化・膜内骨化の遅延および骨端軟骨板（成長板）の形成不全により成長障害・骨年齢遅延をもたらす．こうした骨成長の遅延は，甲状腺ホルモンの直接作用とともにGH-IGF-Ⅰ系の作用不全を介する．一方，甲状腺ホルモン過剰は骨端線の早期閉鎖，頭蓋骨早期癒合症をきたす．

④エネルギー代謝不活作用

甲状腺ホルモンは酸素消費を増加させてエネルギー代謝を亢進させる作用をもつ（熱産生作用）．このおもな機序は，電解質勾配維持機構とミトコンドリアにおけるuncouplingである．前者は$Na^+-K^+-ATPase$活性亢進を，後者は褐色脂肪細胞のミトコンドリア内膜における熱産生を亢進させる．

⑤最新知見（表1）

2012年にTRA遺伝子異常症が報告されたが，その表現型はTRβによる甲状腺ホルモン不応症と異なり，低身長，骨成熟不全，発達遅滞，徐脈，そして重症便秘症を呈した．両者の表現型の差異から，甲状腺ホルモン作用をはたす主要なTRは標的臓器によって異なることが証明された[7]．

3）甲状腺機能検査（表2）[8]

血清TSHの基準値は1歳までわずかな変動を認めるが，1歳以降では大きな変化はなくなる．小児期のFT₃基準値の上限は成人よりも高値を示すが，FT₄の基準値は全年齢を通じてほぼ一定である[8]．FT₄, FT₃の測定法は複数あり，それぞれ基準値が異なることを知っておく必要がある．

表2 検査項目別・年齢別の基準値

	男性		女性	
TSH (μU/mL)	0〜1か月	1.1〜6.3	0〜1か月	1.1〜56.3
	2か月	1.0〜5.6	2か月	1.0〜5.6
	3〜4か月	0.8〜4.8	3〜4か月	0.8〜4.8
	5か月	0.7〜4.3	5か月	0.7〜4.3
	6〜9か月	0.6〜3.7	6〜9か月	0.6〜3.5
	10〜11か月	0.6〜3.5	10〜11か月	0.6〜3.5
	1〜6歳	0.6〜3.5	1〜13歳	0.5〜3.5
	7〜14歳	0.7〜3.6	14〜15歳	0.4〜2.9
	15〜18歳	0.5〜3.0	16〜17歳	0.5〜3.0
FT$_3$ (pg/mL)	0〜11か月	1.8〜4.7	0〜11か月	1.8〜4.7
	1〜7歳	1.8〜4.7	1〜5歳	1.8〜4.7
	8〜14歳	1.9〜4.9	6〜14歳	1.9〜4.9
	15〜18歳	1.8〜4.7	15〜17歳	1.7〜4.7
	19歳〜	2.1〜3.8	18歳〜	2.1〜3.8
FT$_4$ (ng/dL)	0〜11か月	0.89〜1.53	0〜11か月	0.89〜1.53
	1〜18歳	0.89〜1.53	1〜13歳	0.89〜1.53
	19歳〜	0.82〜1.50	14〜18歳	0.83〜1.42
			19歳〜	0.82〜1.50

・測定法/TSH：IRMA，FT$_3$：RIA(固相法)，FT$_4$：RIA(固相法)
[小児基準値研究班(編)：内分泌学的検査 甲状腺．日本人小児の臨床検査基準値．日本公衆衛生協会，1997]

❖ 文献

1) Vassart G, et al.：The thyrotropin receptor and the regulation of thyrocyte function and growth. *Endocr Rev* 13：596-611, 1992
2) Bizhanova A, et al.：Minireview：The sodium-iodide symporter NIS and pendrin in iodide homeostasis of the thyroid. *Endocrinology* 150：1084-1090, 2009
3) Moreno JC, et al.：Mutations in the iodotyrosine deiodinase gene and hypothyroidism. *N Engl J Med* 358：1811-1818, 2008
4) St Germain DL, et al.：Minireview：Defining the roles of the iodothyronine deiodinase：current concepts and challenge. *Endocrinology* 150：1097-1107, 2009
5) Mahajan MA, et al.：Nuclear hormone receptor coregulator：role in hormone action, metabolism, growth, and development. *Endocr Rev* 26：583-597, 2005
6) Heuer H, et al.：Minireview：Pathophysiological importance of thyroid hormone transporters. *Endocrinology* 150：1078-1083, 2009
7) Schoenmarkers N, et al.：Resistance to thyroid hormone mediated by defective thyroid hormone receptor alpha. *Biochim Biophys Acta* 1830：4004-4008, 2013
8) 小児基準値研究班(編)：内分泌学的検査 甲状腺．日本人小児の臨床検査基準値．日本公衆衛生協会，1997

(鬼形和道)

C 先天性甲状腺機能低下症

1 原発性甲状腺機能低下症

1. 永続性先天性甲状腺機能低下症

本項における「ガイドライン」は特に断りのない限り日本小児内分泌学会「先天性甲状腺機能低下症マススクリーニングガイドライン(2021年改訂版)」[1]を指す．

1) 定義・概念

先天性甲状腺機能低下症のうち，乳児期以降も甲状腺ホルモン合成量低下が持続する病態を永続性先天性甲状腺機能低下症とよぶ．病因論的に極めて異質性(heterogeneity)の高い疾患単位であるが，一般的に甲状腺形態に基づき甲状腺形成異常(thyroid dysgenesis)と甲状腺ホルモン合成障害(thyroid dyshormonogenesis)に大別する．前者は，異所性甲状腺，甲状腺無形成，甲状腺低形成の三つを含み，いずれも甲状腺組織量の不足が甲状腺ホルモン合成量低下の原因である．後者は甲状腺ホルモン合成系を構成する分子の欠損により甲状腺ホルモン合成量が低下する病態であり，未治療であれば甲状腺腫を呈する．

新生児マススクリーニング導入以前は顕性永続性先天性甲状腺機能低下症のみが診断可能であり，そのような比較的重症例は甲状腺形成異常，甲状腺ホルモン合成障害のいずれかに分類できることが多かった．一方，スクリーニング導入後に診断可能となった比較的軽症例(サブクリニカル先天性甲状腺機能低下症)は甲状腺形態正常であることが多く，しばしば甲状腺形成異常，甲状腺ホルモン合成障害のいずれにも分類しがたい．

2) 病因・病態

a. 甲状腺形成異常

甲状腺形成異常の病因は大部分が不明である．一卵性双生児対の文献報告では，双生児2人ともが甲状腺形成異常であったのは13組中1組であり，12組では1人のみの罹患であった[2]．また，フランスにおける大規模観察研究では，甲状腺形成異常患者で家族歴のある者は2%と低頻度であった[3]．以上から，甲状腺形成異常の主病因は単一遺伝子異常以外であると考えられる．また，異所性甲状腺は女児において男児よりも高頻度に起こることが知られるが(男女比1：2〜3)，その機序は不明である．甲状腺無形成，甲状腺低形成では一定した男女差はない．

II 各 論

表3 甲状腺形成異常の責任遺伝子

遺伝子名	蛋白質名	甲状腺形態	遺伝形式	その他の特徴	有病率
PAX8	paired-box 8	低形成	常染色体顕性	まれに先天性腎尿路異常	1/180,000
NKX2-1	thyroid transcription factor-1	正常～低形成	常染色体顕性	新生児呼吸窮迫症候群，反復性下気道感染，舞踏病アテトーゼ（必発）	まれ
FOXE1	thyroid transcription factor-2	正常～低形成	常染色体潜性	口蓋裂，後鼻孔閉鎖，尖った毛髪	極めてまれ

表4 甲状腺ホルモン合成障害の責任遺伝子

遺伝子名	蛋白質名	^{123}I摂取率	パークロレイト試験	その他の特徴	有病率
TG	thyroglobulin	高値	陰性	血清サイログロブリン低値	1/70,000
TPO	thyroid peroxidase	高値	陽性		1/180,000
SLC5A5	sodium iodine symporter	低値	陰性	^{123}I唾液/血漿比低値，遅発症例あり	まれ
SLC26A4	pendrin	高値	陰性～陽性	感音難聴（必発），甲状腺機能正常例が多い	不明
DUOX2	dual oxidase 2	正常～高値	陰性～陽性	経時的改善	1/18,000
DUOXA2	dual oxidase maturation factor 2	正常～高値*	陽性*	経時的改善	極めてまれ
IYD	Iodotyrosine deiodinase	高値*	陰性*	遅発症例あり	極めてまれ

遺伝形式はいずれも常染色体潜性
*：例数が少なく信頼性不明

異所性甲状腺，甲状腺無形成における遺伝子変異検出の報告は極めて少ない．甲状腺低形成にかかわる遺伝子として，甲状腺に発現する三つの転写因子（PAX8，NKX2-1，FOXE1）の変異が報告されている（表3）．神奈川県で出生した患者コホートの研究では，PAX8変異の頻度は永続性先天性甲状腺機能低下症のうちの2%であり，一般人口約18万出生中1人の頻度と推定された[4]．NKX2-1変異の頻度はPAX8変異よりもさらに低く，FOXE1変異は世界で数例しか報告がない．

b．甲状腺ホルモン合成障害

甲状腺ホルモン合成障害は甲状腺ホルモン合成系を構成する分子の欠損により甲状腺ホルモンを合成できない病態の総称である．原則的に常染色体潜性遺伝の単一遺伝子異常であり，表4に示す七つの病型が知られる．病態には以下の共通した特徴がある．

①甲状腺腫：ネガティブフィードバックで上昇したTSHに反応し甲状腺細胞が増殖する．

②高サイログロブリン血症：甲状腺に組織学的異常（破壊など）がない場合，血清サイログロブリンレベルは甲状腺サイズを反映する．乳児期，治療前の甲状腺ホルモン合成障害患者の血清サイログロブリン値は通常1,000 ng/mL以上である（サイログロブリン欠損症を除く）．

③^{123}I摂取率高値：甲状腺ホルモン合成障害ではTSH作用で甲状腺へのヨウ素摂取が増加し，^{123}I摂取率高値となる（Na/I共輸送体欠損症を除く）．

3）臨床症候

長期無治療の重症先天性甲状腺機能低下症はいわゆるクレチン様顔貌（巨舌，眼間開離，鞍鼻，浮腫様の眼瞼と口唇）をとり，骨格症状（泉門閉鎖遅延，成長障害，筋緊張低下，筋肥大），神経症状（精神運動発達遅滞，小脳失調），徐脈，四肢浮腫など多彩な症状を呈する．しかし，マススクリーニングによる早期診断が確立した現在では，初診時に無症状か一部症状のみをもつ例が大半である．「ガイドライン」では，重症度評価のためチェックすべき症状として遷延性黄疸，便秘，臍ヘルニア，体重増加不良，皮膚乾燥，不活発，巨舌，嗄声，四肢冷感，浮腫，小泉門開大をあげている．その他，腹部膨満，低体温，呼吸障害などが新生児例で認められる．

イタリアでの観察研究では，甲状腺形成異常患者が他器官の形態異常を合併する頻度は健常対照の4倍であり，特に先天性心疾患が多いと報告されている[5]．

単一遺伝子異常による先天性甲状腺機能低下症の一部は，甲状腺外に合併症を有する症候性先天性甲状腺機能低下症である．NKX2-1変異における呼吸器症状と神経症状，Pendred症候群における感音難聴などが代表的である．

4）診断と検査法

マススクリーニングあるいは臨床症候から先天性甲状腺機能低下症が疑われた場合，甲状腺機能異常の有

無の確認とLT₄補充療法開始の必要性の判断が優先される．一方，前述したように先天性甲状腺機能低下症は極めて異質性の高い疾患単位であり，病因・病態により経過や合併症が異なるため，それらを意識した患者評価も重要である．

問診では，家族歴，特に母親の甲状腺疾患の有無が重要である．抗甲状腺薬や阻害型抗TSH受容体抗体（萎縮性甲状腺炎などでみられる）の経胎盤移行は一過性甲状腺機能低下症（**本章C-1-2.**参照）の原因となる．また，周産期のヨウ素曝露歴として，妊娠前・中のヨウ素含有造影剤使用の有無（胎児造影，造影CTなど），海藻類多食の有無，ヨウ素含有うがい薬多用の有無などを確認する．

先天性甲状腺機能低下症の診断は甲状腺機能検査（TSH，FT₄，FT₃の血清濃度測定）の結果をもとに行う．年齢別基準値（**本章B**参照）を参考に，TSH高値，甲状腺ホルモン低値～正常値である場合に原発性先天性甲状腺機能低下症と診断する．重症度の評価は，症状の有無，血清FT₄濃度（最重症＜0.40 ng/dL，重症0.40～0.69 ng/dL，中等症0.70～1.49 ng/dL），大腿骨遠位骨端核の骨化状態（骨端核が未出現～サイズ小の場合に重症と判断する），甲状腺超音波所見（甲状腺形成異常，甲状腺腫は重症と判断する）をもとに行う．

このほか，病因・病態を推測するために，血清サイログロブリン，抗TSH受容体抗体（TRAb），尿中総ヨウ素量を測定してもよい．サイログロブリンは甲状腺ホルモン合成障害とヨウ素曝露過剰で高値（1,000 ng/mL以上）をとり，甲状腺無形成とサイログロブリン欠損症で低値（10 ng/mL未満）をとる．甲状腺超音波検査は，甲状腺形成異常と甲状腺ホルモン合成障害のスクリーニングに有用である．甲状腺サイズの評価には年齢別基準値[6,7]が有用である．甲状腺ホルモン合成障害患者の甲状腺腫と高サイログロブリン血症は補充療法を開始するとマスクされるため，初期評価は治療開始前に行うのが原則である．ただし，検査未完了やデータ未報告を理由にLT₄補充療法の開始を遅らせるべきではない．

5）治療法

原発性先天性甲状腺機能低下症の診断後，①症状チェックリスト2項目以上，②大腿骨遠位端骨核未出現，③FT₄低値，④TSH 30 μU/mL以上のうち，一つ以上満たす場合，速やかにLT₄補充療法を開始する．「ガイドライン」ではLT₄初期投与量としてサブクリニカル例と中等症で3～5 μg/kg/日，重症例で10 μg/kg/日，最重症例で15 μg/kg/日を推奨している（いずれも分1投与）．治療開始後も定期的に甲状腺機能検査を行い，TSHを正常範囲内，FT₄を正常値の50%以上から正常上限に保つことを目標とする．

サブクリニカル例で経過観察を選択した場合も，遅発性TSH上昇や高TSH血症の遷延を想定して，1～2週後に甲状腺機能を再確認する．

6）管理と予後

LT₄補充療法を開始した場合，甲状腺ホルモンが中枢神経髄鞘化に必須とされる3歳までは治療継続が原則である．3歳以降は，漫然と治療継続するのではなく，一度休薬して病態を再評価すべきである（病型診断）．特に甲状腺ホルモン合成障害を疑う臨床像（甲状腺腫，高サイログロブリン血症）であった場合，DUOX2変異（後述）や周産期ヨウ素曝露過剰など，一過性の経過をとる病態も含まれるため，休薬再評価が望ましい．休薬プロトコールについては日本小児内分泌学会ガイドライン「パークロレイト放出試験の説明書」[8]を参照されたい．

病型診断では生化学的甲状腺機能検査（TSH，FT₄，FT₃，サイログロブリン）に加えてTRH負荷試験，^{123}Iシンチグラフィ，パークロレイト試験，^{123}I唾液/血漿比測定，甲状腺超音波検査を行う．パークロレイトはNa^+/I^-シンポーター（Na^+/I^- symporter：NIS）を介する甲状腺のヨウ素摂取を一過性に遮断する．甲状腺濾胞内のヨウ素がTPOの酵素作用を受けサイログロブリンに付加された（＝ヨウ素が有機化された）場合，ヨウ素摂取が遮断されても^{123}Iは甲状腺内にとどまる．一方，甲状腺濾胞へのヨウ素くみ出しあるいはサイログロブリンのヨウ素化そのものが障害される場合，ヨウ素摂取が遮断されると未固定の^{123}Iは甲状腺外へと拡散し，^{123}I摂取率低下として捉えられる（パークロレイト試験陽性）．このような病態を有機化障害と総称する．

甲状腺ホルモン合成障害として古くから知られてきたサイログロブリン欠損症（TG変異），TPO変異，NIS欠損症（SLC5A5変異）などは上記の病型診断で鑑別可能である．一方，経時的改善を特徴とするDUOX2変異は，病型診断時に検査成績が改善している場合が多く，診断困難である．現時点では，DUOX2変異の確定診断には遺伝子診断が必要である．

マススクリーニング導入以降，先天性甲状腺機能低下症患児の知能予後は大幅に改善したが，重症例に限ると成人期の知能指数は同胞と比べ約10低いとする報告が多い．重症例の知能予後のさらなる改善は，今後の重要課題の一つである．

7) 最新知見：先天性甲状腺機能低下症における単一遺伝子異常

わが国の永続性先天性甲状腺機能低下症患者の約20％は何らかの単一遺伝子異常を有する．以下，PAX8変異，NKX2-1変異，DUOX2変異，サイログロブリン欠損症（TG変異），TPO変異，NIS欠損症（SLC5A5変異），Pendred症候群（SLC26A4変異）の臨床的特徴を概説する．なお，TSH不応症（TSHR変異）については別項（**本章 H-3**）を参照されたい．

a．単一遺伝子異常による甲状腺形成異常

①PAX8変異

PAX8は器官形成初期から成人期まで甲状腺で発現しサイログロブリンやTPOなど甲状腺特異的分子群の発現を制御する．ヒトPAX8変異はこれまで約80例の文献報告がある．片アリル性の機能低下型変異で発症し，常染色体顕性遺伝を呈する．PAX8変異例の約70％は甲状腺低形成を伴う中等症から重症の甲状腺機能低下を示す．甲状腺形態に異常がなく機能低下も軽度な症例や甲状腺機能正常例（遺伝学的には不完全浸透）の報告もある．PAX8変異例では原則的に甲状腺外合併症を認めないが，先天性腎尿路異常（片側腎無形成など）を合併した家系の報告がある[9]．PAX8は胎児腎にも発現があり，変異が先天性腎尿路異常に関連した可能性がある．PAX8変異例では腎尿路系の超音波検査を行うことに一定の便益があると考えられる．

②NKX2-1変異

NKX2-1はマウスES細胞への単独発現で甲状腺分化マーカーを発現できることが知られる唯一の分子であり，最も転写誘導活性の高い甲状腺特異的転写因子と認識されている．NKX2-1変異の報告は70例以上があり，片アリル性の機能低下型変異により発症する（常染色体顕性遺伝）．変異例の甲状腺機能は多様性が大きいが，甲状腺機能正常から中等症の機能低下であることが多い．呼吸器症状（新生児呼吸窮迫症候群，反復性下気道感染症）は約50％の頻度でみられる．NKX2-1により発現制御されるサーファクタント構成蛋白質の欠乏が原因と考えられている．神経症状（舞踏病アテトーゼ）は必発の合併症であり，NKX2-1変異を疑ううえで重要な所見である．幼小児期には筋緊張低下，運動発達遅滞など非特異的に記載されることが多い．

b．単一遺伝子異常による甲状腺ホルモン合成障害

①DUOX2変異

DUOX2は甲状腺濾胞細胞濾胞面に発現する膜結合型の酵素であり，NADPH依存性に過酸化水素を供給する．この過酸化水素供給反応は甲状腺ホルモン合成系全体の律速段階とされる．DUOX2変異は先天性甲状腺機能低下症にかかわる単一遺伝子異常として最も頻度が高く，永続性先天性甲状腺機能低下症における頻度と一過性先天性甲状腺機能低下症における頻度を合算すると，18,000出生に1人の頻度と推定される[10]．DUOX2変異例の臨床的特徴は，臨床症候（甲状腺機能低下，甲状腺腫，高サイログロブリン血症）の経時的改善である．初診時にはTSH 50 μU/mL以上，サイログロブリン 1,000 ng/mL以上が通常であるが，病型診断時（幼児期以降）にはTSH，サイログロブリンとも正常から軽度高値となっていることが多い．MorenoらはDUOX2変異例が乳児期に有機化障害を示すことを報告したが[11]，幼児期以降にパークロレイト試験を行った場合は大部分が陰性である．遺伝的異常が生涯不変にもかかわらず経時的改善を示す機序は，①体重当たり甲状腺ホルモン需要量の経時的減少，②DUOX1による代償，の2点に基づくと考えられている．つまり，甲状腺細胞濾胞面における過酸化水素要求量が最大となる乳児期早期には機能低下が顕在化するが，過酸化水素要求量が低下する幼児期以降はDUOX1のみで供給をまかなえるため，十分量のホルモンが合成できるようになると考えられる．

加齢に伴い甲状腺腫と甲状腺機能低下が進行した症例が複数報告されている．頻度は不明であるが，甲状腺ホルモン需要が高い乳児期早期だけでなく，臓器予備能が低下する老齢期にも甲状腺機能低下が顕在化する可能性がある．

②サイログロブリン欠損症（TG変異）

サイログロブリンは甲状腺濾胞細胞が合成する蛋白質として最も豊富な分子である．サイログロブリン欠損症は巨大甲状腺腫にもかかわらず血清サイログロブリン低値（通常 10 ng/mL以下）を示す．サイログロブリン測定と超音波検査の両方を行うことにより新生児期でも診断可能である．サイログロブリン欠損症患者のフォローアップにおける最重要点は発癌リスクである．Hishinumaらの検討では巨大甲状腺腫のため切除適応となったサイログロブリン欠損症患者11人中7人で甲状腺分化癌を認めた[12]．変異サイログロブリン分子が細胞内に蓄積し，小胞体ストレスを介して発癌を誘発した可能性が指摘されている．乳児期から適切な補充療法を受けたサイログロブリン欠損症における発癌リスクは現時点で不明であるが，定期的な超音波検査が望ましいと考えられる．

③TPO変異

TPOは甲状腺濾胞細胞濾胞面に発現する1回膜貫通型蛋白質であり，DUOX2-DUOXA2複合体から供給さ

れる過酸化水素を利用しサイログロブリンヨウ素化反応（＝ヨウ素の有機化反応）を触媒する．TPO欠損症では無機ヨウ素をサイログロブリンに固定できず，典型的には完全有機化障害（パークロレイト放出率90％以上）を示す．低頻度ではあるが部分有機化障害の報告もある．

TPO変異においても甲状腺分化癌合併例の報告が散見される．DUOX2が供給した過酸化水素が利用されず，甲状腺濾胞細胞に酸化ストレスがかかるとの仮説が提唱されている．サイログロブリン欠損症と同様，定期的な超音波検査が望ましいと考えられる．TPOには人種特異的な遺伝子変異が存在する影響で，TPO変異例は日本人よりも白人でより高頻度にみられる．

④NIS欠損症（ヨウ素濃縮障害；SLC5A5変異）

NISは甲状腺濾胞細胞基底面に発現するヨウ素トランスポーターであり，甲状腺のヨウ素摂取に直接寄与する唯一の分子である．濃度勾配に応じたNaの自発的輸送と共役してヨウ素を能動輸送する．^{123}I摂取率はNIS活性を反映する臨床指標である．NIS欠損症では^{123}I摂取率は低値をとる．また，NISが唾液腺にも発現するため，^{123}I唾液/血漿比低下がみられる．

NIS欠損症にヨウ素過剰が併存すると，甲状腺ヨウ素摂取不良が緩和される場合がある．このため，マススクリーニング陰性となる例や思春期以降に甲状腺腫で診断される例が存在する．

⑤Pendred症候群（SLC26A4変異）

SLC26A4がコードするペンドリンは甲状腺濾胞細胞から甲状腺濾胞へのヨウ素くみ出しにかかわるトランスポーターである．Pendred症候群は1896年にはじめて記載された「最古の甲状腺ホルモン合成障害」であり，甲状腺腫と先天性感音難聴を二徴とする．Pendred症候群は甲状腺ホルモン合成障害に分類されるが，難聴が必発であるのに対し甲状腺腫は多様性が大きい．また，甲状腺機能低下症となる個体はさらにまれである．このことから，ペンドリン以外のヨウ素トランスポーターの存在が示唆されるが，詳細は不明である．有機化障害に分類され，パークロレイト試験陽性の場合もあるが，陰性でも否定できない．内耳の放射線学的所見（前庭水管拡張）が特徴的であり，側頭骨CT・MRIが診断上の参考となる．

❖ 文献

1) 日本小児内分泌学会マススクリーニング委員会，他：先天性甲状腺機能低下症マススクリーニングガイドライン（2021年改訂版）http://jspe.umin.jp/medical/files/guide20211027_3.pdf（2021年12月2日アクセス）
2) Perry R, et al.：Discordance of monozygotic twins for thyroid dysgenesis：implications for screening and for molecular pathophysiology. J Clin Endocrinol Metab 87：4072-4077, 2002
3) Castanet M, et al.：Nineteen years of national screening for congenital hypothyroidism：familial cases with thyroid dysgenesis suggest the involvement of genetic factors. J Clin Endocrinol Metab 86：2009-2014, 2001
4) Narumi S, et al.：Transcription factor mutations and congenital hypothyroidism：systematic genetic screening of a population-based cohort of Japanese patients. J Clin Endocrinol Metab 95：1981-1985, 2010
5) Olivieri A, et al.：A population-based study on the frequency of additional congenital malformations in infants with congenital hypothyroidism：data from the Italian Registry for Congenital Hypothyroidism（1991-1998）. J Clin Endocrinol Metab 87：557-562, 2002
6) Suzuki S, et al.：Systematic determination of thyroid volume by ultrasound examination from infancy to adolescence in Japan：the Fukushima Health Management Survey. Endocr J 62：261-268, 2015
7) Yasumoto M, et al.：Simple new technique for sonographic measurement of the thyroid in neonates and small children. J Clin Ultrasound 32：82-85, 2004
8) 日本小児内分泌学会マススクリーニング委員会，他：パークロレイト放出試験の説明書 http://jspe.umin.jp/medical/files/guide200411.pdf（2021年11月8日アクセス）
9) Carvalho A, et al.：A new PAX8 mutation causing congenital hypothyroidism in three generations of a family is associated with abnormalities in the urogenital tract. Thyroid 23：1074-1078, 2013
10) Abe K, et al.：Association between monoallelic TSHR mutations and congenital hypothyroidism：a statistical approach. Eur J Endocrinol 178：137-144, 2018
11) Moreno JC, et al.：Inactivating mutations in the gene for thyroid oxidase 2（THOX2）and congenital hypothyroidism. N Engl J Med 347：95-102, 2002
12) Hishinuma A, et al.：High incidence of thyroid cancer in long-standing goiters with thyroglobulin mutations. Thyroid 15：1079-1084, 2005

（鳴海覚志）

2. 一過性甲状腺機能低下症

1）定義・概念

先天性甲状腺機能低下症（congenital hypothyroidism：CH）スクリーニングの普及により，一過性甲状腺機能低下症（一過性高TSH血症を含む）が明らかになっているが，定義や病態などは定まっていないのが現状である．一般的に，新生児マススクリーニングの精査時に血清TSH高値とFT$_4$低値を示すが，その後無治療でも甲状腺機能の正常化が継続する場合を指す．

スクリーニング導入後，従来の典型的なCHのほか

に，一過性甲状腺機能低下症および軽症な CH と思われる病態が明らかになり，様々な呼称でよばれてきた．現行の「先天性甲状腺機能低下症マス・スクリーニングガイドライン（2014 年改訂版）」では，永続性 CH，サブクリニカル CH，一過性 CH と記載されている[1]．これらは，明確に区別できるものではなく，連続のスペクトラム上にあるものと考えられる．一過性 CH においても，形態学的な異常，あるいは何らかの甲状腺系に関与する遺伝子異常が存在することが明らかになっている[1]．わが国において CH スクリーニング陽性で LT_4 補充を行った 74 人の患者のうち，15 歳までに約 60％ が LT_4 補充を中止可能であったと報告されている[2]．また海外からの報告では，TSH 値のカットオフ値などが異なるために単純に比較できないが，マススクリーニング陽性であった児のおおよそ 20～40％ が一過性であったと報告されている[3,4]．

2）病因・病態

現在までに明らかになっている一過性甲状腺機能低下症の病因を表5に示す．

a. 母体の阻害型 TSH 受容体抗体[5,6]

母体中に存在する阻害型 TSH 受容体抗体（thyroid stimulation blocking antibody：TSBAb）の移行によって発症する．母体が Basedow 病から甲状腺機能低下に移行した症例，萎縮性甲状腺炎，慢性甲状腺炎（橋本病）の場合には，母体または児の TSBAb 検査をすることは，TSH 高値の原因究明や予後の予測に役立つ．母体の阻害型抗体活性と新生児の甲状腺機能低下の程度は相関するため，母体の抗体活性からの新生児の甲状腺機能の予測が可能である．新潟県における検討では母体の TSBAb による一過性 CH の発症頻度は 1/40,000 人と報告されている[6]．

b. 母体の抗甲状腺薬など[7]

母親に投薬された抗甲状腺薬が胎児にも移行し，一過性甲状腺機能低下症をきたすことがある．抗甲状腺薬の作用が低下するまで，数日間にわたり甲状腺機能低下症を呈する．また妊娠後期にコントロール不良な Basedow 病母体から出生した新生児に，一過性中枢性甲状腺機能低下症を認めることがある．これは，胎児期に過剰な甲状腺ホルモンに曝露された影響で，児の視床下部―下垂体―甲状腺系が一時的に抑制を受けるためと考えられている[8]．

c. ヨウ素の不足または過剰[9]

ヨウ素は不足でも過剰でも一過性甲状腺機能低下症をきたしうる．日本ではヨウ素欠乏はまれであるが，ヨーロッパなどで母体のヨウ素欠乏による一過性甲状腺機能低下症が知られており，特に早産児がリスク因

表5 一過性甲状腺機能低下症の病因

要因	機能低下の期間
ヨウ素不足	ヨウ素不足改善まで
ヨウ素過剰	ヨウ素過剰改善まで
母体由来の阻害型 TSH 受容体抗体	通常 3～6 か月まで
母体の抗甲状腺薬	数日
DUOX2/DUOXA2 異常症	数か月～数年
早産・低出生体重児	数か月
乳児肝血管腫	血管腫治療まで

子である[3]．

わが国では，ヨウ素過剰による一過性 CH の病態が知られている[9]．在胎 36 週以前の胎児は，ヨウ素に曝露された状況でも甲状腺へのヨウ素摂取を抑制できず，また，腎からのヨウ素排泄率も低いため，胎児はヨウ素過剰の影響を受けやすいと考えられている．ヨウ素過剰を起こしうるものとして，ヨウ素剤による消毒，卵管造影のときに使用する油性造影剤，ヨウ素を多く含む食品，調味料，含嗽薬があげられる．ヨウ素過剰により一過性 CH を発症するには，何らかの他の環境要因，遺伝要因の関与が想定されている[1]．

d. 単一遺伝子異常[10,11]

DUOX2 は，甲状腺内において無機ヨウ素を有機化する際に必要な H_2O_2 を産生する酵素である．DUOX2 遺伝子のホモ接合体および複合型ヘテロ接合体変異では永続性甲状腺機能低下症となり，ヘテロ接合体変異で一過性甲状腺機能低下症を呈すると報告されたが[10]，わが国から両アリルの機能喪失型変異でも多くは一過性甲状腺機能低下症をきたすことが報告されている[11]．また DUOXA2 遺伝子の両アリル機能喪失型変異により，一過性甲状腺機能低下症を呈することも報告されている．

e. 早産・低出生体重児[12]

早産児，低出生体重児では，一過性甲状腺機能低下症の頻度が多いことが報告されている[12]．また初回 TSH 値がカットオフ値以下であったにもかかわらず，後に CH と診断される TSH 遅発上昇型 CH が多い[13]．その発症頻度は 1/100～1/400 人程度と高率であり，その要因として視床下部―下垂体―甲状腺系のフィードバック機構の未熟性，ヨウ素曝露，ドパミンの使用，大量ステロイド投与などが考えられている[13]．TSH 遅発上昇型 CH の多くは一過性とされているが，永続性の症例もある．

3）臨床症候

一過性甲状腺機能低下症においても重症度は様々であり，臨床症候は永続性 CH と同様である．軽症例で

は，ほとんど症状を示さないが，重症例では活気不良，哺乳不良，皮膚乾燥，便秘などの症状をきたしうる．

4) 診断と検査法

母体の病歴や内服状況，ヨウ素過剰の有無などを問診する．尿中総ヨウ素，血清サイログロブリン値，甲状腺超音波，必要に応じて母体の甲状腺機能検査やTSH受容体抗体の検査は，一過性甲状腺機能低下症の判断に役立つ．

前述の一過性甲状腺機能低下症をきたしうる病因を認め，超音波検査で正所性甲状腺と診断されている症例については，適切な時期に再評価を行い，一過性か永続性かを判断する．通常は2～3歳以降に再評価することが明記されているが[1]，TSBAb陽性や早産・低出生体重児などの場合には，乳児期早期に再評価することもある．

再評価の方法としては，CHの病型診断に準じて，LT_4を1/4量に変更して4週継続し，約1週休薬して検査する方法[1]や，LT_4を1/2量に減量し4週継続して甲状腺機能検査を行い，異常がなければそのままLT_4を中止して4～6週後に検査する方法がある．

5) 治療法

たとえ一過性であっても乳児期早期の甲状腺機能低下症に対しては，早期のLT_4補充が必要であるが，同時に長期にわたる不要な治療を避ける必要がある．治療量については永続性CHと同様に開始するが，一過性の場合には体重増加とともにLT_4の増量が不要，または減量が必要になることもある．

6) 管理と予後

甲状腺機能低下症の期間については病因によって異なる（表5）．いずれにしても，過量投与にならないように乳児期は定期的に甲状腺機能検査を行うべきである．たとえ初診時に最重症の甲状腺機能低下症であってものちに甲状腺機能が正常化することがあり再評価が必要である．また乳児期の再評価でLT_4を中止できなくともDUOX2異常症などでは学童期で中止できる症例もあるため，LT_4補充の必要性に関しては適宜再評価が必要である[2]．

7) 最新知見

LT_4投与量により永続性か一過性かを予測する試みが各国より報告されている．わが国の検討では，1歳時のLT_4投与量が4.7 μg/kg/日以上だと永続性の可能性が高く，1.8 μg/kg/日未満だと一過性の可能性が高いことが報告されている[14]．

❖ 文献

1) Nagasaki K, et al.：Guidelines for mass screening of congenital hypothyroidism (2014 revision). *Clin Pediatr Endocrinol* 24：107-133, 2015
http://jspe.umin.jp/medical/files/CH_gui.pdf (accessed 2020-12-31)
2) Nagasaki K, et al.：Re-evaluation of the prevalence of permanent congenital hypothyroidism in Niigata, Japan: A retrospective study. *Int J Neonatal Screen* 7：27, 2021
3) Gaudino R, et al.：Proportion of various types of thyroid disorders among newborns with congenital hypothyroidism and normally located gland：a regional cohort study. *Clin Endocrinol (Oxf)* 62：444-448, 2005
4) Kanike N, et al.：Transient hypothyroidism in the newborn：to treat or not to treat. *Transl Pediatr* 6：349-358, 2017
5) Matsuura N, et al.：Familial neonatal transient hypothyroidism due to maternal TSH-binding inhibitor immunoglobulins. *N Engl J Med* 303：738-741, 1980
6) 長崎啓祐，他：先天性甲状腺機能低下症スクリーニング陽性者における母体の阻害型TSH受容体抗体の関与の検討．日本マス・スクリーニング学会誌 21：227-231, 2011
7) Cheron RG, et al.：Neonatal thyroid function after propylthiouracil therapy for maternal Graves' disease. *N Engl J Med* 304：525-528, 1981
8) Matsuura N, et al.：The mechanisms of transient hypothyroxinemia in infants born to mothers with Graves' disease. *Pediatr Res* 42：214-218, 1997
9) Nishiyama S, et al.：Transient hypothyroidism or persistent hyperthyrotropinemia in neonates born to mothers with excessive iodine intake. *Thyroid* 14：1077-1083, 2004
10) Moreno JC, et al.：Inactivating mutations in the gene for thyroid oxidase 2 (THOX2) and congenital hypothyroidism. *N Engl J Med* 347：95-102, 2002
11) Maruo Y, et al.：Transient congenital hypothyroidism caused by biallelic mutations of the dual oxidase 2 gene in Japanese patients detected by a neonatal screening program. *J Clin Endocrinol Metab* 93：4261-4267, 2008
12) Soulioti AM, et al.：Transient neonatal hypothyroidism in very low birthweight infants：is treatment necessary? *Lancet* 326：493-494, 1985
13) Woo HC, et al.：Congenital hypothyroidism with a delayed thyroid-stimulating hormone elevation in very premature infants：incidence and growth and developmental outcomes. *J Pediatr* 158：538-542, 2011
14) Itonaga T, et al.：Levothyroxine dosage as predictor of permanent and transient congenital hypothyroidism：A multicenter retrospective study in Japan. *Horm Res Paediatr* 92：45-51, 2019

（長崎啓祐）

2 中枢性（下垂体性，視床下部性）甲状腺機能低下症

1) 定義・概念

中枢性（下垂体性，視床下部性）甲状腺機能低下症は，下垂体からのTSHによる刺激が低下するため，甲状腺への作用が減弱して甲状腺ホルモンの合成および分泌が低下した状態と定義される[1]．視床下部や下垂体，あるいは両者の発生異常，機能的障害により生じ

ることから，従来は下垂体障害に起因する下垂体性甲状腺機能低下症と視床下部障害に起因する視床下部性甲状腺機能低下症に分類されていた．しかし，病態生理学的に両者の鑑別が困難であること，またTSHの量的低下だけでなく質的低下によっても甲状腺ホルモン分泌が低下することなどから，最近では両者をまとめて中枢性甲状腺機能低下症とよぶことが多い．

2) 病因・病態

中枢性甲状腺機能低下症のおもな原因を表6[1~3]に示す．先天性ならびに後天性を含めた中枢性甲状腺機能低下症の原因として過半数を占めるのが下垂体腫瘍であり，次いで頭蓋咽頭腫やRathke嚢胞，empty sellaなどの占拠性病変や血管障害があげられる．しかし，新生児マススクリーニングなどで発見された先天性中枢性甲状腺機能低下症は，中枢神経系の形成異常を合併したり，下垂体の発生にかかわる転写因子の遺伝子異常を認めたり，あるいは合併症を伴わない特発性の場合が大部分を占める．転写因子の遺伝子変異を有する症例では，他の下垂体前葉ホルモンの分泌不全も伴うことが多い[4]．

また，コントロール不良のBasedow病母体から出生した児に先天性中枢性甲状腺機能低下症がみられることがある．多くは一過性であるが，まれに永続性の機能低下症になる症例も報告されている[5]．

先天性中枢性甲状腺機能低下症の発症頻度に関しては，TSH，FT$_4$の同時測定によるマススクリーニングを施行しているオランダからは16,000人に1人[6]，わが国の一部自治体からも15,000～30,000人に1人[7,8]と報告されており，従来よりも高頻度であると考えられている．

3) 臨床症候

臨床症候は，原発性甲状腺機能低下症と同様に発育障害，不活発，皮膚乾燥，寒がり，四肢冷感，浮腫，便秘，嗄声などが認められるが，一般的に原発性よりは軽度とされている．しかし，ほかの下垂体前葉ホルモンの分泌不全を伴う場合には，障害されるホルモンにより臨床症候は異なる．特にGHやACTHの分泌不全を伴う場合には低血糖などに注意が必要である．

4) 診断と検査法

中枢性甲状腺機能低下症の多くはFT$_4$値が軽度低下し，TSH値は正常を示す．一方でTSHが軽度高値を示す例や経過中にFT$_4$とTSHがともに低値となる例もみられる．FT$_4$低値およびTSH値正常が持続する場合にはthyroxine binding globulin(TBG)欠損症との鑑別も必要である．甲状腺ホルモン以外の検査では，血清LDLコレステロールやクレアチンキナーゼ(CK)などが高

表6 中枢性甲状腺機能低下症の原因

1) 占拠性病変
   下垂体腫瘍，頭蓋咽頭腫，Rathke嚢胞，empty sella，転移性腫瘍
2) 血管障害
   下垂体卒中，くも膜下出血，Sheehan症候群
3) 医原性
   放射線療法，手術，薬剤(副腎皮質ホルモン，GH，ドパミン，レチノイドX受容体(RXR)アゴニストなど)
4) 頭部外傷
5) 自己免疫疾患
   リンパ球性下垂体前葉炎，自己免疫性多内分泌腺症候群
6) 感染症・浸潤性病変
   結核，トキソプラズマ症，梅毒，サルコイドーシス，Langerhans細胞組織球症(LCH)
7) Basedow病合併妊娠
   コントロール不良のBasedow病母体から出生した児
8) 遺伝子異常
   TSHB, TRHR, IGSF1, TBL1X, IRS4, POU1F1, PROP1, HESX1, LHX3, LHX4, SOX3, PITX2, OTX2
9) 特発性

〔山田正信，他：中枢性甲状腺機能低下症．日内会誌 99：720-725，2010/García M, et al.：Central hypothyroidism in children. *Endocr Dev* 26：79-107, 2014/Persani L：Central hypothyroidism：Pathogenic, diagnostic, and therapeutic challenges. *J Clin Endocrinol Metab* 97：3068-3078, 2012〕

値を示す．また，他の下垂体前葉ホルモン分泌不全の合併の評価には下垂体ホルモンの基礎値の測定に加えて種々の下垂体前葉ホルモン分泌刺激試験が行われる．なお，中枢性甲状腺機能低下症に対するTRH負荷試験の有用性については判定基準が報告者により異なることもあり，結論は出ていない．

その他の検査では，視床下部・下垂体の形状や中枢神経系の形成異常の有無を確認するうえでMRIが有用である．

5) 治療法

治療は甲状腺ホルモン薬(LT$_4$)による補充療法が基本である．初期投与量は原発性甲状腺機能低下症と同様でよく，維持量についてはFT$_4$値を基準範囲の上限1/2以内に保つことを指標にして調整することが推奨される．一般的に血清TSH値は治療効果の判定に使用できないが，0.5 μU/mLを超えている場合には治療が不十分である可能性を考慮する[9]．

また，複合型下垂体ホルモン欠損症，そのなかでもACTH分泌不全を伴う場合には，少なくとも1週間以上グルココルチコイドの補充を行ったあとでLT$_4$の補充療法を開始する．

6) 管理と予後

複合型下垂体ホルモン欠損症のなかでも特にACTH

分泌不全を伴う場合には，低血糖や副腎不全の管理が重要となる．また，GH分泌不全を合併する場合は，低血糖の注意に加え，T_4からT_3への変換障害を認めることがあるため，FT_4値を高めに保つことが推奨されている．なお，TSH値が正常範囲を下回ってもLT4の過剰投与の指標とならない点に留意すべきである．小児では成長と精神運動発達が年齢相当であることが管理目標となる．

7）最新知見

先天性中枢性甲状腺機能低下症のうち特にTSH単独欠損症の原因遺伝子としては，TSHβ異常症やTRH受容体（TRHR）異常症が知られており，さらに2012年にX連鎖性で精巣の腫大を伴うIGSF1異常症が報告された[10]．その後，2016年にTBL1X異常症および2018年にIRS4異常症が報告されている[11,12]．TBL1X遺伝子変異は，オランダのHeinenらにより家族性の感音性難聴を伴うTSH単独欠損症の6家系において初めて同定された[11]．X連鎖性潜性遺伝形式をとり，甲状腺機能低下症と難聴以外に注意欠陥多動性障害や胃腸障害などをきたす可能性も指摘されている．また，IRS4遺伝子変異は，同じくHeinenらによりX連鎖性のTSH単独欠損症の5家系における原因遺伝子として同定された．IRS4変異により下垂体のTRHニューロンにおけるレプチンシグナル伝達の障害をきたすと考えられる[12]．

❖ 文献

1) 山田正信，他：中枢性甲状腺機能低下症．日内会誌 99：720-725，2010
2) García M, et al.：Central hypothyroidism in children. Endocr Dev 26：79-107, 2014
3) Persani L：Central hypothyroidism：Pathogenic, diagnostic, and therapeutic challenges. J Clin Endocrinol Metab 97：3068-3078, 2012
4) Scoenmakers N, et al.：Recent advances in central congenital hypothyroidism. J Endocrinol 227：R51-R71, 2015
5) Kempers MJE, et al.：Loss of integrity of thyroid morphology and function in children born to mothers with inadequately treated Graves' disease. J Clin Endocrinol Metab 92：2984-2991, 2007
6) Kempers MJE, et al.：Neonatal screening for congenital hypothyroidism based on thyroxine, thyrotropin, and thyroxine-binding globulin measurement：potentials and pitfalls. J Clin Endocrinol Metab 91：3370-3376, 2006
7) Fujiwara F, et al.：Central congenital hypothyroidism detected by neonatal screening in Sapporo, Japan（2000-2004）：It's prevalence and clinical characteristics. Clin Pediatr Endocrinol 17：65-69, 2008
8) Adachi M, et al.：Mass screening of newborns for congenital hypothyroidism of central origin by free thyroxine measurement of blood samples on filter paper. Eur J Endocrinol 166：829-838, 2012
9) Beck-Peccoz P, et al.：Central hypothyroidism—a neglected thyroid disorder. Nat Rev Endocrinol 13：588-598, 2017
10) Sun Y, et al.：Loss-of-function mutations in IGSF1 cause an X-linked syndrome of central hypothyroidism and testicular enlargement. Nat Genet 44：1375-1381, 2012
11) Heinen CA, et al.：Mutationsin TBL1X are associated with central hypothyroidism. J Clin Endocrinol Metab 101：4564-4573, 2016
12) Heinen CA, et al.：Mutations in IRS4 are associated with central hypothyroidism. J Med Genet 55：693-700, 2018

（宮田市郎）

D 後天性甲状腺機能低下症

後天性甲状腺機能低下症の原因となる疾患を**表7**[1,2]に示す．橋本病については**本章E-①**を参照されたい．

1 頭蓋内病変による甲状腺機能低下症

1）定義・概念

腫瘍，炎症，外傷，頭蓋放射線照射により視床下部，下垂体障害をきたしTRH，TSH産生・分泌が低下し中枢性甲状腺機能低下症を生じる．下垂体腫瘍によるものが多い．TSHと他の前葉ホルモン障害を伴う場合と，TSH単独で障害される場合がある．後天性TSH単独欠損症は自己免疫的機序の関与が想定されているが頻度は少ない．

2）病因・病態

原因となる疾患を[1,2]に示す．下垂体前葉ホルモンのなかでGH，LH，FSHに次いで分泌障害をきたしやすい．

3）臨床症候

視床下部―下垂体腫瘍による場合，頭蓋内圧亢進症状，両耳側半盲のほかに，萎縮性甲状腺炎と同様の二次性の成長の停止（growth arrest）を認める．

4）診断と検査法

FT_4低値，TSH相対的低値．視床下部性ではTSHが5〜10μU/mL程度に上昇する場合があり，TRH負荷試験により原発性と鑑別する．中枢性ではTSHの日内変動が消失する（正常では夜間にピークを認める）ことも参考になる．

原疾患に応じた画像診断や各種下垂体前葉ホルモン負荷試験を行う．

5）治療法

原疾患の治療を行う．副腎皮質機能低下症を合併し

II 各 論

表7 後天性甲状腺機能低下症の原因

中枢性（下垂体性，視床下部性）甲状腺機能低下症			
A. 下垂体性，視床下部性組織の障害	①腫瘍		下垂体腺腫，頭蓋咽頭腫，髄膜腫，胚芽腫，神経膠腫，下垂体腫瘍の鞍上進展，転移性腫瘍，Rathke 嚢胞
	②外的因子		手術，放射線照射，頭部外傷
	③血管性		虚血性梗塞，下垂体卒中，Sheehan 症候群，出血，ショック，下垂体茎断裂，内頸動脈瘤，糖尿病
	④感染症		髄膜炎，膿瘍，結核，梅毒，トキソプラズマ，トリパノソーマ
	⑤浸潤性，肉芽腫性病変		サルコイドーシス，Langerhans 細胞組織球症（LCH），ヘモクロマトーシス
	⑥慢性リンパ球性視床下部下垂体炎		
B. TSH 生合成，放出の機能的障害	①後天性 TSH 単独欠損症（自己免疫？）		
	②薬剤		ドパミン，グルココルチコイド，甲状腺ホルモン離脱症候群，ベキサロテン抗腫瘍薬：合成レチノイド同族体
	③情緒障害		神経性食欲不振症，愛情遮断症候群
原発性（甲状腺性）甲状腺機能低下症			
A. 甲状腺組織の障害	①慢性甲状腺炎，萎縮性甲状腺炎		
	②可逆性自己免疫性甲状腺炎		無痛性甲状腺炎，産後甲状腺炎，サイトカイン誘発性甲状腺炎
	③甲状腺の手術，放射線治療		^{131}I，外照射ほか
	④浸潤性，炎症性病変		亜急性甲状腺炎，アミロイドーシス，サルコイドーシス，ヘモクロマトーシス，シスチン蓄積症
	⑤後天性免疫不全症候群（AIDS）		
	⑥甲状腺悪性リンパ腫		
	⑦たばこ，環境物質		
	⑧薬剤		インターフェロンα，リチウム，GnRH 誘導体，抗ヒト PD-1 抗体製剤
B. 甲状腺ホルモン成合成，放出障害	①ヨウ素欠乏，過剰摂取		
	②薬剤		抗甲状腺薬，リチウム，インターフェロン，アミオダロン，抗けいれん薬，経口血糖降下薬，抗結核薬，コバルト，パラアミノサリチル酸（PAS），化学物質，分子標的薬
C. 母体からの影響	①放射性ヨウ素摂取，子宮卵管造影，ヨウ素過剰摂取		
	②抗甲状腺薬		
	③甲状腺機能低下症，慢性甲状腺炎		
末梢性甲状腺機能低下症			
	①消耗性甲状腺機能低下症		
	②抗甲状腺ホルモン抗体		
	③薬剤		抗炎症薬，抗脂質代謝異常症薬，β遮断薬，抗結核薬

〔Nguyen CT, et al.：Primary hypothyroidism due to other causes. In：Braverman LE, et al.(eds), *Werner & Ingbar's The Thyroid：A Fundamental and Clinical Text*. 11th ed., Lippincott Williams & Wilkins, Philadelphia, 555-565, 2020/Persani L, et al.：Central hypothyroidism. In：Braverman LE, et al.(eds), *Werner & Ingbar's The Thyroid：A Fundamental and Clinical Text*. 11th ed., Lippincott Williams & Wilkins, Philadelphia, 566-574, 2020 より作成〕

ている場合は，副腎不全を誘発しないよう，副腎皮質ホルモン製剤を1～2週投与してから LT$_4$ 補充療法を行う．維持量の決定には TSH は指標とならず，FT$_4$，コレステロール，CK，身体所見を総合的に考慮する．

2 放射線性甲状腺機能低下症

1）定義・概念

放射線障害による晩発性甲状腺機能低下症は外部被ばくによるものと内部被ばくによるものとに分けられる．外部被ばくによるものには頭部外照射による中枢性甲状腺機能低下症と頸部外照射による原発性甲状腺機能低下症がある．内部被ばくによるものは，おもに^{131}I内照射による原発性甲状腺機能低下症である．

頭頸部癌，白血病などで外照射を受けた小児の30％で中枢性甲状腺機能低下症を，7％で原発性/中枢性の混合型甲状腺機能低下症をきたす[1]．Hodgkinリンパ腫などの治療目的に頸部外照射が行われた数か月後に一過性破壊性甲状腺炎をきたすことがある．

^{131}I内用療法後2週以内に急性〜亜急性放射線性甲状腺炎をきたす．内照射後，年3％の割合で甲状腺機能低下となり，10年後には約40％，20年後には約60％が晩発性甲状腺機能低下症となる．

2）病因・病態

外照射による甲状腺機能低下症については**各論第14章C**を参照されたい．

^{131}I内用療法後甲状腺炎は甲状腺組織破壊に伴う非特異的炎症と甲状腺ホルモン漏出による甲状腺中毒状態からなる．^{131}I内用療法による破壊を免れた甲状腺濾胞細胞が染色体に障害を受け分裂・増殖が阻害され，長期間経過後に甲状腺の予備能が低下し晩発性甲状腺機能低下症となる．

3）臨床症候

内照射後甲状腺炎は^{131}I内用療法後2週以内に頸部の自発痛，圧痛，咽頭痛，嚥下痛を呈する．

晩発性甲状腺機能低下症では甲状腺は萎縮する．

4）診断と検査法

放射線治療後定期的に甲状腺機能検査，超音波検査を行う．

5）管理と予後

LT$_4$補充療法を行う．放射線被ばくと自己免疫性甲状腺炎との関連を示唆する報告はない．

❖ 文献

1) Nguyen CT, *et al.*：Primary hypothyroidism due to other causes. In：Braverman LE, *et al.*(eds), *Werner & Ingbar's The Thyroid：A Fundamental and Clinical Text*. 11th ed., Lippincott Williams & Wilkins, Philadelphia, 555-565, 2020

2) Persani L, *et al.*：Central hypothyroidism. In：Braverman LE, *et al.*(eds), *Werner & Ingbar's The Thyroid：A Fundamental and Clinical Text*. 11th ed., Lippincott Williams & Wilkins, Philadelphia, 566-574, 2020

（南谷幹史）

E 甲状腺炎

1 橋本病（慢性甲状腺炎）

1）定義・概念

橋本病は，1912年に外科医である橋本策によって，びまん性甲状腺腫大を呈する患者の病理所見の検討から，「Struma lymphomatosa」として報告されたことにはじまる．病理所見として，リンパ濾胞の形成，円形細胞の浸潤，濾胞上皮細胞の破壊と好酸性変性，結合組織の増生といった特色をもつ．その後，患者血中に甲状腺組織に対する自己抗体が証明され，本疾患は自己免疫機序による甲状腺の慢性炎症であることが明らかにされた．最新の国際疾病分類の第11回改訂版（ICD-11）では「Hashimoto thyroiditis」と記載されている．

橋本病は，中年以降の女性に多い疾患であり，成人では最も多い内分泌疾患である．小児期でも思春期にかかわらず女性に多いが，成人ほど男女差は大きくない[1,2]．小児の橋本病の発症時の平均年齢はおよそ11歳で，診断時には甲状腺機能正常，潜在性甲状腺機能低下症，顕性甲状腺機能低下症はおよそ1/3ずつである[2〜4]．自然経過は様々であり，寛解・再発，永続性甲状腺機能低下症への進展などが報告されている．また，Turner症候群やDown症候群，22q11.2欠失症候群では橋本病を合併する頻度が高く，また同じ自己免疫疾患である1型糖尿病においてもしばしば橋本病を合併する．

2）病因・病態

橋本病の病因・病態は，必ずしも明確になっていない．他の自己免疫疾患と同様に遺伝的素因を基盤として，何らかの環境的要因が加わり，免疫学的寛容が破綻し，自己免疫反応が進み発症するとされている[5]．

遺伝的要因の関与については，特定の家系に慢性甲状腺炎の発症が多いことからも想定されている．候補遺伝子解析とゲノムワイド関連解析によっていくつかの感受性遺伝子が報告されている[5]．免疫応答に関与する遺伝子としてHLA-DR，CD40，CTLA-4，PTPN22，FCRL3，IL2RA，FOXP3遺伝子などが，また甲状腺特異的な遺伝子としてTG，TSHR遺伝子多型と自己免疫性甲状腺疾患との関連が報告されている[5,6]．また環境要因としては，ヨウ素過剰摂取，セレニウム，ストレス，妊娠，出産，感染，組織障害などが報告されている[5,6]．薬剤としては，ヨウ素含有の多いアミオダロンのほか，リチウム，インターロイキン2（IL-2）製剤，インターフェロン-α（IFN-α）製剤，免疫チェッ

クポイント阻害薬など免疫系に関与する様々な薬剤が慢性甲状腺炎に関与している[5]．さらに遺伝的素因と環境要因を結びつける因子としてエピジェネティクスと自己免疫性甲状腺疾患との関連も報告されている[7]．

橋本病における抗甲状腺自己抗体のおもな標的抗原は，サイログロブリンや甲状腺ペルオキシダーゼ（thyroid peroxidase：TPO）であるが，そのほかに濾胞上皮基底側のヨウ素輸送体であるNa^+/I^-シンポーター（Na^+/I^- symporter：NIS）や内腔側の輸送体であるpendrinなどに対する自己抗体も高率に認められる[8]．しかし，これらの抗体には組織障害性はなく，橋本病の病因においては液性免疫ではなく細胞性免疫機序が重要と考えられている．甲状腺濾胞上皮細胞は，自己抗原を内在性抗原として断片化し，細胞表面にMHC class 2分子や共刺激分子などを発現し，自ら自己抗原を提示可能である[9]．橋本病の進展には，CD8陽性T細胞や形質細胞，マクロファージなどの細胞浸潤と細胞性免疫反応を誘導するTh1型のサイトカイン，さらに各種白血球の血中から甲状腺組織内への遊走を誘導する多種のケモカインなど様々な細胞性免疫がかかわっている[10,11]．これらの結果，濾胞上皮細胞障害や慢性炎症による線維化などが引き起される．

3）臨床症候

甲状腺腫大に伴う局所の症状と甲状腺機能低下症に伴う全身の症状をきたしうる．局所の症状としては，甲状腺腫大の程度に応じて発声障害，嚥下障害などをきたしうる．甲状腺機能低下症は，ほとんどすべての臓器に影響を与えるため非常に多彩な症状を呈する．また甲状腺機能低下症の程度および期間に応じて症状が異なる．甲状腺機能低下症の症状としては，小児では成長率低下が特徴であり，そのほかに易疲労感，無力感，耐寒性の低下，発汗の減少，便秘，顔のむくみ，肥満度の増加，思春期早発，股関節痛などの症状を呈する．自覚症状に乏しいことも多い．

4）診断と検査法

日本甲状腺学会より「慢性甲状腺炎（橋本病）の診断ガイドライン」が発表されている（表8）[12]．甲状腺びまん性腫大の臨床症候と甲状腺自己抗体陽性，甲状腺超音波所見などから診断する．

甲状腺超音波所見として，びまん性の甲状腺腫大，甲状腺表面の凹凸不整，甲状腺内部エコーレベルの低下，不均一が認められる．カラードプラ法では，甲状腺機能低下症をきたしている場合には軽度のびまん性血流増加が観察される．また尿中総ヨウ素を測定し，ヨウ素不足や過剰を否定する．甲状腺シンチグラフィや甲状腺穿刺吸引細胞診は通常行わない．

表8 慢性甲状腺炎（橋本病）の診断ガイドライン

a）臨床所見
 1. びまん性甲状腺腫大（萎縮の場合もある）
  但しバセドウ病など他の原因が認められないもの
b）検査所見
 1. 抗甲状腺マイクロゾーム（または抗TPO）抗体陽性
 2. 抗サイログロブリン抗体陽性
 3. 細胞診でリンパ球浸潤を認める
1）慢性甲状腺炎（橋本病）
 a）およびb）の1つ以上を有するもの
[付記]
1. 阻害型抗TSH-R抗体などにより萎縮性になることがある．
2. 他の原因が認められない原発性甲状腺機能低下症は慢性甲状腺炎（橋本病）の疑いとする．
3. 甲状腺機能異常も甲状腺腫大も認めないが抗マイクロゾーム抗体（または抗TPO抗体）およびまたは抗サイログロブリン抗体陽性の場合は慢性甲状腺炎（橋本病）の疑いとする．
4. 自己抗体陽性の甲状腺腫瘍は慢性甲状腺炎（橋本病）の疑いと腫瘍の合併と考える．
5. 甲状腺超音波検査で内部エコー低下や不均質を認めるものは慢性甲状腺炎（橋本病）の可能性が強い．

〔日本甲状腺学会：慢性甲状腺炎（橋本病）の診断ガイドライン．http://www.japanthyroid.jp/doctor/guideline/japanese.html〕

一般的な甲状腺機能低下症の検査所見として，正球性正色素性貧血，血清総コレステロール，クレアチンキナーゼ，クレアチニン，AST，LDH高値を呈する．画像所見として，下垂体腫大，大腿骨頭すべり症，心拡大，心囊液貯留，卵巣囊腫，骨年齢の遅れなどをきたす可能性がある．

5）治療法

ヨウ素過剰や不足，薬剤性を除外する．また甲状腺機能低下症が一過性か否かを判断する．成長率低下がなく上記の症状に乏しい場合は，無治療で経過観察し1か月後に甲状腺機能を再評価してもよい．特に，無痛性甲状腺炎後に一過性の甲状腺機能低下症をきたし，その後自然に正常甲状腺機能に回復することがあり，一過性か否かの鑑別は重要である．慢性的な甲状腺機能低下症と判断した場合は，治療薬としてLT_4内服を開始する．血清TSHが正常範囲に入ることを目標にLT_4量を調節する．

6）管理と予後

治療の目標は，正常甲状腺機能を維持し，小児期～青年期を通じて正常な成長と発育を維持することである．甲状腺機能低下が一過性のこともあるため，過剰投与にも留意が必要である．無治療で経過観察する場合，著明な甲状腺腫の存在，TPO抗体陽性，TSH高値の場合に顕性甲状腺機能低下症に進展する危険性があ

り，定期的な経過観察が必要である[13,14]．小児橋本病患者において，甲状腺乳頭がんの発生が3.07%にみられたとの報告もあり[15]，定期的な甲状腺超音波検査が必要である．

7）最新知見

C-X-Cケモカイン受容体（CXCR）3とそのIFN-γ依存性ケモカイン（CXCL10，CXCL9，CXCL11）は，自己免疫性甲状腺炎の発症病態に関与している．Basedow病やBasedow病眼症とともに橋本病に対して，CXCR3のアンタゴニストやCXCL10を阻害する分子が新規薬剤のターゲットとして，開発が行われており，今後の臨床応用が期待される[16]．

❖ 文献

1) Calcaterra V, et al.：Gender differences at the onset of autoimmune thyroid diseases in children and adolescents. *Front Endocrinol（Lausanne）* 11：229, 2020
2) de Vries L, et al.：Chronic autoimmune thyroiditis in children and adolescents：at presentation and during long-term follow-up. *Arch Dis Child* 94：33-37, 2009
3) Demirbilek H, et al.：Hashimoto's thyroiditis in children and adolescents：a retrospective study on clinical, epidemiological and laboratory properties of the disease. *J Pediatr Endocrinol Metab* 20：1199-1205, 2007
4) Wasniewska M, et al.：Thyroid function patterns at Hashimoto's thyroiditis presentation in childhood and adolescence are mainly conditioned by patients' age. *Horm Res Paediatr* 78：232-236, 2012
5) Saranac L, et al.：Why is the thyroid so prone to autoimmune disease? *Horm Res Paediatr* 75：157-165, 2011
6) Effraimidis G, et al.：Mechanisms in endocrinology：autoimmune thyroid disease：old and new players. *Eur J Endocrinol* 170：R241-R252, 2014
7) Coppedè F：Epigenetics and autoimmune thyroid diseases. *Front Endocrinol（Lausanne）* 8：149, 2017
8) Yoshida A, et al.：Pendrin is a novel autoantigen recognized by patients with autoimmune thyroid diseases. *J Clin Endocrinol Metab* 94：442-448, 2009
9) Bottazzo GF, et al.：Role of aberrant HLA-DR expression and antigen presentation in induction of endocrine autoimmunity. *Lancet* 2：1115-1119, 1983
10) MacKenzie WA, et al.：Intrathyroidal T cell clones from patients with autoimmune thyroid disease. *J Clin Endocrinol Metab* 64：818-824, 1987
11) Kimura H, et al.：Chemokine orchestration of autoimmune thyroiditis. *Thyroid* 17：1005-1011, 2007
12) 日本甲状腺学会：慢性甲状腺炎（橋本病）の診断ガイドライン．http://www.japanthyroid.jp/doctor/guideline/japanese.html（2021年9月3日アクセス）
13) Hanley P, et al.：Thyroid disorders in children and adolescents：A review. *JAMA Pediatr* 170：1008-1019, 2016
14) Admoni O, et al.：Long-term follow-up and outcomes of autoimmune thyroiditis in childhood. *Front Endocrinol（Lausanne）* 11：309, 2020
15) Sur ML, et al.：Papillary thyroid carcinoma in children with Hashimoto's thyroiditis- a review of the literature between 2000 and 2020. *J Pediatr Endocrinol Metab* 33：1511-1517, 2020
16) Fallahi P, et al.：Novel therapies for thyroid autoimmune diseases. *Expert Rev Clin Pharmacol* 9：853-861, 2016

〈長崎啓祐〉

2 萎縮性甲状腺炎

1）定義・概念

萎縮性甲状腺炎は甲状腺腫大がなく甲状腺機能低下に陥った自己免疫性甲状腺炎であり，その病態を指す「特発性粘液水腫」と同義語として用いられる．粘液水腫は皮下や間質にグリコサミノグリカンが沈着して圧痕を残さない浮腫（non-pitting edema）が生じる病態である．

なお，小児では本疾患の臨床像は古典的な橋本病とは明らかに異なる．

2）病因・病態

病理所見ではリンパ球浸潤，リンパ濾胞の形成がみられ，甲状腺上皮細胞はほとんど崩壊し，線維化がみられる．浸潤リンパ球による甲状腺上皮細胞障害のほかに，75%の日本人成人で作用阻害型TSH受容体抗体の産生が確認され，TSH作用不全により甲状腺が萎縮する[1]．小児では陽性例は少ないと考えられていたが，最近小児でも40%弱に認められると報告された[2]．阻害型TSH受容体抗体はTSH受容体に結合してcAMP産生増加を起こさず，TSHによるcAMPの増加反応を抑制することにより，甲状腺刺激作用，甲状腺のヨウ素摂取，甲状腺濾胞上皮の増殖を抑える．

萎縮性甲状腺炎の病因として，①橋本病の経過中に甲状腺組織破壊が進行し，その終末像が萎縮性甲状腺炎であるとする考え方と[3]，②それを否定する考え方[4,5]，③TSH受容体抗体産生，Th2優位性，MIICクラス2拘束性（HLA-DPw2の減少，w4およびw5の増加）から，刺激型TSH受容体抗体を産生するBasedow病と一連の自己免疫性TSH受容体疾患として把握する考え方[6]がある．阻害型TSH受容体抗体陽性の萎縮性甲状腺炎はBasedow病よりも受容体抗体産生機構が活性化している．

3）臨床症候

基礎代謝低下，易疲労感，無気力，徐脈，心機能障害，便秘，嗄声，筋仮性肥大，学業成績の低下に加え，急激な著しい甲状腺機能低下による，粘液水腫，脱毛，成長の停止（growth arrest），症候性肥満が特徴的であり，成長曲線から発症時期が推定できる．2～3年の経

過を経て，学校検診などで成長率低下，肥満，脂質代謝異常症を指摘され，医療機関を受診することが多い．甲状腺腫は認めない．

長期間の甲状腺機能低下により，下垂体 TSH 分泌細胞が肥大化し，下垂体腫大をきたし，下垂体腺腫との鑑別が必要なこともある．腫大した下垂体は補充療法によりいったん empty sella となるが，のちに回復する．

二次性徴は通常遅延するが，二次的に LH, FSH, PRL が増加し，卵巣嚢腫，思春期早発症を呈することもある．GH 分泌は低下している．

学童期〜思春期女子に発症することが多いが，幼児期に発症した場合は精神運動発達遅滞をきたすこともある．

阻害型 TSH 受容体抗体を有する母体より出生した新生児では，一過性甲状腺機能低下症をきたし，重度な新生児仮死となり，精神運動発達遅滞を残すことがある[7]．

4) 診断と検査法

甲状腺腫を伴わない甲状腺機能低下症状，成長曲線による成長率低下，肥満，粘液水腫を呈する場合，本症を疑う．二次性徴，心機能の評価も必須である．

甲状腺関連検査では TSH 著明高値(TSH＞100 μU/mL)，FT_3，FT_4 著明低値，抗サイログロブリン抗体陽性，抗甲状腺ペルオキシダーゼ抗体陽性，抗 TSH 受容体抗体(作用阻害型)を確認する．血液生化学検査ではコレステロール著明高値(LDL コレステロール高値)，AST, ALT, LDH, CK 高値を認める．甲状腺超音波検査では内部エコーが低下した萎縮甲状腺を認め，ほかに骨年齢の著明な遅延，頭部骨 X 線上トルコ鞍拡大，頭部 MRI 上下垂体腫大を確認する．他の下垂体ホルモン(LH, FSH, PRL, GH, ACTH)，IGF-Ⅰ，エストラジオール，テストステロンの評価も行う．

5) 治療法

LT_4 を分 1 で食前投与する．成人では長期間甲状腺機能低下状態に対し急速な甲状腺ホルモンの補充療法により心機能低下(狭心症，心筋梗塞)を誘発する恐れがあるため，投与量は少量(12.5〜25 μg/日)から開始し，漸増(2 週ごとに 12.5〜25 μg/日ずつ増量)，維持量(100〜150 μg/日)までもっていくことが推奨されている．小児での LT_4 の 1 日当たりの維持量は生後 6 か月までは 5〜8 μg/kg, 6〜12 か月では 6〜8 μg/kg, 1〜5 歳では 5〜6 μg/kg, 6〜12 歳では 4〜5 μg/kg, 12 歳以上では 2〜3 μg/kg が適量である．治療開始後 1〜2 週で血中 FT_4 は正常範囲となり，TSH が正常化するには 1 か月は要する．

6) 管理と予後

補充療法が開始され甲状腺機能が正常化すると諸症状，各検査所見は改善する．治療開始直後は代謝状態が劇的に変化するので，1〜2 回/月の定期検査(血液生化学，甲状腺機能，心機能)，成長の評価(成長曲線，骨年齢，思春期の進行)が必要である．

思春期年齢で発症した場合は，治療開始後思春期が急速に回復，進行し，骨成熟も急速に回復，進行する．身長増加不良期間が長いと骨成熟の進行に比し catch up growth は 70% 程度しか得られず[8]，成人身長は十分には改善されない．そのような場合，LT_4 補充後比較的早期に GnRH アナログ，GH の併用も検討する[9]．

本症では永続する甲状腺機能低下となり，機能の回復は期待できず，生涯にわたる LT_4 補充療法を必要とすることが多い．投薬が不要となるケースでも妊娠，出産を機に再燃することがある．

同じ患者で阻害型と刺激型の TSH 受容体抗体が共存することがあり，阻害型優位から刺激型優位に変換し，Basedow 病を呈する症例もある[10]．

合併症として 1 型糖尿病，自己免疫性多内分泌腺症候群，Sjögren 症候群などの自己免疫疾患，甲状腺癌(乳頭癌，濾胞腺癌，髄様癌，未分化癌，悪性リンパ腫)があげられる．

❖ 文献

1) Weetman AP：Chronic autoimmune thyroiditis. In：Braverman LE, et al. (eds), *Werner & Ingbar's The Thyroid：A Fundamental and Clinical Text.* 11th ed., Lippincott Williams & Wilkins, Philadelphia, 531-542, 2020
2) Nagasaki K, et al.：Investigation of TSH receptor blocking antibodies in childhood-onset atrophic autoimmune thyroiditis. *Clin Pediatr Endoclinol* 30：79-84, 2021
3) Weetman AP：Autoimmune thyroid disease. In：Jameson JL, et al. (eds), *Endocrinology：adult and pediatric.* 7th ed., Saunders, Elsevier, Philadelphia, 1423-1436, 2016
4) Wiersinga WM：Hypothyroidism and myxedema coma. In：DeGroot LJ, et al. (eds), *Endocrinology.* 5th ed., Saunders, Elsevier, Philadelphia, 2081-2099, 2004
5) Matsuura N, et al.：Comparison of atrophic and goitrous autoimmune thyroiditis in children：clinical, laboratory and TSH-receptor antidody studies. *Eur J Pediatr* 149：529-533, 1990
6) Mori T, et al.：Recent progress in TSH receptor studies with a new concept of "autoimmune TSH receptor disease". *Endocr J* 41：1-11, 1994
7) Yasuda T, et al.：Outcome of a baby born from a mother with acquired juvenile hypothyroidism having undetectable thyroid hormone concentrations. *J Clin Endocrinol Metab* 84：2630-2632, 1999
8) Rivkces SA, et al.：Long-term growth in juvenile acquired hypothyroidism：the failure to achieve normal adult stature. *N Engl J Med* 318：599-602, 1988
9) Minamitani K, et al.：Attainment of normal height in severe

juvenile hypothyroidism. *Arch Dis Child* 70：429-430, 1994
10) 南谷幹史, 他：5 年後に甲状腺機能亢進症に進展した, 成長障害, 粘液水腫を伴った橋本病の一女児例. ホルモンと臨床 56(Suppl.)：88-93, 2008

（南谷幹史）

3 亜急性甲状腺炎

1) 病因・病態

亜急性甲状腺炎(de Quervain disease)はウイルス感染によって起こるとされ, 甲状腺内に多核巨細胞を含む炎症性肉芽腫が形成される. 成人女性に多く, 小児ではまれである[1].

SARS-Covid-19 による亜急性甲状腺炎が報告されており, 本ウイルスは肺への感染と同様に, 甲状腺細胞の angiotensin-converting enzyme 2(ACE2)受容体に結合して感染する[2].

2) 臨床症候・検査所見

上気道感染症状に引き続き, 発熱を伴う有痛性の甲状腺の腫大で発症する. 発症初期は, 甲状腺は結節状に一葉のみ腫大しているが, やがて峡部を越えて他側へ移動する(creeping thyroiditis). 甲状腺ホルモンが漏出するために, 一過性に FT_4 と FT_3 の高値, TSH の低値を認め, 甲状腺中毒症状が出現することがある. サイログロブリンは高値となる. ^{123}I 甲状腺摂取率は消失するか, 著しく低下する. 白血球増多がないが, CRP は高値で赤沈は亢進する. 血中に漏出した甲状腺組織成分に対して, 自己抗体が産生されることがある.

3) 治療と予後

self-limiting な疾患であり, 無治療でも 3 か月程度で治癒する. 疼痛の軽減のために非ステロイド性抗炎症薬を投与してもよい. 症状が強い場合にはステロイドの内服が有効である. 甲状腺ホルモン産生が増加する甲状腺機能亢進症ではないので, 抗甲状腺薬の投与を行ってはならない[1,3].

4 急性化膿性甲状腺炎

1) 病因・病態

多くは 10 歳以下に発症し, 性差はない. 甲状腺は感染症が起こりにくい臓器とされるが, 感染経路としては遺残した下咽頭梨状窩瘻孔(咽頭の奥の梨状窩から甲状腺上極に続く先天性の瘻孔)を介して, 口腔内細菌が甲状腺周囲に到達して炎症を引き起こすと考えられる. 梨状窩瘻は左側に生じることが大部分であるので, 化膿性炎症の生じる頻度は甲状腺左葉が 90% である.

2) 臨床症候・検査所見

急激に発症することが多く, 前頸部の有痛性疼痛, 腫脹, 発熱, 嚥下痛などを認める. 一般検査では白血球増多, 赤沈亢進, CRP 高値などの著明な炎症所見を呈する. 患部の発赤の有無により亜急性甲状腺炎と区別できる. 甲状腺機能は正常域であるが, まれに甲状腺組織の破壊により濾胞内の甲状腺ホルモンやサイログロブリンが一時的に血中に流出し甲状腺中毒症をきたすことがある.

3) 治療と予後

Gram 陽性菌によることが多いが, 嫌気性菌の場合もある. 化学療法や膿瘍の切開排膿により治癒する. 炎症の消失後, 咽頭のバリウム造影検査あるいは造影 CT 検査で下咽頭梨状窩瘻を認めた場合には, 再発を繰り返すので瘻管の摘出を考慮する[1,3].

❖ 文献
1) Pearce EN, *et al.*：Thyroiditis. *N Engl J Med* 348：2646-2655, 2003
2) Campos-Barrera E, *et al.*：Subacute thyroiditis associated with COVID-19. *Case Rep Endocrinol* 2020：8891539, 2020
3) Rivkees S, *et al.*：Infectious bacterial thyroiditis, Subacute thyroiditis. In：Sperling MA(ed), *Sperling Pediatric Endocrinology*. 5th ed., Elsevier, Philadelphia, 407-408, 2021

（有阪 治）

F 甲状腺中毒症

甲状腺中毒症は甲状腺ホルモンが血液中で過剰になることにより様々な症状を認める病態である. 甲状腺中毒症には, 甲状腺ホルモン合成・分泌が亢進した状態, すなわち甲状腺機能亢進症を伴うものと, 甲状腺機能亢進症を伴わないものがある. 表9[1]に甲状腺中毒症を呈する疾患を示す.

1 Basedow 病

1) 定義・概念

びまん性甲状腺腫大, 頻脈, 眼球突出を 3 大徴候とする臓器特異的自己免疫疾患である. 甲状腺機能亢進症を認める疾患の大多数を占める. Basedow はこの病気を研究報告したドイツ人医師で, 英語圏ではイギリス人医師の名にちなみ Graves' disease と称する.

2) 病因・病態

自己免疫機序によって産生された, 患者血液中に存

表9 甲状腺中毒症を呈する疾患

甲状腺機能亢進を伴うもの	甲状腺機能亢進を伴わないもの
・甲状腺刺激因子の存在 　Basedow 病 　TSH 産生腫瘍 　下垂体型甲状腺ホルモン不応症 　HCG によるもの 　（妊娠一過性甲状腺中毒症，胞状奇胎，絨毛上皮癌） ・自律性分泌 　中毒性腺腫 　機能性多結節性甲状腺腫 　非自己免疫性甲状腺機能亢進症 　（TSH 受容体機能獲得型変異）	・甲状腺の破壊による 　無痛性甲状腺炎 　（自己免疫，外傷，物理的刺激，薬剤放射線） 　亜急性甲状腺炎 　急性甲状腺炎 　橋本病の急性増悪 ・外来性甲状腺ホルモン 　甲状腺剤の過剰摂取 　やせ薬への混入 　食物への混入 ・異所性甲状腺組織 　卵巣甲状腺腫 ・甲状腺癌の転移

［日本甲状腺学会（編）：その他の甲状腺中毒症．甲状腺専門医ガイドブック．改訂第2版，診断と治療社，164，2018 より引用一部改変］

在する抗 TSH 受容体抗体〔TSH receptor antibody（TRAb），thyroid stimulating antibody（TSAb），thyroid binding inhibitory immunogloblin（TBII）〕が甲状腺細胞膜上にある TSH 受容体に結合し，甲状腺を持続的に刺激することで甲状腺はびまん性に腫大し，甲状腺ホルモンが過剰産生され甲状腺機能亢進状態となる．自己免疫機序による抗体産生は，甲状腺特異的な自己抗原である TSH 受容体に対する自己寛容の破綻が原因と考えられている．発症には遺伝的要因が約 80％，環境的要因が約 20％ 関与しているとされる[2]．

3）臨床症候

小児の Basedow 病は，5 歳以下での発症はまれである．11 歳以降から頻度が増加し，女児に多い傾向がある．体格は高身長でやせの傾向にあるが，食欲亢進による過食でやせが目立たないこともある．体重増加が認められないことも所見である．成長曲線から発症時期を推定することもできる．症状の発現頻度は多い順に甲状腺腫（68.4％），多汗（53.8％），易疲労感（50.4％），落ち着きのなさ（47.7％），振戦（45.4％），眼球突出（38.9％），体重減少（36.1％），食欲亢進（35.3％），頻脈（33.8％），動悸（21.8％），学業成績低下（24.1％），運動能力低下（15.0％），暑がり（12.0％），排便回数増加（11.3％），微熱（10.5％）である[3]．不定愁訴が多く精神疾患や心理的問題とされていることもある．また，成人と比べて不整脈や心不全が少ない．

4）診断と検査法

小児でも成人向けの「バセドウ病の診断ガイドライン」（日本甲状腺学会）[4]に従って診断する．表10[4]にガイドラインを示す．

甲状腺中毒症の臨床所見があること，FT_3 と FT_4 の両方もしくは一方が高値で TSH が抑制されていること，TSH 受容体抗体（TRAb・TBII または TSAb）が陽性であることで「確からしい」Basedow 病と診断される．小児では甲状腺シンチグラフィを施行することが限られるため，「確からしい」Basedow 病として治療開始することがほとんどである．しかし，TSH 受容体抗体陰性の Basedow 病や抗体陽性の無痛性甲状腺炎，あるいは機能性甲状腺結節が疑われる場合は甲状腺シンチグラフィが必要となることがある．TSH が抑制されているときに甲状腺シンチグラフィでびまん性に取り込みが確認されれば Basedow 病の陽性所見である．甲状腺超音波検査では甲状腺のびまん性腫大と血流増加が診断に有用である．また尿中ヨウ素測定で高値であれば無痛性甲状腺炎，低値であれば Basedow 病と考えることができる．なお，小児では表10［付記］1．の（骨由来の）アルカリホスファターゼ高値は判定しにくい．

5）治療法

小児の Basedow 病の治療については「小児期発症バセドウ病診療のガイドライン 2016」[5]を日本小児内分泌学会ホームページで閲覧することができる．また，「バセドウ病治療ガイドライン 2019」[6]が日本甲状腺学会の編集により発刊されている．アメリカ甲状腺学会やヨーロッパ甲状腺学会のガイドラインも参考になる．Basedow 病の治療は，抗甲状腺薬などによる薬物療法，甲状腺全摘もしくは準全摘による外科的治療，放射性ヨウ素（^{131}I）内用による放射線治療がある．小児の場合，抗甲状腺薬による薬物療法が第一選択となっている．

a．薬物療法

薬物療法は抗甲状腺薬を第一選択とする．抗甲状腺薬にはチアマゾール（MMI）とプロピルチオウラシル（PTU）とカルビマゾール（CBZ）があるが，わが国やア

表10 Basedow病の診断ガイドライン

a) 臨床所見
　1. 頻脈，体重減少，手指振戦，発汗増加等の甲状腺中毒症所見
　2. びまん性甲状腺腫大
　3. 眼球突出または特有の眼症状
b) 検査所見
　1. 遊離 T_4，遊離 T_3 のいずれか一方または両方高値
　2. TSH 低値（0.1 μU/mL 以下）
　3. 抗 TSH 受容体抗体（TRAb）陽性，または刺激抗体（TSAb）陽性
　4. 典型例では放射性ヨード（またはテクネシウム）甲状腺摂取率高値，シンチグラフィでびまん性

1) バセドウ病
　　a）の 1 つ以上に加えて，b）の 4 つを有するもの
2) 確からしいバセドウ病
　　a）の 1 つ以上に加えて，b）の 1, 2, 3 を有するもの
3) バセドウ病の疑い
　　a）の 1 つ以上に加えて，b）の 1 と 2 を有し，遊離 T_4，遊離 T_3 高値が 3 ヶ月以上続くもの
［付記］
1. コレステロール低値，アルカリフォスファターゼ高値を示すことが多い．
2. 遊離 T_4 正常で遊離 T_3 のみが高値の場合が稀にある．
3. 眼症状があり TRAb または TSAb 陽性であるが，遊離 T_4 および TSH が正常の例は euthyroid Graves' disease または euthyroid ophthalmopathy といわれる．
4. 高齢者の場合，臨床症状が乏しく，甲状腺腫が明らかでないことが多いので注意をする．
5. 小児では学力低下，身長促進，落ち着きの無さ等を認める．
6. 遊離 T_3(pg/mL)/遊離 T_4(ng/dL) 比は無痛性甲状腺炎の除外に参考となる．
7. 甲状腺血流測定・尿中ヨウ素の測定が無痛性甲状腺炎との鑑別に有用である．

〔日本甲状腺学会：バセドウ病の診断ガイドライン．http://japanthyroid.jp/doctor/guideline/japanese.html〕

メリカでは MMI と PTU が使用されている．MMI と PTU では MMI を選択する．PTU は MMI に比べ重症肝機能障害・肝不全や抗好中球細胞質抗体（anti-neutrophil cytoplasmic antibody：ANCA）関連血管炎といった重篤な副作用の発現率が高い[7]．このことから海外では小児の Basedow 病に対し PTU 使用は禁止されている[8]．わが国では PTU による重篤な肝機能障害の報告は非常にまれであることから，十分な説明と同意のうえで慎重に投与することとしている．MMI は PTU よりもはやく甲状腺機能を正常化できる点や，MMI は 1 日 1 回投与が可能である[9]（添付文書上は投与量に応じて分割投与）のに対して PTU は 3 回分割投与が必要であり，アドヒアランスの点からも MMI が選択される．

①初期治療

抗甲状腺薬の副作用発現を減少させる目的で以前より抗甲状腺薬を減量する傾向にある．軽症例は低用量でも効果があり，重症例に大量に使用しても副作用の頻度は増えるが効果が変わらないことが報告された[10]．「小児期発症バセドウ病診療のガイドライン2016」[5]では，初期治療量は MMI で 0.2〜0.5 mg/kg/日（最大量 15 mg/日）分 1〜2，PTU で 2〜7.5 mg/kg/日（最大量 300 mg/日）分 3 とし，重症例ではこの倍量を最大量とし，体重換算で成人投与量を超えてしまう場合は成人量を超えないこととしている．

②維持療法

治療開始後通常は 2〜3 か月で血清 FT_3，FT_4 値が安定化することが多い．一般に FT_3 値は FT_4 値よりも正常化が遅れる．TSH が測定されるようになったら TSH が正常範囲内にあることを目標に抗甲状腺薬を減量して維持量とする．維持量は MMI で 5 mg/隔日〜5 mg/日，PTU で 50 mg/日，あるいは初期治療量の 1/4 程度の目安であるが，個人差が大きい．維持量に達したら 3〜4 か月ごとの検査で機能正常を確認する．

③抗甲状腺薬の副作用

抗甲状腺薬の副作用の頻度は低くはない．皮疹，軽度肝機能異常，発熱，関節痛，筋肉炎などの軽度副作用と，無顆粒球症，重症肝機能異常，ミエロペルオキシダーゼ（myeloperoxidase：MPO）-ANCA 関連血管炎症候群などの重度副作用がある．抗甲状腺薬の副作用発現頻度は用量依存的でもある．軽度副作用は治療を継続し自然軽快を待ち，皮疹の場合は抗ヒスタミン薬を併用することもある．軽快しない場合は抗甲状腺薬を変更する．重度副作用はただちに抗甲状腺薬を中止する．MMI と PTU では交差反応性があり薬剤を変更しても副作用が出ることがあるためもう一方の抗甲状腺薬ではなく無機ヨウ素で治療し薬物療法以外の治療法を検討する．副作用の発現は 3 か月以内が多いとされる．特に重篤な無顆粒球症に対し治療開始 2 か月間

は2週おきに白血球分画を含めた血液検査をすることが抗甲状腺薬の添付文書に明記されている．PTUは肝細胞障害型肝障害を，MMIはPTUより頻度は低いが胆汁うっ滞型肝障害を起こすことが知られている．このため血清トランスアミナーゼ値と血清ビリルビン値の検査が必要である．MPO-ANCA関連血管炎症候群は1年以上経過後の発症が多い．MMIよりPTUでの発症が40倍高いとされる[11]．特にPTU内服治療中は尿検査とMPO-ANCAの年1回の検査が必要である．

④治療経過と治療中止基準

維持量で甲状腺機能正常が維持できていれば治療中止を検討する．抗甲状腺薬治療中のBasedow病が寛解状態であるかを判定する方法は確立していない．抗甲状腺薬休薬時点でTRAb陰性で，維持治療が長いほうが寛解率は高くなる傾向にある[12]．しかし再発を予測することはできない．一方，低年齢，甲状腺腫が大きい，血清FT_3/FT_4比が高い，治療前の甲状腺機能亢進が強い場合などは寛解しにくく，再発する危険性が高い．ガイドラインの多くには「2年程度抗甲状腺薬で治療し，寛解しなければ（成人に達した年齢で）他の治療法を選択する」とある．しかし，抗甲状腺薬以外の治療法が選択しにくいという実情もある．小児Basedow病患者に抗甲状腺薬を8～10年長期継続投与で寛解が得られる場合がある[13]．また，抗甲状腺薬の長期内服療法の有効性も報告されている[14]．よって，数年で寛解しなくても低用量の抗甲状腺薬で副作用なく甲状腺機能がコントロールされるのであれば，他の治療法を必ずしも推奨しなくてもよい．受験が近い場合などは，治療中止可能であっても支障のないように治療を継続することもある．小児は難治であり抗甲状腺薬内服では寛解率は30～40％程度である．また再発は治療中止後1年以内が多く，その後も再発の可能性は常にあり，寛解中も定期的な管理を要する．

⑤併用療法

抗甲状腺薬と併用する薬剤には，β遮断薬，無機ヨウ素薬，LT_4剤，ステロイドがある．β遮断薬は強い甲状腺中毒症状をコントロールする目的で併用される．甲状腺ホルモンにβアドレナリン受容体増強作用があるためβ受容体遮断が有用であるからである．甲状腺クリーゼ死亡例のほとんどが非選択性β遮断薬を使用していたことから[15]$β_1$選択性遮断薬が推奨されるが，今後の検討課題である．また，非選択性β遮断薬には気管支喘息患者などの禁忌事項に注意する必要がある．大量の抗甲状腺薬とLT_4製剤を併用する方法（いわゆるblock and replace療法）と抗甲状腺薬を漸減する方法で寛解率に差がない一方で抗甲状腺薬の副作用の発現頻度は上昇するため[16]行うべきではない．しかし，初期治療から維持療法への移行の間に甲状腺ホルモン値を安定させる目的で少量のLT_4製剤を併用することはありうる．高用量での抗甲状腺薬の副作用発現を避けるため，低用量の抗甲状腺薬とヨウ素薬を併用する方法がある[17]．しかし，小児ではまだ確立した治療法とはいえない．ステロイドには脱ヨウ素酵素活性の阻害によるT_4からT_3への変換抑制効果と免疫抑制効果が期待される．ステロイドの長期使用による副作用の点から，甲状腺ホルモンのコントロール目的では甲状腺中毒症状の急速な改善が必要なとき（術前コントロールなど）の短期使用に限られる．

⑥抗甲状腺薬以外の単独薬物療法

無機ヨウ素は抗甲状腺薬が重篤な副作用のため使用できない場合に使用される．大量の無機ヨウ素薬は甲状腺機能を速やかに抑制するため（Wolff-Chaikoff効果），薬物療法以外の治療法選択の待機中に使用される．エスケープ現象や中止後の甲状腺中毒症の再燃に注意が必要である．また，大量の無機ヨウ素の使用は甲状腺腫の増大を認めることがある．軽症のBasedow病で甲状腺腫が小さい場合に低用量の無機ヨウ素単独投与でコントロール可能なこともある[18]．その他，炭酸リチウム，パークロレイト，免疫調整薬（リツキシマブ）がある．

b. 薬物療法以外の治療法

「小児期発症バセドウ病診療のガイドライン2016」[5]では，^{131}I内用療法の適応は「6歳から18歳以下のBasedow病患者において薬物療法で重篤な副作用が発症した症例や治療抵抗の症例で，外科治療困難な場合のみ」，「5歳未満は禁忌」とされた．これは低年齢であればあるほど発癌リスク上昇が否定できないことと，被ばくに対する安全管理を確実に施行できるとはいいがたいためである．甲状腺腫が著明に大きい場合も不適である．十分経験のある専門医が実施すべきである．手術療法は，甲状腺腫瘍を合併している，副作用のため抗甲状腺薬が使用できず，かつ^{131}I内用療法を希望しない，甲状腺腫が大きく抗甲状腺薬では難治である，抗甲状腺薬の服薬が不規則で，甲状腺機能が安定しない，社会生活上の理由で早期に確実な寛解を希望している，である．術式は残置量を極力減らした全摘か準全摘が推奨される．小児は再発が多く合併症（反回神経麻痺，低カルシウム血症，出血など）も起こしうるため，熟練した甲状腺外科専門医によって行われるべきである．

2 中毒性腺腫，中毒性多結節性甲状腺腫

1）定義・概念

腫瘍性病変が自律性を有して甲状腺ホルモン産生するもので autonomously functioning thyroid nodule（AFTN）とよばれる．孤立性腺腫（toxic solitary thyroid nodule：TSTN）は，わが国では従来 Plummer 病とよばれていた．中毒性多結節性甲状腺腫は toxic multinodular goiter（TMNG）とよばれ，腺腫様甲状腺腫からも発生する．AFTN はヨウ素欠乏地域に発症が多いことから，ヨウ素摂取量が発症と関連していると考えられている．一方，TSH 受容体遺伝子や $G_s\alpha$ サブユニット遺伝子の体細胞変異が報告されている．

2）診断と検査法

甲状腺腫が結節性である場合，あるいは甲状腺中毒症状があり，その鑑別診断で本疾患が疑われる場合がある．血液検査では TSH が抑制され，甲状腺ホルモン値が上昇しているが，Basedow 病のような重度の甲状腺機能亢進となることは少ない．このため甲状腺中毒症状を自覚していないこともある．通常 TRAb は陰性であるが，Basedow 病に合併することがある（Murine-Lenhart 症候群）．本疾患を疑った場合は甲状腺シンチグラフィを施行し結節部に一致した集積（hot nodule）を認め他の正常部位の取り込みが低下していることがある．また超音波カラードプラ法で腫瘍内部に多く血流をみつけることも有用である．

3）治療法

抗甲状腺薬で甲状腺機能亢進の改善は得られるものの薬物治療では根治は得られない．このため，抗甲状腺薬で甲状腺機能をコントロールしながら手術，アイソトープ治療，経皮的エタノール注入療法（precutaneous ethanol injection therapy：PEIT）が行われる．いずれも熟練した専門医のもとで施行されるべきである．手術の適応はアイソトープ治療や PEIT ができない場合に検討される．すなわち腫瘍が大きい，悪性の可能性がある，甲状腺機能亢進が重症である，速やかに機能正常化の必要がある，アルコールアレルギーがある，妊娠中である，アイソトープ治療や PEIT の臨床的意義を理解できない場合（小児や穿刺に対する恐怖）である[19]．孤立性の場合は片葉切除術，両葉性もしくは多発性の場合は準全摘術が検討される．アイソトープ治療は大量の放射性ヨウ素を必要とする．また近年，肝臓癌に対するラジオ波焼却術（radiofrequency ablation：RAF）の応用が試行されている[20]（保険適用外）．

3 無痛性甲状腺炎

1）定義・概念

甲状腺の破壊により，甲状腺ホルモンが逸脱して生じるとされる一過性の甲状腺中毒症である．甲状腺に疼痛や圧痛がなく，発熱も認めない．出産に無関係の散発性無痛性甲状腺炎と出産後無痛性甲状腺炎に分類される．

2）病因・病態

無痛性甲状腺炎の病因には，橋本病，Basedow 病寛解中，自己免疫疾患合併，ACTH 単独欠損症，Addison 病，Cushing 症候群術後，ステロイド離脱後といった場合は免疫異常が関連していると考えられている．その他に放射線照射，頭部外傷後，甲状腺マッサージ後，^{131}I 内用療法後といった甲状腺損傷やアミオダロン，GnRH アゴニスト，インターフェロン，リチウム，チロシンキナーゼ阻害薬といった薬剤性がある．特に近年は免疫チェックポイント薬による無痛性甲状腺炎が報告されるようになった．

3）診断・経過・予後

無痛性甲状腺炎の診断ガイドラインを表11[21]に示す．
血中甲状腺ホルモン高値で TSH 低値である．白血球・好中球数は正常，CRP 陰性で赤沈正常で亜急性甲

表11 無痛性甲状腺炎の診断ガイドライン

a）臨床所見
　1．甲状腺痛を伴わない甲状腺中毒症
　2．甲状腺中毒症の自然改善（通常 3 ヶ月以内）
b）検査所見
　1．遊離 T_4 高値（さらに遊離 T_3 高値）
　2．TSH 低値（0.1 μU/mL 以下）
　3．抗 TSH 受容体抗体陰性
　4．放射性ヨウ素（またはテクネシウム）甲状腺摂取率低値

1）無痛性甲状腺炎
　a）および b）の全てを有するもの
2）無痛性甲状腺炎の疑い
　a）の全てと b）の 1～3 を有するもの
除外規定
　甲状腺ホルモンの過剰摂取例を除く．
［付記］
1．慢性甲状腺炎（橋本病）や寛解バセドウ病の経過中発症するものである．
2．出産後数ヶ月でしばしば発症する．
3．甲状腺中毒症状は軽度の場合が多い．
4．回復期に甲状腺機能低下症になる例も多く，少数例は永続的低下になる．
5．急性期の甲状腺中毒症が見逃され，その後一過性の甲状腺機能低下症で気付かれることがある．
6．抗 TSH 受容体抗体陽性例が稀にある．

［日本甲状腺学会：無痛性甲状腺炎の診断ガイドライン．http://www.japanthyroid.jp/doctor/guideline/japanese.html］

II 各 論

腺炎のように亢進することはない．本疾患は Basedow 病との鑑別が重要であるが，そのポイントは①甲状腺中毒症の期間（本疾患であれば3か月程度），②甲状腺腫大の程度（本疾患は軽度のことが多い），③FT_3/FT_4（本疾患は低値，Basedow 病は高値，ただしオーバーラップもある[22]），④TRAb（本疾患は通常陰性であるがまれに陽性例もある），⑤甲状腺超音波検査（本疾患では低エコー域の存在や中毒期に血流増加がない），⑥放射性ヨウ素もしくはテクネシウムの甲状腺摂取率（本疾患では抑制される，Basedow 病は亢進する）である．鑑別困難な場合は⑥が必要であるが，小児では実施できる施設が限られる．経過は，甲状腺中毒期が2～3か月（<6か月）続いたのち正常化するパターンと甲状腺中毒期後に一過性甲状腺機能低下期が2～3か月続くパターンがある．治療は甲状腺中毒期に抗甲状腺薬の治療は不要である．抗甲状腺薬投与により甲状腺機能が急激に低下することがあるからである．甲状腺中毒症状が強い場合は一時的にβ遮断薬を投与する．甲状腺中毒期後に一過性甲状腺機能低下症を呈する場合は LT_4 製剤を投与する．一般に自然軽快するため予後は良好である．しかし反復することや永続性甲状腺機能低下症に移行する可能性もある．

❖ 文献

1) 日本甲状腺学会（編）：その他の甲状腺中毒症．甲状腺専門医ガイドブック．改訂第2版，診断と治療社，164，2018
2) Brix TH, et al.：Evidence for a major role of heredity in Graves' disease：a population-based study of two Danish twin cohorts. *J Clin Endocrinol Metab* 86：930-934, 2001
3) 佐藤浩一：バセドウ病．小児科 54：1131-1138, 2013
4) 日本甲状腺学会：バセドウ病の診断ガイドライン．http://www.japanthyroid.jp/doctor/guideline/japanese.html（2021年9月26日アクセス）
5) 日本小児内分泌学会薬事委員会，他（編）：小児期発症バセドウ病診療のガイドライン 2016. http://www.japanthyroid.jp/doctor/img/Basedow_gl2016.pdf（2021年9月26日アクセス）
6) 日本甲状腺学会（編）：バセドウ病治療ガイドライン 2019．南江堂，2019
7) 日本小児内分泌学会薬事委員会，他（編）：小児期発症バセドウ病診療のガイドライン 2016．日本小児内分泌学会（編），小児内分泌学会ガイドライン集．中山書店，185，2018
8) Rivkees SA：63 Years and 715 days to the "boxed warning"：unmasking of the propylthiouracil problem. *Int J Pediatr Endocrinol* 2010：658267, 2010
9) He C-T, et al.：Comparison of single daily dose of methimazole and propylthiouracil in the in the treatment of Grave's hyperthyroidism. *Clin Endocrinol*（*Oxf*）60：676-681, 2004
10) Sato H, et al.：Higher dose of methimazole causes frequent adverse effects in the management of Grave's disease in children and adolescents. *J Pediatr Endocrinol Metab* 25：863-867, 2012
11) Noh JY, et al.：Clinical characteristics of myeloperoxidase anti-neutrophil cytoplasmic antibody-associated vasculitis caused by antithyroid drugs. *J Clin Endocrinol Metab* 94：2806-2811, 2009
12) Konishi T, et al.：Drug discontinuation after treatment with minimum maintenance dose of antithyroid drugs in Graves's disease：a retrospective study on effects of treatment duration with minimum maintenance dose on lasting remission. *Endocr J* 58：95-100, 2011
13) Legér J, et al.：Positive impact of long-term antithyroid drug treatment on the outcome of children with Graves's disease：National long-term cohort study. *J Clin Endocrinol Metab* 97：110-119, 2012
14) Kawkgi OME, et al.：Comparison of long-term antithyroid drugs versus radioactive iodine or surgery for Graves' disease：A review of the literature. *Clin Endocrinol*（*Oxf*）2020, doi：10.1111/cen.14374
15) Isozaki O, et al.：Treatment and management of thyroid storm：analysis of the nationwide surveys：The taskforce committee of the Japan Thyroid Association and Japan Endocrine Society for the establishment of diagnostic criteria and nationwide surveys for thyroid storm. *Clin Endocrinol*（*Oxf*）84：912-918, 2016
16) Abraham P, et al.：Antithyroid drug regimen for treating Graves' hyperthyroidism. *Cochrane Database Syst Rev* 4：CD003420, 2003
17) Sato S, et al.：Comparison of efficacy and adverse effects between methimazole 15 mg＋inorganic iodine 38 mg/day and methimazole 30 mg/day as initial therapy for Graves' disease patients with moderate to severe hyperthyroidism. *Thyroid* 25：43-50, 2015
18) Okumura K, et al.：Remission after potassium iodide therapy in patients with Graves' hyperthyroidism exhibiting thionamide-associated side effects. *J Clin Endocrinol Metab* 99：3995-4002, 2014
19) 中野賢英，他：中毒性結節性甲状腺腫（Plummer 病）．西川光重（監），田上哲也，他（編），甲状腺疾患診療マニュアル．改訂第3版，診断と治療社，93-95，2020
20) Baek JH, et al.：Radiofurequency ablation for an autonomously functioning thyroid nodule. *Thyroid* 18：675-676, 2008
21) 日本甲状腺学会：無痛性甲状腺炎の診断ガイドライン．http://www.japanthyroid.jp/doctor/guideline/japanese.html（2021年9月26日アクセス）
22) Jaeduk YN, et al.：Ratio of serum free triiodothyronine to free thyroxine in Graves' hyperthyroidism and thyrotoxicosis caused by painless thyroiditis. *Endocr J* 52：537-542, 2005

〈數川逸郎〉

G 薬剤による甲状腺機能異常

1) 定義・概念

様々な薬剤，製剤が甲状腺機能に影響する．血中甲状腺ホルモンが高値となる甲状腺中毒症と甲状腺機能低下症がある．甲状腺中毒症には，自己免疫機序によ

り甲状腺ホルモンの合成が亢進するBasedow病タイプと，破壊性の二つのタイプがある．破壊性の甲状腺中毒症後に甲状腺機能低下症を起こす場合がある．甲状腺機能低下症には，中枢性と原発性の二つのタイプがある．

2）病因・病態

ヨウ素は甲状腺ホルモンの材料であるが，過剰量では有機化阻害による甲状腺ホルモン合成の抑制（Wolff-Chaikoff効果）が起こる．また，ヨウ素誘発性の甲状腺ホルモン中毒症を起こす場合がある．ヨウ素製剤，ヨウ素含有造影剤のほか，抗不整脈薬のアミオダロンでは1錠（100 mg）当たり大量のヨウ素（37 mg）が含まれている．アミオダロンは，半減期が19～53日と長く，臓器蓄積性があることから，内服中止後に発症することもある．

免疫チェックポイント阻害薬，チロシンキナーゼ阻害薬，アレムツズマブ（ヒト化抗CD52モノクローナル抗体），インターフェロンαは，自己免疫機序，または，破壊性の甲状腺中毒症の原因になる薬剤であり，甲状腺機能低下症も起こしうる．GnRH誘導体は，自己免疫機序，または，破壊性の甲状腺中毒症の原因になりうる．

その他の甲状腺機能低下症を起こしうる薬剤と病態を列挙する．デキサメタゾン，ドパミン，ドパミン作動薬，SRIFアナログ，ベキサロテン（レチノイドX受容体アゴニスト）では，TSHの分泌が抑制される．インターロイキン2は，自己免疫機序で甲状腺機能低下症の原因になる．スルホニル尿素薬，アロマターゼ阻害薬では，甲状腺ホルモンの合成が，リチウムでは，甲状腺ホルモンの分泌が抑制される．抗てんかん薬（フェニトイン，フェノバルビタール，カルバマゼピン，バルプロ酸），抗結核薬（リファンピシン）では，肝臓の薬物代謝酵素を誘導して甲状腺ホルモンの代謝を促進する．また，フェニトイン，カルバマゼピンでは，甲状腺ホルモンと結合蛋白の結合を阻害する．

甲状腺ホルモン補充中のエストロゲン，エストロゲン誘導体，抗悪性腫瘍薬（フルオロウラシル）では，甲状腺ホルモン結合蛋白が増加するため必要量が増加する．硫酸鉄，スクラルファート，水酸化アルミニウム，陰イオン交換樹脂，などは甲状腺ホルモン製剤の腸管での吸収を阻害する．

3）診断と検査法

薬剤による甲状腺機能異常の診断は，発症と薬歴の関係や経過によって判断する．甲状腺機能異常を起こしうる薬剤を使用する場合は，定期的に検査を行うこと，また，使用前にも甲状腺機能を評価しておくことが望ましい．

4）治療法

可能であれば薬剤を中止する．薬剤の継続が必要な場合には，甲状腺機能低下症，甲状腺機能亢進症に対する治療を併用する．破壊性タイプの甲状腺中毒症は一過性のため，通常は特別な治療は必要ないが，甲状腺中毒症状が強い場合には，β遮断薬（気管支喘息には禁忌）を使用する．

❖ 参考文献

- Braverman LE, et al.（eds）：*Werner & Ingbar's The Thyroid : A Fundamental and Clinical Text.* 11th ed., Wolters Kluwer, Philadelphia, 2020
- Melmed S, et al.（eds）：*Williams Textbook of Endocrinology.* 14th ed., Elsevier, Philadelphia, 2019
- 西川光重：薬剤誘発性の甲状腺中毒症・甲状腺機能低下症．日本甲状腺学会雑誌 3：19-23, 2012
- 日本内分泌学会マニュアル作成委員会：重篤副作用疾患別対応マニュアル（甲状腺機能低下症）．厚生労働省，2009 https://www.pmda.go.jp/files/000143249.pdf（2021年1月2日アクセス）
- 日本内分泌学会マニュアル作成委員会：重篤副作用疾患別対応マニュアル（甲状腺中毒症）．厚生労働省，2009 https://www.pmda.go.jp/files/000144283.pdf（2021年1月2日アクセス）

（虫本雄一）

H 甲状腺ホルモン不応症とTSH不応症

1 甲状腺ホルモン不応症

1）定義・概念

1967年にRefetoffらによってはじめて報告された甲状腺ホルモン不応症（resistance to thyroid hormone：RTH）は，Refetoff症候群ともよばれる[1]．通常であれば過剰と考えられる量の甲状腺ホルモンに対して標的臓器の反応性が低下した状態と定義される[2]．末梢甲状腺ホルモン（T_3，T_4）が高値にもかかわらずTSHが抑制されず，正常～高値を示す不適切TSH分泌症候群を呈する．一般的に甲状腺ホルモン受容体（thyroid hormone receptor：TR）β遺伝子異常症と認識されている．しかし，TRβ遺伝子以外の原因の可能性もあるので，RTHは「甲状腺ホルモン作用機構上の何らかの異常により，甲状腺ホルモンに対する組織の反応性が低下した病態」と考えられるようになってきている[3]．

2）病因・病態

ステロイド／甲状腺スーパーファミリーとよばれる

核内受容体蛋白の一つであるTRはDNAに直接結合し標的遺伝子の発現を調節する．1989年にSakuraiらは第17番染色体上に座位するTRβ遺伝子変異がRTHの原因であることを明らかにした[4]．Refetoffらの報告した1例（TRβ1を完全欠損するホモ接合体）を除き，ほとんどの症例が常染色体顕性遺伝形式をとる．多くの変異が報告されており，約160種類程度が同定され，現在までに372家系から，1,000人以上の患者が報告されている[5]．それらはTRβ遺伝子C端側のリガンド結合ドメインの三つのhot spotに集中している[5]．変異TRβが正常TRβの機能（T_3結合・DNA結合）を抑制するドミナントネガティブ効果がRTHの作用機序の一つとされる．

RTHは臨床症候から全身型と下垂体型に分類される．前者は下垂体を含めた全身組織が甲状腺ホルモンに不応を示し，末梢の代謝は正常あるいは低下している．一方，後者は下垂体のみに甲状腺ホルモンが不応となり機能亢進症状が強いとされる．しかしながら，病因論的には同一の疾患と考えられる．なお，遺伝子型と表現型に相関がみられないことも知られており，同一個体に機能低下・機能亢進症状が混在することもある．

3）臨床症候

多くの症例において，甲状腺腫以外目立った症状はない．これは，末梢組織の不応の状態を甲状腺ホルモンの上昇が代償しているためと考えられる．この両者のバランスが崩れたときに，甲状腺機能亢進症や低下症の症状が出現する．これらのなかでは頻脈がみられることが多い．これは，心臓ではTRα1が主体であり，本症ではTRα1には異常がないため，甲状腺ホルモン過剰の症状が出やすいためと考えられる．また，小児では，注意欠陥多動性障害，低身長などがみられることがある．

4）診断と検査法

本症の診断の糸口となるのは，前述したとおり，血中FT_3，FT_4が高値であるにもかかわらず，TSHが抑制されない，いわゆる不適切TSH分泌の状態に気づくことである．加えて，基本的にTSH受容体抗体（TRAb，TSAb），甲状腺自己抗体（抗TPO抗体，抗サイログロブリン抗体）は陰性であること，TRH負荷に対してTSH分泌は反応すること，などが参考になる．さらに，家族歴は重要であり，8割の症例で家族発症がみられるため，両親，同胞などの甲状腺機能検査は重要である．

患者のDNAを用いてTRβ遺伝子解析を行い，遺伝子異常が同定されれば本症の診断は確定する．しかし，後述するとおり，TRβ遺伝子に変異がないRTHの存在も知られているので，TRβ遺伝子に変異がないからといってRTHは否定できない．

5）治療法

多くの症例では特別な治療を必要としない．甲状腺ホルモン高値や甲状腺腫に対して，安易な抗甲状腺薬の投与は慎むべきであり，誤った投与の報告が散見される．甲状腺ホルモンの高値によって組織の不応状態が代償されているため，甲状腺機能低下になる恐れがある．

頻脈などの甲状腺機能亢進症状に対しては，β遮断薬の投与を行う．

6）管理と予後

長期予後の詳細については現在のところ明らかでない．

Anselmoらはアゾレス諸島のRTH大家系（TRβ遺伝子変異 p.Arg243Gln）において，RTHを有する母体の胎児への影響を報告した[6]．RTHを有する母体の流産率は高く（22.9％），RTHを有する母体から出生したRTH非罹患の新生児では出生体重が少なくTSHが測定感度以下に抑制されていた．すなわち，RTHを有する母体の場合には胎児は母体からの過剰な甲状腺ホルモンに曝露され，流産あるいは低体重に至ることが推測された．

7）最新知見

2012年，これまで報告のなかったTRα遺伝子変異の症例が報告された[7]．興味深いことにこのTRα遺伝子変異症例は，TRβ遺伝子変異によるRTH症例とは大きく異なる臨床像を示していた．これらの症例では，成長障害，精神発達遅滞，骨形成異常，重度の便秘などの甲状腺機能低下症の臨床像を呈していた．さらに，検査所見では血清FT_4低値にもかかわらず，TSHは正常範囲であり，血清FT_3は正常〜高値を示し，中枢性甲状腺機能低下症の所見であった．その後，現在までに10種類以上のTRα遺伝子変異が報告されている[5]．

RTHの病因に関する残された課題は，TRβ遺伝子にもTRα遺伝子にも変異を認めないが，TRβ遺伝子変異によるRTHと同様の所見を呈するnon-TR RTHの原因は何かということである．RTH家系の約15％ではTRβ遺伝子にもTRα遺伝子にも変異は認められないとされている[3]．このnon-TR RTHの臨床像はTRβ遺伝子変異によるRTHとまったく区別がつかず，遺伝形式も常染色体顕性遺伝である．しかしながら，その病因はTRβ遺伝子そのものの異常ではなく，TRβ遺伝子の機能にかかわる因子の異常ではないかと推測され

ているが，いまだ不明である．今後の解明が待たれるところである．

❖ 文献

1) Refetoff S, et al.：Familial syndrome combining deaf-mutism, stippled epiphyses, goiter, and abnormally high PBI：possible target organ refractoriness to thyroid hormone. *J Clin Endocrinol Metab* 27：279-294, 1967
2) Refetoff S, et al.：The syndrome of resistance to thyroid hormone. *Endocrine Rev* 1：348-399, 1993
3) Refetoff S, et al.：Syndrome of reduced sensitivity to thyroid hormone：genetic defects in hormone receptors, cell transporters and deiodination. *Best Pract Res Endocrinol Metab* 21：277-305, 2007
4) Sakurai A, et al.：Generalized resistance to thyroid hormone associated with a mutation in the ligand-binding domain of the human thyroid hormone receptor β. *Proc Natl Acad Sci U S A* 86：8977-8981, 1989
5) 黒田　豪，他：甲状腺ホルモン不応症．日本臨牀 別冊（内分泌症候群［第3版］Ⅰ）：535-538, 2018
6) Anselmo J, et al.：Fetal loss associated with excess thyroid hormone exposure. *JAMA* 292：691-695, 2004
7) Bochukova E, et al.：A mutation in the thyroid hormone receptor alpha gene. *N Engl J Med* 366：243-249, 2012

〔望月　弘〕

2 甲状腺ホルモン代謝異常症

1．MCT8異常症

1）定義・概念

MCT8（monocarboxylate transporter 8）は甲状腺ホルモン輸送体の一つであり，甲状腺ホルモン（thyroid hormone：TH）の輸送に特化した高いTH輸送能をもつ．MCT8異常症では，THが細胞膜を通過できず，TH作用不全をきたす．Allan-Herndon-Dudley症候群の病因である[1]．

2）病因・病態（図8）[2]

MCT8遺伝子はXq13.2に座位し，X連鎖性潜性遺伝形式をとる．MCT8は全身で発現しているが，特に肝臓と脳（胎児脳）で発現が強い．末梢組織では5'脱ヨウ素酵素（deiodinating enzyme：DIO）1型活性が高く，T_3上昇と消耗性T_4低下をきたし甲状腺機能亢進となる．一方，脳ではT_3の取り込みは阻害されている．T_4は脳に取り込まれるが血清T_4が低いため，やはり脳への取り込みは低下する．このため脳では甲状腺機能低下になり，その補償としてDIO2型活性増加を示す[1,2]．MCT8異常症の詳細な病態生理は，いまだ不明な点が多い．

3）臨床症候

乳児期より重度の精神運動発達遅滞が出現し，筋緊張低下，原始反射遷延，側彎症，筋形成不全，ジストニア，痙性，摂食の不具合，股関節脱臼，睡眠障害などを呈する．大半は自立的な座位，歩行はできず，発語もない．加齢とともに体重，身長とも増加不良となる[3]．

4）診断と検査法

甲状腺機能はT_3高値，T_4は正常下限～低値，TSHは正常～軽度高値という特徴的所見を示す．高解像度頭部MRIでは永続的な低髄鞘化を認める[4]．確定診断には遺伝子解析が必要である．遺伝子変異のhot spotはなく，遺伝子型と表現型の明確な相関は確立されてい

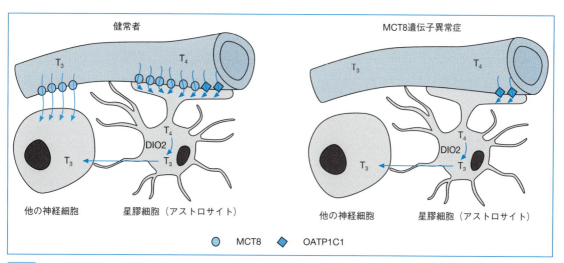

図8 中枢神経系での甲状腺ホルモントランスポーターの発現

〔Grijota-Martínez C, et al.：MCT8 Deficiency：The Road to Therapies for a Rare Disease. *Front Neurosci* 14：380, 2020 より引用一部改変〕

ない．

5）治療法

根治的治療法はない．種々の症状に対症療法を行う．

6）管理と予後

生存年齢中央値は35歳で，70歳超の例もある．呼吸器感染症および突然死により死亡することが多い．1.5歳までの未頸定，3歳までの低体重は死亡のハイリスクとなる[3]．

7）最新知見

T_3アナログ製剤の第Ⅱ相治験で末梢の甲状腺中毒症状改善が報告されている．新生児へのT_3アナログ製剤投与の治験が進行中である[4]．

❖ 文献

1) Groeneweg S, et al.：Thyroid Hormone Transporters. Endocr Rev 41：bnz008, 2020
2) Grijota-Martínez C, et al.：MCT8 deficiency：The road to therapies for a rare disease. Front Neurosci 14：380, 2020
3) Groeneweg S, et al.：Disease characteristics of MCT8 deficiency：an international, retrospective, multicentre cohort study. Lancet Diabetes Endocrinol 8：594-605, 2020
4) Vancamp P, et al.：Monocarboxylate transporter 8 deficiency：delayed or permanent hypomyelination？ Front Endocrinol (Lausanne) 11：283, 2020

〔伊藤順庸〕

2. SBP2 異常症

1）定義・概念

SBP2（selenocysteine insertion sequence binding protein 2；SECISBP2）は，セレノプロテイン合成過程において重要な役割を担うトランス活性化因子であり，SBP2異常症はセレノプロテイン低下による多様な臨床症候を呈する常染色体潜性遺伝性疾患である．これまでの報告は10例程度（わが国では1例のみ）であり，まれな疾患であると考えられている[1~7]．

2）病因・病態

ヒトで25種類存在するセレノプロテインは，その活性中心にセレン（Se）含有アミノ酸のセレノシステイン（Sec）を有している．セレノプロテインの代表的なものには，甲状腺ホルモンの活性化，不活性化に関与する iodothyronine deiodinases，抗酸化や酸化還元反応に関与する glutathione peroxidases（GPx）や thioredoxin reductases などがある．SBP2異常症では，セレノプロテインへのSecの組み込みが障害され，結果として複数のセレノプロテインが欠乏し，多様な臨床症候を呈することになる．

3）臨床症候

以下の三つの病態に分けて考えると理解しやすい．

a．組織特異的セレノプロテイン低下に起因するもの

①iodothyronine deiodinases 活性低下による特徴的な甲状腺機能異常（後述），骨成熟遅延，小児期の低身長[1~7]．

②セレノプロテインNの活性低下による rigid spine muscular dystrophy 様の筋症状[3,4]．

③成人男性例で精巣に高濃度で存在する mitochondrial GPx4，セレノプロテインVなどの低下による無精子症[4]．

b．抗酸化作用低下によるもの

酸化ストレス蓄積による光線過敏症，感音難聴が報告されている[4]．

c．その他

報告例のほとんどで，種々の程度の発達遅滞が存在する．

4）診断と検査法

特異的な甲状腺機能異常が最大の特徴である．TSHは正常～軽度高値，FT_3は正常低値～軽度低値，FT_4軽度高値であり，MCT8異常症と鏡像のような値を示す．特徴的な甲状腺機能異常，低身長，骨年齢の遅れ，発達遅滞などを認めたら，まず血中のSeを測定する．Se低値があれば，セレノプロテイン（GPxなど）測定や遺伝子検査を行い，診断を確定する．

5）治療法

確立された治療はいまだ存在しないが，これまでにいくつかの方法が試みられている．T_3補充療法が甲状腺機能を正常化させ，成長率，骨年齢を促進させた報告は複数存在する[2,4,5]．また，1例のみであるが，幼児期のT_3投与が発達遅滞を改善したとの報告も存在する[4]．抗酸化作用低下に対してビタミンEの投与も推奨されているが，その効果は不明である．Se投与は無効である．

6）管理と予後

成人例の報告は1例のみであり，長期予後は不明である[4]．酸化ストレス蓄積による悪性腫瘍や早期老化の出現も懸念されている．

❖ 文献

1) Dumitrescu AM, et al.：Mutations in SECISBP2 result in abnormal thyroid hormone metabolism. Nat Genet 37：1247-1252, 2005
2) Di Cosmo C, et al.：Clinical and molecular characterization of a novel selenocysteine insertion sequence-binding protein 2 (SBP2) gene mutation (R128X). J Clin Endocrinol Metab 94：4003-4009, 2009
3) Azevedo MF, et al.：Selenoprotein-related disease in a young girl caused by nonsense mutations in the SBP2 gene. J Clin

4) Schoenmakers E, et al.：Mutations in the selenocysteine insertion sequence-binding protein 2 gene lead to a multisystem selenoprotein deficiency disorder in humans. *J Clin Invest* 120：4220-4235, 2010
5) Hamajima T, et al.：Novel compound heterozygous mutations in the SBP2 gene：characteristic clinical manifestations and the implications of GH and triiodothyronine in longitudinal bone growth and maturation. *Eur J Endocrinol* 166：757-764, 2012
6) Çatli G, et al.：A novel homozygous selenocysteine insertion sequence binding protein 2（SECISBP2, SBP2）gene mutation in a Turkish boy. *Thyroid* 28：1221-1223, 2018
7) Fu J, et al.：Clinical and molecular analysis in 2 families with novel compound heterozygous SBP2（SECISBP2）mutations. *J Clin Endocrinol Metab* 105：e6-e11, 2020

〔濱島　崇〕

3. Consumptive hypothyroidism

1）定義・概念

甲状腺ホルモンを不活化する3型脱ヨウ素酵素（type 3 deiodinase：DIO3）が腫瘍性に過剰発現し，甲状腺ホルモンの合成能を超えて，甲状腺ホルモンを過剰に非活性型に代謝し，甲状腺ホルモン欠乏になる病態である．すなわち，DIO3の脱ヨウ素作用によりT_4は非活性型rT_3，T_3は非活性型T_2に代謝され，典型例ではFT_4とFT_3が低値，TSHが異常高値になる．

2）病因・病態

最初の報告[1]は，多発性肝血管腫に甲状腺機能低下症を合併した生後6週の男児で，肝血管腫のDIO3活性が亢進していた．2017年のsystematic review[2]では，36例の乳児（新生児〜10か月）と6例の成人（21〜76歳）が報告され，男女差はなかった．DIO3過剰発現の病変は，巨大肝血管腫がほとんどであるが，乳児では耳下腺部血管腫，多発性皮膚血管腫，線維肉腫，成人ではgastrointestinal stromal tumorと線維腫の報告があった．血管由来でない腫瘍でも本症が発生していた．

乳児例で，新生児マススクリーニングに異常があったのは，記録が残されている事例の3割程度であった[2]．乳児例の1割程度が，血管腫増大による心不全や先天性気管・気管支軟化症の合併などにより死亡していた[2]．

生理学的には[3]，DIO3は胎児（脳，皮膚，肝臓，血管内皮，消化管・呼吸器の上皮など），胎盤，妊娠子宮内膜に存在するが，生後数週以降は脳，皮膚，膵β細胞以外では検出されなくなる．しかし，肝臓切除後の再生，心筋肥大，悪性疾患，重症炎症などで，その部位のDIO3再活性化が確認されている．DIO3遺伝子は，14q32.31に位置し，インプリンティングされており，父親由来のものが発現する．

3）臨床症候

甲状腺ホルモン欠乏による徐脈，低体温，不活発などの症状と，巨大血管腫による肝腫大，腹部膨満，呼吸循環障害，高拍出性心不全，凝固障害などの症状がみられる．

4）診断と検査法

高TSH血症を伴う甲状腺機能低下症である．通常は，甲状腺のサイズと位置に異常はない．巨大血管腫の診断は，超音波，CTなどで容易である．皮膚血管腫，高ガラクトース血症などは巨大血管腫を疑う参考所見である．

5）治療法

DIO3過剰発現の腫瘍に対する治療と，甲状腺ホルモン補充療法を同時に行わねばならない．

腫瘍の治療には，薬物治療（ステロイド，プロプラノロール，ビンクリスチン，シクロホスファミド，インターフェロンなど）と観血的治療（腫瘍摘出，肝切除，肝動脈結索，肝移植など）がある．近年，乳児血管腫にはプロプラノロール（1〜3 mg/kg/日，分2）がよく使われている．

甲状腺機能低下症には，重症度に応じて，LT_4製剤とT_3製剤を単独もしくは併用して補充療法を行う．LT_4製剤は，通常投与量（乳児で5〜10 μg/kg/日，分1）からはじめるが，腫瘍の増大期には通常量の数倍を必要とすることがある．軽症例では，プロプラノロールとT_3製剤（1 μg/kg/日，分3）のみで治療できた報告がある[4]．血中FT_4，FT_3，TSHを適宜測定し，正常域を維持できるよう努める．なお，腫瘍の縮小・消失に伴い，本補充療法を減量・中止できる．

❖ 文献

1) Huang SA, et al.：Severe hypothyroidism caused by type 3 iodothyronine deiodinase in infantile hemangiomas. *N Engl J Med* 343：185-189, 2000
2) Pasa MW, et al.：Consumptive hypothyroidism：case report of hepatic hemangioendotheliomas successfully treated with vincristine and systematic review of the syndrome. *Eur Thyroid J* 6：321-327, 2017
3) Luongo C, et al.：Type 3 deiodinase and consumptive hypothyroidism：a common mechanism for a rare disease. *Front Endocrinol（Lausanne）*4：115, 2013
4) Higuchi S, et al.：Use of liothyronine without levothyroxine in the treatment of mild consumptive hypothyroidism caused by hepatic hemangiomas. *Endocrine J* 64：639-643, 2017

〔菊池　清〕

3 TSH 不応症

1）定義・概念

TSH 不応症は生物学的活性を有する TSH に対して標的細胞の感受性が低下した症候群である[1]．血中 TSH は基準値上限から高値を，末梢甲状腺ホルモン（T_3，T_4）は基準値内から低値をとる．正所性甲状腺でサイズは正常〜低形成で，不応の程度により表現型は様々であり，高 TSH 血症から甲状腺低形成を伴う先天性甲状腺機能低下症まで呈する．

2）病因・病態

TSH 不応症の原因は TSH 受容体（TSHR）および受容体後シグナル伝達異常である．G 蛋白共役型受容体である TSHR は甲状腺細胞の分化・増殖・甲状腺ホルモン生合成に対する TSH の作用を伝達する[2]．TSHR はアデニル酸シクラーゼとホスホリパーゼ C（phospholipase C：PLC）とカップリングしており，TSH の結合によりセカンドメッセンジャーである cAMP と Ca^{2+} が細胞内に増加し細胞機能を活性化させる．前者はホルモン分泌と濾胞細胞の成長調節を，後者はヨウ素化などのホルモン合成に関与する．

TSHR 遺伝子は 14q31 に座位し，10 個のエクソンより構成される．1995 年に Sunthornthepvarakui らは TSHR 遺伝子の機能喪失型変異による TSH 不応症（常染色体潜性遺伝形式）を報告した[3]．変異は TSHR 遺伝子のいずれの部位にも認められ，膜貫通部，細胞内・外ループに位置するホモ接合体あるいは複合型ヘテロ接合体変異では甲状腺は低形成となり，機能低下も重症である．わが国では，創始者効果と考えられる p.Arg450His 変異が高頻度である[4,5]．

G 蛋白共役型受容体の細胞内シグナル伝達に関与する GNAS1 遺伝子異常による TSH 不応症は偽性副甲状腺機能低下症 I A 型の一因であるが，PTH・LH/FSH など複数のホルモン不応を合併することが知られている[6]．

3）臨床症候

甲状腺機能低下症，潜在性甲状腺機能低下症，および高 TSH 血症と様々な表現型を示す．2004 年，Park らは p.Trp546* 変異をヘテロ接合体に有する個体が高 TSH 血症，TRH に対する TSH の過剰遷延反応，および甲状腺の軽度低形成を示すことを報告した[7]．TSH 不応を完全型・部分型（中等度；潜性遺伝形式）と部分型（軽度；顕性遺伝形式）に分類した（表 12）．

4）診断と検査法

新生児マススクリーニングで発見される例がほとんどである．血中 TSH は基準値上限から高値を，末梢甲状腺ホルモン（T_3，T_4）は基準値から低値を示す．画像診断では，正所性甲状腺でサイズは正常〜低形成である．

5）治療法

基本的に末梢甲状腺ホルモン値が基準値内であれば治療の必要はない．ただし，新生児期には診断よりも治療を優先しなければならない．Park らが提唱した TSH 不応症分類に従えば，補充療法は完全型では必須，部分型（中等度）では必須〜一時的，および部分型（軽度）では必要〜不要となる[7]（表 12）．

6）管理と予後

長期予後に関する報告は少ない．重度の機能喪失をもつ TSHR 遺伝子異常症では精査時の末梢甲状腺ホルモン値が低値であっても適切なホルモン補充療法により精神運動発達に問題はない．

7）最新知見

Grasberger らは放射性ヨウ素の取り込み亢進を認める家系において TSHR 遺伝子変異（L653V）を同定した[8]．TSH 上昇（30〜50 μU/mL）を認めるも末梢甲状腺ホルモン値は基準値内であった．変異は第 3 細胞外ループに存在し，おもに PLC 系シグナル伝達に障害をきたす．本遺伝子異常症に新たな表現型が加わった．

❖ 文献

1) Paschke R, et al.：The thyrotropin receptor in thyroid diseases.

表 12　TSHR 遺伝子異常による TSH 不応症の分類

分類	表現型	甲状腺機能検査		遺伝形式	補充療法
		TSH	$T_4(T_3)$		
完全型	CH	↑↑↑	↓↓	AR	必須
部分型（中等度）	軽症 CH 高 TSH 血症	↑〜↑↑	↓〜→	AR／AD	必須〜一時的
部分型（軽度）	高 TSH 血症 SH〜正常	↑	→	AD	必要〜不要

CH：先天性甲状腺機能低下症，SH：潜在性甲状腺機能低下症
AR：常染色体潜性，AD：常染色体顕性

N Engl J Med 337：1675-1681, 1997
2) Vassart G, et al.：The thyrotropin receptor and the regulation of thyrocyte function and growth. *Endocr Rev* 13：596-611, 1992
3) Sunthornthepvarakui T, et al.：Brief report：resistance to thyrotropin caused by mutations in the thyrotropin-receptor gene. *N Engl J Med* 332：155-160, 1995
4) Tsunekawa K, et al.：Identification and functional analysis of novel inactivating thyrotropin receptor mutations in patients with thyrotropin resistance. *Thyroid* 16：471-479, 2006
5) Narumi S, et al.：TSHR mutations as a cause of congenital hypothyroidism in Japan：a population-based genetic epidemiology study. *J Clin Endocrinol Metab* 94：1317-1323, 2009
6) Pohlenz J, et al.：A new heterozygous mutation（L338N）in the human Gsalpha（GNAS1）gene as a cause for congenital hypothyroidism in Albright's hereditary osteodystrophy. *Eur J Endocrinol* 148：463-468, 2003
7) Park SM, et al.：Congenital hypothyroidism and apparent athyreosis with compound heterozygosity or compensated hypothyroidism with probable hemizygosity for inactivating mutations of the TSH receptor. *Clin Endocrinol（Oxf）*60：220-227, 2004
8) Grasberger H, et al.：A familial thyrotropin（TSH）receptor mutation provides in vivo evidence that the inositol phosphates/Ca2＋ cascade mediates TSH action on thyroid hormone synthesis. *J Clin Endocrinol Metab* 92：2816-2820, 2007

〔鬼形和道〕

I 甲状腺結節・甲状腺癌

甲状腺結節とは甲状腺に認める腫瘤であり，囊胞，過形成，腺腫，癌などが含まれる（表13）[1]．大きなものは患者自身によって気づかれたり，視診や触診で発見されることもあるが，頭頸部の画像検査で発見される比較的小さなものも多くなってきている．大部分は良性（腺腫様甲状腺腫，甲状腺良性腫瘍など）だが，小児の甲状腺結節に占める悪性腫瘍の頻度は成人より高い．治療方針の決定には悪性ないし悪性が強く疑われるかどうかが重要なポイントとなる．治療は外科治療が主である．小児の甲状腺分化癌の予後は良好であるが，悪性腫瘍（甲状腺癌）との鑑別が手術標本の病理組織検査でなければ確定できないこともある．

甲状腺結節の診療方針

甲状腺結節・甲状腺癌の診療ガイドラインは世界中の様々な団体から発表されており，わが国でも「甲状腺結節取扱い診療ガイドライン」[2]，「甲状腺腫瘍診療ガイドライン」[3]が発刊されている．小児の甲状腺癌は成人とは異なる特徴を有しているが，小児症例は少なくエビデンスに乏しいことからこれらのガイドラインでは小児に関連した記述はわずかであった．2015年にアメリカ甲状腺学会（American Thyroid Association：ATA）から小児の甲状腺結節と分化癌に関する診療ガイドライン[4]が発表されたのでこれらをもとに概説する．

1）病歴聴取

甲状腺癌の家族歴，若年時の放射線被ばく歴が癌のリスク因子となるため重要である．患者本人を含めて第1度近親者に少なくとも2人以上の甲状腺癌（特に乳頭癌）がみられるものを家族性非髄様癌性甲状腺癌（familial nonmedullary thyroid cancer：FNMTC）とよんでいる（原因遺伝子は不明）．一部の甲状腺癌には遺伝子異常が関係しており，髄様癌が多発性内分泌腫瘍症2型（multiple endocrine neoplasia type 2：MEN2）の構成要素であることはよく知られている．非髄様癌についても家族性腫瘍症候群に関連して合併する場合があり，APC関連ポリポーシス（家族性大腸ポリポーシスなど），Carney複合，DICER1症候群（胸膜肺芽腫，卵巣Sertoli-Leydig細胞腫が特徴的），PTEN過誤腫腫瘍症候群（Cowden病など），Werner症候群，などである．これらの家族歴，関連する既往歴に注意する必要がある．家族性腫瘍症候群に伴う甲状腺結節では，腺腫様甲状腺腫，濾胞腺腫，分化癌（乳頭癌，濾胞癌）のいずれの組織型もとりうる．なお，ATAのガイドライン[4]では甲状腺腫瘍の高リスク小児へのルーチンの画像検査が予後改善のために有益であるとするエビデンスはないため，年1回の診察により，触知可能な結節，甲状腺の左右差，異常な頸部リンパ節腫脹を認めたときに画像検査を実施するように推奨している．

2）臨床症候

甲状腺に存在するしこりが主症状であるが，炎症性病変でなければ疼痛，圧痛，熱感はない．多くは無症状である．気管の圧迫症状は，咳嗽，喘鳴，呼吸困難，絞扼感，嚥下困難である．食道は気管の後方に位置す

表13 甲状腺結節の組織学的分類

Ⅰ．甲状腺腫瘍	1. 良性腫瘍	濾胞腺腫
	2. 悪性腫瘍	乳頭癌，濾胞癌，低分化癌，未分化癌，髄様癌，混合性髄様癌・濾胞細胞癌，リンパ腫
	3. その他の腫瘍	
	4. 分類不能腫瘍	
Ⅱ．腫瘍様病変	1. 腺腫様甲状腺腫	
	2. アミロイド甲状腺腫	
	3. 囊胞	

〔日本内分泌外科学会, 他（編）：甲状腺癌取扱い規約. 第8版, 金原出版, 2019 より改変〕

表14 甲状腺結節(腫瘤)超音波診断基準

	〈主〉				〈副〉	
	形状	境界の明瞭性・性状	内部エコー		微細高エコー	境界部低エコー帯
			エコーレベル	均質性		
良性所見	整	明瞭平滑	高～低	均質	(－)	整
悪性所見	不整	不明瞭粗雑	低	不均質	多発	不整/なし

〔鈴木眞一:結節性病変.日本乳腺甲状腺超音波医学会　甲状腺用語診断基準委員会(編),甲状腺超音波診断ガイドブック.改訂第3版,南江堂,48-53,2016〕

るため圧迫は軽度である．縦隔内甲状腺腫が縦隔内に進展し胸郭の入り口を塞ぐと，上大静脈症候群と同様の静脈還流障害が生じる．嗄声を伴うものは悪性腫瘍の反回神経浸潤が疑われる．

3) 診察所見

触診で悪性を強く疑う所見は，可動性のない結節，リンパ節腫脹，4 cm以上の結節である．硬い腫瘤や腫瘍の急激増大もある程度悪性を疑うべき所見である．

4) 甲状腺超音波検査

甲状腺超音波検査については，**総論第5章B 1)-a.**を参照されたい．

頻度が高いのはコロイド囊胞，腺腫様甲状腺腫(腺腫様結節)などの良性病変である．これらは形状が円形または楕円形で，境界明瞭で境界部低エコー帯は認めず，内部エコーは無～等エコーで，二次的な変化として囊胞形成や石灰化，出血などを認める．典型的な囊胞性病変では内部に濃縮コロイド，フィブリン網，凝血塊などが凝集して点状多重高エコー(コメットサイン)を認める．東日本大震災後の福島県県民健康調査「甲状腺検査(先行検査)」における0歳6か月～23歳の30万人のスクリーニング検査でも3.1～20.0 mmの囊胞性病変を18.6%に認めている[5]．このほかに囊胞状所見を示すものとしては甲状舌管囊胞や梨状窩瘻などがある．また，小児では甲状腺内に異所性胸腺が観察されることもしばしばあり，前述の福島県のコホートでは0.99%と報告されている[6]．

悪性を疑う場合には超音波ガイド下に穿刺吸引細胞診(fine needle aspiration cytology：FNAC)を実施する．FNACの適応は日本乳腺甲状腺超音波医学会(The Japan Association of Breast and Thyroid Sonology：JABTS)甲状腺用語診断基準委員会により示されている[7]．基本的に病変の大きさによるが，境界域のときは甲状腺結節(腫瘤)超音波診断基準(表14)[7]の悪性所見の有無も参考にする．頸部リンパ節腫大，甲状腺外腫瘤を認める場合や髄様癌が疑われるときもFNACの適応とする．原則的に超音波検査で経過観察すればよいものは，①内部に充実性成分を含まない20 mm以下の囊胞性病変，②5 mm以下で頸部リンパ節転移や遠隔転移が疑われない充実性病変，③20 mm以下の充実性病変でspongiform patternやhoney patternを呈するいわゆる過形成結節(腺腫様結節，腺腫様甲状腺腫)，である．ATAの小児ガイドラインでは，FNACの適応は原則として成人と同様であるが，結節や囊胞の大きさよりは超音波所見の悪性を示唆する特徴と臨床的な状況で判断すべきとしている[4]．

5) 血液検査(甲状腺機能検査，甲状腺自己抗体検査など)

甲状腺機能検査(TSH，FT_4，FT_3)を実施する．TSHが抑制されている場合で，Basedow病などによる甲状腺中毒症との鑑別や機能性結節の局在診断が必要なときには^{123}I，^{99m}Tcによる甲状腺シンチグラフィを行う．

血清サイログロブリンは良性悪性の鑑別にはあまり役に立たないが，高値の場合は濾胞癌の可能性があるため一度は測定しておいたほうがよい．抗サイログロブリン抗体が存在しているとサイログロブリンの測定の信頼度が悪くなるのであわせて確認する．

甲状腺髄様癌が疑われるときは，血中CTないしCEA(carcinoembryonic antigen)の高値がないか調べる．

6) 穿刺吸引細胞診(FNAC)

FNACについては**総論第6章C**を参照されたい．実際には甲状腺腫瘍の診療経験が豊富な内分泌内科，内分泌外科などの専門医師にコンサルトするのがよいだろう．

7) 治療法

FNACの結果に応じての方針を概説する[8]．①「検体不適正」の場合は3か月以上の間隔をあけて再検する．2回連続して不適正の場合は，超音波検査の間隔を短くして経過観察するか外科手術を考慮する．②「囊胞液」の場合は超音波所見で悪性が疑われるときには再検する．③「良性」の場合は6～18か月間隔で3～5年経過観察し，経過観察中に超音波検査で異常所見が出現する場合は再検する．④「意義不明」の場合は再検が勧められる．⑤「濾胞性腫瘍」の場合は病変の組織学的検査のために外科的切除が推奨される．⑥「悪性の疑

い」または「悪性」の場合は治療としての外科的切除を行う．

8）自然経過

腫瘤の自然経過はよくわかっていない．志村の報告[9]ではFNACを実施した患者で2回以上甲状腺超音波検査を実施した106人の検討で平均腫瘤径の年間変化は，良性群では＋0.2±0.3 mm/年とほぼ不変であったのに対し，悪性群では＋1.3±0.5 mm/年と有意差があったとしている．このうち悪性群13例では経過観察開始時の平均腫瘤径が，10 mm以下群では0.4±0.2 mm/年，11〜20 mm群では1.2±0.6 mm/年，21 mm以上群では3.7±1.4 mm/年と大きなものほど年間増大量が多かったと報告している．

2 腺腫様甲状腺腫

1）定義・概念

腺腫様甲状腺腫は過形成病変（結節性過形成）である．甲状腺内に過形成性結節が複数存在する場合は腺腫様甲状腺腫（adenomatous goiter），単発病変の場合は腺腫様結節（adenomatous nodule）とよぶ[7]．いずれの名称も病理診断名であるため，病理学的検査（細胞診，組織診）が実施されていない段階での臨床診断名は多結節性甲状腺腫（multinodular goiter）あるいは単発性甲状腺結節の語を用いるのが正しい．

2）病因・病態

病因は不明である．ヨウ素摂取の少ない国での発症頻度は高いが，ヨウ素欠乏自体がリスク因子になるかどうかの結論は出ていない．女性が男性の3〜10倍の頻度である[7]．DICER1遺伝子変異によるものは顕性であるが，家族性とされるものの一部には甲状腺ホルモン合成障害の例が含まれている可能性がある．

3）臨床症候

臨床症候は前頸部の腫大としこりである．結節の増大速度は緩徐であるため，結節による圧迫症状が出ることはまれである[1]．

4）診断と検査法

超音波検査の所見は，病変のほとんどを囊胞が占め壁の一部に充実部が存在するようなものから充実部がかなりの部分を占めるようなもの，結節内部は正常甲状腺と大きな違いがないが薄い境界部低エコー域が存在し結節と認識されるようなものまで多彩である[7]．一般にspongiform patternやhoneycomb patternとよばれる所見は過形成の結節であることが多い．囊胞性病変が主体の場合にはFNACを実施しても診断のために適切な検体が得られないことも多く，細胞診では腺腫様甲状腺腫と濾胞腺腫，濾胞癌との鑑別自体も困難な場合がある．中毒性結節性甲状腺腫との鑑別のために甲状腺機能検査（特にTSH測定が重要）により甲状腺中毒症となっていないことを確認する．

5）治療法

治療を考慮するのは，圧迫症状がみられるとき，甲状腺腫全体ないし一部の結節が進行性に増大してきたときであり，頸部の違和感や美容上の問題を患者が訴える場合にも治療を検討する[2]．若年者では一般的に手術治療が勧められる．囊胞部がほとんどを占めるような結節では内容液の穿刺吸引により症状が軽快するが，再貯留を繰り返す症例もあり経皮的エタノール注入療法が行われることもある[2]．

6）管理と予後

定期的に経過観察する．ATAの小児ガイドラインではFNACで良性とされた症例では超音波検査による経過観察は最初6〜12か月後で，変化がなければ1〜2年ごととされている[4]．多結節性甲状腺腫は長い期間を経て自律性機能性結節になることがあるため，年1回程度の長期経過観察が望ましい．多結節性甲状腺腫で特に甲状腺癌の合併頻度が高いということはなく，単発性甲状腺結節と比較しても合併頻度は同じである[2]．

3 甲状腺良性腫瘍

1）定義・概念

甲状腺良性腫瘍に該当するのは濾胞腺腫である．濾胞を形成しながら，または索状，充実性に増殖する．細胞診では濾胞腺腫と濾胞癌の区別はできず，組織診により被膜に囲まれた腫瘤形成にとどまっていることと遠隔転移がないことが確定診断の条件となる[7]．なお，甲状腺中毒症をきたす中毒性多結節性甲状腺腫については本章F-2を参照されたい．

2）病因・病態

病因は不明である．家族性腫瘍症候群に伴うものもある．

3）臨床症候

表面平滑な単発の結節として認められ，通常は圧迫症状を認めない．比較的急速に増大したり腫瘍内出血を伴う場合には気管圧迫症状，頸部違和感，疼痛を呈することもある[7]．

4）診断と検査法

超音波検査では，被膜で結節全周が包まれており，形状整，円形，境界明瞭，境界部低エコー帯あり，内部エコーは等〜低，エコー均質，血流は周辺部を中心に認める，などの所見である[7]．細胞診では，細胞が

多く採取され，小濾胞を形成し，コロイド成分は少ない．核の異型性の程度が少ないのが特徴とされ，「濾胞性腫瘍」と報告される．確定診断は組織診断による．腫瘍細胞の被膜浸潤，脈管侵襲，甲状腺外への転移のいずれか一つが組織学的に確認されれば濾胞癌の診断となる[1]．

5）治療法

FNAC で濾胞腺腫と濾胞癌を鑑別するのは不可能であるため FNAC により濾胞性腫瘍で悪性の可能性が高いとされたときは病変部を含む片葉切除を行う[2]．

6）管理と予後

良性腫瘍であるため予後良好である．ただし，濾胞腺腫と濾胞癌の病理診断の一致率は甲状腺病理を専門とする病理医の間でも必ずしも高くない[7]ことから経過観察を継続することが望ましい．

4 甲状腺悪性腫瘍（甲状腺癌）

1）定義・概念

甲状腺癌のおもなものは，乳頭癌，濾胞癌，低分化癌，未分化癌，髄様癌である（表 13）[1]．わが国の甲状腺悪性腫瘍手術例の 95％ 程度が低悪性度の分化癌である乳頭癌（高分化癌の 90〜95％）と濾胞癌（分化癌の 5〜10％）であり，残りの 5％ に高悪性度の低分化癌および未分化癌，C 細胞由来の髄様癌などがみられる[2]．20 歳未満の甲状腺癌はアメリカでは全体の 1.8％ と報告されている[4]が，全年齢で甲状腺癌は近年増加傾向にある[3]．乳頭癌の多くは多結節性，両側性であるが，大部分の小児例で所属リンパ節転移がみられ，診断時肺転移も 25％ にみられる[4]．一方，濾胞癌は単結節で肺転移や骨転移をきたしやすく，所属リンパ節転移は珍しい[4]．

また，甲状腺はラテント癌（剖検時にはじめて発見される癌）が高頻度にみられる臓器であるが，多くは結節径 5 mm 以下である[2]．

2）病因・病態

放射線被ばく（被ばく時年齢 19 歳以下，大量）は明らかなリスク因子である．放射線被ばくにより誘発される甲状腺癌の大部分は乳頭癌である．特に乳幼児期に被ばくしたもので発生確率は高く，被ばく時年齢が 20 歳までは被ばく線量に依存して発生確率が有意に増加し，40 歳以上では生涯リスクが消失する．

甲状腺癌は女性に発生しやすいことから女性ホルモンや月経，妊娠などの影響について検討されているが具体的なリスク因子として確定しているものはない．思春期前には男女差はないが，思春期には女性は男性の 5 倍となる．

甲状腺癌の発症はヨウ素摂取不足地域で多いが，ヨウ素摂取の不足自体が甲状腺癌発生に関与しているかについては種々の報告の結論が一致していない．ヨウ素摂取不足地域では濾胞癌および未分化癌が多く，ヨウ素摂取過剰地域では乳頭癌の発生が多い[2]．

甲状腺癌の発生には RAS-RAF-MEK-ERK 経路の活性化が関与しており，成人の乳頭癌では BRAF 点変異がよくみられる．一方，小児ではまれであり，RET/PTC 再配列がよくみられる[4]．

3）臨床症候

基本的な症状は甲状腺部に存在する結節（しこり）であるが，頸部リンパ節腫脹や遠隔転移から発見される甲状腺癌もある．腫瘍が大きくなると圧迫症状がみられる．乳頭癌では腫瘍細胞浸潤による反回神経麻痺で嗄声がみられることがある．

4）診断と検査法

超音波検査で乳頭癌を疑う所見は，充実性の低エコー結節で形状不整，縦横比大，境界不明瞭，結節内部の多発点状エコー像などである[7]．濾胞癌に特徴的な所見は，充実性の低エコー結節で囊胞成分がないこと，境界部低エコー帯（ハロー）がないこと，粗大な高エコー（特にリング状の石灰化）を有すること，結節内部の血流が豊富なこととされるが，超音波所見では濾胞腺腫との鑑別は困難である[7]．

悪性が疑われる場合 FNAC を実施する．乳頭癌の診断は核所見（微細顆粒状クロマチン，核溝，核内細胞質封入体）によるため比較的容易であるが，濾胞癌の診断は核所見ではなく浸潤所見（被膜浸潤像，脈管侵襲像）によるため，細胞診で濾胞腺腫との区別は不可能である．細胞診で「濾胞性腫瘍」とされたときには原則として片葉切除して病理組織診断で診断を確定する．髄様癌は C 細胞に由来する甲状腺癌であり，組織診断は腫瘍細胞に CT 産生を証明（免疫組織化学的）することによる．

5）治療法

外科治療が中心となる．原則的に甲状腺全摘であるが，リンパ節郭清の範囲については議論がある[3]．手術の合併症は反回神経麻痺と副甲状腺機能低下症である．甲状腺全摘後の ^{131}I 内服による残存甲状腺組織除去（アブレーション）は局所再発や遠隔再発を減少させるが，生命予後の改善に有用かどうかの一定の見解は得られていない[2]．また，小児への放射線治療は低年齢ほど二次癌の発生リスクを上昇させるデメリットも考慮する必要がある．肺転移，骨転移には ^{131}I 治療は有効である．甲状腺ホルモン補充療法は，リスクに応

じて TSH が抑制される用量で行う．

6）管理と予後

　管理は頸部超音波検査，甲状腺機能検査（TSH, FT_3, FT_4），血清サイログロブリンの測定（抗サイログロブリン抗体が存在するとサイログロブリンの測定の信頼性が悪くなるので抗サイログロブリン抗体も必ず同時測定する）を定期的に実施する．放射線治療を実施したものには必要に応じ^{123}Iによる全身スキャンを行う．

　甲状腺乳頭癌は一般的には悪性度が高くない．小児甲状腺癌は成人と比較しても長期の生命予後は良好であり，診断時に肺転移を認めるなど進行した癌であるようにみえても，適切な治療が行われれば通常の余命を全うできる[4]．小児濾胞癌は報告例が極めて少ないが予後は良好と考えられている．

❖ 文献

1) 日本内分泌外科学会，他（編）：甲状腺癌取扱い規約．第8版，金原出版，2019
2) 日本甲状腺学会（編）：甲状腺結節取扱い診療ガイドライン．南江堂，2013
3) 日本内分泌外科学会，他（編）：甲状腺腫瘍診療ガイドライン 2018．日本内分泌・甲状腺外科学会雑誌 35（Suppl. 3），2018
4) The American Thyroid Association Guidelines Task Force：Management guidelines for children with thyroid nodules and differentiated thyroid cancer. *Thyroid* 25：716-759, 2015
5) 第 20 回福島県「県民健康調査」検討委員会（平成 27 年 8 月 31 日）：県民健康調査「甲状腺検査（先行検査）」結果概要［確定版］
https://www.pref.fukushima.lg.jp/uploaded/attachment/129302.pdf（2021 年 9 月 14 日アクセス）
6) Fukushima T, *et al*.：Prevalence of ectopic intrathyroidal thymus in Japan：the Fukushima health management survey. *Thyroid* 25：534-537, 2015
7) 日本乳腺甲状腺超音波医学会甲状腺用語診断基準委員会（編），甲状腺超音波診断ガイドブック．改訂第 3 版，南江堂，2016
8) 廣川満良，他：細胞診報告様式：ベセスダシステム．日甲状腺会誌 6：119-124，2015
9) 志村浩己：日本における甲状腺腫瘍の頻度と経過―人間ドックからのデータ．日甲状腺会誌 1：109-113，2010

〔皆川真規〕

第9章 カルシウムとビタミンD関連疾患

A 副甲状腺などカルシウム代謝に関与する臓器の発生・分化

1) 副甲状腺の発生

副甲状腺は第三, 第四咽頭嚢から発生し, その形成は甲状腺の形成と密接に関連して進行する[1]. まず第三咽頭嚢の副甲状腺原基が舌根部から尾側に移動する甲状腺原基と融合し, 甲状腺とともに尾側に運ばれ, 甲状腺の下極に位置する下副甲状腺を形成する. 一方, 第四咽頭嚢は遅れて甲状腺原基と融合し, 甲状腺の上極に位置する上副甲状腺を形成する(図1). 副甲状腺の直径は在胎14週では0.1 mmだが, 出生時には1～2 mmとなる. また, 第五咽頭嚢からは鰓後体が発生し, 甲状腺と融合してCT産生細胞(C細胞)となる. 副甲状腺, C細胞のどちらも妊娠の第2三半期からホルモン分泌能を獲得する. 胎児期はCTの産生が盛んであり, 出生直前～新生児の甲状腺ではC細胞が目立ち, 甲状腺の重量当たりのCTは正常成人甲状腺の10倍にも達する[2]. 一方, 出生直前の胎児副甲状腺では活動性の主細胞はほとんどみられない.

副甲状腺の発生に関与する遺伝子として, ノックアウトマウスの実験などから図1のような遺伝子が知られている[3,4]. たとえば, HOX15あるいはHOXA3のノックアウトマウスでは副甲状腺欠損をきたす. ヒトではこれらの遺伝子のうち, TBX1が22q11.2欠失症候群, GCM2が家族性孤発性副甲状腺機能低下症の原因遺伝子として知られている[5]. また, SOX3は以前より複合型下垂体ホルモン欠損症の原因として知られていたが, マウスの副甲状腺において, 胎生10.5～15.5日にSOX3 mRNAの発現が認められることから, 副甲状腺の発生にも何らかの役割を果たしていると考えられるようになってきた. ヒトではSOX3近傍の欠失あるいは挿入欠失によるX連鎖性副甲状腺機能低下症が知られており, 副甲状腺機能低下症はSOX3の発現に対する位置効果に起因すると考えられている[6].

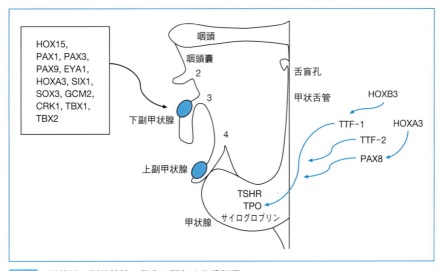

図1 甲状腺・副甲状腺の発生に関与する遺伝子

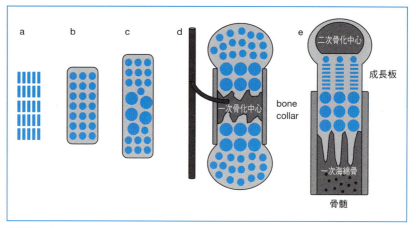

図2 内軟骨性骨化のプロセス
a：間葉系細胞の凝集，b：軟骨細胞への分化，c：中心部が肥大軟骨細胞へと分化，d：血管侵入と一次骨化中心の形成，e：二次骨化中心，成長板，および骨髄の形成
[Kronenberg HM：Developmental regulation of the growth plate. Nature 423：332-336, 2003]

2）骨の発生と骨代謝調節
a．骨の発生

骨の発生は胎生初期からはじまる．間葉系細胞が凝集し（図2a），その後内軟骨性骨化か膜性骨化のいずれかのプロセスによって骨への分化が起こる．内軟骨性骨化では，間葉系細胞の凝集は，まず軟骨組織からなる骨の鋳型（原基）に分化する（図2b, c）．この軟骨基質の鋳型に，骨芽細胞が骨基質を加え，破骨細胞による基質・細胞のターンオーバーが繰り返されることにより骨形成が進行する（図2）[7]．一方，膜性骨化では間葉系細胞は，軟骨の鋳型を経由することなく，直接骨芽細胞に分化し，骨基質の産生，骨形成が進行する．軟骨細胞，骨芽細胞への分化決定にはマスター転写因子であるSOX9，RUNX2がそれぞれ必須である[8]．

長管骨，脊椎は内軟骨性骨化により，以下のようなプロセスで成長する．骨幹端に位置する成長板の静止軟骨細胞は増殖軟骨細胞，肥大軟骨細胞へと分化することで，長軸方向に伸びる．やがて肥大軟骨細胞はアポトーシスを起こし，残された軟骨基質は石灰化する．そこに破軟骨細胞（破骨細胞と同一起源の細胞）が侵入し，軟骨基質を分解する．同時に血管も侵入し，石灰化した軟骨基質の小片は骨芽細胞で覆われ，一次海綿骨が形成される（図2d, e）．引き続き骨代謝回転が進み，一次海綿骨から軟骨基質などが完全に取り除かれ，完全に骨基質に置換された海綿骨を二次海綿骨とよぶ．

膜性骨化により形成されるのは，頭蓋の扁平骨，鎖骨外側，恥骨，および長管骨の外側の皮質骨などである．膜性骨化では凝集した間葉系細胞は直接骨芽細胞に分化し，さらに凝集して骨化中心形成，骨芽細胞による類骨の分泌・石灰化，（類骨が血管を取り囲むように分泌されることによる）海綿骨形成，骨膜による骨表面の被覆を経て，海綿骨の表層に皮質骨が形成される．膜性骨化初期は，不規則なコラーゲン原線維配列および骨細胞ネットワークからなる，未熟な叢状骨（woven bone）が形成される．その後，骨表面が骨膜で覆われると，骨膜直下の細胞が骨芽細胞に分化し，既存の骨基質と平行に骨基質を分泌するようになるため，平行に走るコラーゲン線維と骨細胞の層が交互に現れる層板性骨（lamellar bone）が形成されるようになる．

b．骨代謝調節の生理学

骨はカルシウム（Ca），リン（P），およびマグネシウム（Mg）の貯蔵庫として機能しており，精巧なメカニズムで骨代謝（骨形成および骨吸収）を調節し，ミネラルの恒常性を保つとともに，小児では成長，成人では骨強度をも担う．骨代謝の二つの基本的なプロセスが，①モデリングと②リモデリングである．モデリングは成長の過程でみられるもので，各々の骨が成人のサイズに達するまでの骨成長と骨成長による骨の形態の再構築を指す．リモデリングは生涯を通じて継続されるプロセスで，様々な環境変化に対応して恒常性を維持するために起こる骨吸収と引き続き起こる骨形成を指す．リモデリングでは吸収された分の骨が形成されるため，トータルの骨量は維持される．骨においてモデリングとリモデリングを担うのが，骨芽細胞，骨細胞，破骨細胞の3種の細胞である．骨芽細胞は，上述したように，骨基質を分泌して骨形成を開始する．

骨芽細胞の一部は新しく形成された骨に包埋され，骨細胞に分化して骨全体にわたる情報伝達ネットワークを形成する．破骨細胞は骨吸収を担う細胞である．骨芽細胞と骨細胞は細胞間シグナル伝達によって破骨細胞の活動性を制御し，骨形成と骨吸収のバランスをとることで，モデリングとリモデリング（骨の成長と維持）をコーディネートしている．

骨芽細胞は骨髄の間葉系幹細胞に由来する．間葉系幹細胞には骨芽細胞以外にも脂肪細胞，軟骨細胞，筋細胞に分化する能力をもつ．また，骨芽細胞は毛細血管内皮を取り巻く間葉系幹細胞であるペリサイト（周皮細胞）から分化する可能性も示唆されている[9]．骨芽細胞への分化を惹起するには，サイトカインの一種である，骨形成タンパク（bone morphogenic protein：BMP）ファミリーのシグナルが必須である．成熟した骨芽細胞はコラーゲン，オステオカルシンなどの骨基質を分泌し，骨基質の石灰化，硬骨の形成を促進する．この過程で多くの老化した骨芽細胞は骨に包埋され，骨小腔におさまる骨細胞となる[10]．骨細胞は，骨小管を通る多数の突起によってお互いに，あるいは骨芽細胞と情報交換することが可能である．骨表面の骨芽細胞も同様な情報伝達系を介して血管内皮と情報交換が可能であり，これらの情報伝達系は神経回路と仕組みが類似している．骨細胞はこの情報伝達系を介して骨に対する力学的負荷を感知し，荷重部分の骨形成を促進すべく骨芽細胞にシグナルを伝達する．

破骨細胞は単球系の芽球に由来する．破骨細胞への分化はまずマクロファージコロニー刺激因子（M-CSF）シグナルにより惹起される．その後，破骨細胞前駆細胞表面に発現するNFκB活性化受容体（RANK）に，幼若骨芽細胞表面に発現するRANKリガンド（RANKL）が結合することで，破骨細胞への分化が決定される．多くのホルモンがM-CSF/RANKLの発現に作用し，骨芽細胞を介して破骨細胞の活性を調節することで，骨代謝を制御する．RANK/RANKLファミリーにはもう一つ，RANKに対するデコイ受容体のオステオプロテジェリン（osteoprotegerin：OPG）が知られている．OPGも骨芽細胞で産生され，RANKLに結合してRANKへの結合を阻害することで破骨細胞分化を抑制し，骨を過剰な骨吸収から守る．したがってRANKL：OPG比は骨形成と骨吸収の恒常性および骨量の重要な決定因子である．破骨細胞分化に影響をおよぼす因子として，ほかにもインターロイキン，腫瘍壊死因子β（TNF-β），インターフェロンγ（IFN-γ）などが知られている．破骨細胞は骨髄中で分化・成熟し，血流に乗って骨表面に到達する．破骨細胞は多核

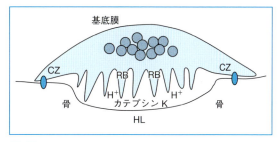

図3 成熟破骨細胞
RB：波状縁（ruffled border），CZ：明帯（clear zone/sealing zone），HL：Howship窩（Howship's lacunae）

の巨細胞であり，多数のミトコンドリア，リソソームを含む．また，骨表面側には波状縁（ruffled border：RB）という絨毛様の構造を有し，RBを取り囲む明帯（clear zone：CZ/sealing zone）によってRB直下のエリアは密閉され，その中にH$^+$イオン，カテプシンKなどの蛋白質分解酵素が分泌されることにより，骨ミネラルは遊離し，骨基質は分解され，骨吸収が進む．分解物は形質膜陥入により破骨細胞内に取り込まれ，基底膜側から放出される（図3）[11]．

骨のリモデリングおよび細胞内・細胞外のCaの恒常性は，骨芽細胞と破骨細胞が，骨（基本）細胞単位〔bone(basic)multicellular unit：BMU〕として協働することで維持される．BMUは血管と神経を中心とした骨芽細胞と破骨細胞の緩い集合体であり，まず破骨細胞により骨吸収が開始されることがBMU形成の起点となる．骨吸収を終えた破骨細胞はアポトーシスを起こすか，次に骨吸収エリアに移動する．一方，骨吸収されたエリアには骨芽細胞が進入し，新生骨が形成される．骨石灰化終了後，骨芽細胞の60％はアポトーシスにより死滅し，残りの骨芽細胞の多くは扁平化して骨表面細胞（ライニング細胞：間葉系幹細胞の一種）へと脱分化する．この過程は骨の修復が完了するまで繰り返され，その時点でBMUの活動は終了する．なお，モデリングの過程では明確なBMUは認められないが，骨成長・骨形態形成の正常な進行のために同様の制御システムが機能していると考えられる[12]．

3）腎臓の発生

腎臓は胎生35日目に，いずれも中胚葉由来の，Wolff管の尾側から鞘状に突出して生じる①尿管芽が②後腎の芽体に侵入することで形成が開始される．Wolff管が吻側から尾側に伸長していく過程でWolff管の近傍に魚類，両生類の腎組織に相当する前腎，中腎が形成されるが，ヒトでは最終的に腎臓に分化するのは後腎のみである．前腎は尾側の一部がWolff管となる以外は尿管芽が形成される頃に退縮する．中腎も女

II 各論

a	b	c	d	e	f
Pax2 Gdnf/Ret Lhx1 Eya1 Six1	Itga8/Itgb1 Fgfr2 Hoxa11/Hoxd11 Foxc1 Slit2/Robo2 Wt1	Wnt4 Emx2 Fgf8	Vegf-a/Kdr (Flk-1)	Foxd1 Tcf21 Foxc2 Lmx1b Itga3/Itgb1	Pdgfb/Pdgfbr Cxcr4/Cxcl12 Notch2 Nphs1 Nck1/Nck2	Cd36 Cd2ap Neph1 Nphs2 Lamb2

図4 腎発生を制御する遺伝子
a：細胞凝集，b：ネフロン前駆細胞の上皮化開始，c：コンマ体，d：S字体，e：血管内皮細胞の侵入，f：糸球体発生

性では完全に退縮するが，男性では尾側が生殖器の一部に分化する．

後腎芽体に侵入した尿管芽は分岐し，それぞれの先端周囲には，後腎間葉の細胞の凝集が惹起される．凝集した細胞は一気に増殖し，細胞塊を形成すると同時に，上皮細胞への分化がはじまる．この細胞塊（ネフロン前駆細胞）は最終的にネフロンへと分化する．細胞塊の間葉系細胞の上皮化は継続し，上皮化した後腎間葉は，コンマ体を経てS字体へと形態を変える．S字体の上部は近傍の尿管芽上皮と融合し，遠位尿細管および集合管となる．S字体の下部には血管前駆細胞が侵入し，毛細血管とその表面を覆う糸球体上皮細胞（ポドサイト）およびBowman囊上皮に分化し，糸球体が形成される．S字体の中間部はHenle係蹄と近位尿細管に分化する．また，尿管芽の腎側は集合管に，対側は尿管に分化する[13]．

糸球体から集合管までを合わせた腎機能の最小単位をネフロンとよび，ネフロン数は，尿管芽の分岐イベントの回数により規定される．通常一つの尿管芽から複数の分岐が起こり，これが12世代以上繰り返すため，正期産かつappropriate for gestational age（AGA）児では，一方の腎にそれぞれ〜900,000個のネフロンが存在する．一方，早産，small for gestational age（SGA）児のネフロン数は少なければ225,000個程度であり，様々な疾患リスクを抱える．

これらの過程が正常に進行するには，尿管芽と後腎間葉の細胞の相互作用が重要であり，たとえば，後腎間葉は尿管芽を引き寄せ，侵入した尿管芽の伸長・分岐を促進する．一方，尿管芽は間葉に作用し，間葉の上皮への分化（間葉・上皮転換）を促進する．図4に腎臓の発生に関与すると考えられている遺伝子を，発生の段階に応じて示す[13,14]．

文献

1) Dattani MT, et al.：Endocrinology of Fetal Development. In：Melmed S, et al.(eds), *Williams Textbook of Endocrinology.* 13th ed., Elsevier, Philadelphia, 849-892, 2016
2) Wolfe HJ, et al.：Distribution of calcitonin-containing cells in the normal neonatal human thyroid gland：a correlation of morphology with peptide content. *J Clin Endocrinol Metab* 41：1076-1081, 1975
3) Kameda Y, et al.：The role of Hoxa3 gene in parathyroid gland organogenesis of the mouse. *J Histochem Cytochem* 52：641-651, 2004
4) Grigorieva IV, et al.：Transcription factors in parathyroid development：lessons from hypoparathyroid disorders. *Ann N Y Acad Sci* 1237：24-38, 2011
5) Clarke BL, et al.：Epidemiology and diagnosis of hypoparathyroidism. *J Clin Endocrinol Metab* 101：2284-2299, 2016
6) Bowl MR, et al.：An interstitial deletion-insertion involving chromosomes 2p25.3 and Xq27.1, near SOX3, causes X-linked recessive hypoparathyroidism. *J Clin Invest* 115：2822-2831, 2005
7) Kronenberg HM：Developmental regulation of the growth plate. *Nature* 423：332-336, 2003
8) Yang Y：Early Skeletal Morphogenesis in Embryonic Development. In：Bilezikian JP, et al.(eds), *Primer on the Metabolic Bone Diseases and Disorders of Mineral Metabolism.* 9th ed., John Wiley & Sons, Hoboken, 3-11, 2019
9) Bradley EW, et al.：Osteoblasts：Function, Development, and Regulation. In：Bilezikian JP, et al.(eds), *Primer on the Metabolic Bone Diseases and Disorders of Mineral Metabolism.* 9th ed., John Wiley & Sons, Hoboken, 31-37, 2019
10) Bonewald LF：Osteocytes. In：Bilezikian JP, et al.(eds), *Primer on the Metabolic Bone Diseases and Disorders of Mineral Metabolism.* 9th ed., John Wiley & Sons, Hoboken, 38-45, 2019
11) Takayanagi H：Osteoclast Biology and Bone Resorption. In：Bilezikian JP, et al.(eds), *Primer on the Metabolic Bone Diseases and Disorders of Mineral Metabolism.* 9th ed., John Wiley & Sons, Hoboken, 46-53, 2019
12) Ward LM, et al.：Disorders of Calcium, Phosphate, and Bone Metabolism. In：Sarafoglou K, et al.(eds), *Pediatric Endocrinology and Inborn Errors of Metabolism.* 2nd ed., McGraw-Hill Education, New York, 799-874, 2017

13) Saxén L : *Organogenesis of the Kidney*. Cambridge University Press, Cambridge, 1987
14) George AL Jr, *et al.* : Cellular and Molecular Biology of the Kidney. In : Jameson JL, *et al.*（eds）, *Harrison's Principles of Internal Medicine*. 20th ed., McGraw-Hill Education, New York, 2089-2098, 2018

（難波範行）

B カルシウム・リン代謝調節と骨代謝

1) 定義・概念

カルシウム（Ca）・リン（P）代謝調節と骨代謝は密接にリンクしており，Ca・P代謝を考えるときには，骨を含む恒常性維持ループを想起することが重要である[1]．骨の石灰化機構を図5に示す．まず骨芽細胞がⅠ型コラーゲンなどの骨基質を分泌し，類骨を形成する．その一方で，骨芽細胞から放出される基質小胞内でCa・Pが濃縮され，ヒドロキシアパタイトの結晶が形成される．この結晶が骨基質に沈着することで，骨は石灰化される．石灰化した骨は生体の最大のCa・P〔そして相当量のマグネシウム（Mg）〕の貯蔵庫であり，多少のCa・P喪失があっても，骨のCa・Pがバッファーとして機能し，血清のイオン化Ca（Ca^{2+}）は維持されるため，細胞機能不全・生体の死に至ることなく，生命は維持される．一方，骨のCa・Pバランスが負の状態が長期間続くと，骨から持続的にCa・Pが動員され，低石灰化骨が増え，骨の支持臓器としての強度は失われていく．このような状態の患者を治療する場合，飢餓骨（hungry bone）症候群かそれに近い状態にあるため，血清Ca・Pを安定させるには，骨を本来のレベルにまで再石灰化するに足るCa補充が必要となる．

骨吸収を促進し，骨からCa・Pの動員を惹起する因子のほとんど〔PTH，PTH関連ペプチド（PTH-related peptide：PTHrP），1,25水酸化ビタミンD（1,25(OH)$_2$D），インターロイキン（IL）-1，IL-6，腫瘍壊死因子β（tumor necrosis factor-β：TNF-β）など〕は，骨芽細胞上の受容体に結合する．引き続いて，骨芽細胞から破骨細胞分化・活性化促進シグナルが発せられ，骨吸収が惹起される（**本章 A-2）-b.** 参照）．一方，前述の因子と異なり，CTは破骨細胞上のCT受容体に結合し，破骨細胞機能を直接抑制する．Ca・P代謝調節は，骨代謝（骨石灰化，骨吸収）のみならず，腸管からの

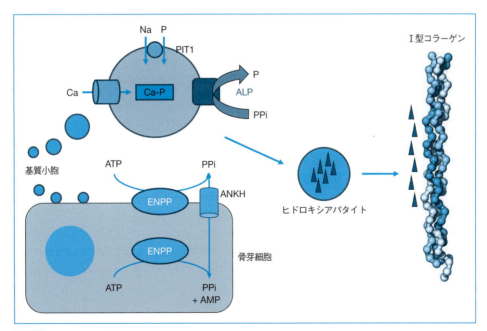

図5　骨の石灰化機構
骨芽細胞より放出された基質小胞にCa，Pが取り込まれ，ヒドロキシアパタイトとして結晶化する．一方，結晶化阻害物質のピロリン酸（PPi）はアルカリホスファターゼ（ALP）により分解され，リン酸となり，基質小胞内のCa，P濃縮に寄与する．基質小胞から放出されたヒドロキシアパタイトの結晶は骨基質のⅠ型コラーゲンに沈着し，骨石灰化が完成する．
AMP：adenosine monophosphate アデノシン一リン酸，ATP：adenosine triphosphate アデノシン三リン酸，ENPP：ectonucleotide pyrophosphatase/phosphodiesterase，ANKH：ANKH inorganic pyrophosphate transport regulator，PIT1：phosphate transporter 1

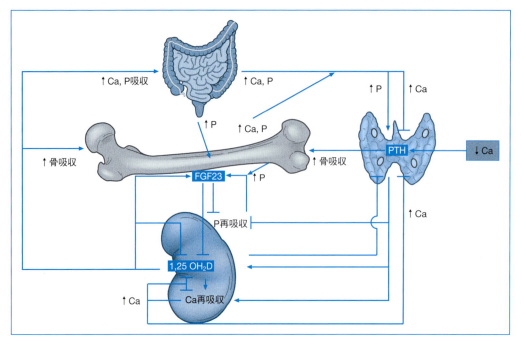

図6 Ca・P代謝調節機構

PTHはCaにより負に，Pにより正に制御され，骨吸収促進，Ca再吸収促進により血清Ca値は上昇するが，P再吸収抑制により血清P値は低下する．PTHはまた，腎近位尿細管での1,25(OH)$_2$D産生を促進する．1,25(OH)$_2$Dはおもに腸管におけるCa，P吸収促進，骨吸収促進により血清Ca，P値を上昇させる．骨細胞より分泌されるFGF23は腎近位尿細管に作用し，P再吸収抑制および1,25(OH)$_2$D産生抑制により血清P値を低下させる．また，図に示すように，PTH，1,25(OH)$_2$D，FGF23，Ca，Pはフィードバックにより，互いに精緻にコントロールされている．
FGF23：線維芽細胞増殖因子23(fibroblast growth factor 23)，1,25(OH)$_2$D：1,25-水酸化ビタミンD(1,25-dihydroxyvitamin D)

Ca・Pの吸収，腎臓によるCa・Pの再吸収によっても制御されている．代表的なホルモンとそのフィードバック機構を図6に示す．

2) 血清Ca・P値の調節機構

a. PTH

PTHは副甲状腺の主細胞により産生されるホルモンである．まずpreproPTH(115アミノ酸)として合成され，小胞体から放出されるときに切断されproPTH(90アミノ酸)となる．最終的にPTH(1-84)が分泌小胞に貯蔵される．PTHとしての生物活性はN端のアミノ酸1-34にあり，この領域は動物種間，PTHrPとの間で最も相同性が高い．血液中で活性があるのはPTH(1-84)のみであり，半減期は2〜4分と推定されている．生理的な分解産物であるPTH(7-84)はPTH作用に拮抗し，intact PTHアッセイで測定されるため，慢性腎臓病などでは注意を要する．

PTHの合成分泌は主としてCa^{2+}により調節されている．副甲状腺の主細胞にはCa感知受容体(calcium sensing receptor：CaSR)が発現しており，細胞外Ca^{2+}濃度の上昇により活性化されると，G$_q$α/G$_{11}$αを介してホスホリパーゼC(phospholipase C：PLC)が活性化され，イノシトール三リン酸(inositol 1,4,5-trisphos-phate：IP3)とジアシルグリセロール(diacylglycerol：DAG)が産生される．IP3が小胞体の受容体に結合し，細胞内Ca^{2+}が放出されることでPTHの合成・分泌は抑制される．CASRあるいは下流のシグナル伝達系に遺伝子変異がある場合，CaSR活性化シグナルが惹起される細胞外Ca^{2+}濃度のセットポイントが変化し，たとえば，CASRドミナントネガティブ型変異では家族性低カルシウム尿性高カルシウム血症(familial hypocalciuric hypercalcemia：FHH)，CASR機能獲得型変異では常染色体顕性低カルシウム血症(autosomal dominant hypocalcemia：ADH)を発症する．CaSRは腎尿細管に発現し，PTHとは独立してCaの再吸収を制御するため，特にADHはより厳密な管理を要する．

PTHの主作用は血中(細胞外)Ca^{2+}濃度の維持であり，骨と腎で以下のような作用を有する．①骨芽細胞においてG$_s$α-cAMP-プロテインキナーゼA(protein kinase A：PKA)活性化を介してNFκB活性化受容体リガンド(RANKL)/マクロファージコロニー刺激因子(M-CSF)の発現促進，オステオプロテジェリン(osteoprotegerin：OPG)の発現抑制により，破骨細胞の分化を促進・活性化し，骨吸収(Ca動員)を促進，②腎遠位尿細管でPKAの活性化により管腔側の非選択的カチ

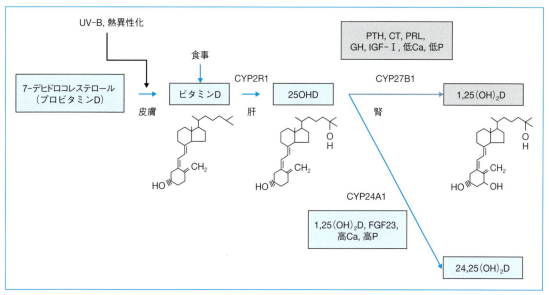

図7 ビタミンDの生合成と代謝

オンチャネルTRPV5の活性・発現を促進し，Ca再吸収を促進，③腎近位尿細管でPKAの活性化により1α水酸化酵素（CYP27B1）発現を促進，24水酸化酵素（CYP24A1）発現を抑制して1,25(OH)$_2$Dの産生を促進，G$_q$α-DAG-プロテインキナーゼC（PKC）の活性化により1,25(OH)$_2$D分泌を促進する．また，④PKA，PKCの下流でNHERF1（Na$^+$/H$^+$ exchange regulatory co-factor 1）のリン酸化を介して2A型および2C型ナトリウム（Na）・P共輸送体（sodium-dependent phosphate transport protein：NPT2A，2C）の細胞内移行・分解を惹起し，P再吸収を抑制すること，⑤間欠投与は骨芽細胞・骨細胞においてG蛋白を介さない経路でWntシグナル経路の阻害因子であるDKK1，スクレロスチン（Sclerostin）の発現を抑制し，骨形成を促進することも知られている[2,3]．

b．ビタミンD

ビタミンDには側鎖構造の異なるビタミンD$_2$とビタミンD$_3$がある．ビタミンD$_2$はキノコなどの植物由来，ビタミンD$_3$は魚などの動物由来であり，ヒトも皮膚でビタミンD$_3$を産生する．コレステロール生合成の最終中間体プロビタミンD$_3$（7デヒドロコレステロール）に紫外線（UV-B）が照射されるとプレビタミンD$_3$が生成される．続いて熱異性化によってビタミンD$_3$が生成される（図7）．ヒトにおいてはビタミンD$_2$，D$_3$の効果はほぼ同等のため，以後ビタミンDと総称する．皮膚・食事から供給されたビタミンDは肝臓のCYP2R1によって25位が水酸化され，25水酸化ビタミンD（25OHD）となる．25OHDはビタミンD結合タンパク質（vitamin D binding protein：DBP）と親和性が高く，ともに糸球体で濾過された後，近位尿細管の刷子縁上でメガリンに結合して能動的に再吸収される．DBPは尿細管細胞内で分解され，残ったメガリン-25OHD複合体はミトコンドリアに輸送される．ここでメガリンは分離・分解され，25OHDは1α位がCYP27B1により水酸化され，活性型ビタミンD〔1,25(OH)$_2$D〕となる．

25位の水酸化は厳密に制御されていないため，25OHDは体内のビタミンD貯蔵量を反映する．一方，1α位の水酸化はPTH，FGF23，Ca・Pバランスなどによって厳密に調整されている（図7）．すなわち，PTH，低カルシウム血症，低リン血症などはCYP27B1の発現を誘導し，ビタミンDを活性化する．逆に1,25(OH)$_2$D，FGF23，高カルシウム血症，高リン血症はCYP27B1の発現を抑制するとともに，CYP24A1の発現を誘導し，ビタミンDを異化・不活化する．

1,25(OH)$_2$Dは核内受容体であるビタミンD受容体（vitamin D receptor：VDR）に結合して生理作用を発揮する．1,25(OH)$_2$DはVDRと結合後レチノイドX受容体（retinoid X receptor：RXR）とヘテロ二量体を形成し，DNA上のビタミンD応答配列（vitamin D response element：VDRE）に結合し，標的遺伝子の転写を調節する．VDRはほぼ全身に発現が認められるが，Ca・P代謝調節作用としては，骨芽細胞，副甲状腺主細胞，十二指腸・空腸上皮細胞，腎遠位尿細管細胞での作用が重要である．骨芽細胞ではRANKLなどの破骨細胞誘導因子の発現を促進して骨吸収（Ca・P動員）を促進

すると同時に，BMPやALPなど骨形成に必要な因子の発現も促進する．また，骨細胞では骨吸収によって動員されたPの恒常性維持のため，FGF23の発現を促進する．副甲状腺主細胞では，PTHの合成と分泌を抑制することで，Ca^{2+}とともに負のフィードバック機構として働く．腸管上皮細胞，尿細管細胞では，それぞれTRPV6，TRPV5の発現を促進することで，Ca吸収および再吸収を促進する．$1,25(OH)_2D$-VDRはその他様々な組織において，細胞増殖・分化，免疫，骨格筋，血圧調節など多岐の作用を有する[4,5]．

c. CT

CTは甲状腺のC細胞から産生される．まず，116アミノ酸のプロCTが産生され，切断されて活性を有する32アミノ酸のCTとなり，分泌される．CTの分泌は血清のCa^{2+}濃度によって調節されている．Ca^{2+}が上昇し，C細胞のCaSRが活性化されると，PTHとは逆に，CTの分泌は促進される．これはPTHとCTの骨代謝に対する作用を反映しており，破骨細胞による骨吸収(Ca動員)はPTHにより促進されるが，CTにより抑制される．破骨細胞には多数のCT受容体を発現しており，CTが受容体に結合すると$G_s\alpha$を介して細胞内cAMPは増加し，破骨細胞活性を抑制する．興味深いことに，高カルシウム血症の治療にCTを用いると，受容体数のダウンレギュレーション，受容体mRNA分解の促進により，急速にCT抵抗性(tachyphylaxis)が進行する．同様の機序により，CT著明高値を示す甲状腺髄様癌患者では低カルシウム血症を認めない[1]．

d. FGF23

FGF23は主として骨細胞，骨芽細胞で産生され，血清P濃度の制御において中心的な役割を担うホルモンである．主としてオートクリンあるいはパラクリン因子として作用するFGFファミリーのなかで，FGF19，FGF21とともに内分泌作用を有し，FGF19サブファミリーに分類される．FGF23はまず251アミノ酸の蛋白として産生され，N端のシグナルペプチド(24アミノ酸)が分離された後，227アミノ酸の蛋白として血中に分泌される．成熟FGF23のN末側にはFGFホモロジードメイン，C端側にはFGF受容体(FGFR)にFGF23特異性を付与するコファクターであるKlothoとの相互作用に重要なドメインが存在する．

FGF23にはfurinなどのスブチリン様プロテアーゼ認識配列〔R(176)XXR(179)/S(180)AE〕が存在し，産生されたFGF23の一部は分泌前に，残りは分泌後に179番目のアルギニンと180番目のセリンの間で切断され，不活化される．ホルモンとしての活性があるのは切断されていない，全長FGF23である．FGF23の切断はFGF23蛋白の翻訳後修飾によって制御され，FAM20C(family with sequence similarity 20, member C)による180番目のセリンのリン酸化は分解を促進し，GALNT3によってコードされる，ポリペプチド-N-アセチルガラクトサミン転移酵素3(polypeptide N-acetylgalactosaminyltransferase 3：GalNAc-T3)による178番目のスレオニンのO型糖鎖修飾は分解を抑制する．

FGFRは組織非特異的に発現しているにもかかわらず，FGF23の生理作用は比較的限定されているのは，Klothoの発現する臓器が限定されているためである．すなわち，FGF23はFGFR1cとKlothoがともに発現し，複合体を形成する近位尿細管と遠位尿細管において，最大の生理作用を示す．Klothoの発現から，FGF23は副甲状腺，下垂体，洞房結節，胎盤，骨格筋，膀胱，大動脈，膵臓，精巣，卵巣，大腸においても生理作用を有すると考えられている．

FGF23の産生はPと$1,25(OH)_2D$により制御され，P摂取増加，高リン血症，$1,25(OH)_2D$上昇により，血清FGF23値も上昇する．$1,25(OH)_2D$はまた，FGF23 mRNAの発現を促進することも知られている．一方，血中に分泌されたFGF23は近位尿細管のKlotho-FGFR1cに結合し，CYP27B1の発現を抑制，CYP24A1の発現を促進することで，$1,25(OH)_2D$作用の過剰を防ぐ．同時にERK1/2，SGK1(serum/glucocorticoid-regulated kinase 1)のリン酸化，さらにSGK1によるNHERF1のリン酸化を介して，NPT2A，NPT2Cは細胞内へ移行・分解され，P再吸収は抑制される(**本章E-2**の図18参照)．

なお，FGF23の産生は鉄の充足状態によって調節されることも知られている．フェリチンが低下するとFGF23の産生は亢進する．通常であれば，分解も促進され，FGF23の血中濃度は一定範囲内に保たれるが，常染色体顕性低リン血症性くる病では病勢は悪化する[6,7]．

3) 新生児のCa・P代謝調節

新生児のCa・P代謝調節については，母体のCa・P代謝の状況，胎盤を介したミネラルの供給の途絶なども併せて考える必要がある．特に低カルシウム血症は，新生児の低カルシウム血症と新生児期以後の低カルシウム血症とに分けて考えるほうが臨床的に有用である[8]．詳細は**各論第1章A-6**を参照のこと．

以下の4)低カルシウム血症の鑑別診断～7)高リン血症の鑑別診断については**総論第7章M, N**も参照のこと．

表1 低カルシウム血症の原因

PTH作用不全（副甲状腺機能低下症）	PTH分泌不全 　形成異常症候群などに伴う副甲状腺発生・機能の異常 　　DiGeorge症候群1型, 2型 　　HDR症候群/Barakat症候群 　　HRD症候群/Sanjad-Sakati症候群 　　Kenny-Caffey症候群1型, 2型 　　Tubular Aggregate Myopathy 2 　　CHARGE症候群 　　Dubowitz症候群 　　ミトコンドリア病(Kearns-Sayre症候群, MELAS, 三頭酵素欠損症) 　副甲状腺自体の発生あるいはPTHの異常 　　家族性孤発性副甲状腺機能低下症 　　X連鎖性副甲状腺機能低下症 　Ca感知機構の異常 　　常染色体顕性低カルシウム血症(ADH)1型, 2型 　　Ca感知受容体活性化型自己抗体 　　高マグネシウム血症 　　低マグネシウム血症 　二次性(続発性)副甲状腺機能低下症 　　自己免疫性多内分泌腺症候群(APS)1型 　　放射線照射後 　　頸部手術後 　　癌の浸潤, 肉芽腫性疾患 　　全身性疾患(ヘモクロマトーシス, サラセミア, Wilson病など) 　　熱傷後 PTH不応性 　偽性副甲状腺機能低下症1A型, 1B型 　先端異骨症1型, 2型 　Blomstrand骨異形成症 　低マグネシウム血症	ビタミンD作用不全	ビタミンDの活性化・摂取不足 　ビタミンD欠乏症 　慢性腎臓病 　ビタミンD依存症1A型(CYP27B1機能喪失型変異) 　ビタミンD依存症1B型(CYP2R1機能喪失型変異) ビタミンD不応性 　ビタミンD依存症2型(VDR機能喪失型変異) ビタミンD不活化亢進 　ビタミンD依存症3型(CYP3A4機能獲得型変異)
		Ca欠乏症	
		その他	高リン血症 　慢性腎臓病 　腫瘍崩壊症候群 　横紋筋融解(筋損傷, 3ヒドロキシアシルCoA脱水素酵素欠損症など) Ca沈着・結合 　骨形成性骨転移 　急性膵炎〔アルコール, 胆石, 有機酸代謝異常症(イソ吉草酸血症, メチルマロン酸血症, プロピオン酸血症)〕 　飢餓骨症候群 腎性高カルシウム尿症 低アルブミン血症(ネフローゼ症候群など) 薬剤性 　ビスホスホネート薬 　デノスマブ 　イマチニブ 　化学療法薬(シスプラチン, アスパラギナーゼ, ドキソルビシン, シタラビン) 　ホスカルネット 　利尿薬(フロセミド) 　大量輸血・輸液(クエン酸血/アルカリ)

4) 低カルシウム血症の鑑別診断

低カルシウム血症の原因は①PTH作用不全，②ビタミンD作用不全，③Ca欠乏症，④その他に分類される(表1)．小児で最も頻度が高いのは，在胎33週までの早期産児，周産期ストレス(新生児仮死など)，母体糖尿病，子宮内発育遅延などで発症する，新生児の低カルシウム血症である．しかし，ハイリスク児に対してルーチンにCa予防投与が施行されるようになり，症候性の低カルシウム血症を目にすることは少なくなった．新生児の低カルシウム血症以外の原因で最も頻度が高いのはビタミンD欠乏症であり，特に完全母乳栄養の場合は天然型ビタミンDの補充が勧められる[1,9~11]．詳細は，**本章D, E**を参照のこと．

5) 高カルシウム血症の鑑別診断

高カルシウム血症の原因は①PTH/PTHrP作用過剰，②$1,25(OH)_2D$作用過剰，③PTH/PTHrP, $1,25(OH)_2D$以外の原因に大別される(表2)．高カルシウム血症でPTH不適切に正常～高値であればPTH/PTHrP作用過剰を，PTH低値であれば$1,25(OH)_2D$作用過剰もしくはPTH/PTHrP, $1,25(OH)_2D$以外の原因を想定して鑑別診断を進める[1,10]．成人では90%が原発性副甲状腺機能亢進症に起因するが，小児では5%未満であり，PTH非依存性かつ遺伝性であることが多い．したがって，小児の場合，高カルシウム血症をa)PTH依存性か非依存性か，b)遺伝性か後天性か，の二軸で分類する方法も有用である[12]．

高カルシウム血症の機序は治療・管理方針の決定に重要である．PTH/PTHrP作用過剰の場合は，骨(バッファー)から大量のCaが動員されるため，治療にはCa排泄と同時に骨吸収抑制が重要である．また，Ca動員により骨石灰化は低下しているため，治療後の飢餓骨症候群に注意が必要である．一方，$1,25(OH)_2D$作用過

II 各 論

表2 高カルシウム血症の原因

PTH/PTHrP 作用過剰	PTH/PTHrP 産生過剰 　原発性副甲状腺機能亢進症 　　散発性 　　多発性内分泌腫瘍症(MEN)1/2A 　　副甲状腺機能亢進症-下顎腫瘍(HPT-JT)症候群 　　家族性 　腫瘍性 　　PTHrP 産生腫瘍(HHM) 　　異所性 PTH 産生腫瘍 　　褐色細胞腫，傍神経節腫 　その他 　　家族性低カルシウム尿性高カルシウム血症(FHH)1型，2型，3型 　　新生児重症副甲状腺機能亢進症(NSHPT) 　　Ca 感知受容体阻害型自己抗体 　　リチウム治療 　　三次性副甲状腺機能亢進症(慢性腎臓病などに起因)	ビタミンD 作用過剰	1,25(OH)$_2$D 産生過剰 　悪性リンパ腫 　肉芽腫症(サルコイドーシスなど) 　高シュウ酸尿症 　特発性乳児高カルシウム血症(IIH)2型
			1,25(OH)$_2$D 不活化不足 　特発性乳児高カルシウム血症(IIH)1型
			1,25(OH)$_2$D 感応性亢進 　Williams 症候群
			ビタミンD 中毒
		PTH/PTHrP, ビタミンD 以外の原因	骨吸収亢進 　悪性腫瘍による骨局所融解(LOH) 　甲状腺機能亢進症 　不動 　ビタミンA 中毒
			Ca 沈着減少 　低ホスファターゼ症 　ケトン食
	PTH/PTHrP 受容体活性化 　Jansen 型骨幹端異形成症 　VIP 産生腫瘍		腎尿細管 Ca 再吸収亢進 　サイアザイド治療 　リチウム治療
			腸管 Ca 吸収亢進 　ミルクアルカリ症候群
			その他・原因不明 　副腎不全 　乳糖分解酵素欠損症 　二糖分解酵素欠損症

剰では PTH 低値のため，高カルシウム尿症，腎石灰化がより顕著である．Ca 吸収は亢進しているため，治療は上記に加えて Ca 摂取・吸収を必要最小限にすることも重要である．

6) 低リン血症の鑑別診断

低リン血症の原因は①腸管からの P 吸収減少，②腎からの P 排泄増加，③細胞内・骨へのシフトに大別される(表3)[1,13,14]．小児期に特に問題になるのは，①ではビタミンD 作用不全，②の腎からの排泄増加，③では低栄養状態からの回復期である．①，②の疾患に関しての詳細は**本章 D, E** を参照のこと．低リン血症では赤血球内の 2,3-ジホスホグリセリン酸が減少し，ヘモグロビンと酸素の親和性が上昇するため，組織への酸素供給が障害される．また，重度の低リン血症では細胞内 ATP の低下により，エネルギー代謝障害による様々な細胞機能障害を呈する．③の疾患は治療により急性の重度低リン血症(<1.0 mg/dL)をきたし，代謝性脳症による意識障害，けいれん，心不全，横紋筋融解症，呼吸筋障害による換気不全，平滑筋障害によるイレウス，溶血性貧血，白血球や血小板機能低下を呈する可能性があるため，注意を要する．

7) 高リン血症の鑑別診断

高リン血症の原因は①P 負荷の増加，②腎からの P 排泄低下・吸収亢進，③細胞内からのシフトに分類される(表4)．P の代謝調節を担うホルモンである PTH や FGF23 の作用が正常，かつ腎機能が正常であれば，ある程度の P 負荷があっても，尿中に排泄可能である．ただし，まれではあるが，大量の P 製剤の使用，あるいは大量のビタミンD 代謝物による腸管からの P 吸収亢進のため，高リン血症をきたすことがある[1,13,14]．

PTH 作用不全による副甲状腺機能低下症，偽性副甲状腺機能低下症では，低カルシウム血症とともに，腎からの P 排泄低下により，高リン血症をきたす．通常は高リン血症よりも低カルシウム血症が問題となる．FGF23 作用不全では，高リン血症，1,25(OH)$_2$D 高値，大関節周囲などの異所性石灰化を特徴とする高リン血症性家族性腫瘍状石灰沈着症をきたす．まれな疾患だが，これまでに原因遺伝子として GALNT3, FGF23, KL の 3 種類が同定されている．高リン血症の原因で臨床的に最も頻度が高いのは，慢性腎臓病である．GFR が低下すると，腎からの P 排泄が低下するため，FGF23，続いて PTH が上昇し，代償性に腎からの P 排

表3 低リン血症の原因

腸管からのP吸収減少	ビタミンD作用不全 　ビタミンD欠乏症 　ビタミンD依存症 低栄養 　飢餓 　吸収障害 　嘔吐 　神経性食欲不振症 　アルコール依存症 　リン吸着剤・制酸剤投与
腎からのP排泄増加	PTH/PTHrP作用過剰 　原発性副甲状腺機能亢進症 　PTHrP産生腫瘍(HHM) 　異所性PTH産生腫瘍 　家族性低カルシウム尿性高カルシウム血症(FHH)1型,2型,3型 　Jansen型骨幹端異形成症 FGF23作用過剰 　FGF23関連低リン血症性くる病・骨軟化症 　腫瘍性骨軟化症 尿細管機能異常 　高カルシウム尿症を伴う遺伝性低リン血症性くる病・骨軟化症(HHRH) 　Fanconi症候群 　Dent病 　腎尿細管性アシドーシス 利尿亢進 　輸液 　糖尿病性ケトアシドーシス(浸透圧利尿) 薬剤性 　グルココルチコイド 　利尿剤 　イホスファミド 　シスプラチン 　バルプロ酸 　アデホビルピボキシル
細胞内・骨へのシフト	糖負荷 　インスリン上昇 　ケトアシドーシス回復期 　refeeding 呼吸性アルカローシス 敗血症 飢餓骨症候群 腫瘍による消費 　白血病による芽球性クライシス 　悪性リンパ腫 　骨形成性転移 カテコラミン投与 アスピリン中毒

表4 高リン血症の原因

P負荷の増加	P製剤(緩下剤,浣腸など)過剰投与 ビタミンD作用過剰 　ビタミンD中毒 　肉芽腫などによる1,25(OH)$_2$D産生過剰 　活性型ビタミンD製剤過剰投与
腎からのP排泄低下・吸収亢進	PTH作用不全 　副甲状腺機能低下症 　偽性副甲状腺機能低下症 FGF23作用不全 　高リン血症性家族性腫瘍状石灰沈着症 GH作用過剰 　先端巨大症 慢性腎臓病
細胞内からのシフト	溶血 横紋筋融解症 挫滅創(Crush外傷) 腫瘍崩壊症候群 悪性高熱 呼吸性もしくは代謝性アシドーシス

Pの再分布が起こり,細胞内から細胞外へとシフトする.

❖ 文献

1) Ward LM, et al.：Disorders of calcium, phosphate, and bone metabolism. In：Sarafoglou K, et al.(eds), Pediatric Endocrinology and Inborn Errors of Metabolism. 2nd ed., McGraw Hill Education, New York, 799-874, 2017
2) Gardella TJ, et al.：Parathyroid Hormone. In：Bilezikian JP, et al.(eds), Primer on the Metabolic Bone Diseases and Disorders of Mineral Metabolism. 9th ed., John Wiley & Sons, Hoboken, 205-211, 2019
3) 岡崎具樹：副甲状腺ホルモン作用と合成分泌調節機構. 平田結喜緒(監),竹内靖博,他(編),副甲状腺・骨代謝疾患診療マニュアル. 改訂第2版,診断と治療社, 4-6, 2019
4) Bikle DD, et al.：Vitamin D：Production, Metabolism, Action, and Clinical Requirements. In：Bilezikian JP, et al.(eds), Primer on the Metabolic Bone Diseases and Disorders of Mineral Metabolism. 9th ed., John Wiley & Sons, Hoboken, 230-240, 2019
5) 津川尚子：ビタミンDの構造・代謝・作用. 平田結喜緒(監),竹内靖博,他(編),副甲状腺・骨代謝疾患診療マニュアル. 改訂第2版,診断と治療社, 7-11, 2019
6) Kinoshita Y, et al.：X-linked hypophosphatemia and FGF23-related hypophosphatemic diseases：Prospect for new treatment. Endocr Rev 39：274-291, 2018
7) 髙士祐一：FGF23の合成・分泌・作用. 平田結喜緒(監),竹内靖博,他(編),副甲状腺・骨代謝疾患診療マニュアル. 改訂第2版,診断と治療社, 12-15, 2019
8) 難波範行：新生児低カルシウム血症. 日本臨牀 別冊(内分泌症候群 [第3版] Ⅱ)：452-458, 2018
9) Fukumoto S, et al.：Causes and differential diagnosis of hypocalcemia-recommendation proposed by expert panel supported by ministry of health, labour and welfare, Japan. Endocr J 55：787-794, 2008
10) 難波範行：低カルシウム・高カルシウム血症を伴う内分

泄を増加させる.しかし,GFRが正常の25％以下になると,代償しきれなくなり,高リン血症をきたす.そのため種々のP吸着製剤を用いて腸管からのPの吸収を抑制する.詳細は**本章E-3-6)**を参照のこと.

大規模な組織破壊時には,破壊された細胞からP, Kが漏出し,高リン血症,高カリウム血症,加えてしばしば低カルシウム血症をきたす.アシドーシスでは

泌疾患.日本臨牀 別冊(内分泌症候群[第3版]Ⅳ):563-570, 2019
11) Munns CF, et al.:Global consensus recommendations on prevention and management of nutritional rickets. J Clin Endocrinol Metab 101:394-415, 2016
12) Stokes VJ, et al.:Hypercalcemic disorders in children. J Bone Miner Res 32:2157-2170, 2017
13) 福本誠二:リン代謝.平田結喜緒(監),竹内靖博,他(編),副甲状腺・骨代謝疾患診療マニュアル.改訂第2版,診断と治療社, 19-20, 2019
14) 遠藤逸朗:低リン血症の鑑別診断.平田結喜緒(監),竹内靖博,他(編),副甲状腺・骨代謝疾患診療マニュアル.改訂第2版,診断と治療社, 47-49, 2019

(難波範行)

副甲状腺機能亢進症

副甲状腺機能亢進症は,副甲状腺主細胞からPTHが過剰に分泌されることにより発症し,原発性副甲状腺機能亢進症(primary hyperparathyroidism:PHPT)と慢性的な低カルシウム血症や高リン血症による二次性副甲状腺機能亢進症に大別される.重度の二次性副甲状腺機能亢進症の遷延による副甲状腺主細胞の過形成が進行した結果,PTHの自律的分泌による高カルシウム血症を示す状態を三次性副甲状腺機能亢進症とよぶ[1].

1 原発性副甲状腺機能亢進症

1) 定義・概念

PHPTは高カルシウム血症と血中PTHの上昇もしくは非抑制を特徴とする疾患で,成人では,有病率は1〜4/1,000と比較的よくみられる.女性に多く,男女比は1:3〜1:4である.古典的には,骨病変,腎病変,精神・神経筋症状を特徴としたが,血中カルシウム(Ca)値測定の普及とともに,無症候性の患者が同定されるようになった.加齢とともに増加する.小児の有病率は成人よりかなり低く,2〜5/100,000とされている.小児では男女比は同数もしくは女児がやや多い[1〜6].

2) 病因・病態

PHPTは,病理的には腺腫,過形成,癌腫に分類される.成人症例の80%は1腺の腺腫であり,4腺の過形成が10〜15%,多発性腺腫が10%,癌腫が1%未満を占める[1,2].PHPTの約90%は散発性(非遺伝性)であり,遺伝性もしくは家族性は約10%である.小児のPHPTは症例数が少なく,病理組織型の正確な頻度は不明である.原因は発症時期によって異なり,新生児期はほぼ全例,Ca感知受容体(calcium sensing receptor:CASR)の機能喪失型バリアントに起因する新生児重症PHPT(neonatal severe primary hyperparathyroidism:NSPHPT)[OMIM 239200]である.小児期,思春期では,65〜75%が散発性,27〜31%が家族性(遺伝性)の腺腫もしくは過形成である[4].癌腫は極めてまれである.また,手術を受けたPHPTの小児の80%は1腺の腺腫であった[5].

散発性PHPTの多くは原因不明であるが,放射線被ばく,長期のリチウム使用がリスク因子である[1,2].腺腫では,副甲状腺主細胞における細胞外Caの抑制効果に対する感受性が低下している(PTH分泌のセットポイントが右にシフト)ため,個々の細胞でのPTH分泌が増加する.過形成では,セットポイントの変化はなく,細胞数増加のために血中PTH濃度は増加する.散発性PHPTの分子遺伝学的機序は明らかではないが,細胞増殖にかかわる遺伝子が重要であることが明らかになってきている.cyclin D1をコードするCCND1遺伝子の再構築や過剰発現が散発性の20〜40%に認められる.12〜35%にmeninをコードする癌抑制遺伝子MEN1の体細胞バリアントが同定されている.さらに,腺腫の少数例で,CDC73, CDKN1B, AIP, CTNNB1遺伝子のバリアントが,癌腫の一部でCDC73, PRUNE2遺伝子のバリアントが同定されている.

臨床遺伝学の進歩により,家族性(遺伝性)PHPTの原因遺伝子が明らかにされてきた(表5)[2,7,8].通常,生殖細胞バリアントであり,多腺に病変を認める.多発性内分泌腫瘍症(multiple endocrine neoplasia:MEN)は常染色体顕性遺伝形式をとり,1型[OMIM 131100]は癌抑制遺伝子MEN1の機能喪失型バリアント,2A型[OMIM 171400]は癌原遺伝子RETの機能獲得型バリアント,4型[OMIM 610755]はサイクリン依存性キナーゼ阻害因子をコードするCDKN1Bの機能喪失型バリアントによって発症する[7].副甲状腺機能亢進症-下顎腫瘍(hyperparathyroidism-jaw tumor:HPT-JT)症候群[OMIM 145001]はCDC73の機能喪失型バリアントによって発症する常染色体顕性遺伝性疾患である.CDC73によってコードされるparafibrominの喪失が副甲状腺癌の組織で認められることから,CDC73バリアントが副甲状腺癌発症に寄与していると考えられる.家族性孤発性副甲状腺機能亢進症(familial isolated hyperparathyroidism:FIHPT)[OMIM 145000]は副甲状腺以外の臓器に病変を認めない遺伝性疾患で,MEN1, CDC73, CASR, GCM2などのバリアントによって発症する.染色体2p14-p13.3も関連性が指摘されている.副甲状腺以外に症候群に関連する臓器病変が認め

表 5　家族性（遺伝性）副甲状腺機能亢進症の原因

多発性内分泌腫瘍症 1 型	MEN1
多発性内分泌腫瘍症 2A 型	RET
多発性内分泌腫瘍症 4 型	CDKN1B
副甲状腺機能亢進症―下顎腫瘍症候群	CDC73
家族性孤発性副甲状腺機能亢進症	MEN1, CDC73, CASR, GCM2, CDKN1A, CDKN2B, CDKN2C
新生児重症原発性副甲状腺機能亢進症	CASR
家族性低カルシウム尿性高カルシウム血症 1 型	CASR
家族性低カルシウム尿性高カルシウム血症 2 型	GNA11
家族性低カルシウム尿性高カルシウム血症 3 型	AP2S1

〔Silverberg SJ, et al.：Primary Hyperparathyroidism. In：Bilezikian JP, et al.（eds）, *Primer on the Metabolic Bone Diseases and Disorders of Mineral Metabolism*. 9th ed., John Wiley & Sons, Hoboken, 619-628, 2019/Arnold A, et al.：Familial States of Primary Hyperparathyroidism. In：Bilezikian JP, et al.（eds）, *Primer on the Metabolic Bone Diseases and Disorders of Mineral Metabolism*. 9th ed., John Wiley & Sons, Hoboken, 629-638, 2019/Eastell R, et al.：Diagnosis of asymptomatic primary hyperparathyroidism：proceedings of the Fourth International Workshop. *J Clin Endocrinol Metab* 99：3570-3579, 2014 を引用改変〕

られた場合，診断名が変更される．散発性 PHPT においても，45 歳未満の症例の約 10％ に MEN1, CDC73, CASR の生殖細胞バリアントが認められる[8]．家族性低カルシウム尿性高カルシウム血症 1 型（familial hypocalciuric hypercalcemia type 1：FHH1）［OMIM 145980］では CASR の機能喪失型片アリルバリアントによって細胞外 Ca の PTH 抑制効果が低下するため，血中 Ca 値に対する血中 PTH 濃度が相対的に高い．FHH2［OMIM 145981］と FHH3［OMIM 600740］はそれぞれ，CaSR の下流のシグナル伝達分子の $G_{11}α$ をコードする GNA11 と細胞表面の CaSR のエンドサイトーシスとリサイクルを調節する adaptor protein 2 をコードする AP2S1 の機能喪失型バリアントによって発症する常染色体顕性遺伝性疾患である[9]．

3）臨床症候

PHPT の古典的症状は，骨病変，腎病変，消化器症状，精神・神経筋症状である（いわゆる Bones, Stones, Abdominal groans and Moans）．骨病変として嚢胞性線維性骨炎，骨粗鬆症がみられ，骨痛，骨折を呈する．腎病変として腎結石，腎石灰化，高カルシウム尿症，腎機能障害が認められ，多尿，多飲もみられる．消化器症状は現在ではまれであるが，食欲不振，便秘，消化性潰瘍，膵炎などがみられる．精神・神経筋症状として易疲労感，うつ，不安，認知障害，ミオパチーによる筋力低下がみられる．さらに，高血圧，心筋・弁・血管石灰化などの心血管病変がある．しかし，血中 Ca 値測定の普及とともに，古典的症状は減少し，成人例の 80％ 以上は無症候性高カルシウム血症として発見される[1,2,5]．一方，小児では血中 Ca 値測定がルーチンとして実施されないため，成人より症状や終末臓器障害として発見されることが多い．消化器，腎，骨格，神経などの漠然とした，非特異的な症状で発見されることがある．腎結石，腎疝痛，多飲，骨痛，筋・骨病変，腹痛・腹部症状，膵炎，高血圧，高カルシウム血症クリーゼ，倦怠感，疲労感，学習障害，うつ，筋力低下などが認められる[4〜6]．NSPHPT の新生児は全例症候性であり，骨折，胸郭変形，骨幹端不整，骨膜下びらん，骨の脱石灰化などの骨格病変，筋緊張低下，哺乳不良，呼吸障害，消化器症状，活気不良，易刺激性などの神経症状などを認める．MEN において PHPT が主症状の一つである．MEN1 の 95％ に PHPT を認め，多くは初発症状である．通常多腺性で，10 歳代〜30 歳代に発症するが最年少は 8 歳と報告されている．MEN2A の 20％，MEN4 の 〜80％ に PHPT を認める[1,7]．HPT-JT では，80％ に PHPT を，30％ 以上に顎骨腫瘍（骨形成線維腫）を認める．副甲状腺腫瘍の多くは腺腫だが，PHPT の 15〜20％ は癌腫である．高カルシウム血症を呈した最少年齢は 7 歳である．腎嚢胞などの腎病変，子宮腫瘍がみられ，甲状腺癌，大腸癌，胆管癌，慢性リンパ性白血病，膵臓腺癌，下垂体嚢胞との関連性が報告されている[7,10]．FHH は高カルシウム血症が軽度で通常無症状である．しかし，再発性膵炎や 60 歳以上での軟骨石灰化がときどき報告されている．FHH3 は FHH のなかで最も重篤で，20％ 以上に高カルシウム血症の症状が，75％ 以上に小児期の認知障害が，50％ 以上に低骨密度が認められる[9]．

4）診断と検査法

a．血液・尿検査

高カルシウム血症と血中 PTH 濃度の正常高値〜上昇によって診断可能である．第 2 世代の intact PTH と

第3世代の whole PTH ともに診断に有用である．リチウム製剤やサイアザイド利尿薬の投与によっても同様の所見がみられることがある．血清リン（P）値は多くで正常低値～低下を示す．血中 ALP 値は上昇している場合がある．骨代謝マーカーは骨病変の症例において正常高値～上昇を示す．血中 1,25 水酸化ビタミン D〔1,25(OH)$_2$D〕は 25% で上昇がみられ，25 水酸化ビタミン D は正常下限～低値である傾向がある．成人では，正カルシウム血症性 PHPT が PHPT の亜型として確立された．血中 Ca 値が正常であるにもかかわらず，血中 PTH 濃度は正常上限～上昇を示す．ビタミン D 欠乏や腎機能障害などによる二次性副甲状腺機能亢進症を除外する．低骨量や骨粗鬆症がみられる[1〜3,11]．FHH は軽度の高カルシウム血症，高マグネシウム血症，血中 PTH 濃度の正常高値～上昇を示し，高マグネシウム血症を除き，PHPT と生化学所見が類似する．尿中 Ca 排泄は両者の鑑別に重要で，FHH では通常 1 日尿中 Ca 排泄が 100 mg 未満，Ca 排泄率が 1% 未満である．FHH では 30 歳までに高カルシウム血症を示し，通常家族歴を有する．PHPT では通常 Ca 排泄率は 1～2% 以上であるが，少数例や Ca 摂取不足やビタミン D 不足の場合 1% 未満を示すことがある．したがって，FHH が疑われる場合は遺伝学的検査の実施が望ましい[1,7,9]．

b．画像検査・局在診断

古典的には骨 X 線検査で，指節骨遠位の骨膜下吸収，鎖骨遠位の先細り，salt and pepper 様頭蓋骨，骨嚢胞，長管骨の褐色腫などの所見が特徴的である．DXA では一般的には，海綿骨が豊富な腰椎骨密度の減少に比べて，皮質骨が豊富な橈骨遠位 1/3 骨密度の減少が大きい[2]．副甲状腺画像検査の陽性所見（異常な副甲状腺）は PHPT の診断に必要ではない．陰性所見は，多腺性のときによくみられるが，PHPT と矛盾しない[1]．一方，副甲状腺摘出術前に腫大した副甲状腺を同定することは重要である．超音波と ^{99m}Tc-MIBI（methoxy-isobutylnitrile）シンチグラフィが有用である．超音波のカラードプラ法では腺腫への豊富な血管が描出される．MIBI は異所性の副甲状腺腺腫の同定に有用であるが，甲状腺結節が存在する場合，副甲状腺との鑑別がむずかしい場合がある．SPECT はより感度が高い．小児例では，CT や MRI の必要性は低く，超音波や MIBI で陰性の場合に限られる[4,10]．NSPHPT では 4 腺の著明な腫大を認める[7]．無症候性腎結石の画像スクリーニングが推奨されている[1]．

c．遺伝学的検査

小児 PHPT では病的バリアントが同定される頻度が高い（24～46%）ため，家族歴，発症時年齢，副甲状腺の特徴，副甲状腺外症状・所見に留意する．PHPT の診断が確定した場合，遺伝学的検査が推奨されている．原因遺伝子が明らかになれば，診断確定のみならず，治療・管理計画，親族のスクリーニング検査の実施に有用である．高カルシウム血症を呈した新生児では CASR の遺伝子検査を行う[4]．家族歴が明らかでない非症候性群では，FHH の原因遺伝子（CASR，GNA11，AP2S1）検査を行う．高カルシウム血症の家族歴，症候群性（MEN，HPT-JT），若年発症，2 腺以上，副甲状腺癌腫，非典型腺腫を認める場合，MEN1，CASR，GNA11，AP2S1，CDC73，CDKN1A，CDKN1B，CDKN2B，CDKN2C，RET，PTH の遺伝子検査を行う[8]．

5）治療法

症候性の場合，副甲状腺摘出術を実施する．局在同定のために，超音波や MIBI のみならず，最近は高分解能 CT や 4D-CT，PET-CT も注目されている．経験豊富な施設や術者における成功率は高い．術中の PTH 測定も有用である．成人の無症候性の場合，手術適応基準（年齢が 50 歳未満，血清 Ca 値が正常上限＋1 mg/dL 以上，腰椎，大腿骨近位部，橈骨遠位 1/3 のいずれかの骨密度が －2.5 SD 未満，椎体骨折，クレアチニンクリアランスが 60 mL/分未満，腎結石もしくは腎石灰化，尿中 Ca 排泄が 400 mg/日以上）を参考に決定する．手術適応がない場合のフォローアップ指針（血清 Ca：年 1 回，骨密度評価：1～2 年に 1 回，椎体骨折評価：疑うとき，血清クレアチニン値と eGFR：年 1 回，24 時間尿化学検査と画像検査：腎結石疑いのとき）も示されている[1,3,11]．脱水予防のための適切な水分摂取，PTH 上昇の増悪防止のための適切な Ca やビタミン D 摂取を行う．手術適応があっても副甲状腺摘出術を実施できない場合，高カルシウム血症に対して CASR 刺激薬が，低骨密度に対してビスホスホネート製剤や抗 RANKL 抗体が用いられる[3]．小児では，通常副甲状腺摘出術が実施される．重症例の場合，高カルシウム血症の是正のために輸液，利尿薬やビスホスホネート製剤の投与を行う．NSHPT では，Ca 摂取制限，CT や CASR 刺激薬の投与も検討する[4,10]．FHH は通常無治療で経過観察されるが，高カルシウム血症や高 PTH 血症の是正のために，まれに副甲状腺摘出術が検討されることがある[7]．

6）管理と予後

副甲状腺摘出術の予後は良好であるが，術後の低カルシウム血症や症候群性の場合の再発に注意する[1,2,4]．

❖ 文献

1) Walker MD, et al.：Primary hyperparathyroidism. *Nat Rev Endocrinol* 14：115-125, 2018
2) Silverberg SJ, et al.：Primary Hyperparathyroidism. In：Bilezikian JP, et al.(eds), *Primer on the Metabolic Bone Diseases and Disorders of Mineral Metabolism*. 9th ed., John Wiley & Sons, Hoboken, 619-628, 2019
3) Bilezikian JP：Primary hyperparathyroidism. *J Clin Endocrinol Metab* 103：3993-4004, 2019
4) Alagaratnam S, et al.：Aetiology, diagnosis and surgical treatment of primary hyperparathyroidism in children：New trends. *Horm Res Paediatr* 83：365-375, 2015
5) Belcher R, et al.：Characterization of hyperparathyroidism in youth and adolescents：a literature review. *Int J Pediatr Otorhinolaryngol* 77：318-322, 2013
6) Roizen J, et al.：Primary hyperparathyroidism in children and adolescents. *J Chin Med Assoc* 75：425-434, 2012
7) Arnold A, et al.：Familial States of Primary Hyperparathyroidism. In：Bilezikian JP, et al.(eds), *Primer on the Metabolic Bone Diseases and Disorders of Mineral Metabolism*. 9th ed., John Wiley & Sons, Hoboken, 629-638, 2019
8) Eastell R, et al.：Diagnosis of asymptomatic primary hyperparathyroidism：proceedings of the Fourth International Workshop. *J Clin Endocrinol Metab* 99：3570-3579, 2014
9) Hannan FM, et al.：The calcium-sensing receptor in physiology and in calcitropic and noncalcitropic diseases. *Nat Rev Endocrinol* 15：33-51, 2018
10) Torresan F, et al.：Clinical features, treatment, and surveillance of hyperparathyroidism-jaw tumor syndrome：An up-to-date and review of the literature. *Int J Endocrinol* 2019：1761030, 2019
11) Bilezikian JP, et al.：Guidelines for the management of asymptomatic primary hyperparathyroidism：summary statement from the Fourth International Workshop. *J Clin Endocrinol Metab* 99：3561-3569, 2014

（窪田拓生）

2 二次性副甲状腺機能亢進症

1）定義・概念

二次性副甲状腺機能亢進症は血中 Ca 値の低下に副甲状腺が正常に反応し PTH 分泌が亢進した状態である．慢性腎臓病（chronic kidney disease：CKD）やビタミン D 欠乏症のときによくみられる[1]．

2）病因・病態

PTH 分泌はおもに血中イオン化 Ca によって制御されるが，Mg，P，$1,25(OH)_2D$，線維芽細胞増殖因子 23（fibroblast growth factor 23：FGF23）などによっても調節される（図8）．ビタミン D 欠乏や $1,25(OH)_2D$ の産生低下，Ca 欠乏，高リン血症によって二次性原発性副甲状腺機能亢進症が惹起される（表6）[1~4]．CKD の進展に伴って，骨ミネラル代謝異常（mineral and bone disorders：MBD）が生じ，生化学的には血中 $1,25(OH)_2D$ や Ca の低下，血中 P の上昇がみられる[2,5]．ビタミン

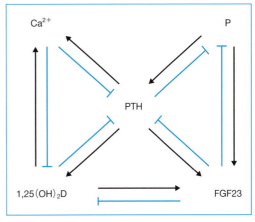

図8 Ca・P 制御ホルモンと相互作用
──▶：促進，──┤：抑制

表6 二次性副甲状腺機能亢進症の原因

腸管 Ca 吸収低下	ビタミン D 欠乏症，ビタミン D 依存症，Ca 欠乏，慢性腎臓病，慢性肝疾患，吸収不良
骨への Ca 動員	大理石骨病，hungry bone 症候群，骨形成性骨転移
その他の病態	慢性腎臓病，高リン血症（横紋筋融解症，腫瘍崩壊症候群），高カルシウム尿症，偽性副甲状腺機能低下症，急性膵炎，急性重症疾患
薬剤など	ビスホスホネート製剤，抗 RANKL 抗体，CT，ホスカルネット，ループ利尿薬，リン製剤，抗けいれん薬，イマチニブメシル酸塩，輸血

〔Walker MD, et al.：Primary hyperparathyroidism. *Nat Rev Endocrinol* 14：115-125, 2018/Nadar R, et al.：Investigation and management of hypocalcaemia. *Arch Dis Child* 105：399-405, 2020/Schafer AL, et al.：Hypocalcemia：Definition, Etiology, Pathogenesis, Diagnosis, and Management. In：Bilezikian JP, et al.(eds), *Primer on the Metabolic Bone Diseases and Disorders of Mineral Metabolism*. 9th ed., John Wiley & Sons, Hoboken, 646-653, 2019/Pepe J, et al.：Diagnosis and management of hypocalcemia. *Endocrine* 69：485-495, 2020 を引用改変〕

D 欠乏症や CKD-MBD については他項を参照していただきたい．

❖ 文献

1) Walker MD, et al.：Primary hyperparathyroidism. *Nat Rev Endocrinol* 14：115-125, 2018
2) Nadar R, et al.：Investigation and management of hypocalcaemia. *Arch Dis Child* 105：399-405, 2020
3) Schafer AL, et al.：Hypocalcemia：Definition, Etiology, Pathogenesis, Diagnosis, and Management. In：Bilezikian JP, et al.(eds), *Primer on the Metabolic Bone Diseases and Disorders of Mineral Metabolism*. 9th ed., John Wiley & Sons, Hoboken, 646-653, 2019
4) Pepe J, et al.：Diagnosis and management of hypocalcemia. *Endocrine* 69：485-495, 2020
5) Cannata-Andía JB, et al.：Chronic kidney disease-mineral and bone disorders：Pathogenesis and management. *Calcif Tissue*

(窪田拓生)

副甲状腺機能低下症

1) 定義・概念

副甲状腺機能低下症はPTH作用の不足によって低カルシウム血症，高リン血症をきたす一群の疾患と定義される[1〜5]．副甲状腺機能低下症の原因は，副甲状腺からのPTH分泌不全と標的臓器のPTH不応性に大別される(表7)[6]．PTH分泌不全とPTH不応性とでは以下の点において臨床的に異なる．

①低カルシウム血症時，PTH分泌不全ではPTHは低値であり，逆にPTH不応性では上昇している．

②PTH分泌不全では尿中Ca分画排泄率(fractional excretion of calcium：FECa)は上昇しているがPTH不応性では低下している．これは偽性副甲状腺機能低下症(pseudohypoparathyroidism：PHP)では遠位尿細管のPTH反応性が保たれていることによる．

③PHPにおいてPTH高値が持続した場合，骨のPTH反応性は保たれているため，骨代謝回転は亢進する．それに対し，PTH分泌不全では骨におけるPTHシグナルの低下を反映し，骨代謝回転は低下している[1〜5]．

2) 臨床症候

PTH作用不足により，骨からのCa動員および腎からのCa再吸収が減少し，低カルシウム血症をきたす．低カルシウム血症は軽度であれば無症状のことが多い．症候性の場合は神経・筋の興奮性が亢進し，テタニー，感覚異常(特に四肢末梢と顔面)，筋けいれんなどの症状を示す．著しい低カルシウム血症では喉頭けいれん，全身性強直性発作も認める．テタニー誘発法としてChvostek徴候やTrousseau徴候も有名だが，必ずしも低カルシウム血症に特異的ではない．ほかに偽乳頭浮腫，頭蓋内圧亢進，乾燥肌，湿疹などの症状も知られている[1〜5,7]．

低カルシウム血症，高リン血症が慢性的に持続した場合，Ca×P積の上昇により嚢下白内障，大脳基底核の石灰化をきたす．特に基底核の石灰化は頭部CTで容易に描出される．ただし，基底核の石灰化により錐体外路障害を示すことはまれである．また，心電図上QT時間の延長(QTc延長)を認める[1〜5,7]．

3) 診断

診断は厚生労働省難治性疾患克服研究事業ホルモン受容機構異常に関する調査研究班により2008年に発表された「低カルシウム血症の鑑別診断の手引き」に従って行うのが簡便である(図9, 10)[2,6,8]．ただし，乳児期の低カルシウム血症の鑑別は非典型的な検査所見を示すことが多いため注意を要する．図9[8]のアルゴリズム上，まず血清P値によりビタミンD欠乏症の除外を行うが，乳児期はそもそも血清P値が高く，低リン血症の判定がむずかしいうえ，血清P値は食事の影響を受けやすく，人工乳などによるP負荷で低カルシウム血症が誘発されることが多いため，ビタミンD欠乏症に起因する低カルシウム血症であっても，検査時に必ずしも低リン血症が認められるわけではない．そのため，実際にはビタミンD欠乏症の児が，intact PTH高値によりPHPと誤診されてしまう可能性がある．したがって乳幼児期では，まず腎機能障害を除外後，25 OHD値を測定し，ビタミンD欠乏症を除外したうえで副甲状腺機能低下症の鑑別診断を行うほうが実際的である．詳細は**本章E**および2013年に小児内分泌学会より公開された「ビタミンD欠乏性くる病・低カルシウム血症の診断の手引き」(http://jspe.umin.jp/medical/files/_vitaminD.pdf)を参照されたい．

ビタミンD欠乏症などを除外後，intact PTH値によりPTH分泌不全性副甲状腺機能低下症とPHPに分け，鑑別診断を進める[2,6,8]．PTH分泌不全性副甲状腺機能低下症(図10)[8]のうち，特に常染色体顕性低カルシウム血症(autosomal dominant hypocalcemia：ADH)は通常の副甲状腺機能低下症よりも尿中Ca排泄が多いため，より厳密な管理が必要となる．そのため，孤発性の副甲状腺機能低下症例で尿中Ca排泄が多い場合はCASRおよびGNA11の遺伝子検査も考慮する[2,6]．PHPの確定診断および病型診断のためにはEllsworth-Howard試験を行う．PHP 1型ではcAMP反応ならびにP反応はともに低い．一方，PHP 2型ではcAMP反応は認められるもののP反応は認められない[4,6,9]．

4) 治療法

緊急時(けいれん，テタニー，血清Ca値が7 mg/dL以下のとき)は心電図をモニターしつつ8.5%グルコン酸Caを0.5〜1.0 mL/kgで緩徐に静注する．引き続き活性型ビタミンD製剤〔アルファカルシドール(1α OHD$_3$)〕を投与し，血清Ca値の維持を目標に治療を行う．投与量は成人量2〜6 μg/日，小児量0.01〜0.1 μg/kg/日である．PHPではこの1/2程度で十分であることが多い[10,11]．ADHでは腎石灰化のリスクを考慮し，低カルシウム血症による臨床症状を呈する者に対してのみ，症状緩和に必要最少量のビタミンD製剤を投与し，早朝第2尿の尿中Ca/Cr比を正常範囲内に維持する(0〜6か月<0.8，7〜12か月<0.6，2歳以上<0.3)．遠位尿細管のCa再吸収促進効果を期待し，サイ

表7 副甲状腺機能低下症の原因

	原因		遺伝形式	遺伝子	遺伝子座
PTH分泌不全	形成異常症候群などに伴う副甲状腺発生・機能の異常	DiGeorge症候群1型	AD	TBX1	22q11.21
		DiGeorge症候群2型	AD	NEBL?	10p14-p13
		HDR症候群／Barakat症候群	AD	GATA3	10p14
		HRD症候群／Sanjad-Sakati症候群	AR	TBCE	1q42.3
		Kenny-Caffey症候群1型	AR	TBCE	1q42.3
		Kenny-Caffey症候群2型	AD	FAM111A	11q12.1
		Tubular Aggregate Myopathy 2	AD	ORAI1	12q24.31
		CHARGE症候群	AD	CHD7, SEMA3E	8q12.2, 7q21.11
		Dubowitz症候群	AR	不明	
		ミトコンドリア病（Kearns-Sayre症候群，MELAS，三頭酵素欠損症）	母系，AR		
	副甲状腺自体の発生あるいはPTHの異常	家族性孤発性副甲状腺機能低下症	AD, AR	GCM2, PTH	6p24.2, 11p15.3
		X連鎖性副甲状腺機能低下症	X連鎖	SOX3発現調節領域？	Xq27.1
	カルシウム感知機構の異常	常染色体顕性低カルシウム血症1型	AD	CASR	3q13.3-q21.1
		常染色体顕性低カルシウム血症2型	AD	GNA11	19p13.3
		カルシウム感知受容体活性化型自己抗体			
		高マグネシウム血症			
	低マグネシウム血症				
	二次性（続発性）副甲状腺機能低下症	自己免疫性多内分泌腺症候群（APS）1型	AD, AR	AIRE	21q22.3
		放射線照射後			
		頸部手術後			
		癌の浸潤，肉芽腫性疾患			
		全身性疾患（ヘモクロマトーシス，サラセミア，Wilson病など）			
		熱傷後			
PTH不応性	偽性副甲状腺機能低下症		AD	GNAS	20q13.32
	先端異骨症1型		AD	PRKAR1A	17q24.2
	先端異骨症2型		AD	PDE4D	5q11.2-q12.1
	Blomstrand骨異形成症		AR	PTH1R	3p21.31
	低マグネシウム血症				

AD：常染色体顕性，AR：常染色体潜性
〔難波範行：副甲状腺機能低下症および偽性副甲状腺機能低下症の診断．平田結喜緒（監），竹内靖博，他（編），副甲状腺・骨代謝疾患診療マニュアル．改訂第2版，診断と治療社，89-91，2019〕

アザイド利尿薬を投与することもある．また，PTH製剤，Ca感知受容体（calcium sensing receptor：CaSR）アンタゴニスト（calcilytics）による治療も検討されている[10,11,12]．

1 PTH分泌不全性副甲状腺機能低下症

1）定義

種々の原因により発症したPTH分泌不全によるPTH作用不全を呈する疾患をPTH分泌不全性副甲状腺機能低下症と定義する[6,8]．PTH分泌不全性副甲状腺機能低下症は原発性副甲状腺機能低下症とほぼ同義である．

2）病因・病態

PTH分泌不全の原因は，①形成異常症候群などに伴う副甲状腺発生・機能の異常，②副甲状腺自体の発生あるいはPTHの異常，③Ca感知機構の異常，④低マグネシウム血症，⑤二次性（続発性）副甲状腺機能低下症に分類される（表7）[6]．小児期には遺伝性疾患の頻度が高いため，表7[6]に従い各疾患について概説する．

a．形成異常症候群などに伴う副甲状腺発生・機能の異常

①22q11.2欠失症候群［OMIM 611867］

22q11.2のハプロ不全により，第三，第四鰓弓由来の組織に異常を生じる複合隣接遺伝子症候群である．DiGeorge症候群（DCS）［OMIM 188400］，軟口蓋心臓顔貌症候群（velocardiofacial syndrome：VCFS）［OMIM 192430］，円錐動脈幹心疾患（conotruncal heart malformations：CTHM）［OMIM 217095］が含まれ，副甲状腺機能低下症のほか，特徴的顔貌，口蓋裂，心形成異常，胸腺低形成（T細胞免疫低下，易感染性）などを示す．22q11.2欠失症候群の頻度は1/6,000出生であり，このうち20〜60％に低カルシウム血症を合併するため，新

Ⅱ 各論

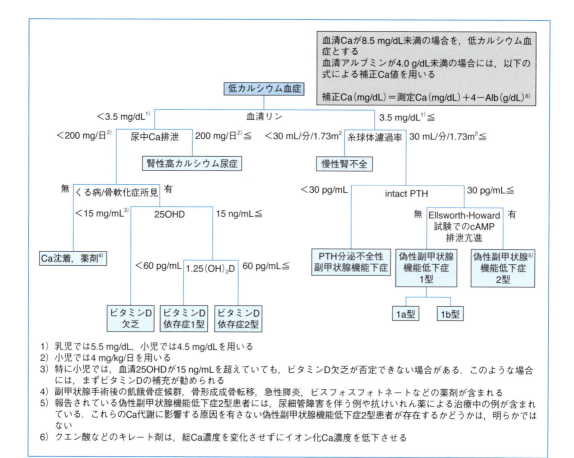

図9 低カルシウム血症の鑑別診断指針

〔Fukumoto S, et al.: Causes and differential diagnosis of hypocalcemia-recommendation proposed by expert panel supported by ministry of health, labour and welfare, Japan. Endocr J 55:787-794, 2008〕

生児期の低カルシウム血症（～1/10,000出生）の原因として最も頻度が高い．ただし，副甲状腺機能低下症は小児期に軽快することもある[2,5,6]．

典型的には22q11.2の3Mb以下の新規微小欠失により発症する．22q11.2には多数の遺伝子が存在するが，数例のDGS患者でこの領域に位置する転写因子TBX1の機能喪失型変異が報告されたことより，表現型の大部分はTBX1に由来すると考えられている．TBX1はT-box転写因子をコードする遺伝子で，発現は非神経堤細胞，頭蓋間葉系細胞，咽頭嚢に広範に認められる．これはDGSの表現型と一致する．

②**HDR症候群（Barakat症候群）［OMIM 146255］**

10p15に位置するGATA3遺伝子のハプロ不全により発症する副甲状腺機能低下症（hypoparathyroidism），感音難聴（sensorineural deafness），腎異形成（renal dysplasia）を三徴とする症候群である．腎異形成，副甲状腺機能低下症の程度は様々であるため，感音難聴の児では本症を鑑別診断に入れる必要がある．GATA3遺伝子

はDNA上のA/TGATAA/G配列に結合するZnフィンガー転写因子をコードし，ヒト，マウスの胎生期に腎，副甲状腺，内耳を含む広範な組織に発現する[2,5,6]．

③**HRD症候群（Sanjad-Sakati症候群）［OMIM 241410］**

おもにアラブ人家系で報告されており，副甲状腺機能低下症（hypoparathyroidism），成長・精神発達遅滞（retardation），小頭症，小眼球症，小さな手足，歯の異常（dysmorphism），けいれんを主徴とする常染色体潜性遺伝疾患である．1q42-q43に位置するTBCE遺伝子の変異により発症する．TBCE遺伝子にコードされるtubulin-specific chaperon Eはα-チューブリンとβ-チューブリンのヘテロ重合体形成に必要であり，機能喪失により細胞内膜輸送異常をきたす[2,5,6]．

④**Kenny-Caffey症候群1型［OMIM 244460］**

HRD症候群と同じくTBCE遺伝子の変異により発症し，常染色体潜性遺伝形式をとる．副甲状腺機能低下症，低身長，小さな手足以外に皮質骨肥厚，骨髄腔

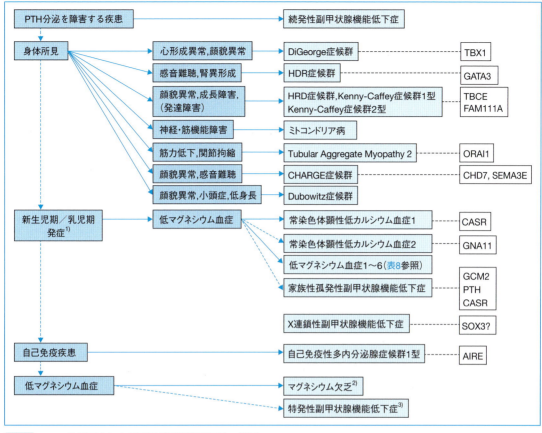

図10 PTH分泌不全による副甲状腺機能低下症の鑑別
→あり，⇢なし
1) 新生児期，あるいは乳児期に発症していても，小児期以降に診断される場合がある
2) Mg欠乏患者は，PTH作用障害から高PTH血症を示す場合がある
3) 現在特発性副甲状腺機能低化症と分類される疾患のなかから，将来新たな病因，病態が発見されるものと考えられる
〔Fukumoto S, et al.：Causes and differential diagnosis of hypocalcemia-recommendation proposed by expert panel supported by ministry of health, labour and welfare, Japan. Endocr J 55：787-794, 2008 より改変〕

狭小化，大泉門閉鎖遅延，細菌に易感染性を示し，HRD症候群とは表現型が異なる[2,5,6]．

⑤ Kenny-Caffey症候群2型［OMIM 127000］

FAM111A遺伝子変異により，Kenny-Caffey症候群2型，およびより重篤な表現型を示す狭細骨異形成症/骨頭蓋狭窄症（gracile bone dysplasia/osteocraniostenosis［OMIM 602361］）が発症する．いずれも常染色体顕性遺伝形式をとる．1型とは異なり，2型は知的に正常である．FAM111A遺伝子の生理機能は現在のところ不明である[2,5,6]．

⑥ tubular aggregate myopathy（細管集合体ミオパチー）2 ［OMIM 615883］

ORAI1遺伝子機能獲得型変異により，小児期より緩徐に進行する筋力低下，関節拘縮，脊椎強直，および軽度の副甲状腺機能低下症を呈する．ORAI1遺伝子はCa^{2+} release-activated Ca^{2+} channelを構成する蛋白をコードし，副甲状腺主細胞へのCa^{2+}流入がPTH産生を抑制すると想定されている[6,13]．

⑦ CHARGE症候群[11]［OMIM 214800］

眼コロボーマ，心疾患，後鼻孔閉鎖，成長障害と発達遅滞，性器低形成，耳介の変形と難聴（coloboma-heart anomaly-choanal atresia-retardation-genital-ear anomalies：CHARGE）を主徴とする症候群．大部分の患者は転写調節因子をコードするCHD7ハプロ不全により発症するが，ごく一部は胎生期に細胞の位置を決めるセマフォリン3EをコードするSEMA3E遺伝子変異により発症する可能性が示唆されている[2,6]．また，CHARGE症候群と22q11.2欠失症候群の症状はオーバーラップすること，第四鰓弓動脈の正常な発達のためにはCHD7とTBX1の両アリル発現が必要であることが示されている[14]．

II 各論

表8 遺伝性低マグネシウム血症（HOMG）

	OMIM番号	遺伝子	機能	発現部位
HOMG1	602014	TRPM6	カチオンチャネル	十二指腸，空腸，回腸，遠位曲尿細管
HOMG2	154020	FXYD2	Na^+，K^+-ATPase γサブユニット	近位尿細管，遠位曲尿細管
HOMG3	248250	CLDN16	タイトジャンクション	Henle係蹄の太い上行脚
HOMG4	611718	EGF	TRPM6活性化	遍在性，Henle係蹄の太い上行脚
HOMG5	248190	CLDN19	タイトジャンクション	Henle係蹄の太い上行脚
HOMG6	613882	CNNM2	二価金属イオントランスポーター	Henle係蹄の太い上行脚，遠位曲尿細管

⑧ Dubowitz症候群［OMIM 223370］

子宮内胎児発育遅延，低身長，小頭症，知的障害，特徴的顔貌，皮疹を特徴とする症候群．病因は現在のところ不明．副甲状腺機能低下症を合併した症例が報告されている[2,6]．

⑨ ミトコンドリア病［OMIM 530000，557000，540000，609015］

ミトコンドリアDNAの欠損により発症するKearns-Sayre症候群（脳筋症，眼筋麻痺，網膜色素変性，心ブロック），Pearson症候群（乳児期発症鉄芽球性貧血，膵外分泌障害），ミトコンドリアtRNAの点変異により発症するミトコンドリア脳筋症・乳酸アシドーシス・脳卒中様発作症候群（mitochondrial myopathy, encephalopathy, lactic acidosis, and stroke-like episodes：MELAS），2p23.3に位置するHADHA，HADHB遺伝子によりコードされる長鎖ヒドロキシアシルCoA脱水素酵素の欠損により発症する三頭酵素欠損症で，副甲状腺機能低下症が報告されている．詳細な機序は不明だが，一部は尿中Mg排泄増加による低マグネシウム血症のため，副甲状腺機能低下症を呈する[2,5,6]．

b．副甲状腺自体の発生あるいはPTHの異常

① 家族性孤発性副甲状腺機能低下症［OMIM 146200］

GCM2あるいはPTH遺伝子変異により発症する．いずれも副甲状腺機能低下症の症状のみ示す[2,5,6]．

GCM2は6p24.2に位置し，転写因子をコードする．副甲状腺にほぼ特異的に発現し，副甲状腺の発生に関与する．常染色体潜性遺伝形式を示すものと，ドミナントネガティブ型変異により常染色体顕性遺伝形式を示すものが知られている．

PTHは11p15.3-p15.1に位置し，変異によりPTHの産生，分泌が障害される．最も古くから想定されていたが非常にまれである．常染色体潜性形式および常染色体顕性形式をとるものが知られている．

② X連鎖性副甲状腺機能低下症［OMIM 307700］

副甲状腺機能低下症のみを示す2家系が報告されている．Xq26-q27に位置し，発生段階の副甲状腺に発現するSOX3の発現調節異常が原因と考えられている[2,5,6]．

c．Ca感知機構の異常

① 常染色体顕性低カルシウム血症（ADH）1型［OMIM 601198］

ADH1は3q13.3-q21に位置するCASRの機能獲得型変異によるPTH分泌のセットポイント低下により発症する．CaSRはCa^{2+}のみならず，ほかの2価（Mg^{2+}，Sr^{2+}など），3価（La^{3+}，Gd^{3+}など）のカチオンおよび正荷電した有機分子も感知するため，血清Mg値は正常下限〜やや低値を示す．また，腎のHenle係蹄の太い上行脚の尿細管細胞におけるCaSR活性化により，PTH分泌不全のみの場合と比較して尿中Ca排泄が増加し，尿中Ca/Cr比，FE_{Ca}は正常上限〜高値を示す．ビタミンD治療が過剰となれば腎結石，腎石灰化，腎不全に至るので厳密な管理が必要である．疾患としてFHH1の鏡像にあたる[2,5,6]．

② 常染色体顕性低カルシウム血症（ADH）2型［OMIM 615361］

ADH2は19p13.3に位置し，副甲状腺，腎においてCaSRの下流の細胞内シグナリングを担う$G_{11}\alpha$をコードするGNA11の機能獲得型変異により発症する．低身長，Mg正常など，ADH1との表現型の相違が示唆されている．疾患としてFHH2の鏡像にあたる[2,5,6]．

③ CaSR活性化型自己抗体

CaSR活性化型自己抗体により後天性にADHと同様の病態をきたす．この自己抗体は不可逆的な副甲状腺の破壊をきたさない．ただし，自己抗体の検出は，アッセイ系の確立がむずかしく，必ずしも容易ではない[2,5,6]．

d．低マグネシウム血症

遺伝性低マグネシウム血症の原因遺伝子は現在表8に示す6種が知られている．その他にもSLC12A3遺伝子変異により発症するGitelman症候群，MODY5の原因であるHNF1B遺伝子変異などでも低マグネシウム血症をきたす．著明な低マグネシウム血症ではPTH分泌不全，PTH不応性をきたし，副甲状腺機能低下症

第9章 カルシウムとビタミンD関連疾患

表9 偽性副甲状腺機能低下症および関連疾患の分類

| | AHO | Ellsworth-Howard試験 | | PTH抵抗性 | PTH以外のホルモン抵抗性 | 遺伝子異常 | 遺伝形式 |
		尿cAMP反応	尿P反応				
PHP1A	～80%	低下	低下	100%	TSH, GHRHなど	GNAS（変異）	AD（母由来）
PHP1B	短指15～33%, 肥満あり, 低身長なし, 異所性石灰化0～40%	低下	低下	100%	TSH 30～100%	GNAS（インプリンティング異常）	AD（母由来）
PPHP	短指<30%, 低身長あり, 肥満なし, 異所性石灰化18～100%	正常	正常	まれ	まれ	GNAS（変異）	AD（父由来）
POH	短指まれ, 肥満なし, 異所性石灰化100%	正常	正常	なし	なし	GNAS（変異）	AD（父由来）
ACRDYS1	AHO類似～100%, 異所性石灰化なし	正常	低下	100%	TSH～100%	PRKAR1A	AD
ACRDYS2	AHO類似～100%, 異所性石灰化なし	正常	一部低下	29%	TSH 16%	PDE4D	AD

PHP：偽性副甲状腺機能低下症，PPHP：偽性偽性副甲状腺機能低下症，POH：進行性骨性異形成症，ACRDYS：先端異骨症，AHO：Albright遺伝性骨栄養症，AD：常染色体顕性
〔Mantovani G, et al.：Diagnosis and management of pseudohypoparathyroidism and related disorders：first international Consensus Statement. Nat Rev Endocrinol 14：476-500, 2018 より改変〕

を発症する[2,5,6].

e. 二次性（続発性）副甲状腺機能低下症
① 自己免疫性多内分泌腺症候群1型［OMIM 240300］

自己免疫性多内分泌腺症候群（autoimmune polyendocrine syndrome：APS）1型は21q22.3に位置し，転写因子をコードするAIRE遺伝子の変異により発症する．常染色体潜性形式および常染色体顕性形式をとるものが知られている．自己抗体による破壊のため10歳までに粘膜カンジダ症，副甲状腺機能低下症を，その後15歳までに副腎不全をきたす．AIREは胸腺をはじめとする免疫組織に発現しており，欠失により組織特異的自己抗原に対する免疫寛容がなくなると考えられている．副甲状腺特異的自己抗原として副甲状腺主細胞に発現するNALP5とCaSRが知られており，NALP5に対する自己抗体はAPS1で副甲状腺機能低下症を呈する患者の～50%に認められる．詳細は**各論第13章B-1.**を参照されたい[2,5,6].

② その他の原因による副甲状腺の破壊

表7[6]に示すように種々の要因があるが，小児期では特に悪性新生物，肉芽腫性疾患による副甲状腺の浸潤，頭頸部の放射線治療後，重金属の蓄積をきたすWilson病，ヘモクロマトーシスなどが重要である．サラセミア患者では頻回輸血による鉄過剰に続発する副甲状腺機能低下症が14%にも達するとの報告もある．HIV感染との関連も報告されている[2,5,6].

2 偽性副甲状腺機能低下症

1）定義

PHPは，生化学検査上の副甲状腺機能低下症状（低カルシウム血症，高リン血症など），PTH高値，および標的器官のPTH抵抗性に特徴づけられる一群の疾患である[4,6,9].

表9にEllsworth-Howard試験に基づく病型分類を示す[6,9]．PHP1CはGsα活性測定系の問題でGsα活性が正常と判定された一群だったが，GNAS遺伝子解析により病態はPHP1Aと同様であることが明らかになり，最新の分類ではPHP1Aにまとめられた[4,6,9]．また，PHP2［OMIM 203330］については，実際には重度のビタミンD欠乏症であったと考えられるようになり[15,16]，最新の分類には掲載されていない[4,6,9].

先端異骨症（acrodysostosis：ACRDYS）1および2は，それぞれGNASの下流の情報伝達を担うPRKAR1AおよびPDE4Dの変異により発症する骨系統疾患の一種である．AHO類似の骨格異常に加え，血清cAMP上昇，PTH，TSHなどに対する軽度ホルモン抵抗性を示す症例が報告されており，PHP，偽性偽性副甲状腺機能低下症（pseudopseudohypoparathyroidism：PPHP）とともに，Gsα-PKAシグナルの異常による一連の疾患として捉えられるようになった[4,6,9].

2）疫学

まれな疾患であり，わが国での推定有病率は3.4人/100万人，男女比は1：1.36と報告されている．大部分は1型で，1型の約半数は1A型である．症例の過半

II 各論

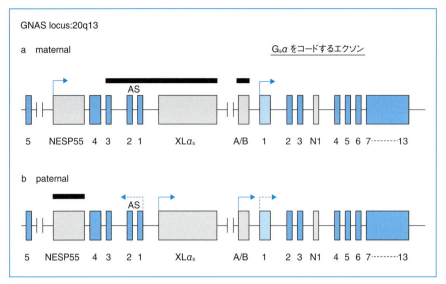

図11 GNAS locus と組織特異的インプリンティング
母由来アリル(a)，父由来アリル(b)の ■ 部分がメチル化されている．このため，組織特異的インプリンティングのある組織では $G_sα$ はおもに母由来アリルから発現する

数は10歳前後までに発見される．1A型ではしばしば家族例を認めるが，1B型の大部分は孤発例である．

3）病因・病態

PHP および PPHP は，20q13.2 に位置し，PTH/PTHrP 受容体(PTHR1)とその下流で cAMP を生成するアデニル酸シクラーゼ(adenylate cyclase：AC)との情報伝達を司る $G_sα$ サブユニットをコードする GNAS 遺伝子の変異，あるいは発現調節の異常により発症する．

GNAS locus にはアリルの由来により CpG メチル化状態が異なるメチル化可変領域(differentially methylated region：DMR)が存在し，組織特異的インプリンティングを受けることが知られている．多くの組織では父母両アリル由来の $G_sα$ が発現するが，腎近位尿細管，下垂体，甲状腺，卵巣など一部の組織ではインプリンティングにより父由来アリルの $G_sα$ 発現が抑制され，おもに母由来アリルの $G_sα$ のみ発現する(図11)[4,9]．組織特異的インプリンティングの機序についてはまだ十分解明されていない．

ACRDYS1 は cAMP によって活性化されるプロテインキナーゼA(protein kinase A：PKA)の制御サブユニットをコードする PRKAR1A の変異(触媒サブユニットとの解離低下)により発症する．また，ACRDYS2 は細胞内 cAMP 濃度を調整するホスホジエステラーゼをコードする PDE4D の変異により発症する．いずれも PKA シグナルは減弱する(図12)[4,9]．

①偽性副甲状腺機能低下症1A/1C［OMIM 103580, 612462］

PHP1A は母由来の GNAS 遺伝子変異(翻訳領域)により発症する．組織特異的インプリンティングを受ける組織(前述)では $G_sα$ の活性の大部分が失われるが，他の組織では活性が約半量保持されている．その結果，PHP1A 以外にも，このシグナル伝達系を介するホルモン不応症(TSH, LH, FSH など)，ならびに肥満，低身長，円形顔貌，皮下骨腫(osteoma cutis)，短指症，中手骨・中足骨の短縮を特徴とする Albright 遺伝性骨異栄養症(Albright's hereditary osteodystrophy：AHO)を呈する(図13, 14)．中等度の精神発達遅滞を伴うことも多い．頭蓋内大脳基底核の石灰化も有名であるが，この所見は PHP1A，1B のみならず，特発性副甲状腺機能低下症にも認められる(図15)[4,9]．

②偽性偽性副甲状腺機能低下症［OMIM 612463］

父由来アリルに変異を有する場合は，腎近位尿細管において母由来アリル由来の $G_sα$ が正常に発現するため，AHO のみ発症する．この病態を PPHP という．父由来アリルの変異により真皮，皮下脂肪が骨化する進行性骨異形成(progressive osseous heteroplasia：POH)［OMIM 166350］も知られているが，PPHP との発症機序の違いについてはまだ解明されていない[4,9]．

③偽性副甲状腺機能低下症1B［OMIM 603233］

PHP1B は，PHP1A とは対照的に，腎の PTH 抵抗性が主で，AHO は認められないことが特徴であり，GNAS 遺伝子の翻訳領域にも変異は認められない．

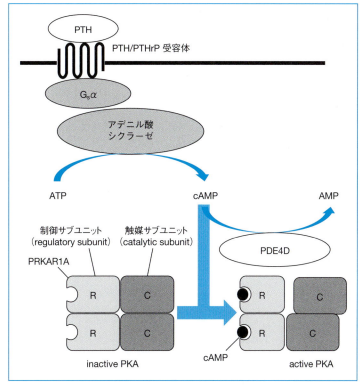

図12 PTH/PTHrP受容体とその下流のシグナリング

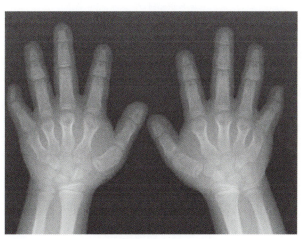

図13 短指症，中手骨短縮（PHP1A，10歳女児）

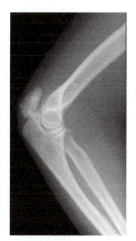

図14 肘部皮下の皮下骨腫（PHP1A，23歳女性）

PHP1Bの家系例でGNAS遺伝子の上流に位置するSTX16，NESP55，GNAS ASに母由来の微細欠失が報告されており，これらの欠失に起因するインプリンティング機構の破綻により，PHP1Bを発症すると考えられている[4,9]．欠失が父系遺伝した場合は保因者となるが，母系遺伝した場合は母由来のGNAS A/B DMRも脱メチル化され，腎近位尿細管におけるG_sαの発現が減少するため，PTH抵抗性を発症する．一方，PHP1Bの大部分を占める孤発例ではこれらの欠失は認めないにもかかわらず両アリルのA/B DMRは脱メチル化されており，発症機序の詳細は十分に解明されていない[4,9]．

組織特異的インプリンティングの影響を受けない組織ではG_sαの発現量は変化しないため，PHP1Bは

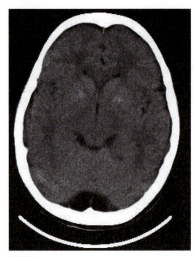

図15 大脳基底核の淡い石灰化（PHP1B, 8歳男児）

AHOを呈さないとされてきた．ところが，軽症AHOを有するにもかかわらず，GNAS遺伝子の翻訳領域には変異を認めず，A/B DMRの脱メチル化を認める患者が多数報告されるようになった[4,9]．今後PHP1AとPHP1Bの診断は遺伝子検査に立脚したものになると考えられる．

④先端異骨症1および2［OMIM 101800, 614613］

著明な鼻および顔面中部低形成，非常に短い指趾，短くずんぐりした手，四肢短縮型の低身長を特徴とする骨系統疾患の一種である．骨成熟の進行が早く，骨端線の早期閉鎖を認める．また，大多数は生下時にsmall-for-gestational age（SGA）である．ホルモン抵抗性を示す場合があり，Ellsworth-Howard試験ではPHP2に相当する反応を示す（表9）[4,6,9]．

❖ 文献

1) Brandi ML, et al.：Management of hypoparathyroidism：summary statement and guidelines. *J Clin Endocrinol Metab* 101：2273-2283, 2016
2) Clarke BL, et al.：Epidemiology and diagnosis of hypoparathyroidism. *J Clin Endocrinol Metab* 101：2284-2299, 2016
3) Vokes T, et al.：Hypoparathyroidism. In：Bilezikian JP, et al.(eds), *Primer on the Metabolic Bone Diseases and Disorders of Mineral Metabolism*. 9th ed., John Wiley & Sons, Hoboken, 654-660, 2019
4) Linglart A, et al.：Pseudohypoparathyroidism. In：Bilezikian JP, et al.(eds), *Primer on the Metabolic Bone Diseases and Disorders of Mineral Metabolism*. 9th ed., John Wiley & Sons, Hoboken, 661-673, 2019
5) Carpenter TO, et al.：Disorders of Mineral Metabolism in Childhood. In：Bilezikian JP, et al.(eds), *Primer on the Metabolic Bone Diseases and Disorders of Mineral Metabolism*. 9th ed., John Wiley & Sons, Hoboken, 705-712, 2019
6) 難波範行：副甲状腺機能低下症および偽性副甲状腺機能低下症の診断．平田結喜緒（監），竹内靖博，他（編），副甲状腺・骨代謝疾患診療マニュアル．改訂第2版，診断と治療社，89-91，2019
7) Shoback DM, et al.：Presentation of hypoparathyroidism：Etiologies and clinical features. *J Clin Endocrinol Metab* 101：2300-2312, 2016
8) Fukumoto S, et al.：Causes and differential diagnosis of hypocalcemia-recommendation proposed by expert panel supported by ministry of health, labour and welfare, Japan. *Endocr J* 55：787-794, 2008
9) Mantovani G, et al.：Diagnosis and management of pseudohypoparathyroidism and related disorders：first international Consensus Statement. *Nat Rev Endocrinol* 14：476-500, 2018
10) Bilezikian JP, et al.：Management of Hypoparathyroidism：Present and Future. *J Clin Endocrinol Metab* 101：2313-2324, 2016
11) 大薗恵一：副甲状腺機能低下症．横谷　進，他（編），専門医による新小児内分泌疾患の治療．改訂第2版，診断と治療社，268-273，2017
12) Gafni RI, et al.：Hypoparathyroidism. *N Engl J Med* 380：1738-1747, 2019
13) Endo Y, et al.：Dominant mutations in ORAI1 cause tubular aggregate myopathy with hypocalcemia via constitutive activation of store-operated Ca^{2+} channels. *Hum Mol Genet* 24：637-648, 2015
14) Randall V, et al.：Great vessel development requires biallelic expression of Chd7 and Tbx1 in pharyngeal ectoderm in mice. *J Clin Invest* 119：3301-3310, 2009
15) Drezner M, et al.：Pseudohypoparathyroidism type Ⅱ：a possible defect in the reception of the cyclic AMP signal. *N Engl J Med* 289：1056-1060, 1973
16) Akın L, et al.：Vitamin D deficiency rickets mimicking pseudohypoparathyroidism. *J Clin Res Pediatr Endocrinol* 2：173-175, 2010

（難波範行）

E くる病

1 ビタミンD欠乏性くる病

1) 定義・概念

くる病は17世紀の産業革命後のイギリスで初めて報告された骨の病気で，都市の多くの子どもたちが苦しめられていた．20世紀初頭に紫外線照射とタラの肝油がくる病の予防と治療に有効であると発見され，ビタミンDは肝油からくる病を治癒する栄養因子として発見された．ビタミンDは，食事から摂取されるだけでなく，ビタミンとしては例外的に，皮膚において細胞の脂質二重層にあるプロビタミンD（7-dehydrocholesterol）から紫外線エネルギー（波長290〜310 nmのUV-B）によってプレビタミンDが合成され，熱異性化

によってすぐにビタミン D に変換される.

a. ビタミン D 代謝とその作用

食事から摂取されたビタミン D(菌類由来のビタミン D_2 と動物由来のビタミン D_3 がある)および皮膚で生合成されたビタミン D は,肝臓において 25 位が水酸化されて 25 位水酸化ビタミン D(25OHD)に変換され,さらに,腎臓近位尿細管において 1α 位が水酸化されて $1\alpha,25$ 位水酸化ビタミン D[$(1\alpha,25(OH)_2D)$]に変換される.$1\alpha,25(OH)_2D$ は最も強い生理活性をもつので活性型ビタミン D とよばれる.血中 25OHD 濃度は体内のビタミン D の貯蔵状態を反映するとされており,ビタミン D 欠乏症の診断に用いられる[1]. 活性型ビタミン D は,小腸における Ca や P の吸収,骨における石灰化の調節,腎遠位尿細管における Ca の再吸収,副甲状腺における PTH の分泌抑制,骨における線維芽細胞増殖因子 23(fibroblast growth factor 23: FGF23)の産生促進などの作用を発揮する.このように,ビタミン D は体内の Ca や P の恒常性を維持し,骨の成長と石灰化に重要な役割を担っている.

b. 疫学

わが国の症候性ビタミン D 欠乏症(くる病と低カルシウム血症)の 10 万人当たりの推定年間発症数は,15 歳未満で 1.1 人,3 歳未満で 5.4 人と報告された[2].

2) 病因・病態

a. ビタミン D 欠乏症の病態

ビタミン D 欠乏によって腸管からの Ca 吸収が低下し,血中 Ca 濃度が低下することによって PTH 分泌が促進される[1]. PTH は,骨吸収促進,腎尿細管での Ca 再吸収亢進,$1,25(OH)_2D$ 産生増加による腸管での Ca 吸収促進によって,血中 Ca 濃度を増加させる.一方,PTH は腎尿細管における P 排泄を亢進するため,低リン血症を惹起する.低カルシウム血症が PTH や $1,25(OH)_2D$ によって代償されなければ,けいれん,テタニーなどの低カルシウム血症の症状を呈する.また,慢性的な低リン血症は,骨における未石灰化骨(類骨)の増加と成長軟骨帯における石灰化前線の不整(骨 X 線像の骨幹端の不整)を特徴とするくる病を引き起こす(図 16).成長軟骨帯の閉鎖後の成人では骨軟化症とよばれる.

b. ビタミン D 欠乏症のリスク因子

ビタミン D は,皮膚での紫外線による生合成,食事からの摂取によって供給される.胎児・新生児では母体からビタミン D が供給される[3]. これらの供給が低下するとビタミン D 欠乏となる.また,25OHD を低下させる薬剤(抗けいれん薬,抗菌薬など)もある.したがって,リスク因子として,母親のビタミン D 欠

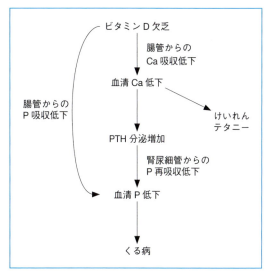

図 16 ビタミン D 欠乏症の病態

乏,完全母乳栄養,食事制限(アレルギー,偏食など),日光曝露不足(外出制限,紫外線カットクリームの使用,体を覆う衣服,冬期,高緯度,濃い皮膚色など),早産児,胆汁うっ滞性疾患,慢性下痢などがあげられる.母乳中のビタミン D 含有量($0.3 \mu g/100 g$)は少ないため,注意が必要である.成長の盛んな時期である,新生児期,乳児期,幼児期早期,思春期にビタミン D の必要量が多く,この時期にビタミン D 欠乏症に陥るリスクが高まる.

c. ビタミン D 摂取

「日本人の食事摂取基準(2020 年版)」が発表された[4]. 1 歳未満の乳児のビタミン D 摂取の目安量は $5.0\mu g$ で,1 歳以降の小児は男女別に設定されている.男児は,1〜2 歳で $3.0\mu g$ で,3〜5 歳で $3.5\mu g$,6〜7 歳で $4.5\mu g$,8〜9 歳で $5.0\mu g$,10〜11 歳で $6.5\mu g$,12〜14 歳で $8.0\mu g$,15〜17 歳で $9.0\mu g$,女児は,1〜2 歳で $3.5\mu g$ で,3〜5 歳で $4.0\mu g$,6〜7 歳で $5.0\mu g$,8〜9 歳で $6.0\mu g$,10〜11 歳で $8.0\mu g$,12〜14 歳で $9.5\mu g$,15〜17 歳で $8.5\mu g$ である.成人男女(18 歳〜64 歳)は $8.5\mu g$ である.$1.0\mu g$ のビタミン D は 40 単位に相当する.目安量の算定に,皮膚でのビタミン D 合成が考慮されているため,適度な日光照射が必要である.欧米においては,皮膚でのビタミン D 合成が考慮されておらず,乳児期のビタミン D 摂取推奨量は 400 単位であるが[3],これはサプリメントが必要な量とされる.最近,わが国においてもビタミン D 栄養機能食品(シロップ)が販売されている.離乳後はビタミン D が豊富な食品の摂取を心がける.魚類,卵黄,キノコ類などがビタミン D を多く含む.また,ビタミン D 欠乏症の発症に

はCa摂取不足も関与している場合があり，離乳後は乳製品，魚介類，大豆製品，野菜，海藻類などのCaが豊富な食品の摂取を心がける．

3）臨床症候

ビタミンD欠乏症は，臨床症状によりビタミンD欠乏性くる病とビタミンD欠乏性低カルシウム血症に大別される[5]．くる病の症状として，内反膝（O脚）・外反膝（X脚）などの下肢変形，跛行，脊柱の彎曲，頭蓋癆，大泉門の開離，肋骨念珠，横隔膜付着部肋骨の陥凹，関節腫脹，病的骨折，成長障害などが，低カルシウム血症の症状として，けいれん，テタニー，易刺激性，Trousseau徴候，Chvostek徴候などがある．二つの病型が重なる症例もある．骨軟化症では骨痛を訴えることが多い．

4）診断と検査法

a．検査所見

単純骨X線像では，くる病変化〔長管骨骨幹端の杯状陥凹（cupping），骨端線の拡大（splaying, flaring），不整・毛ばだち（fraying）など〕がみられる（図17）．手関節や膝関節，足関節に変化が現れやすい．また，不完全骨折と特有の仮骨形成の結果と考えられる透亮像はlooser zoneとして知られる．低カルシウム血症では骨X線検査で異常を認めないことがある．血液・尿検査では，低カルシウム血症，低リン血症，高アルカリホスファターゼ（alkaline phosphatase：ALP）血症，血清25OHD濃度の低値，血中PTH値の高値，尿中Ca排泄の低下が認められる（表10）[3]．しかし，低カルシウム血症と低リン血症の一方だけを認める場合がある．低カルシウム血症が著しい場合，高リン血症を呈する場合がある．血清1,25(OH)$_2$D濃度はビタミンD欠乏症の診断のための指標にはならない．くる病の鑑別診断のため，尿細管P再吸収率，尿細管P再吸収閾値を算出するが，PTH作用によって両者が低下していることがある．血清FGF23は低値であり，低リン血症性くる病の鑑別に有用である[6]．ビタミンD欠乏症の回復途上で，くる病様変化のみが残るような症例も存在するため，骨変化が正常化するかどうか経過観察を行う必要がある．また，亜鉛欠乏時には，血清ALPが上昇しないことがある．

b．診断

日本小児内分泌学会から「ビタミンD欠乏性くる病・低カルシウム血症の診断の手引き」が発表されている[5]．症状，検査所見，骨X線所見に基づいて診断する（表11）[5]．病歴も参考になる．他疾患を除外することが重要である．鑑別疾患として，低リン血症性くる病，低ホスファターゼ症，骨幹端異形成症，Blount病，副甲状腺機能低下症，偽性副甲状腺機能低下症，ビタミンD依存症，腎尿細管異常，乳児一過性高ALP血症などがあげられる．ビタミンD欠乏の頻度は低くないため，上記の疾患とビタミンD欠乏の併存を念頭におく必要がある．血清25(OH)D濃度による欠乏の定義はまだ定まっていない[7]．日本小児内分泌学会の診断の手引きでは，15 ng/mL以下をより確実なビタミンD欠乏とし，15〜20 ng/mLの値でも，ビタミンD欠乏は考えうるという取り扱いとしている．専門家の国際コンセンサスでは，診断の特異性を上げるという観点から12 ng/mL未満をビタミンD欠乏としている[8]．

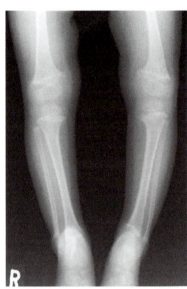

図17 ビタミンD欠乏性くる病患者の単純骨X線

表10 ビタミンD欠乏症の段階的分類における生化学的所見

	血清Ca	血清P	ALP	PTH	25OHD	1,25(OH)$_2$D	X線所見
軽度	→, ↓	→, ↓	↑	↑	↓	→	骨量減少
中等度	→, ↓	↓	↑↑	↑↑	↓↓	↑	くる病変化＋
重度	↓↓	↓↓	↑↑↑	↑↑↑	↓↓↓	↓, →, ↑	くる病変化＋＋

〔Misra M, et al.：Vitamin D deficiency in children and its management：review of current knowledge and recommendations. Pediatrics 122：398-417, 2008 より引用改変〕

5）治療法

海外では，ビタミンD（天然型）が投与される（たとえば，2,000 IU/日を最低3週間投与）[8]．欠乏しているビタミンDが補充され，しかも安全性が高い．一方，日本ではビタミンDが処方できないため，活性型ビタミンDを投与する．アルファカルシドール0.1 μg/kg/日程度で開始する．高カルシウム尿症，高カルシウム血症に注意しながら，適宜調節する．治療開始後，血清Ca値，P値，PTH値，ALP値の改善がみられ，くる病は徐々に改善する．Ca摂取不足を認める場合も少なくなく，その場合，経口Ca製剤も併用する（乳酸Ca：0.1 g/kg/日程度）．再発予防のために，生活指導，栄養指導も重要である．治療に反応が乏しい場合は，診断を再考する．低カルシウム血症（けいれんなどを伴う）の場合，8.5% グルコン酸 Ca 0.5〜1.0 mL/kg を心電図をモニターしながら緩徐に静注する．

6）管理と予後

治療によって骨幹端のくる病変化は徐々に改善してくる．骨変形の改善には時間がかかる場合もある．ビタミンD・Ca摂取不足，日光照射不足の状況が改善されれば，再発しない．ビタミンD欠乏症の予防が重要と考えられる．また，一般成人におけるビタミンD不足・欠乏も少なくないため，生涯にわたって，ビタミンD不足・欠乏に注意する．

❖ 文献

1) Holick MF：Resurrection of vitamin D deficiency and rickets. J Clin Invest 116：2062-2072, 2006
2) Kubota T, et al.：Incidence rate and characteristics of symptomatic vitamin D deficiency in children：a nationwide survey in Japan. Endocr J 65：593-599, 2018
3) Misra M, et al.：Vitamin D deficiency in children and its management：review of current knowledge and recommendations. Pediatrics 122：398-417, 2008
4) 「日本人の食事摂取基準」策定検討会：多量ミネラル，伊藤貞嘉，他（監），日本人の食事摂取基準2020年版．第一出版，267-310，2020
5) 日本小児内分泌学会ビタミンD診療ガイドライン策定委員会：ビタミンD欠乏性くる病・低カルシウム血症の診断の手引き
http://jspe.umin.jp/medical/files/_vitaminD.pdf（2021年9月

表11 ビタミンD欠乏性くる病・低カルシウム血症の診断の手引き

1．ビタミンD欠乏性くる病
　a）血清25水酸化ビタミンD（25OHD）低値
　b）単純X線像：くる病変化（骨幹端の杯状陥凹，骨端線の拡大，不整，毛ばだちなどのうち少なくとも一つ）撮影部位としては，手関節および膝関節が推奨される
　c）臨床症状，身体徴候：内反膝（O脚）・外反膝（X脚）などの下肢変形，跛行，脊柱の彎曲，頭蓋癆，大泉門の開離，肋骨念珠，横隔膜付着部肋骨の陥凹，関節腫脹，病的骨折，成長障害のうち少なくとも一つ
　d）低リン血症，または低カルシウム血症
　e）高アルカリホスファターゼ（ALP）血症
　f）血中副甲状腺ホルモン（PTH）高値
上記のすべての項目を満たすときは，診断確定例とする．
　a）に加えて，b），e），f）のすべてがあればビタミンD欠乏性くる病が最も疑わしいが，低リン血性くる病，骨幹端異形成症などにビタミンD欠乏が共存する場合（comorbidity）もありえる．したがって，これら疾患を除外することにより，ビタミンD欠乏性くる病と確定診断してよい．
　a）があってもb）が明らかでない場合，他の項目をすべて満たしても，ビタミンD欠乏性くる病疑いとして，治療を行うかどうか慎重に判断する．

2．ビタミンD欠乏性低カルシウム血症
　a）血清25水酸化ビタミンD（25OHD）低値
　b）臨床症状：けいれん，テタニー，易刺激性，Trousseau 徴候，Chvostek 徴候
　c）身体徴候：内反膝（O脚）・外反膝（X脚）などの下肢変形，脊柱の彎曲，頭蓋癆，大泉門の開離，肋骨念珠，関節腫脹，病的骨折，成長障害のうち少なくとも一つ
　d）単純X線像：くる病様変化（骨端の杯状陥凹，骨端線の拡大，不整，毛ばだちなどのうち少なくとも一つ）撮影部位としては，手関節および膝関節が推奨される
　e）低カルシウム血症　血清カルシウム補正値 8.4 mg/dL 未満，イオン化カルシウム 1.05 mmol/L 未満
　f）高アルカリホスファターゼ（ALP）血症
　g）血中副甲状腺ホルモン（PTH）高値
すべての項目を満たすときは，診断確定例とする．
　d）に記載したくる病様変化を伴わない場合，偽性副甲状腺機能低下症が鑑別すべき疾患として重要である．偽性副甲状腺機能低下症では，一般的に血清25OHDは低値を示さないが，ビタミンD欠乏が共存しているときには低値となりうる．偽性副甲状腺機能低下症では血清Pは通常高値であるが，ビタミンD欠乏性低カルシウム血症でも，血清Pが高値のときがある．実際には，活性化ビタミンD製剤の投与を行って，血清Ca値を補正する治療を行った後に，診断の再判定が必要となることもある．

［日本小児内分泌学会ビタミンD診療ガイドライン策定委員会：ビタミンD欠乏性くる病・低カルシウム血症の診断の手引き http://jspe.umin.jp/medical/files/_vitaminD.pdf より抜粋］

6) Kubota T, et al.：Serum fibroblast growth factor 23 is a useful marker to distinguish vitamin D-deficient rickets from hypophosphatemic rickets. *Horm Res Paediatr* 81：251-257, 2014
7) Holick MF, et al.：Evaluation, treatment, and prevention of vitamin D deficiency：an Endocrine Society clinical practice guideline. *J Clin Endocrinol Metab* 96：1911-1930, 2011
8) Munns CF, et al.：Global consensus recommendations on prevention and management of nutritional rickets. *J Clin Endocrinol Metab* 101：394-415, 2016

（窪田拓生）

2 低リン血症性くる病

1）定義・概念

骨の成長および石灰化には，ヒドロキシアパタイトの主要構成成分であるCaとPが必須である．これらのいずれかが不足すると，骨の石灰化は障害され，骨端線閉鎖以前の成長期であればくる病を，成人においては骨軟化症を発症する．低リン血症を主因とする骨石灰化障害を低リン血症性くる病・骨軟化症と総称する．遺伝性低リン血症性くる病・骨軟化症は，近位尿細管からのP排泄増加により低リン血症，骨軟化症をきたす遺伝性疾患群で，過P尿以外の近位尿細管機能障害を呈するFanconi症候群などは通常含まれない．遺伝形式および臨床症状から複数の病型に分類されており，責任遺伝子が同定されている．また，非遺伝性の低リン血症性くる病・骨軟化症としては，腫瘍性骨軟化症（tumor induced osteomalacia：TIO）や，McCune-Albright症候群（MAS）に伴うくる病などがあげられる．

2）病因・病態

Pは生命維持に必須のミネラルであり，恒常性維持のための機構が存在する．P恒常性維持において中心的な役割を担っているのは腎尿細管におけるP再吸収量の調節である．FGF23は骨で産生されるP利尿因子であり，近位尿細管におけるⅡa型およびⅡc型のNa$^+$/P共輸送担体の発現を減少させることによりP再吸収を抑制し，血清P値を低下させる．FGF23はまた，ビタミンDの活性化酵素である1α水酸化酵素の発現を抑制し不活性化酵素である24水酸化酵素の発現を誘導することにより，活性型である1,25(OH)$_2$Dの血中濃度を低下させる．1,25(OH)$_2$Dの低下に伴う腸管でのP吸収の抑制は血清P値をさらに低下させることとなる[1]（図18）．FGF23のシグナル伝達にはFGF受容体とともにα-Klothoが共役受容体として必要である[2]．

FGF23は251アミノ酸からなる分泌性蛋白質であり，N端には24アミノ酸からなるシグナルペプチドが存在する．また179番目のアルギニンと180番目のセリンの間で切断を受けて不活化される[1]．常染色体顕性低リン血症性くる病・骨軟化症（autosomal dominant hypophosphatemic rickets：ADHR）［OMIM 193100］においては，FGF23の176番目あるいは179番目のアルギニンが変異により，他のアミノ酸に置換された結果，切断による不活性化に対して抵抗性を獲得するため，FGF23作用の過剰をきたして尿中P排泄増加，低リン血症，ビタミンD活性化障害をもたらす（図19）[3]．しかしながら，ADHRは不完全浸透を示し，発症時期は様々である．ADHRの遅発症例のなかには思春期や妊娠など鉄欠乏をきたしやすい時期に発症する症例が存在し，鉄の充足状態がADHRにおけるFGF23の血中

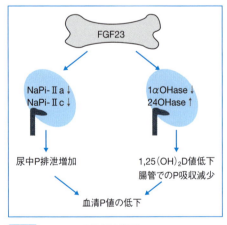

図18 FGF23の作用の概略
骨で産生されたFGF23は，近位尿細管におけるⅡa型およびⅡc型のNa$^+$/P共輸送担体の発現を減少させることによりP再吸収を抑制する．FGF23はまた，1α水酸化酵素の発現を抑制し不活性化酵素である24水酸化酵素の発現を誘導することにより血中1,25(OH)$_2$Dの濃度を低下させ，腸管でのP吸収を減少させる．これらの作用があいまって，血清P値の低下をもたらすことになる．

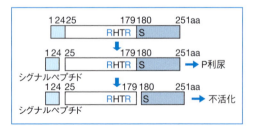

図19 FGF23の構造と切断による不活性化
FGF23は251アミノ酸からなり，N端側の24個のアミノ酸はシグナルペプチドと考えられている．179番目のアルギニンと180番目のセリンの間で切断を受けることにより不活化される．ADHR家系で報告されているFGF23遺伝子変異は，青字のRで示した176番目と179番目のアルギニンに集中しており，切断による不活性化が障害されることによりFGF23の作用過剰が引き起こされる．

濃度と関連していることが示唆されている[4]．

遺伝性低リン血症性くる病・骨軟化症のうちで最も頻度の高いX連鎖性低リン血症性くる病・骨軟化症（X-linked hypophosphatemic rickets：XLH）[OMIM 307800]はPHEX遺伝子の機能喪失型変異に基づく[5]．PHEX産物はエンドペプチダーゼとしての機能が推察されている．また，常染色体潜性低リン血症性くる病・骨軟化症（autosomal recessive hypophosphatemic rickets：ARHR）はDMP1やENPP1の機能喪失型変異により引き起こされる[6,7]．ARHR 1型[OMIM 241520]の責任分子であるDMP1は主として骨細胞および歯の象牙質に発現する非コラーゲン性基質蛋白質である．ARHR 2型[OMIM 173335]の責任遺伝子ENPP1は骨芽細胞や軟骨細胞に発現し，ピロリン酸合成酵素をコードしている．XLHおよびARHR 1型・2型はいずれも，骨からのFGF23の過剰産生により過P尿，低リン血症，血中$1,25(OH)_2D$低下を引き起こすところから，ADHRとともにFGF23関連低リン血症性くる病・骨軟化症に分類される[8]．PHEXやDMP1，ENPP1の機能喪失がFGF23の過剰産生をもたらす機序についてはまだ明らかにはなっていない．また，DMP1やFGF23のリン酸化にかかわる分泌型キナーゼをコードするFAM20Cの機能喪失型変異に基づくRaine症候群[OMIM 259775]は骨硬化と異所性石灰化を呈する新生児致死性疾患であるが，長期生存症例の一部が高FGF23血症に基づく低リン血症性くる病・骨軟化症を呈することが報告されている[9]．興味深いことに，PHEX，DMP1，FAM20CはFGF23とともに骨細胞に高く発現している．

一方，高カルシウム尿症を伴う遺伝性低リン血症性くる病・骨軟化症（hereditary hypophosphatemic rickets with hypercalciuria：HHRH）[OMIN 241530]はⅡc型Na^+/P共輸送担体をコードするSLC34A3遺伝子の機能喪失型変異により過P尿，低リン血症を示す疾患である[10]．HHRHではFGF23値はむしろ低下しており，ビタミンD活性化障害は存在しないため，血中$1,25(OH)_2D$値の明らかな上昇をきたし，二次性に高カルシウム尿症を引き起こす．

後天性に低リン血症を呈するTIOは腫瘍によるFGF23過剰産生に基づき，小児では極めてまれな疾患である．TIOの惹起腫瘍としては，血管周囲細胞腫などの間葉系腫瘍の頻度が高い．また，MASはGNAS遺伝子の体細胞変異に基づく疾患で，皮膚のカフェオレ斑，思春期早発症などの内分泌異常のほか，多骨性線維性骨異形成症を呈するが，しばしば過P尿，低リン血症を合併し，線維性骨異形成症病変部位からの

FGF23産生が関与することが明らかとなった．表12[9]にFGF23関連低リン血症性くる病・骨軟化症をまとめた[8]．

3）臨床症候

最も頻度の高い低リン血症性くる病であるXLHにおいては，過P尿に基づく低リン血症，下肢の骨変形，成長障害を示し，PHEX変異のヘミ接合体である男性患者で顕著である．X染色体顕性遺伝形式をとり，症状の重症度には幅があるが，完全浸透性である．低リン血症は生後まもなくより存在するが，主訴は歩行開始後の下肢変形（O脚），低身長であることが多い．また，見逃されがちな症状として歯牙の異常があげられ，XLH患者はエナメル質欠損や象牙質石灰化障害，歯根膿瘍などを示す．成人患者においては，骨軟化症に伴う骨痛や骨折，偽骨折，後縦靱帯骨化症などの脊柱靱帯骨化症に伴う脊髄圧迫症状や腱付着部症（enthesopathy）に伴う疼痛などを呈する[11]．XLHにおける検査所見としては，低リン血症，過P尿が存在するが，血清Ca値は正常である．ビタミンDの活性化障害が存在するため，低リン血症が存在するにもかかわらず，血中$1,25(OH)_2D$値は上昇しない．他のくる病・骨軟化症と同様に，血清ALP値は上昇する．血清Ca値が正常であることと，多くの場合，PTH値が正常であることから，ビタミンD欠乏症と鑑別される．前述したように，多くの症例で血中FGF23の上昇が認められる[8]．他の低リン血症性くる病・骨軟化症との鑑別のためには詳細な家族歴の調査が必要であるが，しばしば孤発例も報告されており，診断に苦慮する場合がある．

ADHRは，過P尿に基づく低リン血症，ビタミンD

表12　FGF23関連低リン血症性くる病・骨軟化症

X連鎖性低リン血症性くる病・骨軟化症（XLH）；PHEX変異
常染色体顕性低リン血症性くる病・骨軟化症（ADHR）；FGF23変異
常染色体潜性低リン血症性くる病・骨軟化症1型（ARHR1）；DMP1変異
常染色体潜性低リン血症性くる病・骨軟化症2型（ARHR2）；ENPP1変異
歯牙異常と異所性石灰化を伴う低リン血症疾患；FAM20C変異
McCune-Albright症候群/線維性骨異形成症
線状皮脂腺母斑症候群
腫瘍性骨軟化症（TIO）
含糖酸化鉄，ポリマルトース鉄による低リン血症性くる病・骨軟化症

[Takeyari S, et al.：Hypophosphatemic osteomalacia and bone sclerosis caused by a novel homozygous mutation of the FAM20C gene in an elderly man with a mild variant of Raine syndrome. *Bone* 67：56-62, 2014 より引用改変]

活性化障害など，XLHと類似した臨床症状および検査所見を呈する．常染色体顕性遺伝形式を示すが，XLHの場合とは異なり浸透度が不完全であるため，遅発性の症例や，隔世遺伝を認め，前述したように発症と鉄欠乏との関連性が示唆されている．ARHRも同様の臨床症状および検査所見を示すが，極めてまれである．DMP1変異に基づくARHR1とFAM20C変異に基づく低リン血症においては，特に歯科症状がXLHと比較して顕著である．

HHRHにおいては，前述したようにXLHなどFGF23関連低リン血症性くる病・骨軟化症の場合とは異なり，血中1,25(OH)$_2$D値の明らかな上昇を認め，二次性の高カルシウム尿症を伴う．P補充のみで，高カルシウム尿症および骨病変は著明に改善する．

4）診断と検査法

正常成人においては，通常，血清P値は2.5～4.5 mg/dL（0.75～1.45 mM）程度に維持されている．小児では血清P値は成人よりも高く，年少であるほど高値を示す．2歳未満の児では6～7 mg/dLの値をとる．成人および年長児では2.5 mg/dL以下，年少児では4.0 mg/dL以下が低リン血症である．低リン血症は様々な病態に伴い，①腸管からのP吸収の低下，②腎臓からのP喪失，③細胞内へのPの移動により生じる．低リン血症性くる病・骨軟化症の診断のためには，まず，リン酸再吸収率（%TRP）や尿細管リン酸再吸収閾値/GFR（TmP/GFR）などを指標に，尿中P排泄量の増加を確認する．ほかの尿細管機能の指標についても評価する．また，ビタミンD代謝物やPTHの血中濃度を測定する．

低リン血症の鑑別のためには血中FGF23の測定が有用である．TIOやXLH，ARHRなどにおいては血中FGF23値が高値を示すのに対して，Fanconi症候群やビタミンD欠乏症においてはFGF23値がむしろ低下傾向を示す[8]．FGF23の機能獲得型変異に基づくADHRではFGF23値は必ずしも上昇していないので，注意が必要である．また，TIOにおいては静脈サンプリングによるFGF23値の測定が原因腫瘍の探索に有用である．2019年に，FGF23関連低リン血症性くる病・骨軟化症の診断時または治療効果判定時の，CLEIA法によるFGF23の測定が保険適用となった．遺伝性低リン血症については，遺伝子解析による確定診断が可能となった．

5）治療法

XLHをはじめとするFGF23関連性低リン血症性くる病においては，尿中P排泄の増加に加えビタミンD活性化障害を伴うため，中性リン酸塩とともに活性型ビタミンDの投与が行われる．Haffnerらによる「XLHの診断と管理に関する診療ガイドライン」によれば，XLHの小児患者に対するリン製剤投与の初期量はPとして20～60 mg/kg/日（分4～6）とされており，くる病や成長の改善，血清ALP値やPTH値を指標に調節することを推奨している[12]．経口リン酸製剤としてホスリボン®配合顆粒などが使用される．活性型ビタミンDは通常，アルファカルシドール［1αOHD$_3$］0.05～0.1 µg/kg/日にて投与し，血清Ca値や尿中Ca排泄を指標に投与量を調節する．活性型ビタミンD投与が長期にわたるため，腎超音波上，腎石灰化が高頻度に認められるが，腎機能の低下をきたすことはまれである．Pや活性型ビタミンD投与に伴い，血清FGF23値はさらに上昇する．そうしたなかで，FGF23関連低リン血症性くる病・骨軟化症に対する新規治療薬としてヒト型FGF23モノクローナル抗体ブロスマブ（クリースビータ®）が開発され[13]，2019年12月に市販が開始された．Imelらは，小児XLH患者におけるくる病や成長障害に対して，ブロスマブが従来のPと活性型ビタミンDの投与による治療よりも高い治療効果を示したと報告している[14]．

TIOについては，責任腫瘍の切除が第一選択であるが，責任腫瘍が同定・切除できない場合にはブロスマブ投与などXLHに準じた内科治療が行われる．

HHRHについては，前述したようにビタミンDの活性化障害がないため，リン酸塩の投与のみで骨病変の著明な改善を認める．

6）管理・予後

幼児期早期から充分なP補充と活性型ビタミンDが行われたXLH症例では身長予後は良好であるとされているが，P服用が困難な場合などアドヒアランス不良な症例も存在し，注射薬であるブロスマブに切り替えることにより予後の改善が期待できる．歯科症状に対して歯科的管理，骨変形などに対して整形外科的治療が必要になる．成人における治療は確立していない．最近発表されたシステマティックレビューにより，XLHの成人患者においては骨変形や偽骨折，疼痛，歯科症状，身体機能障害，移動障害などの症状が認められ，生活の質（quality of life：QOL）や日常の活動に影響をきたしていることが報告されており，成人期のXLH患者の適切な管理や治療の重要性が示唆される[15]．

7）最新知見

FGF23の測定が保険適用となり，ブロスマブが使用可能となったことから，XLHなどのFGF23関連低リン血症性くる病・骨軟化症の診療は大きく変化しつつ

ある．ブロスマブの導入により，XLHにおける身長予後に加えて，歯科症状や成人期における合併症が改善するかどうかについては，今後の検討が必要である．

❖ 文献

1) Michigami T, et al.：Roles of phosphate in skeleton. Front Endocrinol 10：180, 2019
2) Urakawa I, et al.：Klotho converts canonical FGF receptor into a specific receptor to FGF23. Nature 444：770-774, 2006
3) The ADHR Consortium：Autosomal dominant hypophosphatemic rickets is associated with mutations in FGF23. Nat Genet 26：345-348, 2000
4) Imel EA, et al.：Iron modifies plasma FGF23 differently in autosomal dominant hypophosphatemic rickets and healthy humans. J Clin Endocrinol Metab 96：3541-3549, 2011
5) The HYP Consortium：A gene (PEX) with homologies to endopeptidases in mutated in patients with X-linked hypophosphatemic rickets. Nat Genet 11：130-136, 1995
6) Feng JQ, et al.：Loss of DMP1 causes rickets and osteomalacia and identifies a role for osteocytes in mineral metabolism. Nat Genet 38：1310-1315, 2006
7) Lorenz-Depiereux B, et al.：Loss-of-function ENPP1 mutations cause both generalized arterial calcification of infancy and autosomal-recessive hypophosphatemic rickets. Am J Hum Genet 86：267-272, 2010
8) Fukumoto S, et al.：Pathogenesis and diagnostic criteria for rickets and osteomalacia-proposal by an expert panel supported by Ministry of Health, Labour and Welfare, Japan, The Japanese Society for Bone and Mineral Research and The Japan Endocrine Society. Endocr J 62：665-671, 2015
9) Takeyari S, et al.：Hypophosphatemic osteomalacaia and bone sclerosis caused by a novel homozygous mutation of the FAM20C gene in an elderly man with a mild variant of Raine syndrome. Bone 67：56-62, 2014
10) Lorenz-Depiereux B, et al.：Hereditary hypophosphatemic rickets with hypercalciuria is caused by mutations in the sodium-phosphate cotransporter gene SLC34A3. Am J Hum Genet 78：193-201, 2006
11) Carpenter TO, et al.：A clinician's guide to X-linked hypophosphatemia. J Bone Miner Res 26：1381-1388, 2011
12) Haffner, et al.：Clinical practice recommendations for the diagnosis and management of X-linked hypophosphatemia Nat Rev Nephrol 15：436-455, 2019
13) Carpenter TO, et al.：Burosumab therapy in children with X-linked hypophosphatemia. N Engl J Med 378：1987-1998, 2018
14) Imel EA, et al.：Burosumab versus conventional therapy in children with X-linked hypophosphataemia：a ramdomized, active-controlled, open-label, phase 3 trial. Lancet 393：2416-2427, 2019
15) Seefried L, et al.：Burden of disease associated with X-linked hypophosphataemia in adults：a systematic literature review. Osteoporos Int 32：7-22, 2021

〔道上敏美〕

3 その他のくる病

1) 定義・概念

くる病・骨軟化症は骨石灰化障害を特徴とする疾患であり，そのうち，成長軟骨帯閉鎖以前に発症するものがくる病である．くる病においては成長障害，O脚やX脚などの骨変形，頭蓋癆，肋骨念珠，関節腫脹などの症状を認め，単純骨X線で骨幹端の杯状陥凹，骨端線拡大や毛ばだちなどのくる病所見がみられる．また，血清ALP値が高値を示す[1]．

アルミニウムやエチドロネートのような骨石灰化を障害する薬剤の使用によるくる病を除いて，多くのくる病では慢性低リン血症を認めるが，ビタミンD欠乏性くる病などのビタミンD代謝物作用障害においては低リン血症よりも低カルシウム血症が主徴となることがある．くる病を引き起こす慢性低リン血症の原因は，ビタミンD代謝物作用障害，腎尿細管異常，FGF23の作用過剰（**本章E-2**参照），P欠乏に大別される[1]．

ビタミンD代謝物作用障害をきたす病態にはビタミンD欠乏のほか，遺伝性疾患であるビタミンD依存性くる病，ジフェニルヒダントインやリファンピシンなどの薬剤投与によるビタミンD代謝異常などが含まれる[1]．先天性胆道閉鎖症などによる胆汁分泌不足は脂溶性ビタミンであるビタミンDの吸収不足をもたらし，また重篤な肝疾患はビタミンDの25位水酸化の障害をきたしてくる病（肝性くる病）の原因となりうる．

低リン血症をきたす腎尿細管異常の原因としては高カルシウム尿症を伴うHHRH，Fanconi症候群，Dent病，腎尿細管性アシドーシス，薬剤（イホスファミド，アデホビルピボキシル，バルプロ酸など）投与などがあげられる．P欠乏はP摂取不足や腸管吸収障害に伴う[1]．

本項では，ビタミンDの活性化障害であるビタミンD依存性くる病1型，ビタミンD受容体（vitamin D receptor：VDR）の異常症であるビタミンD依存性くる病2型，最近報告されたビタミンD依存性くる病3型に加え，ビタミンDの主たる活性化部位である肝臓や腎臓の障害に基づくビタミンD代謝障害を含め，疾患ごとに概説する．なお，ビタミンD代謝の詳細についてはビタミンD欠乏性くる病の項（**本章E-1**）を参照されたい．

2) ビタミンD依存性くる病1型

ビタミンD依存性くる病1型（vitamin D dependent rickets type 1：VDDR1）はビタミンDの活性化障害に伴う病態であり，通常，ビタミンD-1α水酸化酵素を

コードする CYP27B1 遺伝子の機能喪失変異に基づく常染色体潜性遺伝性疾患である[2]．ナンセンス変異，ミスセンス変異，挿入欠失変異，スプライス異常など様々な変異の報告があり，CYP27B1 遺伝子の全長にわたって分布している[3]．CYP27B1 はミトコンドリア内膜結合型のシトクロム P450 酵素で，腎臓以外にも皮膚角化細胞，胎盤，骨，マクロファージなど種々の組織に発現しており，腎外組織の CYP27B1 により産生される $1,25(OH)_2D$ は局所で autocrine/paracrine 作用を示すと考えられている．VDDR1 では CYP27B1 の活性喪失のため活性型ビタミン D である 1,25 水酸化ビタミン D〔$1,25(OH)_2D$〕が産生されない．胎児期の血中カルシウム（Ca）値・P 値は母体からの経胎盤供給により維持されているため出生時には症状を示さないが，生後早期から筋力低下，運動発達の遅れ，低カルシウム血症性けいれん，成長障害，骨変形などを呈する．歯の萌出は遅延し，エナメル形成不全が認められる．これらの症状は生理量の天然型ビタミン D の投与には反応しないが，活性型ビタミン D を用いれば生理量で治癒させうる[3]．ビタミン D の水酸化障害が病因であることが明確になったことから，最近では vitamin D hydroxylation-deficient rickets という病名も用いられている．また，Prader らが 1961 年に本疾患の最初の報告の際に用いた pseudo-vitamin D deficiency という病名も，現在でも使用されている[3]．まれな疾患であり，わが国では数十例程度の報告にとどまるが，カナダのケベック州 Saguenay-Lac-Saint-Jean 地域に居住するフランス系カナダ人の集団においては 2400 出生に 1 人と高い発生率が報告されている[3]．

臨床検査においては低カルシウム血症，低リン血症，血中 PTH 高値，血中 ALP 高値，血中 $1,25(OH)_2D$ 値の低下を認める．指定難病となっており，診断基準が示されている（表13）．治療目標は，短期的には血中 Ca 値および PTH 値の正常化とくる病の改善であり，長期的には正常身長の獲得である．前述したように治療には生理量の活性型ビタミン D の補充が必要であり，$1\alpha OHD_3$ 0.05〜0.1 μg/kg/日（$1,25(OH)_2D_3$ を使用する場合は半量）で開始する．適切な Ca 摂取も必要である．通常，3 か月以内に生化学検査所見およびくる病の改善を認める．活性型ビタミン D の維持量は $1\alpha OHD_3$ 0.01〜0.03 μg/kg/日とされている．

一方，報告はごく限られるが，ビタミン D-25 水酸化酵素遺伝子 CYP2R1 の変異を原因とするビタミン D 依存性くる病の症例が発見され[4]，VDDR1B（OMIM 600081）と分類された．それに伴い，前述の CYP27B1 変異に基づくビタミン D 依存性くる病は VDDR1A

表13 ビタミン D 依存性くる病 1 型（1A 型）診断基準

1. 低カルシウム血症
2. 低リン血症
3. 血中 PTH 高値
4. 血中 ALP 高値
5. 血中 $1,25(OH)_2D$ 低値
6. 血中 25OHD 値正常
7. 骨 X 線像でくる病／骨軟化症の存在

診断基準　Definite：1〜7 のすべての項目を満たす
　　　　　Possible：1〜7 のうち六つの項目を満たす
25 水酸化ビタミン D-1α 水酸化酵素遺伝子異常が証明されれば，1〜7 のうち二つの項目を満たすと本症の Definite と診断できる

〔指定難病診断基準〕

（OMIM 264700）と分類されるようになった．CYP2R1 は肝臓のミクロソーム画分に存在するシトクロム P450 酵素である．VDDR1A においては血中 25OHD 値が正常〜高値を示し $1,25(OH)_2D$ 値が低下しているのに対し，VDDR1B の報告例では血中 25OHD 値は低値であったが $1,25(OH)_2D$ 値は正常範囲であったと記載されている[4]．これまで，いくつかのシトクロム P450 酵素がビタミン D の 25 位の炭素の水酸化活性を有することが示唆されてきたが，VDDR1B の発見により CYP2R1 がヒトにおける生理的なビタミン D-25 水酸化酵素であることが確認された．VDDR1B の報告例では天然型ビタミン D の大量投与により血中 25OHD 値の正常化と症状の改善を認めたと記載されており[4]，ミトコンドリア型 25 水酸化酵素（CYP27A1）など CYP2R1 以外のシトクロム P450 酵素によりビタミン D の 25 水酸化がある程度は代償されている可能性が推察される．

3）ビタミン D 依存性くる病 2 型

ビタミン D 依存性くる病 2 型（vitamin D dependent rickets type 2：VDDR2）は VDR の機能喪失変異によって引き起こされる常染色体潜性遺伝性疾患である[5]．標的臓器における $1,25(OH)_2D$ 抵抗性に基づくため，$1,25(OH)_2D$ の血中濃度は著明に上昇しており，治療には薬理量の活性型ビタミン D の投与を要する．病態形成には VDR のリガンド依存的な機能の欠如に加えてリガンド非依存的な機能の欠如も関与するため，VDDR1 との差異を生じる[5]．

VDR はステロイドホルモン受容体スーパーファミリーに属する核蛋白質で，アミノ端側に DNA 結合ドメインを，カルボキシル端側にリガンド結合ドメインを有する．リガンド結合ドメインは疎水性の高いポケットを形成しており，ここにリガンドである 1,25

(OH)$_2$D が結合した VDR はレチノイド X 受容体(retinoid X receptor：RXR)と異種二量体を形成し，DNA 結合ドメインの 2 個の亜鉛結合指を介して標的遺伝子上のビタミン D 応答配列(vitamin D response element：VDRE)に結合する．VDRE にリガンド結合型 VDR が結合すると種々のコアクチベーター複合体がリクルートされ，標的遺伝子の転写が活性化される[6]．

VDDR2 の原因としてこれまで 50 を超える VDR の変異が報告されているが，そのほとんどは DNA 結合領域もしくはリガンド結合領域に存在し，DNA 結合領域の変異が多い[7]．通常，常染色体潜性遺伝形式を示すが，リガンド結合領域の片アリル性ミスセンス変異による常染色体顕性遺伝性症例も報告されている[8]．臨床的に VDDR2 と診断される症例のなかに VDR の変異が検出されない症例も存在することから[9]，OMIM においては VDR の変異が検出される症例を VDDR2A(OMIM 277440)，VDR の変異が検出されない症例を VDDR2B(OMIM 600785)と分類している．現在のところ VDDR2B の病因については不明であるが，VDR の発現制御あるいは転写活性調節にかかわる因子の異常に基づく可能性が推測される．

VDDR2 も VDDR1 と同様に筋力低下・運動発達遅延・低カルシウム血症性けいれん・成長障害・骨変形などの症状を呈するが，VDDR1 ではほとんどの症例が乳幼児期に発症するのに対し，VDDR2 の発症時期や重症度には幅がある．これは VDDR2 においては症例により VDR の機能障害の程度が異なるためである．VDDR2 症例の約半数は乳児期から禿頭(脱毛)を認め，脱毛を呈する症例は重症であることが多い．VDR の DNA 結合ドメインに変異を有する症例はほぼ全例が脱毛を伴い重症であるのに対して，リガンド結合ドメインに変異を有する場合は脱毛を伴わない場合も多く，また高濃度の活性型ビタミン D に反応性を示す．VDDR2 における脱毛の機序は明確にはなっていないが，VDR がリガンド非依存的に毛包形成を制御することが示唆されている[10]．

臨床検査においては VDDR2 も VDDR1 と同様に低カルシウム血症，低リン血症，血中 PTH 値および ALP 値の上昇を呈するが，血中 1,25(OH)$_2$D 値が高値を示すことから VDDR1 と鑑別できる．しかしながら，血中 1,25(OH)$_2$D 値の高値はビタミン D 欠乏症においても認められうる所見であるため，診断の際には注意が必要である．確定診断のためには遺伝子解析が行われる．本疾患も指定難病となっており，診断基準が示されている(表 14)．

VDDR2 の治療目標も VDDR1 と同様，短期的には血液検査所見およびくる病の改善，長期的には身長予後の改善である．病因が 1,25(OH)$_2$D 抵抗性であるところから，治療には高容量の活性型ビタミン D の投与(1αOHD$_3$ 1〜5 μg/kg/日)を必要とし，Ca 製剤の経口投与(乳酸カルシウム 3〜5 g/日)あるいは経過静脈投与の併用を要する症例も少なくない．VDR の機能障害の程度に幅があるため，1αOHD$_3$ の必要量や治療反応性も症例により異なる．リガンド結合ドメインのミスセンス変異などによる VDR の機能低下が原因である場合には高容量の活性型ビタミン D 投与による治療効果が期待できる．一方，ナンセンス変異や DNA 結合ドメインの変異などに基づく重症例のなかには，高容量の活性型ビタミン D 投与にも反応しないために Ca 製剤のみの大量投与が行われる症例も存在する．治療により血清 Ca 値や P 値が是正されても，脱毛は改善しない[11]．

4) ビタミン D 依存性くる病 3 型

2018 年に新たな病態としてビタミン D 依存性くる病 3 型(vitamin D dependent rickets type 3：VDDR3)が提唱された．この報告においては，独立した二つの VDDR 家系において，CYP3A4 遺伝子の Ile301Thr ヘテロ変異が同定された．CYP3A4 のコードする蛋白質は成人の肝臓に優位に発現しているシトクロム P450 酵素であり，Ile301Thr 変異型の CYP3A4 酵素は 1,25(OH)$_2$D を不活性化する機能を新たに獲得した機能獲得型変異であることが示唆されている[12]．

5) 肝性くる病

肝臓はビタミン D の 25 水酸化が行われる臓器であるが，前述したようにビタミン D の 25 水酸化活性を有する酵素は VDDR1B の責任分子である CYP2R1 以外にも存在し，比較的酵素活性が保たれるので，肝疾

表 14 ビタミン D 依存性くる病 2 型診断基準

1. 低カルシウム血症
2. 低リン血症
3. 血中 PTH 高値
4. 血中 ALP 高値
5. 血中 1,25(OH)$_2$D 高値
6. 血中 25OHD 値正常
7. 骨 X 線像でくる病／骨軟化症の存在

参考所見：ビタミン D 受容体遺伝子異常，禿頭の存在

診断基準　Definite：1〜7 のすべての項目を満たす
　　　　　Possible：1〜7 のうち六つの項目を満たす

ビタミン D 受容体遺伝子異常が証明されれば，1〜7 のうち二つの項目を満たすと本症の Definite と診断できる

〔指定難病診断基準〕

患に伴い25水酸化障害が起こることはまれである．ミトコンドリア型25水酸化酵素であるCYP27A1は肝臓以外にも十二指腸，副腎，肺，腎臓などに認められる．一方，脂溶性ビタミンであるビタミンDの吸収には胆汁酸が必要であるため，胆道閉鎖症などに伴う胆汁分泌障害はビタミンD欠乏の原因となる．重篤な肝疾患に伴うくる病は肝性くる病とよばれる．また，抗けいれん薬投与に伴うくる病の原因の一つとして，肝臓におけるP450酵素の誘導を介するビタミンDの異化が知られている[13]．

6）慢性腎臓病に伴う骨・ミネラル代謝異常

腎臓はビタミンD活性化の鍵酵素であるCYP27B1の主たる発現部位であるため，腎機能の荒廃はビタミンD活性化障害によるビタミンD作用不全を招く．同時に，二次性副甲状腺機能亢進症やP・Ca代謝異常を伴い，腎性骨異栄養症（renal osteodystrophy：ROD）とよばれる複雑な骨病変を呈する．小児期には成長障害も重要な合併症となる．また，P・Caの代謝異常は心血管系などへの異所性石灰化の原因になる．このような骨外病変をも含む概念として，腎臓病の分野では「慢性腎臓病に伴う骨・ミネラル代謝異常（chronic kidney disease-mineral and bone disorder：CKD-MBD）」という概念が広く使用されている[14]．

腎機能低下の進行に伴い，尿細管におけるビタミンDの活性化障害と糸球体からのP排泄減少が生じる．その結果，血中$1,25(OH)_2D$値の低下，低カルシウム血症，高リン血症が出現し，さらにこれらが合わさって二次性副甲状腺機能亢進症を引き起こす．代謝性アシドーシスや栄養不足も小児のRODの一因となる．おもに$1,25(OH)_2D$値の低下によるくる病/骨軟化症は低回転骨を呈し，おもに二次性副甲状腺機能亢進症による線維性骨炎は高回転骨を呈する．Ca製剤や活性型ビタミンD投与によりPTH分泌が過剰に抑制された場合は，骨代謝回転が著明に低下し無形性骨とよばれる病態を示す．

CKDにおいては血中のFGF23値も上昇する．このFGF23値の上昇は，PTHの上昇や血中Ca/Pの異常，$1,25(OH)_2D$値の変化に先んじて生じ，その機序は明らかになっていない．CKDにおけるFGF23値の上昇は心血管イベントや生命予後の悪化に関連することが示唆されている[15]．

腎機能低下は保存期から骨・ミネラル代謝に影響を及ぼす．血清Ca値が低下してPTH値が上昇しはじめれば活性型ビタミンDの投与を開始する．血清P値の上昇にも注意が必要である．血清Ca値，P値，intact PTH値，ALP値などの骨代謝マーカー，骨X線所見を参考に治療法を選択する．日本腎臓学会により策定された「エビデンスに基づくCKD診療ガイドライン2018」においては，小児のCKDにおける血清Ca値やP値の管理目標をすべてのCKDステージで年齢相当の正常範囲としている[16]．血清Ca値低下や二次性副甲状腺機能亢進症に対しては活性型ビタミンDの投与を，血清P値の上昇に対しては食事のP制限やP吸着薬の投与を行う．P吸着薬として沈降炭酸Caが用いられているが，活性型ビタミンD製剤の併用の際などには高カルシウム血症が出現する場合があるので注意が必要である．成人で用いられる新たなP吸着薬である塩酸セベラマーや炭酸ランタンは小児においては保険適用となっていない．内科的コントロールが困難な二次性副甲状腺機能亢進症に対しては外科的治療を考慮する．

❖ 文献

1) Fukumoto S, et al.：Pathogenesis and diagnostic criteria for rickets and osteomalacia-Proposal by an expert panel supported by Ministry of Health, Labour and Welfare, Japan. The Japanese Society for Bone and Mineral Research and The Japan Endocrine Society. *Endocr J* 62：665-671, 2015
2) Kitanaka S, et al.：Inactivating mutations in the 25-hydroxyvitamin D_3 1α-hydroxylase gene in patients with pseudovitamin D-deficiency rickets. *N Engl J Med* 338：653-661, 1998
3) Glorieux FH, et al.：Pseudo-vitamin D deficiency. In：Feldman D, et al.(eds), *Vitamin D*. 3rd ed., Academic Press, Waltham, 1187-1195, 2011
4) Cheng JB, et al.：Genetic evidence that the human CYP2R1 enzyme is a key vitamin D 25-hydroxylase. *Proc Natl Acad Sci USA* 101：7711-7715, 2004
5) Hughes MR, et al.：Point mutations in the human vitamin D receptor gene associated with hypocalcemic rickets. *Science* 242：1702-1705, 1988
6) Christakos S, et al.：Vitamin D：metabolism, molecular mechanisms of action, and pleiotropic effects. *Physiol Rev* 96：365-408, 2016
7) Malloy PJ, et al.：Vitamin D receptor mutations in patients with hereditary 1,25-dihydroxyvitamin D-resistant rickets. *Mol Genet Metab* 111：33-40, 2014
8) Malloy PJ, et al.：Hereditary vitamin D-resistant rickets (HVDRR) owing to a heterozygous mutation in the vitamin D receptor. *J Bone Miner Res* 26：2710-2718, 2011
9) Hewison M, et al.：Tissue resistance to 1,25-dihydroxyvitamin D without a mutation of the vitamin D receptor gene. *Clin Endocrinol (Oxf)* 39：663-670, 1993
10) Bikle D, et al.：New aspects of vitamin D metabolism and action-addressing the skin as source and target. *Nat Rev Endocrinol* 16：234-252, 2020
11) Malloy PJ, et al.：Hereditary 1,25-dihydroxyvitamin-D-resistant rickets. In：Feldman D, et al.(eds), *Vitamin D*. 3rd ed., Academic Press, Waltham, 1197-1232, 2011
12) Roizen JD, et al.：CYP3A4 mutation causes vitamin D-dependent rickets type 3. *J Clin Invest* 128：1913-1918, 2018

13) Cebeci AN, et al.：Epilepsy treatment by sacrificing vitamin D. Expert Rev Neurother 14：481-491, 2014
14) Kidney Disease：Improving Global Outcomes（KDIGO）CKD-MBD Update Work Group：KDIGO 2017 clinical practice guideline update for the diagnosis, evaluation, prevention, and treatment of Chronic Kidney Disease-Mineral and Bone Disorder（CKD-MBD）. Kidney Int（Suppl. 7）：1-59, 2017
15) Fukumoto S：Targeting fibroblast growth factor 23 signaling with antibodies and inhibitors, is there a rationale？ Front Endocrinol（Lausanne）9：48, 2018
16) CKD診療ガイド・ガイドライン改訂委員会：小児CKD．CQ8 小児CKDにCKD-MBDの管理は推奨されるか？ 日本腎臓学会（編），エビデンスに基づくCKD診療ガイドライン2018．東京医学社，69-70, 2018

（道上敏美）

F 骨系統疾患

1）骨系統疾患と国際骨系統疾患分類

骨系統疾患は様々な原因で骨に異常をきたす疾患群の総称である．その臨床症状は多彩であり，1970年代からX線所見や臨床症状，生化学的な所見をもとに分類されはじめ，疾患の報告数の増加や分子学的な進歩による病因の解明などにより国際骨系統疾患分類として改訂が繰り返されている．2019年版[1]では461疾患，42グループの分類となっている（表15）[1,2]．

2）おもな骨系統疾患の原因とその治療

以下におもな疾患について述べる．なお，FGFR3関連疾患（グループ1）に属する軟骨無形成症・低形成症は各論第2章Gに，FGF23の関与をはじめとして近年になり病態が明らかとなってきた低リン血症性くる病（グループ26）については本章E-2に詳細に記載されている．なお国際骨系統疾患分類に記載されているそれぞれの疾患についてはOMIM[3]などのデータベースを参照されたい．

a. 骨形成不全症（グループ25）

骨形成不全症（osteogenesis imperfecta：OI）は1型コラーゲン分子の形成や修飾の異常などにより様々な程度の骨の脆弱性をきたす疾患である．易骨折性の程度は幅広く，出生時に胸郭や四肢などに多発骨折をきたすものから，一生涯で数回のみの骨折にとどまるものまで様々であり，臨床症状や遺伝形式を中心に1～4型に分類するSillenceらの分類[4]が幅広く用いられている．OI type1～4の発症頻度は約2万人に1人とされる．

大多数のOIは1型コラーゲン遺伝子であるCOL1A1, COL1A2遺伝子の異常により発症する．ナンセンス変異やスプライシング異常などにより1型コラーゲン分子の発現が減少するような「量的な変異」は比較的軽症な臨床像をとり，COL1A1, COL1A2遺伝子より作り出されるα1鎖2本とα2鎖1本からなる1型コラーゲン分子の三重螺旋部を形成するグリシン-X-Yの繰り返し配列のグリシンが他のアミノ酸に変わり三重螺旋の構造が変化するような「質的な変異」は比較的重症な臨床像をとる遺伝子型-表現型の関係性が知られている[5]．その一方で過剰な仮骨形成や骨間膜の石灰化を特徴とする5型OIの原因であるIFITM5遺伝子[6,7]やα1鎖の986番目のプロリンを特異的に水酸化するP3H1複合体を形成するP3H1, PPIB, CRTAP, 骨芽細胞分化にかかわる転写因子であるOsterixをコードするSp7など数多くの原因遺伝子が現在まで発見され続けている[8]．国際骨系統疾患分類では遺伝子ごとの分類ではなく，臨床症状や遺伝形式から分類するSillenceらの分類を踏襲する形で1～4型に分類されており，IFITM5遺伝子異常による骨間膜の石灰化や過剰な仮骨形成を伴ったOIは独立して5型として分類されている（表16）[1,2]．なお遺伝形式はCOL1A1, COL1A2, IFITM5, WNT1遺伝子異常によるものが常染色体顕性遺伝形式，その他のものは，おもに常染色体潜性遺伝形式である．過去に報告されたOIの原因となる遺伝子および各々の遺伝子に認められた遺伝子異常はLOVD v3.0-Leiden Open Variation Database[12]にまとめられている．

OIの易骨折性に対する治療法として1998年にGlorieuxらにより骨吸収抑制薬であるビスホスホネートの一つであるパミドロネートの周期的投与で骨密度を上昇させ，易骨折性を改善させる治療法が報告された[13]．日本においても2006年にOIの診療ガイドラインが発表され，ビスホスホネートによる治療が広く行われるようになっている[14]．

b. 低ホスファターゼ症（グループ26）

低ホスファターゼ症（hypophosphatasia：HPP）は腸管型，胎盤型，類胎盤型とともにアルカリホスファターゼのアイソザイムである組織非特異的アルカリホスファターゼ（tissue non-specific alkaline phosphatase：TNSALP）をコードするALPL遺伝子の異常による疾患である．骨の石灰化は無機リン酸とCaがヒドロキシアパタイトを形成することにより起こるが，TNSALPは石灰化の抑制因子であるピロリン酸を加水分解し，無機リン酸を産生することにより骨の石灰化を促進する（図20）．HPPにおいてはTNSALP活性が低下することによりピロリン酸が分解できないため骨の石灰化障害をきたし，組織学的に石灰化のない類骨の増加した状態となる．このことから臨床的にはくる病，骨軟化症様の症状と骨格変形，非外傷性骨折や骨

II 各論

表15 国際骨系統疾患分類 2019 年版

グループ番号	グループ名	おもな疾患名
1	FGFR3 軟骨異形成症グループ	軟骨無形成症, 軟骨低形成症, タナトフォリック骨異形成症
2	2 型コラーゲングループ	軟骨無発生症 2 型(Langer-Saldino 型), Kniest 骨異形成症
3	11 型コラーゲングループ	Marshall 症候群
4	硫酸化障害グループ	軟骨無発生症 1B 型
5	Perlecan グループ	分節異常骨異形成症, Schwartz-Jampel 症候群
6	Aggrecan グループ	脊椎骨端異形成症, Kimberley 型
7	Filamin グループと関連疾患	前頭骨幹端異形成症, Melnick-Needles 症候群
8	TRPV4 グループ	変容性骨異形成症, 脊椎骨端骨幹端異形成症, Maroteaux 型
9	大きな骨変化を伴う繊毛異常症	軟骨外胚葉性異形成症(Ellis-van Creveld)
10	多発性骨端異形成症および偽性軟骨無形成症グループ	偽性軟骨無形成症, 多発性骨端異形成症
11	骨幹端異形成症	骨端異形成症, Schmid 型, 軟骨・毛髪低形成症
12	脊椎骨幹端異形成症	脊椎内軟骨異形成症
13	脊椎・骨端(・骨幹端)異形成症	Dyggve-Melchior-Clausen 異形成症
14	重症脊椎異形成症	軟骨無発生症 1A 型, 蝸牛様骨盤異形成症
15	遠位肢異形成症	毛髪鼻指節異形成症, 先端短肢異形成症
16	遠位中間肢異形成症	遠位中間肢異形成症 Maroteaux 型
17	中間肢・近位中間肢異形成症	異軟骨骨症(Leri-Weill), 中間肢異形成症, Langer 型
18	弯曲骨異形成症グループ	屈曲肢異形成症
19	原発性低身長症と狭細骨グループ	3-M 症候群, Kenny-Caffey 症候群
20	多発性脱臼を伴う骨異形成症	Desbuquois 骨異形成症
21	点状軟骨異形成症(CDP)グループ	点状軟骨異形成症, 近位肢型点状軟骨異形成症
22	新生児骨硬化性異形成症	Blomstrand 骨異形成症, Caffey 病, Raine 骨異形成症
23	大理石骨病と関連疾患	大理石骨病, 濃化異骨症
24	他の骨硬化性骨疾患	頭蓋骨幹端異形成症, 骨幹異形成症 Camurati-Engelmann 病
25	骨形成不全症と骨密度低下を示すグループ	骨形成不全症, Bruck 症候群
26	異常骨石灰化グループ	低ホスファターゼ症, 低リン血症性くる病
27	骨変化を伴うライソゾーム病(多発性異骨症グループ)	ムコ多糖症
28	骨溶解症グループ	Hajdu-Cheney 症候群
29	骨格成分の発生異常グループ	進行性骨化性線維異形成症
30	骨格病変を包含する過成長(高身長)症候群	Sotos 症候群, Weaver 症候群
31	遺伝性炎症性／リウマチ様骨関節症	慢性乳児神経皮膚関節症候群／新生児期発症多系統炎症性疾患
32	鎖骨頭蓋異形成症と類縁疾患群	鎖骨頭蓋異形成症
33	頭蓋骨癒合症候群	Pfeiffer 症候群, Apert 症候群, Crouzon 症候群
34	頭蓋顔面骨罹患を主とする異常症	下顎顔面異骨症
35	脊椎罹患(肋骨異常を伴う／伴わない)を主とする異常症	脊椎肋骨異骨症
36	膝蓋骨異骨症	爪・膝蓋骨症候群
37	短指症(骨外形態異常を伴わない)	短指症
38	短指症(骨外形態異常を伴う)	短指症・精神遅滞症候群
39	四肢低形成／欠失グループ	尺骨・乳房症候群, Holt-Oram 症候群
40	他の異常を伴う／伴わない欠指	Hartsfield 症候群
41	多指・合指・母指三指節症グループ	Greig 頭多合指症候群
42	関節形成不全・骨癒合症	多発性骨癒合症候群

〔Mortier RG, *et al.*：Nosology and classification of genetic skeletal disorders：2019 revision. *Am J Med Genet A* 179：2393-2419, 2019／滝川一晴, 他：2019 年版骨系統疾患国際分類の和訳. 日整会誌 94, 611-655, 2020 より引用改変〕

表16 骨形成不全症の分類

分類	遺伝形式	原因遺伝子
骨形成不全症，永続的な青色強膜を伴う非変形型（1型）	AD	COL1A1, COL1A2
骨形成不全症，周産期重症型（2型）	AD／AR	COL1A1, COL1A2, CRTAP, LEPRE1, PPIB
骨形成不全症，進行性変形型（3型）	AD／AR	COL1A1, COL1A2, CRTAP, LEPRE1, PPIB, SERPINH1, BMP1, FKBP10, SERPINF1, WNT1, TMEM38B, CREB3L1, IFITM5, SPARC, TENT5A
骨形成不全症，中等症型（4型）	AD／AR	COL1A1, COL1A2, CRTAP, PPIB, FKBP10, WNT1, SP7, IFITM5
骨間膜の石灰化・過形成仮骨を伴う骨形成不全症（5型）	AD	IFITM5

AD：常染色体顕性，AR：常染色体潜性
上記以外にも原因遺伝子として X 連鎖性潜性の MBTPS2[9]，常染色体潜性の MESD[10]，KDELR2[11] も近年新たに報告されている．
〔Mortier RG, et al.：Nosology and classification of genetic skeletal disorders：2019 revision. Am J Med Genet A 179：2393-2419, 2019／滝川一晴，他：2019 年版骨系統疾患国際分類の和訳．日整会誌 94，611-655，2020 より引用改変〕

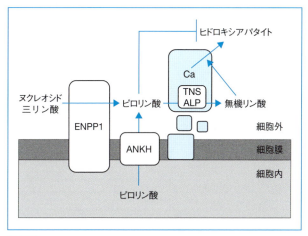

図20 細胞外のピロリン酸濃度の調節と TNSALP の働き

ピロリン酸はリン酸が 2 個結合した化合物であり，ANKH（ピロリン酸チャネル）により細胞内から細胞外に分泌されることやアデノシン三リン酸などのヌクレオシド三リン酸が ENPP1（ectonucleotide pyrophosphatase/phosphodiesterase 1）により加水分解されることにより細胞外の濃度が上昇する．TNSALP の働きによりピロリン酸は無機リン酸に加水分解され，Ca とともにヒドロキシアパタイトを形成し，骨の石灰化を起こす．ピロリン酸自体はヒドロキシアパタイトの形成を抑制するため，TNSALP の異常によりピロリン酸が増加する低ホスファターゼ症においては骨の石灰化が阻害される

折の遷延治癒，乳歯の早期脱落や歯周病，胸郭の異常による呼吸不全を認める．重症例ではピロリン酸とともに TNSALP の基質であるピリドキサール-5'リン酸（PLP）が細胞内に取り込めずビタミン B_6 依存性けいれんを認める．

病型については周産期重症型，乳児型，小児型，成人型，歯牙限局型と五つの病型が長らく用いられていたが，周産期発症ながら予後は良好である周産期良性型が見出されたことにより[15]，現在では 6 病型となっている[16]．それぞれの病型の臨床症候は表17 に示す．

残存 TNSALP 活性と重症度はほぼ相関する．一方で病型はそれぞれ独立したものではなく，各々の病型の間にオーバーラップがみられる．遺伝形式は常染色体潜性，もしくはドミナントネガティブ効果による常染色体顕性の場合もある．日本においては TNSALP 活性を欠き周産期致死型と関係する c.1559delT 変異をヘテロ接合性にもつ人口の割合が 1/480 人と多く，この変異のホモ変異をもつ周産期重症型の頻度は約 1/900,000 人と推定されている[17]．

臨床検査では年齢・性別に不相応な ALP 値の低値

II 各論

表17 低ホスファターゼ症の分類

病型	臨床症候
周産期重症型	死産となるか数日から数週間で死亡する 胸郭変形や肋骨骨折による肺の低形成．けいれん
周産期良性型	良性の経過をとる．四肢の短縮，子宮内での長管骨の彎曲 出生後の骨病変の自然軽快
乳児型	生後6か月までに症状を呈する．生後1年までの予後不良 頭蓋骨早期癒合，高カルシウム尿症，乳歯の早期脱落
小児型	生後6か月以降ではじめて症状を呈する．くる病様の骨の低石灰化．低身長 歩行の開始遅延．反復する骨折．骨痛，乳歯の早期脱落，う歯
成人型	疲労骨折，骨軟化症，骨粗鬆症．小児期の骨折治癒の遅延や軽度のくる病 腎機能異常，精神症状，永久歯の40〜60歳での脱落
歯牙限局型	骨には症状のないもの，乳歯や永久歯の早期脱落，う歯

［Bianchi ML：Hypophosphatasia：an overview of the disease and its treatment. *Osteoporos Int* 26：2743-2757, 2015 より引用改変］

を認める．また周産期型や乳児型では血清 Ca の高値や高カルシウム尿症が認められる．X線では様々な程度の低石灰化やくる病変形を認める．また長管骨の骨幹端の舌状の透過像やまだらな骨の硬化像を認めることがある[18]．

ピロリン酸や PLP, ホスホエタノールアミン(PEA)といった ALP の基質の蓄積は低い ALP 活性を反映する．より鋭敏に TNSALP 活性を反映するのはビタミン B_6 が肝臓で代謝されて作られる PLP であるが，日常臨床での検査では PLP と PLP が脱リン酸化された形であるピリドキサールを区別できず，「ピリドキサール」として測られるため，正確な評価はできない．また大部分の HPP 患者においてピロリン酸濃度は健常人と比べて高値となるがピロリン酸の測定も研究レベルの検査である．尿中アミノ酸分析で測定できる尿中 PEA 値の高値も認められるが HPP 自体への特異性は低い．

治療法については長らく模索され続けてきたが，2012年に Whyte らにより重症 HPP 患児に対する酵素補充療法の有効性が報告された[19]．日本においても 2015年にアスホターゼアルファの製造販売が承認され，これまで根本的な治療法のなかった同症の予後の改善に寄与することが期待される．

また 2020 年に「低ホスファターゼ症診療ガイドライン」が発表されているので参照されたい[20]．

●おわりに

長らく骨系統疾患は「治療法のない病気」であったが，それぞれの疾患の分子学的な機序が解明されるにつれて骨形成不全症や低ホスファターゼ症のように「治療が可能な病気」へと変わり，予後が改善しつつある．

今後の研究の発展により多くの骨系統疾患の病態が解明され，治療が可能となることが期待される．

❖ 文献

1) Mortier RG, et al.：Nosology and classification of genetic skeletal disorders：2019 revision. *Am J Med Genet A* 179：2393-2419, 2019
2) 滝川一晴，他：2019年版骨系統疾患国際分類の和訳．日整会誌 94，611-655，2020
3) OMIM（Online Mendelian Inheritance in Man）https://www.ncbi.nlm.nih.gov/omim（2021年11月8日アクセス）
4) Sillence DO, et al.：Genetic heterogeneity in osteogenesis imperfecta. *J Med Genet* 16：101-116, 1979
5) Gajko-Galicka A：Mutations in type I collagen genes resulting in osteogenesis imperfecta in humans. *Acta Biochim Pol* 49：433-441, 2002
6) Cho TJ, et al.：A single recurrent mutation in the 5'-UTR of IFITM5 causes osteogenesis imperfecta typeV. *Am J Hum Genet* 91：343-348, 2012
7) Semler O, et al.：A mutation in the 5'-UTR of IFITM5 creates an in-frame start codon and causes autosomal-dominant osteogenesis imperfecta typeV with hyperplastic callus. *Am J Hum Genet* 91：349-357, 2012
8) Biggin A, et al.：Osteogenesis imperfecta：diagnosis and treatment. *Curr Osteoporos Rep* 12：279-288, 2014
9) Lindert U, et al.：MBTPS2 mutations cause defective regulated intramembrane proteolysis in X-linked osteogenesis imperfecta. *Nat Commun* 7：11920, 2016
10) Moosa S, et al.：Autosomal-recessive mutations in MESD cause osteogenesis imperfecta. *Am J Hum Genet* 105：836-843, 2019
11) van Dijk FS, et al.：Interaction between KDELR2 and HSP47 as a Key Determinant in Osteogenesis Imperfecta Caused by Bi-allelic Variants in KDELR2. *Am J Hum Genet* 107：989-999, 2020
12) LOVD v.3.0-Leiden Open Variation Database https://www.lovd.nl/3.0/home（2021年11月8日アクセス）
13) Glorieux FH, et al.：Cyclic administration of pamidronate in children with severe osteogenesis imperfecta. *N Engl J Med* 339：947-952, 1998

14) 日本小児内分泌学会薬事委員会：骨形成不全症の診療ガイドライン．日児誌 110：1468-1471，2006
15) Michigami T, et al.：Common mutations F310L and T1559del in the tissue-nonspecific alkaline phosphatase gene are related to distinct phenotypes in Japanese patients with hypophosphatasia. *Eur J Pediatr* 164：277-282, 2005
16) Bianchi ML：Hypophosphatasia：an overview of the disease and its treatment. *Osteoporos Int* 26：2743-2757, 2015
17) Watanabe A, et al.：Prevalence of c. 1559delT in ALPL, a common mutation resulting in the perinatal（lethal）form of hypophosphatasia in Japanese and effects of the mutation on heterozygous carriers. *J Hum Genet* 56：166-168, 2011
18) Whyte MP：Physiological role of alkaline phosphatase explored in hypophosphatasia. *Ann N Y Acad Sci* 1192：190-200, 2010
19) Whyte MP, et al.：Enzyme-replacement therapy in life-threatening hypophosphatasia. *N Engl J Med* 366：904-913, 2012
20) 国立研究開発法人日本医療研究開発機構難治性疾患実用化研究事業「診療ガイドライン策定を目指した骨系統疾患の診療ネットワークの構築」研究班　低ホスファターゼ症診療ガイドライン作成委員会：低ホスファターゼ症診療ガイドライン．2019 http://jspe.umin.jp/medical/files/guide20190111.pdf（2020年10月6日アクセス）

（長谷川高誠）

第10章 糖代謝異常症

A 膵臓の発生・分化・生理学

1) 膵臓の発生・分化[1〜5]

膵臓は，前胃上皮原基(primitive foregut epithelium)から発生する背側と腹側芽状突起が癒合して形成される．ヒトでは胎生26日に前胃遠位部の上皮細胞の背側と腹側芽状突起として最初に同定される．胎生56日に膵臓として一つの臓器となり，このときインスリン産生細胞(膵β細胞)も出現する．

膵臓には，内分泌細胞と外分泌細胞があるが，多くの転写因子が作用してそれらへの分化を制御している(図1，表1)．内分泌細胞には，グルカゴンを産生するα細胞，インスリンを産生するβ細胞，SRIFを産生するδ細胞，胎児期一過性にグレリンを産生するε細胞，パンクレアチックポリペプチド(pancreatic polypeptide：PP)を産生するγ細胞がある．

胎生12週から5種類のホルモンをそれぞれ産生する細胞からなる膵島様の構造ができ，1週後に中心部にβ細胞，周辺部にα細胞，δ細胞などが分布する膵島が完成する[1]．ヒトではマウスよりも膵島におけるβ細胞の比率が少ない．

2) 発生・分化に関与する転写因子[1〜5]

マウスにおける遺伝子操作研究から多くの転写因子の関与が明らかになっている．ヒトにおいては胎児の組織片や多能性幹細胞(pluripotent stem cell：PSC)を用いて研究が進められ，また，多くの遺伝子制御ネットワーク(gene regulatory networks：GRN)が形成され，相互に影響を及ぼしていることも明らかになっている[3]．

pancreatic and duodenal homeobox factor-1(PDX1)は，homeodomain(HD)-containing 蛋白のファミリーに属する転写因子であり，膵の発生初期から重要な作用をしている．PDX1は膵内分泌および外分泌の原基に発現して膵組織の形成に不可欠であるのみでなく，インスリンを分泌するβ細胞の分化と成熟β細胞の機能維持にも重要な作用を及ぼしている(図1)．

neuronal differentiation 1(NEUROD1)と neurogenin 3(NGN3)は basic helix loop helix(HLH)蛋白ファミリー

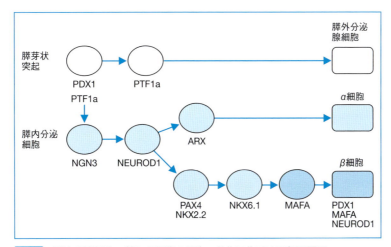

図1 膵内分泌細胞，特にβ細胞の発生・分化に作用する転写因子

[Kaneto H, et al.：PDX-1 and MafA play a crucial role in pancreatic β-cell differentiation and maintenance of mature β-cell function. Endocrine J 55：235-252, 2008 より改変]

Ⅱ 各　論

表1 ヒト膵臓の発生・分化に関与する転写因子―遺伝子変異とその形質/症候群

遺伝子	遺伝子変異	形質/症候群	ヒトの発生における発現
PDX1	ホモ接合性　単一塩基　欠失/点変異	PNDM；膵無形成/低形成	膵内胚葉と思われる部位，多能性膵幹細胞，β細胞(＋膵管細胞)
PTF1A	ホモ接合性　ナンセンス，挿入，および制御性エリメント25 kb 3'のフレイムシフト/変更	PNDM；膵/小脳無形成/低形成/膵単独無形成	多能性膵幹細胞に転写分子として検出される
GATA4	欠失によるハプロ不全；ミスセンス	PNDMまたは小児期発症糖尿病；先天性心形成異常や発達遅滞を伴う様々な外分泌不全	多能性膵幹細胞に検出される；CS19の前腺細胞のチップ細胞や分化した腺細胞
GATA6	ハプロ不全/ヘテロ接合性	PNDM；膵無形成；先天性心形成異常，消化管および胆道形成異常を伴う様々な外分泌不全	多能性膵幹細胞に転写分子として検出される
NEUROG3	ホモ接合性またはヘテロ接合性の単一点変異	PNDM，吸収不良性下痢(腸管内分泌細胞の欠如)；小児期発症糖尿病(低形成)	後期杯形成期(CS20-CS21)；第1トリメスター終末に発現ピーク；第3トリメスターには検出不能
GLIS3	ホモ接合性　フレイムシフト；ホモ接合性部分欠失	PNDM，先天性甲状腺機能低下症，先天性緑内障，多嚢胞性腎	多能性膵幹細胞に転写分子として検出される
PAX6	複合ヘテロ接合性	PNDM，小眼球症，先天性下垂体機能低下症，脳形成異常	胎生10週からホルモン産生細胞内に検出される
MNX1	ヘテロ接合性　ミスセンス	PNDM，仙骨無形成，肺低形成	胎生7週から膵内に転写分子として検出される；胎生12週と18週の間に発現がピークとなる
RFX6	ホモ接合性　ミスセンス，フレイムシフトおよびスプライシング；複合ヘテロ接合性	PNDM；膵低形成，小腸閉鎖，胆囊低形成，下痢	胎生8週から膵内に転写分子として検出される；胎生19週と21週の間に発現がピークとなる
NEUROD1	ホモ接合性　フレイムシフト	PNDM，小脳低形成，感音難聴，近視，網膜変性	胎生10週からホルモン産生細胞内に検出される
NKX2.2	ホモ接合性　ナンセンス，フレイムシフト	PNDM，発達遅滞，筋緊張低下，難聴，皮質盲	内分泌細胞への分化以前には胎生膵内には蛋白として検出されない；胎生10週からβ細胞に限局
HNF1B	ヘテロ接合性　フレイムシフト	単一遺伝子糖尿病から膵無形成(頭部および尾部)までスペクトラム，多嚢胞性腎，性器発育不全	多能性膵幹細胞に転写分子として検出される
SOX9	ハプロ不全	異常小膵島を伴う膵低形成；骨格形成異常，男女性逆転	多能性膵幹細胞に検出される；NEUROG3⁺強陽性の細胞からは除外；膵管細胞に限定される
NEK8	ホモ接合性　ナンセンス	膵島無形成，外分泌組織の減少と囊胞性膵管；囊胞性腎および肝疾患	ヒトでは未検
NPHP3	ホモ接合性　スプライス，ナンセンス	囊胞性異形成を含む様々な膵形成異常；囊胞性腎疾患，肝胆道菅板形成異常	ヒトでは未検
UBR1	ホモ接合性　ミスセンス	先天性外分泌不全(外分泌腺破壊による)，鼻翼無形成，発達遅滞	ヒトでは未検；出生後外分泌細胞の細胞質に検出される

PNDM(persistent neonatatl diabetes mellitus)：持続性新生児糖尿病，CS(camegie stage)：胎生期の発達段階
〔Jennings RE, et al.：Human pancreas development. *Development* 142：3126-3137, 2015 より改変〕

に属する転写因子で，内分泌細胞への分化に作用する．NEUROD1は，インスリン遺伝子の転写調節にも関与する．

musculoaponeurotic fibrosarcoma oncogene family A(MAFA)は，basic leucine zipper(bLZ)転写因子である．MAFAの発現は，β細胞分化の最終段階で誘導され，インスリン遺伝子の転写調節に重要である．

表1にヒト膵臓の発生に関与する転写因子を示す[5]．それら転写因子の遺伝子異常のタイプ，その形質異常や症候群についても多くの知見が集積されている(表1)．

図2にヒトのPSCの *in vitro* での膵β細胞に向かう分化の7段階と転写因子の関与を示す[5]．

多くの転写因子のなかでもPDX1，NGN3，MAFAは

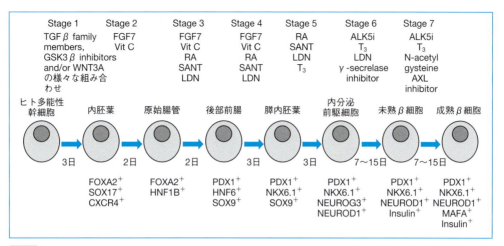

図2 ヒトの多能性幹細胞(PSC)の *in vitro* での膵β細胞に向かう分化の7段階と転写因子の関与

SANT：Hedgehog signaling antagonist, LDN：BMP type 1 receptor inhibitor, T_3：toriiodothyronin, ALK5i：ALK5 inhibitor
Vit C：vitamin C
[Jennings RE, *et al*.：Human pancreas development. *Development* 142：3126-3137, 2015 より改変]

特に重要で，この三つの転写因子カクテルをマウスに感染させると，膵外分泌腺細胞からインスリンを分泌するβ細胞への誘導(細胞再プログラミング)が起きることが報告されている[6]．

3) インスリン分泌機構

a. ATP感受性カリウム(K_{ATP})チャネル

β細胞は，細胞膜上の糖輸送体(GLUT-2)を介して細胞外からブドウ糖を取り込み，グルコキナーゼ(glucokinase：GCK)によるリン酸化によってブドウ糖を細胞内に保持(トラップ)する．β細胞内のブドウ糖濃度上昇により，ATP産生が刺激され，その結果ATP感受性カリウム(K_{ATP})チャネルが閉じる．K_{ATP}チャネルはスルホニルウレア受容体(SUR)とCaチャネルの1種であるKir6.2(KCNJ11)により構成される．K_{ATP}チャネルが閉じることにより，膜の脱分極が起こり電位依存性Caチャネル(VDCC)を介して細胞内Ca濃度が上昇する．その結果，インスリン顆粒の細胞外への分泌が刺激される(図3)[7]．SUR1(ABCC8)やKir6.2の遺伝子異常により，先天性高インスリン血症や新生児糖尿病が発症することが知られている[7,8]．

インスリン顆粒内ではプロホルモンコンバターゼ1/3(PC1/3)によってプレプロインスリンがインスリンとC-ペプチドへ分解される．すなわち，インスリンとC-ペプチドは等モル濃度で分泌される．

b. 岡本モデル

K_{ATP}チャネルを介する経路とは別に，β細胞でのブドウ糖刺激によるインスリン分泌には，CD38-cyclic ADP-ribose(cADPR)シグナルシステムもある[9]．すなわち，細胞内ブドウ糖濃度が上昇するとNAD^+からcADPRが合成され，小胞体からCaが移動しインスリン分泌を促進する．炎症や毒素など様々な原因でフリーラジカルによるDNA損傷が起き，poly(ADP-ribose)synthetase/polymerase(PARP)の活性が亢進してNAD^+が減少すると，インスリン分泌が減少したり，β細胞の壊死が起こる(岡本モデル)．逆にPARPが抑制されるとβ細胞の再生が誘導される．

c. インクレチンの作用

近年，小腸粘膜に局在する細胞から分泌されインスリンの分泌を促進する作用をもつペプチドホルモン(インクレチン)の作用が注目されている．glucagon-like peptide 1(GLP-1)とglucose-dependent insulinotropic polypeptide(GIP)が主要なインクレチンである．

GLP-1とGIPは門脈から肝臓を経て体循環を経由して膵β細胞上のそれぞれの受容体に結合しβ細胞に直接作用する．GLP-1とGIPがβ細胞上の受容体に結合すると，Gs蛋白質を介してアデニル酸シクラーゼが活性化し，細胞内のcAMPを上昇させる．このcAMPの上昇により，プロテインキナーゼA(protein kinase A：PKA)やEpac2(cAMP-GEFII)が活性化される．さらに膵β細胞内でのブドウ糖代謝の結果，細胞内Caが増加してインスリン分泌が促進される(図4)[10,11]．

GLP-1は膵α細胞からのグルカゴン分泌を抑制し，血糖値を下げる．GLP-1受容体を介したグルカゴン分泌の抑制は血糖値に依存しており，血糖値が正常化すればグルカゴン分泌抑制は消失し，低血糖が誘導されることはない．また，血糖値が約66 mg/dL以下だとGLP-1はインスリン分泌を促進できない[11]．GLP-1はブドウ糖誘発インスリン分泌の促進やグルカゴン分泌

II 各論

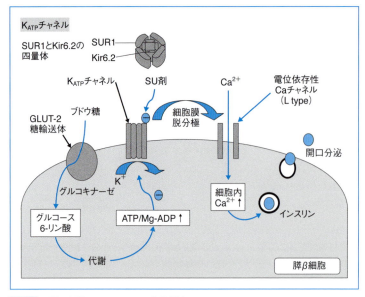

図3 膵β細胞のインスリン分泌機序

K_{ATP}チャネルはスルホニルウレア受容体（SUR）とKチャネルの1種であるKir6.2により構成される．K_{ATP}チャネルが閉じることにより，膜の脱分極が起こり電位依存性Caチャネル（VDCC）を介して細胞内Ca濃度が上昇する．その結果，インスリン顆粒の細胞外への分泌が刺激される

[Gloyn AL, et al.: Activating mutations in the gene encoding the ATP-sensitive potassium-channel subunit Kir6.2 and permanent neonatal diabetes. N Engl J Med 350: 1838-1849, 2004 より改変]

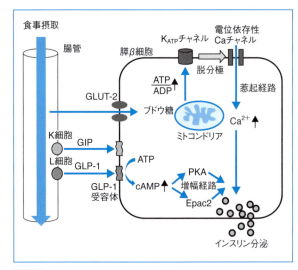

図4 インクレチンによるインスリン分泌促進作用

GLP-1は，小腸下部のL細胞から分泌され，GIPは，食後に上部小腸に存在するK細胞から分泌される．GLP-1とGIPがβ細胞上の受容体に結合すると，Gs蛋白質を介してアデニル酸シクラーゼが活性化し，細胞内のcAMPを上昇させる．その結果，プロテインキナーゼA（PKA）やEpac2（cAMP-GEFII）が活性化され，インスリン分泌が促進される

[原田範雄，他：インクレチンとインクレチン関連薬．日本臨牀 68：931-942, 2010 より改変]

抑制のほか，肝での糖新生の抑制，胃の蠕動抑制，食欲や摂食の抑制，など様々な糖尿病治療の作用をもっている．

GLP-1はGLP-1受容体を介してPDX1遺伝子発現を促進し，膵β細胞のアポトーシスを抑制する．また，GLP-1は膵β細胞の増殖，および未熟膵島細胞から機能性膵β細胞への分化を誘導する作用ももっている[11]．

❖ 文献

1) Piper K, *et al.*：Beta cell differentiation during early human pancreas development. *J Endocrinol* 181：11-23, 2004
2) Kaneto H, *et al.*：PDX-1 and MafA play a crucial role in pancreatic β-cell differentiation and maintenance of mature β-cell function. *Endocrine J* 55：235-252, 2008
3) Arda HE, *et al.*：Gene regulatory networks governing pancreas development. *Dev Cell* 25：5-13, 2013
4) Cano DA, *et al*：Transcriptional control of mammalian pancreas organogenesis. *Cell Mol Lofe Sci* 71：2383-2402, 2014
5) Jennings RE, *et al.*：Human pancreas development. *Development* 142：3126-3137, 2015
6) Zhou Q, *et al.*：In vivo reprogramming of adult pancreatic exocrine cells to β-cells. *Nature* 455：627-633, 2008
7) Gloyn AL, *et al.*：Activating mutations in the gene encoding the ATP-sensitive potassium-channel subunit Kir6.2 and permanent neonatal diabetes. *N Engl J Med* 350：1838-1849, 2004
8) Beltrand J, *et al.*：Neonatal Diabetes Mellitus. *Front Pediatr* 8：540718, 2020
9) Okamoto H, *et al.*：Recent advances in the Okamoto model The CD38-cyclic ADP-ribose signal system and the regenerating gene protein(Reg)-Reg receptor system in β-cells. *Diabetes* 51：S462-S473, 2002
10) 原田範雄，他：インクレチンとインクレチン関連薬．日本臨牀 68：931-942，2010
11) Nauck MA, *et al.*：Incretin hormones：Their role in health and disease. *Diabetes Obes Metab* 20(Suppl. 1)：5-21, 2018

〈杉原茂孝〉

B 糖尿病

1 1型糖尿病

1. 病因

1) 病型分類

1型糖尿病(type 1 diabetes mellitus)は，インスリン分泌細胞である膵β細胞が破壊されることによって絶対的なインスリン不足から生じる糖尿病である．病因による病型分類がされており，自己免疫が原因と考えられる自己免疫性1型糖尿病(1A型)と原因の同定できない特発性1型糖尿病(1B型)に分類される[1]．

2) 1A型糖尿病

1型糖尿病の90%程度は1A型である．発症頻度は白人人種に多いことが知られている．国別では最多のフィンランドの60/10万人/年やアメリカの20/10万人/年に比べて，わが国は発症率の低い(2/10万人/年)国である[2](図5)[3]．近年，欧米諸国では発症頻度の増加が報告されており，中国や韓国でも発症率の上昇の報告がある[4]．わが国では十分検証できていない．

1974年，膵島細胞抗体(islet cell antibody：ICA)が患者の血清中に存在することが報告され，この病気が自己免疫疾患であると認識された[5]．この型の診断の指標となる膵島特異的自己抗体には，これまでに10種類以上が報告されている．主要なものとしてはICAのほか，インスリン自己抗体(insulin autoantibody：IAA)，GAD抗体，IA-2抗体とZnT-8抗体がある．最も陽性率の高いGAD抗体は1A型の患者の70~80%で陽性であり，これらの自己抗体を組み合わせると95%以上の患者でいずれかが陽性になると報告されている[6]．また最近，新しい自己抗体としてプレプロインスリンと相同性のあるペプチドINS-IGF2に対しての抗体が報告された[7]．

このような自己抗体は，自己免疫疾患であることのマーカーになっているが，膵β細胞障害に直接かかわっていない．この病気のモデル動物であるnon-obese diabetic(NOD)マウスでは，糖尿病発症前からTリンパ球が膵島へ浸潤し直接のβ細胞破壊にかかわっている．ヒトにおいても，剖検所見や発症時の膵生検例で，膵島へのTリンパ球浸潤が報告されており，Tリンパ球を中心とする細胞性免疫が1A型糖尿病発症の主因であると考えられる．

一卵性双生児における1A型糖尿病の発症一致率は30~40%である．このことは，発症に遺伝因子と環境因子の両方が関与していることを示している．遺伝因子の研究では，20種以上の遺伝子座が疾患感受性遺伝子として同定されている．そのなかでも，HLA遺伝子が最も重要な関連をもっている．特にHLA class ⅡのDQ，DRのサブタイプが強く疾患感受性に関与している．日本人ではDR4-DQ4とDR9-DR3が1型糖尿病患者に多く認められ，DR2-DQ1が著明に低頻度であることから，前者は疾患感受性，後者は疾患抵抗性を規定していると考えられている[8](表2)．この両者を保有しているヒトは1型糖尿病に罹患しにくく，疾患抵抗性のほうが強力な影響力をもっている．またclass Ⅰ領域にも疾患感受性および発症年齢に影響する遺伝子が存在することも報告されている．HLA分子は，抗原をTリンパ球に提示するうえで重要な働きをしてお

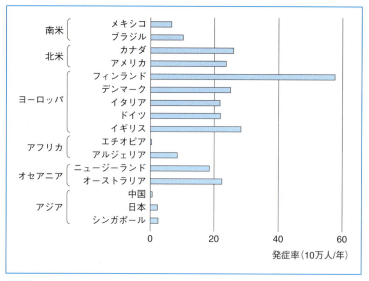

図5 世界各地区の1型糖尿病発症率

[Guariguata L, et al. (eds), : *IDF Diabetes Atlas*. 6th ed., International Diabetes Federation, Brussels, 2013 より改編]

表2 日本人1型糖尿病に関連するHLAハプロタイプ

	疾患感受性	疾患抵抗性
DR-DQ ハプロタイプ	DRB1*0405-DQB1*0401 DRB1*0802-DQB1*0302 DRB1*0901-DQB1*0303	DRB1*1501-DQB1*0602 DRB1*1502-DQB1*0601

[川畑由美子, 他：1型糖尿病疾患感受性遺伝子. 日本臨牀 66（増巻号 4）：158-163, 2008]

り, HLA分子の構造と自己抗原との結合親和性が自己免疫反応に影響を与えているのではないかと考えられる.

HLA遺伝子のほかにも多くの遺伝子が1型糖尿病の発症に関連が報告されてきた[9]. 11番染色体短腕上のインスリン遺伝子の上流に存在する繰り返し遺伝子配列である. その他の遺伝子では, リンパ球の活性化に関連をもつCTLA4遺伝子, Lyp遺伝子(PTPN22), SUMO遺伝子(SUMO4)などが関連していることが報告されている. これらは1型糖尿病特有のものではなく自己免疫疾患の感受性遺伝子という様式で関連しているものと考えられる.

膵β細胞を標的とする細胞性免疫が1型糖尿病ではそのような機序で起こっているのかを解明する研究は, モデル動物であるNODマウスの研究を基礎として進んできた. インスリンやGADなどの自己抗体の対象抗原は, Tリンパ球の標的抗原でもあることがわかっている. いったん, β細胞の破壊が始まると多様な抗原に対するTリンパ球が出現してくるものと考えられるが, 自己免疫が惹起される引き金となる抗原（トリガー抗原）を究明することが研究者にとって最大の課題である. 数年前まではインスリンそのものがトリガー抗原の第1候補ではないかと考えられていた[10]. その理由として, 1型糖尿病の家族を発症前から追跡した多くの研究において, 発症の数年前の最も最初に出現するのはIAAであるという点[11], NODマウスから樹立されたβ細胞特異T細胞株の多くがインスリンペプチドを抗原として認識していること[12], そして最も決定的かと思われたのはインスリン遺伝子を完全にノックアウトしたNODマウスでは, 膵島へのリンパ球浸潤も糖尿病発症も完全に抑えられた研究であった[13].

しかし最近, NODマウスのリンパ球の研究から, 膵β細胞を攻撃するTリンパ球の標的抗原は, インスリンペプチドそのものではないということが報告された. 膵β細胞のインスリン分泌顆粒のなかでインスリンやプロインスリンが部分切断され他のペプチドと結合して生まれた *de novo* ペプチドが原因抗原であるという考えである[14]. そして, このことはヒトの1型糖尿病の膵β細胞に浸潤しているTリンパ球でも確認さ

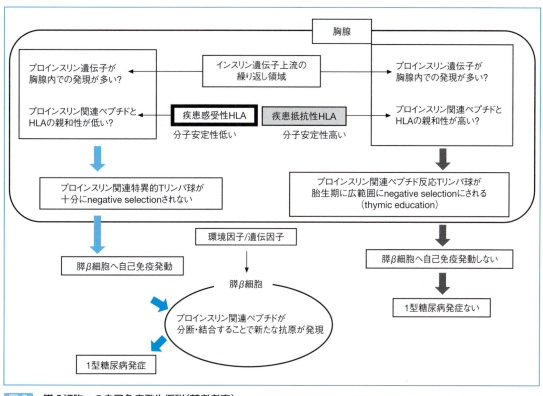

図6 膵β細胞への自己免疫発生仮説（著者考案）

れることになった[15]．この考えに基づくと，Tリンパ球は，分化成熟過程で胸腺内において，自己MHCを認識できるT細胞受容体をもつものが選択（正の選択）され，自己抗原を認識する受容体をもつものは除去（負の選択）される．胸腺内教育の際に，前述の膵β細胞内でプロインスリンなどから産生される de novo ペプチドであれば，胸腺内の抗原提示細胞では発現されないため，そのような抗原を自己抗原として認識するT細胞は排除されなかった理由も説明できることになる（図6）．

いったん，自己免疫のトリガーが引かれ攻撃性Tリンパ球によるβ細胞の破壊がはじまると，多様な抗原に対しての多種なTリンパ球も刺激され，β細胞破壊が進行する．膵β細胞は再生能力が乏しいため回復することは困難である．しかし，この際に，免疫制御性T細胞が攻撃性Tリンパ球の働きに対して抑制的に働いていることや，膵β細胞再生や膵外分泌領域からのβ細胞への分化，あるいはβ細胞数量の個人差などが多面的に重なって1A型糖尿病の発症に至ると考えられる[16]（図7）．したがって，β細胞破壊の進行速度は様々であり，通常でも数年かかるものであると考えられる．わが国で最初に報告された緩徐進行型1型糖尿病（表3）[17]は，インスリン必要量が数年かかって増加するのであるが，自己攻撃性Tリンパ球と制御性Tリンパ球のバランスによって膵β細胞破壊がゆっくりと進行していくということで説明できる．

Imagawaら[18]によって報告された劇症1型糖尿病は，急激な症状の進行によってケトアシドーシスで発症し，HbA1cの上昇も軽度であり，内因性インスリン分泌は早期より根絶している．当初，このタイプは自己抗体を認めず膵生検でリンパ球浸潤を認めないために自己免疫の関与はないと考えられていた（表4）[19]．しかし近年では，発症のごく早期の膵生検においてリンパ球浸潤を一部認めたという報告や，自己抗体の陽性症例の報告，末梢血リンパ球が自己抗原への反応があったことも報告がある．また，免疫チェックポイント阻害薬の投与後に，劇症1型糖尿病を発症する例が相次いでおり，劇症1型糖尿病にも急激な自己免疫反応が起こっていると考えられるようになってきた[20]．そこでは免疫制御性Tリンパ球の機能不全があるのではないかと思われる．

1型糖尿病の発症に関する環境因子として，近年の清潔な衛生環境が，免疫のバランスを崩して自己免疫が起こりやすくなるのではないかとする衛生仮説．母

II 各 論

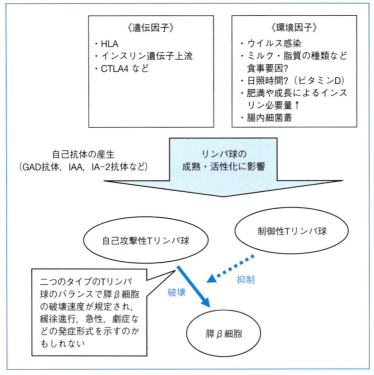

図7 1A型糖尿病の発症機序

表3 緩徐進行1型糖尿病の臨床特徴

(1) 発症時は食事,内服薬療法で治療が可能なインスリン非依存状態であるが数年間観察していると徐々にインスリン分泌能が低下し,インスリン療法が必要となり,最終的にはインスリン依存状態に移行する
(2) ICA抗体,GAD抗体,IAA,IA-2抗体などが,経過中持続的に陽性を示す
(3) GAD陽性の緩徐進行1型糖尿病の頻度は2型糖尿病と思われている症例の約5%に認められる

〔小林哲郎:緩徐進行1型糖尿病.日本臨牀66(増刊3):369-374,2008〕

表4 劇症1型糖尿病診断基準(2012)

下記1~3のすべての項目を満たすものを劇症1型糖尿病と診断する.
1. 糖尿病症状発現後1週間前後以内でケトーシスあるいはケトアシドーシスに陥る(初診時尿ケトン体陽性,血中ケトン体上昇のいずれかを認める.
2. 初診時の(随時)血糖値が288 mg/dL(16.0 mmol/L)以上であり,かつHbA1c値(NGSP)<8.7%*である.
3. 発症時の尿中Cペプチド<10 μg/day,または,空腹時血清Cペプチド<0.3 ng/mLかつグルカゴン負荷後(または食後2時間)血清Cペプチド<0.5 ng/mLである.
   *:劇症1型糖尿病発症前に耐糖能異常が存在した場合は,必ずしもこの数字は該当しない.

<参考所見>
A) 原則としてGAD抗体などの膵島関連自己抗体は陰性である.
B) ケトーシスと診断されるまで原則として1週間以内であるが,1~2週間の症例も存在する.
C) 約98%の症例で発症時に何らかの血中膵外分泌酵素(アミラーゼ,リパーゼ,エラスターゼ1など)が上昇している.
D) 約70%の症例で前駆症状として上気道炎症状(発熱,咽頭痛など),消化器症状(上腹部痛,悪心・嘔吐など)を認める.
E) 妊娠に関連して発症することがある.
F) HLA DRB1*04:05-DQB1*04:01との関連が明らかにされている.

〔今川彰久,他:1型糖尿病調査研究委員会報告―劇症1型糖尿病の新しい診断基準(2012).糖尿病55:815-820,2012〕

乳栄養児よりも人工乳で育った子どもに1型糖尿病発症率が高いという報告から，牛乳蛋白への早期曝露が自己免疫惹起に関連があるという仮説．また，日照時間が短い北方諸国での発症率が高いことに関して，ビタミンD活性化の低下と免疫バランスの関連を論じた仮説もある．これらの仮説については，現時点ではどれも否定的な研究結果が相次いでいる[21]．近年，腸内フローラの免疫バランスに与える影響が注目され，腸内フローラの異常（dysbiosis）と1型糖尿病発症との関連に注目されている[22]．また生後まもなくの過剰な体重増加によるインスリン抵抗性や膵β細胞への負担が1型糖尿病発症にかかわっているのではないかという仮説[23]もある．

環境因子としてのウイルス感染は報告も多く[9]，関連しているウイルスの種類はコクサッキーウイルスに代表されるエンテロウイルスが最も多い．その他，ムンプスウイルス，風疹ウイルス，EBウイルス，サイトメガロウイルス，ヒトヘルペスウイルスなども発症への関連を疑う報告がある．ウイルス感染が1A型糖尿病の発症にかかわっているメカニズムには，①ウイルス感染を契機に膵β細胞抗原が流出する，または抗原が修飾されることで，β細胞抗原特異的な免疫反応が活性化する．②自己攻撃性リンパ球と制御性リンパ球が存在し，ウイルス感染によってそのバランスが崩れ攻撃性リンパ球が優位な状態となる．③ウイルス抗原とβ細胞抗原の類似性があり，抗ウイルスとして活性化したリンパ球が誤ってβ細胞を攻撃する，などが想定される．

前述の自己免疫のトリガーとなる反応性Tリンパ球の標的抗原が，de novoで産生する抗原であるならば，そのような抗原の形成や産生に，ウイルス感染や食生活などの環境因子がかかわっている可能性がある．このように，遺伝要因，環境要因が複雑に絡み合って細胞性免疫に影響を与え，1A型糖尿病の発生に関連しているものと考えられる（図6）．

3）1B型糖尿病

1B型糖尿病は，自己免疫や遺伝子異常が関連していることが証明できていない場合の除外診断で規定される．

自己免疫関与を否定することは，自己抗体が陰性であるだけでは測定の時期や方法によって大きな影響を受けるので厳密には不可能である．

また1B型糖尿病のなかには，家族集積性や遺伝性の高い症例も多く報告されている．乳幼児期発症の1B型糖尿病には，新生児糖尿病で知られている遺伝子異常をもっている症例が多く含まれていること，ま

た思春期発症ではmaturity onset diabetes of the young（MODY）などの膵β細胞機能に関連した遺伝子異常との鑑別上の問題がある[24]．したがって，乳幼児期発症で自己抗体陰性症例や，糖尿病家族歴のある症例では積極的な遺伝子検査が推奨される．

❖ 文献

1) 葛谷 健，他：糖尿病の分類と診断基準に関する委員会報告．糖尿病 42：385-404，1999
2) Patterson CC, et al.：Trends and cyclical variation in the incidence of childhood type 1 diabetes in 26 European centres in the 25 year period 1989-2013：a multicentre prospective registration study. Diabetologia 62：408-417, 2019
3) Guariguata L, et al.（eds），：IDF Diabetes Atlas. 6th ed., International Diabetes Federation, Brussels, 2013
4) Kim JH, et al.：Increasing incidence of type 1 diabetes among Korean children and adolescents：analysis of data from a nationwide registry in Korea. Pediatr Diabetes 17：519-524, 2016
5) Bottazzo GF, et al.：Islet-cell antibodies in diabetes mellitus with autoimmune polyendocrine deficiencies. Lancet 2：1279-1283, 1974
6) Kawasaki E, et al.：Zinc transporter 8 autoantibodies complement glutamic acid decarboxylase and insulinoma-associated antigen-2 autoantibodies in the identification and characterization of Japanese type 1 diabetes J Diabetes Investig 11：1181-1187, 2020
7) Kanatsuna N, et al.：Autoimmunity against INS-IGF2 Protein Expressed in Human Pancreatic Islets. J Biol Chem 288：29013-29023, 2013
8) 川畑由美子，他：1型糖尿病疾患感受性遺伝子．日本臨牀 66（増刊号4）：158-163，2008
9) Todd JA：Etiology of type 1 diabetes. Immunity 32：457-467, 2010
10) Zhang L, et al.：Insulin as an autoantigen in NOD/human diabetes. Curr Opin Immunol 20：111-118, 2008
11) Ilonen J, et al.：Pattern of β-cell autoantibody appearance and genetic associations during the first years of life. Diabetes 62：3636-3640, 2013
12) Pearson JA, et al.：The importance of the Non Obese Diabetic（NOD）mouse model in autoimmune diabetes. J Autoimmune 66：76-88, 2016
13) Nakayama M, et al.：Prime role for an insulin epitope in the development of type 1 diabetes in NOD mice. Nature 435：220-223, 2005
14) Delong T, et al.：Pathogenic CD4+T cells in Type 1 diabetes recognized epitopes formed by protein fusion. Science 351：711-714, 2016
15) Babon JA, et al.：Analysis of self-antigen specificity of islet-infiltrating T cells from human donors with type 1 diabetes. Nat Med 22：1482-1487, 2016
16) Atkinson M, et al.：Current concepts on the pathogenesis of type 1 diabetes-considerations for attempts to prevent and reverse the disease. Diabetes Care 38：979-988, 2015
17) 小林哲郎：緩徐進行1型糖尿病．日本臨牀66（増刊号3）：369-374，2008
18) Imagawa A, et al.：A novel subtype of type 1 diabetes mellitus

19) 今川彰久, 他：1型糖尿病調査研究委員会報告—劇症1型糖尿病の新しい診断基準(2012). 糖尿病 55：815-820, 2012
20) Shimada A：Autoimmunity as an etiology of fulminant type 1 diabetes. *Diabetol Int* 7：104-105, 2016
21) Rewers M, et al.：Environmental risk factors for type 1 diabetes. *Lancet* 387：2340-2348, 2016
22) Mejía-León ME, et al.：Diet, microbiota and immune system in type 1 diabetes development and evolution. *Nutrients* 7：9171-9184, 2015
23) Cardwell CR, et al.：Birthweight and the risk of childhood-onset type 1 diabetes：a meta-analysis of observational studies using individual patient data. *Diabetologia* 53：641-651, 2010
24) Moritani M, et al.：Identification of INS and KCNJ11 gene mutations in type 1B diabetes in Japanese children with onset of diabetes before 5 years of age. *Pediatr Diabetes* 14：112-120, 2013

〔川村智行〕

2. 治療

1) 急性期の治療

糖尿病性ケトアシドーシスおよび低血糖の治療がある．詳細については他項を参照されたい．

2) 日常における治療

a. インスリン治療

1型糖尿病では内因性インスリン分泌が低下～枯渇しており，インスリン注射によって補う必要がある．健常者の生理的インスリン分泌に一致するようにインスリン注射を行うことが理想である．健常者では食事に関係なく，絶食時や就眠中などでも分泌されている基礎分泌と，食事などにより急激な血糖上昇を認めるときに分泌される追加分泌がある．インスリン療法ではこの二つの分泌を作用時間の異なるインスリン注射により補うことが基本となる．

①インスリン製剤

インスリン製剤は作用時間と薬力学により超速効型インスリン(rapid-acting analogue：Ra)，速効型インスリン(regular insulin：R)，中間型インスリン(neutral protamine hagedorn：NPH)，持効型溶解インスリン(long-acting insulin analogue：La)に分けられる(表5)．また，混合型インスリン，超速効型と持効型溶解の配合溶解インスリンも存在する．インスリン製剤の剤形としてプレフィルド/キット製剤，カートリッジ製剤，バイアル製剤に分けられる．

最近になりインスリンアスパルトにニコチン酸アミドを添加することで，皮下投与後初期のインスリンアスパルトの血中への吸収が速く，血糖降下作用の発現が早い製剤(フィアスプ®)や，インスリンリスプロにトレプロスチニルおよびクエン酸を添付することで，同様にインスリンリスプロより吸収が速い製剤(ルムジェブ®)が使用可能になった．どちらも食事開始時(食前2分以内)投与，必要に応じて食事開始後20分以内に投与することが可能になっており，食後に投与する必要がある幼小児では，食後打ちによる一過性の食後高血糖が改善されることが期待される．一方Raやこれら新規の超速効型インスリンでは，注射する時間と食事をする間隔が開くと低血糖を起こすリスクがあるので注意する必要がある．

Laにはデテミル，デグルデク，グラルギン(100単位/mL, 300単位/mL)が使用されている．Laはピークが少なく，NPHと比べて一定な基礎分泌を補うことができる．グラルギン(100単位/mL)は持続時間が24時間であり，1日1回注射が原則とされているが，作用時間にも個人差があり必ずしもすべての例で1日1回の注射で十分な基礎インスリンが補えるとは限らない．さらにグラルギンでは注射後16～20時間で効果の減弱がみられ，1日2回注射を必要とすることがある．デグルデク以外6歳以下への適応の承認が得られていないが，グラルギン，デテミルとも年少例においても安全に使用できる．

②インスリン注射法

生理的インスリン分泌に最も近い基礎—追加インスリン療法による頻回注射が全年齢に推奨される[1]．また持続皮下インスリン注入療法(continuous subcutaneous insulin infusion：CSII)も選択される．CSIIは頻回注射療法(multiple daily injections：MDI)と比較し，より生理的なインスリン投与が可能である．インスリンとしてはRaを使用することが多い．7歳未満の小児例[2]，低血糖を繰り返す症例，血糖の変動が激しい症例，HbA1cが年齢の目標値を上回っている症例，インスリン投与回数が生活の負担になっている症例などが導入のよい適応になる[3]．CSIIではベーサルの注入が数時間止まることで，ケトアシドーシスに至る可能性があるため注意する必要がある．CSII使用中に説明のつかない高血糖が出現した場合は，ベーサルの注入トラブルを疑ってすぐに注入セット交換を行う．交換がむずかしい場合はペン型注射器により超速効型で補正を行う．

③連続皮下ブドウ糖濃度測定(continuous glucose monitoring：CGM)およびsensor augmented pump(SAP)療法

▶CGM

CGMは皮下組織に留置したセンサーで，間質中の

表5 インスリン製剤の種類と作用時間

インスリン種類		作用時間（時間）		
		作用発現	最大作用発現	作用持続
超速効型アナログ（Ra） （リスプロ，アスパルト，グルリジン）		0.15〜0.35	1〜3	3〜5
速効型（R）		0.5〜1	2〜4	5〜8
中間型（NPH）		2〜4	4〜12	12〜24
持効型溶解アナログ （La）	デテミル	1〜2	4〜7	20〜24
	グラルギン（100 単位/mL）	2〜4	8〜12	22〜24
	グラルギン（300 単位/mL）	2〜6	明らかなピークなし	30〜36
	デグルデク	0.5〜1.5	明らかなピークなし	>42

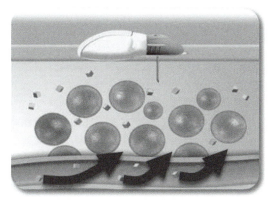

図8 CGMによるブドウ糖濃度測定
間質液中のブドウ糖濃度は血糖値と相関する．CGMは間質液中のブドウ糖濃度を測定し，アルゴリズムにより血糖値に換算する
（提供：日本メドトロニック）

図9 FreeStyle リブレ®
（提供：アボットジャパン）

ブドウ糖濃度を連続的に測定する装置であり，測定した値はセンサーグルコース値（SG値）とよばれる（図8）．SG値は実際の血糖に10〜15分程度遅れることに注意が必要である．現在数社からCGMが発売されており，小児でも使用されている．メドトロニック社のガーディアン™コネクトは，SG値をbluetooth接続により，iPhoneやいくつかのandroidに送信し，備わっているアプリでSG値を確認する．SG値を実際に測定するエンライトセンサーはサーターを用いて腹部などに穿刺し，センサーを皮下に留置する．カニューレと同様，小児では腹部の皮下脂肪が少ないことがあるため，臀部などに留置することも選択される．iPhoneなどを通じてインターネットに接続することで，SG値を遠隔でも確認することができる．また，別のCGMとして日本ではテルモ社が取り扱うDexcom社のDexcom G6 CGMシステムがある．こちらも専用のサーターでセンサーを腹部などに穿刺し，センサーを皮下に留置する．G6は2歳以上からの適応になっている．

また，アボット社のFreeStyleリブレ®（図9）は，リーダーをかざす（非接触）とその瞬間のSG値が表示され，同時にSG値の記録がリーダーに転送され，トレンドを確認することのできるCGMである．リーダーをかざすことでデータが取得されることから，間欠型CGM（intermittent CGM）と分類される．小児では4歳以上から使用可能となっている．

上記のどのCGMも専用のソフトでデータの解析が可能である．ペンでの注射を行っている患者でも使用することができる．どのCGMもSG値が現在の血糖を反映しているわけではなく，タイムラグがあることに注意が必要である．また，実際の血糖と大幅にずれることもあるため，インスリンの投与量を決めたり，SG値に疑問があったりする場合などは血糖を測定することが必須である．

▶SAP療法

CGMがインスリンポンプと一体になったミニメド™620G・640Gも現在小児に使用されている．ミニメド™620G・640GはCGM機能がついたポンプとい

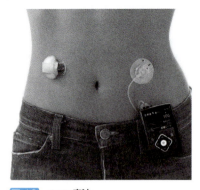

図10　SAP療法
（提供：日本メドトロニック）

うこともできる．このポンプを用いてリアルタイムCGMとCSIIを同時に行う治療を，SAP療法とよぶ（図10）．どちらのCGMもセンサーとして，ガーディアン™ コネクトと同様に，エンライトセンサーを使用している．CGMとインスリンポンプが一体であるため，640GではSG値により自動でインスリン注入遮断を行う機能が備わっている．低血糖の症状が非特異的で，自分でも訴えにくい小児においては，620G・640Gがもつアラーム機能や，640Gより新たに使用可能となった低ブドウ糖一時停止機能，低ブドウ糖前一時停止〔predictive low glucose management（PLGM）system〕機能の使用が有効である．低ブドウ糖一時停止は，SG値が設定した下限値（50〜90 mg/dLで設定可能）に達すると，基礎インスリンの注入を自動で一時的に停止する機能である．低ブドウ糖前一時停止は，30分後にSG値が設定下限値付近に到達することが予測された場合に，基礎インスリンが自動で一時的に停止する．SG値が回復するか，最大2時間停止した後にインスリン注入は自動で再開される．PLGMにより下限値に到達する回数が，PLGMなしのときに比べて約75％程度減少するとされている[4]．小児でもこの機能をうまく使うことで，低血糖の頻度を減らすことができる．

ミニメド™ 620G・640G本体には，SG値などの記録が3か月間保存される．他のCGMと同様に専用のソフトを用いて任意の期間の解析が可能になる．さらにインスリンポンプとしての記録も保存されているため，SG値に加え，インスリンの注入量なども同時に解析が可能である．

b．食事療法

小児1型糖尿病の食事の基本は健常な活動と成長に十分な必要エネルギーを摂取すること，適切な栄養バランスをとることが重要であり過度な食事制限は必要ない．しかしながら，1型糖尿病児は過体重になる傾向があることや，食行動異常を合併する頻度も高いため，その体重管理と栄養管理は慎重に行う．エネルギー摂取量は，年齢，性別，体重，運動量を考慮して決定する．厚生労働省より公表されている「日本人の食事摂取基準（2020年版）」を参考にする．三大栄養素のバランスは「日本人の食事摂取基準（2020年版）」では成人の基準として，炭水化物50〜65％エネルギー，タンパク質13〜20％エネルギー，脂質20〜30％エネルギー（飽和脂肪酸7％以下）としている．2013年の「日本人の糖尿病の食事療法に関する日本糖尿病学会の提言」では，炭水化物50〜60％エネルギー，タンパク質20％エネルギー以下を目安とし，残りを脂質とすることになっている．「日本人の食事摂取基準（2020年版）」では男性7.5 g/日未満，女性6.5 g/日未満としている．

学校給食のエネルギーは多い傾向にあるが，三大栄養素の配分はほぼ理想的であるため，通常は特に制限は行わない．またおやつは小児，特に年少児にとって心理的にも重要であるため，決められた1日のエネルギーのなかで配分することを念頭に摂取する．おやつや夜食に伴う血糖上昇はRaの追加注射によって対処する．

▶カーボカウント法

食事中の糖質量に基づいて，食後血糖値を管理する方法で，基礎カーボカウントと応用カーボカウントに分類される．毎食での糖質摂取量を一定にすることで食後血糖値の安定化を図ることを基礎カーボカウントという．基礎カーボカウントはすべての糖尿病症例，とりわけ食事療法のみの症例や内服薬あるいは一定量のインスリンで治療する症例が対象となる．一方，毎食での糖質摂取量を変化させた際に追加インスリンなど投薬量を糖質摂取量に応じて変化させる方法を応用カーボカウントという．応用カーボカウントはおもに強化インスリン療法を行う症例が対象となる．毎食前のインスリン量は糖質に対するインスリンと食前血糖に対する補正インスリンの和として計算する．日本では1カーボを10 gとして計算する．糖質に対するインスリン量の算出に，インスリン/カーボ比（1カーボに必要な超速効型インスリン量）とインスリン効果値（1単位で3〜4時間後の血糖値がいくつ低下するか）を用いる．一般的な成人の場合目安としてインスリン/カーボ比1，インスリン効果値40〜50を用いる．幼児はインスリン/カーボ比0.4〜0.5，インスリン効果値100〜150を目安とする[5]．乳児ではインスリン/カーボ比0.125〜0.25，インスリン効果値500〜1,000と設定した報告もある[6]．乳幼児は一般的に成人よりインスリン効果値が高くインスリン/カーボ比が低いことに

留意する.

c. 運動療法

運動は筋肉のインスリン感受性を亢進し，糖輸送体(GLUT-4)の活性を増加させる働きがある．そして食後の有酸素運動は食後高血糖を抑制し，血糖コントロールの改善に有用である[7]．小児1型糖尿病では過体重になりやすいことが問題になっていることや，運動をせず端末画面を観ている時間がHbA1cの悪化に関連するとのデータもあり[8]，1型糖尿病でも通常の児と同様に運動を行うことが求められる．運動内容に関しては，進行した合併症を有していない限り特に制限はない．低血糖の予防と対処法に留意すれば，すべての運動，部活動の参加は可能である．運動に際し，低血糖時にはすぐに捕食できるようにブドウ糖を常に携帯しておかねばならない．また，血中ケトン1.5 mmol/L以上あるいは尿ケトン2+のときには運動は行わない[7]．ケトンが上昇していて血糖が高値のときは高強度の運動は避けたほうがよい．

d. シックデイの対応

シックデイとは糖尿病患者が感染症などの病気を発症し，経口摂取不良やインスリン抵抗性の増加などが起きてしまうことで，血糖コントロールが崩れやすく，重症低血糖，糖尿病性ケトアシドーシスなどに陥る可能性が高くなるため，適切な対応方法を指導しておくことが1型糖尿病治療において重要である．まず，シックデイのときは，脱水の予防および適切なエネルギーの摂取が必要である．十分に水分を摂取し，お粥，麺類，果汁など摂取しやすい形で糖分を補給する．体重がどのくらい変化したかがわかると，シックデイ時のおおよその脱水の程度を推定するのに役立つ[9]．そのため，毎日自分の体重を測定するように指導しておくとよい．さらに1型糖尿病では，インスリンは中止せず，中間型・持効型は継続すること，追加インスリンは食事量，血糖値，ケトン体に応じて調整すること，そして頻回に血糖値・ケトン体(尿中ケトンまたは血中ケトン)を測定することや，医療機関に連絡し，症状を伝えるように指導する．

①発熱，消化器症状が強い，②24時間にわたって経口摂取ができない／著しく少ない，③血糖値350 mg/dL以上が続く，血中ケトン体が高値，尿中ケトン体が強陽性，④意識状態の悪化がある，に当てはまるときは，医療機関を受診するように指導しておく[9]．

e. 血糖管理目標

強化療法により，HbA1cが低下すると最小血管合併症や大血管合併症の発症を遅らせたり，発症頻度を減少させたりすることが複数の報告で明らかになってい

表6　小児1型糖尿病における血糖管理目標値

	NICE[12]	ISPAD[11]	ADA[13]
目標 HbA1c	6.5%以下	7%未満	7.5%未満
食前目標血糖(mg/dL)	70〜126	70〜130	90〜130
食後目標血糖(mg/dL)	90〜162	90〜180	—
就寝前目標血糖(mg/dL)	70〜126	80〜140	90〜150

ADA：American Diabetes Association(米国糖尿病学会)，NICE：The National Institute for Health and Clinical Excellence(英国国立医療技術評価機構)
〔DiMeglio LA, *et al.*：ISPAD Clinical Practice Consensus Guidelines 2018：Glycemic control targets and glucose monitoring for children, adolescents, and young adults with diabetes. *Pediatr Diabetes* 19 (Suppl. 27)：105-114, 2018 より引用改変〕

る[10]．Diabetes Control and Complications Trial(DCCT)の検討でも思春期や青年期でも血糖管理をよくすることが，その後の合併症や死亡リスクを減少させることが示されている[11]．そのため小児期から強化療法により正常に近いHbA1cを達成することが必要と考えられる．

また，低血糖や高血糖が神経機能に影響を与えることも知られている．重症低血糖が小児の認知機能に悪影響を与えることや，逆に慢性高血糖も認知機能や神経発達に悪影響を与えることも示されている[11]．このため，できる限り正常に近い血糖値を維持するよう血糖管理を行うことが目標となる．

f. 血糖コントロール目標値

小児の1型糖尿病における血糖管理目標として，ISPADのガイドラインでは，患者の状態や特徴によって個別に設定していくことが推奨されており，そのうえでHbA1c 7.0%未満を目標値として定めている(表6)[11]．その場合CGMにより算出される，ブドウ糖値が目標範囲である70〜180 mg/dL内にある時間(time in ranges：TIR)は70%以上を目標とする．低血糖をうまく訴えることができない，重症低血糖の既往がある，CSIIやCGMなどの最新の治療を受けられない患者では，HbA1cの目標は7.5%未満とし，TIRは60%以上を目標とする．一方低血糖を頻回に起こすことがなく，生活の質も保つことができて，過剰な負荷がかからないということであればHbA1c 6.5%未満を目標としてもよい．

❖ 文献

1) Danne T, *et al.*：ISPAD Clinical Practice Consensus Guidelines 2018：Insulin treatment in children and adolescents with diabetes. *Pediatr Diabetes* 19(Suppl. 27)：115-135, 2018
2) Sundberg F, *et al.*：ISPAD Guidelines. Managing diabetes in preschool children. *Pediatr Diabetes* 18：499-517, 2017
3) Sherr JL, *et al.*：ISPAD Clinical Practice Consensus Guidelines

2018：Diabetes technologies. *Pediatr Diabetes* 19(Suppl. 27)：302-325, 2018
4) Zhong A, et al.：Effectiveness of automated insulin management features of the MiniMed((R))640 G sensor-augmented insulin pump. *Diabetes Technol Ther* 18：657-663, 2016
5) Kawamura T：The importance of carbohydrate counting in the treatment of children with diabetes. *Pediatr Diabetes* 8(Suppl. 6)：57-62, 2007
6) 広瀬正和, 他：乳幼児期発症の糖尿病患者においてインスリン持続皮下注入療法(CSII)とカーボカウント法により良好な経過をとった3例. 糖尿病 50：811-817, 2007
7) Adolfsson P, et al.：ISPAD Clinical Practice Consensus Guidelines 2018：Exercise in children and adolescents with diabetes. *Pediatr Diabetes* 19(Suppl. 27)：205-226, 2018
8) Galler A, et al.：Associations between media consumption habits, physical activity, socioeconomic status, and glycemic control in children, adolescents, and young adults with type 1 diabetes. *Diabetes Care* 34：2356-2359, 2011
9) 日本糖尿病学会：糖尿病における急性代謝失調・シックデイ(感染症を含む). 日本糖尿病学会(編著), 糖尿病診療ガイドライン2019. 南江堂, 329-345, 2019
10) Donaghue KC, et al.：ISPAD Clinical Practice Consensus Guidelines 2018：Microvascular and macrovascular complications in children and adolescents. *Pediatr Diabetes* 19(Suppl. 27)：262-274, 2018
11) DiMeglio LA, et al.：ISPAD Clinical Practice Consensus Guidelines 2018：Glycemic control targets and glucose monitoring for children, adolescents, and young adults with diabetes. *Pediatr Diabetes* 19(Suppl. 27)：105-114, 2018
12) Beckles ZL, et al.：Diagnosis and management of diabetes in children and young people：summary of updated NICE guidance. *BMJ* 352：i139, 2016
13) American Diabetes Association：12. children and adolescents：Standards of medical care in diabetes-2018. *Diabetes Care* 41(Suppl. 1)：S126-S136, 2018

（高谷具純）

2 2型糖尿病

1. 病因と病態

2型糖尿病は，インスリン分泌の低下により，あるいはインスリン感受性の低下(インスリン抵抗性)に相対的インスリン分泌低下が種々の程度に加わってインスリン作用不足をきたし，慢性の高血糖状態に至る代謝疾患である[1]．

小児・思春期の2型糖尿病は世界的に増加しているが[2]，発症率，有病率は国，年齢層，民族で大きく異なる[3]．非白色人種(アメリカ先住民，アフリカ系，ヒスパニック系，アジア／太平洋諸島系)における発症率が高い[4,5]．アメリカ国内SERCH Studyでの15～19歳の各人種／民族での1型と2型糖尿病患者では，2型の割合は非ヒスパニック系白人では5.5%，黒人で37.6%，ヒスパニック系で35.2%，アジア／太平洋諸島先住民で34.2%，アメリカ先住民で80.0%であった[6]．日本人小児・思春期2型糖尿病の発症頻度は欧米白人に比して高い．東京都，横浜市，福岡市，新潟市の学校糖尿病検診での2型糖尿病の発見率が報告されており，この4地域をまとめると学校糖尿病検診での2型糖尿病の発見率は10万人／年当たり，小学生で0.75～1.62，中学生で5.05～8.32，全体で2.65～3.90であり，小学生よりも中学生の発見頻度は高かった[7]．わが国では，10歳代発症糖尿病の1型対2型の有病率比はほぼ1：1と報告されており，10歳代では1型と2型糖尿病は同人数程度存在すると推測される[8]．

1) 病因

2型糖尿病は糖尿病成因分類において，「インスリン分泌低下を主体とするものと，インスリン抵抗性が主体で，それにインスリンの相対的不足を伴うものなどがある」と定義されている[1]．

インスリン分泌低下やインスリン抵抗性をきたす複数の遺伝因子に胎児期の母体ストレスや過食・運動不足などの生活習慣，およびその結果としての肥満などが環境因子として加わりインスリン作用不足を生じ，2型糖尿病が発症する．さらにインスリン分泌低下・インスリン抵抗性のそれぞれが糖毒性などにより増悪する(図11)[9]．2型糖尿病の病態は明らかに不均一で，肥満の有無，インスリン分泌低下とインスリン抵抗性の関与の割合でさらに細分化できる可能性がある．遺伝的にも不均一で，複数の疾患感受性遺伝子がいろいろな組み合わせで関与していると考えられる．

a. 遺伝因子

2型糖尿病は，家族集積性があること，双生児研究のメタアナリシスでは生活環境をほぼ共有すると思われる二卵性双生児よりも一卵性双生児のほうが糖代謝異常の一致率が高いこと[10]が報告されている．インスリン分泌，インスリン抵抗性ともに遺伝に規定される部分があると考えられている[11]．一方，2型糖尿病の遺伝解析は，他の家族性疾患の遺伝解析に比べて困難であると考えられている．2型糖尿病の発症には環境因子が強くかかわることや，一般人口における発症率が極めて高く，多数の遺伝要因が，かかわっていることがその要因であると思われる．

ゲノムワイド関連解析(genome-wide association study：GWAS)を用いたメタアナリシスにより，TCF7L2, SLC30A8, IGF2B2, KCNQ1など，数百もの糖尿病感受性遺伝子座がみつかっており[12]，近年は民族間の遺伝的背景の違いにまで踏み込んだ研究が展開されている．また，GWASで説明できない遺伝的背景(missing heritability)の解明のため，次世代シークエン

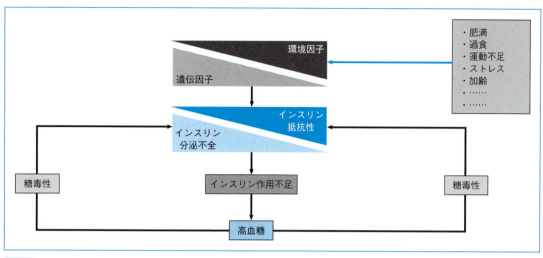

図11 2型糖尿病の発症機序

[日本糖尿病学会(編):糖尿病専門医研修ガイドブック―日本糖尿病学会専門医取得のための研修必携ガイド.改訂第8版,診断と治療社,74-81,2020より引用一部改変]

サーを用いたエクソーム解析への展開やエピゲノム制御機構の研究へと発展してきており,今後は2型糖尿病発症への関与のメカニズムがより明らかにされることが期待される.

b. 環境因子

2型糖尿病の発症には,生活習慣や社会環境,胎児期の母体環境などの環境因子が深くかかわっている.わが国での2型糖尿病患者の急速な増加もこうした環境因子の変化が重要な要因と考えられる.

①肥満

肥満はインスリン抵抗性を惹起し2型糖尿病の発症リスクを高める.日本人小児2型糖尿病の約80%は肥満を伴っている[13].また,高度の肥満小児では,特に症状がなくても経口ブドウ糖負荷試験(oral glucose tolerance test:OGTT)で4~7%に2型糖尿病が発見されると報告されている[14].肥満の原因にはエネルギーの過剰摂取や運動不足,睡眠不足や睡眠の質の低下,生活リズムの乱れ,過剰なストレス,発達障害,ネグレクト,早期のadiposity rebound(幼児期においてBMIが最低値となる時期)など様々な因子が関連する.

黒色表皮症は,肥満によるインスリン抵抗性によって過剰に分泌されたインスリンが表皮インスリン様成長因子(insulin-like growth factor:IGF)受容体を刺激し,表皮成長因子が表皮角化細胞の分裂・増殖やメラニン沈着を増強させることで生じる.頸部などに黒色表皮症があると2型糖尿病の頻度が約7倍に上がると報告されている[14].

肥満がインスリン抵抗性を引き起こすメカニズムとしては,肥大化した脂肪細胞からインスリン抵抗性を惹起する腫瘍細胞壊死因子(tumor necrosis factor:TNF)-α,遊離脂肪酸(free fatty acid:FFA),単球走化性蛋白質(monocyte chemotactic protein:MCP)-1などの分泌が亢進し,アディポネクチンなどのインスリン感受性物質の分泌が低下することによる.

日本人は欧米人と比べて肥満の程度が少なくても2型糖尿病の発症リスクは高く[15],インスリン分泌能が低いことに加えて,内臓脂肪を蓄積しやすいことが要因として示唆されている.

②DOHaD

developmental origins of health and disease(DOHaD)とは,「感受期(胎児期や出生後早期)に作用する環境因子によって,その後の環境を予想した胎児と胎盤の適応反応が起こり,そのときの環境とその後の環境の適合の程度が将来の疾病リスクに関与する」という概念である.これは胎児期の低栄養やストレス,母体喫煙などの環境因子が,小児期の遺伝子発現を調節して疾患発症の基盤となるというエピジェネティクスの考え方に基づいている.

動物実験では,低栄養,低蛋白食,血流障害による胎盤機能不全などの母体ストレスによって,胎児が低栄養状態になり発育が阻害されると,膵β細胞の発達障害,インスリン分泌障害,視床下部―下垂体―副腎系の活性亢進,食欲制御異常による肥満,インスリン抵抗性の増大などが起こることを示す結果が多く報告されている[16].

日本人小児2型糖尿病患児を対象とした出生体重に

II 各論

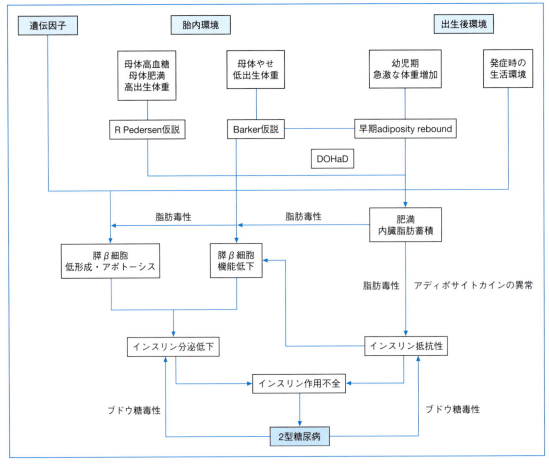

図12 2型糖尿病の発症要因
〔菊池 透：2型糖尿病の治療．小児科 60：1487-1492, 2019〕

関する調査では，コントロール（非糖尿病児）と比して，糖尿病児は 2,500 g 未満の低出生体重児と 4,000 g 以上の高出生体重児の割合が高く，U字型分布を示した[17]．出生体重は胎内栄養環境により規定されると考えられるが，出生体重が小さくても大きくても将来の2型糖尿病の発症リスクが高まることを示唆している．

2型糖尿病の発症に関与する様々な因子の関係を図に示す（図12）[18]．

2) 病態
a. 2型糖尿病の自然歴

膵β細胞機能に着目した2型糖尿病の自然歴モデルを図に示す（図13）[19]．2型糖尿病発症のかなり前よりインスリン抵抗性は存在するが，初期には膵β細胞がインスリン抵抗性を代償しようとしてその容積を増加させるため，インスリン分泌量は増加し，インスリン抵抗性は完全に代償される．そして糖尿病を生涯発症しない人においては，この代償機構が継続するため，インスリン抵抗性の存在下でも単純肥満を呈するだけで糖尿病にはならない（第1期）．しかし将来糖尿病を発症する人においては，膵β細胞容積増加の代償不全が認められ，やがて必要なだけのインスリン分泌機能を保てなくなる．空腹時の血糖値は正常でも，食後高血糖を示すようになる（第2期）．その後も，膵β細胞の代償不全が進むと，食後血糖値のみならず空腹時血糖値も高値を示し，糖毒性のためにインスリン生合成やインスリン分泌も低下してくる．依然としてインスリン抵抗性は存在するので，膵β細胞容積は本来であればインスリン抵抗性がない状態よりも増加するはずであるが，膵β細胞容積の減少が認められ，膵β細胞機能は徐々に低下する（第3期）．その後，膵β細胞はアミロイド沈着やインスリン分泌顆粒の脱顆粒，膵島の構造の乱れを伴った著明な構造変化をきたすようになり，極度のインスリン分泌不全状態となる（第4期）．

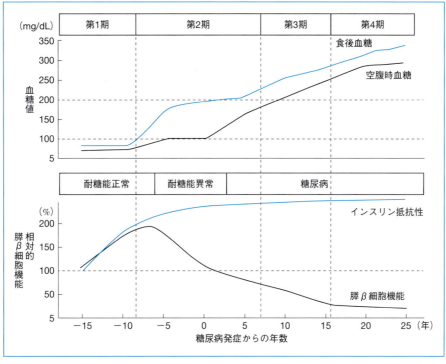

図13 2型糖尿病の自然歴モデル

〔Kendall DM, et al.：Clinical application of incretin-based therapy：therapeutic potential, patient selection and clinical use. Am J Med 122（6 Suppl.）：S37-S50, 2009 より引用一部改変〕

b．糖毒性

膵β細胞の代償不全がいったん出現すると，高血糖が出現する．高血糖は短期的には膵β細胞の増殖刺激として働くが，慢性的には膵β細胞に対し毒性の作用を有し，インスリン生合成・分泌低下をきたす．これを糖毒性（glucose toxicity）とよぶ．糖尿病状態では，血中の余剰なブドウ糖は膵β細胞に取り込まれ，ミトコンドリア内の電子伝達系を過剰に活性化することにより，酸化ストレスが惹起される．正常血糖時でも酸化ストレスがある程度は惹起されるが，高血糖状態ではさらに多くの酸化ストレスが惹起される．また，蛋白糖化反応（glycation 反応）によって酸化ストレスが惹起される．膵β細胞にはカタラーゼやsuperoxide dismutase（SOD）などの抗酸化酵素の発現が他の臓器と比べて少ないために，酸化ストレスに対して脆弱である．したがって，膵β細胞が高血糖に曝されると，酸化ストレス亢進を介して，膵β細胞容積減少に働く可能性が高い．これを予防するには，あらゆる手段を用いて血糖コントロールを行うことが有効と考えられている．特に早期にインスリンを導入し血糖コントロールを行うことで，膵β細胞の機能保持・回復を期待できる．

c．脂肪毒性

2型糖尿病は，インスリン抵抗性に対する膵β細胞の代償不全状態であるが，膵β細胞量が増えないだけでなく，正常よりも減ってしまう．このことは，糖尿病状態では積極的に膵β細胞容積の減少をもたらす悪化因子の存在を示唆する．そのようななかで，インスリン抵抗性により誘導される高FFA血症が膵β細胞機能不全に関与する可能性が示唆されており，脂肪毒性とよばれる．ヒトの膵島を用いた検討でも，FFAがアポトーシスを誘導することが知られている．

d．インスリン抵抗性

インスリン抵抗性とはインスリンの血糖降下作用が十分に発揮されない状態であり，膵β細胞機能が保たれている限りは，代償性高インスリン血症を伴う肥満や過栄養，身体運動の低下，糖毒性などが種々のメカニズムでインスリン抵抗性を引き起こす（図14）．2型糖尿病や肥満におけるインスリン抵抗性は全身のインスリン作用が一様に低下した状態ではなく，インスリン抵抗性のない臓器や経路では高インスリン血症によりインスリン作用の過剰が生じる可能性がある[20]．すなわち，肥満や2型糖尿病におけるインスリン抵抗性とは，インスリンによる代謝調節の障害とインスリン

II 各論

作用の過剰が共存した病態であり，両者が相まって，耐糖能障害だけでなく，脂質異常症や高血圧，NAFLD など様々な疾患の病態基盤となると考えられている．

❖ 文献

1) 糖尿病診断基準に関する調査検討委員会：糖尿病の分類と診断基準に関する委員会報告(国際標準化対応版)．糖尿病 55：485-504，2012
2) Chen L, et al.：The worldwide epidemiology of type 2 diabetes mellitus—present and future perspectives. Nat Rev Endocrinol 8：228-236, 2011
3) Farsani SF, et al.：Global trends in the incidence and prevalence of type 2 diabetes in children and adolescents：a systematic review and evaluation of methodological approaches. Diabetologia 56：1471-1488, 2013
4) Pinhas-Hamiel O, et al.：The global spread of type 2 diabetes mellitus in children and adolescents. J Pediatr 146：693-700, 2005
5) Writing Group for the Diabetes in Youth Study Group：Incidence of diabetes in youth in the United States. JAMA 297：2716-2724, 2007
6) Writing Group for the SEARCH for Diabetes in Youth Study Group：Incidence of diabetes in youth in the United States. JAMA 297：2716-2724, 2007
7) Urakami T, et al.：Urine glucose screening program at schools in Japan to detect children with diabetes and its outcome；Incidence and clinical characteristics of childhood type 2 diabetes in Japan. Pediatr Res 61：141-145, 2007
8) Ogawa Y, et al.：Proportion of diabetes type in early-onset diabetes in Japan. Diabetes Care 30：e30, 2007
9) 日本糖尿病学会(編)：糖尿病専門医研修ガイドブック—日本糖尿病学会専門医取得のための研修必携ガイド．改訂第8版，診断と治療社，74-81，2020
10) Polderman TJ, et al.：Meta-analysis of the heritability of human traits based on fifty years twin studies. Nat Genet 47：702-709, 2015
11) Lillioja S, et al.：Insulin resistance and insulin secretory dysfunction as precursors of non-insulin-dependent diabetes mellitus. Prospective studies of Pima Indians. N Engl J Med 329：1988-1992, 1993
12) Mahajan A, et al.：Fine-mapping type 2 diabetes loci to single-variant resolution using high-density imputation and islet-specific epigenome maps. Nat Genet 50：1505-1513, 2018
13) Sugihara S, et al.：Survey of current medical treatments for childfood-onset type 2 diabetes mellitus in Japan. Clin Pediatr Endocrinol 14：65-75, 2005
14) Yamazaki H, et al.：Acanthosis nigricans is a reliable cutaneous marker of insulin resistance in obese Japanese children. Pediatr Int 45：701-705, 2003
15) Sone H, et al.：Obesity and type 2 diabetes in Japanese patients. Lancet 361：85, 2003
16) Fernandez-Twinn DS, et al.：Mechanisms by which poor early growth programs type-2 diabates, obesity and the metabolic syndrome. Physiol Behav 88：234-243, 2006
17) Sugihara S, et al.：Analysis of weight at birth and at diagnosis of childfood-onset type 2 diabetes mellitus in Japan. Pediatr Diabets 9：285-290, 2008
18) 菊池　透：2型糖尿病の治療．小児科 60：1487-1492, 2019
19) Kendall DM, et al.：Clinical application of incretin-based ther-

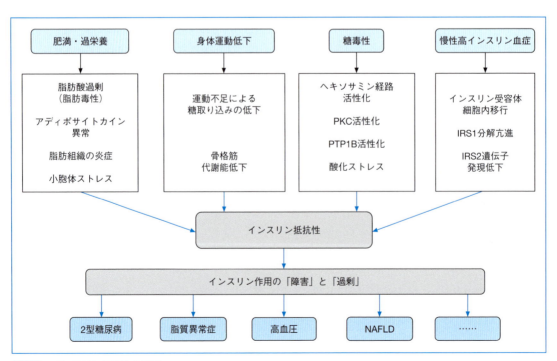

図14 インスリン抵抗性の病態

PKC：protein kinase C, PTP1B：protein tyrosine phosphatase 1B, IRS：insulin receptor substrate, NAFLD：nonalcoholic fatty liver disease

apy : therapeutic potential, patient selection and clinical use. *Am J Med* 122(6 Suppl.) : S37-S50, 2009
20) Samuel VT, *et al.* : Mechanisms for insulin resistance : common threads and missing links. *Cell* 148 : 852-871, 2012

(小川洋平)

2. 治療

1) 小児2型糖尿病の治療

小児2型糖尿病は，しばしば病初期の段階で学校検尿・糖尿病検診や偶然行った検査で発見され，通常自覚症状が軽度であるために治療に対する動機づけに乏しい．したがって，診断後食事・運動療法を行い，一時的にでも血糖値が改善すると病気が治ったと勘違いして，通院が不定期になり治療を中断する症例も少なくない．その結果として，慢性血管合併症が1型糖尿病よりも早期に発症あるいは進行すると報告されている[1]．したがって，診断時から患児とその家族に十分な糖尿病教育を行い，糖尿病は生涯にわたり管理する必要があることを強調し，治療の中断を防ぐことが大切である[2]．

また2型糖尿病のおおよそ80%は肥満を有するが，肥満度（[実測体重－標準体重]÷標準体重×100）が20%未満の非肥満2型糖尿病が少なからず存在することがわが国の小児2型糖尿病の特徴である[3]．そして肥満の有無により治療方針に多少の違いがある[4]．

a. 食事療法

小児2型糖尿病の大半は肥満を有するため，治療の基本は成人と同様に食事・運動療法である[2,5]．

食事療法では，正常な成長と発育を促すことを目標にする．肥満症例に関しては，厚生労働省策定「日本人の食事摂取基準(2020年版)」[6]（表7）を参考にして，性別・年齢別の生活活動別エネルギー所要量の90～95%程度に摂取カロリーを制限するが，維持可能な指示エネルギーを個々に指導する必要がある．非肥満症例では，今までの食習慣を是正するだけで，特に指示エネルギーの制限は必要ない[2]．栄養素の配分は，年齢ごとに定める指示エネルギーの50～60%を炭水化物から，20～30%を脂質から摂取し，残りを蛋白質として摂取する[2,5,6]．清涼飲料水は極力控え，食物繊維を多く含む食品の摂取を奨励する．

食事療法の一般的な注意事項として，以下のことを指導する．

①ゆっくり食べる．肥満児は早食いが多く，満腹中枢が刺激される前に過食になる．
②三食きちんと食べる．欠食することなく，三食均等に食べる．
③給食のお代わりをしない．
④間食や夜食に気をつける．
⑤清涼飲料水の摂取に気をつける．
⑥偏食をなくし，野菜をしっかりと食べる．
⑦できるだけ家族と食事をする（家族団欒）．

b. 運動療法

運動療法に関しては，基本的に肥満児は運動が苦手なケースが多いため，有酸素運動を中心に摂取エネルギーのおおよそ10%を消費するような運動メニューを作成する[2,5]．そして運動を強要するのではなく，日常の活動量をできるだけ増やすように指導する．できればその他に週に2～4回くらいの頻度で30分程度の有酸素運動を行うのがよい．進行した合併症がない限り運動に制限はない．

運動療法の一般的な注意事項として，以下のことを指導する．

表7　性別・年齢別の生活活動別エネルギー所要量(kcal/日)

性別	男性			女性		
身体活動レベル	低い	普通	高い	低い	普通	高い
0～5(月)	―	550	―	―	500	―
6～8(月)	―	650	―	―	600	―
9～11(月)	―	700	―	―	650	―
1～2(歳)	―	950	―	―	900	―
3～5(歳)	―	1,300	―	―	1,250	―
6～7(歳)	1,350	1,550	1,750	1,250	1,450	1,650
8～9(歳)	1,600	1,850	2,100	1,500	1,700	1,900
10～11(歳)	1,950	2,250	2,500	1,850	2,100	2,350
12～14(歳)	2,300	2,600	2,900	2,150	2,400	2,700
15～17(歳)	2,500	2,800	3,150	2,050	2,300	2,550

[「日本人の食事摂取基準(2020年版)」策定検討会：日本人の食事摂取基準(2020年版)．「日本人の食事摂取基準(2020年版)」策定検討会報告書，2020　https://www.mhlw.go.jp/stf/newpage_08517.html より引用改変]

表8 ISPAD 2018年のコンセンサス・ガイドラインにおける2型糖尿病の治療指針

初期治療（血糖コントロールの目標：HbA1c 7.0%未満）
・代謝状態が安定：高血糖症状がなく，HbA1c値が8.5%未満
　　メトホルミンを1日500～1,000 mgで投与
・ケトアシドーシスを認める
　　ただちにインスリン投与
　　基礎インスリン（中間型あるいは持効型インスリン）の1日1回投与（0.25～0.5単位/kg）
　　メトホルミンの併用が可能．おおよそ2～6週でメトホルミン単独療法に移行できる

その後の治療（血糖コントロールの目標：HbA1c 7.0%未満）
・メトホルミン単独療法で4か月以内にHbA1c値7.0%未満を達成できない場合には，基礎インスリンを併用
・メトホルミンと基礎インスリン（最大1.5単位/kg）の併用でも目標値が達成できない場合には，食前の追加インスリンを投与

〔Zeitler P, et al.：ISPAD Clinical Practice Consensus Guidelines 2018：Type 2 diabetes mellitus in youth. *Pediatr Diabetes* 19 (Suppl. 27)：28-46, 2018 より作成〕

①ビデオやゲームなどの室内娯楽の時間を1日2時間以内に減らす．
②自家用車の利用は避け，できるだけ徒歩で移動する．エレベーターやエスカレーターの利用は避け，階段を使う．
③外遊びをする．できればスポーツクラブに所属する．
④家事手伝いをして，家庭内で身体を動かす習慣を身につける．

c. 薬物療法

①薬物療法に関する治療指針

小児2型糖尿病では，食事・運動療法のみで適切な血糖コントロールが達成できるのは60～70%程度の症例であり，残りの症例では薬物療法が行われている[2]．肥満症例の多くは，食事・運動療法により体重が減少すると比較的短期間で血糖コントロールが改善するが，非肥満例では薬物療法に移行することが多い[3,4]．そして肥満症例でも経過に伴い食事・運動療法のみでは血糖コントロールが不十分となり，欧米諸国の報告では大半の症例が薬物療法に移行している[5,7,8]．

ISPADの2018年のコンセンサス・ガイドラインにおける2型糖尿病の治療指針[5]では，初期治療として，高血糖と代謝異常の程度やケトアシドーシスの有無により，メトホルミン，インスリンの単独あるいは併用療法を行うものとしている．すなわち，高血糖症状がなく，HbA1c値が8.5%未満の場合にはメトホルミンを1日500～1,000 mgで投与開始する．一方ケトアシドーシスを認める場合には，代謝異常の改善のためにただちにインスリン投与を行う．一般に基礎インスリン（中間型あるいは持効型溶解インスリン）の1日1回投与（0.25～0.5単位/kg）が有効である．そしてインスリンにメトホルミンを併用することができ，おおよそ2～6週でインスリンからメトホルミン単独療法に移行できる．初期治療における血糖コントロールの目標は，HbA1c値7.0%未満である．

そして，メトホルミンの単独療法で4か月以内にHbA1c値7.0%未満を達成できない場合には，メトホルミンに加えて基礎インスリンを補充する．そしてメトホルミンと基礎インスリン（最大1.5単位/kg）の併用でも目標値が達成できない場合には，食前の追加インスリン投与を加える（表8）．他の経口血糖降下薬に関しては，スルホニル尿素（sulfonylurea：SU）薬では低血糖や膵β細胞機能の早期廃絶の可能性から使用は奨励できず，またその他の血糖降下薬は小児では使用が許可されていない[2,5]．

②インスリン以外の血糖降下薬の使用

インスリン以外の血糖降下薬の使用に関しては，小児ではその使用が承認されていないものが多く，わが国で適用が承認されているのは，メトホルミン（メトグルコ®10歳以上）とSU薬のグリメピリド（9歳以上）のみである．現在わが国で成人に使用されているインスリン以外の血糖降下薬を表9に示す．

▶メトホルミン

メトホルミンのおもな血糖降下作用は，肝からの糖新生の抑制，消化管から糖吸収の抑制と筋肉を中心とした末梢組織でのインスリン抵抗性改善であり，インスリン分泌促進作用はない．体重増加が少なく，血清脂質の改善も報告されている．重篤な副作用としては乳酸アシドーシスがあり，経口摂取が困難な場合や，脱水，肝・腎・心・肺機能障害，下垂体・副腎機能不全者には使用しない．腎血流量を低下させる薬剤（レニン・アンギオテンシン系阻害薬，利尿薬など）の使用では腎機能が急激に悪化する場合があるので注意を要する[9]．

小児における有効性に関しては，松浦ら[10]が行ったわが国の小児・思春期2型糖尿病におけるメトホルミン単独療法による多施設共同研究によると，10～20歳の合計38例の対象で24週間観察した結果，HbA1c値，空腹時血糖値，血清脂質などの項目について統計学的に有意な改善を認めた．そして乳酸アシドーシスを含む重篤な副作用は報告されず，メトホルミンの有効性と安全性が確認された．一方，アメリカで行われた多施設共同大規模研究であるTODAY（Treatment Options

表9 現在わが国で使用できるインスリンを除く血糖降下薬（2021年7月現在）

ビグアナイド薬	メトホルミン
SU薬	グリベンクラミド，グリクラジド，グリメピリド
グリニド薬	ナテグリニド，ミチグリニド，レパグリニド
チアゾリジン薬	ピオグリタゾン
αグルコシダーゼ阻害薬	アカルボース，ボグリボース，ミグリトール
DPP-4阻害薬	1日1～2回：シタグリプチン，ビルダグリプチン，アログリプチン，リナグリプチン，テネリグリプチン，アナグリプチン，サキサグリプチン 週1回：トレラグリプチン，オマリグリプチン
GLP-1受容体作動薬	週1～2回：リラグルチド，エキセナチド，リキシセナチド 週1回：持続性エキセナチド，デュラグルチド，セマグルチド 経口：セマグルチド
SGLT-2阻害薬	イプラグリフロジン，ダパグリフロジン，ルセオグリフロジン，トホグリフロジン，カナグリフロジン，エンパグリフロジン

for Type 2 Diabetes in Adolescents and Youth）study[11]では，10～17歳の合計927名の新規発症小児・思春期2型糖尿病において，中央値2か月の観察期間で90%の症例がメトホルミン単独療法でHbA1c値8.0%未満を達成した．しかしながら追跡調査においては，メトホルミン単独療法で長期にわたり良好な血糖コントロールを維持するのは困難で，6か月の観察期間でメトホルミン単独療法によりHbA1c値8.0%未満を維持している症例は半数に減少し，一方メトホルミンとチアゾリジン薬のロシグリタゾンを併用している症例ではHbA1c値8.0%未満を維持している症例が統計学的有意に高かった[7]．さらにロシグリタゾンを併用している症例はメトホルミン単独療法の症例に比べてインスリン感受性と内因性インスリン分泌能が改善されていた[12]．

わが国での小児2型糖尿病におけるメトホルミンの使用量は，1日500～1,000 mg（朝・夕食前あるいは食後）で開始することが多く，最大量は10歳以上の症例において1日2,000 mg（メトグルコ®に限られる）である．

▶SU薬

SU薬の血糖降下作用は，SU受容体を介するインスリン分泌促進である．インスリン分泌が比較的保たれているインスリン非依存の症例に用いる．高度の肥満などインスリン抵抗性の強い患者には，よい適応でない．症例によってごく少量でも低血糖を起こすことがあるので注意を要する．また服用により体重増加をきたしやすいので食事療法を確実に実行する[9]．近年では，SU受容体への結合能がグリベンクラミド，グリクラジドより弱いが，末梢組織でのインスリン抵抗性改善など膵外作用を有するグリメピリドが汎用されている．

グリメピリドの血糖コントロールに対する有効性は，8～17歳の263名の2型糖尿病患者をグリメピリド132名とメトホルミン131名の2群に分けた無作為盲目的比較試験において，同等であったと報告されている．そして血糖50 mg/dL未満の低血糖は低頻度で，BMIの増加はメトホルミンに比べ有意に多かったが軽度であった[13]．

SU薬は小児でもインスリン抵抗性の少ない非肥満例に対して使用できるが，小児におけるグリメピリド使用量としては，1日0.5～1.0 mg（朝あるいは夕食後）の少量で開始することが多く，1日3.0 mgの最大量まで増量する症例は少ない．

▶その他の血糖降下薬

αグルコシダーゼ阻害薬は，腸管からの糖の吸収を遅延させる作用があり，食前に投与することで食後の高血糖を抑制する．単独使用では低血糖発生のリスクは少ない．

チアゾリジン薬は，わが国ではピオグリタゾンのみが使用されている．脂肪細胞の分化促進因子であるperoxisome proliferator-activated receptor（PPAR）-γのアゴニストであり，末梢組織でのインスリン抵抗改善作用が主作用でインスリン分泌促進作用はない．体重が増加しやすいので食事療法を確実に実行する．また浮腫を生じやすく，心不全の発生に注意を要する[9]．

インクレチン関連薬であるglucagon-like peptide 1（GLP-1）受容体作動薬は，インスリン分泌が保たれている症例が適応になり，製剤により1日1～2回あるいは週1回皮下注射する．膵β細胞膜上のGLP-1受容体に結合し，高血糖の場合にのみインスリン分泌を促進するため低血糖発生のリスクは少ない．このほかにグルカゴン分泌抑制，食欲低下，膵β細胞保護作用など多彩な作用を有する．リラグルチドは原則として1日0.9 mgを維持量とするが，1日0.3～0.6 mgで有効なケースもある．有害事象として初期に消化器症状の発現頻度が高いが，急性膵炎の発生に注意を要する[9]．現在週1回の注射薬や経口薬も販売している．dipeptidyl-peptidase 4（DPP-4）阻害薬は，GLP-1の分解・不活性化を緩慢にするが，GLP-1受容体作動薬に比べてグ

ルカゴン分泌抑制効果は弱い[9]．経口投与で低血糖発生のリスクが低いことにより，成人では使用頻度が増加している．

sodium-dependent glucose transporter 2（SGLT-2）阻害薬は，近位尿細管からのブドウ糖再吸収を抑制することで，尿糖排泄を促進し，血糖低下作用がみられる．また体重減少が期待される．単独使用では低血糖発生のリスクは少ない．全身倦怠，悪心，嘔吐，腹痛を伴う場合には，血糖値が正常近くてもケトアシドーシス（正常血糖ケトアシドーシス）の可能性があるので，血中ケトン体の測定が必要である．その他の有害事象として，脱水や尿路感染症，外陰部感染症がある[9]．一部のSGLT-2阻害薬でインスリンとの併用療法が適応拡大となっている．

③インスリン療法

小児2型糖尿病のインスリン療法では，最初のステップとして基礎インスリンの単独投与あるいは基礎インスリンと経口血糖降下薬の併用療法が奨励されている[5]．基礎インスリンの併用でも目標血糖値が達成できない場合には，食前の追加インスリンを1日1回あるいは2回投与し，最終的には基礎―追加インスリン療法に移行する．追加インスリンの投与は1日で最も炭水化物の多い食事からはじめるのがよいであろう．用いる基礎インスリン製剤としては，持効型溶解インスリンを1日1回投与し，最初は1日体重当たり0.3～0.5単位を朝あるいは就寝前に投与し，目標血糖値を達成するのに最大体重1kg当たり1.5単位まで増量する[5]．非肥満2型糖尿病では，経時的な内因性インスリン分泌の低下に伴いインスリン治療に移行する症例が多い．

2型糖尿病に使用する基礎インスリンでは，持効型溶解インスリンが有効であるが，1日のスケジュールが一定である症例では，薬物動態がより平坦で持続時間が長いデグルデクあるいはグラルギンXRを使用し，1日のスケジュールが安定していない症例では，スケジュールに合わせて投与量が変更可能なデテミルあるいはグラルギンが使用しやすい．

2）今後の展望

小児2型糖尿病では使用許可されている血糖降下薬が限られており，また小児科医の2型糖尿病に対する薬物療法の経験が少ないために，患者とその家族にインフォームドコンセントを得た後に，考えられる範囲での薬物療法が試みられているのが現状である．小児における血糖降下薬の適応を増やすために，今後小児を対象とした種々の薬剤の大規模研究，治験の実施が望まれる．一方，小児肥満に伴う2型糖尿病数の増加は世界的な問題であり[5]，今後は2型糖尿病を主としたメタボリックシンドロームに対する1次予防対策が広く行われるべきであろう．

❖ 文献

1) Constantino MI, et al.：Long-term complications and mortality in young-onset diabetes. Type 2 diabetes is more hazardous and lethal than type 1 diabetes. *Diabetes Care* 36：3863-3869, 2013
2) 日本糖尿病学会, 他（編著）：小児・思春期糖尿病コンセンサス・ガイドライン．南江堂，2015
3) Urakami T, et al.：Clinical characteristics of non-obese children with type 2 diabetes mellitus without involvement of β-cell autoimmunity. *Diabetes Res Clin Pract* 99：105-111, 2013
4) Urakami T, et al.：Pharmacologic treatment strategies in children with type 2 diabetes mellitus. *Clin Pediatr Endocrinol* 22：1-8, 2013
5) Zeitler P, et al.：ISPAD Clinical Practice Consensus Guidelines 2018：Type 2 diabetes mellitus in youth. *Pediatr Diabetes* 19（Suppl. 27）：28-46, 2018
6) 日本糖尿病学会（編著）：小児・思春期における糖尿病．糖尿病治療ガイド 2020-2021．文光堂，99-100，2020 https://www.mhlw.go.jp/stf/newpage_08517.html（2021年7月1日アクセス）
7) TODAY Study Group：A clinical trial to maintain glycemic control in youth with type 2 diabetes. *N Engl J Med* 366：2247-2256, 2012
8) Nambam B, et al.：A cross-sectional view of the current state of treatment of youth with type 2 diabetes in the USA：enrollment data from the Pediatric Diabetes Consortium Type 2 Diabetes Registry. *Pediatr Diabetes* 18：222-229, 2017
9) 日本糖尿病学会（編著）：経口薬療法および注射薬療法．糖尿病治療ガイド 2020-2021．文光堂，58-74，2020
10) 松浦信夫, 他：小児2型糖尿病に対するメトホルミン単独療法．糖尿病 51：427-434, 2008
11) Laffel L, et al.：Metformin monotherapy in youth with recent onset T2DM；experience from the prerandomization run-in phase of the TODAY study. *Pediatr Diabetes* 13：369-75, 2012
12) TODAY Study Group：Effects of metformin, metformin plus rosiglitazone, and metformin plus lifestyle on insulin sensitivity and β-cell function in TODAY. *Diabetes Care* 36：1749-1757, 2013
13) Gottschalk M, et al.：Glimepiride versus metformin as monotherapy in pediatric patients with type 2 diabetes. a randomized, single-blind comparative study. *Diabetes Care* 30：790-794, 2007

〈浦上達彦〉

3 その他，特定の機序・疾患によるもの

1. 遺伝因子として遺伝子異常が同定されたもの（単一遺伝子異常糖尿病）

1）定義・概念

日本糖尿病学会による糖尿病の成因分類においては，1型，2型糖尿病に分類されない「その他の特定の機序・疾患によるもの」を，「A. 遺伝因子として遺伝子異常が同定されたもの」「B. 他の疾患，条件に伴うもの」に分類し，Aはさらに，「(1)膵β細胞機能にかかわる遺伝子異常」「(2)インスリン作用の伝達機構にかかわる遺伝子異常」に分類されている．

分子遺伝学の進歩は糖尿病領域でも著しく，この分類に属する糖尿病の理解は，ここ10年で大きく進み，遺伝子パネルによる関連遺伝子の網羅的解析が臨床の現場でも実用化されている．その結果，①臨床的に1型，2型として分類されていた糖尿病のなかに，単一遺伝子異常による糖尿病がみつかる，②新生児糖尿病の原因遺伝子とされている遺伝子異常が，小児期や成人期発症例にみつかる，③常染色体顕性遺伝する家族性糖尿病の原因とされている遺伝子異常が，孤発例でみつかる，などの例が日常的に報告されており，臨床的診断名と成因的分類との関係を今一度整理し，理解することが必要である[1,2]．

2）病因・病態と管理・予後

a. 膵β細胞機能にかかわる遺伝子異常

①新生児糖尿病関連遺伝子

通常，生後6か月以内に発症する糖尿病を新生児糖尿病と総称することが多い．大別して，持続性糖尿病（persistent neonatal diabetes：PNDM）と一過性糖尿病（transient neonatal diabetes：TNDM）とに分類される．

PNDMの成因として多いのは，膵β細胞におけるATP感受性K（K_{ATP}）チャネルを構成するサブユニットであるKir6.2（KCNJ11）あるいはSUR1（ABCC8）の片アリル変異と，インスリン遺伝子（INS）の片アリル変異によるものである[2]．それ以外には，GCK, EIF2AK3, FOXP3などが新生児糖尿病の原因遺伝子として報告されている．

Kir6.2（KCNJ11）とSUR1（ABCC8）は，膵β細胞におけるインスリン分泌反応の経路において重要な位置を占めるK_{ATP}チャネルの構成分子であり，その機能獲得型変異により先天性高インスリン血症，機能喪失型変異により新生児糖尿病を発症する．新生児糖尿病では，KCNJ11の変異によるものが最も頻度が高い．

KCNJ11の変異は，その変異部位と，PNDM，発達遅滞を伴うPNDM（DEND症候群），TNDMなどの病型との間にある程度相関があることが知られている．また，TNDMの新生児と家系内成人発症の糖尿病で変異の連鎖が発見される場合がある．

K_{ATP}チャネル構成分子の変異による糖尿病と診断された場合，90%程度はSU薬が有効であり，インスリン治療から離脱できる可能性も高い．必要量は体重当たりに換算すると成人2型糖尿病より多く，典型的にはグリベンクラミドで0.5 mg/kg/日ほどとされる[2]．変異部位とSU薬の有効性に関連が認められている．

INSの変異は，新生児糖尿病から，1型糖尿病（特発性）やMODYと診断されている例や，異常インスリン症として成人年齢で診断される例まで，病型や診断年齢は幅広いことが判明しており，変異の部位も多岐にわたり，診断時の病型や年齢と明確な相関は必ずしも認められない[3〜5]（図15）．新生児糖尿病や1型糖尿病（特発性）として臨床診断されているようなインスリン依存例では，変異インスリン分子の構造変化により膵β細胞からの分泌に支障をきたし，そして小胞体ストレスから膵β細胞のアポトーシスをきたし，インスリン分泌が低下することが想定されている．

これら新生児糖尿病関連遺伝子変異による糖尿病の多くは *de novo* 変異で発症するが，発端者からは理論的に顕性遺伝するため，診断後の遺伝カウンセリングも重要である．

TNDMは新生児糖尿病の〜60%程度を占める．原因が判明している例の約2/3は，6番染色体長腕（6p24）部位の父性由来アリルの過剰発現によるものである．新生児期に糖尿病を発症後，中央値12週で改善し，以降治療を要しなくなるが，最終的には約50%が再発するとされる[6]．それ以外には，前述のようにPNDMの原因遺伝子であるKCNJ11やABCC8の変異などにより，TNDMの病像を呈する場合があることが示されている[7]．

②MODY遺伝子

古典的には，3世代にわたって若年（通常25歳未満）発症し，顕性遺伝が想定される糖尿病をMODYと総称することが多い．非肥満でインスリン分泌低下を主体とし，インスリン依存状態ではない家族歴の濃厚な糖尿病は，欧米白人では1型や肥満によるインスリン抵抗性が主体の2型とは区別しやすく，単一遺伝子異常による顕性遺伝形式の糖尿病としての疾患単位が設定されたと考えられる．

そのような経緯から，当初MODYとして報告された家系において発見された原因遺伝子の多くは，膵β細

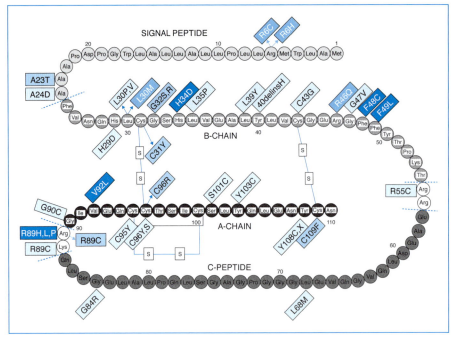

図15 インスリン遺伝子異常による糖尿病と臨床診断名
□ 新生児糖尿病, □ 1型糖尿病(特発性), ■ MODY, ■ 異常インスリン症
として臨床診断されていた患者の遺伝子変異の部位例を示す
〔Edghill EL, et al.：Insulin mutation screening in 1,044 patients with diabetes：mutations in the INS gene are a common cause of neonatal diabetes but a rare cause of diabetes diagnosed in childhood or adulthood. *Diabetes* 57：1034-1042, 2008/Moritani M, et al.：Identification of INS and KCNJ11 gene mutations in type 1B diabetes in Japanese children with onset of diabetes before 5 years of age. *Pediatr Diabetes* 14：112-120, 2013/Nishi M, et al.：Insulin gene mutations and diabetes. *J Diabetes Investig* 2：92-100, 2011 を集約改変〕

胞の発生に関与する転写遺伝子であり, 一部が膵β細胞の糖感知に関連する遺伝子であった. 一方で, ヘテロ接合性変異で糖尿病を発症する遺伝子はMODY様式をとる可能性があり, 新生児糖尿病の原因遺伝子として報告されているものが, MODY形式をとる家系でも認められている. 今後も報告される遺伝子は増えていくものと思われる.

欧米においては, MODY3(イギリスなど, HNF1A変異)やMODY2(フランスなど, GCK変異)の頻度が高いと報告されている. 日本においてはMODY3の頻度が比較的高い以外は, 既知の遺伝子の頻度は低く, 未知のものが大部分を占めると報告されてきたが, 最近MODY2が日本においても頻度が高いことが理解されてきており, MODYとして報告される対象集団により, 原因遺伝子の頻度は異なる[1,2].

日本においては, 2型糖尿病においてもインスリン分泌不全の影響が強い例が多く, 成人2型糖尿病のなかからインスリン分泌低下が成因の主体であるMODY遺伝子変異による糖尿病を選別することは困難を伴う. 症例が少なく, ある意味疾患としての純度が高い小児期発症例を発端者とした家系解析を行うことで, 今後も日本人においてMODY様式をとる糖尿病の原因遺伝子の診断につながることが期待される.

③主要なMODY遺伝子異常による糖尿病の特徴(表10)

▶MODY3(HNF1A遺伝子)

HNF-1αは肝臓および膵臓で主として発現する転写因子であり, 膵では膵内分泌・外分泌細胞に主として発現している. HNF1Aの標的遺伝子はインスリン, GLUT-2, IGF-I, E-cadherinなどβ細胞の糖認識からインスリン分泌に至る経路の様々なステップに関与していることから, 単一遺伝子異常によりインスリン分泌低下を伴う糖尿病を発症すると考えられる. 変異保有者の60%以上が25歳までに発症している[8].

臨床像は多彩で, 尿細管での尿糖再吸収閾値が低いことより, 学校検尿で最初, 腎性糖尿とされることもあり, 尿糖陽性で軽度のうちに発見されることも多い. 妊娠糖尿病での発見もあり, さらに1型糖尿病と鑑別が困難なほどインスリン分泌不全が高度なこともある. 一般的に早期にはインスリン分泌は保たれ, SU薬への感受性もよいが, ブドウ糖刺激に対して選択的にインスリン分泌は障害されている. 加齢とともに次

表10 おもなMODYの臨床的特徴

	MODY1	MODY2	MODY3	MODY4	MODY5	MODY6
責任遺伝子	HNF4A	GCK	HNF1A	IPF1	HNF1B	NEUROD1
頻度	比較的まれ	比較的多い	比較的多い	まれ	比較的まれ	まれ
高血糖出現時期	思春期〜成人早期	出生時	思春期〜成人早期	成人早期	思春期〜成人早期	不明
耐糖能重症度	軽度から進行(一部急激)	軽度，加齢でやや悪化	軽度から進行(一部急激)	不明	軽度から進行．インスリン抵抗性あり	不明
三大合併症	高頻度	まれ	高頻度	不明	高頻度	不明
ほかの特徴	時に新生児一過性高インスリン性低血糖症	低出生体重(胎児のみ患者の場合)	尿細管糖再吸収閾値低下，SU薬感受性亢進	homozygoteは膵無形成	先天性腎囊胞，腎機能低下 腎・泌尿生殖器形態異常	不明

〔日本糖尿病学会，他(編・著):単一遺伝子糖尿病．小児・思春期糖尿病コンセンサス・ガイドライン．南江堂，26-30, 2015/ Hattersley AT, et al.: ISPAD Clinical Practice Consensus Guidelines 2018: The diagnosis and management of monogenic diabetes in children and adolescents. Pediatr Diabetes 19(Suppl. 27):47-63, 2018〕

第にインスリン分泌が低下し，インスリン治療を要することが多くなる．網膜症などの合併症も比較的多いとされる．

▶MODY2(GCK遺伝子)

膵β細胞でのインスリン分泌経路のトリガーであるグルコキナーゼ(glucokinase:GCK)の片アリル変異により，血糖値に対するインスリン分泌閾値の上昇から，通常，肥満を伴わない空腹時血糖高値を特徴とする軽症の糖尿病，耐糖能異常を呈する．血糖上昇時のインスリン分泌は保たれている．学校検尿など偶然の機会で診断され，家系検索で家族が軽症糖尿病あるいは糖尿病予備群と診断されていることが多いが，孤発例もある．欧米で多く，従来日本人には少ないとされてきたが，創始者効果をもつ変異がないのに民族差が大きいのは奇異であり，小児科領域からの多数の報告をきっかけに，日本でも頻度が高いことが判明している．

家系内の非罹患者との比較からは糖尿病性合併症はまれとされているが[9]，HbA1cがある程度高値である例への治療介入を行うべきか，妊娠糖尿病と診断されたときの対応など，今後さらに検討が必要である．両アリル変異では新生児糖尿病の病像を呈する．

▶MODY5(HNF1B遺伝子)

HNF-1βはHNF-1αと同じくatypical homeodomain型転写因子で，膵臓以外にも泌尿生殖器系臓器に発現している．膵臓ではHNF-1αと異なり，導管細胞における発現が強い．腎囊胞や腎機能障害，腎・泌尿生殖器形態異常を合併する比率が高く，HNF-1β異常症全体からみると糖尿病の発症は部分的であるともいえ[10]，renal cysts and diabetes syndrome(RCAD)という概念が提唱されている．遺伝子異常は，de novo変異や欠失例が多く，腎疾患や糖尿病の家族歴は診断に不可欠ではない．糖尿病としては，インスリン分泌低下はMODY3に比してやや軽いが，通常，肝臓由来インスリン抵抗性を伴っている．

▶MODY1(HNF4A遺伝子)

HNF-4αはHNF-1αと同様に肝臓，膵臓，腎などに発現しており，MODY3に比べて頻度は低いが，同様の痩せ型でインスリン分泌不全型糖尿病を生じる．高出生体重児で生まれ，新生児期に一過性高インスリン性低血糖症を起こすことがある．

④ミトコンドリア遺伝子異常による糖尿病

ミトコンドリアは細胞において電子伝達系によるエネルギー(ATP)産生を担う臓器であり，機能低下により特にエネルギー代謝の活発な脳，筋肉，膵β細胞などが障害を受けやすい．膵β細胞においては，ミトコンドリアで産生されるATPがインスリン分泌過程で重要な役割をもつため，その機能低下は進行性インスリン分泌不全型の糖尿病をきたす．原因としては，ミトコンドリア脳筋症・乳酸アシドーシス・脳卒中様発作症候群(mitochondrial encephalomyopathy, lactic acidosis and stroke-like episodes:MELAS)と同じく，ミトコンドリア遺伝子の3243(A-G)変異が最も多いことが知られている．臨床的には母系遺伝で，感音難聴や低身長を伴っていることが多いことに留意する．糖尿病は初期には食事療法や経口血糖降下薬に反応するが，後にインスリン治療が必要になる．メトホルミンの使用は，乳酸アシドーシスのリスクを高めるので控える．

⑤Wolfram症候群〔diabetes inspidus, diabetes mellitus, optic atrophy, deafness(DIDMOAD)症候群〕

5歳前後発症のインスリン分泌不全による糖尿病に引き続き，視神経萎縮(視力障害)，尿崩症，感音難聴などをきたす．おもな責任遺伝子(WFS1)にコードさ

表11 代表的なインスリン抵抗性を示す遺伝子異常の特徴

	発症	臨床所見	黒色表皮腫	アンドロゲン過剰と多毛症	インスリン濃度	遺伝子異常
レプリコニズム	先天性	特異顔貌，巨大外陰部，SGA出生，成長遅滞；乳児期生存はまれ	あり〜著明	＋＋＋，PCOS	＋＋＋	インスリン受容体，両アリル
Rabson-Mendenhall	先天性	著明な成長遅滞，異常歯列	あり〜著明	＋＋，PCOS	＋＋＋	インスリン受容体，両アリル
タイプA受容体異常症	思春期以降	非肥満でのインスリン抵抗性	あり〜著明	＋＋＋，PCOS	＋＋＋	インスリン受容体
先天性脂肪萎縮性糖尿病	先天性ないし思春期以降	皮下脂肪の欠損一部分的ないし全身性	あり〜著明かも	＋＋，PCOS±	＋＋	全身性：BSCLやAGPAT2（両アリル）部分性：LMNAやPPARG（片アリル）

PCOS：polycystic ovary syndrome（多囊胞性卵巣症候群）

れる蛋白は小胞体に存在し，この蛋白が機能しない細胞は小胞体ストレスに脆弱であることが原因と考えられている．主として神経変性による合併症のため，30歳ほどで死亡する．

b．インスリン作用の伝達機構にかかわる遺伝子異常（表11）

インスリン作用の伝達機構にかかわる遺伝子異常では，肥満を伴わないインスリン濃度の著明な増加，黒色表皮腫，アンドロゲン過剰症（多囊胞性卵巣など）を生じる．

インスリン受容体遺伝子異常としては，両アリル変異を認めるレプリコニズム（leprechaunism；妖精症），Rabson-Mendenhall症候群と，片アリル変異を認めるタイプA受容体異常症がある．レプリコニズム，Rabson-Mendenhall症候群は子宮内発育遅延，低出生体重，成長遅滞，特徴的な顔貌を認め，インスリン治療に抵抗性が強い．IGF-Ⅰ投与なども試みられている．タイプA受容体異常症は，初期にはメトホルミンが有効なこともある．

先天性脂肪萎縮性糖尿病は，全身性（BSCL遺伝子，AGPAT2遺伝子など），部分的（LMNA遺伝子，PPARG遺伝子など）に分類される．全身性では出生時より全身の脂肪組織消失と肝腫大があり，10歳前後で糖尿病が顕在化する．部分性では小児期以降に四肢の脂肪組織が消失し，腹腔内など他部位の脂肪組織は保たれる．治療薬としてメトホルミンが試みられることが多いが，特に全身性脂肪萎縮性糖尿病におけるインスリン抵抗性，糖脂質代謝異常の主要な原因がレプチン欠乏であることが示され，レプチン補充療法（メトレレプチン注射）が保険適用となっている．

❖ 文献

1) 日本糖尿病学会，他（編・著）：単一遺伝子糖尿病．小児・思春期糖尿病コンセンサス・ガイドライン．南江堂，26-30，2015
2) Hattersley AT, et al.：ISPAD Clinical Practice Consensus Guidelines 2018：The diagnosis and management of monogenic diabetes in children and adolescents. Pediatr Diabetes 19（Suppl. 27）：47-63, 2018
3) Edghill EL, et al.：Insulin mutation screening in 1,044 patients with diabetes：mutations in the INS gene are a common cause of neonatal diabetes but a rare cause of diabetes diagnosed in childhood or adulthood. Diabetes 57：1034-1042, 2008
4) Moritani M, et al.：Identification of INS and KCNJ11 gene mutations in type 1B diabetes in Japanese children with onset of diabetes before 5 years of age. Pediatr Diabetes 14：112-120, 2013
5) Nishi M, et al.：Insulin gene mutations and diabetes. J Diabetes Investig 2：92-100, 2011
6) Temple IK, et al.：Transient neonatal diabetes, a disorder of imprinting. J Med Genet 39：872-875, 2002
7) Flanagan SE, et al.：Mutations in ATP-sensitive K+channel genes cause transient neonatal diabetes and permanent diabetes in childhood or adulthood. Diabetes 56：1930-1937, 2007
8) Murphy R, et al.：Clinical implications of a molecular genetic classification of monogenic beta-cell diabetes. Nat Clin Pract Endocrinol Metab 4：200-213, 2008
9) Steele AM, et al.：Prevalence of vascular complications among patients with glucokinase mutations and prolonged, mild hyperglycemia. JAMA 311：279-286, 2014
10) Clissold RL, et al.：HNF1B-associated renal and extra-renal disease-an expanding clinical spectrum. Nat Rev Nephrol 11：102-112, 2015

（横田一郎）

2. 他の疾患・条件に伴うもの

1）定義・概念（表12）[1]

日本糖尿病学会の「糖尿病と糖代謝異常の成因分類」のうち「Ⅲ-B．他の疾患，条件に伴うもの」として，①膵外分泌疾患，②内分泌疾患，③肝疾患，④薬剤や

表 12　糖尿病と糖代謝異常の成因分類

```
Ⅲ．その他の特定の機序，疾患によるもの
 B．他の疾患，条件に伴うもの
  1）膵外分泌疾患
    膵炎，外傷/膵摘出術，腫瘍，ヘモクロマトー
    シス，その他
  2）内分泌疾患
    Cushing 症候群，先端巨大症，褐色細胞腫，グル
    カゴノーマ，アルドステロン症，甲状腺機能亢進
    症，ソマトスタチノーマ，その他
  3）肝疾患
    慢性肝炎，肝硬変，その他
  4）薬剤や化学物質によるもの
    グルココルチコイド，インターフェロン，その他
  5）感染症
    先天性風疹，サイトメガロウイルス，その他
  6）免疫機序によるまれな病態
    インスリン受容体抗体，stiffman 症候群，インス
    リン自己免疫症候群
  7）その他の遺伝的症候群で糖尿病を伴うことの多い
    もの
    Down 症候群，Prader-Willi 症候群，Turner 症候
    群，Klinefelter 症候群，Werner 症候群，Wolfram
    症候群，セルロプラスミン低下症，脂肪萎縮性糖
    尿病，筋強直性ディストロフィー，Friedreich 失
    調症，Laurence-Moon-Biedl 症候群，その他
```

［糖尿病診断基準に関する調査検討委員会：糖尿病の分類と診断基準に関する委員会報告（国際標準化対応版）．糖尿病 55：485-504，2012 より一部改変］

化学物質によるもの，⑤感染症，⑥免疫機序によるまれな病態，⑦その他の遺伝的症候群で糖尿病を伴うことの多いもの，がある[1]．

2）病因・病態

a．膵外分泌疾患

①膵炎

膵性糖尿病を合併する慢性膵炎の原因は，アルコール性 77.3%，特発性 14.4%，胆石性 2.0% と報告されている[2]．その 40～60% はインスリン分泌の低反応がみられ[3]，さらにアルギニン刺激によるグルカゴンの反応も低いため膵 α 細胞の障害も伴う．インスリンならびにグルカゴンの分泌障害のため，血糖変動が大きく，低血糖になりやすい，グルカゴン分泌低下で低血糖の回復が遅れる，必要なインスリン量は少なくなる傾向がある，そして遊離脂肪酸の動員が低下しケトアシドーシスになりにくい[2]．

一方急性膵炎に伴う糖代謝異常は，膵 β 細胞の障害によるインスリン分泌低下であり，発症初期にみられ重症例ほど高率である．再発のない急性膵炎では，約 50% で高血糖がみられるが一過性のことが多い．ただしなかにはインスリン分泌低下を認めないものもあり，血中グルカゴンの上昇やカテコラミン分泌亢進による血糖上昇の可能性もある[2]．自己免疫性膵炎は，その 66.5% に糖尿病の合併が認められ，膵島へのリンパ球浸潤や線維化に伴う膵 β 細胞の障害によるインスリン分泌低下が原因と考えられている．ステロイド治療で糖代謝異常が治癒，あるいは改善が得られると報告されている．

小児の膵炎の原因は，外傷や膵胆管系の先天異常，SPINK1 遺伝子変異による遺伝性膵炎が知られている．

②膵外傷・膵摘出術

膵切除後の耐糖能の低下は，膵切除範囲と線維化の程度が関与し，実験的には膵の 90% 以上を切除しないと糖尿病は顕在化しないが，耐糖能異常やインスリン分泌低下は 50% 以下の切除でも認められる[4]．全摘出では，膵 β 細胞と α 細胞が消失するためにグルカゴン分泌不全も生じる．そのため必要インスリン量は少ないが血糖変動が大きく，低血糖になりやすい．

加えて頻回の低血糖の結果，低血糖に対するエピネフリンの反応も低下している可能性がある．さらに膵外分泌機能低下により栄養障害も併発し，治療に難渋することが多い[2]．

③腫瘍（膵癌）

膵癌患者の糖尿病既往歴は 17.7% と報告され，膵島への直接浸潤に加え，主膵管閉塞による膵管内圧の上昇や炎症による障害，インスリン感受性の低下の可能性が考えられている．

さらに，膵 β 細胞の機能障害を引き起こすメディエーターとして adrenomedullin の関与が報告されている[5]．

小児では極めてまれであるが，遺伝性膵炎，家族性大腸腺腫ポリポーシス，Peutz-Jeghers 症候群など遺伝性疾患では膵癌発生率が高いと報告されている．

④ヘモクロマトーシス

ヘモクロマトーシスは常染色体潜性遺伝の鉄代謝異常症である遺伝性ヘモクロマトーシスと，鉄過剰が原因となる続発性ヘモクロマトーシスに大別される．臨床的には肝臓，膵 β 細胞，皮下への鉄沈着により肝硬変，糖尿病，皮膚色素沈着などが認められ，進行したヘモクロマトーシスではインスリン分泌低下が生じるが膵 α 細胞機能は維持され，膵 β 細胞への選択的な鉄沈着が生じていると考えられている．ヘモクロマトーシスの約 75～80% に耐糖能異常が生じ，このうち 50～60% が顕性糖尿病である[6]．

⑤その他

常染色体潜性遺伝である嚢胞性線維症は極めてまれな疾患であるが，75% に耐糖能異常を認める．線維による著明な膵島構築の乱れがインスリン分泌低下に関係すると考えられている．

II 各 論

b. 内分泌疾患

① Cushing 症候群

Cushing 症候群による耐糖能異常は，糖尿病型が36%，境界型が17～35%，サブクリニカル Cushing 症候群で糖尿病型22%，境界型23%と報告されている．グルココルチコイドによる耐糖能異常は，糖新生系酵素(phosphoenolpyruvate carboxykinase など)発現誘導・活性亢進による糖新生亢進とインスリン抵抗性である．グルココルチコイドは，脂肪分解や筋組織での蛋白分解を促進し，遊離脂肪酸やアミノ酸のような糖新生の基質となる物質を上昇させる．一方で，GLUT4 の細胞内トランスロケーションやブドウ糖のリン酸化を抑制することでインスリン抵抗性が増強し，筋肉での糖の取り込みを低下させる[7]．罹病期間が長期に及ぶことで，膵β細胞の疲弊や脂肪毒性によりインスリン分泌が低下し，耐糖能異常が生じると考えられている．

② 先端巨大症

先端巨大症による耐糖能異常は，糖尿病型が19～56%，境界型が16～31%と報告されている．GH 過剰が，肝臓や筋肉で GLUT1，GLUT4 の発現を抑制し，骨格筋や脂肪組織での糖利用の低下や，肝臓からの糖放出，遊離脂肪酸によるインスリン抵抗性を引き起こすと考えられている[8]．

③ 褐色細胞腫

褐色細胞腫による耐糖能異常はカテコラミン過剰によるものであり，耐糖能異常の合併頻度は25～75%とされ，わが国では糖尿病型が38%，境界型が50%と報告されている．カテコラミンは，アドレナリン受容体を介してインスリン分泌を調整する．褐色細胞腫では，膵β細胞のα_1アドレナリン受容体を介する抑制系が優位となりインスリン分泌が抑制される一方で，グルカゴン分泌を促進する．α_2受容体およびβ_1受容体刺激は脂肪分解，β_2受容体刺激は肝臓でのグリコーゲン分解と糖新生を促進し，ブドウ糖取り込みを抑制してインスリン抵抗性を惹起する．またβ_3アドレナリン受容体を介して，エネルギー消費と脂肪分解を促進する．アドレナリンはさらに，乳酸やアラニンなどの糖新生の前駆体を動員し糖新生を行う．これら様々な機序で耐糖能異常が生じると考えられている[9]．

④ グルカゴノーマ

グルカゴノーマによる耐糖能異常は70～90%に認め，その2/3は糖尿病型を示すと報告されている．グルカゴンはグリコーゲン分解，糖新生を亢進し耐糖能異常を生じると考えられている．

⑤ 原発性アルドステロン症

原発性アルドステロン症による耐糖能異常は，低カリウム血症によるインスリン分泌低下によると考えられている．さらにアルドステロンが骨格筋におけるインスリンシグナルやブドウ糖取り込みを阻害し，インスリン抵抗性を生じることも報告されている．

⑥ 甲状腺機能亢進症

甲状腺機能亢進症による耐糖能異常は30～70%に認め，糖尿病型は2～10%と報告されている．

甲状腺ホルモン過剰が，脂肪分解や蛋白分解を促進し糖新生の基質を増加，また糖新生酵素活性を亢進し肝臓での糖新生を増加させると考えられている．また，胃腸運動の亢進により食後過血糖(oxyhyperglycemia)となる．これらに対して，インスリン分泌が代償できなくなり糖尿病を発症すると考えられている．1型糖尿病との合併例も多く，共通した発症機序である可能性も考えられている．

⑦ ソマトスタチノーマ

腹痛や下痢，胆石，耐糖能異常などを呈するまれな疾患で，SRIF によるインスリン分泌抑制が耐糖能異常を引き起こすと考えられている．

⑧ その他

原発性副甲状腺機能亢進症による耐糖能異常は40%に認め，低リン血症によるインスリン感受性低下の可能性が考えられている．

c. 肝疾患

① 慢性肝炎

非アルコール性脂肪性肝炎の有病率は，わが国では男性が41%，女性が17.7%と報告されている[10]．

非アルコール性脂肪性肝炎による耐糖能異常は30～45%に認め，肝線維化の程度や内臓肥満，高トリグリセリド血症と関連して，肝臓や脂肪組織，骨格筋でインスリン抵抗性を認め，62%に糖尿病を合併することが報告されている[11]．これら病態にはセレノプロテイン P および LECT2 という高血糖，肥満に関連する遺伝子が同定され，ヘパトカインという概念が報告されている[12]．また C 型慢性肝炎では，C 型肝炎ウイルスのコア蛋白が，TNF-αなどのサイトカインを介してインスリン抵抗性を増強すると考えられている．

② 肝硬変

肝硬変による耐糖能異常は約50～80%に認め，30%が糖尿病であると報告されている[13]．インスリン抵抗性ならびに高インスリン血症があり，高インスリン血症はインスリン抵抗性に対する膵β細胞の代償作用と，門脈―体循環のシャント形成や肝機能低下によるインスリンクリアランス低下によるものと考えられている．2型糖尿病に比べ，家族歴が低率で肥満との関連も少ないのが特徴的である．

d. 薬剤や化学物質によるもの

①グルココルチコイド

グルココルチコイド治療に伴うステロイド糖尿病は，年齢や家族歴，投与量にもよるが6〜25%と報告されている[14]．肝臓での糖新生亢進，骨格筋や脂肪組織におけるインスリン受容体への親和性の低下，受容体結合後のシグナル伝達の阻害，GLUT4のトランスロケーション阻害による糖取り込みの抑制，末梢組織からのアミノ酸放出によるグルカゴンの上昇，食欲増進作用などが原因として考えられている[15]．糖尿病の家族歴や肥満などがリスク因子となる．血糖上昇はステロイドの作用時間に影響され，プレドニンの場合には朝の投与で昼食後から夜にかけて血糖が上昇することが多い．またデキサメタゾンの場合は力価がプレドニンの約6倍で作用時間も長いため，高血糖が数日間遷延する可能性がある．吸入薬や外用薬では発症リスクは低いとされている．

②抗悪性腫瘍薬

免疫チェックポイント阻害薬のprogrammed cell death-1（PD-1）阻害薬（ニボルマブ，ペムブロリズマブ）による耐糖能異常は，PD-1/PD-1リガンド経路の阻害から免疫活性化を介した膵β細胞の破壊によると考えられる劇症1型糖尿病の発症が報告されている．

分子標的薬であるmammalian target of rapamycin（mTOR）阻害薬（エベロリムス，テムシロリムス）による耐糖能異常は，インスリン受容体からのシグナル伝達阻害によると考えられている．またニロチニブ塩酸塩水和物などのチロシンキナーゼ阻害薬も高血糖をきたす．L-アスパラギナーゼによる耐糖能異常は，アスパラギン代謝障害による膵β細胞のインスリン分泌低下によると考えられ，投与中止で改善する．LH-RH作動薬や抗アンドロゲン薬による耐糖能異常は，性ホルモン産生低下により内臓脂肪が増加し，インスリン抵抗性の増強によるものと考えられている[16]．

③抗精神病薬

オランザピン，クエチアピンフマル酸塩，クロザピンは，糖尿病患者またはその既往のある患者に対しては禁忌または原則禁忌である．また，リスペリドン，ペロスピロン塩酸塩水和物，ブロナンセリン，アリピプラゾールも，糖尿病の家族歴，高血糖，肥満などの糖尿病の危険因子を有する患者には慎重投与となっている．現時点では糖尿病発症の機序は不明であるが，薬理作用であるドパミン受容体およびセロトニン受容体の阻害作用が，食欲亢進，肥満，脂肪組織量を増加させ，インスリン抵抗性を増強すると考えられている．多くは投与後6か月以内に耐糖能異常を引き起こすと報告されている[17]．

④その他の薬剤

インターフェロンによる耐糖能異常は，TNF-αの産生亢進によるインスリン受容体以降のシグナル伝達の抑制，インスリン拮抗ホルモンの上昇，末梢組織のGLUT4発現低下による糖取り込みの低下，さらに膵島関連自己抗体の出現によると考えられている．

サイアザイドによる耐糖能異常は，K低下に基づく膵β細胞からのインスリン分泌低下が考えられている．

α，βアドレナリン作動薬による耐糖能異常は，肝臓での糖新生を増加させることによると考えられている．$α_2$作動薬はインスリン分泌を抑制し，$β_2$作動薬はインスリン分泌を促進する一方で，肝臓での糖新生やグリコーゲン分解を促進し糖放出が増加する．

エストロゲンは，グルココルチコイド分泌を促進し，インスリン抵抗性を増強する．

ジフェニルヒダントインによる耐糖能異常は，用量依存性にNa-K-Mg ATPaseポンプを介して細胞内Naイオンが減少することで，膵β細胞の興奮を抑制することによると考えられている．

免疫抑制薬のシクロスポリンやタクロリムス水和物による耐糖能異常は，カルシニューリンおよびnuclear factor of activated T-cells（NFAT）を介して誘発されるインスリン遺伝子発現を抑制することでインスリン合成と分泌を障害すると考えられている．投与量依存性であり，可逆性と考えられている．

ニコチン酸の高用量投与による耐糖能異常は，肝臓での糖新生を増加させ，末梢のインスリン抵抗性を増強させるためと考えられている．

ジアゾキシドは，膵β細胞のATP感受性Kチャネルのスルホニル尿素受容体に作用して開口し，細胞膜の脱分極を阻害してCaイオンの流入が抑制されることでインスリン分泌抑制作用を有する．

e. 感染症

①1型糖尿病

先天性風疹症候群では，12〜20%が5〜20年後に1型糖尿病を発症すると報告されている．風疹ウイルスやサイトメガロウイルス，コクサッキーBウイルス，ムンプスウイルス，Epstein-Barrウイルス感染による耐糖能異常は，ウイルスによる膵β細胞の直接障害や自己免疫反応によるもので，多くは1型糖尿病の先行感染と考えられている．これらウイルス感染から膵β細胞を特異的に破壊する抗原特異性Tリンパ球が生じるメカニズムは明らかではないが，エピトープの一つが膵β細胞のエピトープと構造的に類似しているため交差免疫が生じるものと考えられている[18]．

II 各　論

②その他

わが国の2型糖尿病における肝炎ウイルスの発症頻度は，B型肝炎(11.9%)よりもC型肝炎(20.9%)のほうが高く，C型肝炎ウイルスと，肝の脂肪化，インスリン抵抗性との関連が報告されている[19]．

また近年 *H. pylori* 感染と糖尿病との関連で，*H. pylori* 感染の慢性炎症によるサイトカインの産生や，胃からのグレリン産生抑制がインスリン抵抗性を増強し，2型糖尿病の発症率が2倍以上になるとも報告されている[20]．

さらに敗血症にも高血糖が認められ，予後不良の予測因子として重要視されている．

f. 免疫機序によるまれな病態

インスリン受容体抗体によるインスリン受容体異常症B型や，抗GAD抗体によるstiffman症候群の耐糖能異常が知られている．stiffman症候群は持続性の全身性筋硬直と発作性有痛性筋けいれんを主症状とするまれな疾患で，65%に抗GAD抗体が陽性で，30～40%に1型糖尿病を合併すると報告されている[21]．インスリン自己免疫症候群は，チアマゾール，チオプロニン，グルタチオンなどSH基を有する薬剤内服歴のある場合に多く，SH基がヒトインスリン分子のS-S結合を切断し，インスリン分子のエピトープが露出することで自己抗原になると推定されている．自己抗体により高インスリン血症となるが，この自己抗体がインスリンから遊離すると重症の低血糖を引き起こす．

IPEX症候群は，1型糖尿病や甲状腺機能低下症などの多発性内分泌異常，難治性下痢を呈する染色体Xp11.23に位置するFOXP3遺伝子を責任遺伝子としたX連鎖性遺伝形式をとる疾患で，皮疹や自己免疫性溶血性貧血，血小板減少，易感染性なども併発し，通常乳幼児期に発症する．Tregの発生・分化，機能障害のために様々な自己免疫疾患を併発し，適切な診断，治療が行われないと予後不良となることが多い．

ataxia-telangiectasiaは小児期早期から発症し，染色体11q22.3に位置するATM遺伝子異常による潜性遺伝の疾患で，小脳性失調(ataxia)，眼球結膜と皮膚の毛細血管拡張(telangiectasia)，細胞性免疫不全が特徴的である．インスリン抵抗性を主体とする耐糖能異常を約50%に認めると報告されている[22]．

g. その他の遺伝的症候群で糖尿病を伴うことの多いもの

耐糖能異常を引き起こす染色体異常として，Down症候群，Turner症候群，Klinefelter症候群がある．また肥満と関連してインスリン抵抗性により耐糖能異常を引き起こす遺伝的症候群として，Prader-Willi症候群，Laurence-Moon-Biedl症候群，Bardet-Biedl症候群が知られている．Werner症候群による耐糖能異常は，インスリン受容体以降の障害によるインスリン抵抗性と考えられ，糖尿病型が55%，境界型が22%に認められると報告されている．若年発症の糖尿病と視神経萎縮を主症状とするWolfram症候群や，セルロプラスミン低下をきたすWilson病，Menkes症候群も耐糖能異常を引き起こす．脂肪萎縮性糖尿病は，皮下脂肪組織の欠損に伴いインスリン抵抗性を呈し耐糖能異常を引き起こす．

❖ 文献

1) 糖尿病診断基準に関する調査検討委員会：糖尿病の分類と診断基準に関する委員会報告(国際標準化対応版)．糖尿病 55：485-504，2012
2) 伊藤鉄英，他：難治性膵疾患に関する調査研究II．慢性膵炎 膵性糖尿病の全国実態調査(2005年)最終報告．難治性膵疾患に関する調査研究　平成20年度総括・分担研究報告書(厚生労働科学研究費補助金難治性疾患克服研究事業)，139-146，2009
3) 葛谷信明：その他の特定の機序，疾患によるもの．垂井清一郎，他(編)，最新糖尿病学—基礎と臨床—．朝倉書店，202-213，2012
4) Kendall DM, *et al.*：Effects of hemipancreatectomy on insulin secretion and glucose tolerance in healthy humans. *N Engl J Med* 322：898-903, 1990
5) Aggarwal G, *et al.*：Adrenomedullin is up-regulated in patients with pancreatic cancer and causes insulin resistance in β cells and mice. *Gastroenterology* 143：1510-1517, 2012
6) Bulaj ZI, *et al.*：Disease-related conditions in relatives of patients with hemochromatosis. *N Engl J Med* 343：1529-1535, 2000
7) 武田則之，他：二次性糖尿病および各種疾患・薬剤による耐糖能異常　グルココルチコイド過剰症と糖代謝異常．日本臨牀 60(増刊7)：703-708，2002
8) 大月道夫：二次性糖尿病 内分泌疾患による糖尿病 先端巨大症．日本臨牀 70(増刊5)：149-152，2012
9) 田辺晶代，他：二次性糖尿病 内分泌疾患による糖尿病 褐色細胞腫．日本臨牀 70(増刊5)：153-157，2012
10) Eguchi Y, *et al.*：Prevalence and associated metabolic factors of nonalcoholic fatty liver disease in the general population from 2009 to 2010 in Japan：a multicenter large etrospective study. *J Gastroenterol* 47：586-595, 2012
11) Jimba S, *et al.*：Prevalence of non-alcoholic fatty liver disease and its association with impaired glucose metabolism in Japanese adults. *Diabet Med* 22：1141-1145, 2005
12) Lan F, *et al.*：LECT2 functions as a hepatokine that links obesity to skeletal muscle insulin resistance. *Diabetes* 63：1649-1664, 2014
13) Shmueli E, *et al.*：Liver disease, carbohydrate metabolism and diabetes. *Baillieres Clin Endocrinol Metab* 6：719-743, 1992
14) 福井道明，他：二次性糖尿病　薬剤性糖尿病．日本臨牀 70(増刊5)：170-174，2012
15) Hwang JL, *et al.*：Steroid-induced diabetes：a clinical and molecular approach to understanding and treatment. *Diabetes Metab Res Rev* 30：96-102, 2014

16) Smith MR, et al.：Insulin sensitivity during combined androgen blockade for prostate cancer. *J Clin Endocrinol Metab* 91：1305-1308, 2006
17) American Diabetes Association, et al.：Consensus development conference on Antipsychotic drugs and obesity and diabetes. *Diabetes Care* 27：596-601, 2004
18) Afonso G, et al.：Infectious triggers in type 1 diabetes：is there a case for epitope mimicry? *Diabetes Obes Metab* 15（Suppl. 3）：82-88, 2013
19) Arao M, et al.：Prevalence of diabetes mellitus in Japanese patients infected chronically with hepatitis C virus. *J Gastroenterol* 38：355-360, 2003
20) Jeon CY, et al.：Helicobacter pylori infection is associated with an increased rate of diabetes. *Diabetes Care* 35：520-525, 2012
21) Dalakas MC：Advances in the pathogenesis and treatment of patients with stiff person syndrome. *Curr Neurol Neurosci Rep* 8：48-55, 2008
22) Blevins LS Jr, et al.：Insulin-resistant diabetes mellitus in a black woman with ataxia-telangiectasia. *South Med J* 89：619-621, 1996

（田久保憲行）

3．妊娠糖尿病

1）定義・概念

妊娠中に取り扱う糖代謝異常（hyperglycemic disorders in pregnancy）には，①妊娠糖尿病（gestational diabetes mellitus：GDM），②妊娠中の明らかな糖尿病（overt diabetes in pregnancy），③糖尿病合併妊娠（pregestational diabetes mellitus）の三つがある．

わが国のGDMの概念は「妊娠中の糖認容性の低下を認めるが分娩後に正常化するもの」とされ，診断基準としては1984年に日本産科婦人科学会が提案した診断指針が使用されてきた[1]．しかし，この定義では分娩後まで診断が確定しないなどの問題を認めたため，日本産科婦人科学会では1995年に「妊娠中に発症したか，またははじめて認識された耐糖能低下」と定義した．同様に，日本糖尿病学会でも1999年に「妊娠中に発症したか，はじめて発見された耐糖能低下」と定義した．しかし，これらの定義では軽度のGDMから妊娠時にはじめて発見された糖尿病患者までがGDMと診断されるという問題があった．

また，GDMの診断基準が国際的に統一されていなかったため，周産期合併症に基づく世界共通の診断基準の作成を目的としてHyperglycemia and Adverse Pregnancy Outcomes（HAPO）studyが行われた．HAPO studyのデータから，母体血糖値と児の出生体重，児体脂肪量，臍帯血C-ペプチドと強く相関することが明らかとなった[2]．国際糖尿病妊娠学会（International Association of Diabetes and Pregnancy Study Groups：IADPSG）では，HAPO studyの75 g OGTTにおける負荷前血糖値，1時間値，2時間値をそれぞれ7段階に分けて，プライマリーアウトカムを出生時体重90パーセンタイル以上，初回帝王切開率，新生児低血糖症，臍帯血C-ペプチド90パーセンタイル以上とし，7段階のなかで最も血糖値が低いコントロールと比較し，それぞれのアウトカムにおいてオッズ比が1.75となる血糖値を算出して各々の平均値をカットオフ値とした．その結果，負荷前血糖値92 mg/dL以上，1時間値180 mg/dL以上，2時間値153 mg/dL以上となり，このうち1点以上を満たすものをGDMと診断し，妊娠時の明らかな糖尿病はGDMから除外する新しい診断基準を勧告した[3]．本基準の採用により，わが国の妊娠中・後期のGDM頻度は2.1%から8.5%程度に増加するとされた[4]．

2）病因・病態

妊娠時，特に妊娠中期以降ではインスリン抵抗性が増大する．その原因としては胎盤で産生されるヒト胎盤ラクトーゲン，ヒト胎盤GH，エストロゲン，プロゲステロンなどのインスリン拮抗ホルモン，TNF-α，レプチン，レジスチン，アディポネクチンなどのアディポサイトカインの関与が指摘されている．妊娠後期では，妊娠前期および非妊娠時に比べてインスリン感受性が50～60%低下することがグルコースクランプ法で示されており（図16）[5]，その他にも同様の結果が報告され，妊娠後期にはインスリン抵抗性が増大することが明らかにされている．健常妊婦ではインスリン抵抗性に対応してインスリン分泌が増加し，血糖値

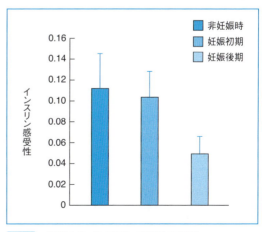

図16　妊娠中のインスリン感受性の推移
グルコースクランプ法を用いて，非妊娠時，妊娠初期（妊娠12～14週），妊娠後期（妊娠34～36週）のインスリン感受性を解析，n=6
［Catalano PM：Obesity, insulin resistance, and pregnancy outcome. *Reproduction* 140：365-371, 2010 より改変］

の上昇はみられない．しかし，遺伝的な素因と肥満などによる慢性的なインスリン抵抗性が存在し，膵β細胞の代償的なインスリン分泌が低下していると，インスリン需要量の増大に対応できなくなって血糖値が上昇する．分娩後は胎盤が摘出されるために胎盤由来のインスリン拮抗物質が消失し，インスリン抵抗性は急激に改善されて血糖値も改善する．

妊娠経過中の母体高血糖は，母体にとっては流早産，妊娠高血圧症候群，羊水過多症，帝王切開などの産科的合併症のリスクとなる．児にとっては，胎児死亡，先天異常，高出生体重児，肩甲難産による分娩時外傷，相対的な低酸素症とそれに伴う多血症および高ビリルビン血症，新生児低血糖症や呼吸窮迫症候群などの原因となる（表13[6]，図17[6,7]）．妊娠期間中の母体の厳格な血糖コントロールを維持することで，これらの母児合併症のリスクを減少することができると報告されている[8]．

3）診断と検査法

GDMのスクリーニングは糖尿病家族歴，肥満，高出生体重児出産の既往，加齢などのリスク因子だけでは見逃される症例が多いため，全妊婦に随時血糖，空腹時血糖，glucose challenge test（GCT）などの耐糖能の

表13 糖代謝異常合併妊娠の母児併発症

1. 母体併発症
   - 流産
   - 早産
   - 妊娠高血圧症候群
   - 羊水過多症
   - 高出生体重児に基づく難産
2. 児併発症
   ① 胎児・新生児併発症
   - 先天異常・形成異常
   - 高出生体重児
   - 肩甲難産に伴う分娩時外傷
   - 胎児発育不全
   - 胎児機能不全，胎児死亡
   - 新生児低血糖症
   - 新生児高ビリルビン血症
   - 新生児低カルシウム血症
   - 新生児呼吸窮迫症候群
   - 新生児多血症
   - 新生児心筋症
   ② 将来の併発症
   - 糖尿病
   - 肥満・メタボリックシンドローム

〔日本糖尿病学会：糖尿病と妊娠．日本糖尿病学会（編著），糖尿病専門医研修ガイドブック―日本糖尿病学会専門医取得のための研修必携ガイド．改訂第8版，診断と治療社，377-382，2020〕

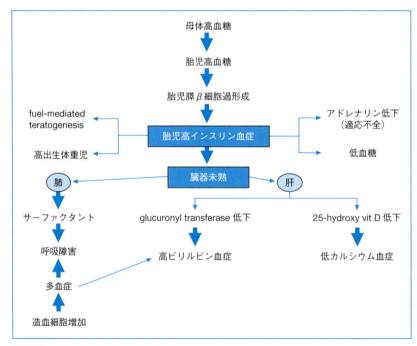

図17 Pedersenによるhyperglycemia-hyperinsulinism theory

〔Weiss PAM：Diabetes in pregnancy：lessons from the fetus. In：Dornhorst A, et al.（eds），*Diabetes and Pregnancy：An International Approach to Diagnosis and Management*. Wiley & Sons, Chichester, 221-240, 1996/日本糖尿病学会：糖尿病と妊娠．日本糖尿病学会（編著），糖尿病専門医研修ガイドブック―日本糖尿病学会専門医取得のための研修必携ガイド．改訂第8版，診断と治療社，377-382，2020 より改変〕

スクリーニング法を併用することが望ましい．

わが国におけるGDMのスクリーニングは，妊娠初期の随時血糖法と妊娠中期の50 g GCT法あるいは随時血糖法を用い，2段階で行うことが推奨されている．妊娠初期随時血糖値がカットオフ値(95もしくは100 mg/dL)未満の陰性と，陽性であったが75 g OGTTによりGDMあるいは妊娠中の明らかな糖尿病と診断されなかった妊婦に対して，中期(24～28週)に50 g GCT法(≧140 mg/dLを陽性)を行う．ただし，50 g GCT法が施行困難な場合にはやや感度が劣るが随時血糖法(≧100 mg/dLを陽性)でもよい．75 g OGTTはスクリーニング検査陽性妊婦に行い，GDMの診断基準(表14)を満たすか確認する[9]．

日本人は2型糖尿病のハイリスク人種であり，妊娠前からすでに2型糖尿病を発症している例もある．そのため妊娠初期の高血糖による母児への悪影響を鑑み，妊娠初期からスクリーニングを行うことが重要である．ただし，IADPSGは妊娠初期におけるGDMの診断基準が妥当性のないことを提言として示した[10]．

4) 治療法

a. 食事療法

母体の肥満や経過中の過度の体重増加は高出生体重児のリスクとなる．糖代謝異常妊婦に対する栄養管理の目標は，健全な児の発育と母体の良好な血糖コントロールを維持し，過度な体重変化をきたさないようにすることである．わが国では以前より非肥満妊婦の摂取エネルギーに関しては標準体重×30 kcalを基本とし，妊娠中に増大するエネルギー需要量の増大に対しては付加量を加え，肥満妊婦に対しては標準体重×30 kcalを基本とし，エネルギー付加は行わない方法が推奨されてきた．その場合，付加量に関しては，厚生労働省「日本人の食事摂取基準」(2020年版)の妊婦に対する付加量(初期+50 kcal，中期+250 kcal，末期+450 kcal)に準拠する方法が行われている場合が多い[11]．

b. 薬物療法

経口糖尿病薬は児の安全性に関する報告が不足しており，妊娠中の母体の必要インスリン量の変化には対応できないことも多い．また，多くの経口糖尿病薬とは異なりインスリンは通常では胎盤を通過しない．そのため，食事療法で十分な血糖コントロールが得られない糖代謝異常妊婦ではインスリン治療を行うことが推奨される．

糖代謝異常妊婦では，頻回注射法またはCSIIと血糖自己測定(self monitoring of blood glucose：SMBG)を併用して厳格な血糖コントロールを目指す強化インスリン療法が最も有用である．日本では，アメリカ食品医薬品局(Food and Drug Administration：FDA)分類で分類Bに該当する速効型インスリン，超速効型インスリンのインスリン アスパルト，インスリン リスプロ，中間型インスリン，持効型溶解インスリンのインスリン デテミルが使用されてきた．しかし，FDAは同分類が胎児へのリスクの程度の差を正確に伝達するもの

表14 現行のGDM診断基準(2015年)

1) 妊娠糖尿病 gestational diabetes mellitus (GDM)
   75 g OGTTにおいて次の基準の1点以上を満たした場合に診断する．
   ① 空腹時血糖値 ≧92 mg/dL (5.1 mmol/L)
   ② 1時間値 ≧180 mg/dL (10.0 mmol/L)
   ③ 2時間値 ≧153 mg/dL (8.5 mmol/L)
2) 妊娠中の明らかな糖尿病 overt diabetes in pregnancy (註1)
   以下のいずれかを満たした場合に診断する．
   ① 空腹時血糖値 ≧126 mg/dL
   ② HbA1c値 ≧6.5%
   * 随時血糖値≧200 mg/dL あるいは75 g OGTTで2時間値≧200 mg/dLの場合は，妊娠中の明らかな糖尿病の存在を念頭に置き，①または②の基準を満たすかどうか確認する．(註2)
3) 糖尿病合併妊娠 pregestational diabetes mellitus
   ① 妊娠前にすでに診断されている糖尿病
   ② 確実な糖尿病網膜症があるもの

註1．妊娠中の明らかな糖尿病には，妊娠前に見逃されていた糖尿病と，妊娠中の糖代謝の変化の影響を受けた糖代謝異常，および妊娠中に発症した1型糖尿病が含まれる．いずれも分娩後は診断の再確認が必要である．
註2．妊娠中，特に妊娠後期は妊娠による生理的なインスリン抵抗性の増大を反映して糖負荷後血糖値は非妊時よりも高値を示す．そのため，随時血糖値や75 g OGTT負荷後血糖値は非妊時の糖尿病診断基準をそのまま当てはめることはできない．
これらは妊娠中の基準であり，出産後は改めて非妊娠時の「糖尿病の診断基準」に基づき再評価することが必要である．

〔日本糖尿病・妊娠学会と日本糖尿病学会との合同委員会：妊娠中の糖代謝異常と診断基準の統一化について．糖尿病 58：802, 2015〕

II 各論

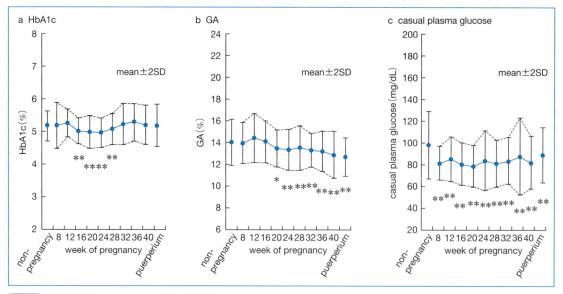

図18 正常妊婦の HbA1c, GA および血糖値

[Hiramatsu Y, et al.: Determination of reference intervals of glycated albumin and hemoglobin A1c in healthy pregnant Japanese women and analysis of their time courses and influencing factors during pregnancy. *Endocr J* 59: 145-151, 2012]

ではなかったこと, 誤って解釈, 使用されてきたことなどを受けて2015年6月より廃止した[12].

c. 血糖コントロール目標値

糖代謝異常妊娠の血糖管理目標についてのエビデンスは十分とはいえないが, 低血糖を回避しつつ, 空腹時血糖値95 mg/dL未満, 食後1時間値140 mg/dL未満, 食後2時間値120 mg/dL未満のコントロールが推奨されている[13]. 日本糖尿病・妊娠学会は, 周産期合併症とHbA1cおよびグリコアルブミン(glycoalbumin:GA)との関連性を検討し, 正常妊娠の基準値としてHbA1c 4.4〜5.7%, GA 11.5〜15.7%と定めた(図18)[14]. 妊娠中は鉄代謝が変化するので, HbA1cよりもGAを用いることが多く, 15.8%未満をコントロール目標値とする. HbA1cでは5.8%未満が参考値として用いられている.

5) 管理と予後

GDM既往女性は, 将来の2型糖尿病発症のハイリスク群であり, 産後数年以降のみならず, 産後早期より耐糖能異常を発症する頻度が高い. GDM既往女性67万人の産後28年までのフォローアップでの2型糖尿病発症率は健常女性の7.43倍とされている. さらにGDM既往女性は次回妊娠においてGDMの発症率が高いことが知られている[15]. GDM既往女性においては, 妊娠による糖代謝への影響がなくなる分娩後6〜12週時に75g OGTTを行い, 耐糖能の再評価を行うことが推奨される. さらに, GDM既往女性は耐糖能異常のみならずメタボリックシンドロームの発症リスク

が高いことが知られており, 分娩後初回のOGTTで正常型と判断された場合であっても定期的なフォローアップが望まれる. 現在, わが国における糖代謝異常妊婦の実態を明らかにし, さらに母児の予後へ及ぼす影響について検討し, 糖代謝異常妊婦の妊娠転帰の改善のみならず女性および次世代の糖尿病発症予防に寄与することを目的として, 妊娠糖尿病・糖尿病合併妊婦の妊娠転帰および母児の長期予後に関する登録データベース構築による多施設前向き研究である Diabetes and Pregnancy Outcome for Mother and Baby Study (DREAMBee Study) が行われている.

❖ 文献

1) 妊婦の糖尿病診断基準ならびに管理検討小委員会:栄養代謝問題委員会報告―糖代謝異常妊婦とくに妊娠糖尿病の診断に関する指針(案). 日産婦会誌 36: 2055-2058, 1984
2) Metzger BE, et al.: HAPO Study Cooperative Research Group: Hyperglycemia and adverse pregnancy outcomes. *N Engl J Med* 358: 1991-2002, 2008
3) Metzger BE, et al.: International Association of Diabetes and Pregnancy Study Groups Consensus Panel: International association of diabetes and pregnancy study groups recommendations on the diagnosis and classification of hyperglycemia in pregnancy. *Diabetes Care* 33: 676-682, 2010
4) 増本由美:新しい妊娠糖尿病診断基準採用による妊娠糖尿病の頻度と周産期予後への影響. 糖尿病と妊娠 10: 88-91, 2010
5) Catalano PM: Obesity, insulin resistance, and pregnancy outcome. *Reproduction* 140: 365-371, 2010
6) 日本糖尿病学会:糖尿病と妊娠. 日本糖尿病学会(編著),

糖尿病専門医研修ガイドブック—日本糖尿病学会専門医取得のための研修必携ガイド．改訂第8版，診断と治療社，377-382，2020
7) Weiss PAM: Diabetes in pregnancy: lessons from the fetus. In: Dornhorst A, et al. (eds), Diabetes and Pregnancy: An International Approach to Diagnosis and Management. Wiley & Sons, Chichester, 221-240, 1996
8) Alwan, et al.: Treatments for gestational diabetes. Cochrane Database Syst Rev 2009: CD003395, 2009
9) 平松祐司，他：日本糖尿病・妊娠学会と日本糖尿病学会との合同委員会—妊娠中の糖代謝異常と診断基準の統一化について．糖尿病 58: 801-803, 2015
10) Mclntyre HD, et al.: Issues with the diagnosis and classification of hyperglycemia in early pregnancy. Diabetes Care 39: 53-54, 2016
11) 厚生労働省：日本人の食事摂取基準（2020年版）
12) U. S. Food and Drug Administration: Pregnancy and lactation labeling (drugs) Final Rule. https://www.fda.gov/drugs/labeling-information-drug-products/pregnancy-and-lactation-labeling-drugs-final-rule (accessed 2021-09-06)
13) American Diabetes association: Management of diabetes in Pregnancy. Diabetes Care 42 (Suppl. 1): S165-S172, 2019
14) Hiramatsu T, et al.: Determination of reference intervals of glycated albumin and hemoglobin A1c in healthy pregnant Japanese women and analysis of their time course and influencing factors during pregnancy. Endocr J 59: 145-151, 2012
15) Bellamy L, et al.: Type 2 diabetes mellitus after gestational diabetes: a systematic review and meta-analysis. Lancet 373: 1773-1779, 2009

（母坪智行）

C 糖尿病コントロールと合併症

1 糖尿病関連指標

糖尿病関連指標には，従来からの血糖値と糖代謝に関する指標に加え，持続血糖測定により得られる血糖管理の質を示す指標がある．

1) 血糖値に関する指標

a. 血糖値

血糖値は，糖尿病の診断と治療状況の評価に最も重要である．血液中のブドウ糖濃度を示すが，検体の種類・採取部位・添加剤の有無・採血後測定までの時間，測定法により変化するため，通常静脈血の血漿ブドウ糖濃度を指す．

全血検体は，血漿・血清検体より約10%低値となる．ヘマトクリット30%以下では血漿・血清検体より低値になるが，60%以上では血漿・血清検体より高値になる．ブドウ糖は末梢組織で消費されるため，静脈血は毛細血管血より数mg/dL，動脈血より10mg/dL低値である．採血後も血球細胞中の解糖系が進むため，非添加で室温保存すると約10%/時程度の低下を認める．glucose oxidase（GOD）法による測定では，血液中の溶存酸素分圧が大きいほど血糖値が低く測定されるため，動脈血検体，酸素投与中の患者検体では低くなる．フッ化物塩やクエン酸などの解糖阻止剤が添加された採血管を用いて静脈血検体を採取し，採取後速やかに血漿分離し測定することが重要である．

b. 簡易血糖測定

血糖値の簡易測定法として，医療従事者用のpoint-of-care testing（POCT）機器と，患者と家族が血糖値をモニターするためのself-monitoring of glucose（SMBG）とがある．POCTは，国際規格に基づく十分な精度を有するためベッドサイドでの評価に用いる．SMBGは，毛細血の全血検体での測定値を静脈血漿値に換算された数値を示すが，精度管理は十分とはいえずあくまでモニタリング用である．

c. 持続血糖モニター（continuous glucose monitoring：CGM）とその関連指標

CGM機器は，皮下組織に留置したセンサーにより皮下組織間質液中のブドウ糖濃度を，GODとブドウ糖との反応を電気信号に変換することで連続的に測定している．CGM測定値は厳密には血糖値ではなくsensor glucose（SG）値であるが，SMBGでは把握のむずかしい就寝中などの時間帯の血糖値と，上昇傾向か下降傾向かといった血糖変動を流れとして評価できる．sensor augmented pump（SAP）療法では，CGMと持続皮下インスリン注入療法（continuous subcutaneous insulin infusion：CSII）との連携により高血糖・低血糖，血糖値の上昇・下降推移の警告によりインスリン注入量を調整することが可能である．SMBGでの較正が必要なCGM機器のほかに較正が不要な機器をフラッシュグルコースモニタリング（flash glucose monitoring：FGM）と別に呼称することもあるが，日本糖尿病学会（The Japan Diabetes Society：JDS）ではともにCGM機器としている．表15に各CGM機器の特徴を示す．症例のニーズに応じた選択が望ましい．

CGM機器からは，平均SG値，推定A1c値に加え，ambulatory glucose profile（AGP）により得られる指標，time in range（TIR）などの血糖管理の質を示す指標が得られる．TIR・time below range（TBR）・time above range（TAR）は，血糖値の治療域（target range）を70～180 mg/dLとし，それぞれこの範囲内・低値域・高値域の測定回数または時間の割合である（図19）．TIR 70%であることでHbA1c 7.0%を達成する可能性があるとされて

II 各論

表15 CGM機器の種類と特徴

		センサー測定期間	データ収集と表示	特徴
ミニメド640Gシステム®		最長6日	5分ごとにモバイル器に無線送信し，ディスプレーに表示	リアルタイムCGM SMBGでの較正が必要 SAP療法が可能 アラート機能あり
FreeStyleリブレPro®		最長14日	8時間ごとのスキャンは不要	プロフェッショナルCGMでありリアルタイム表示ではない SMBGでの較正は不要 アラート機能なし
メドトロニックガーディアンコネクト®		最長6日	5分ごとにモバイル器に無線送信し，ディスプレーに表示	リアルタイムCGM SMBGでの較正が必要 アラート機能あり
Dexcom G4™ PLATINUMシステム		最長7日	5分ごとに無線でモニター器に送信し，ディスプレイに表示	リアルタイムCGM SMBGでの較正が必要 アラート機能あり
FreeStyleリブレ®		最長14日	8時間以内にリーダーでスキャンし表示	リアルタイムCGM SMBGでの較正は不要 アラート機能なし

〔写真提供：日本メドトロニック，アボットジャパン，テルモ〕

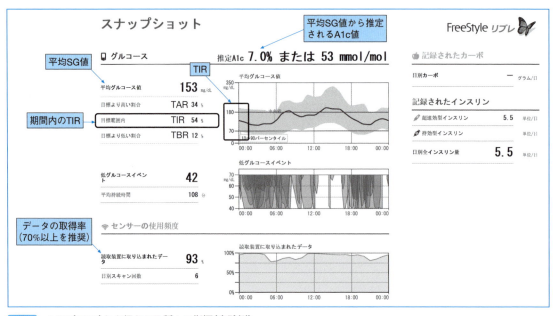

図19 CGM（FGM）から得られる種々の指標（自験例）

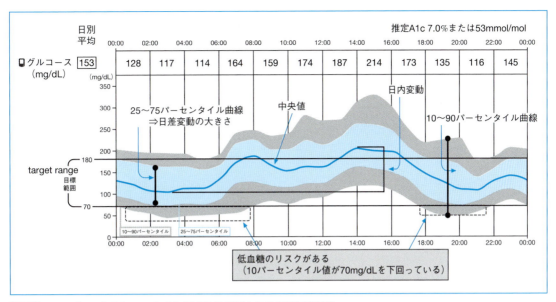

図20 CGM(FGM)でのAGPにより得られる指標とその意義(自験例)

いる[1]. AGPからは, SG値の中央値, 25〜75パーセンタイル値, 10〜90パーセンタイル値を示す曲線と帯により, 低血糖リスク, 日内変動・日差変動が評価でき, インスリン量の調節に役立っている(図20).

d. HbA1c

HbA1cは, ヘモグロビンβ鎖N末端のバリンに非酵素的化学反応で安定的に共有結合した糖化ヘモグロビン：β-N-(deoxyfructosyl)-Hbと定義されている. ペプタイドマッピング法により値づけされ標準化されている.

赤血球寿命に依存するため採血時の1〜2か月間の平均血糖値を反映する. The Diabetes Control and Complications Trial(DCCT)Research Groupでは, 細小・大血管合併症の発症と相関する指標であり, HbA1c 9.0%を合併症発症のハイリスク群と報告している[2].

2007年米国糖尿病学会(American Diabetes Association：ADA), 欧州糖尿病学会(European Association for the Study of Diabetes：EASD), 国際糖尿病連合(The International Diabetes Federation：IDF)と国際臨床化学連合(International Federation of Clinical Chemistry and Laboratory Medicine：IFCC)はHbA1c測定基準をIFCC法とした. HbA1c値の国際的な報告には, DCCTデータに追跡性のあるNational Glycohemoglobin Standardization Program(NGSP)値(%)とIFCC値(mmol/mol)を併記する.

$$IFCC(mmol/mol)=10.93×NGSP(\%)-23.52$$
$$NGSP(\%)=0.0915×IFCC(mmol/mol)+2.15^{3)}$$

評価に当たっては, 赤血球寿命の影響を受けるため, 出血・溶血, 鉄欠乏性貧血の回復期, 加齢や腎機能低下などにより低値となり, 異常ヘモグロビン血症では低値と高値のいずれも示す可能性があることを念頭におく必要がある.

わが国では, JDSにより, 標準物質が作成され標準化が図られてきたため, 2012年3月以前のHbA1c値はJDS値で表記されているため, NGSP値への換算が必要である.

$$NGSP(\%)=1.02×JDS(\%)+0.25^{4)}$$

e. グリコアルブミン(glycated albumin：GA)

アルブミンの半減期は約17日であるため, GA高値はヘモグロビンの半減期との相違から, 少なくとも2週間以内の高血糖状態の存在が示唆される. 短期間の血糖管理の改善・悪化の評価に有用な指標である. 赤血球寿命が短縮している血液透析中や新生児期の血糖管理の評価に適している.

アルブミンの糖化速度はヘモグロビンの約10倍と高いため, より鋭敏に高血糖を捉えることが可能である[5]. 同じHbA1c値であっても, 1型糖尿病患者ではGA値が2型糖尿病患者より高く, HbA1cは正常範囲内であっても, 肥満者ではGA高値がみられるなどより, 血糖変動の大きさや微細な血糖上昇の検出に有用である.

GA/HbA1c比は, 1型糖尿病患者では2型糖尿病・肥満者の2.8〜3.0に比して有意に高い. さらに, 同時測定でのGA/HbA1c比が大きいときには直近1〜2週間程度の血糖管理の悪化傾向, 小さいときには改善傾向が推察され, 短期の変動の傾向の評価に有用であ

る[6]．また，GA/HbA1c比は，通常の血糖管理下の1型糖尿病では，個人別にみると比較的狭い範囲で推移し，糖化蛋白の産生程度の違いを示すグリケーションギャップ(G-gap)との相関が高い．平均血糖値が同じでもHbA1cが同じにはならない，HbA1c実測値と推定HbA1c値との差(hemoglobin glycation index：HGI)と同様に個人内のヘモグロビン糖化の差の指標でもある[7]．

アルブミンの代謝異常をきたす状況ではGA測定値に影響をきたす．GAは，ネフローゼ症候群や甲状腺機能亢進症，熱傷受傷時はアルブミンの半減期の短縮により低値，甲状腺機能低下症，肝硬変，低栄養状態などではアルブミンの代謝遅延により高値を示すことがある．

f. 1,5-アンドロヒドログルシトール(1,5-AG)

1,5-AGの90％は食物由来で，ほとんど代謝されることなく糸球体で濾過され尿細管で1,5-AG／フルクトース／マンノース共輸送体により99％が再吸収されるため，血中1,5-AGはほぼ一定である．尿糖の排泄量の増加に伴い，再吸収が競合阻害され，血中濃度が低下する．比較的短期間の高血糖，特に食後高血糖による尿糖の排泄量と相関して低下するため，より厳密な血糖管理に用いられる〔正常：14.0 μg/mL以上(血糖値はほぼ160 mg/dL以下)，優良：10.0～13.9 μg/mL(200 mg/dL以下)，良好：6.0～9.9 μg/mL(200～300 mg/dL以下)，不良：2.9～5.9 μg/mL，極めて不良：1.9 μg/mL以下〕．

g. 空腹時インスリン

空腹時インスリンは，インスリン基礎分泌能の指標である．インスリン抗体と反応したインスリン量を示すためIRI(immuno-reactive insulin)と表記し，空腹時インスリンはFIRI(fasting IRI)と表記する．FIRIが15 μU/mL以上はインスリン感受性低下・抵抗性の存在を示唆する．

h. Cペプチド(C peptide)

Cペプチドは，内因性インスリン分泌能の指標で，C-peptide immunoreactivity(CPR)として測定される．通常はCPRの大部分がCペプチドであるが，プロインスリンや中間代謝産物にも交代が交差反応するため，異常プロインスリン血症，インスリン抗体陽性，インスリノーマによる高プロインスリンでは血清CPRは高値を示す．一方，プロインスリンは尿中排泄されないため，尿中CPRは影響を受けない．

インスリン依存状態では，空腹時血清CPR 0.5 ng/mL以下，尿中CPR 20 μg/日以下であり，劇症1型糖尿病でのインスリン欠乏状態の基準は，空腹時血清CPR 0.3 ng/mL以下，尿中CPR 10 μg/日以下である[8]．

異常インスリン血症では，CPR/IRIモル比が2以下(正常4以上)となる．

$$CRP(nmol/L) = CPR(ng/mL) \times 0.33$$
$$IRI(pmol/L) = IRI(\mu U/mL) \times 6$$

i. ケトン体

ケトン体は，アセトン，アセト酢酸(acetoacetic acid：AcAc)，3-ヒドロキシ酪酸(3-hydroxybutyric acid：3-OHBA)の総称で，脂肪の分解により肝臓でつくられる．インスリン濃度が低下するとホルモン感受性リパーゼが活性化し，脂肪組織の中性脂肪がグリセオールと遊離脂肪酸に分解される．遊離脂肪酸は肝臓に取り込まれ，β酸化を受けケトン体が産生される．拮抗ホルモン過剰をきたす内分泌疾患，飢餓，異化亢進をきたす状態で増加し，糖尿病での高値はインスリン欠乏を示す．総ケトン体は，ケトアシドーシスでは1,000 μmol/mL以上，ケトアシドーシスでは3,000～5,000 μmol/mL以上を示す．空腹時の正常値は血中AcAc 14～68 μmol/mL，3-OHBA 74 μmol/mL以下，総ケトン体28～120 μmol/mLである．ベッドサイドで血中3-OHBAの測定が可能な機器も発売されている．

2) インスリン抵抗性とインスリン分泌能の指標

a. 経口ブドウ糖負荷試験(oral glucose tolerance test：OGTT)

糖尿病の診断，インスリン分泌能の評価法に用いる．随時血糖が200 mg/dL以上のときは，危険であり行うべきではない．

早朝空腹時に1.75 g/kg標準体重(上限75 g)のブドウ糖液を5分程度で経口投与し，静脈血漿血糖値(plasma glucose：PG)とIRI値を，負荷前，負荷後30，60，90，120分に測定する．判定はJDSの判定基準に準拠する(図21)[9]．OGTTではWHO分類の耐糖能異常(impaired glucose tolerance：IGT)や，空腹時血糖異常(impaired fasting glycemia：IFG)の評価も行える．

①インスリン分泌指数(insulinogenic index：II)

OGTTでの負荷後30分間の血糖上昇に対するIRIの上昇の割合($\Delta IRI/\Delta PG$)である．糖負荷に対するインスリンの初期分泌能の指標である．成人ではOGTTが糖尿病型でなくても，0.4未満では糖尿病への移行の可能性が高いと考えられる．小児期では，低年齢ほど低値をとり，思春期には成人正常値よりも高い値をとることが報告されているため留意すべきである(平均値；1～3歳：0.53，4～6歳：0.62，7～11歳：1.10，12～16歳：1.34)[10]．

②wole-body insulin sensitivity index(WBISI)

ISI composite, Matsuda indexともいう．肝臓のみな

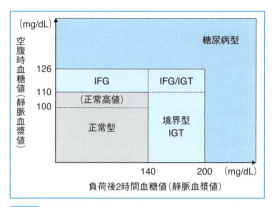

図21 空腹時血糖値および75 gOGTTによる判定区分
[清野 裕, 他：委員会報告 糖尿病の分類と診断基準に関する委員会報告(国際標準化対応版). 糖尿病 55：485-504, 2012より引用改変]

らず骨格筋を含めた全身のインスリン感受性を反映し，グルコースクランプ法による感受性とよく相関する．

$$WBISB = 10,000/\sqrt{[PG\ 0\ 分 \times IRI\ 0\ 分 \times 平均\ PG\ (PG\ 0 \sim 120\ 分値の平均) \times 平均\ IRI(IRI\ 0 \sim 120\ 分値の平均)]}$$

③disposition index（DI）

糖処理指数・インスリン抵抗性に対するβ細胞の代償性初期インスリン分泌の指数である．OGTTではDI＝II×WBISIより求める．耐糖能が悪化すると減少する．

b．インスリン抵抗性指標とインスリン分泌能指標

早朝時の空腹時の血中IRI値（FIRI）と血糖値（fasting plasma glucose：FPG）から求められ，血糖値140以下のときよく相関する．FPGとFIRIを空腹時に5分間隔で3回測定し，定常状態であることを確認する必要がある．インスリン抵抗性指標（homeostasis model assessment for insulin resistance：HOMA-R）はインスリン抵抗性を，インスリン分泌能指標（homeostasis model assessment for β cell function：HOMA-β）はインスリン基礎分泌能と相関するが，思春期では血中インスリン値が高く，IIの基準値が異なるように，成人での正常値は単純には代用できない．残念ながら明確な小児期のインスリン値の正常値がないため，これらの指標を用いる際は注意が必要である．

$$HOMA-R = FIRI(\mu U/mL) \times FPG(mg/dL)/405$$

1.6以下のときは正常，2.5以上のときはインスリン抵抗性の存在が示唆される．

$$HOMA-\beta(\%) = [FIRI(\mu U/mL) \times 360]/[FPG(mg/dL)-63]\ （日本人正常値40～60\%）$$

❖ 文献

1) Battelino T, et al.：Clinical targets for continuous glucose monitoring data interpretation：recommendations from the international consensus on time in range. Diabetes Care 42：1593-1603, 2019
2) Diabetes Control and Complications Trial Research Group, et al.：The effect of intensive treatment of diabetes on the development and progression of long-term complications in insulin-dependent diabetes mellitus. N Engl J Med 329：977-986, 1993
3) Hoelzel W, et al.：IFCC reference system for measurement of hemoglobin A1c in human blood and the national standardization schemes in the United States, Japan, and Sweden：a method-comparison study. Clin Chem 50：166-174, 2004
4) Kashiwagi A, et al.：International clinical harmonization of glycated hemoglobin in Japan：from Japan Diabetes Society to National Glycohemoglobin Standardization Program values. Diabetes Investig 3：39-40, 2012
5) Day JF, et al.：Nonenzymatic glucosylation of serum proteins and hemoglobin：response to changes in blood glucose levels in diabetic rats. Diabetes 29：524-527, 1980
6) Musha I, et al.：Estimation of glycaemic control in the past month using ratio of glycated albumin to HbA1c. Diabet Med 35：855-861, 2018
7) Akatsuka J, et al.：The ratio of glycated albumin to hemoglobin A1c measured in IFCC units accurately represents the glycation gap. Endocr J 62：161-172, 2015
8) 今川彰久, 他：委員会報告 1型糖尿病調査研究委員会報告—劇症1型糖尿病の新しい診断基準（2012）. 糖尿病 55：815-820, 2012
9) 清野 裕, 他：委員会報告 糖尿病の分類と診断基準に関する委員会報告（国際標準化対応版）. 糖尿病 55：485-504, 2012
10) 日本糖尿病学会, 他（編著）：検査法．小児・思春期糖尿病コンセンサス・ガイドライン．南江堂, 61, 2015

（望月美恵）

2 小児・思春期発症糖尿病合併症

糖尿病の慢性血管合併症には網膜症，腎症，神経障害，そして大血管障害がある．これらは多くの場合，臨床的に小児・思春期に発症することはまれである．

しかし，糖尿病発症2～3年後に血管の早期の機能的・構造的変化が起こってくる．よって，小児期から合併症の発症予防という観点から，定期的な合併症のスクリーニングを行う．合併症のスクリーニングの開始時期や方法については，国際小児思春期糖尿病学会（International Society for Pediatric and Adolescent Diabetes：ISPAD）のガイドラインを参考に行うのがよい．さらに，合併症のリスクを減少させる目標値もISPADのガイドラインが参考になる（表16, 17）[1]．

専門外来のある多くの地域からの報告によれば，1型糖尿病の合併症の発生率が低下してきている．それに対して，2型糖尿病の細小血管合併症の発生率は1

表16 血管合併症に対するスクリーニング，リスク因子，介入方法について

	スクリーニング開始時期	スクリーニング方法	リスク因子	介入方法
網膜症	10歳または思春期開始以降毎年，発症後2～5年以上	眼底写真または散瞳による検眼鏡検査(感度は低い)	高血糖，高血圧，脂質異常，BMI高値	血糖管理の改善，レーザー治療
腎症	10歳または思春期開始以降毎年，発症後2～5年以上	尿中アルブミン/クレアチニン比または早朝第一尿の尿中アルブミン濃度	高血圧，脂質異常，喫煙	血糖管理改善，ACEIまたはARB，降圧
神経障害	不明	病歴および身体所見	高血糖，BMI高値	血糖管理改善
大血管障害	10歳以降	5年ごとの脂質検査，血圧測定毎年	高血糖，高血圧，脂質異常，BMI高値，喫煙	血糖管理改善，降圧，スタチン

ACEI：angiotensin-converting enzyme inhibitors(アンギオテンシン変換酵素阻害薬)，ARB：angiotensin Ⅱ receptor blocker(アンギオテンシンⅡ受容体拮抗薬)，BMI：body mass index(体格指数)
〔Donaghue KC, et al.：ISPAD Clinical Practice Consensus Guidelines 2014. Microvascular and macrovascular complications in children and adolescents. Pediatr Diabetes 15(Suppl. 20)：257-269, 2014〕

表17 小児思春期1型糖尿病における細小血管障害と大血管症のリスクを減少させる目標値

項目	目標値
HbA1c(NGSP値)	重症低血糖なく 7.5%(＜58 mmol/moL)
LDL コレステロール	＜2.6 mmol/L(100 mg/dL)
HDL コレステロール	＞1.1 mmol/L(40 mg/dL)
トリグリセリド	＜1.7 mmol/L(150 mg/dL)
血圧	年齢性別身長別の 90 パーセンタイル未満，＜130/80(思春期)
ACR(尿中アルブミン/クレアチニン比)	＜2.5～25 mg/mmoL(30～300 mg/g)；男性 ＜3.5～25 mg/mmoL(42～300 mg/g)；女性(尿クレアチニン排泄量低値)
BMI	＜95 パーセンタイル(非肥満)
喫煙	なし
身体活動	毎日中等度の運動1時間超
静的活動	毎日2時間未満
健康的食事	年齢および正常発育に応じた適正なエネルギー 脂肪はエネルギー摂取の30% 未満，飽和脂肪は10% 未満 食物繊維は毎日 25～35 g 新鮮な果物や野菜を豊富に摂取する

〔Donaghue KC, et al.：ISPAD Clinical Practice Consensus Guidelines 2014. Microvascular and macrovascular complications in children and adolescents. Pediatr Diabetes 15(Suppl. 20)：257-269, 2014〕

型より多く認められる[2]．今後は2型糖尿病に対する治療の進歩により，合併症発症率の低下が期待される．

その他の合併症は最近の血糖コントロールの改善に伴い，長期間の血糖コントロール不良に伴う古典的な合併症は減少している．

1. 慢性血管合併症

網膜症

1) 定義・概念

慢性的な高血糖により網膜細小血管が傷害され，網膜や硝子体に多彩な病変を形成する血管原性疾患である．糖尿病の診断が確定もしくは疑われたとき，眼科を受診させ，網膜症の有無と病期を評価することが重要である．網膜症の病期は，①網膜症なし，②単純網膜症，③増殖前網膜症，④増殖網膜症の4期に分類される．また，視力障害を起こしうる他の眼合併症として，白内障や黄斑症がある．

2) 病因・病態

高血糖の持続によりもたらされる代謝異常はポリオール代謝経路の亢進，終末糖化産物の蓄積，プロテインキナーゼCの活性化などがあげられる．初期には網膜細小血管内皮細胞の機能異常，周皮細胞の脱落と血管壁の基底膜肥厚がみられる．進行すると細小血管が閉塞し，血管内皮増殖因子(vascular endothelial growth factor：VEGF)をはじめとしたサイトカインが放出され，新生血管が生じ，硝子体出血や網膜剝離をきたす．

3）臨床症候

網膜症は初期だけでなく進行した段階でも自覚症状を欠くことが多い．黄斑浮腫や硝子体出血，牽引性網膜剝離が起こったときにはじめて自覚される．小児期からの定期的なスクリーニングが重要なのはこの点からも明らかである．

4）診断と検査法

眼底検査によって網膜症の診断が可能である．病期の進行の評価には蛍光眼底検査などが行われる．自覚症状を欠くことが多いため，定期的な眼科受診が必要である．単純網膜症の病期までは年に 1 回程度，単純網膜症の中期以降は 3～6 か月に 1 回，増殖前網膜症以降は眼科医の指示に従う．

5）治療法と予後

増殖前網膜症以降はレーザー光凝固術による治療が行われ，新生血管の活動性を鎮静化し，網膜症の進展を抑制し，視力低下の進行を 50% 以上減少させる．

光凝固による副作用は夜盲様症状や黄斑浮腫を合併して視力低下をきたすことがある．硝子体出血や牽引性網膜剝離は原因となる増殖膜を取り除く硝子体手術を行うことで視力低下を防ぐ．黄斑症の黄斑浮腫に対して抗 VEGF 抗体を用いた薬物療法が行われている．

■腎症

1）定義・概念

糖尿病腎症は 500 mg/日以上の持続する蛋白尿もしくは 300 mg/日以上のアルブミン尿で定義され，通常高血圧と糸球体濾過率（glomerular filtration rate：GFR）の低下を伴う．微量アルブミン尿の出現をもって臨床的に発症する．その後，顕性蛋白尿，持続性蛋白尿へと進展し，さらに腎機能低下，末期腎不全へと進行する．

2）病因・病態

腎症の発症，進展は高血糖に起因する糸球体の特にメサンギウム細胞内の代謝異常，腎内の血行動態異常に基づく糸球体高血圧，さらに何らかの遺伝因子の関与により，メサンギウム細胞の細胞外基質産生増加とメサンギウム領域の拡大が起こり，糸球体硬化へと進展していく．

3）臨床症候

腎症は網膜症と同様に早期腎症までの時期は自覚症状がなく，顕性腎症になると，むくみ・息切れ・胸苦しさ・食欲低下・満腹感などの自覚症状が出現し，腎不全期以降では，顔色不良，易疲労感，悪心あるいは嘔吐，筋肉の強直，手のしびれや痛み，腹痛などの症状がみられる．

4）診断と検査法

確定診断は腎生検による病理診断だが，実際の臨床の場では腎生検はほとんど行われず，検尿所見，腎機能と臨床経過を総合的に判断して診断する．腎症がいったん顕性化すれば改善が困難となるため，早期発見が大切である．午前中の随時尿の尿中アルブミン値とクレアチニン値を日をかえて測定し，3 回中 2 回以上 30～299 mg/gCr であれば微量アルブミン尿と評価し，早期腎症と診断する．また，尿中アルブミン値と GFR により病期分類を行い，腎症の進展度や重症度を把握する．

5）治療法と予後

JDS より病期に応じた治療方針が示されている[3]．腎症は成長が止まった思春期以降に出現することが多いので，1 型，2 型ともに適正体重の維持（BMI＜25），食事内容の見直し（摂取エネルギー量，蛋白質摂取量，食塩や K など）が必要になる．血糖管理はいうまでもなく，血圧・脂質の管理も重要である．降圧薬としては，アンギオテンシン変換酵素阻害薬（ACEI）が推奨される．アンギオテンシンⅡ受容体拮抗薬（ARB）も ACEI 同様に効果があるが，小児では大規模には使用されていない．成人では両薬剤は多くの大規模試験が行われ，正常から早期腎症の発症，早期腎症から顕性腎症の進行，顕性腎症における腎機能低下を有意に抑制する．

■神経障害

1）定義・概念

慢性の高血糖を基盤として全身の末梢神経が障害される慢性合併症である．

糖尿病神経障害には，多発性神経障害と単神経障害があり，高頻度にみられるのは多発性神経障害である．

2）病因・病態

発症機序はポリオール代謝経路の亢進，フリーラジカル，脂質代謝異常，蛋白糖化，炎症性因子などが関与するとされるが，喫煙，高血圧なども神経障害進行にかかわることも明らかにされている．病理学的には遠位優位性軸索障害あるいは遡行性軸索変性と規定される．

3）臨床症候

多発神経障害は主として左右対称性の足趾や足底から症状がはじまる感覚・運動障害と自律神経障害の症状を呈する．足の裏の違和感，しびれ感，痛み，冷感，熱感などがみられる．感覚異常は徐々に上方に広がって靴下型の分布となり，上肢にも感覚異常が現れる．その後に運動神経機能の障害発症となる．

自律神経障害は起立性低血圧，嘔吐，下痢，膀胱障

害，勃起障害，発汗障害，対光反射異常，無自覚性低血糖などを引き起こす．

4）診断と検査法

末梢神経障害の評価はしびれ，持続する痛み，あるいは感覚異常などについて問診を行う．その後に，アキレス腱反射，振動覚検査，圧触覚検査などを行う．

自覚症状に加え，アキレス腱反射の減弱または消失と振動覚低下により診断する．自律神経障害の診断には，深呼吸負荷，起立時負荷，Valsalva 試験による心拍変動評価や起立試験などがある．わが国では，安静時および深呼吸時に心電図を記録して，R-R 間隔変動の時間領域解析法として，coefficient of variation of R-R intervals（CV_{R-R}）が頻用される．

5）治療法と予後

最も重要なのは，血糖コントロールの改善である．アルドース還元酵素阻害薬が神経障害の成因に対する唯一の治療薬である．神経障害が中等度以下で罹病期間が比較的短い患者に有効である．有痛性神経障害には一般的な消炎鎮痛薬は軽症を除いて無効であり，Ca^{2+} チャネル δ リガンド，セロトニン・ノルアドレナリン再取り込み阻害薬，三環系抗うつ薬が推奨される[4]．

交感神経の反射性機能亢進の欠如による無自覚性低血糖に対して，頻回の血糖測定あるいは持続血糖モニターなどでセンサー値およびその変動の確認などを行わせ，できる限り低血糖を避けることが必要である．

■大血管障害

1）定義・概念

糖尿病大血管症は 1950 年代に糖尿病患者の死体解剖の成績から確立された概念で，糖尿病細小血管症に対応する用語である．その定義は曖昧であるが，糖尿病に伴う動脈硬化症で，代表的なものは脳梗塞，虚血性心疾患，末梢動脈疾患である．

2）病因・病態

動脈硬化は動脈の内膜にコレステロールが大量に取り込まれることで進行する病変である．糖尿病ではリポ蛋白が酸化したり，ブドウ糖と結合して変化したりして，血管の内膜に蓄積してプラークを形成し，動脈硬化の状態となる．プラークがある程度大きくなると破裂し，血小板が集まり，血栓を形成し，血管の閉塞が起こる．動脈硬化に関する血管の病理学的変化が小児期から生じることは以前より報告されている．糖尿病のほかに，脂質異常症，高血圧症，肥満，喫煙などは動脈硬化促進の方向に作用する．

3）臨床症候

脳卒中のおもな症状は，片方の手足，顔半分の麻痺，しびれ，ろれつが回らなくなる，歩けなくなる，片方の目が見えなくなる，激しい頭痛などがある．心筋梗塞は突然の胸の痛みや圧迫感がみられる．末梢動脈疾患は，間歇的跛行や安静時疼痛などを認める．

4）診断と検査法

動脈硬化病変の程度を評価する検査として，頸動脈超音波を用いて頸動脈内膜中膜壁肥厚度（intima media thickness：IMT）を測定する．ほかに血管内皮細胞障害をみる血流依存性血管拡張反応（flow mediated dilatation：FMD）がある．FMD は動脈硬化の早期段階をみるのに適している．

脳梗塞の診断は病歴，神経学的診察，MRI などの画像診断で行われる．冠動脈疾患の診断は胸部症状の問診，身体所見，心電図所見などを合わせて判断し，循環器医と迅速に連絡を取る．末梢動脈疾患の診断は，典型的には間歇的跛行や安静時疼痛などの症状を認め，足関節上腕血圧比の測定や血管超音波などの画像診断が行われる．

5）治療法と予後

脳梗塞の治療は超急性期の血管内治療をはじめとした血行再開療法が有効である．超急性期に組織プラスミノーゲン活性化因子（tissue plasminogen activator：tPA）療法が考慮されるが，50 mg/dL 以下および 400 mg/dL 以上の血糖異常は禁忌である．冠動脈疾患の治療は急性期には循環器医との連携が重要である．慢性期には再発予防に加え，心機能障害，心不全が重要となる．

末梢動脈疾患の治療はリスク因子の管理，運動療法，薬物療法である．重症虚血の例では血行再建を目的にバイパス術，血管内治療を選択する．

大血管障害を予防するために，生活習慣改善，血糖コントロール改善，高血圧症や脂質異常症に対する介入などが大血管障害の発症抑制に有効である．

2．その他の合併症

1）成長障害

成長発達の観察と成長曲線の使用は重要である．血糖コントロール不良が長期に続くと成長障害をきたす．1 型糖尿病においては，インスリン強化療法により，血糖コントロールは改善され，最近では成長障害をきたすことはまれである．2 型糖尿病では肥満を伴う頻度が高いが，低身長はまれである．思春期および思春期後に過剰な体重増加がみられることがある．1 型，2 型ともに過剰な体重増加に注意して観察する．

2）甲状腺疾患およびその他の自己免疫性疾患

自己免疫性甲状腺炎による原発性あるいは潜在性甲状腺機能低下症は小児思春期1型糖尿病患者の約3～8％，甲状腺機能亢進症は3～6％に認める．合併率が高いので，診断時にTSH，FT_4，FT_3，甲状腺自己抗体を検査することが推奨される．1型糖尿病では甲状腺腫あるいは甲状腺自己抗体を認めなくても，診断後も2年に1回程度は甲状腺機能検査をすべきである[5]．

Addison病，尋常性白斑，円形脱毛症などの自己免疫疾患を併発することがあるがまれである．

3）インスリン注射，グルコースセンサーに関連した皮膚合併症

a．皮下脂肪萎縮（lipoatrophy），皮下脂肪肥大（lipohypertrophy）

ヒトインスリンの導入以来，皮下脂肪萎縮の発生頻度は著しく減少し，1％未満とされている．脂肪肥大は1型糖尿病患者の約半数に認め，HbA1cが高値，注射回数が多い，罹病期間が長いことに関係する．同部位ではインスリンの吸収が不安定となり，血糖コントロールの悪化をきたしうる．同部位は2～3か月注射を避け，他の部位にローテーションしながら注射することを指導する．脂肪肥大と同じように腫れ，肉眼的所見は見分けがつかず，病理組織学的にアミロイドが沈着する病態も存在する．脂肪肥大と同様な対応が必要である．

b．CSII，CGM関連の皮膚合併症

穿刺部位およびテープあるいはセンサー接着部位の接触皮膚炎が10～20％にみられる．センサー接着部位のかゆみは約20％にみられる[6]．CSII，CGMの普及が進み，これらの治療を維持するうえで，皮膚科医などとの連携が必要である．

4）認知機能

最近，1985～2015年の19研究のメタアナリシスが行われ，1型糖尿病の児は，知能，注意力，思考スピードなどの点で認知機能障害を認め，高血糖の期間，重症低血糖と関連があると報告された[7]．

5）足病変

診察時に足の診察も行い，巻き爪，爪周囲炎，外傷，水虫がないかどうかを観察する．靴のサイズが適切かどうかなどフットケアを行うことも重要である．

6）歯周疾患

歯周病は歯周病原菌の感染による歯周組織の慢性炎症で糖尿病の重大な合併症の一つである．歯周病が重症であるほど血糖コントロールが不良となるため，糖尿病発症時から歯科受診を促し，歯科医との連携が重要である．

7）その他

血糖コントロール不良が長期間続くと，手指伸展障害，糖尿病リポイド類壊死症，インスリン浮腫などがみられることがある．しかし，インスリン療法の進歩により，血糖コントロール不良が続く例は減少し，最近これらの発症は少なくなってきている．

❖ 文献

1) Donaghue KC, et al.：ISPAD Clinical Practice Consensus Guidelines 2014. Microvascular and macrovascular complications in children and adolescents. *Pediatr Diabetes* 15（Suppl. 20）：257-269, 2014
2) Dabelea D, et al.：Association of type 1 diabetes vs type 2 diabetes diagnosed during childhood and adolescence with complications During teenage years and young adulthood. *JAMA* 317：825-835, 2017
3) 糖尿病性腎症合同委員会：糖尿病性腎症病期分類2014の策定（糖尿病性腎症病期分類改訂）について．糖尿病 57：529-534，2014
4) 日本ペインクリニック学会神経障害性疼痛薬物療法ガイドライン改訂版作成ワーキンググループ（編）：神経障害性疼痛薬物療法ガイドライン改訂第2版．真興交易医書出版部，48-100，2016
5) Kordonouri O, et al.：ISPAD Clinical Practice Consensus Guidelines 2014. Other complications and diabetes-associated conditions in children and adolescents. *Pediatr Diabetes* 15（Suppl. 20）：270-278, 2014
6) Burgmann J, et al.：Pediatric diabete and skin disease（PeDiSkin）：A cross-sectional study in 369 children, adolescents and young adults with type 1 diabetes. *Pediatr Diabetes* 21：1556-1565, 2020
7) He J, et al.：Glycemic extremes are related to cognitive dysfunction in children with type 1 diabetes：A meta-analysis. *J Diabetes Investig* 9：1342-1353, 2018

〈神野和彦〉

D 低血糖症

1 先天性高インスリン血症

1）定義・概念

先天性のインスリン分泌過多による低血糖症である．乳児持続性高インスリン性低血糖症（persistent hyperinsulinemic hypoglycemia in infancy：PHHI）と称されてきたが，年長児～成人期に初発することもあり，先天性高インスリン血症（congenital hyperinsulinism：CHI）の呼称が一般的である．生後まもなく発症し，通常2～3か月以内に軽快する一過性と，それ以降も続く持続性のものに大別される．一過性は大部分が非遺伝性，持続性のものは遺伝子異常によると考えられている．わが国における発症頻度は一過性が13,600出生に

Ⅱ 各 論

表18 高インスリン性低血糖症の原因

先天性 (CHI)	持続性 (非症候群性)	K_{ATP}チャネル遺伝子異常 　SUR1（ABCC8） 　Kir6.2（KCNJ11）	AR, AD, 局所性
		グルタミン酸脱水素酵素（GLUD1）遺伝子異常	AD
		HNF4A 異常症	AD
		グルコキナーゼ（GCK）遺伝子異常	AD
		HADH（short chain hydroxyacyl-CoA dehydrogenase）欠損症	AR
		UCP2 異常症	AD
		インスリン受容体異常症	AD
		運動誘発性（SLC16A1 異常症）	AD
		HK1	AD
		PGM1（phosphoglucomutase 1）	AR, 糖原病様, CDG1t
		PMM2（phosphomannomutase 2）	AR, 多のう胞腎, CDG1a
		FOXA2（汎下垂体機能低下症，異所性後葉合併）	AD
		CACNA1D（L-type voltage gated Ca channel）	AD
		IR（Donohue 症候群初期）	AR
		6q24-TNDM の高血糖治癒後	
		門脈体循環シャント	
	持続性 (症候群性)	Beckwith-Wiedemann 症候群	インプリント異常
		Congenital disorders of glycosylation（Ia, PMM2；Ib, MPI；Id, ALG3）	AR
		Sotos 症候群	AD
		Kabuki 症候群（KDM6A，KMT2D）	AD
		Mosaic Turner 症候群	
		Simpson-Golabi-Behmel 症候群	X 連鎖性
		Perlman 症候群	AR
		Trisomy 13	
		Costello 症候群	AD
		Usher 症候群（K_{ATP}チャネルを含む隣接遺伝子症候群）	AD
		Timothy 症候群	AD
		中枢性低換気症候群　など	AD
	一過性	糖尿病母体児	
		SGA 出生児	
		ストレス誘発性高インスリン血症	
		母体リトドリン投与後	
		HNF4A 異常症	AD
		HNF1A 異常症	AD
後天性		インスリン過多投与	
		インスリノーマ	
		インスリン自己免疫症候群（平田病）	
		非インスリノーマ低血糖症候群 （NIPHS，食後反応性低血糖，成人膵島細胞症，上部消化管術後低血糖などを含む）	

AD：常染色体顕性遺伝，AR：常染色体潜性遺伝

1人，持続性が 31,600 出生に 1 人と報告されている[1]が，一過性先天性高インスリン血症は新生児の transitional hypoglycemia の重度なものと考えられ，実際にはさらに頻度が高い可能性がある．

2) 病因・病態

現在知られている小児の高インスリン性低血糖症の病因を表18にあげる[2]．持続性先天性高インスリン血症で最も頻度の高いのは，膵β細胞膜上の ATP 感受性 K チャネル（K_{ATP}チャネル）の不活化変異に伴うものである（図22）．ブドウ糖輸送体（GLUT2）を介してβ細胞内にブドウ糖が取り込まれると，グルコキナーゼによってリン酸化を受け，さらに解糖系を経てピルビン酸に代謝される．ピルビン酸はミトコンドリア内に入って，アセチル CoA に代謝され，さらにクエン酸サイクル，電子伝達系を経て，ATP 産生を行う．これにより，細胞内 ATP/ADP 比が上昇して，細胞膜表面の K_{ATP}チャネルが閉鎖し，細胞膜の脱分極を引き起こす．それにより細胞膜に存在する電位依存性 Ca チャネル（VDCC）が開放して細胞内に Ca が流入し，インスリンを放出する．K_{ATP}チャネルが活性を失うと血糖値によらず膜が脱分極傾向となり，インスリン分泌が過剰となる．K_{ATP}チャネルは，4 分子の Kir6.2 分子

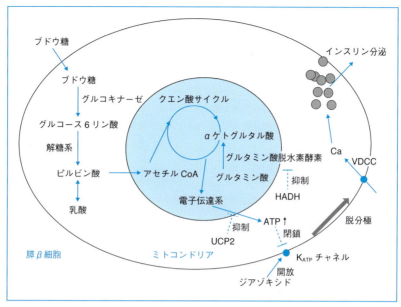

図22　膵β細胞からのインスリン分泌機構
グルコキナーゼの活性化変異，グルタミン酸脱水素酵素の活性化変異，HADHの機能喪失変異，UCP2の機能喪失変異などによる細胞内ATP産生亢進により，K_{ATP}チャネルが閉鎖傾向となりインスリン分泌が亢進する．またK_{ATP}チャネル自体の機能喪失変異により同様にインスリン過剰分泌が起こる．ジアゾキシドはK_{ATP}チャネルを開放してインスリン過剰分泌を抑制する

(KCNJ11遺伝子) が inner pore を構成し，その周りを4分子のSUR1分子 (ABCC8遺伝子) が取り囲んでチャネル活性の調整をしている．

K_{ATP}チャネル異常による本症には，潜性遺伝形式をとるもの，顕性遺伝形式をとるもののほか，特殊な遺伝形式をとるものとして局所型が存在する．潜性遺伝型は早期発症のジアゾキシド不応性重症例が多い．一方，顕性遺伝型は遅発，軽症でジアゾキシド反応性のものが多いが，なかにはジアゾキシド不応例も存在する．臨床的に問題になるのは，局所型である．他の病型では，膵全体のβ細胞に異常がみられるびまん型であるのに対し，局所型では膵の局所に異常β細胞が局在し，他の部位のβ細胞は正常である．

局所型病変の発症機序は現在以下のように考えられている．K_{ATP}チャネルを構成するKCNJ11, ABCC8遺伝子は11番染色体短腕の11p15.1に互いに近接して存在するが，この近傍の11p15.5には親由来の違いによって発現状態が異なる刷り込み（インプリント）を受けた癌抑制遺伝子（H19, CDKN1C）と細胞増殖因子（IGF2）が存在している．H19, CDKN1Cは母由来のアリルのみが転写され，IGF2は父由来のアリルのみが転写されている．父由来のK_{ATP}チャネル遺伝子の片アリル異常をもつ個体の発生途上で膵β細胞に11p15.1と11p15.5を含む領域の父性片親性ダイソミーにより母由来染色体断片の喪失が起こると，その細胞はK_{ATP}チャネル活性を失い，さらに癌抑制遺伝子が機能を失い，細胞増殖因子の機能が倍量になることで，growth advantageを得て，最終的に膵局所型病変を形成する．

K_{ATP}チャネル異常以外の病因による先天性高インスリン血症は，グルコキナーゼ異常症を除き，おおむねジアゾキシド反応性である．

3）臨床症候

多くは新生児期・乳児期に低血糖症状で発症する．持続性症例では，在胎中からのインスリン過剰分泌を反映して高出生体重児出生であることが多い．一部の症候群性の症例では，それぞれの症候群の特徴を呈する（表18）．病因による臨床的特徴として，高出生体重児出生（K_{ATP}チャネル，HNF4A, Beckwith-Wiedemann症候群），高アンモニア血症（GLUD1），蛋白感受性（K_{ATP}チャネル，GLUD1, HADH），ロイシン感受性（GLUD1, HADH），運動時低血糖（SLC16A1）などがある．HADH異常症では尿有機酸分析で異常を同定できることがある．低血糖症状は加齢とともに軽快傾向となることが多く，長期的には，新生児期の低血糖の後遺症としての発達遅滞，てんかんなどが問題となる．

4）診断と検査法

まず，高インスリン性低血糖症であることを診断し，次いでそれが先天性高インスリン血症であること

II 各論

表19 高インスリン性低血糖症の診断基準

血糖<50 mg/dL 時に採血した検体で下記の3基準のうち，
(1) 2つ以上満たす場合，または1つを満たし，かつ後天性高インスリン性低血糖症の原因が存在するか既知の原因遺伝子変異を同定した場合に高インスリン性低血糖症と確定診断する．
(2) 1つのみを満たす場合に疑診とする．

1. 血中インスリン値	>1 μU/mL
2. グルカゴン 0.5〜1 mg 筋注（静注）による血糖上昇	>30 mg/dL（15〜45分）
3. 正常血糖を維持するためのブドウ糖静注量(mg/kg/min)	>7（生後6か月未満），3〜7（生後6か月以降），>3（成人）
【補助的所見】 血中 3-ヒドロキシ酪酸（β-ヒドロキシ酪酸） 血中遊離脂肪酸(FFA, NEFA)	<2 mmol/L（2,000 μmol/L） <1.5 mmol/L（1.5 mEq/L）

＊血中 3-ヒドロキシ酪酸（β-ヒドロキシ酪酸）のみ低値で血中遊離脂肪酸高値のときは脂肪酸β酸化異常症，カルニチン代謝異常症などを除外する必要があり，補助的所見のみで疑診としない．また，生後48時間以内の検査では，血中 3-ヒドロキシ酪酸，血中遊離脂肪酸の評価は困難である．
＊静注では 0.03 mg/kg でグルカゴン負荷を行うことも可能．
＊疑診例では，生後48時間以降に低血糖時グルカゴン負荷試験を含めた管理下絶食試験(controlled fasting test)が有用であるが，本症の診療に慣れた施設で十分な監視下で行うべきである．
＊高インスリン性低血糖症と診断できても，それが低血糖の単一の原因でないことがあることに注意する．

〔日本小児内分泌学会，他：先天性高インスリン血症診療ガイドライン．日本小児内分泌学会（編）：小児内分泌学会ガイドライン集．中山書店，248-275，2018〕

表20 低血糖時（クリティカルサンプル）検査

血液	尿
末梢血液像	検尿
CRP	有機酸分析
血液一般生化学検査	尿保存（凍結）
電解質	
血糖	
インスリン・プロインスリン	
血液ガス分析	
遊離脂肪酸	
アンモニア	
ケトン体分画	
乳酸	
ピルビン酸	
ACTH	
コルチゾール	
FT$_4$	
TSH	
IGF-I（ソマトメジンC）	
カルニチン分画	
血清保存（凍結）	

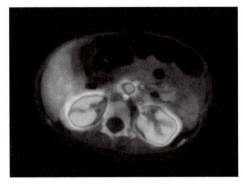

図23 ^{18}F-DOPA PET による局所型病変の描出〔口絵8；p.v〕
本例では膵鉤部に病変が存在した

を後天性疾患の除外や遺伝子診断により確定する．

a. 高インスリン性低血糖症の診断

表19に高インスリン性低血糖症の診断基準を示す[3]．低血糖時はブドウ糖静注に先立って一連の低血糖病因診断のための検査（表20）を手際よく行うことが重要である．年長児では絶食試験も有用である．

b. 病型の診断

念のためインスリノーマを除外するための画像診断を行う．非症候群性の先天性高インスリン血症では，臨床症状からの病型鑑別が困難なことが多く遺伝子診断が有用である．

病型診断で最も重要なのは，局所型 K$_{ATP}$ チャネル性の症例の鑑別で，特に膵切除を考慮する場合は，盲目的な亜全摘を避けるため，局所型の診断を迅速に行う．CT，MRI，血管造影などの画像診断では通常診断不能であり，下記のような手法で診断される．

① ^{18}F-DOPA PET 診断（図23）

DOPA decarboxylase を介して膵β細胞に集積し，局所型病変の極めて有用な診断方法である．

② 遺伝子診断

K$_{ATP}$ チャネル遺伝子に父由来片アリル異常を証明する．父は無症状である．

5) 治療法（表20）

現在，わが国で本症に保険適用がある薬剤はジアゾ

表21 高インスリン性低血糖症の治療

対症療法	ブドウ糖投与 コーンスターチ，糖原病用ミルク 頻回食，持続鼻注，胃瘻造設
原因療法	ジアゾキシド 　5〜20 mg/kg/日，分3経口 オクトレオチド酢酸塩 　5〜25 μg/kg/日，皮下注，分3〜4ないし 　持続皮下注 グルカゴン 　1〜20 μg/kg/時，皮下注，分3〜4ないし 　持続皮下注，静注 ニフェジピン 　0.25〜2.5 mg/kg/日，分3経口

❖ 文献

1) Yamada Y, et al.：Nationwide survey of endogenous hyperinsulinemic hypoglycemia in Japan（2017-2018）：Congenital hyperinsulinism, insulinoma, non-insulinoma pancreatogenous hypoglycemia syndrome and insulin autoimmune syndrome（Hirata's disease）. J Diabetes Investig 11：554-563, 2020
2) Galcheva S, et al.：The genetic and molecular mechanisms of congenital hyperinsulinism. Front Endocrinol（Lausanne）10：111, 2019
3) 日本小児内分泌学会，他：先天性高インスリン血症診療ガイドライン. 日本小児内分泌学会（編）：小児内分泌学会ガイドライン集. 中山書店，248-275, 2018

（依藤 亨）

キシド（経口）とオクトレオチド酢酸塩（皮下注，持続皮下注）のみである．局所性病変診断のために必要な ^{18}F-DOPA PET や遺伝子検査には保険適用はない．

a．対症療法

重度の低血糖は神経学的後遺症につながる可能性があるため，血糖を維持するための高濃度ブドウ糖持続静注が必要である．糖原病用ミルクやコーンスターチの使用，胃瘻などによる持続注入も行われる．

b．原因療法（表21）

まずジアゾキシド内服を試みる．水分貯留と多毛以外の副作用は少ないが，低体重児などでは浮腫や心不全がみられることがある．利尿薬の併用である程度対応できる．ジアゾキシド無効の場合はオクトレオチド酢酸塩頻回皮下注，持続皮下注が行われる．長期使用により内科的に治癒できる場合も少なくない．オクトレオチド酢酸塩による最も重大な副作用は腸管血流低下による壊死性腸炎である．生後1か月以降の使用が望まれる．また，胆石の頻度は無視できないため，定期的な超音波検査が必要である．これらが無効な場合，グルカゴン持続静注が行われる．長期継続治療の報告もあるが，輸液ラインの閉塞が極めて高頻度に起こる．難治例に対して mTOR 阻害薬の有効性が報告されている．

外科治療は，内科的治療の困難な症例が対象で，従来 95% 以上の膵亜全摘が行われてきた．しかしながら，低血糖が残存する例が少なくないほか，軽快した例では大部分に術後インスリン依存性糖尿病が発症してきた．局所型病変を遺伝子診断，^{18}F-DOPA PET などにより正しく局在診断できれば，部分膵切除で後遺症なく治癒できるため，内科的治療に抵抗性の本症に対しては早期の診断が望まれる．

2 インスリノーマ

1）定義・概念

膵臓の神経内分泌腫瘍（neuroendocrine tumor of pancreas：pNET）の一つで，膵β細胞由来のインスリンを過剰分泌する腫瘍であり，90% 以上が良性，単発性である[1]．

2）病因・病態

インスリン過剰分泌に起因する，特に空腹時の低血糖症状が発見の経緯となる．低血糖の中枢神経症状である失神との鑑別で，空腹時血糖やインスリンが測定されなければ，てんかんなどの神経疾患と誤診される恐れがあり注意を要する．

3）臨床症候

空腹時の自律神経症状としての低血糖症状（手指振戦，頻脈など）と，中枢神経症状としての低血糖症状（失神，けいれんなど）を手がかりにインスリノーマを疑う．

また，古典的な Whipple の三徴（空腹時の意識消失，発作時血糖 50 mg/dL 未満，ブドウ糖投与での症状改善）は有用である．

4）診断と検査[1,2]

低血糖，高インスリン血症の鑑別フローが重要である．インスリノーマを疑えば，絶食試験による低血糖の誘導とグルカゴン負荷試験が診断に有用である．Fajans の指標（空腹時血中インスリン/血糖＞0.3），Grunt の指標（空腹時血糖/インスリン値＜2.5），Turner の指標（空腹時インスリン値×100/（血糖−30）＞200）などの指標も知っておくとよいが，それぞれ感度，特異度の問題はある．

腫瘍の局在診断は必ずしも容易ではなく，一般的な表層超音波，造影 CT，MRI のみでなく，造影ダイナミック CT 早期相，造影 MRCP，超音波内視鏡，選択的動脈内 Ca 注入試験などが複数必要となることもあ

る．

特に若年のインスリノーマでは，多発性内分泌腫瘍症1型（MEN1型，Werner症候群）の合併の検索，遺伝子解析，定期検査が必要である[3]．

5）治療法

腫瘍径，主膵管との距離，悪性度などの関連も考慮し，可能であれば手術療法が第一選択で，腫瘍核出術，膵全切除，膵体尾部切除，脾臓拡大切除などが施行される．

高インスリン性低血糖症の内科的治療としてジアゾキシドは保険適用で，その他にオクトレオチド，エベロリムスなどが用いられる場合がある．

6）管理と予後

インスリノーマの約90％は良性で膵内の局在が多いため，手術による根治が期待できる．

低血糖の残存と術後糖尿病の発症がおもな問題となりうる．

7）最新知見[4]

Yamadaらがわが国初の高インスリン性低血糖症の全国調査結果を報告した．全205例のインスリノーマに関して，推定の有病率は人口10万当たり0.16人，良性のインスリノーマの発症年齢の中央値は53歳，悪性と確定されたのは10％未満，20歳未満の発見が11例（5歳，6歳，7歳が1例ずつ，その他は12〜17歳）で悪性例はなし，159例（77.6％）に手術療法が施行され，手術療法後の低血糖の残存が約5％，術後糖尿病の合併が15.7％，てんかん発症が3.8％などが明らかとなった．

❖ 文献

1) 加計　剛：インスリノーマ．日本臨牀 別冊（内分泌症候群［第3版］Ⅳ）：209-212，2019
2) Okabayashi T, et al.：Diagnosis and management of insulinoma. World J Gastroenterol 19：829-837, 2013
3) 小杉眞司：Wermer症候群（多発性内分泌腫瘍症1型：MEN1）．小児診療 79（増）：261，2016
4) Yamada Y, et al.：Nationwide survey of endogenous hyperinsulinemic hypoglycemia in Japan（2017-2018）：Congenital hyperinsulinism, insulinoma, non-insulinoma pancreatogenous hypoglycemia sundrome and insulin autoimmune syndrome（Hirata's disease）. J Diabetes Investig 11：554-563, 2020

（竹本幸司）

3　ケトン性低血糖症

1）定義・概念

通常の脳のエネルギー源はブドウ糖のみである．したがって，ブドウ糖の不足すなわち低血糖に陥ると，脳へのエネルギー供給を保つため，肝臓では代替エネルギーとしてのケトン体を脂肪から合成する．成人では1週間におよぶ飢餓状態でも低血糖は起こらないが，ブドウ糖への要求性が高い小児では24〜48時間が限度である．その低血糖とケトン体産生の反応が，12〜18時間の絶食で起こるのが本症である．胎児発育不全や低出生体重で出生した児に多く，幼児の低血糖症のなかでは最も頻度が高い．1歳半〜5歳に好発し，8〜9歳頃までには自然軽快する．感染症罹患時や疲労などのため夕食を摂取せずに就寝した翌朝や，起床が遅く朝食の摂取が遅れたとき，また高脂肪食の摂取など，いくつかの因子が重なり意識障害やけいれんを伴って低血糖を発症する．

2）病因・病態

血糖値は，血糖の低下機構であるインスリンと，種々の血糖上昇機構とのバランスによって調節されており，その調節機能の破綻によって低血糖が発症する．食後の時間経過ごとのおもな血糖維持機構と低血糖の鑑別疾患を表22に示す．血糖を維持するため，食後早期には食事そのものからのブドウ糖供給が，食後4〜16時間では肝でのグリコーゲン分解によるブドウ糖産生が，そして食後12〜16時間以降では糖新生によるブドウ糖産生が働いている．したがって，食後から低血糖が発症するまでの時間によって，その原因がおおむね推測可能である．なお糖維持のための糖新生は，夜間の睡眠により哺乳の間隔が長くなる生後3〜6か月以降に必要となってくる．また，高インスリン血症や，GH・副腎皮質ホルモンなどの，いわゆる拮抗ホルモンの異常は，食事とは無関係に低血糖の発症に関与している．

ケトン性低血糖症は，絶食時間が12〜16時間を超えても糖新生がうまく作用しない場合に，インスリン分泌抑制による脂肪分解とケトン体産生を伴って発症する．糖新生の基質は，筋肉蛋白質の分解により生じたアラニンである．乳幼児では，筋肉蛋白質は少ないがブドウ糖の消費量が多いため，特に小柄でやせていて筋肉量が少ない児に，本症が起こりやすい．また，新生児期に低血糖を起こした児に多いともいわれている．

3）臨床症候

低血糖では脳のエネルギー欠乏による症状が出現する．あくび，脱力感にはじまり，会話減少，傾眠，倦怠，意識低下，興奮，錯乱，昏睡，けいれんなどのほか，交感神経系の刺激症状として，空腹感，動悸，震え，冷汗，顔色不良，悪心・嘔吐なども認められる．さらに，ケトーシスの症状（悪心・嘔吐，腹痛，頭痛）も認められる．典型的な発症様式として，朝なかなか

表22 絶食時の血糖維持機構と低血糖の原因疾患

絶食期間	血糖維持機構	代表的な疾患
絶食との関係を問わない		・高インスリン血症 ・拮抗ホルモン異常症（汎下垂体機能低下症，副腎皮質機能低下症など）
食後1～4時間	食事	・糖代謝異常（ガラクトース血症，フルクトース不耐症）
食後4～16時間	グリコーゲン分解	・肝型糖原病
食後12～16時間以降	糖新生	・糖新生異常（フルクトース-1,6-ビスホスファターゼ欠損症，シトリン欠損症，ケトン性低血糖症など） ・脂肪酸酸化異常症（脂肪酸β酸化異常症，カルニチン代謝異常症，ミトコンドリア病，ケトン体産生異常症など）

起きることができず，起床しても冷汗を伴って元気がなく，さらにはけいれんするといった場合があげられる．

4）診断と検査法

症状から低血糖を疑い，血糖値を確認することが重要である．そのうえで，内分泌疾患や先天代謝異常症など，他の重篤な基礎疾患を除外する．行うべき検査は**本章 D-1**の表20を参照．低血糖の原因診断のためには，特に低血糖時の検査（クリティカルサンプルの採取）が必要である．クリティカルサンプルを用いて，血液生化学，血糖値，検尿，血液ガス分析，ACTH，コルチゾール，GH，グルカゴン，インスリン，アンモニア，乳酸，ピルビン酸，血中・尿中アミノ酸分析，総ケトン体，ケトン体分画，遊離脂肪酸，尿中有機酸分析，タンデムマスなどを検査する．ただし，多くの検体量を必要とするため，また特殊な試験管が必要な検査もあるため，必要に応じて検査を行う．さらに問診において，成長・発達の状態，家族歴を確認し，診察では肝腫大の有無を確認する．最も重要な検査は，インスリンとケトン体である．本症では，①インスリン低値，②ケトン体，遊離脂肪酸がともに高値，③尿中ケトン体陽性，となる．低血糖を繰り返すがクリティカルサンプルが採取できない場合には，飢餓試験で低血糖を誘発し，上記検査を行うこともある．なお，ケトン性低血糖症の確定診断のために，従来行われていたケトン食負荷は必ずしも必要ではない．その理由は，疑わしい児には12～18時間の絶食のみで，ケトン血症を伴った低血糖を誘発できるためである．

5）治療法

診断に必要なクリティカルサンプルを採取後，ただちにブドウ糖を静脈内投与する．通常，症状は速やかに改善する．

6）管理と予後

最も重要な点は再発の予防であり，本症が発症しやすい状況を作らないようにする．三食を規則正しく摂り，また，起床時間が遅くなって朝食が遅れないようにする．特に疲労のため夕食を摂らずに寝てしまった翌朝は，注意が必要である．感染症罹患時など食欲がない場合には，炭水化物の摂取を心がけ，糖分を頻回に摂ることが重要である．また経口摂取が不可能な場合には早期に医療機関を受診するよう説明する．適切な患者指導と治療により，一般的には重篤な神経学的後遺症を残さず予後良好と考えられている．長期的には，成長とともに筋肉蛋白量が増加し，かつブドウ糖への要求度が減少するため，10歳以降には自然に寛解する．

低血糖の管理において重要な点は，重症，遷延，繰り返す低血糖によって起こる精神発達遅滞，てんかんなどの中枢神経障害をいかに予防するかということである．したがって，症状から低血糖を疑い，迅速に診断・治療し，かつ的確に原因疾患を診断することが肝要である．

❖ **参考文献**

・Sperling MA：Ketotic hypoglycemia. In：Robert MK, et al.(eds), *Nelson Textbook of Pediatrics*. 19 th ed., Saunders, Elsevier, 528, 2011

（都　研一）

第11章 肥満，メタボリックシンドロームと脂質異常症

A 肥満の生理学

肥満は，摂食やエネルギー代謝を調節する機構など複数の遺伝的要因と，環境，生活習慣の相互作用により発症する．脳内での摂食調節に関与する遺伝子，遺伝因子と環境因子の相互作用に関与する遺伝子多型など，分子レベルで肥満発症の機構の解明が進んでいる．また，肥満の病態では，全身性に低レベルでの炎症が遷延する慢性炎症という病態が生じており，その分子機構も解明が進んでいる．

1）摂食・エネルギー代謝の調節機構

a．中枢性摂食調節機構（図1）

遺伝性肥満マウス（ob/ob マウス）の原因遺伝子解析によるレプチンの発見以後[1]，それまでエネルギー貯蔵が唯一の機能と考えられていた脂肪細胞が種々の生理活性物質（アディポカイン）を産生していることが明らかになった．アディポカインや消化管ホルモンなどによって末梢からの情報が脳内に伝達され，視床下部を中心とする中枢性調節機構で摂食・エネルギー代謝が調節される．

摂食調節機構は，恒常性調節とホメオスタシス非依存性調節に大別される[2]．ホメオスタシス非依存性機構のなかで，おもな機構は快楽的調節で，主として「報酬系」とよばれる脳機構が調節を担う．肥満では，恒常性調節と快楽的調節の両方に異常をきたすことが明らかとなっている[2]．

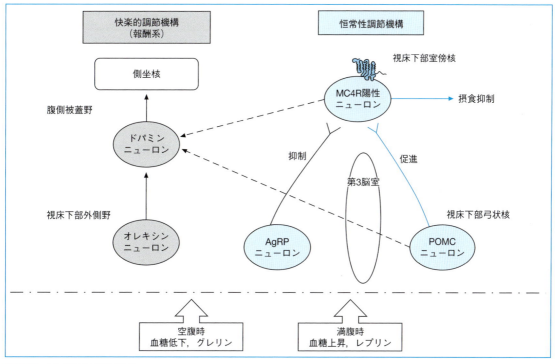

図1　中枢性摂食調節機構

II 各論

①恒常性調節機構（図1）

▶視床下部弓状核におけるNPY/AgRPニューロンとPOMCニューロン

弓状核に隣接する正中隆起は、脳一血液関門が疎で、レプチンなどを選択的に脳室内に移送する機構がある。弓状核は、生体のエネルギーレベルをモニターし、摂食を促進・抑制するニューロンが存在する[2]。neuropeptide Y（NPY）/agouti-related peptide（AgRP）ニューロンは、NPY、AgRPと、抑制性アミノ酸（gamma amino-butyric acid：GABA）を分泌し、摂食を促進する。pro-opiomelanocortin（POMC）ニューロンは、α-melanocyte stimulating hormone（MSH）を産生、分泌し摂食を抑制する。α-MSHの4種類の受容体のなかで、MC3RとMC4Rが摂食調節に関与する。AgRPは、MC4Rに対する内在性拮抗ペプチドであり、MC4Rを抑制することによって、摂食を促進する。

▶エネルギー代謝調節にかかわる視床下部神経回路（図1）

NPY/AgRPニューロンによる摂食促進作用は、視床下部室傍核、視床下部外側野、分界条床核に存在する2次ニューロンを介する[2]。室傍核には、MC4Rを発現しているCRHニューロンとオキシトシンニューロンが存在しており、どちらも橋結合腕傍核などを介して摂食を抑制する。視床下部外側野には、オレキシンニューロンとメラニン凝集ホルモン（melanin-concentrating hormone：MCH）ニューロンが存在し、いずれも摂食を促進する[2]。

②報酬系制御（図1）

中脳腹側被蓋野から側坐核および線条体に至るドパミンニューロンの投射経路（中脳皮質辺縁系経路）は、報酬系にかかわる重要な神経回路で、動機づけ行動のために必須の脳機能である[2]。

b. 末梢性ホルモンによる摂食調節（図2）

①脂肪細胞から分泌されるアディポカイン

脂肪組織はアディポカインの分泌を介し、全身的な免疫系、エネルギー代謝を制御しうる器官として、肥満病態の形成にも重要な役割を担っている。アディポカインには、レプチン、アディポネクチンなどがある。レプチンは視床下部に作用しておもに摂食調節、交感神経を介したエネルギー代謝亢進に関与する[1]。また、骨格筋などにもレプチン受容体は存在し、末梢組織に対しても直接的にも作用している[3]。アディポネクチンは、脂肪組織特異的に高発現する分泌蛋白質で、インスリン感受性を促進し、抗糖尿病作用を有する[3]。さらに、血管内皮細胞や炎症細胞に直接作用し、動脈硬化を抑制する[3]。

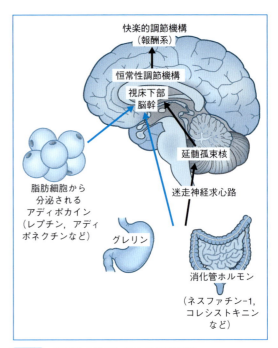

図2 末梢性ホルモンによる摂食調節

②消化管ホルモン

消化管は、空腹満腹の刺激や栄養素などの情報を感受し、種々のホルモンを分泌する内分泌臓器でもある。消化管ホルモンは、血中に移行して全身の臓器に作用する。一部は脳血管関門を通って中枢でも作用する。頸部にある迷走神経節の神経細胞体には、多くの消化管ホルモンの受容体が存在し、その情報が迷走神経求心路を介し視床下部で統合されて摂食を調節する[4]。

グレリンは、胃のX/A細胞で産生され、末梢の空腹情報を中枢に伝えて、摂食を促す[5]。

ネスファチン-1は、中枢と末梢の多くの臓器に発現するが、胃のX/A細胞に多く発現する。摂食により血中濃度が上昇、脳血管関門を通過し、中枢への直接作用と迷走神経を介するパラクライン作用で摂食中枢を制御する[5]。

コレシストキニンは、摂食刺激により上部小腸I細胞で産生される。腸管末端のCCK受容体に結合し、迷走神経求心路から延髄を経由して視床下部に伝達され摂食を抑制する[5]。

さらに最近、アスプロシンとGDF15など、新規分子も同定されている。プロフィブリン1遺伝子（FBN1）のC末端にコードされるアスプロシンはプロテアーゼによって切断され、フィブリリンとともに産生され、血中に分泌される。視床下部弓状核NPY/AgRPニューロンを活性化し、摂食を促進する[6]。

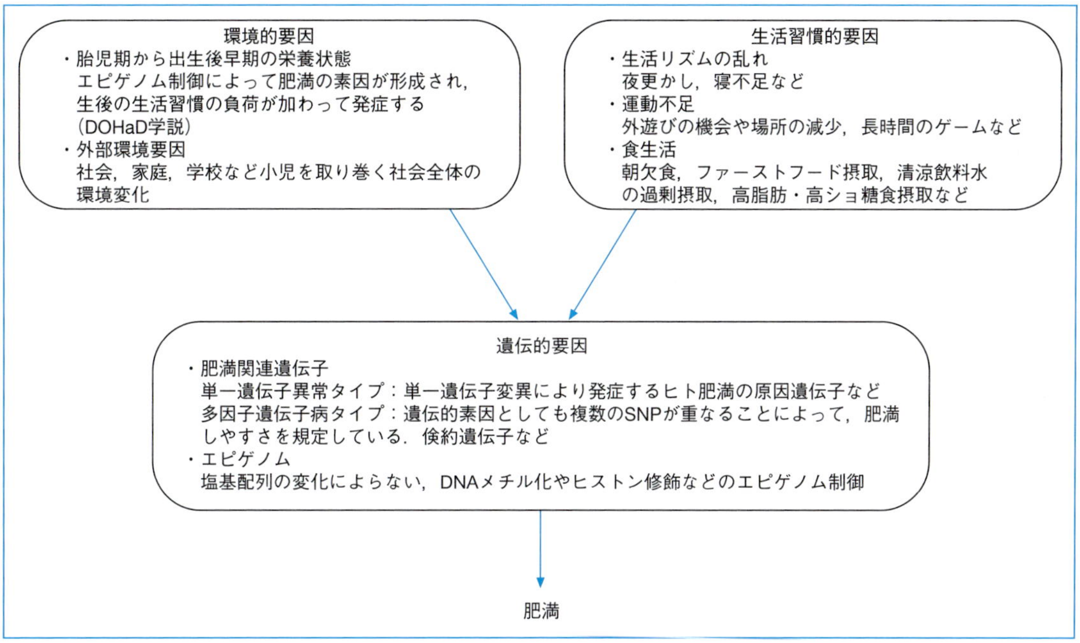

図3 肥満の原因

環境的要因
・胎児期から出生後早期の栄養状態
　エピゲノム制御によって肥満の素因が形成され，生後の生活習慣の負荷が加わって発症する（DOHaD学説）
・外部環境要因
　社会，家庭，学校など小児を取り巻く社会全体の環境変化

生活習慣的要因
・生活リズムの乱れ
　夜更かし，寝不足など
・運動不足
　外遊びの機会や場所の減少，長時間のゲームなど
・食生活
　朝欠食，ファーストフード摂取，清涼飲料水の過剰摂取，高脂肪・高ショ糖食摂取など

遺伝的要因
・肥満関連遺伝子
　単一遺伝子異常タイプ：単一遺伝子変異により発症するヒト肥満の原因遺伝子など
　多因子遺伝子病タイプ：遺伝的素因としても複数のSNPが重なることによって，肥満しやすさを規定している．倹約遺伝子など
・エピゲノム
　塩基配列の変化によらない，DNAメチル化やヒストン修飾などのエピゲノム制御

→ 肥満

GDF15は最後野のGDF15の受容体であるglial cell-derived neurotrophic factor（GDNF）receptor-like（GFRAL）に作用し，孤束核から橋結合腕傍核を介して摂食を抑制する[7]．

2）肥満の原因

肥満は，食欲，代謝を調節する機構など複数の遺伝的要因と，環境，生活習慣の相互作用により発症する（図3）．

a．遺伝的要因（肥満関連遺伝子，エピゲノム）

①肥満関連遺伝子

近年，肥満の原因・素因として関与する遺伝子が多く同定されており，おもに「単一遺伝子異常タイプ」と「多因子遺伝子病タイプ」に分けられる．単一遺伝子変異により発症するヒト肥満の原因遺伝子（表1）の解明によって，脳内の摂食・エネルギー調節機構（図1）の解明が進んでいる．また，「多因子遺伝子病タイプ」として関与する倹約遺伝子（表2）は，脂肪蓄積・分解，エネルギー消費などに関連する遺伝子のなかで，肥満につながる遺伝子多型（倹約型）が報告されている．日本人では，倹約型の頻度が高い．

▶**単一遺伝子変異によるヒト肥満の原因遺伝子（表1）**

単一遺伝子変異による肥満の原因遺伝子は，表1のように脳内の摂食・エネルギー調節の中枢性調節系に関係する遺伝子が多く，ヒトにおいてもレプチンを起点とし，視床下部を中心とする摂食調節機構の重要性が示されている．

1997年にレプチン遺伝子異常による2家系が報告されて以降，レプチン受容体遺伝子異常症，POMC遺伝子異常症，プロホルモン変換酵素遺伝子異常症，MC4R遺伝子異常症による高度肥満の症例が報告されている[8]．そのなかで，MC4R遺伝子変異はヘテロ接合体変異でも肥満を発症し，単一遺伝子変異による肥満としては最も高頻度であると推測される[8]．

最近，N7RK2遺伝子異常症が報告され，MC4R作用の一部は脳由来神経栄養因子（brain derived neurotrophic factor：BDNF）とその受容体であるTrkB（NTRK2遺伝子によりコードされる）を介することが明らかとなった[9]．

②倹約遺伝子（表2）

人類の飢餓との闘いの歴史のなかで，エネルギー効率のよい個体が厳しい自然環境と生存競争を勝ち抜いてきたと考えられるが，現代のような飽食の時代には，生活習慣病を発症しやすくなる．このような遺伝的要因として「倹約遺伝子（thrifty gene）」とよばれる概念が提唱された[10]．倹約遺伝子はエネルギー消費や脂肪蓄積に関与する遺伝子（β3アドレナリン受容体遺伝子，peroxisome proliferator activated receptorγ遺伝子，uncoupling protein 1遺伝子など）である．日本人がこれらの倹約型の遺伝子をもつ頻度は，欧米と比較して高い[10]．

最近は，ゲノムワイド関連解析（genome wide association study：GWAS）の導入によって，多因子遺伝病の遺伝因子研究は進歩しており，肥満についても多くの遺伝子が同定されている．そのなかで，fat mass and

II 各論

表1 単一遺伝子変異によるヒト肥満の原因遺伝子

遺伝子	表現型
レプチン（leptin：LEP）	肥満，インスリン抵抗性，性腺機能低下症
レプチン受容体（leptin receptor：LEPR）	肥満，インスリン抵抗性，性腺機能低下症，視床下部性甲状腺機能低下症
proopiomelanocortin（POMC）	肥満，赤毛，低インスリン血症，高 POMC 血症，高プロインスリン血症
prohormone convertase subtilisin/kexin type 1（PCSK1）	肥満，性腺機能低下症，低インスリン血症，高プロインスリン血症，高 POMC 血症
melanocortin 4 receptor（MC4R）	肥満
brain-derived neurotrophic factor（BDNF）	肥満，精神発達遅滞，多動，記憶障害，痛覚障害
single-minded 1（SIM 1）	肥満，精神発達遅滞スペクトラム

表2 肥満との関連が報告されている遺伝子多型（SNP）

遺伝子	SNP
中枢神経系において摂食行動やエネルギー代謝の調節に関与する遺伝子	
Leptin（ob）	c.+19G>A, c.-1823L>T, c.-2548G>A
Leptin receptor（Ob-R）	c.+70T>C
cholecystokinin（CCK）type A receptor	c.-128G>T, c.-81A>G
neuropeptide Y（NPY）Y5 receptor	c.94T>C
agouti-related protein（ArGP）	c.-38C.T
melanocortin type 4 receptor（MC4R）	c.148G>A, c.172A>T, c.305T>G, c.508A>G
末梢組織においてエネルギー消費の調節に関与する遺伝子	
angiotensin converting enzyme（ACE）	insertion/deletion（I/D）
α2B-adrenoceptor（α2B AR）	Long［Glu（12）］/Short［Glu（9）］
β1-adrenoceptor（β1AR）	p.Gly389Arg
β2-adrenoceptor（β2AR）	p.Gln27c.e, Gly16Arg
β3-adrenoceptor（β3AR）	p.Trp64Arg
uncoupling protein2（UCP2）	45-bp insertion/deletion（I/D），c.-866G>A
uncoupling protein3（UCP3）	c.-55C.T
脂肪細胞の分化・増殖に関与する遺伝子	
peroxisome proliferator-activated receptor（PPAR）α2	p.Pro12Glu

obesity associated（FTO）は GWAS により肥満との関連が最初に認められた新規遺伝子である[11]．リスクアリルとして一塩基多型（single nucleotide polymorphisms：SNP）［rs9939609］をホモでもつと，体重が約 3 kg 増加することが報告された[10]．FTO は，RNA のメチル化アデノシンの脱メチル化酵素であることが示され，中枢神経系においてエピジェネティックな機構により，摂食調節に重要な遺伝子発現調節にかかわると考えられている．

③エピゲノム

本章 B を参照．

b．環境的要因

①胎児期から出生後早期の環境

DOHaD の概念では，出生早期の環境も胎児期と同様にエピゲノム変化をきたたす[11]．

②幼児期以降の環境要因

小児を取り巻く社会環境の変化（遊び場所の減少，スマートフォンやネットゲーム，夜間の塾通いなど）の影響も重要である．

c．生活習慣的要因

運動の減少（外遊びの減少，スクリーンタイムの増加），食事内容（外食やファストフード摂取の増加，高脂肪，高ショ糖食の摂取），食習慣（朝食欠食，夜食や間食の増加），睡眠不足などが肥満の原因となる．

3）肥満の病態生理

a．脂肪組織の慢性炎症の病態（図4）

肥満によって，脂肪組織へ中性脂肪が過剰蓄積する

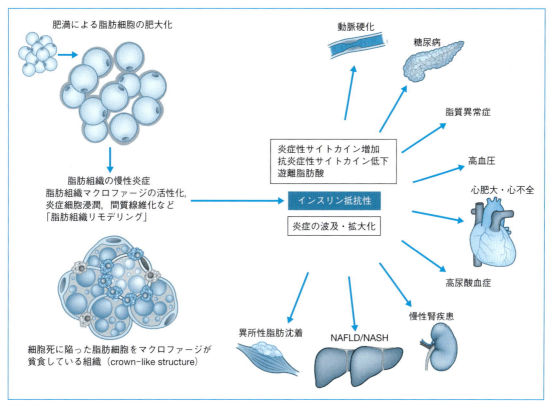

図4 肥満における脂肪組織の慢性炎症の病態

ことで脂肪細胞が肥大し，脂肪組織の機能不全が生じるとともに，脂肪組織で慢性炎症が生じている．慢性炎症では，マクロファージをはじめとする種々の免疫担当細胞が浸潤して，tumor necrosis factor(TNF)-α, interleukin(IL)-6, monocyte chemoattractant protein(MCP)-1などの炎症性サイトカインを産生し，インスリン抵抗性を惹起する[12]．慢性炎症の病態では，脂肪組織マクロファージ(adipose tissue macrophage：ATM)は，健常な炎症抑制的な状態M2(alternatively activated macrophage)が，肥満ではM1(classically activated macrophage)が優位となり炎症が顕在化する[12]．

b．アディポカインの異常

脂肪組織から産生されるアディポカインの異常も肥満病態の形成にも重要な役割を担っている[12]．肥満の脂肪組織では，炎症性サイトカインが過剰産生のほかに，アディポネクチンに代表される抗炎症性サイトカインの産生は減少しており，このようなアディポカインのバランスの異常が全身のインスリン抵抗性を惹起する[12]．

c．脂肪組織リモデリングから異所性脂肪蓄積，多臓器障害への進展(図4)

慢性炎症の過程では，脂肪細胞肥大，免疫細胞浸潤，そして細胞外基質の過剰産生など間質における組織学的変化「脂肪組織リモデリング」が生じている[12]．また，脂肪の過剰沈着により細胞死に陥った脂肪細胞をマクロファージが貪食している組織(crown-like structure：CLS)がみられ，病原体センサーであるmacrophage-inducible C-type lectin(Mincle)を介してマクロファージを活性化し，炎症の慢性化や線維化が惹起される(図4)．脂肪組織では間質の線維芽細胞よりコラーゲンIVが優位に分泌されて線維化が進展し，リモデリングを促進する．

脂肪組織リモデリングによって，線維化が進展し，脂肪組織の拡張制限によって脂質貯蓄能が減少する．そのため，肝臓・筋肉・膵臓などの異所性脂肪蓄積に進展し，他の臓器へ影響が波及していくことによって多臓器障害が進展する(図4)[12]．

d．肥満に伴う視床下部の炎症

肥満では，視床下部においても早期から炎症が起こる[13]．視床下部弓状核を中心に引き起こされるマイクログリアの活性化を伴う炎症反応が，弓状核のNPY/AgRPニューロンとPOMCニューロンにおけるレプチン抵抗性とともにグレリン抵抗性に関与する[13]．視床下部を中心とした恒常性摂食調節機構が早期に破綻

II 各　論

e．レプチン抵抗性

多くの肥満では，血中レプチン濃度は上昇していても，レプチンの効果が減弱している状態（レプチン抵抗性）をきたしている[13]．肥満では，レプチンの末梢から血液脳関門を経由した中枢への移行が障害される．また，視床下部におけるレプチン受容体の発現低下，視床下部の炎症によるグリオーシス，視床下部におけるendoplasmic reticulum(ER)stressがレプチン抵抗性をきたすことも報告されている[13]．

❖ 文献

1) Zhang Y, et al.：Positional cloning of the mouse obese gene and its human homologue. Nature 372：425-432, 1994
2) 箕越靖彦：肥満症と中枢神経制御．最新医学 74：32-42, 2019
3) 岩部真人, 他：肥満症とアディポカイン．最新医学 74：51-59, 2019
4) Monteiro MP, et al.：The importance of the gastrointestinal tract in controlling food intake and regulating energy balance. Gastroenterology 152：1707-1717, 2017
5) 上野浩晶, 他：消化管ホルモンによる食欲調節．Diabetes Frontier 28：169-173, 2017
6) Duerrschmid C, et al.：Asprosin is a centrally acting orexigenic hormone. Nat Med 23：1444-1453, 2017
7) Mullican SE, et al.：Uniting GDF15 and GFRAL：Therapeutic opportunities in obesity and beyond. Trends Endocrinol Metab 29：560-570, 2018
8) 安田和基：肥満関連遺伝子：同定の現状と展望．実験医学 34：325-330, 2016
9) Neel JV, et al.：Diabetes mellitus：a "thrifty" genotype rendered detrimental by "progress"? Am J Hum Genet 14：353-362, 1962
10) 仙田聡子, 他：倹約遺伝子．Life Style Medicine 4：375-378, 2010
11) Xia Q, et al.：The genetics of human obesity. Ann N Y Acad Sci 1281：178-190, 2013
12) 園田紀之, 他：肥満症・メタボリックシンドロームの病態発症メカニズムにおける脂肪組織炎症現象の意義．Pharma Medica 35：21-24, 2017
13) Thaler JP, et al.：Obesity is associated with hypothalamic injury in rodents and humans. J Clin Invest 122：153-162, 2012

（山本幸代）

B　DOHaD

1　胎内環境と小児肥満

1）基本概念

a．DOHaD

1986年，イギリスのBarkerは，イギリスにおいて虚血性心疾患の死亡率が高い地域では，約50年前の新生児乳児死亡率が高く，出生体重が軽いほど，虚血性心疾患の死亡率が高いことを見出した[1]．胎児期の低栄養状態などのストレスによって，胎児はエピジェネティックな機序によって遺伝子発現を制御し，出生後の環境を予測して適応する．この予測適応反応は，遺伝的素因や成人後の生活習慣とともに，生活習慣病の発症に関連しているという胎児プログラミングという概念を提唱した．その後，GluckmanとHansonにより，この概念が一般化された．すなわち，胎児は，子宮内の環境に対応して，エピジェネティックな機序で遺伝子発現を調整し，出生後の環境に適応する方向に変異させ，出生時の表現型が決まる．これに，新生児から乳児期の環境が作用することで，成人期の表現型が形成され，疾患の発症リスクが決まるというdevelopmental origins of health and disease(DOHaD)という概念を提唱した[2]．すなわち，低出生体重児は，低栄養状態の胎内環境に適応した倹約表現型として出生したので，出生後の栄養状態の改善に対して感受性が高く，容易に肥満になりやすいということである．

b．Pedersen仮説

1950年代，Pedersenは，糖尿病合併妊娠の病態について母体高血糖—胎児高インスリン仮説を提唱した．ブドウ糖は胎盤を介して胎児に移行するが，インスリンは胎盤を通過しないので，胎児自身の膵β細胞を過形成，インスリン産生を亢進させる．その結果，低血糖などの新生児合併症が生じる．これをPedersen仮説ともいう．その後，胎児高インスリン血症が，胎児過成長を惹起すること．母体血中中性脂肪は，胎盤のリポ蛋白リパーゼによって遊離脂肪酸に分解され胎児に移行し，胎児の過成長に関与することなどが加えられた修正Pedersen仮説に発展した[3]．

2）出生体重と小児肥満

a．妊娠前母体体格と出生体重

母体の妊娠前BMIは，出生体重と正の相関をする．すなわち肥満母体は，高出生体重児を出産しやすく，やせ母体は，低出生体重児を出産しやすい．さらに，妊娠中の体重増加と出生体重も正の相関をする．妊娠中に過度に体重増加した母体は，高出生体重児を出産しやすい[4]．また，肥満母体はlarge for gestational age (LGA)，やせ母体はsmall for gestational age(SGA)を出産しやすい．

b．出生体重

出生体重はその後の肥満の程度と正の相関をする．すなわち高出生体重は，将来の肥満のリスク因子である[5]．低出生体重は，小児期以降肥満のリスク因子で

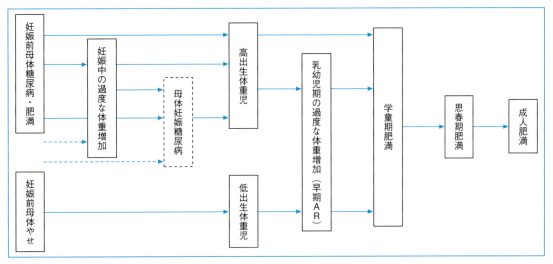

図5 妊娠前母体から成人肥満に至る軌跡

はない．しかし，乳幼児期に過剰はキャッチアップをした場合，内臓脂肪型肥満に進展しやすいと考えられている[6]．また，LGA児は，appropriate for gestational age (AGA)時に比し将来肥満になりやすいが，SGA児とAGA児との間に明らかな差はない．

3) 母体糖代謝異常と児の肥満

糖尿病母体および妊娠糖尿病母体の児は，高出生体重になりやすく[7]，さらに小児肥満にもなりやすい．また，妊娠中の高血糖の程度と，児の高出生体重，小児期の肥満，インスリン抵抗性，高血糖は関連する[8]．また，糖尿病母体の児は，思春期発来が早いという報告もある．母体のBMIと高血糖は，それぞれ独立して児の過体重，内臓脂肪蓄積と関連する[9]．

4) 妊娠前母体から小児肥満への軌跡

妊娠前の母体の肥満，糖尿病．妊娠糖尿病，妊娠中の過度な体重増加は，高出生体重児のリスク因子であり，妊娠前母体のやせは，低出生体重児のリスク因子である．高出生体重児と乳幼児期の過度な体重増加は，小児肥満のリスク因子である．低出生体重児は，乳幼児期に過度のキャッチアップした場合，小児肥満へ進展しやすい(図5)．上記のリスク因子を回避することが小児期以降の肥満の予防につながる．特に，乳幼児期の過度な体重増加を予防することが重要である．

❖ 文献

1) Barker DJ, *et al.*：Infant mortality, childhood nutrition, and ischaemic heart disease in England and Wales. *Lancet* 1：1077-1081, 1986
2) Gluckman PD, *et al.*：Living with the past：evolution, development, and patterns of disease. *Science* 305：1733-1736, 2004
3) Catalano PM, *et al.*：Is it time to revisit the Pedersen hypothesis in the face of the obesity epidemic? *Am J Obstet Gynecol* 204：479-487, 2011
4) Stamnes Koepp UM, *et al.*：Maternal pre-pregnant body mass index, maternal weight change and offspring birthweight. *Acta Obstet Gynecol Scand* 91：243-249, 2012
5) Schellong K, *et al.*：Birth weight and long-term overweight risk：systematic review and a meta-analysis including 643,902 persons from 66 studies and 26 countries globally. *PLoS One* 7：e47776, 2012
6) Nakano Y.：Adult-Onset diseases in low birth weight infants：association with adipose tissue maldevelopment. *J Atheroscler Thromb* 27：397-405, 2020
7) HAPO Study Cooperative Research Group.：Hyperglycemia and adverse pregnancy outcomes. *N Engl J Med* 358：1991-2002, 2008
8) Scholtens DM, *et al*. Hyperglycemia and Adverse Pregnancy Outcome Follow-up Study (HAPO FUS)：Maternal glycemia and childhood glucose metabolism. *Diabetes Care* 42：381-392, 2019
9) Josefson JL, *et al*. The joint associations of maternal BMI and glycemia with childhood adiposity. *J Clin Endocrinol Metab* 105：2177-2188, 2020

〈菊池　透〉

2 アディポシティリバウンド

1) 基本概念

アディポシティリバウンド(adiposity rebound：AR)は，1984年にRolland-Cacheraによって提唱された概念である．一般にbody mass index (BMI)は生後上昇し，6か月から12か月にかけていったんピークを迎える(adiposity peak)．そして，その後減少に転じ，5～7歳で再び上昇に転じる．ARはこの再び上昇に転じること(タイミング)を意味する[1]．

具体的には1歳以降のBMIの最低値をARのタイミ

ングとする方法が簡便で実用的である[2]．また，5歳未満のARを早期ARとするのが一般的である．ARを認めるとその後BMIは一様に上昇することが多い．そして，早期ARは小児期・成人期の肥満，糖尿病，メタボリックシンドローム，高血圧などのリスクを上昇させることが明らかになっている[3〜5]．

当初，ARは成人に向けての体脂肪蓄積が幼少期に始まることを示しているとされていた．一方で，最近ではARのタイミングでは除脂肪体重の増加を認め，脂肪の量が増える現象（脂肪反跳）はその後に起き，必ずしも一致しないとされている[6]．また，Taylorらは ARの時期のBMIの変化はおもに体重の変化によると報告[7]している．

2）早期ARに影響する因子

a．両親の肥満
とりわけ母親の肥満が児の早期ARにつながると多くの先行研究で指摘されている．

b．環境因子
幼少期の食生活（特に過剰なエネルギーの摂取）や座りがちな生活習慣などが早期ARに影響すると報告されている．また，妊娠中の母体の喫煙も早期ARにつながるとの懸念があるが，はっきりしていない．

c．母乳
母乳栄養は，小児肥満と早期ARを防ぐ効果があることが示唆されている．

3）臨床活用

a．3歳健診での例，問題点
早期ARは，上述のとおり将来の肥満・生活習慣病のリスク因子となる．そこで，早期ARを早期発見し，生活習慣の修正を行うのがよいという考えもある[8]．栃木県大田原市では3歳児健診で1歳6か月児健診時と比較してBMI上昇した児を肥満のハイリスク児として，生活習慣の介入を5歳まで行い，約9割の児で平均BMIパーセンタイルが11％改善している[9]．また，就学時のBMIが1歳6か月（または1歳）のときと比較して上昇しているかを確認することも有用である．大切なことは，その時点で肥満がみられなくても早期ARを認めたことが将来の肥満などのリスクとなりえることである．

児の気質（性格）などが幼少期の食行動や生活態度などを介して，ARの時期に影響する可能性を示唆した報告もあり興味深い[10]．

早期ARはBMIを継時的に計測し，1歳以降にBMIが上昇してから初めてわかるという問題点がある．

b．今後の課題
今後は，どのような児がそしてどのような環境が早期ARにつながるのかをより明らかにする必要がある．また，ARを呈した後もBMIが横ばいで推移し，ARの意義自体を否定するような一群が少数ながら存在する．特にcatch up growthがARのタイミングと重なり，本来の意味でのARを呈していないような症例（特に超低出生体重児）をどのように捉えるべきかは今後の検討課題である．

4）まとめ
早期ARは，将来の肥満，インスリン抵抗性を基盤とする疾患（メタボリックシンドローム，糖尿病）につながることが知られている．そこでARのタイミングを遅らせるような環境づくりが肝要である．そして，早期ARを呈した児はもちろん，呈しそうな児への介入が重要といえる．

❖ 文献

1) Rolland-Cachera MF, et al.：Adiposity rebound in children：a simple indicator for predicting obesity. *Am J Clin Nutr* 39：129-35, 1984
2) Koyama S, et al. Adiposity rebound and the development of metabolic syndrome. *Pediatrics* 133：e114-e119, 2014
3) Eriksson JG, et al.：Early adiposity rebound in childhood and risk of Type 2 diabetes in adult life. *Diabetologia* 46：190-194, 2003
4) Arisaka O, et al.：Pediatric obesity and adult metabolic syndrome. *J Pediatr* 164：1502, 2014
5) Péneau S, et al.：Age at adiposity rebound：determinants and association with nutritional status and the metabolic syndrome at adulthood. *Int J Obes* 40：1150-1156, 2016
6) Plachta-Danielzik S, et al.：Adiposity rebound is misclassified by BMI rebound. *Eur J Clin Nutr* 67：984-989, 2013.
7) Taylor RW, et al.：Changes in fat mass and fat-free mass during the adiposity rebound：FLAME study. *Int J Pediatr Obes* 6：e243-251, 2011
8) Ichikawa G：Persistence of obesity from early childhood onward. *N Engl J Med* 380：194, 2019
9) 市川　剛，他：Adiposity reboundを活用した3歳健診での肥満予防．日本新生児成育医学会雑誌別冊 31：350-355, 2019
10) Vollrath ME, et al.：Child temperament predicts the adiposity rebound. A 9-year prospective sibling control study. *PLoS One* 13：e0207279, 2018

（市川　剛）

C 肥満症

1）小児肥満の判定
肥満とは，体脂肪率が標準を超えて増加した状態であるが，日常診療や小児保健において体脂肪率の正確な測定は困難である．したがって，過体重の程度で肥満の判定をする．国際的には，BMIパーセンタイル値

が小児肥満の判定に汎用されており85パーセンタイル以上95パーセンタイル未満を過体重，95パーセンタイル以上を肥満としている．日本では，乳幼児身体発育調査報告書および学校保健統計調査をもとに性別身長別標準体重および性別年齢別身長別標準体重を用いて肥満度を算出している[1]．一般に6歳未満は前者で，6歳から18歳未満は後者を用い，表3にしたがって判定する[2,3]．6歳以上では肥満度+20%以上を肥満と判定するが，6歳未満では肥満度+15%以上を肥満と判定する．これは，幼児ほど予防的な意義が大きいためである[4]．

2）小児肥満の頻度

2019年の学校保健統計調査によると6歳，9歳，12歳，15歳，17歳の小児肥満の頻度は男子で4.68%，10.57%，11.18%，11.72%，10.56%，女子で4.33%，7.85%，8.48%，7.84%，7.99%である．男女とも小学生では学年ごとに肥満頻度は増加する．女子では中学生以降，変化が少ないが，男子では中学生では学年ごとに低下するか，高等学校で再増加する傾向がある．経年変化では男女とも1977年から2001年まで約2倍増加したが，それ以降は減少傾向である．

3）幼児肥満

幼児肥満では健康障害を生じることは少なく，小児肥満症に該当しない．しかし，幼児肥満は高率に学童以降の肥満へ移行（トラッキング）し，小児肥満症へと進展する．幼児期は基本的生活習慣が身につく時期である．幼児肥満への生活指導は早期アディポシティーリバウンドを抑制し，将来の小児肥満症を予防するために重要である[4]．

4）小児肥満症の概念

肥満症とは，肥満に起因ないし関連する健康障害（医学的異常）を合併するか，その合併が予測される場合で，医学的に肥満を軽減する必要がある状態をいい，疾患単位として取り扱う[2]．小児肥満が引き起こす健康障害を図6に示す．健康障害には，内臓脂肪蓄積を中心とした脂肪細胞の質的異常による高血圧，耐糖能異常，脂質異常症，肝機能障害などの代謝異常などと脂肪細胞の量的異常に起因する睡眠時無呼吸症候群，運動機能不全，皮膚線状などがある．また，集団生活でいじめの対象になることもあり，不登校などの社会適応障害を起こすこともある．肥満小児では，骨年齢が促進し[5]，思春期の身長スパートが減少する[6]．高度肥満小児では，身長スパートが消失することもある．したがって，思春期年齢までは高身長傾向であるが，最終身長は，必ずしも高身長にはならない．さらに，妊娠時に母体が肥満であると，その児は，高出生体重児になりやすく，将来，肥満や糖尿病になりやすいことも報告されている．このように，肥満は小児に対して多岐にわたる健康障害を引き起こすため，小児肥満への対策は重要である．従来，小児肥満というだけで，医学的介入をすることが困難な場面も多かったが，小児肥満症という概念の導入によって医学的介入が容易になってきた．日本肥満学会では，学童期以降を対象に，小児肥満を疾病単位とした小児肥満症の診断基準を作成し，診療ガイドラインを刊行している[2]．一方，幼児肥満への対応に関して，日本小児医療保健協議会から幼児肥満ガイドが発表されている[4]．

5）小児肥満症の診断基準の概要

診断基準を表4に示す[2]．対象年齢は，6歳から18歳未満である．ここでの肥満の定義は，肥満度が+20%以上，かつ有意に体脂肪率が増加した状態である．この体脂肪率の基準はDEXA法によるものであるが，実際の判定では，測定方法は問わない．

小児肥満症の診断基準と関連する健康障害の補足を表5に示す[2]．A項目は，肥満治療が特に必要となる医学的問題である．小児肥満の高血圧は，高インスリン血症とよく相関するため，その他の健康障害の指標となる[7,8]．内臓脂肪型肥満は，臍高で撮影した腹部

表3　肥満度区部と体格の呼称

6歳未満		6歳以上 18歳未満	
肥満度区分*	体格の呼称	肥満度区分**	体格の呼称
+30%以上	ふとりすぎ	+50%以上	高度肥満（肥満）
+20%以上，+30%未満	ややふとりすぎ	+30%以上，+50%未満	中等度肥満（肥満）
+15%以上，+20%未満	ふとりぎみ	+20%以上，+30%未満	軽度肥満（肥満）
−15%超，+15%未満	ふつう	−20%超，+20%未満	標準
−15%超，−15%以下	やせ	−20%以下	やせ
−20%以下	やせすぎ		

＊：性別・身長別標準体重を用いて算出，＊＊：性別・年齢別・身長別標準体重を用いて算出
〔日本肥満学会（編）：小児肥満症診療ガイドライン2017．ライフサイエンス出版，2017〕

II 各　　論

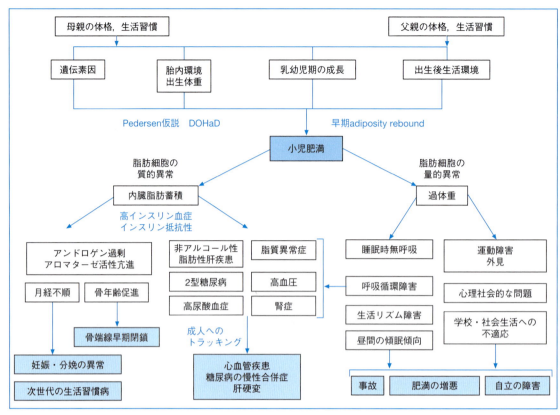

図6　小児肥満の病因と健康障害

表4　小児肥満症の診断基準と関連する健康障害

肥満の定義	肥満度が+20%以上，かつ有意に体脂肪率が増加した状態 (有意な体脂肪率の増加とは，男児：年齢を問わず25%以上　女児：11歳未満は30%以上，11歳以上は35%以上)
肥満症の定義	肥満に起因ないし関連する健康障害(医学的異常)を合併するか，その合併が予測される場合で，医学的に肥満を軽減する必要がある状態をいい，疾患単位として取り扱う
適用年齢	6歳から18歳未満
肥満症診断	A項目：肥満治療を必要とする医学的異常 B項目：肥満と関連が深い代謝異常 参考項目：身体的因子や生活面の問題 (1)A項目を一つ以上有するもの，(2)肥満度が+50%以上でB項目の一つ以上を満たすもの，(3)肥満度が+50%未満でB項目の二つ以上を満たすものを小児肥満症と診断する (参考項目は二つ以上あれば，B項目一つと同等とする)
診断基準に含まれる肥満に伴う健康障害	A項目： 1) 高血圧 2) 睡眠時無呼吸症候群など換気障害 3) 2型糖尿病・耐糖能障害 4) 内臓脂肪型肥満 5) 早期動脈硬化 B項目： 1) 非アルコール性脂肪性肝疾患(NAFLD) 2) 高インスリン血症かつ／または黒色表皮症 3) 高TC血症かつ／または高non HDL-C血症 4) 高TG血症かつ／または低HDL-C血症 5) 高尿酸血症 参考項目 1) 皮膚線条などの皮膚所見 2) 肥満に起因する運動器機能不全 3) 月経異常 4) 肥満に起因する不登校，いじめなど 5) 低出生体重児または高出生体重児

[日本肥満学会(編)：小児肥満症診療ガイドライン2017．ライフサイエンス出版，2017]

表5　小児肥満症の診断基準と関連する健康障害の補足

A項目：
(1) 高血圧の判定基準：日本高血圧学会高血圧治療ガイドライン2014

	SBP　かつ／または　DBP (mmHg)
幼児	≧120　　　　　　　　　　　≧70
小学生低学年	≧130　　　　　　　　　　　≧80
小学生高学年	≧135　　　　　　　　　　　≧80
中学生　男子	≧140　　　　　　　　　　　≧85
中学生　女子	≧135　　　　　　　　　　　≧80
高校生	≧140　　　　　　　　　　　≧85

(2) 睡眠時無呼吸：International Classification of Sleep Disorder 3rd に準拠
小児の閉塞性無呼吸症候群の判定基準：
睡眠中に，いびきや閉塞性呼吸障害などの臨床症状を伴う2呼吸（5秒が目安）以上の呼吸停止が1時間に1回以上ある
(3) 2型糖尿病：日本糖尿病学会編糖尿病治療ガイド2016-2017（血糖値：mg/dL）
①空腹時血糖値≧126，②OGTT 1.75 g/kg体重（最大75 g），2時間値≧200，③随時血糖値≧200，④HbA1c（NGSP値）≧6.5％
・初診で①～④のいずれかを認めた場合は「糖尿病型」と診断する
・別の日に再検査を行い，再び「糖尿病型」が確認されれば糖尿病と診断する
・①～③のいずれかと④が確認されれば，初回検査だけでも糖尿病と診断する
・耐糖能異常（impaired glucose tolerance：IGT）とは，空腹時血糖値＜126，140≦OGTT 2時間値＜200の場合である．
・100≦空腹時血糖値＜110の者は「正常高値」とされる．
(4) 内臓脂肪型肥満：以下のいずれかを満たす場合
・臍高で撮影した腹部CT検査で内臓脂肪面積≧60 cm^2
・ウエスト周囲長：小学生≧75 cm，中学生・高校生≧80 cm
・ウエスト身長比（ウエスト周囲長(cm)/身長(cm)）≧0.5
(5) 早期動脈硬化：評価法を問わず基準値を超える場合
・血流依存性血管拡張反応（％FMD）≦8.0
・上腕足首脈波伝播速度（baPWV）≧1,200 cm/秒
・総頸動脈内中膜複合体厚（IMT）≧0.55 mm
・総頸動脈 Stiffness β ≧5.0

B項目：
(1) 非アルコール性脂肪性肝疾患
・ALT優位（ALT＞AST），ALT≧25 IU/L で画像診断を推奨
・腹部CT検査・腹部超音波検査で明らかな脂肪肝所見
・肝生検で NAFLD や NASH と診断
(2) 高インスリン血症かつ／または黒色表皮症
・空腹時採血：IRI≧15 μU/ml，頸部に黒色表皮症が存在
(3) 高TC血症かつ／または高non HDL-C血症
・TC≧220 mg/dL
・non HDL-C≧150 mg/dL
(4) 高TG血症かつ／または低HDL-C血症
空腹時採血：TG≧120 mg/dL かつ／または HDL-C＜40 mg/dL
(5) 高尿酸血症
・小学生男女・中学生女子：尿酸値＞6.0 mg/dL
・中学生男子・高校生男女：尿酸値＞7.0 mg/dL

参考項目
(1) 皮膚線条：腹部に明らかな皮膚線条
(2) 肥満に伴う運動器機能不全：下記のいずれかを認める場合
・運動器健診で運動器機能障害と診断
・肥満に伴う骨折や関節障害の既往
・運動器の問題で体育の授業に参加できない
(3) 月経異常：続発性無月経が1年6か月以上持続
(4) 肥満に起因する不登校，いじめなど
(5) 低出生時体重児または高出生体重児：出生体重が2,500 g未満または出生体重が4,000 g以上

〔日本肥満学会（編）：小児肥満症診療ガイドライン2017．ライフサイエンス出版，2017〕

CT検査での内臓脂肪面積60 cm^{2}以上で判定する．簡易な方法としてウエスト周囲長（臍高での測定した腹囲）が小学生で75 cm，中学生で80 cm，あるいは，ウエスト身長比（臍周囲長/身長比）0.5 以上で判定する．ウエスト周囲長75 cmおよび80 cmは，それぞれ健常小学校高学年および中学生の腹囲＋2 SDに近似した値である[9]．また，肥満による健康障害である血圧，脂質，血糖の異常をスクリーニングする基準値として小学生75 cmは感度，特異度とも良好だが，中学生80 cmは，感度は良好だが，特異度はやや劣る[10]．ウエスト身長比は，年齢，性別を問わず単一の基準値の設定でよいが，健康障害のスクリーニングの感度は良好だが，特異度は低い[10,11]．小児期から早期動脈硬化の評価も重要であり，診断基準に採用された．

B項目は，肥満と関連が深い代謝異常などである．非アルコール性脂肪性肝疾患（non-alcoholic fatty liver disease：NAFLD）の判定には，ALT高値に加え，腹部CTや超音波などの画像検査が推奨された．高ALT血症は，高インスリン血症と関連し，随時採血で評価可能な肥満による健康障害の有用な指標である[12]．高インスリン血症とそれに起因する頸部の黒色表皮症が同じ項目にまとめられた．脂質異常の判定は随時採血でも判定可能な高non HDL-C血症で行う．non HDL-Cは，ApoBとよく関連し，肥満による脂質異常を反映する有用な指標である．総コレステロール（TC）220 mg/dL, non HDL-C 150 mg/dLは，健常児の95パーセ

ンタイル値に相当する[13]．高トリグリセリド(TG)血症および低 HDL-C 血症は互いに関連するため，同じ項目にまとめられた．それぞれ 120 mg/dL，40 mg/dL は，健常児の 90 パーセンタイル値および 5 パーセンタイル値に相当する．高尿酸血症には，健常小児の +2 SD に相当する基準値が設定された．

参考項目では，肥満に起因する骨折や関節障害と走行跳躍能力の低下を肥満に伴う運動器機能不全とまとめた．小児肥満に合併しやすい整形外科的疾患には，大腿骨頭すべり症と思春期型 Blount 病がある．また，背部痛や下肢痛を訴える者も多く，骨折も高頻度である．月経異常は，高インスリン血症が IGF-Ⅰを介して卵巣や副腎のアンドロゲン産生を促進させ，視床下部—下垂体—卵巣系の異常を引き起こすためと考えられている．続発性無月経が 1 年 6 か月以上持続した場合，月経異常と判定される．高出生体重児は肥満になりやすく，低出生体重児は過度なキャッチアップによって内臓脂肪が蓄積しやすい．

6）小児肥満症の治療の意義

小児期の生活習慣は，成人後も継続されることが多い．すなわち，小児肥満は自然治癒することは少なく，その多くは成人肥満にトラッキングし，健康障害が顕在化する．したがって，小児肥満の治療目標は，小児期に健全な生活習慣を体得し，小児肥満から成人肥満へトラッキングを抑制し，肥満に起因する健康障害を抑制することである．たとえ，小児期の合併症がなくても，その後顕在化し，また自立の障害を起こすことが予測されるので，すべての肥満小児には，食事(間食)，活動(運動，遊び)，排泄，学習，休養・睡眠，生活リズムなどへの生活習慣指導が有益である．健全な生活習慣の体得は，自己肯定感，自己効力感を向上させ，肥満の改善のみならず，自立を促進し，生涯の高い QOL の維持にも寄与すると考えられる[14]．また，肥満小児が非肥満成人になった際には，健全な妊娠，出産，育児が推進されるであろう．

また，子どもの生活習慣が改善するためには，親・家族の生活習慣の改善が必要である．したがって，小児肥満症の治療は，その家族全員の健康増進につながる．

7）小児肥満症の治療の概要

肥満を改善させるものは，日常生活での行動変容にほかならない．いかに行動変容をさせるかがポイントである．まず，患児・家族の生活習慣と理想の生活習慣とのズレを，患児・家族とともに理解し，次に患児・家族が，そのズレを減らす行動をするように指導する．食事療法や運動療法などの生活習慣指導を行動療法的手法で指導することが効果的である[14]．

食事療法の基本は，「いつでも，どこでも，好きなものを好きなだけ食べる」ことができる生活を，「好き嫌いなく，適量を食べ，清涼飲料水や間食を控え，早寝早起き朝ごはんを基本とした生活をする」ように変化させることである[14]．

運動療法には，エネルギー消費量の増大，安静基礎代謝率の増大，除脂肪体重の維持，インスリン感受性の改善，ストレス緩和，体力や心肺能力の向上など肥満症を改善させる効果がある．運動に対する劣等感の克服や健全な自己像の確立などの効果も期待できる．運動習慣がまったくない者には，目標消費エネルギーにとらわれることなく，患児が楽しく体を動かすように促し，日常生活のなかで身体活動を増やすことからはじめる．ある程度運動習慣がある者には，低強度の運動から開始して以後漸増していく[14]．

小児肥満に対しても行動療法が有効であり，日常生活のチェックリスト法や家庭体重測定法がある．チェックリストの作成方法には，一般的な行動目標で作成する方法[15]と患者ごとに問題行動を抽出し，行動目標を作成する方法がある．家庭体重測定は，毎日同じ時間帯に測定することが重要であり，夕食前の測定は，夕食量の食べ過ぎを抑止する効果が期待できる[14]．小児肥満治療は，短期的な効果よりも，いかに継続できるかが重要である．また，介入時に肥満度が低いほど，また出生体重が軽いほど，改善効果が高いと報告されている[16]．医療者も患児・家族も焦らずゆっくり治療することが大切である．

❖ 文献

1) 日本成長学会・日本小児内分泌学会合同標準値委員会：日本人小児の体格の評価．平成 23 年 7 月，日本小児内分泌学会ホームページ．
http://jspe.umin.jp/medical/taikaku.html(2021 年 1 月 1 日アクセス)

2) 日本肥満学会(編)：小児肥満症診療ガイドライン 2017．ライフサイエンス出版，2017

3) Dobashi K.：Evaluation of obesity in school-age children. *J Atheroscler Thromb* 23：32-38, 2016

4) 日本小児医療保健協議会 栄養委員会 小児肥満小委員会編：幼児肥満ガイド
http://www.jpeds.or.jp/uploads/files/2019youji_himan_G_ALL.pdf(2021 年 1 月 1 日アクセス)

5) Nagasaki K, et al.：Obese Japanese children have low bone mineral density after puberty. *J Bone Miner Metab* 22：376-381, 2004

6) Yoshii K, et al.：Reduced pubertal growth in children with obesity regardless of pubertal timing. *Endocr J* 67：477-484, 2020

7) 菊池 透，他：小児肥満における血圧測定の有用性の検討．肥満研究 11：69-73, 2005

8) 菊池 透, 他：小児肥満への疫学的アプローチ. 肥満研究 10：12-17, 2004
9) 藤原 寛, 他：腹囲の年齢における変化の検討. 肥満研究 15：45-52, 2009
10) 高谷竜三, 他：小児期メタボリックシンドローム診断基準における腹囲, 腹囲身長比の意義と解釈. 肥満研究 14：31-35, 2008
11) Dobashi K, et al. Evaluation of hip/height p ratio as an index for adiposity and metabolic complications in obese children：comparison with waist-related indices. *J Atheroscler Thromb* 24：47-54, 2017
12) Abe Y, et al.：Usefulness of GPT for diagnosis of metabolic syndrome in obese Japanese children. *J Atheroscler Thromb* 16：902-909, 2009
13) Abe Y et al.：Reference ranges for the non-high-density lipoprotein cholesterol levels in Japanese children and adolescents. *J Atheroscler Thromb* 22：669-675, 2015
14) 菊池 透：肥満とメタボリックシンドローム. 横谷 進, 他（編）, 専門医による 新 小児内分泌疾患の治療. 改訂第2版, 診断と治療社, 250-261, 2017
15) 内田則彦, 他：生活習慣を改善させるためのチェックリストを用いた肥満児の治療法. 日児誌 100：1742-1748, 1996
16) 内田則彦, 他：学童期肥満の治療反応性に対する背景因子の影響. 日児誌 106：401-408, 2002

（菊池 透）

D 小児のメタボリックシンドローム

1) 概念と定義

a. メタボリックシンドロームの概念

メタボリックシンドロームとは, 心血管病発症リスクの増加に繋がる肥満を基盤とした特定の代謝異常を指す言葉である. 従来から, ある一定の特徴を備えた肥満者には, 肥満合併症の発症頻度が高いことが経験的には知られていた. 1988年にはReavenが, 高血圧・高トリグリセリド（TG）血症・低HDL-C血症・高インスリン血症の特徴をまとめて"シンドロームX"を造語した. 次いで, 上半身肥満・耐糖能異常（impaired glucose tolerance：IGT）・高TG血症・高血圧を主徴とする, "死の四重奏（deadly quartet）"では, 腹部肥満の関与がはじめて指摘された. そして, 1992年にはMatsuzawa[1]が"内臓脂肪症候群"として, この代謝異常の主要な原因が内臓脂肪の蓄積であることを指摘した. このように, 肥満に伴う特定の代謝異常の集積と心血管疾患が関連することが明らかとなり, マルチプルリスクファクター症候群という言葉も生まれた. しかし, 多くの造語により混乱の兆しがみられたため, 1999~2005年頃から米国では, これらをまとめて「メタボリックシンドローム」とよぼうという機運が高まった（表6）[2]. わが国でも2005年に, 内科関連8学会が合同で日本人のメタボリックシンドローム診断基準を策定し, これが現在, 成人で用いられているものである.

メタボリックシンドロームは, "metabolic syndrome（代謝症候群）"を日本語化したもので, 肥満に伴う特定の代謝異常を意味するものである. この特定の病態を指して"代謝"という汎用語があてられているのは, 従来, 動脈硬化による脳卒中や心筋梗塞などの臓器障害を（cardio-）vascular syndromeと総称していたので, その原因となっている代謝面の異常を"vascular"との

表6 メタボリックシンドロームの概念形成まで

概念の変遷	主旨
高コレステロール血症 （T-chol, LDL-C）	コレステロール中心説
シンドロームX （インスリン抵抗性, IGT, 高インスリン血症, 高VLDL-TG血症, 低HDL血症）	リスク因子の概念
死の四重奏 （上半身肥満, IGT, 高TG血症, 高血圧）	上半身肥満の役割
インスリン抵抗性症候群 （高インスリン血症, 2型糖尿病, 脂質代謝異常, 肥満, 高血圧, 動脈硬化性疾患）	インスリン抵抗性の重要性
内臓脂肪症候群 （内臓脂肪蓄積, IGT, 高TG血症, 低HDL血症, 高血圧）	内臓脂肪がキープレーヤー
メタボリックシンドローム	これらを統合する概念

［大関武彦：メタボリックシンドロームの概念と実態. 日本小児内分泌学会（編）, 小児のメタボリックシンドローム. 診断と治療社, 2-10, 2008］

対比から"metabolic"syndromeとして総称したことによる．

b．小児のメタボリックシンドローム診断基準

わが国では，小児のメタボリックシンドローム診断基準は，厚生労働省科学研究班「小児期メタボリック症候群の概念・病態・診断基準の確立及び効果的介入に関するコホート研究」（主任研究者 大関武彦）より2007年春に提示された（表7）[3]．この診断基準は二つの目的をもって策定された．まず第一に，小児期にすでに存在する成人と同様のメタボリックシンドロームを発見して早期に介入を行うことである．これは，特に思春期以降に頻度が増加する本症の特徴を踏まえたものである．第二に，成人後にメタボリックシンドロームへ進展しそうな肥満小児を発見して小児期のうちに介入を行うことである．

診断基準の設定根拠について記す．小児のメタボリックシンドローム診断基準では，成人のそれと同様に，内臓脂肪の増加をその主因として想定している．成人では，臍レベルのCTで計測した内臓脂肪面積が100 cm^{2}を超えると代謝異常と心血管病のリスクが高くなるという解析結果から，その内臓脂肪面積に相当するウエスト周囲長（本項では，以下，腹囲とする）が男性で85 cm，女性で90 cmであったので，その値を成人のメタボリックシンドロームにおける腹囲増加の基準としている．小児では同様に，臍レベルCTによる内臓脂肪面積が60 cm^{2}を超えると異常な代謝指標の個数が増加することが明らかになり，その内臓脂肪面積に相当する腹囲は男女とも82 cmであった．さらに，代謝異常の頻度が上昇してくる11歳の標準体重児の腹囲の平均＋2 SD値は男女とも約82 cm，90パーセンタイル値は男性で80 cm，女性で79 cmであった．これらのことを総合して，小児のメタボリックシンドローム診断基準では，腹囲増加の基準を男女とも80 cmとしている．また，各年齢の腹囲の平均値＋SD値は身長×1/2と近似した値をとっているので，早期発見の観点から身長×1/2の値も基準として使用可能とし，小学生では腹囲75 cmも同様に目安としている．

腹囲以外の代謝異常の指標として，成人と同様に，脂質異常（TG，HDL-C），耐糖能異常，血圧上昇を診断基準として採用した．脂質異常に関しては，空腹時TG値の基準は95パーセンタイル値，HDL-C値は5パーセンタイル値を用いた．血圧に関しては，わが国の6～15歳の正常高値血圧（当時）の値を援用した．耐糖能異常については，成人と同様に早朝空腹時血糖の上昇により評価するか，あるいは，それに先行する高インスリン血症を指標としてより早期の発見を目指す

表7 小児期（6～15歳）のメタボリックシンドロームの診断基準

1)があり，2)～4)のうち2項目を有する場合にメタボリックシンドロームと診断する	
1) 腹囲（臍周囲長）	腹囲 80 cm 以上（注1）
2) 血清脂質	中性脂肪 120 mg/dL 以上（注2）and/or HDL コレステロール 40 mg/dL 未満
3) 血圧	収縮期血圧 125 mmHg 以上 and/or 拡張期血圧 70 mmHg 以上
4) 空腹時血糖	血糖 100 mg/dL 以上（注2）

注1) 腹囲/身長が0.5以上であれば項目1)に該当するとする
　　小学生では腹囲75 cm以上で項目1)に該当するとする
注2) 食後2時間以降であれば，TG値 150 mg/dL 以上，血糖 100 mg/dL 以上でスクリーニングする
注2は平成22年度総合研究報告で追加された
〔厚生労働科学研究費補助金循環器疾患等総合研究事業：「小児期メタボリック症候群の概念・病態・診断基準の確立及び効果的介入に関するコホート研究」（主任研究者：大関武彦），平成18年度総合研究報告書，87-91, 2007〕

か，についての検討がなされたが，最終的に早朝空腹時血糖100 mg/dLを基準とした．実際の運用上では，早朝空腹時の採血は困難なことが多いので，食後2時間以降であれば，随時のTG値 150 mg/dL 以上，血糖 100 mg/dL 以上を基準としてスクリーニングを行うこととされ[4]，この食後基準値を超えている場合には空腹時採血による診断確定が推奨されることとなった．

c．小児肥満症との異同

肥満に関連した病態には，メタボリックシンドロームのほかに肥満症が定義されている．肥満症は，肥満に起因ないし関連する健康障害（医学的異常）を合併するか，その合併が予測される場合で，医学的に肥満を軽減する必要がある状態を指す．一方，メタボリックシンドロームは，肥満に心血管病発症のリスク因子が集積した状態を指していて，旧名のマルチプルリスクファクター症候群にその由来が残る．

小児肥満症の診断基準（**本章C参照**）では小児肥満に伴う健康障害をその診断項目にあげているのに対し，小児のメタボリックシンドローム診断基準では，腹囲増加，脂質異常，血圧上昇，耐糖能異常に注目している．どちらの基準も肥満への早期介入のための目安として用いられるが，小児肥満症は疾病単位の基準として診療場面に，小児のメタボリックシンドロームはリスク因子集積の基準として疫学調査などにより比重が置かれている．

2）病因・病態

メタボリックシンドロームの中心病態として，内臓脂肪の増加に由来するインスリン抵抗性の増大が重要視されている．メタボリックシンドロームの患者には，項部，腋窩，鼠径などのおもに間擦部に黒色表皮

症(acanthosis nigricans)をみることが多いのはそのためである．脂肪細胞はアディポサイトカインとよばれる生理活性物質を血中へ放出することが知られている．内臓に蓄積した脂肪細胞からは，凝固を促進するplasminogen activator inhibitor-1(PAI-1)，炎症を促進するtumor necrosis factor-α,(TNF-α)，血圧上昇に働くアンギオテンシノーゲン，インスリン抵抗性に働くレジスチンなどのアディポサイトカインの分泌が亢進し，その一方で，インスリン抵抗性を改善する働きがあるアディポネクチンの分泌は抑制されている．内臓脂肪の増加は同時に，リポ蛋白合成の基質となる遊離脂肪酸の肝への流入を増やして脂質異常症へと導く．

思春期には生理的にインスリン感受性は低下しインスリン分泌が増加する．このことは，この時期の小児のメタボリックシンドロームが黒色表皮症や多嚢胞性卵巣症候群を伴って発症することが多いことと関連している．

3）疫学

日本人小児のメタボリックシンドロームの有病率は，肥満小児を対象とした肥満健診や生活習慣病健診の受診者のなかでは，男児6.9％／女児2.0％（玉井・高谷），男児9.0％／女児10.0％（吉永），男児12.0％／女児6.5％（内山・菊池），男児26.0％／女児10.0％（杉原），男女7.6％（朝山・土橋），男女22.0％（長嶋・濱島），と報告されている．一方，一般の小児集団における有病率は，1.9％（岡田・原）との報告がなされている．

概数として，一般小児集団のなかの約1〜2％がメタボリックシンドロームに該当し，小児肥満健診や小児生活習慣病健診でスクリーニングされた対象のなかの約10〜25％がメタボリックシンドロームに該当すると考えることができる(図7)．

4）治療法

小児のメタボリックシンドロームの徴候である，脂質異常，血圧上昇，耐糖能異常の治療については，それぞれ脂質異常症，高血圧，糖尿病に対する治療方針に沿う．しかし，個々の徴候に対して薬物療法が必要となることはまれで，小児のメタボリックシンドローム治療のほとんどは小児肥満に対して食事・運動療法を実施することになる．

小児のメタボリックシンドローム治療の観点から，小児肥満の治療効果の判定には，体重と身長から求めた肥満度やBMIだけでなく，内臓脂肪を反映している腹囲の減少を指標とする．実際の方法については，**本章C**を参照されたい．

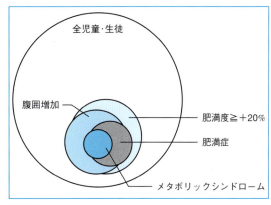

図7　肥満とメタボリックシンドローム・肥満症

5）管理と予後

a．学校保健における管理

医療者は，小児のメタボリックシンドロームの治療の一環として小児肥満症への治療介入を病院で実施することも多いが，小児が昼間のほとんどを過ごしている学校と緊密に連携して介入などの管理を行うことも重要である．わが国の一般社会ではメタボの語は十分に認知され啓発も進んできているが，小児のメタボリックシンドロームについては，一般社会や学校のなかでは必ずしも十分に理解されているとはいえない．先進的な一部の自治体や小・中学校・教育委員会ではメタボ健診・指導に積極的であるが，学校の対応には大きな地域差があることに留意し，啓発に努めることが重要である．

b．予後

小児のメタボリックシンドロームの診断基準が策定されてから現在までの期間が短いため，その長期予後については明らかではないが，肥満小児については，長期予後の調査がなされている．冨樫によれば，10.6±2.5歳の肥満男児は，34.4±4.4歳で76.7％が肥満を呈していて，これは対照の32％に比して著しく高頻度である[5]．

6）最新知見

文部科学省学校保健統計調査によれば，小児肥満の頻度は，1977年から2000年の間に，12歳男子で6.6から11.0％へ，12歳女子で6.7から10.1％へと大幅に増加した．しかしその後，2005年頃を境に肥満頻度は漸減傾向に転じ，2015年には12歳男子9.1％，12歳女子8.4％となっている．世界中で小児肥満の増加が社会問題化しているなかに，わが国の小児肥満が減少傾向に転じたことは特筆すべきであり，この減少を引き起こした要因のなかに小児肥満対策の重要な鍵が存在すると考えられる．

❖ 文献

1) Matsuzawa Y：Pathophysiology and molecular mechanisms of visceral fat syndrome：the Japanese experience. *Diabetes Metab Rev* 13：3-13, 1997
2) 大関武彦：メタボリックシンドロームの概念と実態. 日本小児内分泌学会(編), 小児のメタボリックシンドローム. 診断と治療社, 2-10, 2008
3) 厚生労働科学研究費補助金循環器疾患等総合研究事業：「小児期メタボリック症候群の概念・病態・診断基準の確立及び効果的介入に関するコホート研究」(主任研究者：大関武彦), 平成18年度総合研究報告書, 87-91, 2007
4) 小林靖幸, 他：小児生活習慣病検診における食後採血での基準値の検討. 日小児会誌 115：1255-1264, 2011
5) 冨樫健二：肥満小児の長期予後. 小児保健研究 72：649-654, 2013

❖ 参考文献

- de Ferranti SD, *et al.*：Prevalence of the metabolic syndrome in American adolescents：findings from the Third National Health and Nutrition Examination Survey. *Circulation* 110：2494-2497, 2004
- Chi CH, *et al.*：Definition of metabolic syndrome in preadolescent girls. *J Pediatr* 148：788-792, 2006
- 花木啓一：肥満・肥満症・メタボリック症候群. 小児科学レクチャー 3：1191-1197, 2013
- Styne DM, *et al.*：Pediatric obesity-assessment, treatment, and prevention：An endocrine society clinical practice guideline. *J Clin Endocrinol Metab* 102：709-757, 2017

(花木啓一)

E 脂質異常症

1) 定義・概念

遊離脂肪酸以外の血中脂質はアポ(リポ)蛋白と複合体を形成してリポ蛋白として存在している. リポ蛋白の産生異常や分解処理の異常から, 一部または複数のリポ蛋白分画が正常範囲を持続して逸脱している状態をいう.「高リポ蛋白血症(高脂血症)」と「低リポ蛋白血症(低脂血症)」があるため, 総称して「脂質異常症」としている[1].

2) 分類

リポ蛋白は比重により, カイロミクロン(chylomicron：CM), 超低比重リポ蛋白(very low density lipoprotein：VLDL), 中間比重リポ蛋白, 低比重リポ蛋白(low density lipoprotein：LDL), 高比重リポ蛋白(high-density lipoprotein：HDL)に分類される. これらのリポ蛋白を構成する脂質とアポ蛋白の組成はそれぞれで異なる. 増加するリポ蛋白の種類によりⅠ～Ⅴ型に分類される(表8)[2]. Ⅰ型はCM, Ⅱa型はLDL, Ⅱb型はVLDLとLDL, Ⅲ型は中間代謝物であるレムナント(VLDLレムナント, CMレムナント), Ⅳ型はVLDL, Ⅴ型はCMとVLDLが増加した状態である[2].

Ⅰ型およびⅤ型は高度の高トリグリセリド(triglyceride：TG)血症を呈する. Ⅱ型はさらに二つに分類される. Ⅱa型は総コレステロール(total cholesterol：TC)のみ増加するもので, Ⅱb型はTCとTGの両方が増加する. Ⅲ型は小児期にはまれである. Ⅳ型高脂血症は, 高CM血症を伴わない内因性(肝臓由来)のVLDL増加による高TG血症で, 肥満とインスリン抵抗性が関与する. 遺伝性のものが「家族性Ⅳ型高脂血症」, 家族歴がないものが「特発性高TG血症」となる[1,2].

脂質異常症は, 遺伝素因に基づいて発症する「原発性(一次性)」(表9)と, 他の疾患や要因のために生じる「続発性(二次性)」(表10)とに分類される[2].

3) 診断基準

小児の脂質異常症の診断基準を表11に示す. 基準は学童の全国調査をもとに設定されているが, 幼児期もこの基準を超えるようなら注意が必要である. 乳児は母乳の影響を受ける場合があるので, 高値例は母乳終了後に精査する. 小児は採血の機会が少ないが, 脂質異常症の早期発見のため一度は必ずスクリーニングすべきである.

LDLコレステロール(LDL-C)の測定値は, 一般診療においては直接法でも十分ではあるが, Friedewald式([TC]−[HDLコレステロール(HDL-C)]−[TG/5])による間接値のほうがより正確であり, 推奨される[1]. しかし, 非空腹時または高TG(400 mg/dL以上)では使用できないのが難点である. その点, non-HDL-C([TC]−[HDL-C])は用いやすい. おもにLDL-Cを反映するが, 150 mg/dL以上は高値とみる[3]. LDL-Cは思春期の低下に注意する. 食後TGの95パーセンタイル値はおよそ200 mg/dLとなる[4].

4) 原発性高CM血症

小児では, 膵炎を生じる原発性高CM血症, 特にリポ蛋白リパーゼ(lipoprotein lipase：LPL)欠損症が重要である. 常染色体潜性遺伝で, 患者となるホモ接合体は50万～100万人に1人とされる. LPLの遺伝子変異は多くの報告がある. LPL活性化に関連するアポ蛋白C-ⅡやA-Ⅴ欠損症, LPLの血管内皮下細胞への輸送にかかわるglycosylphosphatidylinositol anchored high density lipoprotein binding protein 1(GPIHBP1)欠損症, LPLの成熟にかかわるlipase maturation factor 1(LMF1)欠損症なども原因となる(表9)[2]. LPL欠損症ホモ接合体は, 極めて高度の高TG血症による膵炎の合併が最大の問題点である. 治療は食事療法が基本となる. 部分型では, 早朝空腹時にはTGがそれほど高値でないことがある[1,2].

表8 高脂血症を示す脂質異常症の表現型分類

表現型	I	IIa	IIb	III	IV	V
増加するリポ蛋白分画	カイロミクロン	LDL	LDL VLDL	レムナント	VLDL	カイロミクロン VLDL
コレステロール	→	↑〜↑↑↑	↑〜↑↑	↑↑	→または↑	↑
トリグリセライド	↑↑↑	→	↑↑	↑↑	↑↑	↑↑↑

〔日本動脈硬化学会:動脈硬化性疾患予防のための脂質異常症診療ガイド2018年版. 日本動脈硬化学会, 29-32, 2018〕

表9 原発性高脂血症の分類と成因

1. 原発性高カイロミクロン血症
    ① 家族性リポ蛋白リパーゼ(LPL)欠損症
    ② アポリポ蛋白C-II欠損症
    ③ アポA-V欠損症, GPIHBP1欠損症, LMF1欠損症など
    ④ 原発性V型高脂血症
    ⑤ その他の高カイロミクロン血症
2. 原発性高コレステロール血症
    ① 家族性高コレステロール血症(FH)
    ② 常染色体劣性遺伝性高コレステロール血症(ARH)
    ③ 家族性欠陥アポB(FDB)
    ④ シトステロール血症
    ⑤ 家族性複合型高脂血症(FCHL)
3. 原発性高トリグリセライド血症
    ① 家族性IV型高脂血症
    ② 特発性高トリグリセライド血症
4. 家族性III型高脂血症
    ① アポリポ蛋白E異常症
    ② アポリポ蛋白E欠損症
5. 原発性高HDL-C血症
    ① CETP欠損症
    ② HL欠損症
    ③ EL欠損症
    ④ SR-BI欠損症
    ⑤ その他の原発性高HDL-C血症

〔日本動脈硬化学会:動脈硬化性疾患予防のための脂質異常症診療ガイド2018年版. 日本動脈硬化学会, 29-32, 2018〕

表10 続発性高脂血症の分類と成因

高コレステロール血症
  ① 甲状腺機能低下症
  ② ネフローゼ症候群
  ③ 原発性胆汁性胆管炎
  ④ 閉塞性黄疸
  ⑤ 糖尿病
  ⑥ クッシング症候群
  ⑦ 褐色細胞腫
  ⑧ 薬剤(利尿薬・β遮断薬・コルチコステロイド・経口避妊薬・サイクロスポリンなど)

高トリグリセライド血症
  ① 飲酒
  ② 肥満
  ③ 糖尿病
  ④ ネフローゼ症候群
  ⑤ 慢性腎臓病(CKD)
  ⑥ クッシング症候群
  ⑦ 褐色細胞腫
  ⑧ 尿毒症
  ⑨ 全身性エリテマトーデス
  ⑩ 血清蛋白異常症
  ⑪ 薬剤(利尿薬・非選択性β遮断薬・コルチコステロイド・エストロゲン・レチノイド・免疫抑制薬・抗HIV薬など)

〔日本動脈硬化学会:動脈硬化性疾患予防のための脂質異常症診療ガイド2018年版. 日本動脈硬化学会, 29-32, 2018〕

表11 小児の脂質異常の基準(空腹時採血)

総コレステロール(TC)	220 mg/dL 以上
LDL コレステロール(LDL-C)	140 mg/dL 以上
トリグリセリド(TG)	140 mg/dL 以上
HDL コレステロール(HDL-C)	40 mg/dL 未満
non-HDL コレステロール(non-HDL-C)	150 mg/dL 以上

〔日本動脈硬化学会:動脈硬化性疾患予防のための脂質異常症診療ガイド2018年版. 日本動脈硬化学会, 105, 2018より作成〕

5) 原発性高LDL-C血症

a. 家族性高コレステロール血症

小児の家族性高コレステロール血症(familial hypercholesterolemia:FH)については,2017年に「小児家族性高コレステロール血症診療ガイド」[5]が作成された.FHは,LDL処理系(おもにLDL受容体)の機能障害に基づく常染色体顕性遺伝性疾患である.最近の調査ではヘテロ接合体の頻度は300人に1人程度とされる[6].

診断の基本は,高LDL-C血症(≧140 mg/dL)+FHの家族歴である(表12)[5].上述のようにLDL-C値は生理的,測定上の変動があるので複数回の確認が必要である.また,FHの家族歴が明確でなくても,本人のLDL-Cが著明高値の例,親のLDL-Cが高値の場合は積極的にFHを疑う.まれに常染色体潜性遺伝のタイプもある(autosomal recessive hypercholesterolemia).遺伝子解析は診断に必須ではないが,病原性遺伝子変異が判明すればFHといえる.鑑別として,母乳性高コレステロール血症とリソソーム酸性リパーゼ欠損症がある.黄色腫がある場合,LDL-Cが著明に高い徴候であるが,シトステロール血症と脳腱黄色腫症を鑑別する[5].

未治療FHでは若年で狭心症や心筋梗塞を発症する

II 各論

表12 小児FHの診断基準

1. 高LDL-C血症：未治療時のLDL-C≧140 mg/dL
   （総コレステロール値≧220 mg/dLの場合はLDL-Cを測定する）
2. FHあるいは早発性冠動脈疾患の家族歴（2親等以内の血族）

- 続発性（二次性）高脂血症を除外し，2項目が当てはまる場合，FHと診断する．
- 成長期にはLDL-Cの変動があるため，注意深い経過観察が必要である．
- 小児の場合，腱黄色腫などの臨床症状に乏しいため，診断には家族FHについて診断することが重要である．必要に応じて2親等を超えた家族調査の結果も参考にする．
- 早発性冠動脈疾患は男性55歳未満，女性65歳未満で発症した冠動脈疾患と定義する．
- 黄色腫がある場合，LDL-Cは非常に高値であること（ホモ接合体）が疑われる．

〔日本小児科学会，他（編）：小児家族性高コレステロール血症診療ガイド2017．日本動脈硬化学会，1-13，2017〕

ことが多い[5]．ヘテロ接合体でも頸動脈中膜内膜の肥厚は非FH児の5倍以上早いが[7]，早期のスタチン治療が冠動脈疾患の発症を非FH者と同程度に遅らせることができると報告されている[8]．

ホモ接合体は早急に対処しなければならない．高強度スタチンなどの薬剤を試しながらLDLアフェレシスの準備を行う．早期発見が重要である[5]．ヘテロ接合体の治療の第一は食事を含めた生活習慣の改善である．それにもかかわらず，LDL-C 180 mg/dL以上が持続する例では，男女を問わず10歳以上で薬物療法の開始を考慮する．第一選択薬はスタチンとする[5]．

管理目標値はLDL-C 140 mg/dLとする．また，糖尿病や増悪因子がある場合，確実に下げるべきである．重症例では目標達成がむずかしいが，スタチンと他剤の併用などでできるだけ下げるようにする．FHの治療は専門医と相談しながら行うのが望ましい．

b. 家族性複合型高脂血症

家族性複合型高脂血症（familial combined hyperlipidemia：FCHL）は，65歳以下の心筋梗塞患者の基礎疾患として30％を占めるとされ，頻度は人口の約1％と高い[1]．常染色体顕性遺伝形式をとるが原因遺伝子は確定していない．FH同様，家族歴を詳細に調べることが重要である．TCとTGが高値となる．経過中，TG値が変動するため表現型が変化する（Ⅱa〜Ⅳ）ことが多い．Ⅱb型であればFCHLの可能性は高い．高アポB血症が特徴的であり，酸化変性を受けやすいsmall dense LDLの増加をみる．治療については，小児期に積極的に薬物療法の必要性を示すエビデンスはない．また，FCHLではメタボリックシンドロームとなりやすいため，フォローアップが必要である．

6）その他の原発性脂質異常症

小児慢性特定疾病には，上記3疾患以外に，無β-リポ蛋白血症，HDL欠乏症，その他の脂質異常症がある．

7）続発性脂質異常症

続発性脂質異常症の原因は様々である（表10）[2]．通常，原疾患を改善することで脂質異常も改善される．続発性で頻度が高いのは，肥満に伴うものであるが，原発性脂質異常症も必ず念頭におく．甲状腺機能検査も必須である．

特に問題となるのは糖尿病の場合である[1]．糖尿病は，それ自体が動脈硬化の主要なリスク因子である．糖尿病においては，血糖管理のみでは動脈硬化性疾患の予防効果は少ないとされる．境界型でも健常者の1.5倍，冠疾患のリスクが高く，糖尿病では心筋梗塞や脳卒中の予後が悪く，再発率も高いとされる．わが国では，糖尿病児の脂質異常の治療指針はないが，高値の場合は専門医と相談し，薬物療法も考慮する．

❖ **文献**

1) 日本動脈硬化学会（編）：動脈硬化性疾患予防ガイドライン2017年版．日本動脈硬化学会，2017
2) 日本動脈硬化学会（編）：動脈硬化性疾患予防のための脂質異常症診療ガイド2018年版．日本動脈硬化学会，29-32，2018
3) 日本肥満学会（編）：小児肥満症診療ガイドライン2017．ライフサイエンス出版，2017
4) 小林靖幸，他：小児生活習慣病検診における食後採血での基準値の検討．日小児会誌 115：1255-1264，2011
5) 日本小児科学会，他（編）．小児家族性高コレステロール血症診療ガイド2017．日本動脈硬化学会，1-13，2017
6) Beheshti SO, et al.：Worldwide prevalence of familial hypercholesterolemia：Meta-analyses of 11 million subjects．J Am Coll Cardiol 75：2553-2566, 2020
7) Wiegman A, et al.：Arterial intima-media thickness in children heterozygous for familial hypercholesterolaemia．Lancet 363：369-370, 2004
8) Wiegman A, et al.：Familial hypercholesterolaemia in children and adolescents：gaining decades of life by optimizing detection and treatment．Eur Heart J 36：2425-2437, 2015

（土橋一重）

第12章 尿細管異常

A 尿細管の生理

1) 尿細管の構造

尿細管は皮質内で糸球体 Bowman 嚢に続く迂曲した近位曲尿細管，髄放線から髄質内を直線的に下行する近位直尿細管，細い下行脚，折り返して細い上行脚，太い上行脚(thick ascending limb：TAL)，遠位直尿細管を経て再び皮質内に入り迂曲した遠位曲尿細管となり，結合尿細管，皮質集合管，髄質外層集合管，髄質内層集合管を経て乳頭から腎杯に注ぐ(走行による区分)．近位直尿細管の遠位部から遠位直尿細管の近位部までを Henle 係蹄とよぶ．尿細管はすべて単層であり，近位尿細管，Henle 係蹄，遠位尿細管はそれぞれ単一の上皮細胞で構成されるが，結合尿細管，皮質集合管，髄質外層集合管の上皮は尿細管主細胞と間在細胞からなりそれぞれの機能に差異がみられる．走行による区分と上皮による区分の境界は一致しない．

a. 傍糸球体装置

遠位尿細管は同一ネフロンの糸球体の血管極で輸入および輸出細動脈に挟まれる形で糸球体の入り口に蓋をするような構造をとっている．接する部分の背が高い尿細管細胞は緻密斑とよばれる．これらと糸球体の間には糸球体外メサンギウム細胞が存在する．この輸入・輸出細動脈，緻密斑，糸球体外メサンギウム細胞からなる構造を傍糸球体装置(juxtaglomerular apparatus：JGA)とよぶ．

JGA の機能は，①尿中の Cl^- 濃度の低下(遠位尿細管の流量の減少)を感知し，輸入細動脈を拡張させ糸球体濾過量を増やす(尿細管糸球体フィードバック)ことと，②レニンの分泌である．レニンを分泌する顆粒細胞は輸入細動脈の平滑筋細胞と同列に存在し血圧によって伸展させられているが，この伸展力が低下するとレニンが放出される．

b. レニン—アンギオテンシン—アルドステロン(RAA)系

レニンは蛋白分解酵素で，血漿中のアンギオテンシノーゲンを特異的に分解し，アンギオテンシンⅠ(angiotensinⅠ：ATⅠ)を生成する．ATⅠはアンギオテンシン変換酵素(ACE)によりアンギオテンシンⅡ(ATⅡ)に変換される．ATⅡには細動脈を収縮させることにより全身の血圧を上げる作用と，尿細管における Na^+ 再吸収を増加させ細胞外液量を増加させる作用(近位尿細管での直接刺激とアルドステロン放出を介した集合管での作用)がある．

2) 尿細管上皮の機能

a. 近位尿細管(図1)

近位尿細管では糸球体から濾過された水，Na^+，Cl^- の 50〜55％ が再吸収され，リン酸，ブドウ糖，アミノ酸のほとんどすべてと HCO_3^- の約 90％ が Na^+ 輸送と関連して再吸収される．このため，近位尿細管の全般的機能障害では近位尿細管性アシドーシス以外にこれらの再吸収が抑制され尿中への漏出をみる(Fanconi 症候群)．血管側では Na^+-HCO_3^- 共輸送系を介して HCO_3^- が再吸収されるが，この障害により近位尿細管性アシドーシスをきたす．また，酸負荷に対する酸塩基平衡の維持のためにグルタミンの代謝により NH_4^+ と HCO_3^- が生成されるが，NH_4^+ は H^+ の代わりに Na^+-H^+ 交換系を介して Na^+ と交換される形か，NH_3 (脂溶性で細胞膜を通過できるため)として管腔側に拡散する．このほか，近位尿細管では micropinocytosis の機序により糸球体から濾過された低分子蛋白の大部分を再吸収している．この部位では大量の ATP の産生のためにミトコンドリアが著しく発達しており，腎で消費されるエネルギーの大部分が近位尿細管の能動輸送に用いられる．

b. Henle 係蹄上行脚(図2)

Henle 係蹄の上行脚では糸球体から濾過された Na^+，Cl^- の 35〜40％，水の 15％ が再吸収される．この部位での水の移動が少ないことは水チャネルであるアクア

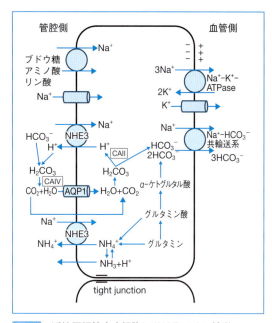

図1 近位尿細管上皮細胞におけるイオン輸送

血管側の $Na^+-K^+-ATPase$ は3分子の Na^+ を血管側へ分泌し，2分子の K^+ を細胞内に移動させることにより細胞内 Na^+ 濃度を管腔内よりも低く保ち，細胞内を電気的に陰性にしている（K^+ が血管側の選択的 K チャネルを通って細胞外に逆拡散することもこの電気的陰性を増強する方向に作用する）．この電気化学的勾配を利用して管腔側では，ブドウ糖，アミノ酸，リン酸などがそれぞれの共輸送体を介して Na^+ とともに細胞内へ流入し，Na^+-H^+ 交換系（NHE3）を介して Na^+ の細胞内への流入と交換される形で H^+ が管腔へ分泌される．一方，管腔に分泌された H^+ は，糸球体で濾過された HCO_3^- と結合し管腔側膜の刷子縁に存在する炭酸脱水酵素Ⅳ（CA Ⅳ）の作用により水と CO_2 に分解される．拡散によって尿細管細胞内に入った CO_2 が，管腔側膜表面のアクアポリン1（AQP1）によって細胞内に取り込まれた水と再結合し細胞内の炭酸脱水酵素Ⅱ（CAⅡ）によって分解され細胞内で HCO_3^- が生成される．さらに HCO_3^- は血管側膜の $Na^+-HCO_3^-$ 共輸送系を通して血管側に分泌され，結果として糸球体で濾過された HCO_3^- の約80～90％ が近位尿細管において再吸収されることになる

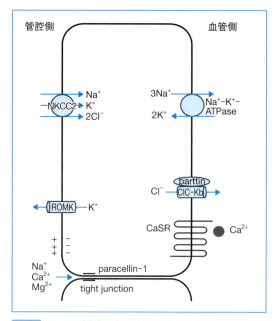

図2 Henle 係蹄の太い上行脚（TAL）上皮細胞におけるイオン輸送

近位尿細管同様に血管側の $Na^+-K^+-ATPase$ が細胞内へ向けての Na^+ 勾配をつくっている．この Na^+ 勾配により管腔側の $Na^+-K^+-2Cl^-$ 共輸送体（NKCC2）が Na^+ と K^+ それぞれ1分子と Cl^- 2分子を細胞内に入れる．細胞内に入った K^+ は選択的 K チャネル（ROMK）を通して再び管腔側へ分泌され，この動きによって管腔は電気的に陽性になる．この荷電は tight junction を通しての陽イオン（Na^+，Ca^{2+}，Mg^{2+}）の再吸収を可能にしている．Cl^- は血管側の腎特異的 Cl チャネルを通して血管側へ再吸収される

ポリンを欠落しているためである．

TAL では，管腔側の $Na^+-K^+-2Cl^-$ 共輸送体（NKCC2）が Na^+ と K^+ それぞれ1分子と Cl^- 2分子を細胞内に入れるが，細胞内に入った K^+ は選択的 K チャネル（ROMK）を通して管腔側へ，Cl^- は血管側の腎特異的 Cl チャネル B（ClC-Kb）を通して血管側へ再吸収される．Bartter 症候群はこの部位の Cl^- 再吸収障害により生じ，NKCC2，ROMK，ClC-Kb，barttin（Cl チャネルの β サブユニット）の機能障害が原因となる．また，ループ利尿薬は NKCC2 の Cl^- 結合部位に競合することによって NaCl 再吸収を阻害する．一方，tight junction を通しては陽イオン（Na^+，Ca^{2+}，Mg^{2+}）が再吸収される．

c．遠位尿細管（図3）

遠位尿細管では Na^+ の再吸収と K^+ の分泌が行われ

ているが，水の透過性は低く Na^+ の再吸収に伴う水の再吸収はない．Na^+ と Cl^- はサイアザイド感受性 Na^+-Cl^- 共輸送体（NCCT）により尿細管細胞内に入る．NCCT の障害は Gitelman 症候群の原因となる．サイアザイド利尿薬は NCCT の Cl^- 結合部位に競合することによって NaCl 再吸収を阻害する．また，この部位では Ca^{2+} の再吸収調節が重要である．

d．集合管

集合管では Na^+，Cl^-，HCO_3^-，尿素，水が再吸収され，H^+，K^+ が分泌される．また，アルギニン・バゾプレシン（arginine vasopressin：AVP）の作用により水透過性が上昇し水の再吸収が促進される．

集合管は複数の種類の細胞から構成される．皮質集合管の主細胞と髄質集合管内層の細胞は，Na^+ と水の再吸収，K^+ の分泌に重要な役割をはたしており，皮質集合管の間在細胞や髄質外層の細胞は主として酸塩基平衡のバランスの調節にかかわっている．

①集合管上皮細胞（図4）

アルドステロンは開いている上皮型 Na チャネル（ENaC）数を増加させて Na^+ の再吸収を促進する．心

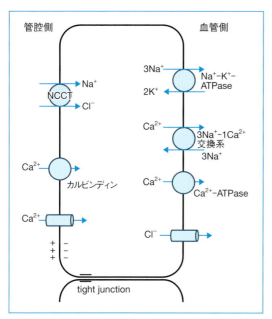

図3　遠位尿細管上皮細胞におけるイオン輸送

管腔側の Na^+-Cl^- 共輸送体（NCCT）が Na^+ 1分子と Cl^- 1分子を細胞内に入れる．Ca^{2+} は管腔側の Ca チャネルとカルシトリオール依存性 Ca 結合蛋白（カルビンディン）との結合を介して細胞内に移動する．Ca^{2+} は血管側ではおもに $3Na^+$-$1Ca^{2+}$ 交換系を通して細胞外に移動するが，一部は Ca^{2+}-ATPase によっても再吸収される

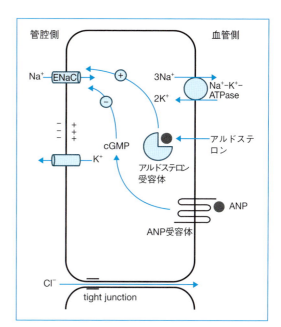

図4　尿細管上皮主細胞（皮質集合管・髄質内層集合管）におけるイオン輸送

Na^+ の取り込みは管腔側の上皮型 Na チャネル（ENaC）を通して行われ，荷電により選択的 K チャネルを通しての K^+ 分泌と tight junction を通しての Cl^- 再吸収が生じる．アルドステロンは細胞内の受容体と結合し開いている Na チャネルの数を増加させ Na^+ 再吸収と K^+ の管腔への分泌を促進する．心房性ナトリウム利尿ペプチド（ANP）は血管側膜表面の受容体に結合し逆の作用を惹起する

房性ナトリウム利尿ペプチド（atrial natriuretic peptide：ANP）は主として髄質内層で作用し，開いている Na チャネル数を減少させ Na^+ の再吸収を抑制する．ENaC の障害，アルドステロン受容体の障害は偽性低アルドステロン症 I 型の原因となる．

②A 型間在細胞（皮質集合管）（図5）

遠位側ネフロンにおける H^+ 分泌の大部分を担っている．管腔側の H^+-ATPase あるいは血管側の HCO_3^--Cl^- 交換輸送系（AE1）の障害は遠位尿細管性アシドーシスの原因となる．

③B 型間在細胞（皮質集合管）（図6）

アルカリ血症の存在下では HCO_3^- を管腔へ分泌できるようになっている．

3）尿細管における物質輸送

a．ナトリウム（Na^+）

糸球体濾過液中の Na^+ は，近位尿細管で 50〜55％，Henle 係蹄の上行脚で 35〜40％，遠位尿細管で 5〜8％，残りが集合管で再吸収される．

b．カリウム（K^+）

糸球体濾過液中の K^+ はほとんどが近位尿細管（60〜80％）および Henle 係蹄（25％）で再吸収されるが，尿中

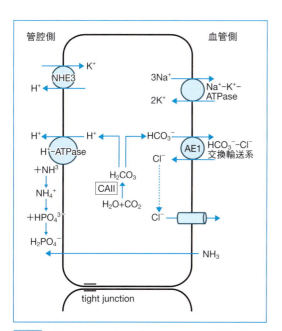

図5　A 型間在細胞（皮質集合管）におけるイオン輸送

遠位側ネフロンにおけるほとんどの H^+ 分泌は皮質集合管の A 型間在細胞と髄質外層集合管の細胞で起こる．H^+ は管腔側の H^+-ATPase を介し管腔側へ分泌され，HCO_3^- は HCO_3^--Cl^- 交換輸送系（AE1）を介して血管側に回収される．分泌された H^+ は尿細管周囲の間質から透過した NH_3 と結合して NH_4^+ となるか，尿中の HPO_4^{2-} の緩衝作用により $H_2PO_4^-$ として排泄される

II 各論

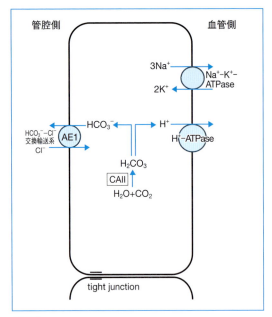

図6 B型間在細胞(皮質集合管)におけるHCO₃⁻分泌
皮質集合管のB型間在細胞では，A型間在細胞とは逆にH⁺-ATPase が血管側，HCO₃⁻-Cl⁻交換輸送系は管腔側に存在し，アルカリ血症の存在下ではHCO₃⁻を管腔へ分泌できるようになっている

へのK⁺排泄は皮質集合管主細胞のKチャネルによる分泌に依存しており，K摂取増加，アルドステロン，アルカローシスで分泌亢進する．

c. カルシウム(Ca^{2+})

糸球体で濾過されたCa^{2+}は近位尿細管で60%，TALで20%，遠位尿細管で15%，集合管でわずかに再吸収される．TALの血管側膜上にはCa感知受容体(calcium sensing receptor：CaSR)が存在する．細胞外液Ca^{2+}濃度の上昇はNKCC2を介する管腔側のNa⁺流入を抑制し，Kチャネル抑制により tight junction を通したCa^{2+}の再吸収を抑制する．一方，細胞外液Ca^{2+}濃度の低下は副甲状腺細胞のCaSRを介してPTHの分泌促進，近位尿細管でのビタミンDの活性化(1α水酸化)促進を通して，カルシトリオール依存性Ca結合蛋白(カルビンディン)の発現促進によってCa^{2+}の再吸収を増加させる．

d. リン(P)

糸球体で濾過された無機P(リン酸塩として存在する)のほとんどが近位尿細管で再吸収され，PTHおよびFGF23はこの再吸収を抑制する．

❖ 参考文献

- 五十嵐　隆：尿細管疾患．小児腎疾患の臨床．改訂第7版，診断と治療社，227-254，2019
- Rennke HG, et al.：体液異常と腎臓の病態生理．第3版，黒川　清(監訳)，メディカル・サイエンス・インターナショナル，2015
- 日本腎臓学会編集委員会(編)：初学者から専門医までの腎臓学入門．改訂第2版，東京医学社，2009

〔皆川真規〕

B 腎尿細管性アシドーシス

1) 定義・概念

腎尿細管性アシドーシス(renal tubular acidosis：RTA)とは，糸球体障害がないか，あるいは軽度の状態において，尿細管異常により酸排泄が障害され，代謝性アシドーシスをきたす病態である．RTAは，①遠位型RTA(H⁺排泄障害)，②近位型RTA(HCO₃⁻再吸収障害)，および③ミネラルコルチコイド作用不全(ミネラルコルチコイド分泌低下または偽性低アルドステロン症)に大別される．本項では，おもに遠位型および近位型RTAを扱う．

RTAにおける代謝性アシドーシスは，血液[HCO₃⁻]低下と二次的な[Cl⁻]上昇により，血液[Na⁺]+[K⁺]−[Cl⁻]−[HCO₃⁻]で算出されるアニオンギャップが，原則として正常域(10〜14 mEq/L)にある．表1に，アニオンギャップ正常型代謝性アシドーシスの鑑別を示す[1]．

2) 分類

腎における酸排泄異常のうち，H⁺排泄障害を主体とするものを遠位型RTA，HCO₃⁻再吸収障害を主体とするものを近位型RTAとし，両方の病態を伴っているものを混合型RTAという．表2に遠位型RTA，近位型RTAおよびミネラルコルチコイド作用不全の簡便な鑑別法を示す[2]．

H⁺排泄障害による遠位型RTAでは，アシドーシスにもかかわらず酸性尿を認めない(尿pH>5.5)．また，尿H⁺の主要な担体であるNH₄⁺低下を反映して，尿アニオンギャップ[Na⁺]+[K⁺]−[Cl⁻]は正となる(尿[Na⁺]+[K⁺]>[Cl⁻])．さらに，分泌されたH⁺と尿中HCO₃⁻の反応で生じる尿CO_2も低下するため，尿−血液CO_2分圧差が開大しない(U−B PCO_2<20 mmHg)．

HCO₃⁻再吸収障害による近位型RTAでは，糸球体濾過量に対するHCO₃⁻排泄分画が増大する(FEHCO₃⁻>10〜15%)．尿細管腔に多量のHCO₃⁻を喪失するが，遠位ネフロンでのH⁺排泄は保たれるため，尿は酸性化され(pH<5.5)，尿−血液CO_2分圧差は開大する(U−B PCO_2>20 mmHg)．

ミネラルコルチコイド作用不全によるRTAでは，

表1 アニオンギャップ正常型代謝性アシドーシス

血液アニオンギャップ(mEq/L)＝([Na$^+$]＋[K$^+$])－([Cl$^-$]＋[HCO$_3^-$])(正常：10～14)	
1. 腎尿細管性アシドーシス(RTA)	遠位型 RTA(H$^+$排泄障害)，近位型 RTA(HCO$_3^-$再吸収障害)，ミネラルコルチコイド作用不全
2. HCO$_3^-$喪失	下痢，腸液ドレナージ(消化管から) 腎不全初期，炭酸脱水酵素阻害薬投与(腎から)
3. H$^+$負荷	HCl，NH$_4$Cl，陽イオン性アミノ酸の投与(医原性)
4. その他	急速大量輸液後(希釈性)，過呼吸後(低 CO$_2$血症の代償)

表2 腎尿細管性アシドーシスの鑑別

	遠位型 RTA	近位型 RTA	ミネラルコルチコイド作用不全
尿アニオンギャップ[*1]	正	負(または正)	正
尿 pH[*2]	＞5.5	＜5.5	＜5.5
血清 K	低(または高)値	低値	高値
HCO$_3^-$負荷後[*3]　FEHCO$_3^-$(正常＜5％)	正常	増加	正常
U-B PCO$_2$(正常＞30 mmHg)	低下(または正常)	正常	正常または低下

[*1]：尿[Na$^+$]＋[K$^+$]－[Cl$^-$]より計算
[*2]：血液 pH＜7.30 のアシドーシス下で，または塩化アンモニウム(0.1 g/kg)負荷後，pH＜7.35 に低下させて測定，塩化アンモニウム投与が安全に行えないときは，フロセミド 1 mg/kg 静注後に測定
[*3]：重炭酸ナトリウム(0.15～0.25 g/kg)投与後，血液[HCO$_3^-$]＞20～24 mEq/L かつ尿 pH＞7.6 において，それぞれ FEHCO$_3^-$(％)＝100×(尿[HCO$_3^-$]×血清[Cr])/(血液[HCO$_3^-$]×尿[Cr])，および U-B PCO$_2$(mmHg)＝尿 PCO$_2$－血液 PCO$_2$より算出，尿[HCO$_3^-$]は直接測定できないため，計算式：[HCO$_3^-$](mEq/L)＝0.03×尿 PCO$_2$×10$^{尿pH-(6.33-0.5\sqrt{(尿[Na]+尿[K])/1000})}$による

H$^+$排泄とともに K$^+$排泄と Na$^+$再吸収が障害される．H$^+$排泄障害は遠位型 RTA より軽度であるため，尿は pH＜5.5 に酸性化され，尿－血液 CO$_2$分圧差は必ずしも異常とならない．高カリウム血症時には二次的に NH$_4^+$合成が低下するため，尿アニオンギャップは正(尿[Na$^+$]＋[K$^+$]＞[Cl$^-$])となる．腎および副腎皮質の機能低下を除外する．

1 遠位型 RTA

1) 定義・概念

H$^+$排泄障害をおもな病態とする RTA であり，ミネラルコルチコイド作用不全とは異なる病態である．

2) 病因・病態

図7に遠位型 RTA の病態を示す．集合尿細管の A 型間在細胞は，1日に 1～3 mEq/kg の H$^+$を尿細管腔側へ排泄し，等モルの HCO$_3^-$を血中に供給する．遠位型 RTA では，H$^+$排泄が障害されて血液[HCO$_3^-$]が低下し，アニオンギャップ正常型代謝性アシドーシスをきたす．尿 HCO$_3^-$排泄増加に伴い，Na$^+$および K$^+$の排泄も増加し，二次性アルドステロン増加を介して，低カリウム血症を生じる．腎間質の K 減少は尿濃縮能を低下させ，多尿を呈する．また，アシドーシスによる骨からの Ca^{2+}溶出，腎からの Ca^{2+}排泄増加から，二次性副甲状腺機能亢進をきたす．高 Ca 尿とアルカリ尿により，高頻度に腎尿路石灰化を生じる．

遠位型 RTA の H$^+$排泄障害には，以下二つの亜型がある(図7)．①pH 勾配形成障害：H$^+$排泄は正常であるが，尿細管細胞膜の透過性亢進により H$^+$が細胞内に逆拡散し，酸排泄量が低下する．血清 K 値は低下するが，尿－血液 CO$_2$分圧差は正常である．代表例はアンフォテリシン B 投与によるものである．②電位依存性 H$^+$排泄障害：血管側の Na$^+$-K$^+$-ATPase の機能低下により，電位勾配依存性の Na$^+$再吸収が低下し，H$^+$と K$^+$排泄が障害される．有効循環血漿量の低下など遠位ネフロンに達する Na$^+$の極端な減少時に生じ，高カリウム血症を伴うがミネラルコルチコイド作用は正常である．

表3に，遠位型 RTA の原因を，低～正 K 血性，高 K 血性に分けて示す[3]．このうち，原発性遺伝性 RTA として，集合尿細管の A 型間在細胞に発現する 6 種の遺伝子変異が同定されている(表4)[4]．このうち，ATP6V0A4 および ATP6V1B1 変異は，細胞の管腔側への H$^+$輸送を担う H$^+$-ATPase のサブユニット(それぞれ a4 および b1)の機能低下をきたし，SLC4A1 変異は，血管側で HCO$_3^-$の輸送にかかわる陰イオン交換体 1 型(anion exchanger type 1：AE1)の機能低下をきたす(図7)．

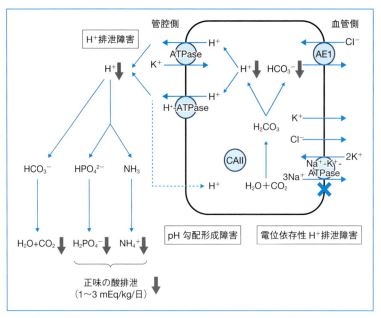

図7 遠位型 RTA の病態
AE1：陰イオン交換体1型，CAⅡ：炭酸脱水酵素2型

表3 遠位型 RTA の原因

1．低〜正 K 血性	遺伝性 H⁺ 排泄障害	ATP6V0A4 変異，ATP6V1B1 変異，SLC4A1 変異，CA2 変異*
	先天性疾患	Wilson 病，Marfan 症候群，Ehlers-Danlos 症候群
	Ca 代謝異常	副甲状腺機能亢進症，ビタミン D 中毒，特発性高カルシウム尿症
	腎疾患	腎盂腎炎，海綿腎，腎移植後
	その他の全身疾患	Sjögren 症候群，SLE，高γグロブリン血症，慢性肝炎
	薬剤	アンフォテリシン B，リチウム，トルエン
2．高 K 血性	循環血漿量低下	脱水，心不全，肝硬変，ネフローゼ症候群
	その他の疾患	閉塞性腎症，鎌形赤血球症，SLE
	薬剤	アミロライド，トリアムテレン

*：混合型 RTA
SLE：全身性エリテマトーデス
〔Reddy P：Clinical approach to renal tubular acidosis in adult patients. *Int J Clin Pract* 65：350-360, 2011〕

表4 原発性遺伝性腎尿細管性アシドーシス

	遺伝子	遺伝	変異蛋白	合併症および特記事項
遠位型 RTA	ATP6V0A4	AR	H⁺-ATPase A4 subunit	なし（または成人期の感音難聴）
	ATP6V1B1	AR	H⁺-ATPase B1 subunit	感音難聴
	SLC4A1	AD	AE1	（成人発症）
	SLC4A1	AR	AE1	溶血性貧血
	FOXI1	AR	FOXI1	難聴
	WDR72	AR	WDR72	エナメル質形成不全
近位型 RTA	SLC4A4	AR	NBC1	精神遅滞，眼科異常，頭蓋内石灰化
混合型 RTA	CA2	AR	CAⅡ	精神遅滞，骨大理石病

AR：常染色体潜性，AD：常染色体顕性
AE1（陰イオン交換体1型），NBC1（Na⁺-HCO₃⁻共輸送体1型），CAⅡ（炭酸脱水酵素2型）

3）臨床症候

繰り返す嘔吐，便秘，多飲多尿，成長障害，体重増加不良，または腎石灰化を呈する．アシドーシスが重度であれば，呼吸性代償のため頻呼吸を示す．低カリウム血症は，腸蠕動低下による消化器症状，四肢麻痺，不整脈を生じ，腎濃縮力低下を伴って多尿，脱水をきたす．また，高Ca尿，アルカリ尿，およびクエン酸排泄の低下により，腎石灰化や尿路結石を認め，骨からのCa喪失によってくる病または骨軟化症を呈する．遺伝性RTAのうち，H^+-ATPase異常またはFOXI1異常では難聴を，AE1異常の一部では溶血性貧血を，WDR72異常ではエナメル質形成不全を合併する(表4)．

4）診断と検査法

表1に示すように，アニオンギャップ正常型の代謝性アシドーシス，すなわち血液[HCO_3^-]低下と[Cl^-]増加を認め，消化管などからのHCO_3^-喪失が否定的な場合，RTAを疑う．表2に示すように，尿アニオンギャップが正(尿[Na^+]+[K^+]>[Cl^-])，かつアシドーシス下の尿pH>5.5であれば，遠位型RTAの可能性が高い．軽症でアシドーシスが代償されているときは，塩化アンモニウムまたはフロセミドを負荷した後に，尿pHを測定する．

低カリウム血症があり，炭酸水素ナトリウムによる補正後の尿-血液CO_2分圧差が開大しない(U-B PCO_2<20 mmHg)ときは，H^+排泄障害と確定する．低カリウム血症があり，尿-血液CO_2分圧差が正常に開大するときは，pH勾配形成障害による遠位型RTAと考えられる．高カリウム血症を伴い，腎不全およびミネラルコルチコイド作用不全が除外され，かつフロセミド負荷で尿pH低下および尿K排泄増加を認めないときは，電位依存性H^+排泄障害の可能性が高い．

5）治療法

pH<7.25のアシドーシスでは，炭酸水素ナトリウム(メイロン®，1 mLに7%製剤で0.83 mEq，8.4%製剤で1 mEqのHCO_3^-を含む)を1～2時間で静注する．投与量は，以下の補正式で計算する．

$$HCO_3^-(mEq)=〔目標[HCO_3^-]-実測[HCO_3^-](mEq/L)〕×体重(kg)×0.3$$

代償性換気過多による低CO_2血症下では，初期の目標[HCO_3^-]を24 mEq/Lとはせず，[HCO_3^-](mEq/L)=0.6×PCO_2(mmHg)の平衡式を用いて，(たとえばPCO_2=20 mmHgでは目標[HCO_3^-]=12 mEq/Lとして)ゆっくり補正する[1]．啼泣などでPCO_2実測値が信頼できない場合には，HCO_3^-として1～2 mEq/kgを1～2時間で，緊急時には3 mEq/kgを10分以上かけて点滴静注する．炭酸水素ナトリウムの投与は低カリウム血症を増悪させるため，モニター下にKを0.5 mEq/kg/時，または溶液[K] 40 mEq/Lを上限として点滴静注する．

アシドーシス補正後，健常人の1日酸排泄量に相当するアルカリを投与する．炭酸水素ナトリウム(散剤1 gは約12 mEqのHCO_3^-を含む)を，小児では2～4 mEq/kg/日，成人では1～2 mEq/kg/日を分3または分4で内服し，血液[HCO_3^-]を20 mEq/L程度に維持する．炭酸水素ナトリウムに代わり，クエン酸ナトリウム・クエン酸カリウム配合剤(ウラリット®-U：散剤1 gは約9 mEqのHCO_3^-当量と，それぞれ約4.5 mEqのNaとKを含む)を投与する．クエン酸代謝によりHCO_3^-が供給され，血清K値が上昇し，尿中クエン酸増加を介して高Ca尿が是正される．

アシドーシスの治療と同時にK投与を開始し，血清K値を3.0 mEq/L以上に維持する．ウラリット®-Uに加え，グルコン酸カリウム(細粒1 g中K 4 mEq)，またはL-アスパラギン酸カリウム(散剤1 g中K 2.9 mEq)を併用する．

6）管理と予後

原発性RTAは生涯の治療が必要であるが，その他は原疾患による．低年齢から適切な治療がなされれば，成長障害の改善や腎石灰化の予防は可能である．治療前に形成された腎石灰化，腎囊胞，尿濃縮障害などは改善困難とされる．

2 近位型RTA

1）定義・概念

近位尿細管の機能異常により，HCO_3^-の再吸収障害をおもな病態とするRTAである．HCO_3^-だけではなくブドウ糖，アミノ酸，リン酸，尿酸，および低分子蛋白の再吸収障害を伴うものをFanconi症候群という．

2）病因・病態

図8に近位型RTAの病態を示す．近位尿細管におけるHCO_3^-の再吸収閾値が10～15 mEq/L程度に低下するため，尿中に多量のHCO_3^-を失い，血液[HCO_3^-]が低下して，アニオンギャップ正常型の代謝性アシドーシスを生じる．糸球体濾過量に対するHCO_3^-排泄分画が増大し($FEHCO_3^-$>10～15%)，二次的なK喪失から低カリウム血症を生じる．アシドーシスにより尿Ca^{2+}排泄は増加するが，遠位ネフロンにより尿は酸性化され(pH<5.5)，腎石灰化は生じにくい．

表4に示すように，SLC4A4変異はNa^+-HCO_3^-共輸送体1型(Na^+-HCO_3 cotransporter type 1：NBC1)の

Ⅱ 各　論

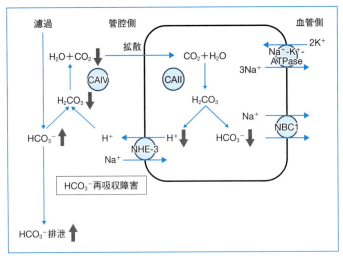

図8 近位型RTAの病態
CAⅡ：炭酸脱水酵素2型，CAⅣ：炭酸脱水酵素4型，NHE3：Na^+-H^+交換体3型，NBC1：Na^+-HCO_3^-共輸送体1型

表5 近位型RTAの原因

RTA単独	遺伝性HCO_3^-再吸収障害	SLC4A4変異，CA2変異*
	薬剤	アセタゾラミド
Fanconi症候群	特発性	
	先天性疾患	Lowe症候群，Dent病，ミトコンドリア病，シスチン症，Wilson病，糖原病，ガラクトース血症，フルクトース不耐症，チロシン血症，メチルマロン酸血症
	Ca代謝異常	副甲状腺機能低下症，ビタミンD欠乏，その他の低カルシウム血症
	腎疾患	ネフローゼ症候群，間質性腎炎，海綿腎，腎移植後
	その他の全身疾患	Sjögren症候群，高γグロブリン血症
	薬剤	アミノグリコシド，シスプラチン，イホスファミド，バルプロ酸，鉛，水銀，カドミウム

＊：混合型RTA

機能低下をきたす[4]．炭酸脱水酵素2型（carbonic anhydrase type 2：CAⅡ）の機能低下は，H^+排泄障害とHCO_3^-再吸収障害を伴う混合型RTAを呈する（図7，8）．

近位型RTAのほかに腎性糖尿，汎アミノ酸尿，低リン血症，低尿酸血症および低分子蛋白尿をきたす．Fanconi症候群の病態は十分に解明されていないが，血管側のNa^+-K^+-ATPase機能低下と電位勾配形成障害による，Na^+と再吸収物質との広範な共輸送障害と推測される．表5に示すように特発性のほか，ミトコンドリア病などのエネルギー産生障害，先天代謝異常症における代謝物の過剰蓄積，または薬物投与などの全身的病態によっても引き起こされる[3]．

3）臨床症候

アシドーシスによる成長障害を主症状とする．低カリウム血症は遠位型RTAよりも軽度であり，高Ca尿および腎石灰化は原則として生じない．遺伝的な近位型RTAであるNBC1異常は，精神遅滞と白内障，緑内障などの眼科異常を，CAⅡ異常は精神遅滞と骨大理石病を合併する．

Fanconi症候群では，溶質負荷による浸透圧利尿のため多尿傾向となる．尿中P喪失により筋力低下や，くる病または骨軟化症などの骨病変を示す．Lowe症候群はX連鎖性潜性遺伝し，OCRL1変異により発症する遺伝的Fanconi症候群の一つで，腎尿細管障害のほか，発達遅滞および先天性白内障および緑内障を合併する．

4）診断と検査法

表2に示すように，アニオンギャップ正常型の代謝性アシドーシスで，アシドーシス下の尿pH＜5.5，かつ低カリウム血症であれば近位型RTAが疑われる．尿アニオンギャップは，遠位尿細管でのNH_4^+産生を反

映して負（尿［Na^+］＋［K^+］＜［Cl^-］）となるが，尿細管へのHCO_3^-負荷が増加した状態では正となり，不定である．炭酸水素ナトリウム投与下で，健常人の再吸収閾値（～20 mEq/L）を上回る血液［HCO_3^-］において，$FEHCO_3^-$＞10～15％のときに診断が確定される．尿－血液CO_2分圧差は正常に開大する（U－B PCO_2＞20 mmHg）．

遺伝性RTAであるCA2変異は混合型RTAを示し，近位型RTAの所見に加えて，尿酸性化障害（尿pH＞5.5），NH_4産生障害（正の尿アニオンギャップ），およびH^+排泄障害（尿－血液CO_2分圧差＜20 mmHg）を認める．

Fanconi症候群の一症状であることが多いため，尿糖，汎アミノ酸尿，高リン酸尿およびP再吸収率（%TRP）の低下，高尿酸尿，および$β_2$ミクログロブリンなどの尿低分子蛋白を確認する．Fanconi症候群におけるくる病，骨軟化症は，一般に正カルシウム低リン血症，および基準範囲内の血清PTH，$1,25(OH)_2$ビタミンD値を示し，FGF23値は低下傾向となる．

5）治療法

成長期の小児においては，アシドーシス補正のため，腎から喪失されるHCO_3^-と同等量のアルカリ補充（5～15 mEq/kg/日）が必要である．前述のクエン酸塩製剤（ウラリット®-U）を用い，血液［HCO_3^-］20 mEq/L程度を目標とする．補充開始後，遠位尿細管に多量のHCO_3^-が流入してK喪失が増悪するため，治療初期からK補充を開始する．細胞外液におけるNa負荷軽減と，糸球体濾過に対するHCO_3^-再吸収率上昇の目的で，サイアザイド系利尿薬であるヒドロクロロチアジド1～3 mg/kg/日を併用することもある．

Fanconi症候群で低リン酸血症を伴うときは，血清P値2.5 mg/dL以上を目標に，リン酸ナトリウム製剤（ホスリボン®）をPとして40～100 mg/kg/日，分3～4で内服する．骨病変を伴う場合は，活性化ビタミンDであるアルファカルシドールを0.5～1.0 μg/kg/日，分1で内服する．糖尿，アミノ酸尿，高尿酸尿，および低分子蛋白尿に対しての治療は，通常は不要である．ほかに続発するFanconi症候群では，原疾患の治療や原因薬剤の中止を検討する．

6）管理と予後

アルカリ投与は唯一の治療であるが，尿中HCO_3^-喪失が続くために短時間の効果しか得られず，大量かつ頻回な投与によっても完全な補正は容易ではない．Lowe症候群をはじめとする一部の病態では，成人期に糸球体障害を伴い腎不全に陥る．

❖ 文献

1) 市川家國：酸塩基平衡異常．市川家國（編），小児科医のための水・電解質．メジカルビュー社，166-196，1992
2) Bagga A, et al.：Renal tubular acidosis. Indian J Pediatr 87：733-744, 2020
3) Reddy P：Clinical approach to renal tubular acidosis in adult patients. Int J Clin Pract 65：350-360, 2011
4) Arora V, et al.：Genetic testing in pediatric kidney disease. Indian J Pediatr 87：706-715, 2020

（佐々木悟郎）

C Bartter症候群およびGitelman症候群

1）定義・概念

Bartter症候群（Bartter syndrome：BS）とは，尿細管Henle係蹄の太い上行脚（thick ascending loop：TAL）を主座とする先天的な電解質再吸収障害により，低カリウム血症と代謝性アルカローシスを呈する疾患の総称である[1,2]．幅広い臨床像を呈するが，従来，以下の二つの臨床病型に大別されてきた．すなわち，羊水過多に示される出生前発症ないしは新生児期に多尿で発症する出生前・新生児型BS（antenatal／neonatal BS，別称hyperprostaglandin E症候群，以下新生児型BSと記載）と，乳幼児期に体重増加不良で発症する古典型BS（classical BS）である．生化学的には，新生児型BSでは高カルシウム尿症と正マグネシウム血症を呈し，古典型BSでは正～高カルシウム尿症と低～正マグネシウム血症を呈するという差異も認められる．最近では，このような臨床分類とは別に，責任遺伝子に基づいた再分類（BS 1型～BS 5型）が進められている．一方，遠位曲尿細管（distal convoluted tubule：DCT）に存在するサイアザイド感受性Na^+-Cl^-共輸送体（thiazide-sensitive Na^+-Cl^- cotransporter：NCCT）の機能障害でも低K血性アルカローシスを呈するが，これはGitelman症候群（Gitelman syndrome：GS）とよばれる．GSは，学童期以降に筋力低下などで診断されることが多く，低カルシウム尿症と低マグネシウム血症が特徴的である（別称家族性低カリウム低マグネシウム血症）．しかし，BSの責任遺伝子変異を有する症例がGS類似の臨床像を呈しうることが判明し，逆に，GS責任遺伝子変異例が古典型BS様の表現型をとりうることも明らかとなった．また，BS 3型（古典型BSに相当）の障害部位は，TALではなくDCTであるという考えも提唱されている［**7）最新知見**の病態生理学的分類を参照］．以上のような観点から，BSとGSとを併せて（hypokalemic）salt-losing tubulopathyと総称する場合も

II 各 論

表6 Bartter症候群(BS)およびGitelman症候群(GS)の原因遺伝子別分類(関連する疾患を含めて表示)

病型	典型的病像	OMIM	遺伝形式	原因遺伝子	変異蛋白	典型例での検査所見 尿中Ca	典型例での検査所見 血中Mg
BS 1型	出生前/新生児型BS	601678	AR	SLC12A1	NKCC2	H	N
BS 2型	出生前/新生児型BS	241200	AR	KCNJ1	ROMK	H	N
BS 3型	古典型BS	607364	AR	CLCNKB	ClC-Kb	L(GS類似例)〜H(重症ほど顕著)	N〜L(GS類似例)
BS 4A型	難聴を伴う出生前/新生児型BS	602522	AR	BSND	barttin	N〜H	N
BS 4B型	難聴を伴う出生前/新生児型BS	613090	DR	CLCNKA CLCNKB	ClC-Ka ClC-Kb	N〜H	N
BS 5型	一過性の出生前/新生児型BS	300971	XL	MAGED2	MAGE-D2	H	N
GS	学童期以降の低カリウム血症	263800	AR	SLC12A3	NCCT	L	L
ADH/BS	BS/GS+低カルシウム血症	601198	AD	CASR	Ca感知受容体	H	L
EAST	GS+難聴+神経症状	612780	AR	KCNJ10	Kir 4.1	L	L

ADH/BS：Bartter症候群を伴う常染色体顕性低カルシウム血症，EAST：epilepsy, ataxia, sensorineural deafness, tubulopathy syndrome, MAGE-D2：melanoma-associated antigen D2, AR：常染色体潜性, DR：digenic recessive, XL：X染色体性, H：高値, N：正常, L：低値

多く[1]，本項でもBSとGSとを一括して記載することとする．また，BS/GSを，「TAL以遠の尿細管に存在する，電解質再吸収に関与する蛋白質の胚細胞変異により，低K血性アルカローシスを呈する病態」とするならば，現在BSに含まれていない疾患もいくつか該当する(表6)．後述の病態生理学的分類を含め，BS/GSの定義と分類は，今後も修正が加えられていくものと予想される．

2) 病因・病態

BSの5病型，GS，および関連する先天性尿細管疾患を，表6にまとめて示す．以下に，主要な病型の病態について記載する．

a. Bartter症候群(BS)1型

フロセミド感受性Na^+-K^+-$2Cl^-$共輸送体(Na^+-K^+-$2Cl^-$ cotransporter：NKCC2)はTALに局在しており，血管側膜のNa^+-K^+-ATPaseにより生じる電気化学的勾配に従って，Na, K, Cl各イオンの再吸収を担っている．TALでのNa再吸収は，①腎髄質部における間質浸透圧の増大(corticomedullary osmotic gradient形成)を介する，集合管での抗利尿ホルモン(antidiuretic hormon：ADH)依存性水再吸収，および②管腔側正の電位差形成による，細胞間隙からのCa, Mg, Naの移動に不可欠である．したがって，NKCC2機能障害であるBS 1型で前景に立つのは，低張尿に示される尿濃縮障害と，高カルシウム尿症である(Mgは代償性DCT機能亢進により，後述のTRPM6から再吸収される)．次いで，TALで再吸収されなかった多量のNaがDCT〜集合管でNCCTおよび上皮型Naチャネル(epithelial Na^+ channel：ENaC)を介して再吸収される．その際に，後述のROMKおよびBKチャネル(flow-dependent potassium channel)からKが排泄されるため，低K血性となる．同時に，集合管A型介在細胞からのH^+分泌増加と，B型介在細胞でのCl/HCO_3^-交換低下が生じ，アルカローシスとなる．DCT細胞の代償性肥大や，with-no-lysine kinase(WNK)系を介する調節により，DCT以遠のNa再吸収能は亢進する．

緻密斑細胞では，細胞表面のNKCC2機能障害により，管腔内の高Cl濃度にもかかわらず細胞内のCl濃度は低下する．これにより，傍糸球体細胞によるプロスタグランジンE2(PGE2)産生が刺激され，同時に，レニン―アンギオテンシン―アルドステロン(RAA)系が亢進する．尿濃縮障害による体液量減少によってすでにRAA系は亢進状態にあるが，PGE2の作用が加わることで，さらに顕著となり，低カリウム血症を助長する．一方で，PGE2過剰産生は，尿細管糸球体フィードバック機構(tubuloglomerular feedback：TGF)に干渉することで，糸球体濾過量の増大(glomerular hyperfiltration)を招き，塩喪失と水分喪失を助長する．加えて，PGE2はADHの阻害作用も有する．

b. Bartter症候群(BS)2型

Renal outer medullary K channel(ROMK)は，TALにおいては，いったん再吸収されたKを管腔にリサイクルすることで，NKCC2機能の維持に寄与している．ROMKの機能障害により，TALでのNa再吸収が低下し，BS 1型類似の病態となる．しかし，ROMKはDCT以遠の接合部尿細管・集合管主細胞にも発現を認め，ENaCとカップリングしたNa再吸収・K排泄を担っている．このため，BS 2型では一過性の高カリウム血症を認めることがある．

c. Bartter 症候群（BS）3 型

血管側膜の Cl チャネルは，chloride channel Kb（ClC-Kb）と chloride channel Ka（ClC-Ka）の二つが存在する（ClC-Kb は TAL・DCT ともに発現し，ClC-Ka は DCT には発現しない）．前者の機能障害が BS 3 型，両者の機能障害が後述の BS 4 型となるが，後者のみの機能障害はヒトでは未報告である．ClC-Kb の障害により，TAL での Na 再吸収が低下し，DCT 以遠への到達量が増加し，BS 1 型と同様の機序で低 K 血性アルカローシスが生じる．同時に，ClC-Kb の障害は，DCT における NCCT の Na 再吸収も低下させる．BS 3 型で GS 類似の臨床症状を呈する場合は，この DCT 障害の影響が強く現れているものと考えられる．この考えをさらに進めて，BS 3 型の病変主座は DCT とする意見もある[7]．最新知見を参照］．

d. Bartter 症候群（BS）4 型

ClC-Ka と ClC-Kb がともに機能喪失していることを意味し，両チャネル共通の β サブユニットである barttin の異常によるものを 4 A 型，各チャネルの責任遺伝子（CLCNKA および CLCNKB）自体が変異している場合を 4 B 型と区別する．CLCNKA と CLCNKB は染色体 1p36 領域に近接して存在しているが，実際に隣接遺伝子症候群（両遺伝子を含む大きな欠失）が認められたのは，日本人症例の片アリルのみである[3]．内耳の蝸牛において，ClC-K-barttin 複合体は，Cl のリサイクルおよび K 濃度差の維持に寄与している．

e. Bartter 症候群（BS）5 型

一過性の新生児型 BS を呈する 16 症例の全エクソーム解析により，X 染色体上の MAGED2 遺伝子が責任遺伝子として同定された[4]．MAGED2 遺伝子産物（melanoma-associated antigen D2：MAGE-D2）は，NKCC2 および NCCT の発現と機能の調節に関与するが，症状が自然軽快する機序は未解明である．

f. Gitelman 症候群（GS）

NCCT は SLC12A3 遺伝子にコードされ，500 種類以上の変異が報告されている．反対に，WNK4 遺伝子変異などにより，NCCT 機能が亢進した場合は偽性低アルドステロン症 II 型となる．GS では，DCT での NaCl 再吸収低下により体液量が減少し，RAA 系が亢進する．そのため DCT 以遠での Na 再吸収と K 排泄が促進され，低 K 性アルカローシスを生じる．代償的な TAL での NaCl 再吸収亢進のため，脱水は軽度にとどまる．同時に TAL での Ca 再吸収が増加し，DCT でも Ca チャネル TRPV5（transient receptor potential cation channel subfamily V member 5）を介する再吸収が亢進するため，低カルシウム尿症となる．NCCT 機能低下が間接的に DCT の Mg チャネルである TRPM6（transient receptor potential cation channel subfamily M member 6）機能を抑制するため，低マグネシウム血症となる．

3）臨床症候

a. Bartter 症候群（BS）1 型

大多数が，新生児型 BS の臨床像を示す．妊娠第 2 期より顕著な羊水過多を呈し，児は 29〜36 週での早産となりやすい．したがって低出生体重となるが，週数比較では多くが AGA（appropriate for gestational age）相当である[5]．羊水中の Cl 濃度高値が特徴とされる[6]．生後，多量の低張尿の排泄がみられ，重度の脱水に陥りやすい．しかし，BS の定義でもある低カリウム血症と代謝性アルカローシスは，新生児期のうちはごく軽微にとどまる場合もあり，尿崩症との鑑別に注意を要する．低ナトリウム血症と低クロール血症を伴うが，後述の BS 3 型よりは軽度である．高カルシウム尿症が特徴的であり，後に腎髄質石灰化に進展する．血清 Mg 濃度は正常である．血漿レニン活性（およびレニン濃度）およびアルドステロンは高値を呈する．PGE2 も高値であり，発熱，嘔吐下痢，成長障害，骨量減少などの臨床症状の原因となる．

例外的に，羊水過多が欠如または軽微にとどまり，学童期以降に低身長や蛋白尿を機に発見された症例報告があるが，そのような場合でも高カルシウム尿症や腎髄質石灰化が認められている[7]．すなわち，BS 1 型（および BS 2 型）の遅発発症例は，診断年齢的には GS に類似するが，生化学所見は BS に合致する mixed phenotype を呈する．このような軽症例は，変異蛋白がある程度の残存機能を保持しているためと想定される．

b. Bartter 症候群（BS）2 型

BS 1 型と同様に，基本的な臨床病型は新生児型 BS である．しかし，半数以上の例で，早期新生児期に一過性の高カリウム血症と代謝性アシドーシスを示すことが特徴で[5]，偽性低アルドステロン症 I 型との鑑別困難例も報告されている．そのような場合でも，新生児以降には低カリウム血症に移行するが，BS 2 型では総じて低カリウム血症が BS 1 型より軽度である．高カルシウム尿症と腎髄質石灰化は高頻度に認められる．

BS 1 型と同じく，学童期〜成人期に，腎石灰化や多飲多尿を契機に診断された，mixed phenotype を示す遅発発症例が報告されている[8]．

c. Bartter 症候群（BS）3 型

BS のなかで，最も幅広い臨床像を呈するのが 3 型である．中核となる病型は古典型であり（Bartter の原著では 25 歳成人例が該当），胎児期や新生児期には大きな問題に気づかれず，乳幼児期の成長障害や多尿など

を契機に診断に至る．しかし，新生児型やGS類似の臨床症状を呈することも多く，両アリルにCLCNKB遺伝子変異を有する115症例の検討では，新生児型が30%，古典型が45%，GS類似が26%との分布であった[9]．この臨床症状の差異は遺伝子変異の強弱で相当程度説明可能であり，変異蛋白をヒト胎児腎(human embryonic kidney：HEK)細胞にbarttin蛋白とともに発現させた場合，Cl^-イオンのコンダクタンスが，発症年齢と正比例したとの報告がある[10]．

BS 3型では，1，2型に比して低ナトリウム血症・低クロール血症の頻度が高く，特に低クロール血症がより顕著である[9]．前述の発現実験[10]では，重度の遺伝子変異ほど(Cl^-イオンのコンダクタンスが低くなるほど)低クロール血症が高度であった．同様に，重度の遺伝子変異ほど顕著な高カルシウム尿症となっていた．これを反映して，一部の症例では腎髄質石灰化を認める．しかし，GS類似の表現型をとる場合には，低カルシウム尿症を呈しうる．血清Mg濃度は，正常から軽度低値に分布する．

d. Bartter症候群(BS)4型

感音難聴と新生児型BSを呈する．BS 1，2型と異なり，機能低下したDCTからのCa再吸収が増加するため，尿中Caは正常あるいは一過性に高値を示すのみである．BS 4型では，腎機能の予後が不良で，組織学的には糸球体硬化や尿細管萎縮像が認められる．しかし例外的に，古典型BSに相当する表現型を示す症例も報告されている．

e. Bartter症候群(BS)5型

一過性に新生児型BSを呈する病型である．BS 1，2型より早い在胎20週頃から羊水過多を示し，子宮内死亡もあり得る．生後は，高カルシウム尿症やレニン活性高値も呈するが，数か月以内に自然軽快する．

f. Gitelman症候群(GS)

採血で偶然に低カリウム血症が発覚して診断される場合がある一方で，疲労，低身長，思春期遅発，多飲多尿，夜尿，塩分嗜好(salt craving)，筋力低下，筋攣縮，テタニー，麻痺，横紋筋融解，不整脈，QT延長など多彩な症状を呈しうる．わが国の，遺伝子診断された185例の検討では，診断契機は55%で血液検査，33%でテタニー，7%では低身長であった[11]．また，診断年齢は1~78歳と幅広く分布し，中央値12歳であった．これとは別に，新生児期に低カリウム血症を呈した未熟児例も報告されている[12]．低カルシウム尿症と低マグネシウム血症が特徴であるが，前述の多数例の検討では約半数が正マグネシウム血症であり，日本人に多い変異との関係が示唆されている[11]．また，

正~高カルシウム尿症の例も認められるため，臨床的には古典型BSと診断される場合もありうる．

4) 診断と検査法

低K血性代謝性アルカローシスを呈する疾患群(広義のpseudo-Bartter症候群)を鑑別する必要がある．

a. Bartter症候群(BS)を伴う常染色体顕性低カルシウム血症(旧BS 5型)

Ca感知受容体遺伝子(CASR)の機能獲得型変異の一部では，高カルシウム尿性低カルシウム血症と低マグネシウム血症に加えて，低K血性アルカローシスとRAA系の亢進を伴うことがある．Ca感知受容体はTAL血管側膜に強く発現し，その機能の増強により細胞間隙からのCa・Mg再吸収が阻害される．低カリウム血症の原因は，TALでのNaCl再吸収障害(またはK排泄障害)とするものと，DCTのNCCT機能異常と説明するものがあり，未確定である．紛らわしいが，古い総説ではBS 5型に分類されている．

b. EAST(epilepsy, ataxia, sensorineural deafness, tubulopathy)症候群

GS類似の症状に加えて，失調，けいれん，感音難聴を呈する．DCT血管側膜(およびグリア細胞)に存在するKチャネル(Kir4.1，KCNJ10遺伝子にコード)の機能低下が原因である．KCNJ10は細胞内Kを排出することで，$Na^+-K^+-ATPase$活性の機能維持に寄与している．以前はSeSAME症候群(seizures, sensorineural deafness, ataxia, mental retardation, electrolyte imbalance)とも呼称された．

c. CLDN10変異による低K性アルカローシス

低マグネシウム血症を欠くGS症例の解析により，TALでのCa, Mg, Naの細胞間隙輸送に関与するclaudin-10の遺伝子変異が同定された[13]．CLDN10は，HELIX症候群の原因遺伝子とも報告されている．

d. 囊胞線維症(cystic fibrosis：CF)

CF乳児患者の一部が低K血性アルカローシスを呈し，pseudo-Bartter症候群in CFと呼称される．ClチャネルであるCFTR(cystic fibrosis transmembrane conductance regulator)の機能低下により，汗中に塩分が失われることが原因と考えられている[14]．

e. 先天性クロール下痢症

羊水過多を呈し，かつ低カリウム血症を伴うこともあるため，多量の水様便を尿と誤認した場合に，診断を誤る可能性がある．

f. 狭義のpseudo-Bartter症候群

利尿薬，緩下剤の濫用や自己嘔吐，ないしは妊娠悪阻に続発し，低カリウム血症と代謝性アルカローシスを呈する．細胞外液量減少により，RAA系の亢進所見

を示す．サイアザイドの長期使用例と GS とを生化学的に区別することは不可能である．また，詳細な問診によっても明らかな原因が不明な場合も少なくない[15]．

g. 診断に必要な検査

新生児型 BS／古典型 BS／GS の臨床所見に加えて，低 K 血性代謝性アルカローシスと尿中 K, Cl 排泄増多所見（尿中 K＞18 mEq/g・Cr，F$_{E}$Cl＞0.5%）があれば，BS／GS を想起することは困難ではない．尿中 Ca，血中 Mg，尿浸透圧（低張尿だが，BS では≧160 mOsm/kg，尿崩症では＜100 mOsm/kg），RAA 系の評価，尿中 PGE2 測定が補助的診断項目として有用である．腎生検は通常は行われない．遺伝子変異検出により診断確定するが，エクソン欠失のアリルも多いため，次世代シークエンサーと multiplex ligation-dependent probe amplification（MLPA）を組み合わせることが理想である．

5）治療の概要

新生児型 BS では，新生児期の多尿への対応が重要であり，中心静脈からの輸液と並行して，インドメタシンにより PGE2 作用の抑制を図る．ただし，BS 4 型はインドメタシン不応である．

BS／GS とも，慢性期では電解質の補充を行う．新生児型 BS や一部の古典型 BS では，若年期に食塩投与を要するが，成長後は食事中の食塩で代用可となる．K 製剤はすべての病型で必要であるが，低クロール血症が強い BS 3 型では，特に KCl としての投与が望ましい．GS や低マグネシウム血症を伴う古典型 BS では，Mg 補充も重要である．しかし，各電解質レベルをどの程度に保つかについての基準はなく，経験的に行われている．

新生児型 BS ではインドメタシンの継続投与を要する．また，古典型 BS および GS においてもインドメタシンの有効性が報告されている．いずれの場合でも，消化管潰瘍や，未熟児での壊死性腸炎などの消化器系副作用に留意する．インドメタシンの腎毒性に関しては，10 年以上の投与でも組織的変化を認めなかったとの報告がある[16]．

RAA 系抑制を目的とした，K 保持性利尿薬（スピロノラクトン，エプレレノンなど）は，古典型 BS や GS において，長く第一選択薬の一つとされてきた．しかし，低カリウム血症のわずかな改善に寄与する反面，脱水傾向を助長する懸念がある．また，GS を対象とした臨床研究では，エプレレノンの K 上昇効果はインドメタシンのそれ以下であった[17]．したがって現在では，K 保持性利尿薬は，治療抵抗例やインドメタシン不耐例における第二選択薬と考えられる．

6）管理と予後

教科書的には，新生児型が重症と記載されており，実際に新生児期の管理は生命に直結する．また BS 3 型では残存チャネル機能が低いほど発症時期が早いことが示されている[10]．しかし，長期予後の観点からは，必ずしも古典型が軽症とは限らない．BS 1, 2 型では，成長に伴い K 製剤やインドメタシンの投与が不要となる場合もあるが[18]，BS 3 型では K の継続投与は必須である．末期腎不全への進行は，BS 1 型で 0/15 例（平均観察期間 11 年）[5]，2 型で 3/42 例（同 8 年）[18]との報告がある一方で，BS 3 型では 6/77 例（同 8 年）との調査がある[9]．また，治療中の成長障害は，BS 1, 2 型よりも 3 型で重度である[5]．GS で末期腎不全に至ることはないが，軽度の腎機能低下はありうる．反対に，BS 4 型では乳児期から腎機能低下が生じ，早期に腎不全に至る．

GH 分泌不全の合併が，新生児型／古典型／GS ともに一定数報告されており[19]，成長速度不良の際には GH 分泌の評価が推奨される．

7）最新知見

臨床症状別分類（新生児型 BS／古典型 BS／GS）および遺伝子別分類（表 6：BS 1～5 型／GS）とは別に，Seyberth は病態生理学的分類を提唱している[20]．これは，利尿薬負荷試験などから想定される主たる障害部位により，①TAL 障害の場合（BS 1, 2 型が該当）②DCT 障害の場合（BS 3 型／GS／CASR 変異／EAST 症候群が該当），および③TAL・DCT 両方の場合（BS 4, 5 型が該当）に分類するものである．古典型 BS（BS 3 型）の障害部位が DCT であるとの主張が明確である点と，CASR 変異や EAST 症候群を合理的に包括しうる点で，注目すべきであろう．

❖ 文献

1) Nozu K, et al.：Inherited salt-losing tubulopathy：An old condition but a new category of tubulopathy. *Pediatr Int* 62：428-437, 2020
2) Fulchiero R, et al.：Bartter syndrome and Gitelman syndrome. *Pediatr Clin North Am* 66：121-134, 2019
3) Nozu K, et al.：Molecular analysis of digenic inheritance in Bartter syndrome with sensorineural deafness. *J Med Genet* 45：182-186, 2008
4) Laghmani K, et al.：Polyhydramnios, transient antenatal Bartter's syndrome, and MAGED2 mutations. *N Engl J Med* 374：1853-1863, 2016
5) Puricelli E, et al.：Long-term follow-up of patients with Bartter syndrome type Ⅰ and Ⅱ. *Nephrol Dial Transplant* 25：2976-2981, 2010
6) Dane B, et al.：Prenatal diagnosis of Bartter syndrome with biochemical examination of amniotic fluid：case report. *Fetal*

7) Pressler CA, et al.：Late-onset manifestation of antenatal Bartter syndrome as a result of residual function of the mutated renal Na$^+$-K$^+$-2Cl$^-$ co-transporter. J Am Soc Nephrol 17：2136-2142, 2006
8) Sharma A, et al.：A novel compound heterozygous ROMK mutation presenting as late onset Bartter syndrome associated with nephrocalcinosis and elevated 1,25(OH)$_2$ vitamin D levels. Clin Exp Nephrol 15：572-576, 2011
9) Seys E, et al.：Clinical and genetic spectrum of Bartter syndrome type 3. J Am Soc Nephrol 28：2540-2552, 2017
10) Cheng CJ, et al.：Functional severity of CLCNKB mutations correlates with phenotypes in patients with classic Bartter's syndrome. J Physiol 595：5573-5586, 2017
11) Fujimura J, et al.：Clinical and genetic characteristics in patients with Gitelman syndrome. Kidney Int Rep 4：119-125, 2018
12) Tammaro F, et al.：Early appearance of hypokalemia in Gitelman syndrome. Pediatr Nephrol 25：2179-2182, 2010
13) Bongers EMH, et al.：A novel hypokalemic-alkalotic salt-losing tubulopathy in patients with CLDN10 mutations. J Am Soc Nephrol 28：3118-3128, 2017
14) Scurati-Manzoni E, et al.：Electrolyte abnormalities in cystic fibrosis：systematic review of the literature. Pediatr Nephrol 29：1015-1023, 2014
15) Matsunoshita N, et al.：Differential diagnosis of Bartter syndrome, Gitelman syndrome, and pseudo-Bartter/Gitelman syndrome based on clinical characteristics. Genet Med 18：180-188, 2016
16) Reinalter SC, et al.：Evaluation of long-term treatment with indomethacin in hereditary hypokalemic salt-losing tubulopathies. J Pediatr 139：398-406, 2001
17) Blanchard A, et al.：Indomethacin, amiloride, or eplerenone for treating hypokalemia in Gitelman syndrome. J Am Soc Nephrol 26：468-475, 2015
18) Brochard K, et al.：Phenotype-genotype correlation in antenatal and neonatal variants of Bartter syndrome. Nephrol Dial Transplant 24：1455-1464, 2009
19) Adachi M, et al.：Classic Bartter syndrome complicated with profound growth hormone deficiency：a case report. J Med Case Rep 7：283, 2013
20) Seyberth HW, et al.：Bartter's and Gitelman's syndrome. Curr Opin Pediatr 29：179-186, 2017

〈安達昌功〉

D 腎性糖尿

1）定義・概念

　腎性糖尿とは高血糖を伴わずに尿糖が持続して検出される状態である．原則的に尿糖以外の近位尿細管障害を伴わないものを指すが，症状としての腎性糖尿は近位尿細管障害の症状の一部としてみられることがある．

2）疫学

　東京都における2000〜2015年の小・中学校での学校検尿尿糖陽性者350名のうち246名（70.3％）は耐糖能異常を示さず腎性糖尿と診断された．2000〜2015年の学校検尿における尿糖検査の総受診者は3,309,631人であり，腎性糖尿の発見率は学童10万人当たり7.43人程度と推測される[1]．

3）病因・病態

　血液中のブドウ糖は糸球体で濾過されたあとに近位尿細管でほとんどが再吸収される．ただし再吸収閾値があり血糖値がおよそ200 mg/dLを超えると尿糖が出現する[2]．

　ブドウ糖濃度は濾過された原尿＜近位尿細管細胞内であるため，管腔側から近位尿細管細胞内へのブドウ糖輸送はNa$^+$イオンの電位差を利用し能動輸送で行われる．近位尿細管起始部（近位曲尿細管，S1分節）細胞管腔側には低親和性，高輸送能のNa$^+$ブドウ糖共輸送体2（sodium-glucose transporter 2：SGLT2）が存在し，近位尿細管遠位部（近位直尿細管，S3分節）には高親和性，低輸送能のNa$^+$ブドウ糖共輸送体1（sodium-glucose transporter 1：SGLT1）が存在する．生理的状況では濾過されたブドウ糖の大半はSGLT2により近位尿細管細胞内に取り込まれ，残りの一部がSGLT1により再吸収される．近位尿細管細胞血管側にはNa非依存性促進拡散型ブドウ糖輸送体1，2（GLUT1，2）が存在し濃度勾配に従ってブドウ糖が血管内に受動輸送される．

　SGLT1は腸管にも発現しブドウ糖のほかガラクトースも輸送基質とする．SGLT1異常では先天性グルコース・ガラクトース吸収不全症となり，新生児期から続く下痢，脱水を呈する．尿糖は軽微である．SGLT2の発現は腎特異的であり，ガラクトースは輸送しない．SGLT2異常では近位尿細管におけるブドウ糖再吸収が障害され血糖値140 mg/dL以下でも尿糖が出現する．これが家族性腎性糖尿[OMIM 233100]の病因である．

　SGLT2をコードするのは16p11.2に位置するSLC5A2遺伝子[OMIM 182381]である．SLC5A2遺伝子変異によりSGLT2の機能が低下すると尿細管腔内から尿細管細胞内へのブドウ糖取り込み障害が起きる．再吸収されないブドウ糖は尿に排出され正常血糖であっても尿糖が出現する．遺伝子型と表現型に相関があり，ホモ接合体や複合型ヘテロ接合体変異はヘテロ接合体変異よりも尿糖量が多い[3]．

4）臨床症候

　家族性腎性糖尿は一般的に無症状である．1日尿糖量は症例ごとにほぼ一定であるが，症例間では体表面

積1.73 m²当たり1 g未満から　150 g以上と個人差が大きい．重症例で多飲多尿，脱水，腎からの塩喪失，レニン-アルドステロン系の上昇などの症状を呈したことが報告されているが，こうした重症例は非常にまれである．腎機能に異常をきたすこともない[3]．

5) 診断と検査法

初期には経口ブドウ糖負荷試験（oral glucose tolerance test：OGTT）で耐糖能は正常であるが定性的尿糖陽性がみられることを診断基準としていた．1947年にMarble は，OGTTで耐糖能正常，血漿インスリン，遊離脂肪酸，グリコヘモグロビンのいずれもが正常であって，尿中ブドウ糖排泄量が比較的安定しており（妊娠時を除き成人で1日10～100 g），すべての尿サンプルで尿糖（ブドウ糖のみ）陽性であるものとする診断基準を提唱した[4]．この非常に厳密な基準では腎性糖尿のうちホモ接合体や複合型ヘテロ接合体変異による重症例しか合致しない．

現在の臨床では尿糖陽性のもの（多くは学校検尿での精密検査対象者である）から高血糖を伴うもの（主として糖尿病）と近位尿細管障害に伴う腎性糖尿を除外することによって診断している．

糖尿病の典型的な症状（口渇，多飲，多尿，体重減少）が確実に存在するか疑われる場合には早急にケトアシドーシスの有無を確認し，糖尿病の治療開始につなげる必要がある．OGTTにより耐糖能異常の除外と血糖値が正常範囲内での尿糖陽性を確認するのが確実であるが，空腹時血糖とインスリン分泌が正常，HbA1c正常を確認することでOGTTを行わなくとも腎性糖尿を確実に診断できるとする考えもある[2]．

Fanconi症候群等近位尿細管障害に伴う腎性糖尿の除外のためには，血液生化学検査（総蛋白，アルブミン，尿素窒素，クレアチニン，尿酸，Na，K，Cl，Ca，Mg，P，アルカリホスファターゼ，肝逸脱酵素），血液ガス分析，尿一般検査，尿中β_2ミクログロブリン検査を実施する．問診では，白内障，緑内障などの眼科疾患の既往，発達遅滞の有無，薬物（水銀，鉛，カドミウム等重金属，テトラサイクリン，シクロスポリン，バルプロ酸）使用歴が特に重要であり，身体所見としては低身長，くる病（下肢の変形）にも注意する．

6) 管理と予後

腎性糖尿は糖尿病に移行することも腎機能低下をきたすこともないため治療は必要なく，原則的に管理の必要もない．すでに腎性糖尿と診断されている症例は，学校検尿で尿糖陽性を指摘されてもその都度，精密検査を行う必要はない．

ただし，尿糖検査が糖尿病のスクリーニングとして役に立たないため，多飲多尿，体重減少など糖尿病を疑う症状を認めた際は血糖およびHbA1cの測定が必要である．

7) 最新知見

現在経口糖尿病薬としてSGLT2阻害薬が使用されている．SGLT2を阻害しブドウ糖再吸収閾値を下げることにより人為的に尿糖を出現させ，血糖低下，HbA1cの低下や体重減少効果をもたらす糖尿病治療薬である．血管機能の改善，血管内容量を減少させることにより心不全改善作用も期待されている．血糖値がブドウ糖再吸収閾値以下にならないことから低血糖の危険性が少ない薬剤であるが，副作用として白色脂肪細胞の分解促進を介することにより正常血糖ケトアシドーシスの危険が高くなるとの報告がある[5]．浸透圧利尿に伴う脱水，外陰炎や投薬中止後のリバウンドなどの問題点もある．

❖ 文献

1) Urakami T, et al.：Renal glucosuria in schoolchildren：Clinical characteristics. *Pediatr Int* 60：35-40, 2018
2) 五十嵐　隆：尿細管疾患．小児腎疾患の臨床．改訂第7版，診断と治療社，147-227，2019
3) Santer R, et al.：Familial renal glucosuria and SGLT2：from a mendelian trait to a therapeutic target. *Clin J Am Soc Nephrol* 5：133-141, 2010
4) Marble A：The diagnosis of the less common melliturias；including pentosuria and fructosuria. *Med Clin North Am* 31：313-325, 1947
5) Perry R, et al.：Sodium-glucose cotransporter-2 inhibitors：Understanding the mechanisms for therapeutic promise and persisting risks. *J Biol Chem* 295：14379-14390, 2020

〈木下　香〉

第13章 多腺性内分泌疾患

多腺性内分泌疾患

A 多発性内分泌腫瘍症

1 多発性内分泌腫瘍症1型（MEN1）

1）定義・概念

多発性内分泌腫瘍症1型（multiple endocrine neoplasia type 1：MEN1）はおもに下垂体，副甲状腺および膵内分泌腺原発の多発性腫瘍を特徴とする症候群である．その他の腫瘍として副腎腫瘍と，胸腺，気管支および胃の神経内分泌腫瘍（neuroendocrine tumor：NET）がある．癌抑制遺伝子であるMEN1遺伝子の機能喪失型変異により発症する．常染色体顕性遺伝を示し，約3万人に1人の頻度で発症する[1,2]．

2）病因・病態

MEN1遺伝子は11q13.1に座位し，10個のエクソン，610個のアミノ酸からなるmenin蛋白をコードしている．前述のように機能喪失型変異により発症し，変異部位は現在までに700以上が報告されている．遺伝子変異の好発部位はなく，遺伝子診断にはMEN1遺伝子全領域の検索が必要になる．MEN1では遺伝子変異と臨床症状に相関性はない．MEN1の約10%が突然変異で発症しており，約10〜20%はMEN1遺伝子の変異を認めない．腫瘍発症のためには生殖細胞系列変異だけでなく，腫瘍細胞での欠失などによる野生型（正常）アリルの機能喪失も必要である（Knudsonのtwo-hit theory）[1]．

meninはおもに非分裂細胞の核内に局在し，JunD，SMAD，FoxA2，Mycなど多数の転写因子と相互作用し，転写を促進または抑制することにより腫瘍増殖を抑制している．さらにmeninはMLL，PRMT5，DAXXなどエピジェネティックな調整因子と複合体を形成し，クロマチン修飾を調節することにより腫瘍抑制をはたす[3]．

3）臨床症候

MEN1は5〜81歳で発症する．臨床症状は50歳までに80%の頻度で出現し，生化学的異常は98%以上の頻度で認められる[4]．3病変とも発症するのは20%程度である．

a．下垂体

下垂体腺腫はMEN1の30〜60%に認められる．5歳未満での発症の報告はない．日本ではプロラクチノーマ，非機能性，GH産生腫瘍の順に多い．MEN1ではマクロ腺腫の頻度が高く，浸潤傾向も強いとされている．下垂体腫瘍全体の3%以下がMEN1によるものとされている．

b．副甲状腺

副甲状腺機能亢進症は20歳代で50%，40歳でほぼ全例が発症する．発端者の平均診断年齢は40歳代で，8歳未満での発症の報告はない．全体の18%は血中PTHと補正カルシウム濃度のいずれかが基準値範囲内に入るsyndrome of inappropriate secretion of PTH（SIPTH）の状態にあり，慎重な診断が求められる[5,6]．原発性副甲状腺機能低下症全体の2〜5%がMEN1である．

c．膵臓・消化管

膵および消化管の内分泌腫瘍（gastroenteropancreatic neuroendocrine tumor：GEPNET）はMEN1の60〜70%に認められる．5歳未満での発症の報告はない．非機能性，ガストリノーマ，インスリノーマの順に多いが，日本人では20歳前にインスリノーマを発症することが多く，他のGEPNETの発症はない[7]．そのため小児期発症のインスリノーマは，MEN1が示唆される．ガストリノーマは十二指腸に発症し，MEN1を強く示唆する疾患である[8]．MEN1のGEPNETは散発性GEPNETに比べ肝転移の頻度が高く，肝転移をきたすと生命予後は不良となる．インスリノーマを除くMEN1関連GEPNETの相対死亡リスクは1.89〜4.29である．GEPNET全体の10%がMEN1である．

d．その他の腫瘍

気管支神経内分泌腫瘍は多発性で女性に多い．胸腺内分泌腫瘍は男性に多く，悪性度が高い．16歳未満で

II 各論

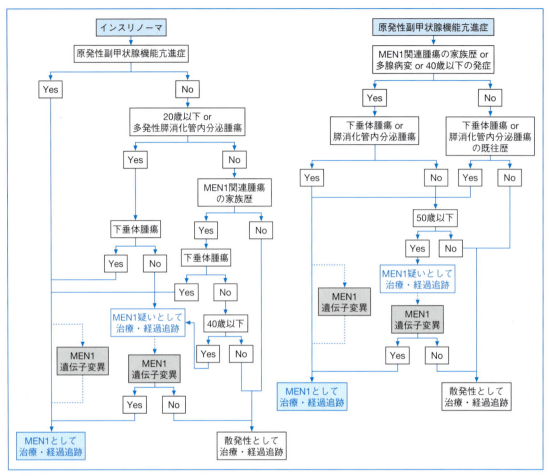

図1　小児期MEN1検索のアルゴリズム
〔多発性内分泌腫瘍症診療ガイドブック編集委員会（編）：多発性内分泌腫瘍症診療ガイドブック．金原出版，2013〕

の胸腺内分泌腫瘍発症の報告はない．副腎病変の多くは非機能性で，無症状である．

4）診断と検査法

MEN1の診断基準は以下のいずれかを満たした症例とされている[2]．

①原発性副甲状腺機能亢進症，膵消化管内分泌腫瘍，下垂体腺腫のうち2つ以上を有する．

②上記3病変のうち1つを有し，一度近親者（親，子，同胞）にMEN1と診断された者がいる．

③上記3病変のうち1つを有し，MEN1遺伝子の病原性変異が確認されている．

診断基準①または②を満たす症例ではMEN1遺伝子変異の検出率は90～95％であるが，日本人の散発例では49.3％のみがMEN1遺伝子変異陽性である．臨床診断が困難な診断基準③についてはMEN1遺伝学的検査の適応が問題となる．20歳以下のインスリノーマと30歳以下の副甲状腺腫はMEN1の疾患特異性が高いた

め，それらの症例にはMEN1遺伝学的検査が推奨されている．日本では2020年からMEN1疑い症例に対する遺伝学検査が保険適用されている．したがって小児期のインスリノーマや副甲状腺腫を診断した場合は図1[5]のように他病変の有無について検索を行い，臨床的診断を進めつつ，MEN1遺伝学的検査も考慮する．両親や同胞がMEN1と診断された場合，対象児にMEN1遺伝子変異を認めれば対象児は定期検査（表1）[2,4]の対象となり，変異を認めなければ定期検査の対象外とすることができるので発症前診断が強く推奨されている．遺伝学的検査に当たっては，十分な遺伝カウンセリングを行い，被験者に不利益が生じないように配慮する[9]．

臨床的に典型的なMEN1であり，遺伝学的検査で病的変異が認められない場合は，「臨床的MEN1」としてMEN1遺伝子変異陽性者と同様に扱う．病的意義不明の多様体（バリアント）が検出された場合は，臨床遺伝

表1　MEN1 未発症病変の定期検査方法

年齢	対象疾患	血液検査（毎年）	画像検査	
			部位・方法	検査間隔
5歳〜	インスリノーマ プロラクチノーマ GH 産生腫瘍	空腹時血糖 インスリン PRL IGF-Ⅰ	下垂体 MRI	3年ごと
8歳〜	副甲状腺機能亢進症	カルシウム intact PTH		
10歳〜	グルカゴノーマ	グルカゴン	腹部 MRI または CT	1〜3 年ごと
15 または 20 歳〜	胸腺内分泌腫瘍		胸部 MRI または CT	1〜3 年ごと
20歳〜	ガストリノーマ	ガストリン		

〔Thakker RV, et al.：Clinical practice guidelines for multiple endocrine neoplasia type 1（MEN1）．J Clin Endocrinol Metab 97：2990-3011, 2012/多発性内分泌腫瘍症診療ガイドブック編集委員会：多発性内分泌腫瘍症診療ガイドブック．金原出版，2013 より一部改変〕

専門医などへの協力を仰ぐことが望ましい[8]．なお小児期に MEN1 遺伝子変異が同定された患者の血縁者で，発症前遺伝子診断によって変異が同定されたが，いずれの病変も発症していない者を「MEN1 変異保有未発症者」とよぶ[5]．

5）治療法

機能性腫瘍に対しては，外科的切除が原則となる．例外としてプロラクチノーマはドパミン作動薬による内科的治療が行われるが，視神経圧迫などの症状がある場合は手術を考慮する．10〜20 mm 未満の非機能性副腎腫瘍は経過観察可能だが，副腎癌を発症する例があるため，成人では腫瘍径 30 mm 以上では外科治療を考慮すべきとの報告がある．

複数病変が同時期に診断された場合の治療の優先順位はそれぞれの状況に応じて判断する必要があり，機械的な順位づけはできない．各病変の臨床症状の重症度や悪性度の有無を勘案し，治療の優先順位を決定する．胸腺 NET は悪性度が高いため，胸腺腫瘍では NET の診断と治療が優先される[8]．

手術不能，または優先度の低い腫瘍に対する手術以外の治療として，下垂体の GH 産生腫瘍では SRIF 製剤やペグビソマントなど，副甲状腺ではエタノール注入やシナカルセトなど，そして GEPNET ではオクトレオチドやエベロリムスなどが勧められている．

6）管理と予後

MEN1 変異保有未発症者，または MEN1 として発症した病変以外の未発症腫瘍に対する定期検査としては表1[2,4]のような手順で行い，各病変の早期診断を図る．一方，若年で腫瘍を発症することはあっても重症病変を発症する可能性は低いことから，16 歳以降に定期検査を開始してもよいとする報告もある．MEN1 の予後因子は GEPNET の遠隔転移と胸腺 NET とされている[8]．

7）最新知見

MEN1 では乳癌の相対リスクが 2.83 倍あり，乳癌診断時年齢は平均 48 歳と健常者に比して 10 年以上早い．このため 40 歳を過ぎた女性は定期検査の対象とすることが勧められている．

家族性孤発性副甲状腺機能亢進症の原因は MEN1 遺伝子が多く，ほかに CDC73 遺伝子と CASR 遺伝子が知られていた．新しく GCM2 遺伝子も家族性孤発性副甲状腺機能亢進症の 8〜20％ を占める責任遺伝子と同定され，鑑別疾患として考慮する必要がある[10]．

臨床的 MEN1 症例の約 3％ に CDKN1B 遺伝子の病的変異による発症が報告されており，この病態を MEN4 とよぶ専門家もいる[11]．

❖ 文献

1) Al-Salameh A, et al.：Update on multiple endocrine neoplasia Type 1 and 2. Presse Med 47：722-731, 2018
2) 多発性内分泌腫瘍症診療ガイドブック編集委員会（編）：多発性内分泌腫瘍症 1 型．多発性内分泌腫瘍症診療ガイドブック．金原出版，19-94, 2013
3) 福岡秀規：Somatic/germline 変異とがん医療—多発性内分泌腫瘍の germline 変異．がん分子標的治療 17：46-50, 2019
4) Thakker RV, et al.：Clinical practice guidelines for multiple endocrine neoplasia type 1（MEN1）．J Clin Endocrinol Metab 97：2990-3011, 2012
5) 多発性内分泌腫瘍症診療ガイドブック編集委員会（編）：多発性内分泌腫瘍症診療ガイドブック．金原出版，2013
6) 櫻井晃洋：多発性内分泌腫瘍症の診療．日本内科学会雑誌 106：1941-1947, 2017

7) Sakurai A, et al.：Clinical features of insulinoma in patients with multiple endocrine neoplasia type 1：analysis of the database of the MEN Consortium of Japan. *Endocr J* 59：859-866, 2012
8) 日本神経内分泌腫瘍研究会(JNETS)膵・消化管神経内分泌腫瘍診療ガイドライン第 2 版作成委員会：膵・消化管神経内分泌腫瘍(NEN)診療ガイドライン 2019 年第 2 版. 金原出版, 2019
9) 日本医学会：医療における遺伝学的検査・診断に関するガイドライン. http://jams.med.or.jp/guideline/genetics-diagnosis.pdf（2021 年 9 月 13 日アクセス）
10) Marx SJ：Recent topics around multiple endocrine neoplasia type 1. *J Clin Endocrinol Metab* 103：1296-1301, 2018
11) Thakker RV：Multiple endocrine neoplasia type 1（MEN1）and type 4（MEN4）. *Mol Cell Endocrinol* 386：2-15, 2014

（伊藤順庸）

2 多発性内分泌腫瘍症 2 型（MEN2）

1）定義・概念
a．歴史

1961 年に Sipple らが褐色細胞腫と甲状腺癌の高い合併頻度を報告し，1968 年に Steiner らが多発性内分泌腫瘍症 2 型（multiple endocrine neoplasia type 2：MEN2）と命名した．1985 年に高橋らが RET 遺伝子を同定し[1]，1993 年になりこれが MEN2 の原因遺伝子であることが明らかになった．2001 年に初の国際的な診断治療ガイドラインが示された．2009 年にアメリカ甲状腺学会（American Thyroid Association：ATA）から「甲状腺髄様癌診療ガイドライン」が発行され[2]，2015 年に改訂（以下 2015 改訂 ATA ガイドライン）された[3]．日本では 2013 年に櫻井らにより「多発性内分泌腫瘍症診療ガイドブック」が出版された[4]．

b．定義・疫学

MEN2 は甲状腺髄様癌，褐色細胞腫，副甲状腺機能亢進症を主徴とする MEN2A，甲状腺髄様癌，褐色細胞腫，粘膜神経腫，Marfan 様体型を主徴とする MEN2B に分類されている．甲状腺髄様癌のみを呈する家族性甲状腺髄様癌（familial medullary thyroid carcinoma：FMTC）は 2015 改訂 ATA ガイドラインでは MEN2A の亜型とされた[3]．

MEN2A は 3 万人に 1 人，MEN2B は 100 万人に 1 人の発症頻度と推定されている．MEN2 では甲状腺髄様癌（90～100%），褐色細胞腫（30～60%，2 A，2B），副甲状腺機能亢進症（10～30%，2 A），粘膜神経腫（100%，2B）を発症する[2~4]．甲状腺髄様癌は乳幼児期から認められ，半数以上で 20 歳までの発症が推定される．遺伝性甲状腺髄様癌の多くは進行が緩徐で日本人の 10 年生存率は 2004 年の報告で MEN2A 約 95%，MEN2B 約 70% と比較的良好である[4]．診断年齢の若年化や甲状腺の予防摘出により近年の予後はさらに改善しているが MEN2B では *de novo* 変異が多いため[3]特に甲状腺髄様癌の早期診断が困難であり 50 歳時点での全生存率は約 50% である[5]．甲状腺髄様癌は再発が多い．わが国では進行例を含む小児期手術症例で 39%，成人期手術症例の約 36.9% が再発している[6,7]．褐色細胞腫は 8 歳頃から発症を認め 20 歳以降に発症が増加し 30～40 歳で約半数が発症する[4]．日本人では褐色細胞腫の診断中央年齢は 39 歳で最も発症が多い年代が 20～40 歳であった[8]．副甲状腺機能亢進症の平均診断年齢は 33.7 歳（幅 12～70 歳）である[3]．わが国の 2011 年までの 505 例（MEN2A；343 例，MEN2B；29 例，FMTC；103 例，病型不明：30 例）の調査では，MEN2 関連死は 4.8%（24 例）[6]であり，そのうち甲状腺髄様癌による死亡時平均年齢は 53 歳，褐色細胞腫による死亡時平均年齢は 39 歳であった[8]．

2）病因・病態

染色体 10q11.2 に位置する RET 癌原遺伝子の生殖細胞系列の機能獲得変異を原因とする．病的変異はエクソン 10, 11, 13～16 に集中する．MEN2 は常染色体顕性遺伝する．MEN2A の 5～10% は *de novo* 変異，MEN2B の 95% は p.Met918Thr 変異を原因とし，そのほとんどが *de novo* 変異である[5]．RET 遺伝子の変異部位と表現型には強い関連性がある（表 2）．ATA では甲状腺髄様癌の発症時期や悪性度を病的変異に基づき HST（highest），H（high），MOD（moderate）リスクに分類している[3]．同一変異内での多様性には留意が必要である．

3）臨床症候

a．甲状腺髄様癌（MEN2A［FMTC 含む］，MEN2B）

C 細胞由来の悪性腫瘍で生命予後にかかわる．初発症状になることが多い[3]．腫瘍マーカーである CT 値や CEA の上昇から発症を覚知できる．発端者では頸部腫瘤や高 CEA 値の精査過程で甲状腺髄様癌がみつかり多発性や若年発症から遺伝性を疑われやすい．散発性との区別は困難ですべての髄様癌に対して遺伝学的検査が推奨される[4]．肝臓への転移が起こりやすい．病状が進行すると下痢を起こすことが多い[3]．

b．褐色細胞腫（MEN2A，MEN2B）

甲状腺髄様癌診断後のサーベイランス中の症状に乏しい状態での診断も多い．12.9% では初発症状となる[4]．発見の契機は高血圧（発作性が多い），多汗，動悸，頭痛などのカテコラミン過剰症状である．放置された場合 MEN2 の最も危険な死亡原因となる．同時

第13章 多腺性内分泌疾患

表2 代表的な RET 遺伝子変異と臨床表現型の関係

RET 変異	エクソン	臨床表現型	甲状腺髄様癌リスクレベル	褐色細胞腫	副甲状腺過形成	アミロイド苔癬	Hirschsprung 病
G533C	8	MEN2A	MOD	+	−	なし	なし
C609F/G/R/S/Y	10	MEN2A	MOD	+/++	+	なし	あり
C611F/G/S/Y/W	10	MEN2A	MOD	+/++	+	なし	あり
C618F/R/S	10	MEN2A	MOD	+/++	+	なし	あり
C620F/R/S	10	MEN2A	MOD	+/++	+	なし	あり
C630R/Y	11	MEN2A	MOD	+/++	+	なし	なし
D631Y	11	MEN2A	MOD	+++	−	なし	なし
C634F/G/R/S/W/Y	11	MEN2A	H	+++	++	あり	なし
K666E	11	MEN2A	MOD	+	−	なし	なし
E768D	13	MEN2A	MOD	−	−	なし	なし
L790F	13	MEN2A	MOD	+	−	なし	なし
V804L	14	MEN2A	MOD	+	+	なし	なし
V804M	14	MEN2A	MOD	+	+	あり	なし
A883F	15	MEN2B	H	+++	−	なし	なし
S891A	15	MEN2A	MOD	+	+	なし	なし
R912P	16	MEN2A	MOD	−	−	なし	なし
M918T	16	MEN2B	HST	+++	−	なし	なし

甲状腺髄様癌の悪性度　MOD：moderate，H：high，HST：highest
褐色細胞腫と副甲状腺過形成の発症割合　＋：～10％，＋＋：～20-30％，＋＋＋：～50％
〔Wells SA Jr, *et al.*：Revised American Thyroid Association guidelines for the management of medullary thyroid carcinoma. *Thyroid* 25：567-610, 2015 から一部改変〕

性，異時性に両側褐色細胞腫を発症しやすい．MEN2 の褐色細胞腫では悪性は 1～4％ と少ない[4]．

c．原発性副甲状腺機能亢進症（MEN2A）

副甲状腺の過形成に起因する．臨床症状は軽度から無症状である．正常 Ca 値で甲状腺手術時に腫大した副甲状腺がみつかる場合もある[3]．本徴候が小児期に発症し MEN2 の診断契機となることはまれである．

d．粘膜神経腫（MEN2B）

良性腫瘍で MEN2B 患者の 97％ で多発性に認められる．舌（62％），口唇（53％），眼瞼（19％）が好発部位であり[5]，小児期の発症も多く，特に口腔内には2歳までに 30％ の患者で認める．経年的に粘膜神経腫は増加し口唇が厚くなるため顔貌から MEN2B の診断に至る場合もある．腸管粘膜神経腫は約 40％ に認められ，ガスの増加による腹部膨満，腹痛，偽性腸閉塞症様の症状，偽性 Hirschsprung 病，巨大結腸症，頑固な便秘，下痢などを呈する[4,5]．（図2）

e．Marfan 様体型（MEN2B）

MEN2B 患者の 75％ 程度に認められ，長く細い上肢／指，関節の過伸展，大腿骨頭すべり症，側彎，皮下脂肪の減少，近位筋の萎縮などが経年的に明らかとなる[4,5]．Marfan 症候群にみられる大動脈弁輪拡張症や水晶体脱臼などの結合織の脆弱化による病変は伴わな

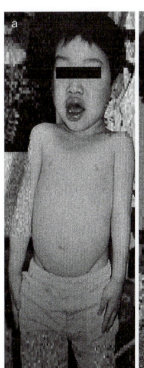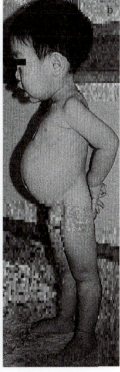

図2　MEN2B の粘膜神経腫に起因する身体所見〔口絵9；p.v〕
a：厚い口唇（bumpy lips）
b：腹部膨満

f. 苔癬アミロイドーシス（MEN2A）

一部の MEN2A に随伴し髄様癌に先行して発症することもある．毛包に一致しない角化性丘疹で孤立性に配列する．初発症状は瘙痒感で初発から数年でアミロイドの沈着を特徴とする苔癬状の皮膚病変が完成する[4]．

g. Hirschsprung 病（MEN2A）

MEN2A 患者の 7% に認められ RET の機能喪失変異で生じる．RET の構造変化により C 細胞と副腎クロマフィン細胞では腫瘍誘発されるが神経細胞前駆体の表面では RET 蛋白を発現させられなくなるためと考えられている[3]．Hirschsprung 病患者全体では 2〜5% に MEN2A が認められる．

h. その他の内分泌外症状（MEN2B）

MEN2B では高口蓋（38%），漏斗胸（26%），筋緊張低下（27%），角膜肥厚（45%），無涙症（40%），腎臓形成異常（13%），側彎（9%）などの内分泌外症状が認められる[5]．無涙症は 1 歳までの発症が多く血清カルシトニン値の確認などで早期診断につながりうる．

4）診断と検査法

a. 診断

わが国では次の診断基準が広く用いられている[4]．

ⅰ）以下のうちいずれかを満たすものを MEN2（MEN2A または MEN2B）と診断する．
　①甲状腺髄様癌と褐色細胞腫を有する．
　②上記 2 病変のいずれかを有し一度近親者（親，子，同胞）に MEN2 と診断された者がいる．
　③上記 2 病変のいずれかを有し RET 遺伝子の病原性変異が確認されている．

ⅱ）以下を満たすものを FMTC と診断する．

家系内に甲状腺髄様癌を有しかつ甲状腺髄様癌以外の MEN2 病変を有さない者が複数いる．ただし，ATA のガイドラインが FMTC を MEN2A の亜型と位置づけたこともあり，ⅱ）の基準は今後用いられなくなると考えられる．

b. 検査

①甲状腺髄様癌

頸部超音波検査を行う．穿刺吸引細胞診と血清 CT 測定が最も有用である．特に血清 CT による診断率は 98% と極めて高く未発症者に対するスクリーニング検査には最も適している[4]．CT 値は 3 歳までは高めで 3 歳以降は成人とほぼ同じとなる．発症の基準となる具体的な CT 値は制定されておらず[2〜4]，基準値も各施設基準によるとされている[3]．高感度の測定法下では発症・再発の評価に CT 誘発刺激試験は必須ではない．

②褐色細胞腫

MEN2 に伴う褐色細胞腫はアドレナリン分泌型が多い．代謝産物の測定には入院による 24 時間蓄尿によるメタネフリン，アドレナリン測定が行われていたが現在は 1 回の採血で済み感度の非常に高い血中遊離メタネフリン 2 分画測定法が世界的に広く普及しており[4]わが国でも 2019 年から保険収載され外来検査が可能となった．本法は感度が 100% でありスクリーニングとして除外診断に最も適している．初回画像検査には CT，MRI が勧められるが小児や妊婦では MRI が望ましい[9]．異時性の両側性確認のため核医学的な機能的検査を併用すべきである[4]．

③原発性副甲状腺機能亢進症

高カルシウム血症と intact PTH 高値，頸部超音波で副甲状腺腫大の有無を確認する．

5）治療法

a. 甲状腺髄様癌

遺伝性甲状腺髄様癌は両側多発性に発生するため甲状腺全摘と中心領域郭清が基本の治療となる．腫瘍径や CT 値に基づき予防的な患側／両側側頸部郭清の追加，リンパ節転移範囲に応じた治療的領域郭清を行う[4]．手術合併症として永続性甲状腺機能低下症は必発で，副甲状腺機能低下症と反回神経麻痺を伴うことがある．永続性の両側反回神経麻痺では気管切開を必要とする．海外では RET 変異保有未発症者に対しては根治を主目的とした予防的甲状腺全摘術が推奨される（図 3）[3]．血清 CT 値が 40 pg/mL を超えた場合は頸部リンパ節転移の可能性があるため中心領域郭清も行う[3]．わが国では予防摘出は自費診療となること，小児の予防的甲状腺全摘術には習熟した外科医が推奨されているが[3]わが国では 10 歳未満の MEN2 の外科治療例が少ないことから[7]，日本小児内分泌学会では社会環境，費用，手術合併症のリスクからわが国の MEN2 小児例には CT 上昇後の極早期甲状腺全摘術が適す可能性に言及した[10]．化学療法，放射線療法の治療効果は限定的で積極的には推奨されない[3,4]．根治切除不能な進行・再発甲状腺髄様癌症例へは分子標的薬のバンデタニブ，ソラフェニブ，レンバチニブが保険収載されている．

b. 褐色細胞腫

最も有効な治療法は外科的切除である[4]．褐色細胞腫を発症している場合は甲状腺髄様癌，副甲状腺機能亢進症の手術前に必ず外科的切除する[3]．侵襲の少ない腹腔鏡下副腎摘出術が推奨される．腫瘍径が 6 cm を超える場合は開放手術が基本となる．経過観察例，術前例では α 遮断薬で血圧のコントロールを行う．遺伝

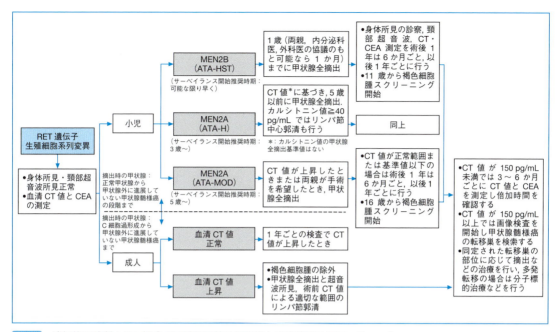

図3　遺伝的に診断された場合の予防的甲状腺摘出術と術後管理のフローチャート
〔Wells SA Jr, et al.：Revised American Thyroid Association guidelines for the management of medullary thyroid carcinoma. Thyroid 25：567-610, 2015 から一部改変〕

性では両側副腎の病変も多く，片側副腎をすでに摘出している患者では永続性の副腎機能低下症や副腎不全のリスクが高いため副腎部分切除術，皮質機能温存手術も推奨される[9]．温存した副腎に髄質も含まれるので褐色細胞腫の再発に留意が必要である．

c．副甲状腺機能亢進症

腫大した副甲状腺のみの摘出が推奨されている．全腺が腫大している場合は1腺の血流を十分に保ってその場に残す，または全腺を摘出し前腕皮下などに自家移植することが推奨される[3]．

d．粘膜神経腫

現時点では根本的な治療法はない．対症的に外科切除を行う場合もある．

・遺伝カウンセリング：疾患に関する適切な情報提供と心理社会的支援の二つが重要な要素である．疾患に関するインターネットの情報サイトも有用である（多発性内分泌腫瘍症情報サイト[11]，むくろじの会（患者会）など[3,11]）．小児期からの腫瘍発症リスクと具体的な治療・予防法があることから未発症の小児に対しても発症前遺伝学的検査と遺伝カウンセリングが推奨される[3]．

6）管理と予後

遺伝的に診断された症例に対するATAの治療と管理のガイドラインを図3[3]に示す．

7）最新知見

2015年に国際標準品に準拠した高感度の電気化学発光免疫測定（ECLIA）法によるCT測定が可能となり，2019年に血中遊離メタネフリン2分画測定法が保険収載され，海外の論文やガイドラインの多くが参考可能になった．2016年に甲状腺髄様癌患者に対してRET遺伝学的検査が保険収載となった（未発症の血縁者や，褐色細胞腫のみを発症している患者に対する遺伝学的検査は自費診療となる）．最新の治療については，診療経験が豊富な専門医へのコンサルトが望ましい．

❖ 文献

1) Takahashi M, et al.：Activation of a novel human transforming gene, ret, by DNA rearrangement. Cell 42：581-588, 1985
2) Kloos RT, et al.：Medullary thyroid cancer：management guidelines of the American Thyroid Association. Thyroid 19：565-612, 2009
3) Wells SA Jr, et al.：Revised American Thyroid Association guidelines for the management of medullary thyroid carcinoma. Thyroid 25：567-610, 2015
4) 多発性内分泌腫瘍症診療ガイドブック編集委員会（編）：多発性内分泌腫瘍症診療ガイドブック．金原出版，2013
5) Castinetti F, et al.：Natural history, treatment, and long-term follow up of patients with multiple endocrine neoplasia type 2B：an international, multicentre, retrospective study. Lancet Diabetes Endocrinol 7：213-220, 2019
6) 内野眞也：内分泌外科稀少疾患の日本の現状把握と診療指針の作成—多発性内分泌腫瘍症2型集計結果．日外会誌

7) 内野眞也：小児遺伝性髄様癌の発症前診断と甲状腺全摘の時期. 最新医学 68：1867-1873, 2013
8) Imai T, et al.：High penetrance of pheochromocytoma in multiple endocrine neoplasia 2 caused by germ line RET codon 634 mutation in Japanese patients. Eur J Endocrinol 168：683-687, 2013
9) Lenders JW, et al.：Pheochromocytoma and paraganglioma：an endocrine society clinical practice guideline. J Clin Endocrinol Metab 99：1915-1942, 2014
10) Matsushita R, et al.：Present status of prophylactic thyroidectomy in pediatric multiple endocrine neoplasia 2：a nationwide survey in Japan 1997-2017. J Pediatr Endocrinol Metab 32：585-595, 2019
11) 日本内分泌学会臨床重要課題「多発性内分泌腫瘍症の診断実態調査と診療指針の作成」班, 他：多発性内分泌腫瘍症診断の手引き.
http://men-net.org/（2012年9月11日アクセス）

〈松下理恵〉

B 自己免疫性多内分泌腺症候群

1 自己免疫性多内分泌腺症候群1型（APS1またはPGA1）

1) 定義・概念

自己免疫性多内分泌腺症候群（autoimmune polyglandular syndrome：APS）は、自己免疫性多内分泌腺症候群（polyglandular autoimmune syndrome：PGA）とも autoimmune polyendocrinopathy candidiasis ectodermal dystrophy（APECED）ともよばれ、複数の自己免疫疾患発症を特徴とする症候群である. APSは1型から3型に分類される. APS1は、小児期に発症し、粘膜皮膚カンジダ症、副甲状腺機能低下症、副腎皮質機能低下症（Addison病）を三徴とする.

有病率は、1人/200万人～1人/300万人とされる. 人種や地域によって違いがある. ノルウェーで1人/9万人、アイルランドで1人/13万人、サルジニアで1人/1.4万人、イラン系ユダヤ人で1人/0.9万人である. 男女差はない. 保因者の頻度が高いのは、フィンランドで1人/250人である[1].

2) 病因・病態

APS1（OMIM 240300）の原因遺伝子は、AIRE遺伝子である. AIRE遺伝子は、21q22.3に位置し、14エクソンからなる. 57.5 kDa, 545アミノ酸からなるAIRE蛋白をコードしている. AIRE遺伝子発現部位は、おもに胸腺髄質、リンパ節、脾臓、胎児肝臓である. AIRE蛋白の特徴は、核内局在、二量体、二つのDNA結合ドメイン（SANDドメインとzinc fingerドメイン）である. AIRE蛋白の標的遺伝子はいまだ同定されておらず、AIRE蛋白による免疫調節についてわかっていない. 病態形成として、AIRE蛋白が組織特異的抗原の胸腺での発現と自己反応性T細胞の除去に関与しており、AIRE蛋白の機能喪失により自己反応性T細胞が末梢血に循環する、と想定されている[2].

副甲状腺、副腎をはじめ多くの自己抗体が報告されている[1~3]. 副甲状腺機能低下症とNALP5への抗体の関連がある. ステロイドホルモン関連では21水酸化酵素、17α水酸化酵素、側鎖切断酵素への抗体が知られている. 下垂体への抗体も知られている. 1型糖尿病、橋本病ではそれぞれ抗GAD65抗体、インスリン抗体やIA-2抗体、抗TPO抗体と抗サイログロブリン抗体が関連している. トリプトファン水酸化酵素やヒスチジン脱炭酸酵素への抗体は腸疾患と、チロシン水酸化酵素への抗体は脱毛症と、Lアミノ酸脱炭酸酵素への抗体は肝炎と白斑、SOX9、SOX10への抗体は白斑との関連が知られている.

多くのAPS1はAIRE遺伝子の複合ヘテロ接合性あるいはホモ接合性の機能喪失病的バリアントを有し、常染色体潜性遺伝形式をとる[1~3]. これまで60以上のAIRE病的バリアントが報告されている. 頻度の高い病的バリアントは、フィンランドでp.Arg257*、アングロアメリカでエクソン8の13塩基欠失、サルジニアでp.Arg139*、イラン系ユダヤ人でp.Val85Cysである. APS1患者の95%以上でp.Arg257*とエクソン8の13塩基欠失のいずれか、あるいは両方の病的バリアントを有する. 一部ドミナントネガティブ効果を有する病的バリアント（p.Gly228Trp, p.Cys311Tyr）では、常染色体顕性遺伝形式をとる. AIRE病的バリアントをヘテロで有する個体、つまり保因者は、通常無症状である.

3) 臨床症候[1,3]

浸透率は100%である. 同じ家系内でも臨床症状に差がある. 本症はまれであること、臨床症状の幅が大きいため、診断が見過ごされている例も多いと推測される. 初発症状は0.2歳から18歳にみられる. 症候と頻度を表3[3]にまとめる. 粘膜皮膚カンジダ症、副甲状腺機能低下症、副腎皮質機能低下症（Addison病）で頻度が高い.

a. 粘膜皮膚カンジダ症

ほぼすべてのAPS1患者が罹患する. 多くは2歳前に罹患する. 罹患部位は爪、皮膚、舌、食道を含む粘膜である. 初発部位の多くは口腔であるが、爪のこともある. 口腔カンジダ症は、口角の発赤や潰瘍などを呈する. 白板症もみられ、前癌病変として注意が必要

表3 APS1の症候の頻度

APS1の症候	40歳時の頻度（％）
粘膜皮膚カンジダ症	100
副甲状腺機能低下症	86
副腎皮質機能低下症（Addison病）	79
外胚葉異形成	50〜75
卵巣機能不全	72
悪性貧血	31
男性性腺機能低下症	26
1型糖尿病	23
便秘	21
甲状腺機能低下症	18
下痢	18
肝炎	17
脾萎縮	15

〔Melmed S, et al.（eds）: Williams textbook of endocrinology. 14th ed., Philadelphia, Elsevier, 2020 を改変〕

である．食道カンジダ症は，胸痛を生じ，繰り返すと食道狭窄となり，食道拡張を必要とする場合もある．まれだが，性器カンジダ感染症もある．

b．副甲状腺機能低下症

APS1患者の約1/3が5歳に，多くは5〜10歳で罹患する．女児のほうが男児よりも発症が早く，頻度が高い．口周囲や指尖の感覚鈍麻，筋クランプやけいれんがみられる．

c．副腎皮質機能低下症（Addison病）

多くは5〜20歳に罹患する．典型的には副甲状腺機能低下症を発症した後5年ほどでみられる．易疲労感，腹痛，めまい，体重減少，色素沈着などがみられる．アルドステロン欠乏関連症状が一定期間先行し，その後，コルチゾール欠乏症状を呈する場合もある．女児では，副腎アンドロゲン産生低下により，腋毛，恥毛の消失がみられることがある．

d．その他の内分泌疾患

・1型糖尿病

　30〜50歳に起きうる．

・性腺機能低下症

　易疲労感，筋量減少，性欲低下，無精子症が起きうる．LH高値，テストステロン低値から疑う．女性で早発閉経が33〜69％でみられる[4]．

・下垂体前葉機能低下症

　GH分泌不全，ゴナドトロピン分泌不全，ACTH分泌不全が起きうる．

・甲状腺機能低下症，橋本病

　体重増加，食欲低下，便秘などがみられる．

e．免疫不全

APS1成人患者の20％，小児患者の10％に無脾との報告がある．末梢血塗抹標本でHowell-Jolly小体がみられた場合は，画像検査で無脾症を検索する．肺炎球菌，インフルエンザ桿菌に対する予防接種が必要である．さらに髄膜炎菌感染のリスクがあることを念頭におく必要がある．予防的な抗菌薬内服が必要となる場合がある．

f．皮膚疾患

部分的〜全体にわたる脱毛は頻度が高い．典型的には40歳前後にみられる．白斑は時に初発症状となり，約1/3の患者でみられる．

g．眼疾患

APS1患者の約25％に，20歳前後に羞明，眼瞼けいれん，涙液減少などを呈する角膜炎がみられる．

h．血液疾患

ビタミンB_{12}の吸収を阻害する抗内因子抗体により悪性貧血，巨赤芽球性貧血が起きうる．

i．消化器系疾患

APS1の20％で自己免疫性肝炎がみられる．20歳以降ではみられない．吸収障害や下痢は時に前景にたつ．脂肪便を伴う吸収障害は，多く間欠的である．低カルシウム血症で増悪しうる．

j．歯科疾患

エナメル質形成異常がみられる．

4）診断と検査法

APS1と確定診断するには以下のいずれかを満たす必要がある[1,3,5]．

①粘膜皮膚カンジダ症，副甲状腺機能低下症，副腎皮質機能低下症（Addison病）のうち二つの疾患を有している場合．

②粘膜皮膚カンジダ症，副甲状腺機能低下症，副腎皮質機能低下症（Addison病）のうち一つの疾患を有し，かつ，APS1と診断された同胞がいる場合．

③AIRE遺伝子の既報病的バリアントが見出された場合．

インターフェロンαとインターフェロンωに対する自己抗体は検査時年齢に依存せず，ほぼすべてのAPS1患者で検出される．また他の自己免疫疾患では検出されない[3]．そのため，これら自己抗体のスクリーニングは複数の自己免疫疾患をもつ患者においてAPS1のスクリーニングとなる．しかし，現在日本国内でインターフェロンαとインターフェロンωに対する自己抗体測定が可能な機関はない．そのため，現実的にはAPS1の診断は，臨床症状の組み合わせと遺伝学的検査によるところが大きい．

5）治療法[3]

a．粘膜皮膚カンジダ症

口腔カンジダ症には局所アムホテリシンBなどの抗

真菌薬が使われる．食道カンジダ症には，フルコナゾールなどの内服や点滴静脈投与が行われる．高頻度ではないが，フルコナゾールと肝炎の関連がある．フルコナゾール通常投与量でステロイド産生は障害されない．

・副甲状腺機能低下症

急性期は経静脈的に Ca 補充を行う必要がある．維持療法は，Ca 製剤とビタミン D 製剤の内服である．

b．副腎皮質機能低下症（Addison 病）

ヒドロコルチゾンとフルドロコルチゾンの補充が行われる．

c．その他の合併症

APS1 に特異的な治療はなく，一般的な治療を行う．ただ，免疫抑制薬が脂肪便を改善したという報告もある．

6）管理と予後[3]

粘膜皮膚カンジダ症，副甲状腺機能低下症，副腎皮質機能低下症（Addison 病）のうち一つの疾患を有している場合は，経年的に他の自己免疫疾患の発症に注意が必要である．検査可能な自己抗体の検索，ACTH，レニン活性，電解質，Ca，P，intact PTH，血糖，HbA1c，LH，FSH，甲状腺機能，肝機能，末梢血塗抹，ビタミン B_{12} などの検査を定期的に行う必要がある．

7）最新知見

2021 年 1 月現在 PubMed で検索しえた APS1 患者の COVID-19 感染例は 2 例（32 歳女性[6]，19 歳男性[7]），であり，いずれも副腎皮質機能低下症（Addison 病）を有していた．両者は肺炎を呈し，前者では気管内挿管，人工呼吸管理を要した．後者では鼻カヌラからの酸素投与のみで軽快した．最終的には両者とも重篤な後遺症なく治癒した．APS1 患者では副腎皮質低下症をはじめとした合併症を有しており，COVID-19 感染による死亡率が一般人口よりも高い可能性がある．

APS1 女性患者の 70％ が早発閉経となり，中央値 16 歳であった[4]．今後，早発閉経になる前の卵子凍結保存などが本疾患で行われる可能性がある．

多くの APS1 患者で Th17 細胞機能に重要なサイトカインである IL17A，IL17F，IL22 に対する自己抗体をもつことが示された．これらのサイトカインの機能喪失により *Candida albicans* に感染しやすいと推測される[3]．

❖ 文献

1) Bello MO, et al.（eds）：Polyglandular Autoimmune Syndrome Type Ⅰ. In：*StatPearls*［Internet］. StatPearls Publishing, Florida, 2021

2) Root AW, et al.：Clinical Adrenal Disorders. In：Pescovitz OH（eds）：*Pediatric Endocrinology：Mechanisms Manifestations, and management*. Lippincott Williams & Wilkins, Philadelphia, 568-600, 2004.

3) Barker JM, et al.：The Immunoendo crinopathy Syndromes. In：Melmed S, et al.（eds）*Williams textbook of endocrinology*. 14th ed., Elsevier, Philadelphia, 1658-1671, 2020

4) Saari V, et al.：Pubertal development and premature ovarian insufficiency in patients with APECED. *Eur J Endocrinol* 183：513-520, 2020

5) Perheentupa J：Autoimmune polyendocrinopathy-candidiasis-ectodermal dystrophy. *J Clin Endocrinol Metab* 91：2843-2850, 2006

6) Beccuti G, et al.：A COVID-19 pneumonia case report of autoimmune polyendocrine syndrome type 1 in Lombardy, Italy：letter to the editor. *J Endocrinol Invest* 43：1175-1177, 2020

7) Carpino A, et al.：Autoimmune polyendocrinopathy-candidiasis-ectodermal dystrophy in two siblings：Same mutations but very different phenotypes. *Genes*（Basel）12：169, 2021

〈佐藤武志〉

2 自己免疫性多内分泌腺症候群 2 型（APS2 または PGA2）

1）定義・概念

前項を参照されたい．

2）病因・病態

APS 2〜4 の発症機序は完全には解明されていない．単一遺伝子疾患である APS 1 と異なり，APS 2〜4 は複数の遺伝因子や環境因子が関与する多因子疾患と考えられている[1,2]．病態には多くの段階が介在し，感染症など環境因子による抗原提示細胞の励起，HLA 型などにより制御される T 細胞の応答，標的組織へのリンパ球浸潤と自己抗体産生の順で起こると推測される．HLA ハプロタイプと個々の疾患との関連性は多様で，副腎皮質機能低下症や 1 型糖尿病では強く，自己免疫性甲状腺疾患では弱い[3]．また，自己免疫獲得が内分泌腺機能異常へ結びつくためには組織破壊の程度に依存し，免疫反応の強度と範囲，標的臓器の再生能およびアポトーシスなど喪失機構に対する耐性などの要因が関与する．たとえば，1 型糖尿病では膵 β 細胞の 80％ 以上が破壊されてはじめて耐糖能異常が出現すると考えられている．

3）臨床症候

APS 2 は副腎皮質機能低下症と他の内分泌腺異常の組み合わせで定義される．有病率は 1.4〜2.0/10 万人と想定され，女性に多く，20〜30 歳代での発症が主である（表 4）[1,4]．小児期では思春期女児に多いと推定される．副腎皮質機能低下症患者の 2/3 は甲状腺機能低下症を合併し Schmidt 症候群とよばれる．同様に，1/2 は

表4 APS 2でみられる疾患の頻度

疾患	Neufeld M, et al.[1]	Betterle C, et al.[4]
症例数（小児例）	224（ND）	146（13）
男:女比	1:1.8	1:4.0
内分泌腺疾患	頻度（%）	頻度（%）
副腎皮質機能低下症	100	100
自己免疫性甲状腺疾患	69	88
1型糖尿病	52	23
原発性性腺機能低下症	3.6	10
下垂体機能低下症	ND	0
非内分泌腺疾患	頻度（%）	頻度（%）
白斑	4.5	12
禿頭	0.5	4
悪性貧血	<1	2
慢性萎縮性胃炎	0.5	ND
慢性肝炎	ND	3
関節炎	ND	2
重症筋無力症	ND	0

ND：not described/記載なし

〔Neufeld M, et al.：Polyglandular autoimmune disease. In：Pinchera A, et al.(eds), *Symposium on Autoimmune Aspects of Endocrine Disorders*. Academic Press, New York, 357-365, 1980/Betterle C, et al.：Autoimmune polyglandular syndrome Type 2：the tip of an iceberg? *Clin Exp Immunol* 137：225-233, 2004〕

1型糖尿病を合併する．副腎皮質機能低下症，甲状腺機能低下症，1型糖尿病の合併例はCarpenter症候群とよばれる．1型糖尿病や甲状腺機能亢進症は副腎皮質機能低下症発症前に，甲状腺機能低下症は発症後に顕性化する傾向がある．

APS 3は小児領域で最も頻度の高いAPSと考えられている．自己免疫性甲状腺疾患に副腎皮質機能低下症患者を除く他の自己免疫疾患が存在する場合と定義される．成人を含めた全体では萎縮性胃炎・悪性貧血が最も頻度の高い合併症であるが，小児期ではまれである．Down症候群，Turner症候群は一般集団に比してAPS 3の合併率が高い．

4）診断と検査法

診断は内分泌腺機能検査と組織特異的自己免疫検査に基づく．組織特異的自己免疫検査では，病態の主因と考えられている自己反応性あるいは制御性T細胞を評価する検査は一般化されていないため，自己抗体測定に限定される．自己抗体は潜在する自己免疫の存在，将来の発症のリスクを表すが，発症率・発症までの期間が疾患ごとに様々である．血中甲状腺自己抗体が何年も陽性であるにもかかわらず甲状腺疾患を発症しない症例は多いが，副腎皮質機能低下症や1型糖尿病では特定の自己抗体の存在が発症と密接に関連する．

組織特異的自己抗体の一部は特定の組織に対する自己免疫の存在を評価する感度・特異度の高い指標として有用である．たとえば，抗21水酸化酵素抗体は副腎皮質機能低下症と関連する自己抗体で，APS 2患者の91%で陽性となる．抗副腎皮質抗体陽性の小児では，34.6%/年の割合で副腎皮質機能低下症を発症し，11歳時にはほぼ全例で顕性化する．日本では抗21水酸化酵素抗体や抗副腎皮質抗体の測定は研究検査であり，臨床利用には制約がある．

5）治療法

本症候群の病態が自己免疫疾患であることから，免疫抑制薬が有効な可能性があるが，APSで投与された報告はなく，本症候群に対して確立した根本的な治療は現時点では存在しない．したがって臨床症状ごとに個別に対応する必要がある．内分泌腺疾患では低下した各ホルモンの補充療法を個々に行う．甲状腺機能低下症と副腎機能低下症を合併した場合，副腎不全誘発を防ぐため副腎皮質ホルモンを甲状腺ホルモンに先駆けて補充する必要がある．1型糖尿病患者でインスリン必要量が急速に低下した場合，副腎皮質機能低下症ないしは甲状腺機能低下症の合併の可能性を疑う．以上のように，疾患が単独で存在する場合と異なり，疾患自身および治療による相互干渉について配慮する必要がある．

6）管理と予後

APS 2～4に関して，予後をまとめた多数例の検討はない．自己免疫疾患をもつ症例では，約25%が他の自己免疫疾患を合併するリスクを有する．このため単独の自己免疫疾患であっても，APSの可能性を常に考慮すべきである．合併率の高い疾患の機能評価および組織特異的自己抗体を定期的に測定し，機能障害の早期発見を目指すことが推奨される．

自己免疫性副腎皮質機能低下症患者の2/3が甲状腺機能低下症を，1/2が1型糖尿病を合併するため，甲状腺機能や耐糖能の定期的なスクリーニングは重要と考えられる．一方，甲状腺機能低下症患者の1%および1型糖尿病患者の1.5%で抗21水酸化酵素抗体が陽性となる．また，自己免疫性甲状腺疾患の多くが孤発性であるが，1型糖尿病患者の20～25%は甲状腺ペルオキシダーゼ抗体陽性である．1型糖尿病で甲状腺ペルオキシダーゼ抗体陽性の患者の80%が15年以上の経過で甲状腺機能低下症を発症すると報告されている．またAPS 2患者360人のなかで151人を13年間追跡し，99人（65.6%）が自己免疫性甲状腺疾患に罹患し，そのなかの33.1%がBasedow病，32.5%が橋本病であったと報告されている[6]．1型糖尿病は92人

(60.9％),Addison病は28人(18.5％)であった.1型糖尿病は,平均年齢27.5歳と若年発症であったが,他の疾患は36.5〜40歳前後の発症であった.1型糖尿病と甲状腺疾患の合併は最も頻度が高く,一方でAddison病と甲状腺疾患の合併頻度は低い傾向を認めている[6].このような特徴も念頭におくと,甲状腺機能低下症および1型糖尿病単独の症例では,副腎皮質機能の定期スクリーニングは必須とはいえないが,特に1型糖尿病患者では甲状腺機能の注意深い経過観察が必要である.

7) 最新知見

1型と異なり,自己反応性T細胞の胸腺におけるクローン除去障害は2〜4型では証明されていない.組織特異的抗原の胸腺での発現を調節する遺伝子の変異・多型は本症候群の疾患感受性因子ないし疾患重症度感受性遺伝子となりうるが,AIRE遺伝子の変異頻度は対照群と同程度と報告されている[7].

近年,免疫チェックポイント阻害薬が種々の悪性腫瘍に適用となり,成人領域ではその使用が拡大している.わが国では抗CTLA-4抗体のイピリムマブ(ヤーボイ®),抗PD-1抗体のニボルマブ(オプジーボ®),抗PD-1抗体のペムブロリズマブ(キイトルーダ®),抗PDL-1抗体のアベルマブ(バベンチオ®),アテゾリズマブ(テセントリク®)がそれぞれ保険適用となっている.これらの薬剤は免疫反応の活性化により抗腫瘍効果を生み出すが,一方で高い頻度で自己免疫疾患を惹起する.この免疫関連有害事象として内分泌障害は頻度が高い合併症であり,下垂体機能低下症,副腎皮質機能低下症,甲状腺機能異常症,副甲状腺機能低下症,1型糖尿病が報告されている[8].複数の内分泌臓器に対する自己免疫疾患の発症には,自己免疫性多内分泌腺症候群と相同的な病態形成機構が存在すると推定される.免疫関連有害事象と本症候群への特異的な予防法や治療法を確立するためにも,自己免疫の形成に関する病態解明が待たれる.

❖ 文献

1) Neufeld M, et al.：Polyglandular autoimmune disease. In：Pinchera A, et al. (eds), *Symposium on Autoimmune Aspects of Endocrine Disorders*. Academic Press, New York, 357-365, 1980
2) Eisenbarth GS, et al.：Autoimmune polyendocrine syndromes. *N Engl J Med* 350：2068-2079, 2004
3) Betterle C, et al.：Autoimmune adrenal insufficiency and autoimmune polyendocrine syndromes：autoantibodies, autoantigens, and their applicability in diagnosis and disease prediction. *Endocr Rev* 23：327-364, 2002
4) Betterle C, et al.：Autoimmune polyglandular syndrome Type 2：the tip of an iceberg? *Clin Exp Immunol* 137：225-233, 2004
5) Betterle C, et al.：Type 2 polyglandular autoimmune disease (Schmidt's syndrome). *J Pediatr Endocrinol Metab* 9：113-123, 1996
6) Dittmar M, et al.：Polyglandular autoimmune syndromes：immunogenetics and long-term follow-up. *J Clin Endocrinol Metab* 88：2983-2992, 2003
7) Michels AW, et al.：Autoimmune polyendocrine syndrome type 1 (APS-1) as a model for understanding autoimmune polyendocrine syndrome type 2 (APS-2). *J Intern Med* 265：530-540, 2009
8) Ihara K：Immune checkpoint inhibitor therapy for pediatric cancers：A mini review of endocrine adverse events. *Clin Pediatr Endocrinol* 28：59-68, 2019.

(井原健二)

3 免疫チェックポイント阻害薬による内分泌系の免疫関連有害事象

1) 定義・概念

免疫チェックポイント阻害薬(immune checkpoint inhibitor：ICI)は,T細胞の活性化を抑制する分子に対するモノクローナル抗体であり,腫瘍に対する免疫反応を亢進させることで抗腫瘍作用を示す.わが国では現時点でイピリムマブなどの抗CTLA-4抗体,ニボルマブ,ペムブロリズマブなどの抗PD-1抗体,アテゾリズマブなどの抗PD-L1抗体が承認されており,現在までに悪性黒色腫,非小細胞肺癌,腎細胞癌など種々の悪性腫瘍に適用となっている.小児癌に対するICIの有効性や安全性のデータはまだ不十分であるが,アメリカではFDAによりペムブロリズマブが難治性または再発性小児古典的Hodgkinリンパ腫に対する治療薬として承認された.日本でも2017年から難治小児悪性固形腫瘍およびHodgkinリンパ腫患者を対象としたニボルマブの医師主導治験が行われている.また,2018年には日本で,進行・再発の高頻度マイクロサテライト不安定性(MSI-High)を有する固形癌に対してペムブロリズマブが承認された.MSI-High腫瘍は,ミスマッチ修復遺伝子の生殖細胞変異をもつLynch症候群の患者でよくみられる.Lynch症候群では小児期から癌を生じるリスクが高く,今後小児患者に対しての使用が検討される可能性がある.このように,将来的にはICIの小児に対する使用が拡大していくことが予測される.

ICIの使用においては,自己免疫応答の発生または増悪によると考えられる有害事象が問題となっており,免疫関連有害事象(immune-related adverse events：

irAEs）とよばれる．irAEs は全身の臓器で認められ，内分泌障害も報告されている．2016 年に出版され，2019 年に改訂された日本臨床腫瘍学会による「がん免疫療法ガイドライン」には irAEs についても記載されている[1]．また，2018 年からアメリカ臨床腫瘍学会（ASCO）と全米包括的癌センターネットワーク（NCCN）が協力して irAEs に関するガイドラインを作成している[2,3]．2018 年には日本内分泌学会が「免疫チェックポイント阻害薬による内分泌障害の診療ガイドライン」[4,5]を作成した．これまでに，おもな内分泌 irAEs として，下垂体機能低下症，甲状腺機能異常症，1 型糖尿病，副腎皮質機能低下症，副甲状腺機能低下症が報告されている．

2）病因・病態

CTLA-4 や PD-1/PD-L1 は，免疫チェックポイント分子とよばれ，免疫機能の制御に重要な役割をはたしている．CTLA-4 は T 細胞活性化を抑制し，PD-1/PD-L1 は細胞傷害性 T 細胞が標的細胞を攻撃する際のブレーキとして機能する．

CTLA-4 は活性化 T 細胞や制御性 T 細胞（Treg）上に発現する．T 細胞は，抗原提示細胞の T 細胞受容体を介した癌抗原シグナルと，T 細胞上の CD28 と抗原提示細胞上の B7（CD80/CD86）の結合による共刺激シグナルによって活性化する．CTLA-4 は，B7（CD80/CD86）に対して CD28 よりも高い親和性を有するために，T 細胞に CTLA-4 が多く発現している状態では CD28 は B7（CD80/CD86）と結合できず，T 細胞活性化が抑制される．また，Treg は CTLA-4 を介して B7（CD80/CD86）の発現を抑制し，抗原提示細胞の成熟を抑制するため，T 細胞の活性化が抑制される．抗 CTLA-4 抗体は，CTLA-4 に結合し，CTLA-4 と B7（CD80/CD86）との結合を阻害することで CD28 と B7（CD80/CD86）の結合を促進し，T 細胞を活性化する．また，Treg 上の CTLA-4 に結合し，Treg の免疫抑制機能を低下させるとともに，抗体依存性細胞傷害により腫瘍組織中の Treg を減少させることで抗原提示細胞を成熟させて T 細胞の活性化を促進する．

PD-1 は活性化 T 細胞上に発現する分子であり，代表的なリガンドは PD-L1，PD-L2 である．T 細胞上の PD-1 が PD-L1 や PD-L2 と結合すると，T 細胞は活性化が抑制され，抗腫瘍免疫応答が抑制される．PD-L1 は抗原提示細胞などの免疫細胞や末梢組織・血管内皮細胞などに広く発現し，癌細胞にも発現を認める．癌細胞は，自身に発現した PD-L1/PD-L2 を T 細胞の PD-1 と結合させることで免疫逃避していると考えられる．抗 PD-1 抗体や抗 PD-L1 抗体は，PD-1 と PD-L1/PD-L2 の結合を阻害することにより，抑制シグナルの伝達を阻害して T 細胞の活性化を維持し，標的細胞に対する攻撃を促進する．

このように，免疫チェックポイント分子は免疫反応の恒常性を維持するための機構であるため，ICI がそれを阻害することにより過剰な免疫反応が生じ，自己免疫疾患・炎症性疾患様の副作用である irAEs が出現すると考えられる．しかし，それぞれの irAEs の詳細なメカニズムについては十分解明されていない．

3）臨床症候

内分泌 irAEs の症状は，別の急性疾患や基礎にある悪性腫瘍の症状と共通するものが多く，診断が困難な場合があり，また中枢性と原発性の鑑別が複雑化する可能性があるため，内分泌専門医の役割が重要になる．ICI による臨床的に有意な内分泌障害の発生率は，最近のレビューおよびメタアナリシスではおよそ 10% とされ，単剤よりも併用療法のほうが発生率が高いと報告されている[6]．また，中等度から重度の内分泌障害が発生するまでの期間の中央値は，抗 CTLA-4 抗体であるイピリムマブで 1.75～5 か月，抗 PD-1 抗体単剤で 1.4～4.9 か月と報告されている[3]．

a. 下垂体機能低下症

irAEs としての下垂体機能低下症は自己免疫性下垂体炎に類似した病態を示す．下垂体機能障害は，抗 PD-1/PD-L1 抗体よりも抗 CTLA-4 抗体で高頻度に出現する．下垂体炎の発生率は抗 CTLA-4 抗体で 3.2%，抗 PD-1 抗体で 0.4%，抗 PD-L1 抗体で 0.1% 未満，多剤併用療法で 6.4% であったと報告されている[6]．また，下垂体機能障害の発生率は投与量によっても異なり，イピリムマブの投与量が多いほうが下垂体機能障害の発生率が高かったと報告されている．発症時期は治療開始後 5～36 週間以内に発生することが多いが，最初のイピリムマブ注入から 19 か月後の下垂体炎の症例も報告されている[7]．下垂体機能障害のうち，ACTH 分泌低下症の頻度が最も高く，次いで TSH 分泌低下症，ゴナドトロピン分泌低下症が多い．中枢性尿崩症の発症は極めてまれである．抗 CTLA-4 抗体では複数の下垂体前葉ホルモンが障害されることがあるが，抗 PD-1/PD-L1 抗体では ACTH 分泌低下症のみを認めることが多い．

下垂体機能障害の急性症状としては頭痛，羞明，めまい，悪心・嘔吐，発熱，食欲低下，視野欠損などがあり，慢性症状としては疲労や体重減少などがある．重症例では副腎クリーゼを発症する場合がある．

b. 甲状腺機能異常症

irAEs としての甲状腺機能異常症は甲状腺炎を主病

態として，甲状腺破壊による甲状腺中毒症と甲状腺機能低下症を呈すると考えられるが，まれに Basedow 病の例が報告される．甲状腺機能異常症は抗 PD-1/PD-L1 抗体のほうが抗 CTLA-4 抗体より頻度が高いとされる．甲状腺中毒症は治療開始後 2～6 週と早期に発症する例が多く一過性のことが多いが，一部は甲状腺機能低下症へと移行する．甲状腺機能低下症は甲状腺中毒症後に発症する症例と，当初より甲状腺機能低下症を示す場合がある．ICI 投与前に TgAb あるいは TPOAb 陽性の場合は甲状腺機能異常症の発症率が増加する傾向がある[1]．

甲状腺中毒症は全体の発生率は 2.9% であり，抗 CTLA-4 抗体 1.7%，抗 PD-1 抗体 3.2%，抗 PD-L1 抗体 0.6%，併用療法 8.0% と報告されている[6]．甲状腺中毒症ではびまん性甲状腺腫大，動悸，発汗，発熱，下痢，振戦，体重減少，倦怠感などの症状を呈する．

甲状腺機能低下症の全体の発生率は 6.6% であり，抗 CTLA-4 抗体 3.8%，抗 PD-1 抗体 7.0%，抗 PD-L1 抗体 3.9%，併用療法 13.2% と報告されている[6]．甲状腺機能低下症では便秘，浮腫，食欲低下，全身倦怠感などの症状を示す．

c. 1 型糖尿病

irAEs としての 1 型糖尿病の発症頻度は 1% 未満とまれであるが，抗 CTLA-4 抗体より抗 PD-1/PD-L1 抗体に関連することが多いとされる．発症は，治療開始後数週間から 1 年以上までの範囲と報告されている[7]．1 型糖尿病として発症する場合と，より急激に進行する劇症 1 型糖尿病として発症する場合がある．症状としては口渇，多飲，多尿，体重減少のほか，ケトアシドーシスを合併すると全身倦怠感や意識障害などが出現し，進行すると昏睡に至る．

d. 副腎皮質機能低下症

irAEs としての原発性副腎皮質機能低下症は，抗 CTLA-4 抗体で 0.4～1.6%，抗 PD-1/PD-L1 抗体で 1% 未満，併用療法で 4.2% と報告されている．発症時期は投与開始から 1～数か月での発症が多いとされる[1]．症状は易疲労感，食欲低下，無気力，体重減少，消化器症状といった非特異的症状を示すが，重症例では副腎クリーゼのためショックに陥る場合もある．

e. 副甲状腺機能低下症

まれではあるが抗 CTLA-4 抗体と抗 PD-1 抗体との併用例や抗 PD-1 抗体単独使用例で副甲状腺機能低下症の報告があり，いずれも治療開始 1～4 か月後に発症している[5]．症状としては手足のしびれやテタニー，重症では全身けいれんや徐脈を示す．

4) 診断と検査法

a. 下垂体機能低下症

下垂体ホルモンおよびその標的臓器ホルモンの基礎値（ACTH・コルチゾール，TSH・FT_4，LH/FSH・エストロゲン・テストステロン，GH・IGF-Ⅰ，PRL など）の低下，または各種分泌刺激試験における反応性の低下を認める場合に診断される．ACTH・コルチゾールの評価には早朝の採血が推奨される．ACTH 分泌低下症では好酸球増多や低ナトリウム血症，高カリウム血症，低血糖を認めることがある．また，頭部 MRI で下垂体および下垂体茎の腫大・腫脹と同部位における造影効果の増強を認める場合がある．

b. 甲状腺機能異常症

甲状腺中毒症においては，TSH 低値，FT_4 高値，FT_3 高値を認める．サイログロブリンの上昇を認めることが多く，TgAb や TPOAb が陽性である場合も多いが，通常 TRAb が陽性になることはまれである．甲状腺機能低下症においては，TSH 高値，FT_4 低値，FT_3 低値が典型的だが，軽症例では TSH の軽度上昇のみを示すことがある．いずれの場合も甲状腺超音波検査では甲状腺の血流低下，内部不均一で実質低信号を呈することが多い．甲状腺炎に特徴的な所見として，甲状腺シンチグラフィではヨウ素摂取率の低下があり，FDG-PET では取り込み亢進を認める[1,5]．

ASCO ガイドラインでは，甲状腺機能異常症のモニタリングとして治療開始前および開始後 4～6 週間ごと，または症状があるときに TSH と FT_4 を測定することが推奨されている．また，甲状腺中毒症を生じた場合は，2～3 週ごとに甲状腺機能検査を行い，甲状腺機能低下症への移行について確認する[2]．

c. 1 型糖尿病

血糖は高値を示し，尿糖も陽性となる．尿ケトン体・血中ケトン体は上昇し，さらに進行するとアシドーシスを示す．HbA1c は高値である場合が多いが，高血糖の程度に比較して上昇が軽度である場合もある．血中 C ペプチドは経時的に低下する．抗 GAD 抗体，抗 IA-2 抗体などの膵島関連自己抗体は陰性のことが多いとの報告もあるが，海外の報告ではおよそ 5 割に認めたとの報告もある[8]．ASCO ガイドラインでは，治療開始時および治療導入中 12 週間は治療サイクルごと，その後 3～6 週間ごとに血糖や症状を確認するモニタリングを推奨している[2]．

d. 副腎皮質機能低下症

原発性副腎皮質機能低下症では，ACTH 値正常～上昇を伴ったコルチゾールの低下，低ナトリウム血症，高カリウム血症，低血圧を生じる．また，迅速 ACTH

表5　免疫チェックポイント阻害薬による内分泌系免疫関連有害事象の管理

	Grade	ICI 投与	管理
下垂体機能低下症	Grade 1 ・無症状または軽度の症状	・ホルモン補充により安定するまで投与休止を検討	・必要に応じたホルモン補充療法（原発性に準じる） ・禁忌がない例では必要に応じてテストステロンやエストロゲン治療 ・内分泌専門医と協議する ・コルチコステロイドは甲状腺ホルモンに先行して開始する ・甲状腺ホルモン用量調節には FT_4 を用いる
	Grade 2 ・中等症 ・日常生活が可能	・ホルモン補充により安定するまで投与休止を検討	・内分泌専門医と協議する ・ホルモン補充は Grade 1 に準じる
	Grade 3〜4 ・重症 ・医学的に重大または生命を脅かす恐れ ・日常生活が困難	・ホルモン補充により安定するまで投与休止する	・内分泌専門医と協議する ・ホルモン補充は Grade 1 に準じる ・プレドニゾロン 1〜2 mg/kg/日相当の経口投与後, 1〜2 週以上かけて減量するパルス療法も検討
原発性甲状腺機能低下症	Grade 1 ・TSH<10 μU/mL かつ無症状	・投与を継続するべきである	・TSH と FT_4 を慎重に観察
	Grade 2 ・中等症 ・日常生活が可能 ・TSH≧10 μU/mL	・症状が回復するまで投与休止してもよい	・内分泌専門医との協議を検討 ・症状がある場合や TSH≧10 μU/mL（4 週ごと測定）が続く場合は甲状腺ホルモン補充 ・ホルモン補充量調節中は TSH は 6〜8 週ごと測定 ・初期に FT_4 低値の症例では治療妥当性を 2 週ごと FT_4 評価 ・投与量安定後は ICI 治療中なら 6 週ごと甲状腺機能評価
	Grade 3〜4 ・重症 ・医学的に重大または生命を脅かす恐れ ・日常生活が困難	・適切な治療により症状が回復するまで投与休止する	・内分泌専門医と協議する ・粘液水腫の徴候（徐脈, 低体温）があるときは入院を検討 ・補充療法と再評価は Grade 2 と同様
甲状腺中毒症	Grade 1 ・無症状または軽度の症状	・投与を継続可能	・2〜3 週ごと, TSH と FT_4 を慎重に観察
	Grade 2 ・中等症 ・日常生活が可能	・症状が回復するまで投与休止を検討	・内分泌専門医との協議を検討 ・症状軽減のためβ遮断薬（アテノロール, プロプラノロールなど） ・補液と支持療法 ・6 週以上甲状腺ホルモン高値が続くか臨床的に疑われる場合, Basedow 病検査（TSI または TRAb）と抗甲状腺薬投与を検討 ・安定後は ICI 治療中は 6 週ごと甲状腺機能評価
	Grade 3〜4 ・重症 ・医学的に重大または生命を脅かす恐れ ・日常生活が困難	・適切な治療により症状が回復するまで投与休止する	・内分泌専門医と協議する ・症状があればβ遮断薬（アテノロール, プロプラノロール） ・重症または甲状腺クリーゼの恐れがある場合は入院し, プレドニゾロン 1〜2 mg/kg/日相当を投与し 1〜2 週かけて減量. ヨウ素や抗甲状腺薬投与を検討
糖尿病	Grade 1 ・無症状または軽度の症状 ・空腹時血糖<160 mg/dL ・ケトーシスなし ・1 型糖尿病の所見なし	・投与継続可能	・慎重な臨床的観察と検査を続ける ・新規発症 2 型糖尿病では経口治療開始を検討 ・必要時 1 型糖尿病について評価する（急性発症, ケトーシスの徴候）
	Grade 2 ・中等症 ・日常生活が可能 ・空腹時血糖 160〜250 mg/dL ・ケトーシスまたは 1 型糖尿病の徴候	・血糖コントロールが得られるまで投与休止を検討	・2 型糖尿病のコントロール悪化に対しては経口薬の調節またはインスリン追加 ・1 型糖尿病にはインスリン投与 ・1 型糖尿病の場合には緊急に内分泌専門医と協議する ・1 型糖尿病の場合には入院を検討

（次ページにつづく）

	Grade	ICI投与	管理
糖尿病	Grade 3〜4 ・重症 ・医学的に重大または生命を脅かす恐れ ・日常生活が困難 ・Grade 3　血糖250〜500 mg/dL ・Grade 4　血糖>500 mg/dL	・Grade 1以下の血糖コントロールが得られるまで投与休止する	・緊急に内分泌専門医と協議する ・インスリン治療を開始 ・入院管理：DKAの恐れ，糖尿病のタイプによらず症状のある患者，新規発症1型糖尿病
原発性副腎機能低下症	Grade 1 ・無症状または軽度の症状	・ホルモン補充により安定するまで投与休止を検討	・内分泌専門医と協議する ・プレドニゾロン(5〜10 mg/日)またはヒドロコルチゾン(朝10〜20 mg，午後5〜10 mg)の補充療法 ・フルドロコルチゾン(0.1 mg/日)が必要な場合がある ・症状に応じて用量調節
	Grade 2 ・中等症 ・日常生活が可能	・ホルモン補充により安定するまで投与休止を検討	・内分泌専門医と協議する ・急性症状に対しては上記の2〜3倍を投与し，5〜10日かけて維持量に減量する ・維持治療はGrade 1に準じる
	Grade 3〜4 ・重症 ・医学的に重大または生命を脅かす恐れ ・日常生活が困難	・ホルモン補充により安定するまで投与休止する	・内分泌専門医と協議する ・集中治療部門に紹介し生理食塩水(2 L以上)とストレス量のコルチコステロイド静注(ヒドロコルチゾン100 mgまたはデキサメタゾン4 mg) ・診断が明らかでない場合は負荷試験が必要 ・ストレス量のコルチコステロイドは退院後7〜14日かけて維持量に減量 ・維持治療はGrade 1に準じる

[Brahmer JR, et al.：Management of immune-related adverse events in patients treated with immune checkpoint inhibitor therapy：American Society of Clinical Oncology Clinical Practice Guideline. J Clin Oncol 36：1714-1768, 2018 より改変]

負荷試験におけるコルチゾール反応性低下，CRH負荷試験におけるACTHの増加反応を認める．腹部CTにおいて両側副腎腫大，FDG-PETにおいて取り込み亢進を認めることが報告されているが，原発癌の副腎転移との鑑別が必要となる[5]．

e．副甲状腺機能低下症

低カルシウム血症，高リン血症，intact PTH低値が特徴であるが，他疾患との鑑別のために25水酸化ビタミンD，1,25水酸化ビタミンD，血清P，Mg値，尿中Ca，Mg排泄率の測定が有用である．

5）治療法

ASCOガイドラインでは，下垂体機能低下症，原発性甲状腺機能低下症，甲状腺中毒症，糖尿病，原発性副腎機能低下症について，重症度によりGrade 1(無症状または軽症)，Grade 2(中等症，症状はあるが日常生活可能)，Grade 3(重症，明らかな症状があり日常生活困難)，Grade 4(重症，生命を脅かす可能性がある状態)に分類し，それぞれの対処法を記している(表5)[2]．

副甲状腺機能低下症については，低カルシウム血症による症状があり緊急の場合にはグルコン酸Caの経静脈投与を行う．緊急を要さない場合は，活性型ビタミンD製剤の補充を開始する．治療によって全身状態が安定するまではICIの休薬を検討する[5]．

6）管理と予後

下垂体機能低下症のうち，ACTH分泌不全症は回復する可能性が低いが，TSH分泌不全症とゴナドトロピン分泌不全症は最大50〜60％の割合で回復するとの報告がある[7]．しかし，内分泌irAEsは多くの場合不可逆的であり，永続的に治療が必要なことが多い[5]．

内分泌irAEsはホルモン補充療法により管理可能な合併症であるが，適切に対処しないと重篤な経過をたどる場合もあり，ICI使用に当たっては発症の可能性について常に留意しながら診療にあたる必要がある．一方で，ICIにより内分泌障害が発現した群のほうが高い抗腫瘍効果が得られたとの報告があり[9,10]，内分泌irAEsに対しては適切に対処しながらICI治療を継続することも検討する必要がある．

❖ 文献

1) 日本臨床腫瘍学会(編)：免疫チェックポイント阻害薬の副作用管理．がん免疫療法ガイドライン．第2版，金原出版，47-61, 2019
2) Brahmer JR, et al.：Management of immune-related adverse events in patients treated with immune checkpoint inhibitor therapy：American Society of Clinical Oncology Clinical Prac-

tice Guideline. *J Clin Oncol* 36：1714-1768, 2018

3) Thompson JA, *et al.*：Management of Immunotherapy-Related Toxicities, Version 1.2019. *J Natl Compr Canc Netw* 17：255-289, 2019

4) 有馬 寛, 他：免疫チェックポイント阻害薬による内分泌障害の診療ガイドライン．日内分泌会誌 94：i-iii, 1-11, 2018

5) Arima H, *et al.*：Management of immune-related adverse events in endocrine organs induced by immune checkpoint inhibitors：clinical guidelines of the Japan Endocrine Society. *Endocr J* 66：581-586, 2019

6) Barroso-Sousa R, *et al.*：Incidence of endocrine dysfunction following the use of different immune checkpoint inhibitor regimens：A systematic review and meta-analysis. *JAMA Oncol* 4：173-182, 2018

7) Elia G, *et al.*：New insight in endocrine-related adverse events associated to immune checkpoint blockade. *Best Pract Res Clin Endocrinol Metab* 34：101370, 2020

8) 橘 恵, 他：免疫チェックポイント阻害薬と劇症1型糖尿病．別冊日本臨牀 領域別症候群シリーズ4 内分泌症候群（第3版）Ⅳ．日本臨床，633-636, 2019

9) Chang LS, *et al.*：Endocrine toxicity of cancer immunotherapy targeting immune checkpoints. *Endocr Rev* 40：17-65, 2019

10) Zhou X, *et al.*：Are immune-related adverse events associated with the efficacy of immune checkpoint inhibitors in patients with cancer? A systematic review and meta-analysis. *BMC Med* 18：87, 2020

〔石井加奈子〕

第14章 疾患と内分泌異常

A 神経性食欲不振症にみられる内分泌異常

1）定義・概念

神経性食欲不振症（anorexia nervosa：AN）は，アメリカ精神医学会による Diagnostic and Statistical Manual of Mental Disorders. 5th ed.（DSM-5）[1]の診断基準によれば，以下のように定義される．なお，日本精神神経学会は DSM-5 の用語を翻訳し，AN を「神経性やせ症」または「神経性無食欲症」と呼称したが，現時点では必ずしも統一されていない．そのため本書では従来どおりに「神経性食欲不振症」を用いることにした[1]．

A．必要量と比べてエネルギー摂取を制限し，年齢，性別，成長曲線，身体的健康状態において「有意に低い体重」に至る．有意に低い体重とは，正常の下限を下回る体重で，小児または青年の場合は，期待される最低体重を下回る場合をいう．

B．有意に低い体重であるにもかかわらず，体重増加または肥満になることに対する強い恐怖，または体重増加を妨げる持続した行動がある．

C．自分の体重または体型の体験の仕方における障害，自己評価に対する体重や体型の不相応な影響，または現在の低体重の深刻さに対する認識の持続的欠如がある．

AN にみられる内分泌異常は，主として低栄養に起因し，多岐にわたる．代表的な徴候は，発症時期により違いはあるが，成長および成熟の障害（身長増加不良，思春期の遅れなど），無月経，骨塩量低下などである．

2）病因・病態
a．病因

AN の病因は多因子である．遺伝的因子として，セロトニンやドパミン受容体の遺伝子多型などが推定されている．心理的因子として，乳幼児期からの気質や発達体験に基づく身体像の学習や認知体験のゆがみ，思春期の自立と依存の葛藤などがある．家族因子として，塾通い・両親の共働き・父親の単身赴任などにより一家団欒の失われた様々な形の家族機能不全，社会文化的因子として，やせ願望をあおるマスコミのスリム思考がある[2]．

b．病態

低栄養状態の持続，および一部における排出行動（自己誘発性嘔吐，緩下剤・利尿薬・浣腸の乱用）が多臓器に様々な障害をもたらす．特に無月経および徐脈などのバイタルサインの異常を含む生理学的障害は多くみられる．無月経は通常，体重減少の結果と考えるが，ごく一部で体重減少に先行することもある[1]．AN にみられる内分泌異常は多岐にわたるとともに各々が密接に関連する．小児期発症の AN においては，成長および成熟の障害を認める．低栄養による体重増加不良は身長増加不良を生じる．加えて，発症時期により，思春期遅発，思春期の進行の停止，無月経を認める．また低栄養，低体重，性ホルモン低下により骨塩量低下，骨粗鬆症の発症につながる．一方，内分泌異常が，神経認知，不安，うつ，摂食障害の精神病理に影響する可能性もあるとされる[2,3]．以下に各系統別の内分泌異常をまとめる[3,4]．

①GH—インスリン様成長因子（IGF-Ⅰ）系

IGF-Ⅰは低栄養状態を反映して低値を示し，成長障害につながる．GH 高値を認める例があり，GH 投与に対する IGF-Ⅰの無反応も知られており，栄養学的に獲得された GH 抵抗性が推定されている．GH 分泌の増加は，低いエネルギー利用下の血糖維持のための適応として矛盾しない．IGF-Ⅰは骨の同化ホルモンであるため IGF-Ⅰ低値を伴う GH 抵抗性は骨代謝障害の決定的要素となる．

②視床下部—下垂体—副腎系

相対的な高コルチゾール血症を認めるが，正常上限の2倍を超えることはまれで，Cushing 徴候を認めない．CRH による ACTH さらにコルチゾールの分泌刺激に加えて，グレリン分泌増加による CRH, ACTH, コ

II 各 論

ルチゾール分泌増加刺激の可能性がある．コルチゾール分泌の増加は，低いエネルギー利用下の血糖維持のための適応として矛盾しない．

③視床下部─下垂体─甲状腺系

"low T_3 syndrome" を示す．総 T_3（および FT_3）は低値を示す．代謝率と安静時エネルギー消費量を低下させる適応とされる．FT_4 は重症度により正常～正常低値～低値，TSH は典型的には正常～正常低値を示す．TRH 負荷に対する TSH の反応性低下が知られている．なお T_3 のモニターは，AN の治療経過における代謝の適応状態や体重回復の評価に役立つ場合がある．

④視床下部─下垂体─性腺系

ゴナドトロピンおよび性ホルモン（エストロゲン・テストステロン）は低値を示し，骨代謝障害および生殖能力の低下（不妊）をきたす．AN におけるゴナドトロピン分泌は，脂肪組織の減少，エネルギー貯蔵の反映，および脂肪細胞から分泌されるホルモン（レプチン，アディポネクチン），あるいは脂肪・エネルギー貯蔵によって調節されるホルモン（グレリン，ペプチド YY（PYY），コルチゾール）の分泌と関連する．

⑤バゾプレシン

低ナトリウム血症は AN では一般的でおもな原因は自己誘発嘔吐であるが，不適切な ADH 分泌（syndrome of inappropriate antidiuretic hormone secretion：SIADH）が関係している場合がある．一方で，尿濃縮力低下を伴うバゾプレシンの分泌不良（部分的尿崩症）や腎不全の報告もある．

⑥インスリン・消化管ホルモン

空腹時インスリンは低値を示し，グリコーゲン分解，脂質分解，糖新生への影響の可能性がある．アミリン（膵 β 細胞からインスリンと 1：1 の割合で分泌）やグルカゴン様ペプチド-1（glucagon-like peptide-1：GLP-1）も低値を示す．インスリンおよびアミリンの低値は血糖維持，一方で骨塩量低下に寄与する．一方，グレリンは高値を示し，GH および ACTH の分泌を刺激し，ゴナドトロピンを抑制する．グレリン分泌の増加は，慢性的な飢餓への適応としての食欲刺激反応とされる．PYY は，グレリンによる食欲刺激を減らすことにより，食事の終了と満腹感に役割をはたすとされるが，高値～正常～低値の報告がある．

⑦アディポカイン

レプチンは明らかな低値を示し，脂肪組織量と正の相関を示す．対照的にアディポネクチン値は様々であるが，重症の AN における低値は著明な脂肪組織減少の反映とされる．これらアディポカインの変化は性腺機能低下症および骨塩量低下に寄与すると推定されている．

3）臨床症候

成長・成熟の障害（身長増加不良，思春期の遅れなど），無月経のほか，便秘，胃部不快感，腹痛，寒冷への不耐性，記憶力・集中力の欠如などを認める．身体所見として，るい痩，低血圧，徐脈，低体温，末梢の冷感，浮腫，産毛密生（背部・四肢），皮膚の角化・乾燥，点状出血・紫斑，黄染（高カロチン血症），手の甲の"吐きだこ"（自己嘔吐），唾液腺の腫脹・圧痛などがあげられる[1,2]．食行動面では拒食，少食を認めるが，突発的な過食，隠れ食い，盗み食い，および自己誘発嘔吐，下剤の乱用を認めることがある．他人，特に家族の食事状況への異常な関心や食物への固執を認めることもある．心理行動面では，過剰な身体活動性増加を認めることがあり，しばしば発症に先行し体重減少を促進する．やせ願望や肥満に対する恐怖が強く，やせていることを認めない（自覚できない）自己の身体像認知（ボディイメージ）の障害と病識の欠如を認める．抑うつ感情もしばしば認める．母親に対する依存と攻撃性の相反する感情の混在，見捨てられ不安，孤立感，および強迫傾向，焦燥感，無力感，無気力，自己嫌悪なども認められやすい[1,5]．

4）診断と検査法

a．診断

AN の診断基準として，精神科や心療内科で広く使われている DSM-5[1]，および小児期発症に特化した Lask らが提唱する GOS（Great Ormond Street）の診断基準[6]がある．Lask らの診断基準をベースとして作成された「小児科医による診断のガイドライン」を示す（表1）[7]．

b．検査法

AN の初診時検査項目を示す（表2）[7]．内分泌異常の診断はおもに血液検査で行う．負荷試験は必須ではない．頭部 MRI は，鑑別診断（器質性視床下部下垂体疾患の除外）のため，必ず行う．

重症例では，IGF-Ⅰ，甲状腺ホルモン，ゴナドトロピン，性ホルモンの低値などの内分泌異常に加え，貧血や白血球減少，低血糖，肝機能障害，高コレステロール血症，電解質異常，尿素窒素（BUN）高値（脱水を反映），など，一般スクリーニング検査でも異常値を示すことが多い．しかし病初期では一般スクリーニング検査にほとんど異常がみられず見過ごされることが多いため，必ず内分泌学的検査を行うことが重要である[1,3,4,7]．

5）治療法

治療にあたっては，①身体治療，②心理治療，③家

表1 小児科医による診断のガイドライン

1.	成長曲線(身長・体重)の評価	体重の増加不良(成長曲線上1チャンネル以上の低下)を認める場合にはANを念頭におく(注1)
2.	身体症状の評価 (体重減少に伴う症状)	徐脈(60/分未満)，低血圧，低体温，皮膚の乾燥・黄色化，産毛密生，脱毛，手足の冷感，チアノーゼ，褥瘡，便秘，浮腫，無月経，記憶力・集中力の低下(注2)
3.	他疾患の鑑別 (鑑別すべき他疾患)	脳下垂体腫瘍，悪性腫瘍，口腔消化器疾患(炎症性腸疾患を含む)，感染症(結核・HIVなど)，薬物乱用，その他の全身疾患(糖尿病，甲状腺機能亢進症，膠原病など)
4.	小児用診断基準 (Laskらによる)	以下の①~③を満たすときに診断する ①頑固な拒食 ②思春期の発育スパート期に身体・精神疾患がなく体重の増加停滞・減少がある ③以下のうち二つ以上がある：体重へのこだわり，エネルギー摂取へのこだわり，ゆがんだ身体像，肥満恐怖，自己誘発嘔吐，過度の運動，下剤の乱用

注1：身長については，体重と同様，1チャンネル以上の低下を認める場合(身長増加不良)と認めない場合がある
注2：体重減少に伴う症状を認めない場合，あるいは診断基準を完全に満たさない場合も，身長と体重の経過観察を継続する
[厚生労働科学研究(子ども家庭総合研究事業)思春期やせ症と思春期の不健康やせの実態把握および対策に関する研究班(編著)：小児科医による診断．思春期やせ症　小児診療に関わる人のためのガイドライン．文光堂，18-26，2008]

表2 ANの初診時検査項目

1.	血液検査	末梢血(白血球数，ヘモグロビン，ヘマトクリット，血小板数)，電解質(Na, K, Cl, Ca, P)，肝機能(AST, ALT, LDH)，ビリルビン，アルカリホスファターゼ，腎機能(BUN，クレアチニン)，総蛋白，アルブミン，血糖，血液ガス，TSH，甲状腺ホルモン(FT_3, FT_4)，ゴナドトロピン(LH, FSH)，性ホルモン(エストラジオール，テストステロン)，プロゲステロン，PRL，GH，インスリン様成長因子-Ⅰ(IGF-Ⅰ)，ACTH，コルチゾール
2.	尿検査	一般検尿
3.	画像・生理学的検査	胸部X線，心電図，心臓超音波，Holter心電図(心拍変動解析)，頭部MRI，腹部超音波(子宮・卵巣なども含む)，手のX線(骨年齢評価)，骨塩定量

[厚生労働科学研究(子ども家庭総合研究事業)思春期やせ症と思春期の不健康やせの実態把握および対策に関する研究班(編著)：小児科医による診断．思春期やせ症　小児診療に関わる人のためのガイドライン．文光堂，18-26，2008]

族治療，④学校と社会による支援体制の四つの調和が必要である．すなわち精神面だけでなく，種々の身体合併症を考慮し，小児精神科医を中心に各疾患の専門医を加えた医療チームによる包括的治療が不可欠である．体重減少が著しく，徐脈，脱水，電解質異常，精神障害などを認める重症例の急性期では入院治療の適応となる．入院・外来治療を問わず，特に初期では，精神面よりも身体の治療に主眼をおき，以下三つの原則を徹底することが重要である[8]．

①病識の獲得：やせの結果生じた身体異常，および「身体の治療」の必要性のわかりやすい説明，保護者による脈拍数の定期的なチェック．

②安静(運動制限)：原則として臥位(食後1~2時間の絶対安静・睡眠の確保)，保護者による食事の介助・清拭，軽症でも体育授業の禁止．

③栄養摂取：1日3回決まった時刻の食事摂取，毎食決められた量の完食(回復に従い徐々に増量)，経腸栄養剤による足りないエネルギーの摂取(経腸栄養剤は"薬"として摂取)，重症例では再栄養症候群に注意し，摂取エネルギーを低めの20 kcal/kg/日程度から開始．

ANの内分泌異常に対する対症療法は原則行わない．ANに対する適切な治療により，月経の再開および生殖能力の回復を望めるが，骨塩量低下の回復は困難である．骨塩量低下に対する性ホルモン補充療法に関しては，まだ確実なエビデンスに乏しく一般的でない[3]．身長の増加不良を伴った小児期発症のANの成長の追いつき(catch-up growth)については，必ずしも悪くないとの記載もあるが症例差があり未解決の問題である[2]．

6) 管理と予後

定期的な経過観察は，再発の予防，後遺症の評価，また妊娠・出産のケアのため，体重の回復を認め内分泌異常が解消された後でも継続すべきである．後遺症としては，精神障害，不妊症，骨粗鬆症，認知症，動脈硬化性疾患(脳卒中・心筋梗塞)などがある[2]．

AN(成人)の一般的な予後としては，50%は回復，30%は一部回復，残りは再発あるいは慢性化する．一方，思春期発症のANでは70~75%が5~10年で再発のリスクも低く完全回復するとの報告もある[3]．ANの粗死亡率10年間でおよそ5%，死因は通常ANに関連した身体合併症あるいは自殺である．自殺の危険性は高く年間10万人当たり12人と報告されている[1]．

Ⅱ 各 論

7）最新知見

近年，小児期発症のANについて，前思春期発症例の増加だけでなく，神経性過食症（bulimia nervosa：BN）への移行例の増加が問題となっている．一方，ANのなかで自閉スペクトラム症（広汎性発達障害）の合併を約10%に認めることが明らかになってきた．強迫性や融通性のなさが強く，パターン的な思考や行動が目立つANにおいては，乳幼児期からの発達経過の詳細な聴取，自閉スペクトラム症の鑑別，さらには発達障害を理解した対応を行う必要がある[1,5]．

❖ 文献

1) 髙橋三郎，他（監訳）：神経性やせ症/神経性無食欲症 Anorexia Nervosa．日本精神神経学会（監），DSM-5 精神疾患の診断・統計マニュアル．医学書院，332-338，2014
2) 厚生労働科学研究（子ども家庭総合研究事業）思春期やせ症と思春期の不健康やせの実態把握および対策に関する研究班（編著）：思春期やせ症とは．思春期やせ症 小児診療に関わる人のためのガイドライン．文光堂，8-14，2008
3) Misra M, et al.：Endocrine consequences of anorexia nervosa. Lancet Diabetes Endocrinol 2：581-592, 2014
4) Støving RK：MECHANISMS IN ENDOCRINOLOGY：Anorexia nervosa and endocrinology：a clinical update. Eur J Endocrinol 180：R9-R27, 2019
5) 日本小児心身医学会（編）：小児科医のための摂食障害診療ガイドライン．小児心身医学会ガイドライン集（改訂第2版）．南江堂，117-214，2015
6) Lask B, et al.：Overview of eating disorders in childhood and adolescence. In：Lask B, et al.（eds）, Eating Disorders in Childhood and Adolescence. 4th ed., Routledge, London, 33-49, 2013
7) 厚生労働科学研究（子ども家庭総合研究事業）思春期やせ症と思春期の不健康やせの実態把握および対策に関する研究班（編著）：小児科医による診断．思春期やせ症 小児診療に関わる人のためのガイドライン．文光堂，18-26，2008
8) 厚生労働科学研究（子ども家庭総合研究事業）思春期やせ症と思春期の不健康やせの実態把握および対策に関する研究班（編著）：小児科医による治療．思春期やせ症 小児診療に関わる人のためのガイドライン．文光堂，27-41，2008

（井ノ口美香子）

B Critical illnessでみられる内分泌異常

敗血症，多発外傷，広範囲熱傷などのcritical illnessの際には，視床下部―下垂体系と交感神経系が重要な役割をはたす．Critical illnessの初期には一時的な飢餓状態に陥ることが一般的であるが，脳の機能維持やストレスに対する防御を確立するために同化が抑制されて，ブドウ糖，アミノ酸，遊離脂肪酸などの代謝物質が身体から供給される．これらの反応は内分泌学的な対ストレス反応により引き起こされる[1]．したがってcritical illnessの状態では，様々な内分泌学的な異常や変化に遭遇する．本項ではこれらのなかで特に副腎，甲状腺，糖代謝について概説する．

■Critical illnessと副腎

1) Critical illness rerated corticosteroid insufficiency

敗血症などの重篤な疾患ではグルココルチコイドの分泌が刺激されるが，何らかの理由でグルココルチコイドの抗炎症活性が不十分となり，全身性に病態相応の炎症調節が行われなくなる場合がある．この病態はcritical illness-related corticosteroid insufficiency（CIRCI）とよばれる[2]．CIRCIは視床下部，下垂体，副腎の出血や梗塞が原因で起こる場合もあるが，多くは器質的障害によらない可逆性の副腎不全である．

2) ストレス時のグルココルチコイド分泌調節[3]

種々のストレスにより視床下部―下垂体―副腎系（hypothalamic-pituitary-adrenal axis：HPA axis）と交感神経系の両者が活性化される．視床下部室傍核はストレス反応を司る主要部位であり，その小細胞領域からCRHニューロンが下垂体前葉に投射してACTH分泌を調節する．約50%のニューロンはアルギニン・バゾプレシン（arginine vasopressin：AVP）ニューロンと共発現しており，AVPはV1b受容体を介しACTH分泌を刺激する．下垂体から分泌されたACTHによりグルココルチコイドの合成と分泌が促進される．グルココルチコイドは解糖，糖新生の基質動員などを通じてブドウ糖供給に働き，カテコラミンに対する許容作用を通じて心収縮力増強，血管収縮作用増強に働く（図1）．

3) 炎症と副腎

炎症や感染の際には，interleukin-1（IL-1），interleukin-6（IL-6），tumor necrosis factor-α（TNF-α）などの炎症性サイトカインやエンドトキシンの刺激によりCRHおよびACTH分泌刺激が起こり，グルココルチコイドの分泌が促進される．グルココルチコイドはリンパ球増殖，免疫グロブリンやサイトカインの産生に対して抑制的に働き，病態に応じた炎症の調節を担う（図1）．

4) 臨床症候

CIRCIの症状，所見を表に示す（表3）[2]．いずれも集中治療室（ICU）ではよく観察される非特異的な症状であり，積極的に本症の合併を想起しなければ診断は困難である．

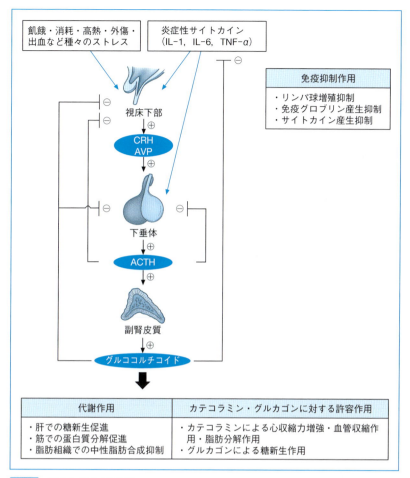

図1 ストレスとHPA系

HPA系：hypothalamic-pituitary-adrenal axis，IL-1：interleukin-1，IL-6：interleukin-6，TNF-α：tumor necrosis factor-α
種々のストレスや炎症性サイトカインは，おもに視床下部室傍核を介して（炎症性サイトカインは直接下垂体にも作用する）コルチゾールの分泌を促し，代謝作用と許容作用，免疫抑制作用を発揮する

5）診断と検査法[2,4]

診断のための検査として，ACTH負荷試験を行う方法，ランダムサンプリングのコルチゾール値あるいはACTH値を用いる方法，ヒドロコルチゾンを投与した際の循環動態の反応をみる方法などが検討されている．

ACTH負荷を行いコルチゾールの基礎値からの上昇幅（陽性：<9 μg/dL）を診断に用いる方法と，ランダムに測定した血漿コルチゾール値（陽性：<10 μg/dL）を用いる方法は，現時点でどちらがすぐれているかのコンセンサスは得られていない．

ACTH負荷を行う場合，非生理的用量である250 μgよりも1 μg負荷のほうがより安全で感度も高い可能性があるが，現時点では1 μg負荷を強く推奨する十分なエビデンスはなく，成人では製剤の入手しやすさを考慮して250 μg負荷試験が推奨されている．小児では様々な負荷試験が報告されているが，成人と同様に250 μg負荷を用いている報告もある[4]．いずれの方法も，コルチゾール基礎値が高値であれば副腎機能が正常であっても上昇幅は低下するため，負荷試験の結果のみで診断を行うことは困難である．

コルチゾールのランダムサンプリング値の代わりに，ACTHのランダムサンプリング値を用いる方法については，critical illnessの状態でACTHは低値から高値まで様々な値を取りうること，ACTHの反応は原発性と中枢性の副腎機能低下症で異なること，現状でACTH値とACTH負荷試験でのコルチゾール値を対比した研究がないことから推奨されない．

ヒドロコルチゾン50〜300 mgを投与した際の循環動態の反応をみる方法も，CIRCIの鑑別に用いることは不可能であることが示されている．

Ⅱ 各論

表3 CIRCIを想起させる症状と所見

臨床症状	
全身	発熱・無力症
神経系	混乱・せん妄・昏睡
心血管系	輸液抵抗性の低血圧・カテコラミンへの感受性低下・高い cardiac index
消化器系	悪心・嘔吐・経腸栄養への不耐性
呼吸器系	遷延する低酸素血症
検査所見	
低血糖・低ナトリウム血症・高カリウム血症・代謝性アシドーシス・好酸球増多	
画像所見	
視床下部・下垂体・副腎の出血や壊死	

CIRCI: critical illness related corticosteroid insufficiency
[Annane D, et al.: Guidelines for the diagnosis and management of critical illness-related corticosteroid insufficiency (CIRCI) in critically ill patients (Part Ⅰ): Society of Critical Care Medicine (SCCM) and European Society of Intensive Care Medicine (ESICM) 2017. *Intensive Care Med* 43: 1751-1763, 2017]

以上のように標準といえる診断方法が確立されていないため，検査所見を参考にしつつ臨床所見に基づいて治療の要否を決定する必要がある．

6) 治療法
a. 病態別にみた治療への反応性

最近施行された成人を対象とした多施設共同ランダム化比較試験（HYPRESS study）では，ショックのない敗血症の患者に対して，ヒドロコルチゾン200 mgを5日投与してから漸減したグループとプラセボを投与したグループを比較し，14日以内の敗血症性ショックへの進展率，人工呼吸器の使用率，死亡率，ICUの滞在日数で両群に差はみられなかったが，ヒドロコルチゾン投与群で二次感染が21.5%にみられた（プラセボ群では16.9%）と報告されている[5]．複数の検討で類似した結果が示されており，成人ではショックを伴わない敗血症でのステロイド使用は推奨されていない[2]．

一方でショックを伴う敗血症の場合には，小児のみを対象とした六つの試験を含む61のランダム化比較試験のメタアナリシスで，ステロイド投与群は短期死亡率の低下，ICUの滞在期間，入院期間の短縮がみられた一方で，重大な副作用の頻度は増加しないことが示されており，輸液療法および中から高用量の血管作動薬に反応しない敗血症性ショックに対しては，ステロイドの使用が推奨されている[2,6]．

敗血症性ショック以外の病態では，成人の検討で急性呼吸窮迫症候群ではステロイドの使用が推奨されているが，外傷に対しては推奨されていない[2,6]．

b. 薬用量と治療期間

成人ではステロイドの使用量と治療期間について，二次感染などの合併症を防ぐために，投与量は過量とならない（ヒドロコルチゾン400 mg/日以下）ように設定し，十分な治療期間（初期量で3日以上など）をとることが推奨されている[2,6]．

小児での詳細な検討は少ないが，ストレス量のヒドロコルチゾンを5～14日使用すると記載されている総説もあり[4]，過量投与とならないようにヒドロコルチゾンの用量を体表面積換算などで調節し，成人に準じた期間の治療を行うことが妥当であると考える．

Critical illness と甲状腺
1) Nonthyroidal illness syndrome

Critical illnessの急性期では，甲状腺機能検査で T_3 低値，T_4 低値ないし正常，TSH正常という状態がしばしば経験される．この状態は原発性あるいは中枢性の甲状腺機能異常症とは異なる病態であり，nonthyroidal illness syndrome（NTIS）とよばれる．通常甲状腺ホルモン濃度が低下した際には，視床下部─下垂体─甲状腺系（hypothalamic-pituitary-thyroid axis: HPT axis）で視床下部室傍核のTRHニューロンが活性化し，TSH濃度は上昇する．しかしcritical illnessの急性期にはTSHは一過性の上昇を示したあとに速やかに正常化する．

甲状腺ホルモンの主要な標的臓器である肝臓では5'脱ヨウ素化酵素（5'-deiodinase: DIO）1の活性が低下して T_4 から T_3 への変換が減少し，同時にDIO3の活性が上昇して T_4 から不活性型の 3,3',5'-triiodothyronine（reverse T_3: rT_3）への変換が増加する．NTISの発症にはこれ以外にもホルモン結合蛋白の濃度や親和性，受容体の発現，トランスポーターの変化などが関与している[7]．これらの変化は炎症性サイトカインで惹起され，疾病ストレスへの曝露後速やかに起こる．一般的に T_3，T_4 およびTSHの低下の程度が強いほうが予後不良である[7,8]．

2) Critical illness 慢性期でのNTIS

NTISは重篤な疾病の急性期に異化を防ぐ適応現象である可能性があるが，状態が慢性化して呼吸循環や栄養のサポートを十分受けている状況でも T_3 および T_4 低値，TSH低値ないし正常の状態が遷延する場合には，中枢性の甲状腺機能低下をきたしている可能性があり急性期と区別して捉える必要がある．Critical illnessの急性期と慢性期での中枢と末梢における甲状腺系の変化を示す（表4）[9]．人での剖検所見から，遷延したcritical illnessの際には視床下部室傍核のTRH遺伝子の発現が低下することや，夜間のTSHの脈動性分泌が消失することが示されている[8,9]．

遷延したcritical illnessで中枢性甲状腺機能低下が起こる理由は明確ではないが，サイトカイン，内因性あ

表4 NTISの急性期と慢性期でHPT axisに起きる変化

		急性期	慢性期
視床下部のTRH遺伝子発現		→	↓
下垂体のTSH分泌		→（初期には一過性の上昇あり）	↓ 夜間の脈動的分泌は消失
血中甲状腺ホルモン濃度	T_4	→↑	↓
	T_3	↓	↓↓
	rT_3	↑↑	↑→
肝臓でのDIO発現と活性	DIO1	↓	↓
	DIO3	↑	↑→
骨格筋でのDIO発現と活性	DIO2	→	↑

NTIS：nonthyroidal illness syndrome, HPT axis：hypothalamic-pituitary-thtroid axis, rT_3：reverse T_3(3,3', 5'-triiodothyronine), DIO：5'-deiodinase(5'脱ヨウ素化酵素)
〔Boonen E, et al.：Endocrine responses to critical illness：novel insights and therapeutic implications. J Clin Endocrinol Metab 99：1569-1582, 2014 より引用一部改変〕

るいは治療に使用される外因性のドパミン，大量のグルココルチコイドの関与が想定されている[7]．

3）診断と検査法

診断は甲状腺ホルモンとTSHの測定による．Critical illnessの状態では，ICU入室時にすでにNTISの状態を呈していることが少なくないが，このような状況では甲状腺疾患そのものをcritical illnessの原因疾患として鑑別することが必要となる場合もある．

基本的に成人の疾患であるが，粘液水腫性昏睡は意識障害を伴い致死率の高い疾患である．通常は甲状腺ホルモン低下に対してTSHが上昇することが鑑別の一助となるが，甲状腺機能低下が中枢性の場合やNTISが合併した場合にはTSHの上昇が不十分となる可能性がある．

TSHが抑制されている点では，甲状腺中毒症の鑑別も必要となる場合がある．T_3が正常であっても，T_4が上昇しTSHが抑制されている状態はT_4 thyrotoxicosisとよばれるが，甲状腺中毒症とNTISの合併でも同様の検査所見を呈しうる．甲状腺中毒症を代償できなくなれば甲状腺クリーゼへと進展するが，重篤な甲状腺中毒症と甲状腺クリーゼの鑑別は発熱，頻脈，消化器症状，意識障害などの臨床症状によるしかなく，検査所見での鑑別は不可能である．

これ以外にも，治療に使用される可能性が高いドパミンや大量のグルココルチコイドはTSHを低下させる可能性がある[7]．またNTISからの回復期には，甲状腺ホルモン低値，TSH高値となり，原発性甲状腺機能低下症と同様の検査所見を呈する．

集中治療の必要な状態での甲状腺機能評価では，甲状腺ホルモン，TSHの経時的な変化に加えて，甲状腺自己抗体やエコー所見，甲状腺腫大などの臨床症状を総合的に評価する．

4）NTISの治療

a．急性期の栄養

Critical illnessの急性期では一般的に経口，経静脈栄養量が減少して飢餓状態となりやすい．またNTISでみられる甲状腺機能異常は健常人の飢餓状態における所見と類似していることから，積極的な栄養により甲状腺機能の変化を抑制できる可能性が示唆される．しかし急性期から積極的に栄養を行うことが有益とは限らず，成人，小児ともに急性期には低栄養状態を許容するほうが予後の改善につながることが報告されている．小児集中治療室（PICU）に入室後24時間以内に栄養を開始する群（早期栄養群）と8日目以降に開始する群（後期栄養群）では死亡率には差はみられないが，後期栄養群で新たな感染の合併が少なく，ICU滞在期間，入院期間とも短いことが示されている[10]．また他の研究では，同様にICU入室後早期に栄養を開始した群と8日目以降に栄養を開始した群において，入室時から3日目までの甲状腺機能の変化を検討している．甲状腺機能の変化は早期栄養群でより軽度に抑制されていたが，新たな感染の合併頻度は後期栄養群で低いことが示されている[11]．

b．甲状腺ホルモンの補充

小児はもとより，成人を含めても急性期のNTISに対する甲状腺ホルモン補充の有効性を検討したランダム化比較試験は少ない．対象年齢，背景疾患，甲状腺ホルモン剤の種類，投与量や投与経路などの条件も様々である．甲状腺ホルモンそのものではなく，TRHとgrowth hormone releasing peptide 2（GHRP2）などのニューロペプタイドを投与する試みも研究されている．これらの試験の結果は一定しておらず，甲状腺ホルモンによる治療の有用性は疾患の種類やステージ，重症度などに影響されると考えられる．また血中のホルモン濃度を正常化することが，ただちに組織内でのホルモン濃度を正常化しているとは限らない点にも注意が必要である．現時点では推奨される一定の治療法も，治療を行うべきか否かについての明確なコンセンサスも存在しない[8]．

Critical illnessにおけるNTISは2つの段階に分けて考える必要がある．急性期のNTISは生体にとって有用な適応現象である可能性があり，原則として治療は行わない．慢性に経過し，呼吸循環や栄養のサポートが十分施行されていても甲状腺機能が回復せず，かつ

意識障害や心機能低下が遷延するなど中枢性甲状腺機能低下症の関与が強く示唆される場合以外には，ルーチンでの治療は推奨されない．

Critical illness と血糖管理

1）定義・概念

2001 年に発表された Leuven I study で，成人では ICU における厳格な血糖コントロールにより死亡率が低下する可能性が示された．2009 年には小児を対象とした研究（Leuven III study）が発表され，同様に厳格な血糖コントロールの優位性が示された[12]．Critical illness の状態における高血糖は，ストレス下の組織にブドウ糖を供給する目的で起こる適応現象と捉えられているが，重篤な状態では血糖の上昇を抑制する機構が十分に機能せず，結果として高血糖状態が遷延する．これは入院期間の延長，人工呼吸の長期化，脳外傷では神経学的予後の悪化，死亡率の増加と関連することが示されている．

2）病因・病態

Critical illness における高血糖の原因には大きく分けて，①治療に起因する要素（外因性のグルココルチコイド・血管作動薬・経静脈栄養など），②患者の素因に起因する要素（膵臓の予備力・インスリン抵抗性など），③疾患に起因する要素（カテコラミン・HPA 系の活性化・炎症性サイトカインなど）が存在する．

種々のストレスに対し，交感神経系が活性化されカテコラミンが分泌される．カテコラミンはインスリンの分泌および作用を抑制し，同時にインスリンの逆調節ホルモンである GH，グルカゴン，ACTH を介してグルココルチコイドの分泌を促進するが，これらのホルモンは解糖，糖新生を増加させるため，ブドウ糖の産生は亢進する．

またストレス高血糖の際には，インスリン感受性組織における受容体後のインスリンシグナル伝達の障害のためにインスリン抵抗性を生じ，glucose transporter 4（GLUT4）を介したブドウ糖取り込みは減少する．インスリン抵抗性の増強には，上記の逆調節ホルモンのほかに炎症性サイトカインも関与している．

一方でおもに GLUT1 を介したインスリンを介さない体組織へのブドウ糖取り込みが増加するために，全身のブドウ糖取り込みは増加している．非酸化的代謝が障害されているために，ブドウ糖は標的細胞内で容易に酸化される．高血糖がさらに高血糖を助長させる悪循環に陥り，さらに細胞は酸化ストレスによる傷害を受ける．

3）管理と予後（表 5）

小児を対象とした Leuven III study では，インスリン治療群の目標血糖値は乳児で 50〜80 mg/dL，小児で 70〜100 mg/dL に，対照群は 180〜214 mg/dL に設定され，この結果治療群と対照群の平均血糖値の差は乳児で 29 mg/dL，小児で 53 mg/dL と大きく開いた．インスリン治療群では低血糖が 25％ にみられたものの，死亡率，感染，ICU 滞在期間が減少し，厳格な血糖コントロールの優位性が示された[12]．

一方で厳格な血糖コントロールにより低血糖の頻度が増加するものの，転帰に影響はなかったとする報告も複数存在する．2017 年に小児を対象に施行されたランダム化比較試験（HALF-PINT study）では，インスリン治療群の目標血糖値は 80〜110 mg/dL に，対照群の目標血糖値は 150〜180 mg/dL に設定されているが，主要評価項目に差がみられず，むしろ有害である可能性があるという理由で早期に中止されている[13]．

成人の結果だが，NICE-SUGAR study[14] では対照群のほうが 90 病日での死亡率が低いという結果が出ており，小児でも成人でも厳格な血糖コントロールの優位性が確立されているとはいえない．試験により結果が異なる原因として，多くの試験で低血糖回避のためにインスリン治療群の目標血糖値が高めに設定されており，実際には治療群と対照群の血糖値が大幅にオーバーラップしていること，Leuven study 以外は多施設共同研究であり，栄養法，測定機器や検体（動脈血，静脈血，毛細管血）など血糖測定法に違いがあること，血糖コントロールのアルゴリズムが統一されていないことが想定されている．

4）血糖コントロール目標

成人では 180 mg/dL を超える高血糖，40 mg/dL を下回る低血糖は避けるべきであるが，108 mg/dL を下回る血糖値は，治療によるリスクとベネフィットが曖昧になるために推奨されていない．小児に対して成人と同様の目標血糖値を用いたコントロールを行うことが明らかに予後を改善するという根拠に乏しく，現時点では 180 mg/dL を超える高血糖を避けるコントロールにとどめるべきである[15]．

❖ 文献

1) Van den Berghe G：Dynamic neuroendocrine responses to critical illness. *Front Neuroendocrinol* 23：370-391, 2002
2) Annane D, et al.：Guidelines for the diagnosis and management of critical illness-related corticosteroid insufficiency（CIRCI）in critically ill patients（Part I）：Society of Critical Care Medicine（SCCM）and European Society of Intensive Care Medicine（ESICM）2017. *Crit Care Med* 45：2078-2088, 2017
3) Ronald ML：Neuroendocrinology. In：Shlomo M, et al.（eds）, *Williams Textbook of Endocrinology*. 14th ed., ELSEVIER, Philadelphia, 114-183, 2020

表5 小児を対象としたおもなランダム化比較試験

研究	人数（介入/対照）	患者背景	介入群 目標血糖(mg/dL) / 平均血糖(mg/dL) / 低血糖頻度(%)	対照群 目標血糖(mg/dL) / 平均血糖(mg/dL) / 低血糖頻度(%)	主要評価項目	転帰の改善
Vlasselaers D. Lancet 2009 (Leuven III) 文献12	700 (349/351)	混合（心臓手術75%）	乳児：50〜80 小児：70〜100 / 乳児：86 小児：95 / <40：25 <30：5	180〜214 / 乳児：115 小児：148 / <40：1 <30：1	・PICU滞在日数	あり
Jeschke MG. Am J Respir Crit Care Med 2010	186 (49/137)	30%以上の熱傷	80〜110 / NA* / <60：43 <40：26	140〜180 / NA* / <60：24 <40：9	・感染および敗血症合併 ・臓器障害	あり
Agus MS. N Eng J Med 2012 (SPECS)	980 (490/490)	心臓手術	80〜110 / 112 / <60：19 <40：3	設定なし / 121 / <60：9 <40：1	・医療関連感染	なし
Alsweiler JM. Pediatrics 2012	88 (43/45)	早産児	72〜108 / 103 / <47：58 <27：16	144〜180 / 117 / <47：27 <27：4	・36週までの成長率	なし
Macrae D. N Eng J Med 2014 (CHiP)	1,369 (694/675)	混合（心臓手術60%）	72〜126 / 107 / <45：12.5 <36：7.3	180〜216 / 114 / <45：3.1 <36：1.5	・生存日数 ・30日目の人工呼吸器離脱	なし
Agus MS. N Eng J Med 2017 (HALF-PINT) 文献13	713 (360/353)	混合（心臓手術含まず）	80〜110 / 109 / <60：18.3 <40：3.7	150〜180 / 123 / <60：1.4 <40：0.3	・28日目までのICU非在室日数	なし**

*：文献中はグラフのみで数値の記載なし
**：転帰に改善がなく，有害である可能性があるとの理由で早期中止

4) Yael LS, et al.：Critical illness-related corticosteroid insufficiency in children. *Horm Res Paediatr* 80：309-317, 2013
5) Keh D, et al.：Effect of hydrocortisone on development of shock among patients with severe sepsis：The HYPRESS randomized clinical trial. *JAMA* 316：1775-1785, 2016
6) Annane D, et al.：Corticosteroids for treating sepsis in children and adults. *Cochrane Database Syst Rev* 12：CD002243, 2019
7) Van den Berghe G：Non-thyroidal illness in the ICU：a syndrome with different faces. *Thyroid* 24：1456-1465, 2014
8) Fliers E, et al.：Thyroid function in critically ill patients. *Lancet Diabetes Endocrinol* 3：816-825, 2015
9) Boonen E, et al.：Endocrine responses to critical illness：novel insights and therapeutic implications. *J Clin Endocrinol Metab* 99：1569-1582, 2014
10) Fivez T, et al.：Early versus late parenteral nutrition in critically ill children. *N Engl J Med* 374：1111-1122, 2016
11) Jacobs A, et al.：Non-thyroidal illness syndrome in critically ill children：Prognostic value and impact of nutritional management. *Thyroid* 29：480-492, 2019
12) Vlasselaers D, et al. Intensive insulin therapy for patients in paediatric intensive care：a prospective, randomised controlled study. *Lancet* 373：547-556, 2009
13) Agus MS, et al.：Tight glycemic control in critically ill children. *N Engl J Med* 376：729-741, 2017
14) Finfer S, et al.：Intensive versus conventional glucose control in critically ill patients. *N Engl J Med* 360：1283-1297, 2009
15) Mesotten D, et al.：Glucose management in critically ill adults and children. *Lancet Diabetes Endocrinol* 3：723-733, 2015

（阿部裕樹）

C 小児がん経験者（CCS）における晩期内分泌合併症

1) 概念・定義

　小児がんとは，一般に0〜14歳までの小児期に発症する悪性腫瘍と定義され，わが国の罹患率は小児人口

Ⅱ 各 論

表6 治療別内分泌合併症一覧表

		GH系	性腺系	副腎系	甲状腺系	肥満脂質代謝	糖代謝	骨代謝	水・電解質代謝	高血圧
放射線照射	頭蓋照射									
	大量（>30 Gy）	◎	◎	◎	◎	◎	○	△***	△	△
	中等量（>18 Gy）	◎	◎*	△	○	○	○	△***		△
	少量（7〜12 Gy）	△			△	△	△			△
	局所照射		◎		◎				○	
	全身照射（TBI）	△	○		○	△	△	○		
化学療法剤	アルキル化薬**		◎							
	アントラサイクリン		○							
	メトトレキサート							○	△	△
	プラチナ製剤						○			
	ステロイド					○	○	○		
	L-アスパラギナーゼ						△			

◎：可能性が高い，○：可能性が十分ある，△：可能性がありうる
 *：中枢性思春期早発症の可能性があるが，次第に性腺機能低下症に移行する場合もある
 **：ブスルファン，シクロホスファミドなど
 ***：GHDや中枢性性腺機能低下症を伴った場合
〔日本小児内分泌学会CCS委員会：小児がん経験者（CCS）のための内分泌フォローアップガイド（ver 1.2）．日本小児内分泌学会，2016〕

10万人当たり12.3である[1]．小児がん罹患後に長期生存が得られている患者のことを「小児がん経験者（childhood cancer survivors：CCS）」と呼称する．近年における小児がん治療の進歩は目まぐるしく，8割以上の患者で長期生存が期待できるようになった[2]．一方で，原疾患や治療の影響によって生じる様々な晩期合併症が問題となっている[3]．CCSの60〜90％以上が少なくとも1つ以上の晩期合併症を有しており，うち25〜70％が重度または生命にかかわるものとされる[3,4]．なかでも内分泌合併症は最多であり，CCSの40〜60％が何らかの内分泌代謝障害を呈する[4,5]．CCSの晩期内分泌合併症は成長や思春期に直接的な影響を及ぼすだけでなく，そのほとんどが生涯にわたって持続することから，CCSのQOLに配慮した長期的な健康管理が求められる[6]．

2）病因・病態

原疾患あるいはそれに対する治療が内分泌合併症の原因となり，成長障害や思春期早発症，性腺機能低下症，生殖能力低下，副腎皮質機能低下症，甲状腺機能異常，肥満・脂質代謝異常，耐糖能異常，骨代謝異常，中枢性尿崩症など様々な内分泌疾患を発症する可能性がある[6,7]．小児がん治療では，手術療法および放射線治療，化学療法，造血細胞移植，免疫療法などを組み合わせた集学的治療が行われており，複雑かつ複合的な合併症が生じうる[7]．表6[8]にCCSにおける治療別内分泌合併症の一覧を示す．

内分泌合併症をきたしうる原疾患の代表として脳腫瘍があげられる．特に視床下部・下垂体近傍に発生した場合には，腫瘍の直接的な浸潤・圧迫により下垂体機能が障害されるリスクが高く[9]，その術後合併症としても下垂体機能低下症をきたしやすい．

放射線照射は，晩期内分泌合併症の原因として最も重要である．放射線は，DNAを直接的に傷害するだけでなく，二次的に生じたラジカルによる間接的な傷害により細胞毒性効果を発揮する[6,7,10]．合併症の程度や発生時期は，照射部位や照射線量，分割照射のスケジュール，照射時の年齢，治療後の経過時間によって異なる[6,7]．特に視床下部は，頭蓋照射などによる放射線の影響を受けやすく，上位ホルモンの分泌が障害されることで二次性に下垂体ホルモンの分泌異常をきたす[6]．下垂体前葉ホルモンのなかでもGHは最も放射線感受性が高く，その他のホルモンがこれに続く（図2）[11]．さらに各分泌不全の発症率は，照射線量と経過時間に応じて増加する[11,12]．

多剤併用化学療法は小児がん治療において一般的な治療法であり，これらは腫瘍細胞だけでなく正常細胞をも傷害しうる[6,7,10]．おのおのの化学療法剤に対する内分泌腺の感受性は，細胞分裂の速度，標的としている生合成経路，薬剤の薬理学的分布の違いなどによって異なる[6,7]．

造血細胞移植は，移植前治療に伴う全身放射線照射（TBI）や大量化学療法の影響，慢性移植片対宿主病（GVHD）に対するステロイド投与の影響などから内分泌合併症をきたすリスクが高い[10,13]．

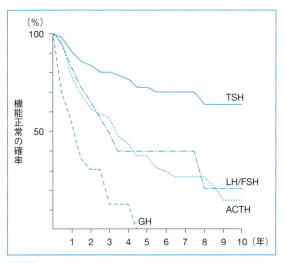

図2 放射線照射後(成人下垂体腫瘍)の下垂体機能
〔Littley MD, et al.: Hypopituitarism following external radiotherapy for pituitary tumours in adults. Q J Med 70：145-160, 1989より一部改変〕

3) CCS フォローアップガイドライン

アメリカ Children's Oncology Group[14]をはじめ各国個別のガイドライン策定がされており，統一された形式による国際標準化が試みられている．わが国では，2011年に日本小児内分泌学会CCS委員会から「小児がん経験者(CCS)のための内分泌フォローアップガイド[8]」が公開(2016年部分改訂)されており，2021年には「小児がん内分泌診療の手引き」として全面改訂予定である．前ガイドを踏襲しつつもCCS診療における新たな知見を取り入れ，晩期内分泌合併症のみならず，治療前に必要な内分泌的対応，治療中に生じる様々な内分泌代謝にかかわる問題とその対応についても記載されており，小児がん患者の発症から治療後に至るまでの内分泌的トータルケアを意識した手引きとなっている．

4) 診断・治療

原疾患および行われた治療などのリスク因子に基づき，積極的かつ計画的にスクリーニングを行う．小児期には成長曲線の作成は必須であり，思春期徴候や骨年齢の推移にも注意する．晩期内分泌合併症の診断と治療は，その他の病因で発症する内分泌疾患と基本的には同じである．ただし，CCSにおける病態は複合的かつ経時的に変化しうることに留意し，必要に応じて評価を繰り返すことが重要である．

5) 管理と予後(各論)[6〜8]

a. GH系

GHの分泌は生涯にわたり，成長促進だけでなく代謝調節にも密接に関与している．GH分泌不全症(GH deficiency：GHD)のリスク因子は，脳腫瘍やそれに対する手術，頭部への放射線照射である．照射線量18 Gy以上でGHDのリスクが高くなるが，低線量であっても経年的に発症率が上昇する[12]．そのため一度のGH分泌刺激試験に正常な反応を示したとしても，その後もGH分泌能が維持されているとは限らない．また，GHはその他の下垂体前葉ホルモンに比して障害されやすいため，GH以外のホルモン分泌異常が存在する場合にはGHDの併存を疑う必要がある．小児では低身長や成長率の低下を，成人では易疲労感，スタミナ不足，集中力低下，気力低下，うつ状態，性欲低下などの自覚症状，肥満・脂質代謝異常，糖代謝異常，骨代謝異常などを呈する．治療は欠乏するGHの補充である．GH治療は，がん発生率の高い基礎疾患をもつ患者において，がん発生率が上昇する可能性が指摘されているが，それ以外の患者における再発リスクの上昇は否定的と報告されている[15]．これらの状況を踏まえ，GH治療の可否，開始時期については個別の判断が必要である．

b. 性腺系

性腺は放射線治療や化学療法に対する感受性が高く，がん治療による影響を受けやすい．性腺障害のリスクは，性別，年齢，放射線治療の照射線量・照射部位・分割数，化学療法の種類・投与量によって異なる．

性腺障害は中枢性と原発性(末梢性)に大別できる．脳腫瘍や手術侵襲，頭部への放射線照射では，中枢性すなわちゴナドトロピンの分泌異常を呈しうる．ゴナドトロピンの分泌異常は，分泌不全だけでなく分泌亢進をきたしうる点で特徴的である．放射線治療では線量18 Gy以上でゴナドトロピン分泌亢進による思春期早発症を，30 Gy以上で分泌不全による性腺機能低下症をきたす可能性が高くなる．高用量放射線治療後には，一過性の中枢性思春期早発症の後に永続性の性腺機能低下症となることがあり注意が必要である．

固形腫瘍や血液腫瘍の場合には，その発生部位および治療により原発性性腺機能低下症をきたしうる．精巣は，局所への放射線照射や化学療法(アルキル化薬など)によって障害される．胚細胞やSertoli細胞は障害を受けやすい一方，Leydig細胞のテストステロン産生能は比較的保持されるため，精巣容量が小さいにもかかわらず中枢性思春期早発症をきたす場合や，二次性徴が正常に発現しても精巣発育や造精機能が著しく障害されている場合がある．卵巣は，腹部・骨盤への放射線照射や化学療法(アルキル化薬など)によって障害される．顆粒膜細胞のエストロゲン産生が低下し卵子数が減少することで，二次性徴の異常や早発卵巣不全

を呈する.

c. 副腎系

小児がん患者において視床下部－下垂体－副腎軸の障害は頻繁ではないが，その可能性を常に疑うことが重要である．ACTH分泌不全症（中枢性副腎皮質機能低下症）は，頭蓋照射30 Gy以上で合併の可能性が高くなるが，より低線量の放射線照射あるいは化学療法単独でも発症する可能性がある．臨床像は多彩かつ非特異的であり，不活発，易疲労感，体力低下，急性疾患からの体調回復の遅延，食欲低下，体重増加不良，低ナトリウム血症，低血圧などである．不足するグルココルチコイドの補充が必要であり，レニン－アンギオテンシン系で調整されているミネラルコルチコイドの補充は不要である．

コルゾール産生副腎腫瘍や長期間のステロイド投与では，ネガティブフィードバックによるACTH分泌の抑制により副腎皮質は萎縮し，機能低下をきたしている．腫瘍摘出後およびステロイド中止後には，ACTH分泌の回復に比して副腎皮質機能の回復が遅れるため一時的に原発性副腎皮質機能低下症の病態を呈する．そのため副腎皮質機能が回復するまでの間はグルココルチコイドとミネラルコルチコイド両方の補充が必要となる．

身体的・精神的ストレス時にはステロイド需要が増大するため，ストレス侵襲度に応じて維持量を増量する必要がある．グルココルチコイドの絶対的あるいは相対的な欠乏が生じると，副腎クリーゼ（急性副腎不全）をきたす危険性がある．副腎クリーゼは命にかかわる病態のため，グルココルチコイド補充を行っている場合には患者・家族への指導を徹底し，その予防および発症時の早期発見・早期治療に努める．2020年4月からグルココルチコイド自己注射が保険収載されており急変時対応の幅が広がっている．

d. 甲状腺系

小児がん治療後には，種々の甲状腺機能異常や甲状腺腫瘍の発症に注意が必要である．原疾患や頭蓋・局所・全身照射，^{131}I-MIBG治療，チロシンキナーゼ阻害剤や免疫チェックポイント阻害薬を含む種々の化学療法，造血細胞移植などがリスク因子となる．

頭蓋照射30 Gy以上ではTSH分泌が障害され，TSH分泌不全症（中枢性甲状腺機能低下症）をきたす可能性が高くなる．一方，甲状腺局所への放射線照射は，原発性甲状腺機能低下症，原発性甲状腺機能亢進症，甲状腺腫瘍のリスクとなる．低線量ではsubclinical hypothyroidismを示し，TSHが軽度上昇するものの甲状腺機能は正常範囲に保たれる．甲状腺癌のリスクは線量30 Gyまでは上昇するが，これを超えると線量依存的に低下していく[16]．

化学療法は単独でも甲状腺機能異常および腫瘍発症のリスクとなりうる．チロシンキナーゼ阻害薬は破壊性甲状腺炎を生じやすく，免疫チェックポイント阻害薬は自己免疫性甲状腺炎や，下垂体炎に続発する中枢性甲状腺機能低下症をきたすことがある[17]．

造血細胞移植では移植前治療の影響により甲状腺機能低下症をきたすリスクが高いが，ドナー由来のリンパ球によるTRAb産生や，GVHDによる甲状腺機能亢進症もきたしうる．

臨床像はそれぞれの病態により異なるが，たとえ無症状であっても定期的な診察と血液検査（TSH，FT$_4$，サイログロブリン），超音波検査などによる評価が必要である．

e. 糖・脂質代謝

小児がん治療後には，糖尿病や耐糖能異常，肥満，メタボリックシンドローム，脂質代謝異常を呈しやすく，定期的な体格評価と血液検査，尿検査でのフォローが必要である．

頭部および全身への放射線照射は，肥満およびメタボリックシンドロームのリスク因子である．頭蓋照射では，18 Gy以上でメタボリックシンドロームを，20 Gy以上で肥満をきたすリスクが高くなる．視床下部に対する脳腫瘍およびその手術による直接的な侵襲や，50 Gy以上の放射線照射は治療抵抗性の視床下部性肥満をきたしうる．

化学療法では，おもに固形腫瘍の治療に用いられるプラチナ製剤（カルボプラチン，シスプラチン）で高コレステロール血症などの脂質代謝異常との関連が指摘されている．

造血細胞移植後には，肥満の合併にかかわらず，脂質代謝異常や非アルコール性脂肪性肝疾患（NAFLD），耐糖能異常，脂肪萎縮症などをきたす可能性があり注意が必要である．

ACTH分泌不全症に対する過剰なグルココルチコイド補充や慢性GVHDなどに対するステロイドの長期投与では，医原性Cushing症候群による糖・脂質代謝異常を呈することがある．

f. 骨代謝

小児がん患者では，原疾患やその治療の影響により最大骨量の獲得が損なわれることで，将来的に骨密度が低下し骨折のリスクが高まる．骨粗鬆症は骨密度低下と骨質劣化により骨強度が低下する疾患であり，放射線治療や化学療法（メトトレキサート），ステロイドや免疫抑制薬の長期投与，造血細胞移植，GHDや性腺

機能低下症の合併，栄養状態不良，長期入院に伴う運動および日光照射の不足などがリスク因子となる．リスクを有する場合は，定期的な体格評価に加え，脊柱変形・腰背部痛の確認，胸腰椎 X 線側面像，骨密度検査（dual energy X-ray absorptiometry：DXA 法），血液検査，尿検査などで評価する．治療としては，整形外科的な介入のほかに，GHD や性腺機能低下症などの合併症への対応，薬物治療（カルシウム製剤，活性型ビタミン D 製剤，ビスホスホネート製剤の投与など）を行う．

g．水・電解質代謝

水・電解質代謝にかかわる晩期合併症には，おもに脳腫瘍治療後の中枢性尿崩症，本態性高ナトリウム血症，副腎不全による続発性低ナトリウム血症，化学療法や腹部への放射線照射による腎障害に伴う低ナトリウム血症がある．これらは原疾患の治療前あるいは治療中に発症することがほとんどであるが，長期フォローアップ中も適切にコントロールされているか確認する必要がある．

h．高血圧

治療に伴う腎障害および腎血管性高血圧，肥満，メタボリックシンドローム，ステロイド投与などがリスク因子となる．腎障害は，化学療法（イホスファミド，シスプラチン，メトトレキサートなど），腎を含む部位への放射線照射，腎部分切除・腎摘出，造血細胞移植に伴う免疫抑制薬の使用，支持療法における抗菌薬の使用などによって起こりうる．高血圧は CCS の心血管疾患リスク増大に寄与することが報告されており[18]，血圧コントロールは心血管イベントの予防に極めて重要である．

6）最新知見

現在晩期合併症とともに課題となっているのが，成人期フォローアップへの移行（トランジション）である．実際，日本における移行支援プログラムやチームの普及は極めて限定的である[19]．小児診療科，成人診療科を含む多職種間の相互コミュニケーションを基盤とした長期フォローアップシステムの全国的な構築が望まれる．また，成人期医療においては患者自身が主体性をもって自己健康管理に臨む必要があるため，患者家族教育をはじめとした包括的サポートを小児期から継続することが重要である．

❖ 文献

1) Katanoda K, et al.：Childhood, adolescent and young adult cancer incidence in Japan in 2009-2011. Jpn J Clin Oncol 47：762-771, 2017
2) National Cancer Institute. SEER Cancer Statistics Review (CSR) 1975-2017, 2020 http://seer.cancer.gov/csr/1975_2017（accessed 2021-09-10）
3) Oeffinger KC, et al.：Chronic health conditions in adult survivors of childhood cancer. N Engl J Med 355：1572-1582, 2006
4) Hudson MM, et al.：Clinical ascertainment of health outcomes among adults treated for childhood cancer. JAMA 309：2371-2381, 2013
5) Mostoufi-Moab S, et al.：Endocrine abnormalities in aging survivors of childhood cancer：A report from the childhood cancer survivor study. J Clin Oncol 34：3240-3247, 2016
6) Rose SR, et al.：Late endocrine effects of childhood cancer. Nat Rev Endocrinol 12：319-336, 2016
7) Gebauer J, et al.：Long-term endocrine and metabolic consequences of cancer treatment：A systematic review. Endocr Rev 40：711-767, 2019
8) 日本小児内分泌学会 CCS 委員会：小児がん経験者（CCS）のための内分泌フォローアップガイド（ver1.2）．日本小児内分泌学会，2016
9) Taylor M, et al.：Hypothalamic-pituitary lesions in pediatric patients：endocrine symptoms often precede neuro-ophthalmic presenting symptoms. J Pediatr 161：855-863, 2012
10) 日本小児血液・がん学会（編）：小児血液・腫瘍学．診断と治療社，2015
11) Littley MD, et al.：Hypopituitarism following external radiotherapy for pituitary tumours in adults. Q J Med 70：145-160, 1989
12) Vatner RE, et al.：Endocrine deficiency as a function of radiation dose to the hypothalamus and pituitary in pediatric and young adult patients with brain tumors. J Clin Oncol 36：2854-2862, 2018
13) Ishida Y, et al.：Late effects and quality of life of childhood cancer survivors：part 1. Impact of stem cell transplantation. Int J Hematol 91：865-876, 2010
14) Children's Oncology Group：Long-term follow-up guidelines for survivors of childhood, adolescent, and young adult cancers. Version 5.0, 2018 http://www.survivorshipguidelines.org/（accessed 2021-09-10）
15) Nishi Y, et al.：Recent status in the occurrence of leukemia in growth hormone-treated patients in Japan. GH Treatment Study Committee of the Foundation for Growth Science, Japan. J Clin Endocrinol Metab 84：1961-1965, 1999
16) Sigurdson AJ, et al.：Primary thyroid cancer after a first tumour in childhood（the Childhood Cancer Survivor Study）：a nested case-control study. Lancet 365：2014-2023, 2005
17) Torino F, et al.：Thyroid dysfunction as an unintended side effect of anticancer drugs. Thyroid 23：1345-1366, 2013
18) Khanna A, et al.：Increased risk of all cardiovascular disease subtypes among childhood cancer survivors：Population-based matched cohort study. Circulation 140：1041-1043, 2019
19) Miyoshi Y, et al. A nationwide questionnaire survey targeting Japanese pediatric endocrinologists regarding transitional care in childhood, adolescent, and young adult cancer survivors. Clin Pediatr Endocrinol 29：55-62, 2020

〈岡田　賢〉

第15章 小児内分泌疾患の成人診療へのトランジション

A トランジションの基本的考え方と課題

1）トランジション（移行期医療）とは

近年様々な治療法の開発や治療体制の整備などにより，小児期に慢性疾病に罹患した患者の死亡率は著しく減少し，多くの子どもたちの命が救われるようになったが，その一方で，原疾患の治療継続が長期にわたり必要で，あるいは合併症を伴ったまま思春期，さらには成人期を迎える患者が増加してきている．この場合，小児期発症疾患の継続診療に当たっては，単に小児科から成人診療科へ転科（トランスファー）すればよいというものではなく，小児期医療から準備をし，個々の患者に相応しい形で成人期医療へ移り変わることが必要であり，それを移行期医療という．

そこでは，小児科で行われている保護的な医療から，患者が自己決定権を直接に行使できる自律的な医療へと変化していくため，患者の人格の成熟を促すことが求められる．また原疾患や合併症の病態が加齢とともに変化し，成人期の病態生理が形成されていくことから，それに見合った成人期医療の体制整備も必要である．

アメリカでは，2002年にアメリカ小児科学会が，他の成人期医療関連学会と合同で次のような声明を発表している[1]．「トランジションとは，小児期発症疾患患者が小児期から成人期に移行するに当たり，個別のニーズを満たそうとするダイナミックで生涯にわたるプロセスのことである．その目的は，患者が思春期から成人期に移行するに当たり，継続的で良質，かつ発達に即した医療サービスを提供することを通して，患者が生涯にわたりもてる機能と潜在能力を最大限に発揮することである．トランジションは，患者中心であり，柔軟性と感受性を有し，継続的かつ包括的，協調的であることを基本とする．」

2）わが国および日本小児科学会の移行期医療への取り組み

わが国では，1990年代から移行期医療の重要性が認識されるようになり，そのあり方についての議論がなされ，日本小児科学会のワーキンググループより「小児期発症疾患を有する患者の移行期医療に関する提言」が出された[2]．そのなかで，移行期医療の基本的な考え方として，移行に当たり患者の自己決定権が保障されること，年齢とともに変化していく病態に適切に対応することと成人診療科へのシームレスな医療提供，患者の成熟に基づき管理の主体を保護者・医療者から患者自身へと移していく必要があること，などがあげられている（図1）[2]．

2015年からは「小児慢性特定疾病児童成人移行期医療支援モデル事業」が実施され，2017年に厚生労働省から出された通達により，各都道府県に移行期医療支援センターを設置することが促された．さらに2020年には「小児期発症慢性疾患を持つ患者のための成人移行支援コアガイド（原稿執筆時 ver. 1.1）」が作成された[3]．本ガイドでは，移行期の医療には様々な課題があることを踏まえ，①成人になっても良質の医療が継続されるようにすること，②医療だけでなく，心理的・社会的な問題，教育や就労も考える多面的な支援計画であること，③保護者ではなく患者自身が管理できるようにすることなどを目標とすることを求めている．また移行プログラムの具体的な方法論の一つとして，Six Core Elements of Health Care Transition（移行期医療に関するおもな六つの構成要素）をあげている（表1）[3]．

3）日本小児内分泌学会（JSPE）の取り組みと課題

小児期発症の内分泌疾患のほとんどは，疾患を有したまま思春期を過ごし成人期を迎えることから，まさに移行期医療の重要性が認識され，JSPEでは2014年に移行期対応委員会を設置し移行期医療についての検討をはじめた．同委員会では，JSPE評議員へのアン

II 各 論

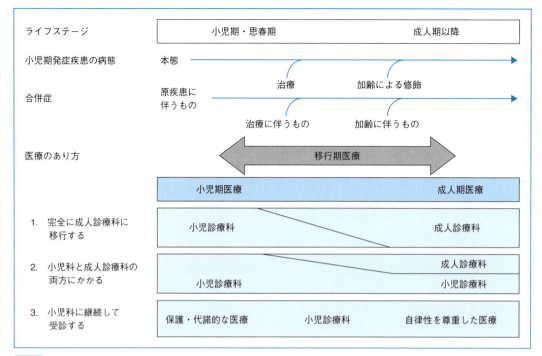

図1 移行期医療の概念図
〔横谷 進:移行期の患者に関するワーキンググループ委員会報告 小児期発症疾患を有する患者の移行期医療に関する提言. 日児誌 118:98-106, 2014〕

表1 Six Core Elements of Health Care Transition:移行期医療に関するおもな六つの構成要素

1. Transition Policy:移行ポリシー
   移行のための実際的な方法を説明する文書(移行ポリシー)を作成し,患者,家族に伝える.すべてのスタッフに実践的なアプローチを教育する.移行ポリシーを公開し,患者,家族と共有および検討する.移行支援の開始年齢は12〜14歳とし,ケアの一環として定期的に見直す
2. Transition Tracking and Monitoring:移行のフォローとモニタリング
   移行中の青年期患者の進捗を確認するための基準を作成し,レジストリ登録を行う.若年成人については26歳までを対象に,移行のフォローとレジストリ登録を行う
3. Transition readiness:移行の準備
   セルフケアの必要性や目標を,患者と保護者と確認し議論をするために,14歳から移行評価シート(チェックリスト)を使用する.患者と保護者とでセルフケアのゴールを作成する.成人施設では患者を迎えてオリエンテーションをする方法を検討する
4. Transition Planning:移行の計画
   移行支援計画を作成し,評価シートの定期的チェック,医療サマリー(患者と共有)や緊急時のケアプランを作成する.治療の意思決定を保護者から本人へ移行するための準備をする.転科の最適な時期について話し合う.適切な社会資源につなげる
5. Transfer of Care:転院・転科
   患者の状態が安定している時に転科を行う.移行に必要なパッケージ(チェックリスト,最新の移行支援計画,移行サマリー,緊急時のケアプラン,その他必要な情報提供書など)を準備する.成人診療科で必要な資料を添付した診療情報提供書を送付し,受入れの確認をする.成人側ではチームメンバーで準備,初回受診時には移行サマリーと緊急時の対応をアップデートする
6. Transition Completion:移行の完了
   患者・保護者とは,転院・転科後も6か月は連絡を取り,連携を図る.成人側では必要な支援,サービスや専門診療科と連携など,ケアチームを構築する.移行の完了の確認をし,成人側での状況を評価,フィードバックを得る

〔小児期発症慢性疾患を持つ患者のための成人移行支援コアガイド http://52.74.49.126/ikou/guide〕

ケートを実施,またカウンターパートである日本内分泌学会,日本糖尿病学会および日本糖尿病協会の成人診療科の医師との連携なども行い,最終的に「移行期医療支援ガイド」を作成し,2019年9月にJSPEホームページに掲載している[4].支援ガイドでは,総論として,移行期医療に関する提言,診療ロードマップと

チェックリストを提示し，さらに代表的な疾患として，先天性副腎過形成症（21水酸化酵素欠損症），複合型下垂体ホルモン欠損症，1型糖尿病，Prader-Willi症候群の4疾患について，移行期医療支援ガイドを作成した．

これから移行期医療を進めていくうえで，まだ多くの課題が残されている．まず私たち小児内分泌科医がかかわる疾患が多岐にわたることから，疾患ごとに成人診療科との連携を構築する必要がある．上記4疾患の支援ガイドを参考に，各疾患の特性を踏まえた移行支援のあり方を考えていくことが望まれる．次に，内分泌疾患に限らないが，知的あるいは発達障害を伴う患者の移行は大きな問題であり，移行スケジュールを遅らせたり，より手厚い支援をしたりなど，成人期医療への移行は個別対応をしなくてはならない[5]．さらに，移行期医療支援体制の整備の度合いが地域によって異なることも課題の一つである．今後，各自治体での移行期医療支援センターの設置を進めるとともに，地域ごとの状況にあわせて移行期医療のあり方を検討していくことが肝要である[4]．

❖ 文献

1) American Academy of Pediatrics, et al.：A consensus statement on health care transitions for young adults with special health care needs. Pediatr 110：1304-1306, 2002
2) 横谷　進：移行期の患者に関するワーキンググループ委員会報告　小児期発症疾患を有する患者の移行期医療に関する提言. 日児誌 118：98-106, 2014
3) 小児期発症慢性疾患を持つ患者のための成人移行支援コアガイド
http://52.74.49.126/ikou/guide（2020年12月24日アクセス）
4) 日本小児内分泌学会：移行期医療支援ガイド
http://jspe.umin.jp/medical/transition.html（2020年12月24日アクセス）
5) White PH, et al.：Supporting the health care transition from adolescence to adulthood in the medical home. Pediatr 142：e20182587, 2018

（藤原幾磨）

B 移行期支援の実際

移行期支援の実際について，21水酸化酵素欠損症（21OHD）を例にして述べる．

マススクリーニングの普及に伴い，大半の21OHD患者に対する小児（内分泌）科医の介入は新生児期より開始される．成長にあわせた治療の適正化を行うとともに，患者の成長の過程に応じて患者・家族の疾患理解，患者の自律的な治療参加を促し，移行に向けての準備を進める．

乳幼児期は患者・家族との関係性の構築に努めるとともに，就学以降は患者の心理的発達段階に応じて，治療に対する自立および主体性の獲得を目標としたサポートを進めていく．転科を検討する時期には，チェックリストなどを用いながら理解度を確認し，療養行動や将来的な健康管理に対する理解を深めていく．カウンターパートとして内分泌代謝内科に加え，特に挙児や不妊に対して，産婦人科・泌尿器科や臨床遺伝科との連携も必要となる．怠薬などによる副腎不全を避けるだけでなく，中長期的な合併症を予防していくうえで，移行期医療は重要な役割を担う[1]．

生涯にわたる治療を要する21OHDにおいて，小児科から成人診療科へのトランジションは避けられない問題であり，海外のガイドラインにおいても円滑な移行に向けての提言がなされている[2]．一方で，最近のイギリスの調査研究では，成人21OHD患者のうち，専門内科での診療継続が行われているのは10%以下であり，それ以外の多くは家庭医あるいは産婦人科でフォローされている可能性が示唆された[3]．わが国においては，2019年9月に21OHDの移行期医療支援ガイド[1]が小児内分泌学会から提言されたが，国内における移行期医療の実態はまだ不明な点が多い．

本項では，移行期における21OHDの診療上の問題点と移行期医療に対する国内調査の結果を示す．

1) 移行期・成人期医療の問題点

a. 成人期診療の概要

成長の完了した移行期・成人期の治療は，治療量不足による副腎不全症状，ゴナドトロピン分泌異常，女性の男性化・月経不順，性腺の副腎遺残腫瘍を起こさせないことを目的とする．同時に，治療量過剰による医原性Cushing症候群や高血圧を生じない至適治療量を検討する必要がある．小児期とは明らかに治療目標が異なることを前提に治療を調整しなければならない．また，精神的健康，行動上の問題などに対するサポートや女性での小児期手術に関連した腟狭窄，尿路感染症に対する対応も必要である．

至適治療量の設定やモニタリング指標として普遍的に確立したものはなく，投与量，設定範囲は個別化が必要である．治療目標やそれに伴う至適治療量は年代に応じて変化しうることを念頭におき，状況に応じて泌尿器科や産婦人科，精神科との連携構築を検討する．

b. 生殖の問題

適切に治療された21OHD患者の多くは生殖能力が維持されると考えられているが，治療量の不足は男女

ともに不妊の原因となりうる．男性の生殖能低下は，精巣の副腎遺残腫瘍(testicular adrenal rest tumor：TART)の存在や副腎アンドロゲン過剰による低ゴナドトロピン性性腺機能低下症による．TART の合併頻度は報告によって異なるが，前思春期より増加するため，超音波検査によるフォローを小児期より開始し，成人診療科へと引き継いでいく必要がある[2]．明確な基準は示されていないが，挙児希望に応じた治療量の調整も検討される．女性では，アンドロゲン過剰による卵巣機能低下のほか，小児期手術に関連した腟狭窄による性交障害なども不妊の原因となりうる．また，手術を受けたことによる精神的な不安から，そもそも性交に至らない率が高いことが報告されており，精神的なサポートや泌尿器科・産婦人科の継続的なケアが求められる．妊娠期の推奨治療量は確立されておらず，個別に至適治療量を検討する必要があるため，計画的な妊娠・出産および 21OHD 治療に精通した産婦人科医や生殖内分泌科医，内分泌内科医との連携が推奨される[2]．

c. 社会的問題

年齢を問わず，服薬アドヒアランスの低下をどのように予防するかは重要であり，小児期より継続的かつ段階的に教育を行う必要がある．移行を進めるうえで，患者自身が自立・自律して内服が可能となり，疾患の特性や発熱時などの対応を十分に理解し，将来的な合併症のリスクについて正確に把握できていることが求められる．緊急時用のカード(病名，処置，緊急連絡先を記載)の携帯も推奨される．

就労時は，勤務先の環境整備についても一定の配慮が必要である．必要に応じて，難病相談支援センター相談窓口や就職先の上司など職場のキーパーソンと連携し，職場でも内服継続が必要であること，定期的な病院受診や体調不良時に休暇を要することも説明しておくとよい．

2) 21OHD の移行期医療に関する実態調査[4]

2019 年に，わが国における 21OHD の移行期医療の実態調査として，日本小児内分泌学会評議員を対象としたアンケート調査が行われた．190 名の評議員が所属する 140 施設を対象に質問紙調査を行い，109 施設(回収率 78%)の返答を得た．

a. 小児内分泌科医による成人 21OHD 患者診療の実態

20 歳以上の古典型 21OHD 患者を診療している施設は，109 施設中 46 施設(42%)であり，施設の内訳としては，大学病院 43%，総合病院 37%，小児病院が 11% であった．各施設の診療症例数は中央値 2.5 症例(1〜21)であり，3 症例以下の施設が 72% である一方，10 症例以上診療している 6 施設(大学病院 5，小児病院 1)で全体症例の 45% を診療していることがわかった．

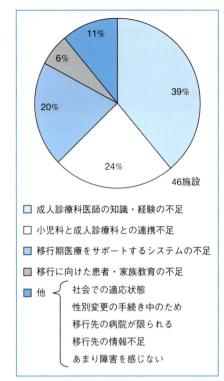

図2　21OHD の移行期医療に関して最も障害となると思われる点

成人 21OHD 診療を行っている 46 施設を対象に，移行期医療の障害となる点について質問した結果を図 2 に示す．カウンターパートとなる成人診療科の不在あるいは連携の問題が 63% を占めた．この点に関しては，施設間差あるいは地域差があることが推測されるが，小児期より継続的かつ段階的に移行を進めていくうえでの大きな障害であると考えられた．

b. 小児内分泌科医が診療する成人 21OHD 患者の実態

前述の 46 施設の各主治医を対象に，小児科で診療を継続している成人古典型 21OHD 症例と，内科へ転科した症例に関する二次調査を行った．134 例中 115 例(85.8%)の小児科継続例と 39 例の内科転科例の回答が得られた．

患者内訳を表 2 に示す．小児科継続例の平均年齢は 28.9±7.7 歳(20〜48)であり，内科転科例の転科時年齢は 25.6±7.7 歳(20〜52)であった．継続例における小児科診療継続理由は，50% が本人希望であり，成人診療科に専門医がいない，あるいは診療が困難といわれた例が 31% であった．また，継続例のうち，5 例(4.3%)

表2　21OHDの患者内訳

	小児科継続例	内科転科例
症例数	115(53)	39(16)
調査時年齢	28.9±7.7 [20-48] 男性：27.5±6.7 女性：30.4±7.9	
転科時年齢		25.6±7.7 [20-52] 男性：22.9±5.0 女性：28.2±8.1
継続理由	本人希望：57(27) 専門不在：15(8) 診療不可：21(9) その他　：22(9)	
転科先		他施設内科：15(8) 同施設内科：19(5) その他　　：5(3)
結婚の有無	既婚：14(7) 未婚：96(45) 不明：5(1)	既婚：7(3) 未婚：26(11) 不明：6(2)
挙児(男性)	5	2
出産(女性)	2	3

(　)：男性

表3　継続例の調査時および転科例の転科時における合併症の有無

	小児科継続例				内科転科例			
	全体	男性	女性	不明	全体	男性	女性	不明
n	115	53	62		39	16	23	
肥満	30	14	16	6	10	2	8	1
高血圧	8	3	5	12	1	0	1	4
糖尿病	3	0	3	10	1	0	1	2
脂質異常	11	5	6	10	4	1	3	2
骨粗鬆症	5	4	1	58	0	0	0	15
不妊	3	1	2	88	3	2	1	18
月経異常			15	5			3	
外性器形成術			44				18	
泌尿器科通院			21				4	
産婦人科通院			11				4	
性別違和			4	6			0	10
TART		5		13		1		8

肥満：BMI＞25, 高血圧：収縮期＞140 mmHg あるいは拡張期＞90 mmHg, 糖尿病：HbA1c＞6.5％, 骨粗鬆症：YAM＜70％

は内科転科後に患者希望により小児科での診療に戻った例であった．これらの結果からは，カウンターパートやシステムの整備に加え，移行に向けての患者教育における問題点も示唆される．

結婚の有無に関しては，継続例で13％，転科例(転科時)で21％が既婚であった．女性患者の出産は，継続例の3.2％，転科例(転科時)の13％で確認され，男性患者の挙児は，継続例の9.4％，転科例(転科時)の12％で確認された．結婚に際するパートナーへの説明や妊娠・出産，挙児などのライフイベントへの対応にも小児内分泌科医が関与する現状が明らかになった．

c．合併症管理

継続例の調査時，および転科例の転科時における合併症の有無に関して，表3に示す．

継続例の28％に肥満(BMI＞25)を認め，転科時にも26％に認めた．継続例では，肥満例の23％に高血圧，10％に糖尿病や脂質異常を認めた．アメリカの報告でも成人21OHDの1/3に肥満を認めるとされる[5]が，本研究において，肥満例の4割前後は20歳代に肥満を認めていることから，肥満の要因として小児期・青年期の治療の影響が考えられた．

女性例の71％は外性器形成術を受けているが，小児泌尿器科の併診は48％にとどまった．継続例の26％に月経異常を認めたが，産婦人科の併診は18％であった．不妊は女性で2例，男性で1例確認されたが，77％の症例で不妊の有無について確認されていなかった．

小児科での診療継続を行う際に，生殖に関する問題を主治医が把握しきれていない可能性が示唆される．

骨粗鬆症(YAM＜70％)は，5例(8.8％)で確認され，既報[6]に比して低い水準であったが，継続例の50％，転科例の38％で未評価であり，過小評価されている可能性も否定できない．また，男性例の12.5％にTARTを，女性例の7.1％に性別違和が確認された．転科や移行に際して，成人21OHDを取り巻く諸問題や課題に総合的に対応するために，内科のみならず，産婦人科，泌尿器科，精神科などの他科との連携を構築する必要があることが示唆された．

3) 21OHDにおける移行期医療の今後の展望

21OHDのマススクリーニングは1989年1月から施行され，30年以上が経過した．マススクリーニングにより新生児期に診断され治療が開始された世代が親となる現在においても，21OHDの移行期医療にはまだ多くの問題や課題が山積している．カウンターパートとの連携やシステムの整備といった移行期医療の基盤となる部分だけでなく，小児(内分泌)科医の移行期医療に対する意識も醸成していく必要がある．前述のように成人期には小児期とは明らかに治療目標が異なることを前提に治療を調整しなければならない一方，小児期の治療もまた成人期の治療を見据えて計画を立てていく必要がある．本来的には移行期支援とは，転科前後の数年に限るものでなく，小児期ひいては診断時

から継続的かつ計画的に行われるべきである．

　小児期からの継続的な診療は，医師―患者（家族）関係の構築のうえで重要であるが，転科の際には関係性の再構築が求められ，継続的なサポートが途切れないような配慮が必要になる．特に生殖面や心理面でのサポートは医師―患者間の信頼関係のうえではじめて成り立つものであり，移行に際して十分な準備が必要である．この点においても，医療者間での連携や体制づくりだけでなく，患者の自立・自律を促す患者教育もまた重要であるといえる．

　海外のガイドラインにおいても，小児内分泌科からの移行期は，18歳以降に数年かけて成人診療科（内分泌内科，婦人科，泌尿器科）との併診を経て，段階的に移行することが推奨されている[2]．わが国の実態調査からは，①カウンターパートの不在／連携の問題，②移行に向けての患者教育，③合併症管理や総合的ケアのための他科連携，といった課題が浮き彫りになった．段階的な移行において，小児内分泌科医は診療に加え，他科連携・環境整備のハブとしての役割が期待される．また，画一的な対応・対策には限界があることから，地域や施設ごとの移行期支援の在り方を模索していく必要があり，その先導的な役割をそれぞれの小児内分泌科医が担うことが求められる．

❖ 文献
1) 高澤　啓，他：先天性副腎過形成症（21水酸化酵素欠損症）移行期医療支援ガイド，小児内分泌学会，2019 http://jspe.umin.jp/medical/files/transition/CAH.pdf（アクセス日 2021年3月8日）
2) Speiser PW, et al.：Congenital Adrenal Hyperplasia Due to Steroid 21-Hydroxylase Deficiency：An Endocrine Society Clinical Practice Guideline. J Clin Endocrinol Metab 103：4043-4088, 2018
3) Arlt W, et al.：Health status of adults with congenital adrenal hyperplasia：a cohort study of 203 patients. J Clin Endocrinol Metab 95：5110-5121, 2010
4) Takasawa K, et al.：Current status of transition medicine for 21-hydroxylase deficiency in Japan: from the perspective of pediatric endocrinologists. Endocr J 2021. Aug 7. doi: 10.1507/endocrj.EJ21-0292　[Online ahead of print]
5) Finkielstain GP, et al.：Clinical Characteristics of a Cohort of 244 Patients with Congenital Adrenal Hyperplasia. J Clin Endocrinol Metab 97：4429-4438, 2012
6) Falhammar H, et al.：Fractures and bone mineral density in adult women with 21-hydroxylase deficiency. J Clin Endocrinol Metab 92：4643-4649, 2007

（高澤　啓）

C　円滑な移行期医療を進めるために

1) 小児内分泌疾患での移行の必要性[1〜3]

　小児内分泌疾患を診療する医師は，先天性疾患の診療においても，診断後から将来の発達，発育，自立へのプロセスを意識した治療をすべきである．移行が望ましい理由として，第一に，成人年齢まで小児科で診ていくことが本人の自立にマイナスになる可能性があげられる．小児科医の働く施設，環境では一般的に対象患者が子どもであるがゆえに様々な配慮をして診療に当たっている．具体的には，学校に対する配慮，子どもであるがゆえのより時間をかけた手続き，説明，プレパレーションなどである．医療者がこうした姿勢で対応している場所では，患者が移行年齢に達しても自立を促しにくいと思われる．慢性疾患をもつ小児の自立は時に遅れ，このことにより本人に社会的な問題を生じうる．子どもが段階的に親から離れるように，小児期に発症し慢性化した内分泌疾患患者も成人診療科に移行していくのが自然といえる．

　第二に，成人年齢になって以降，原疾患とは直接関係の薄いものを含む中高年特有の疾患の合併が生じたときの問題があげられる．たとえば，小児科医では，成人に多い悪性腫瘍をすばやく診断/治療できない可能性が高い．こうした成人特有の疾患の加療において小児科病棟に入院させることは患者の不利益につながる可能性が高い．また，こうしたときに急に内科の病院と連携することは現実的に困難である．

　第三に，引き継ぎの問題がある．仮に上記の2点を解決，工夫しながら小児科医が自ら定年まで診療を続けたとしても，その医師の定年後の診療が適切に継続されにくい．その時点ですでに中高年に達している患者を的確に診られる小児科医，あるいはその時点で快く診療を引き受ける成人診療科医はなかなかみつからない．

2) 円滑な移行期医療を進める際の前提

　現状で円滑な移行を進めるために最も必要な要素は，小児科側医師が移行の必要性を認識することである．小児内分泌学会からの提言[1]ではこの認識以外に具体的な要素として，①「成人期医療への移行に向けた患者教育（ヘルスリテラシーを含む）」，②「成人診療科医師の小児慢性疾患に対する知識・経験の蓄積」，③「小児科医と成人診療科医との連携」の三つがあげられている．これらの3点の重要性は，2014年に小児内分泌学会で行った評議員へのアンケートにより国内で

も確認された[4]．

①に対しては，Bondyらも早期から移行の必要性を含めた本人への教育の重要性を論じている[5]．②については，特定の診療施設，診療科に同じ疾患の移行症例を繰り返し紹介することなども解決方法の一つである．③については，1回で移行を完了するのではなく，時間をかけて行き来することで，医療者・養育者の不安，ストレスを軽減する，共通の方針を確認できる．何らかの理由で，移行がより困難な症例では，この行き来の前，最中に，合同の会合がもてれば，さらに理想的である．

小児科と成人診療科を行き来する具体的期間に関してBondy[5]，Farreら[6]は重複期間をおいて移行を完了，転科することを勧めている．疾患・社会的背景の複雑さ，移行先の疾患，移行の習熟度，相互の信頼関係，家族の不安などにより個別化は必要であるものの，半年から1年程度，小児科と成人診療科の双方の診療を重複させる期間をおくことは選択肢の一つである．何か問題が生じるのは，はじめて先方に行く場合に多いことを考慮した備えがシステムとして存在すれば，より理想的である．なお，この重複期間に小児科医療チームで注意すべきことは，診療の主体はこの時期，すでに成人診療科，およびそのチームにあるとの立場である．

移行困難となりうる特殊例として，まず，知的障害・発達障害の程度が強いケースがあげられる．こうした症例ではより時間をかけた移行，多職種のサポートを要すると思われる．また，家族も巻き込んだ取り組み方を十分に考慮すべきであろう．上述の障害が強い場合，症例ごとに個別化を要し，たとえば，小児科による診療を継続する選択肢も用意されなければならない[1]．また，実務的には，複数診療科が関与している症例では，診療科ごとに準備，計画が必要であり，必然的に時間を要し，移行は容易ではない．こうした場合，最も移行が進みやすいと判断される診療科からはじめる，あるいはハブになると思われる診療科から移行を進めることを筆者らの施設ではしている．

3）円滑な移行期医療を進める段階での重要事項

移行期医療の推進のための実務的な重要事項を，一般論を中心として記載した．以下a〜eなどの準備，手順，方法が円滑な移行に有用と考えられる．

a. 診断後，年齢に応じた診療態度，体質の説明

将来の移行に向けた準備として，本人にも年齢に応じた，診療態度，段階的な説明を行う．たとえば，乳幼児にも診療者が直接視線をあわせ，声をかける時間を作ることも，信頼関係の樹立に役立つ．一定年齢以上，小学校高学年から中学生以降では，養育者とともに診察室で診療するのみならず，本人だけが診察室に入り医療者と会話できる環境を積極的にとることは，自立支援，信頼関係の醸成，質の高い聴取，特に精神社会的情報の聴取に有効である．

また，年齢に応じた段階的説明は，自立のみならず，より理想的な疾患の最終的理解に必須のプロセスである．段階的な理解がされていることにより，よりスムーズな成人年齢での理解につながる．

b. 移行の必要性の説明

将来，適切な年齢で小児科から，成人診療科に移行する旨およびその必要性を中学生以降には説明しておくように心がける．説明の内容としては，①今後，成人特有の合併疾患管理が必要，②成人としての自立を考えること（小児科の環境は必ずしもふさわしくないこと），が中心である．

c. 移行直前の体質の理解，自立の程度の再確認

この確認には，チェックリスト（表4）が有効である．このツールは，移行期医療を進める際，本人の疾患の理解，自立の程度を確認する際に利用される．広く一般的な疾患を想定し電子カルテですぐに利用できるフォーマットのものも作成可能である．

これらの項目をどの時点で，どのくらい理解できているかを移行期医療に関係する医療者で共有することは有用である．また，この項目は成人診療科に転科するかの目標設定としても利用できる．患者により，到達する目標は異なる．さらに，このチェックリストの結果を印刷したものは，患者の自立，疾患の理解の状態を成人診療科に伝えるツールとしても有効である．

こうしたチェックリストを利用するなかで，診断後からの診療の経過を本人に理解させる方法として，診療のサマリーの作成を推奨する指針は複数存在する[7〜9]．通常記載される項目は，疾患の現状・治療，診療歴，今後必要な診療・検査，日常生活での注意点，緊急を要する症状とその対応，医療費助成（難病指定，身体障害者手帳）などである．本人がわかる言葉で書くことが重要とされ，本人に書かせることも選択肢となる．完成後は，複数部数を印刷し，本人用，家族用，移行先診療機関用などに用いることができる．

d. 移行期医療の開始時期，完了時期，移行先医療機関の検討

一般論として，移行，転科の時期については，患者の様々な状況，支援体制，成人診療科の受け入れ態勢などから総合的に判断される．医療的，社会的に複雑な問題が存在しない場合，かつ，成人診療側の受け入

II 各　論

表4　医療者が利用するより一般的なチェックリスト（青字は記入の例）

		チェック項目	はい	ある程度	いいえ	該当なし
病気, 治療	1	病名／体質を知っていますか	2018年1月			
	2	受けている治療, 薬の効果／副作用を知っていますか	2018年3月	2018年1月		
	3	気をつける症状／応急処置を知っていますか	2018年3月	2018年1月		
健康管理	4	医療記録, 検査記録を管理していますか		2018年3月	2018年1月	
	5	生活での注意事項を相談したことがありますか		2018年3月		
	6	結婚／妊娠・出産について相談したことがありますか				2018年1月
自立, 受け止め	7	自分自身で生活の管理ができますか		2018年1月		
	8	病気のことを周囲の人に話せますか			2018年1月	
その他（疾患特異的事項）	9	成人期の合併症を知っていますか				
	10	（自由記入）				
コメント	1	（自由記入）				

電子カルテでは，更新ができるような使用法も可能である

れ態勢の問題もない場合，入学，就職など進路の区切り，結婚などのライフイベントなどにより，個別に時期を考慮する．たとえば，社会的に複雑でない橋本病の場合，高校入学後に移行の最終段階を完了させることが可能である．逆に，社会的に，あるいは医療的に複雑な場合，さらには思春期，性発達特有の何らかの社会的，精神的な困難な状況があるような場合には，そうした問題に一定期間，小児科側の医療者が診療を継続することが望ましい．こうした場合の，移行の完了は，20歳代を目安として提案する．その他の事項として，社会的背景が複雑な症例での，現在の社会，生活支援体制の維持，継続の必要性も移行の時期に関係する．成人診療科への移行に伴い，公的な支援体制を失うことがないように，転科のタイミング，その方法を決定する必要がある．

e．看護師，その他の医療およびその関連するスタッフによる移行期医療の推進

成人診療科への移行に当たり，本人の受け入れや理解度，精神的成熟度，社会的能力に不安があり，特に時間をかけたい症例では，看護師による外来枠を設けて対応することも有効である．こうした移行外来では前述したようなチェックリスト（表4）を用いて，たとえば，Turner症候群の体質についてどのように捉えているか，不妊についての理解ができているかを確認することもできる．また，医師からの説明の理解度や移行に伴う不安なども聞き出すことも可能である．

一定以上の規模の病院，中核施設では，さらなる多職種連携体制の整備が望まれる一方，人的資源が限られている場合は，医師が興味をもち，協力してもらえる看護師1人と協働することからスタートすることが現実的方法となる．TRAQ, six core elements[10,11]のいずれでも医師，看護師が協力して移行を進めることが前提となっている．看護師との協働の重要性は上述したとおりである．

医療費／公費負担の問題の存在，社会資源の必要となる環境，心理社会的問題の存在がある場合には，ソーシャルワーカー，心理士のサポートが不可欠である．こうした他職種での移行支援を行うような大規模の施設では，病院の理解，移行支援委員会のような組織の存在が重要である．

逆に，こうした支援を行うための十分な職種が揃わない小中規模の施設では，医師，看護師だけで(場合によっては，医師だけで)本人の自立，疾患の理解を確認して，移行期医療を進めるのが現実的である．2019年度から各県に移行支援センターが認定される動向があり，小中規模の施設において移行期医療を進めるのがむずかしい場合に，センターとなる施設にコンサルトできる仕組みが想定されている．

文献

1) 横谷　進，他：移行期の患者に関するワーキンググループ委員会報告　小児期発症疾患を有する患者の移行期医療に関する提言．日児誌 118：96-106, 2014
2) American Academy of Pediatrics, et al.：A consensus statement on health care transitions for young adults with special health care needs. Pediatrics 110(6 Pt 2)：1304-1306, 2002
3) Reiss J, et al.：Health care transition：Destinations unknown. Pediatrics 110(6 Pt 2)：1307-1314, 2002
4) 一般社団法人日本小児内分泌学会：移行期医療支援ガイド
   http://jspe.umin.jp/medical/transition.html
5) Bondy CA：Care of girls and women with Turner syndrome：a guideline of the Turner Syndrome Study Group. J Clin Endocrinol Metab 92：10-25, 2007
6) Farre A, et al.：Health professionals' and managers' definitions of developmentally appropriate healthcare for young people：conceptual dimensions and embedded controversies. Arch Dis Child 101：628-633, 2016
7) 本田雅敬：都立総合医療センターにおける移行支援について．水口　雅(監)，石崎優子(編)：小児期発症慢性疾患患者のための移行支援ガイド．じほう，95, 2018
8) 熊谷秀規，他：成人移行期小児炎症性腸疾患患者の自立支援のための手引書：成人診療科へのスムーズな移行のために．日小児栄消肝会誌 32：15-27, 2018
9) 三谷義英，他：先天性心疾患の成人移行への移行期医療に関する提言．成人先天性心疾患の横断的検討委員会報告，2019
10) Wood DL, et al.：The Transition Readiness Assessment Questionnaire(TRAQ)：its factor structure, reliability, and validity. Acad Pediatr 14：415-422, 2014
11) Got transition：Six Core Elements of Health Care Transition. http://www.gottransition.org/six-core-elements(accessed 2021-09-22).

参考文献

- Got Transition
  https://www.gottransition.org/ (accessed 2021-09-22)
- NICE
  https://www.nice.org.uk/guidance/NG43 (accessed 2021-09-22)

（長谷川行洋）

付　録

A　日本人の食事摂取基準（2020年版）＊

1）年齢別性別のエネルギーの食事摂取基準

参考表　推定エネルギー必要量（kcal/日）

性別	男性			女性		
身体活動レベル[1]	Ⅰ	Ⅱ	Ⅲ	Ⅰ	Ⅱ	Ⅲ
0〜5（月）	—	550	—	—	500	—
6〜8（月）	—	650	—	—	600	—
9〜11（月）	—	700	—	—	650	—
1〜2（歳）	—	950	—	—	900	—
3〜5（歳）	—	1,300	—	—	1,250	—
6〜7（歳）	1,350	1,550	1,750	1,250	1,450	1,650
8〜9（歳）	1,600	1,850	2,100	1,500	1,700	1,900
10〜11（歳）	1,950	2,250	2,500	1,850	2,100	2,350
12〜14（歳）	2,300	2,600	2,900	2,150	2,400	2,700
15〜17（歳）	2,500	2,800	3,150	2,050	2,300	2,550
18〜29（歳）	2,300	2,650	3,050	1,700	2,000	2,300
30〜49（歳）	2,300	2,700	3,050	1,750	2,050	2,350
50〜64（歳）	2,200	2,600	2,950	1,650	1,950	2,250
65〜74（歳）	2,050	2,400	2,750	1,550	1,850	2,100
75以上（歳）[2]	1,850	2,100	—	1,400	1,650	—
妊婦（付加量）[3]　初期				+50	+50	+50
中期				+250	+250	+250
後期				+450	+450	+450
授乳婦（付加量）				+350	+350	+350

[1]：身体活動レベルは，低い，ふつう，高いの三つのレベルとして，それぞれⅠ，Ⅱ，Ⅲで示した
[2]：レベルⅡは自立している者，レベルⅠは自宅にいてほとんど外出しない者に相当する．レベルⅠは高齢者施設で自立に近い状態で過ごしている者にも適用できる値である
[3]：妊婦個々の体格や妊娠中の体重増加量および胎児の発育状況の評価を行うことが必要である
注1：活用に当たっては，食事摂取状況のアセスメント，体重およびBMIの把握を行い，エネルギーの過不足は，体重の変化またはBMIを用いて評価すること
注2：身体活動レベルⅠの場合，少ないエネルギー消費量に見合った少ないエネルギー摂取量を維持することになるため，健康の保持・増進の観点からは，身体活動量を増加させる必要がある

　なお，特別の配慮を必要とする集団として，乳児・小児に関して次のように述べられている．
　「乳児・小児では成長曲線に照らして成長の程度を確認する．成長曲線は集団の代表値であって，必ずしも健康か否か並びにその程度を考慮したものではない．しかし，現時点では成長曲線を参照し，成長の程度を確認し，判断するのが最も適当と考えられる．
　成長曲線は，一時点における成長の程度（肥満・やせ）を判別するためよりも，一定期間における成長の方向（成長曲線に並行して成長しているか，どちらかに向かって遠ざかっているか，成長曲線に向かって近づいているか）を確認し，成長の方向を判断するために用いるのに適している」

＊：「日本人の食事摂取基準」策定検討会：日本人の食事摂取基準（2020年版）策定検討会報告書．2019年12月
https://www.mhlw.go.jp/content/10904750/000586553.pdf

付 録

2）たんぱく質の食事摂取基準

身体活動レベル別にみたたんぱく質の目標量（g/日）（非妊婦，非授乳婦）

性別	男性			女性		
身体活動レベル	Ⅰ	Ⅱ	Ⅲ	Ⅰ	Ⅱ	Ⅲ
1〜2（歳）	—	31〜48	—	—	29〜45	—
3〜5（歳）	—	42〜65	—	—	39〜60	—
6〜7（歳）	44〜68	49〜75	55〜85	41〜63	46〜70	52〜80
8〜9（歳）	52〜80	60〜93	67〜103	47〜73	55〜85	62〜95
10〜11（歳）	63〜98	72〜110	80〜123	60〜93	68〜105	76〜118
12〜14（歳）	75〜115	85〜130	94〜145	68〜105	78〜120	86〜133
15〜17（歳）	81〜125	91〜140	102〜158	67〜103	75〜115	83〜128
18〜29（歳）	75〜115	86〜133	99〜153	57〜88	65〜100	75〜115
30〜49（歳）	75〜115	88〜135	99〜153	57〜88	67〜103	76〜118
50〜64（歳）	77〜110	91〜130	103〜148	58〜83	68〜98	79〜113
65〜74（歳）	77〜103	90〜120	103〜138	58〜78	69〜93	79〜105
75以上（歳）	68〜90	79〜105	—	53〜70	62〜83	—

3）エネルギー産生栄養素バランス（％エネルギー）

性別	男性				女性			
	目標量[1,2]				目標量[1,2]			
年齢等	たんぱく質[3]	脂質[4]		炭水化物[5,6]	たんぱく質[3]	脂質[4]		炭水化物[5,6]
		脂質	飽和脂肪酸			脂質	飽和脂肪酸	
1〜2（歳）	13〜20	20〜30	—	50〜65	13〜20	20〜30	—	50〜65
3〜5（歳）	13〜20	20〜30	10以下	50〜65	13〜20	20〜30	10以下	50〜65
6〜7（歳）	13〜20	20〜30	10以下	50〜65	13〜20	20〜30	10以下	50〜65
8〜9（歳）	13〜20	20〜30	10以下	50〜65	13〜20	20〜30	10以下	50〜65
10〜11（歳）	13〜20	20〜30	10以下	50〜65	13〜20	20〜30	10以下	50〜65
12〜14（歳）	13〜20	20〜30	10以下	50〜65	13〜20	20〜30	10以下	50〜65
15〜17（歳）	13〜20	20〜30	8以下	50〜65	13〜20	20〜30	8以下	50〜65
18〜29（歳）	13〜20	20〜30	7以下	50〜65	13〜20	20〜30	7以下	50〜65
30〜49（歳）	13〜20	20〜30	7以下	50〜65	13〜20	20〜30	7以下	50〜65
50〜64（歳）	14〜20	20〜30	7以下	50〜65	14〜20	20〜30	7以下	50〜65
65〜74（歳）	15〜20	20〜30	7以下	50〜65	15〜20	20〜30	7以下	50〜65
75以上（歳）	15〜20	20〜30	7以下	50〜65	15〜20	20〜30	7以下	50〜65
妊婦 初期					13〜20	20〜30	7以下	50〜65
中期					13〜20	20〜30	7以下	50〜65
後期					15〜20	20〜30	7以下	50〜65
授乳婦					15〜20	20〜30	7以下	50〜65

[1]：必要なエネルギー量を確保したうえでのバランスとすること
[2]：範囲に関しては，おおむねの値を示したものであり，弾力的に運用すること
[3]：65歳以上の高齢者について，フレイル予防を目的とした量を定めることはむずかしいが，身長・体重が参照体位に比べて小さい者や，特に75歳以上であって加齢に伴い身体活動量が大きく低下した者など，必要エネルギー摂取量が低い者では，下限が推奨量を下回る場合がありうる．この場合でも，下限は推奨量以上とすることが望ましい
[4]：脂質については，その構成成分である飽和脂肪酸など，質への配慮を十分に行う必要がある
[5]：アルコールを含む．ただし，アルコールの摂取を勧めるものではない
[6]：食物繊維の目標量を十分に注意すること

4）ビタミンDの食事摂取基準（μg/日）[1]

性別	男性		女性	
年齢等	目安量	耐容上限量	目安量	耐容上限量
0〜5（月）	5.0	25	5.0	25
6〜11（月）	5.0	25	5.0	25
1〜2（歳）	3.0	20	3.5	20
3〜5（歳）	3.5	30	4.0	30
6〜7（歳）	4.5	30	5.0	30
8〜9（歳）	5.0	40	6.0	40
10〜11（歳）	6.5	60	8.0	60
12〜14（歳）	8.0	80	9.5	80
15〜17（歳）	9.0	90	8.5	90
18〜29（歳）	8.5	100	8.5	100
30〜49（歳）	8.5	100	8.5	100
50〜64（歳）	8.5	100	8.5	100
65〜74（歳）	8.5	100	8.5	100
75以上（歳）	8.5	100	8.5	100
妊婦			8.5	—
授乳婦			8.5	—

[1]：日照により皮膚でビタミンDが産生されることをふまえ，フレイル予防を図る者はもとより，全年齢区分を通じて，日常生活において可能な範囲内での適度な日光浴を心掛けるとともに，ビタミンDの摂取については，日照時間を考慮に入れることが重要である

5）ビタミンKの食事摂取基準（μg/日）

性別	男性	女性
年齢等	目安量	目安量
0〜5（月）	4	4
6〜11（月）	7	7
1〜2（歳）	50	60
3〜5（歳）	60	70
6〜7（歳）	80	90
8〜9（歳）	90	110
10〜11（歳）	110	140
12〜14（歳）	140	170
15〜17（歳）	160	150
18〜29（歳）	150	150
30〜49（歳）	150	150
50〜64（歳）	150	150
65〜74（歳）	150	150
75以上（歳）	150	150
妊婦		150
授乳婦		150

6）ビオチンの食事摂取基準（μg/日）

性別	男性	女性
年齢等	目安量	目安量
0〜5（月）	4	4
6〜11（月）	5	5
1〜2（歳）	20	20
3〜5（歳）	20	20
6〜7（歳）	30	30
8〜9（歳）	30	30
10〜11（歳）	40	40
12〜14（歳）	50	50
15〜17（歳）	50	50
18〜29（歳）	50	50
30〜49（歳）	50	50
50〜64（歳）	50	50
65〜74（歳）	50	50
75以上（歳）	50	50
妊婦		50
授乳婦		50

7）カリウムの食事摂取基準（mg/日）

性別	男性		女性	
年齢等	目安量	目標量	目安量	目標量
0～5（月）	400	—	400	—
6～11（月）	700	—	700	—
1～2（歳）	900	—	900	—
3～5（歳）	1,000	1,400 以上	1,000	1,400 以上
6～7（歳）	1,300	1,800 以上	1,200	1,800 以上
8～9（歳）	1,500	2,000 以上	1,500	2,000 以上
10～11（歳）	1,800	2,200 以上	1,800	2,000 以上
12～14（歳）	2,300	2,400 以上	1,900	2,400 以上
15～17（歳）	2,700	3,000 以上	2,000	2,600 以上
18～29（歳）	2,500	3,000 以上	2,000	2,600 以上
30～49（歳）	2,500	3,000 以上	2,000	2,600 以上
50～64（歳）	2,500	3,000 以上	2,000	2,600 以上
65～74（歳）	2,500	3,000 以上	2,000	2,600 以上
75 以上（歳）	2,500	3,000 以上	2,000	2,600 以上
妊婦			2,000	2,600 以上
授乳婦			2,200	2,600 以上

8）カルシウムの食事摂取基準（mg/日）

性別	男性				女性			
年齢等	推定平均必要量	推奨量	目安量	耐容上限量	推定平均必要量	推奨量	目安量	耐容上限量
0～5（月）	—	—	200	—	—	—	200	—
6～11（月）	—	—	250	—	—	—	250	—
1～2（歳）	350	450	—	—	350	400	—	—
3～5（歳）	500	600	—	—	450	550	—	—
6～7（歳）	500	600	—	—	450	550	—	—
8～9（歳）	550	650	—	—	600	750	—	—
10～11（歳）	600	700	—	—	600	750	—	—
12～14（歳）	850	1,000	—	—	700	800	—	—
15～17（歳）	650	800	—	—	550	650	—	—
18～29（歳）	650	800	—	2,500	550	650	—	2,500
30～49（歳）	600	750	—	2,500	550	650	—	2,500
50～64（歳）	600	750	—	2,500	550	650	—	2,500
65～74（歳）	600	750	—	2,500	550	650	—	2,500
75 以上（歳）	600	700	—	2,500	500	600	—	2,500
妊婦（付加量）					+0	+0	—	—
授乳婦（付加量）					+0	+0	—	—

9）亜鉛の食事摂取基準（mg/日）

性別	男性				女性			
年齢等	推定平均必要量	推奨量	目安量	耐容上限量	推定平均必要量	推奨量	目安量	耐容上限量
0～5（月）	—	—	2	—	—	—	2	—
6～11（月）	—	—	3	—	—	—	3	—
1～2（歳）	3	3	—	—	2	3	—	—
3～5（歳）	3	4	—	—	3	3	—	—
6～7（歳）	4	5	—	—	3	4	—	—
8～9（歳）	5	6	—	—	4	5	—	—
10～11（歳）	6	7	—	—	5	6	—	—
12～14（歳）	9	10	—	—	7	8	—	—
15～17（歳）	10	12	—	—	7	8	—	—
18～29（歳）	9	11	—	40	7	8	—	35
30～49（歳）	9	11	—	45	7	8	—	35
50～64（歳）	9	11	—	45	7	8	—	35
65～74（歳）	9	11	—	40	7	8	—	35
75 以上（歳）	9	10	—	40	6	8	—	30
妊婦（付加量）					+1	+2	—	—
授乳婦（付加量）					+3	+4	—	—

10）ヨウ素の食事摂取基準（μg/日）

性別	男性				女性			
年齢等	推定平均必要量	推奨量	目安量	耐容上限量	推定平均必要量	推奨量	目安量	耐容上限量
0～5（月）	—	—	100	250	—	—	100	250
6～11（月）	—	—	130	250	—	—	130	250
1～2（歳）	35	50	—	300	35	50	—	300
3～5（歳）	45	60	—	400	45	60	—	400
6～7（歳）	55	75	—	550	55	75	—	550
8～9（歳）	65	90	—	700	65	90	—	700
10～11（歳）	80	110	—	900	80	110	—	900
12～14（歳）	95	140	—	2,000	95	140	—	2,000
15～17（歳）	100	140	—	3,000	100	140	—	3,000
18～29（歳）	95	130	—	3,000	95	130	—	3,000
30～49（歳）	95	130	—	3,000	95	130	—	3,000
50～64（歳）	95	130	—	3,000	95	130	—	3,000
65～74（歳）	95	130	—	3,000	95	130	—	3,000
75 以上（歳）	95	130	—	3,000	95	130	—	3,000
妊婦（付加量）					+75	+110	—	—[1]
授乳婦（付加量）					+100	+140	—	—[1]

[1]：妊婦および授乳婦の耐容上限量は，2,000 μg/日とした．

11）セレンの食事摂取基準（μg/日）

性別	男性				女性			
年齢等	推定平均必要量	推奨量	目安量	耐容上限量	推定平均必要量	推奨量	目安量	耐容上限量
0〜5（月）	—	—	15	—	—	—	15	—
6〜11（月）	—	—	15	—	—	—	15	—
1〜2（歳）	10	10	—	100	10	10	—	100
3〜5（歳）	10	15	—	100	10	10	—	100
6〜7（歳）	15	15	—	150	15	15	—	150
8〜9（歳）	15	20	—	200	15	20	—	200
10〜11（歳）	20	25	—	250	20	25	—	250
12〜14（歳）	25	30	—	350	25	30	—	300
15〜17（歳）	30	35	—	400	20	25	—	350
18〜29（歳）	25	30	—	450	20	25	—	350
30〜49（歳）	25	30	—	450	20	25	—	350
50〜64（歳）	25	30	—	450	20	25	—	350
65〜74（歳）	25	30	—	450	20	25	—	350
75 以上（歳）	25	30	—	400	20	25	—	350
妊婦（付加量）					+5	+5	—	—
授乳婦（付加量）					+15	+20	—	—

B 標準身長・体重曲線，疾患特異的標準成長曲線，肥満度判定曲線

　成長の評価には，2000年の全国データに基づいて作成された基準を用いる．具体的には，厚生労働省の乳幼児身体発育調査報告書(0歳～6歳)[1]，文部科学省の学校保健統計報告書(6歳～17歳)[2]，および，それらのデータをもとにして作成した横断的標準成長曲線(身長・体重 SD 曲線)[3]を使用する．

　評価の詳細については，**総論第2章 C**「体格と成長の評価」を参照すること．

　以下の成長評価用チャートは日本小児内分泌学会の Web サイトからもダウンロード可能である[4]．

1) 横断的標準身長・体重曲線
a．0-18歳　男子(図1)
b．0-18歳　女子(図2)
c．0-2歳　男子(図3)
d．0-2歳　女子(図4)

2) 疾患特異的成長曲線
a．Turner 症候群成長曲線(図5)

　このほかに Noonan 症候群の成長曲線や軟骨無形成症の成長曲線が報告されている．

3) 肥満度判定曲線
a．学童用　男子(図6)
b．学童用　女子(図7)
c．幼児用　男子(図8)
d．幼児用　女子(図9)

　過体重の判定には，このほかに BMI 標準曲線[5]も使用されている．

❖ 文献
1) 厚生労働省雇用均等・児童家庭局母子保健課(監修)，財団法人母子衛生研究会(編)：平成12年乳幼児身体発育調査報告書．母子保健事業団．2002
2) 文部科学省生涯学習政策局調査企画課：平成12年度学校保健統計調査報告書．2003
3) Isojima T, et al：Growth standard chart for Japanese children with mean and standard deviation (SD) values based on the year 2000 national survey. Clin Pediatr Endocrinol 25；71-76, 2016.
4) 日本小児内分泌学会；成長評価用チャート・体格指数計算ファイル　ダウンロードサイト
　http://jspe.umin.jp/medical/chart_dl.html　(2021年10月1日アクセス)
5) Kato N：The cubic function for spline smoothed L, S and M values for BMI reference data of Japanese children. Clin Pediatr Endocrinol 20：47-49, 2011

付　録

1）横断的標準身長・体重曲線
a. 0-18歳　男子

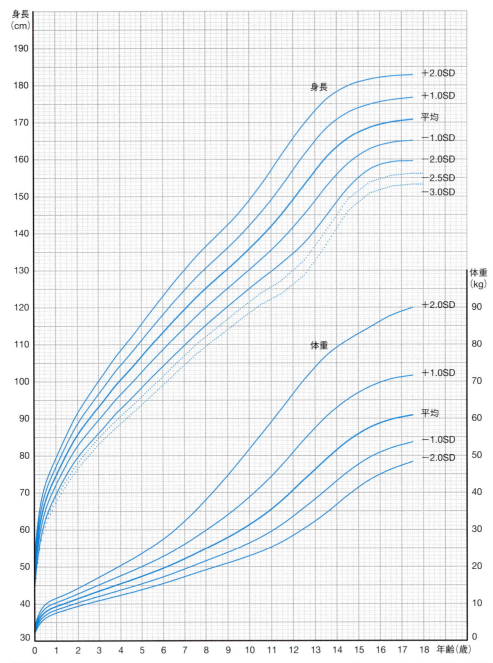

図1　横断的標準身長・体重曲線（0-18歳）男子（SD表示）（2000年度乳幼児身体発育調査・学校保健統計調査）

本成長曲線は，LMS法を用いて各年齢の分布を正規分布に変換して作成した．そのためSD値はZ値を示す
−2.5 SD，−3.0 SDは，小児慢性特定疾病の成長ホルモン治療開始基準を示す
［著作権：一般社団法人 日本小児内分泌学会，著者：加藤則子，磯島豪，村田光範 他：*Clin Pediatr Endocrinol* 25：71-76, 2016］

標準身長・体重曲線，疾患特異的標準成長曲線，肥満度判定曲線

b. 0-18歳　女子

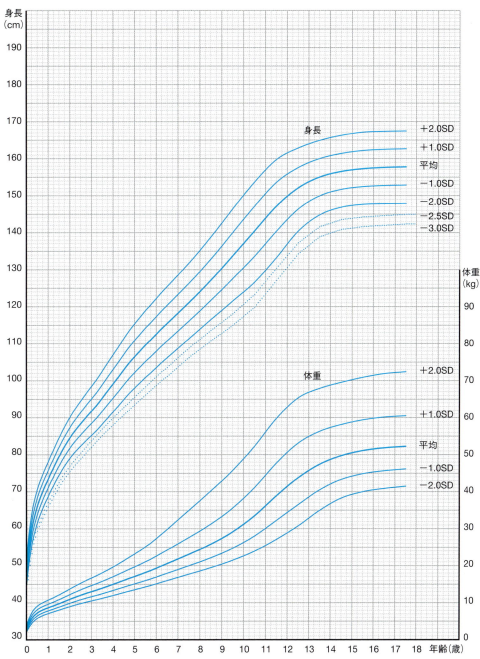

図2　横断的標準身長・体重曲線(0-18歳)女子(SD表示)(2000年度乳幼児身体発育調査・学校保健統計調査)

本成長曲線は，LMS法を用いて各年齢の分布を正規分布に変換して作成した．そのためSD値はZ値を示す
−2.5 SD，−3.0 SDは，小児慢性特定疾病の成長ホルモン治療開始基準を示す
[著作権：一般社団法人 日本小児内分泌学会，著者：加藤則子，磯島豪，村田光範 他：*Clin Pediatr Endocrinol* 25：71-76, 2016]

付　録

c. 0-2歳　男子

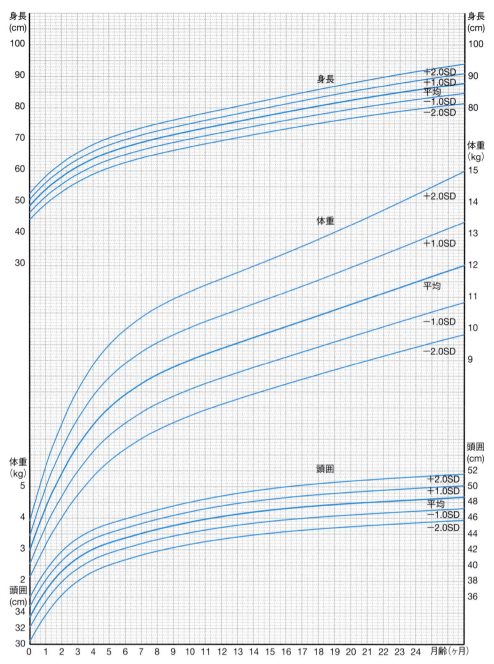

図3 横断的標準身長・体重曲線(0-24か月)男子(SD表示)(2000年度乳幼児身体発育調査・学校保健統計調査)

本成長曲線は，LMS法を用いて各年齢の分布を正規分布に変換して作成した．そのためSD値はZ値を示す
頭囲曲線は2010年調査結果に基づく
〔著作権：一般社団法人 日本小児内分泌学会，著者：(身長・体重)加藤則子，磯島豪，村田光範，他：Clin Pediatr Endocrinol 25：71-76, 2016.（頭囲）加藤則子，横山徹爾，瀧本秀美：平成23年度総括・分担研究報告書(H23-次世代-指定-005)：11-52, 2012〕

d. 0-2歳　女子

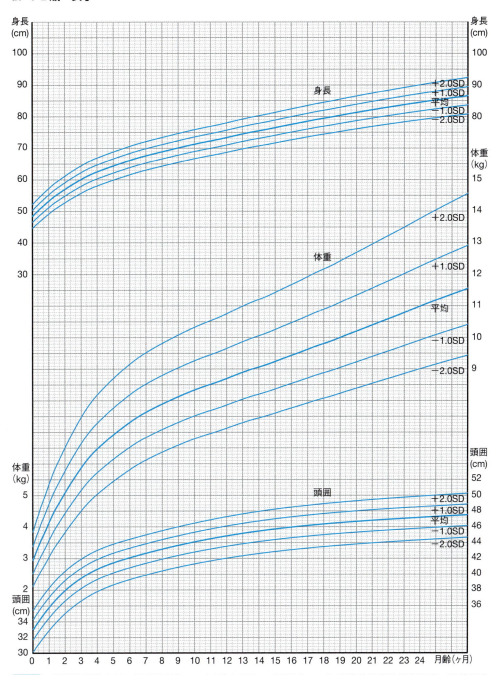

図4　横断的標準身長・体重曲線(0-24か月)女子(SD表示)(2000年度乳幼児身体発育調査・学校保健統計調査)

本成長曲線は，LMS法を用いて各年齢の分布を正規分布に変換して作成した．そのためSD値はZ値を示す
頭囲曲線は2010年調査結果に基づく
[著作権：一般社団法人　日本小児内分泌学会，著者：(身長・体重)加藤則子，磯島豪，村田光範，他：*Clin Pediatr Endocrinol* 25：71-76，2016．(頭囲)加藤則子，横山徹爾，瀧本秀美：平成23年度総括・分担研究報告書(H23-次世代-指定-005)：11-52，2012]

付　録

2）疾患特異的成長曲線
a．Turner 症候群成長曲線

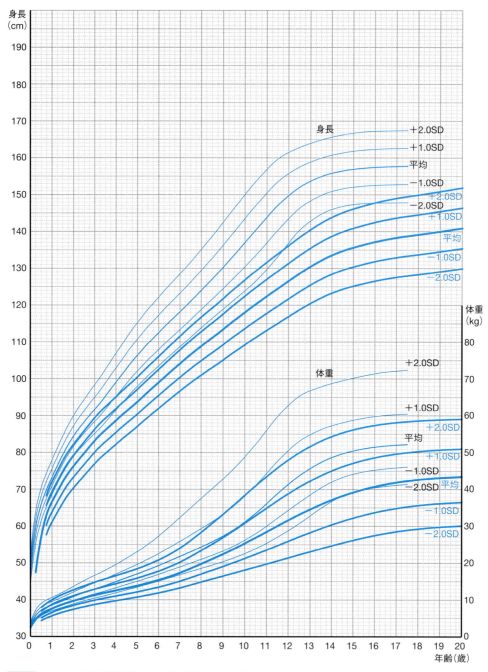

図5　Turner 症候群横断的身長・体重曲線（0-20 歳）

本成長曲線は，LMS 法を用いて各年齢の分布を正規分布に変換して作成した．そのため SD 値は Z 値を示す
細線は横断的標準身長・体重曲線（0-18 歳）女子（医療用・SD 表示）である

〔著作権：（一社）日本小児内分泌学会，著者：磯島豪，横谷進，伊藤純子，内木康博，堀川玲子，田中敏章 Clin Pediatr Endocrinol 19：69-82，2010〕

3）肥満度判定曲線

a. 学童用　男子

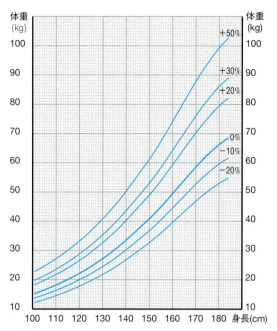

図6　肥満度判定曲線(6-17)歳男子(2000年度学校保健統計調査)

〔著作権：一般社団法人日本小児内分泌学会著者：伊藤善也，藤枝憲二，奥野晃正 *Clin Pediatr Endocrinol* 25：77-82，2016〕

b. 学童用　女子

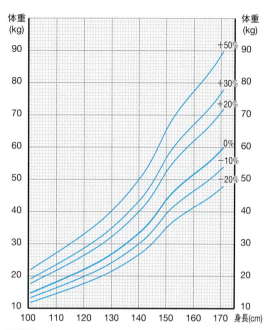

図7　肥満度判定曲線(6-17)歳女子(2000年度学校保健統計調査)

〔著作権：一般社団法人日本小児内分泌学会著者：伊藤善也，藤枝憲二，奥野晃正 *Clin Pediatr Endocrinol* 25：77-82，2016〕

c. 幼児用　男子

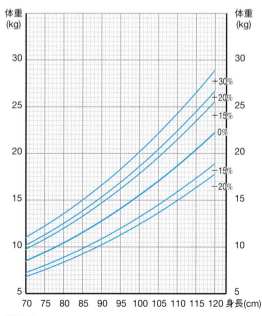

図8　肥満度判定曲線(1-6)歳男子(2000年度乳幼児身体発育調査)

〔著作権：一般社団法人日本小児内分泌学会著者：伊藤善也，藤枝憲二，奥野晃正 *Clin Pediatr Endocrinol* 25：77-82，2016〕

d. 幼児用　女子

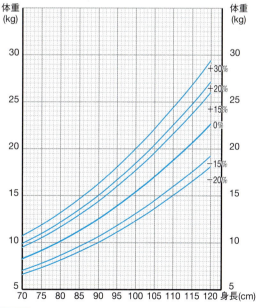

図9　肥満度判定曲線(1-6)歳女子(2000年度乳幼児身体発育調査)

〔著作権：一般社団法人日本小児内分泌学会著者：伊藤善也，藤枝憲二，奥野晃正 *Clin Pediatr Endocrinol* 25：77-82，2016〕

索 引

和 文

あ

愛情遮断症候群	188, 192
アクアポリン 2	260, 273
アディポカイン	80, 571
アディポサイトカイン	585
アディポネクチン	572
アニオンギャップ	592
アルギニン・バゾプレシン	103, 260, 590
アルドステロン	262
― 合成酵素欠損症	417
― 受容体	371
アルドステロン症	
―，偽性低	418
―，グルココルチコイド奏効性	433
―，原発性	433, 437, 548
アレイ CGH	23, 34
アロマターゼ	343
アンギオテンシン II	262
アンドロゲン	294
― 過剰	359
― 不応症	334, 339

い

医原性	427
― 低ナトリウム血症	282
移行	642
移行期医療	637, 639, 642
― 支援センター	639
異所性	
― ACTH 症候群	63
― 甲状腺	51, 444, 450
― 後葉	48
― 脂肪	80
一過性新生児糖尿病	32
遺伝形式	24
イレイサー	30
陰核	334
― サイズ	344
― 肥大	93
インクレチン	523
― 関連薬	541
陰茎	334
陰唇	334
インスリン	530, 540
― 自己免疫症候群	550
― 受容体異常症	550
― 受容体遺伝子異常	546
― 抵抗性	361, 534, 537, 584
― 分泌指数	558
― 様成長因子	185
インターフェロン	549
陰嚢	334
インプリティング	30

う・え

ウエスト周囲長	581
運動療法	539
永久皮質	140
栄養障害の指標	18
エストリオール	141
エストロゲン	141, 294, 549
― 治療	350
エナント酸テストステロン	310
エピジェネティクス	29
エラストグラフィ	53
遠位曲尿細管	597
遠位尿細管性アシドーシス	591
塩類喪失型	382

お

黄疸の遷延	15
嘔吐	15
岡本モデル	523
オクトレオチド酢酸塩	567

か

カーボカウント法	532
外陰部異常	378
外陰部形成術	328
概日リズム	8
外性器	151
― 異常	15, 376
外反膝	350
外部被ばく	459
海綿静脈洞サンプリング	63
核内受容体	6
下垂体	
― 機能低下症	617
― 後葉	181
― 腫大	255
― 性巨人症	249
― 腺腫	245, 249
― 前葉	178
― 卒中	248
― 無・低形成	48
下垂体炎	242
―，リンパ球性	254
―，自己免疫性視床下部	242
下錐体静脈洞サンプリング	63
過成長	32, 73, 229
― 症候群	228, 229
家族性	
― 高コレステロール血症	587
― 腫瘍症候群	475, 477
― 男性思春期早発症	303
― 低カルシウム尿性高カルシウム血症	493
― 低身長	187
褐色細胞腫	438, 548, 608
カフェオレ斑	18
カラードプラ法	49
がん・生殖医療	329
感音難聴	381, 600
環境因子	527
肝硬変	548
干渉物質	39
緩徐進行型 1 型糖尿病	527
肝性くる病	513
感度	40

き

偽遺伝子	384
希釈性低ナトリウム血症	280
偽性偽性副甲状腺機能低下症	502
偽性低アルドステロン症	418
― I 型	591
偽性副甲状腺機能低下症	33, 496, 501
― 1 A/1C	502
― 1B	502
― I A 型	305
機能獲得型変異	24
機能性無月経	355
機能的副腎皮質機能低下	124
虐待	18
嗅覚障害	311
球状層	367
急性期離脱後循環不全	172

く

屈曲肢異形成症	333
クリアランス	10
グリコアルブミン	557
グリコーゲン分解	146
クリティカルサンプル	101, 131, 569
グルカゴノーマ	548
グルココルチコイド	371, 549
― 欠乏	116
― 受容体	371
― 奏効性アルドステロン症	433
― 離脱症候群	427
くる病	504
―，肝性	513

索引

―，低リン血症性	305
グレリン	184

け

経口ブドウ糖負荷試験	99, 558
経皮的エタノール注入療法	467, 477
経皮用エストラジオール	310
劇症1型糖尿病	527
血管腫	473
月経異常	87, 88, 357
月経困難症	88
結合蛋白質	9
血漿浸透圧	260
結節性病変	65
血中カテコラミン分画	439
ケトン性低血糖症	568
ケトン体	558, 568
ゲノムコピー数解析	35
ゲノムワイド関連解析	74
原始生殖細胞	290
原発性	
― アルドステロン症	433, 437, 548
― 性腺機能低下症	381
― 多飲	94
― 肥満	80
― 副腎不全	114
― 無月経	88, 355
倹約遺伝子	573

こ

抗Müller管ホルモン	333, 334, 335, 345
抗TSH受容体抗体	464
抗アルドステロン薬	436
高アンドロゲン血症	409
口窩外胚葉	179
口渇感	262
口渇中枢障害	271, 272
高ガラクトース血症	473
高カルシウム血症	106, 489, 492
―，家族性低カルシウム尿性	493
高血圧	579
高血糖高浸透圧状態	130
抗好中球細胞質抗体	465
高ゴナドトロピン性性腺機能低下症	323
高出生体重児	552, 553, 576
甲状腺	
― 癌	475, 478
― 機能亢進症	548
― クリーゼ	111, 121
― 形成異常	444, 449
― 結節	475
― 原基	443
― 腫大	460
― シンチグラフィ	50, 464, 476
― 髄様癌	608
― 中毒症	111, 618
― 中毒症状	253
― 超音波検査	476
― 乳頭がん	461
― 無形成	449
― 濾胞細胞	443
甲状腺機能低下症	306, 618
―，偽性偽性副	502
―，偽性副	33, 496, 501
―，先天性中枢性	456
―，中枢性	456
甲状腺ホルモン	186, 445
― 合成障害	449
― 受容体	447, 469
― 不応症	469
― 輸送体	471
高身長	73, 229, 230
抗精神病薬	549
合成ステロイドホルモン	9
高張食塩水負荷試験	96
後天性原発性副腎皮質機能低下症	422
行動療法	582
高プロラクチン血症	245
抗利尿ホルモン	260
― 製剤	285
― 不適切分泌症候群	103
高リン血症	490
黒色表皮症	584
極長鎖脂肪酸	415
骨塩量低下	623
骨芽細胞	483
骨幹端異形成	376
骨形成不全症	515
骨細胞	483
骨年齢	17, 72, 579
骨密度	67
骨量	67
古典型	382
ゴナドトロピン分泌不全	334
コペプチン	275
孤立性腺腫	467
コレステロール	369, 586
― 側鎖切断酵素	393
混合性性腺異形成	354
混合性腺異形成症	61

さ

サイアザイド	549
― 利尿薬	590
細管集合体ミオパチー2	499
最大骨量	67
細胞外液	259
サイログロブリン欠損症	451, 452
作用阻害型TSH受容体抗体	461

し

ジアゾキシド	549, 567
シークエンス解析	34
しきい値	8
色素沈着	18
子宮	334
― 内発育遅延	376
― 卵管造影	156
糸球体濾過率	158
軸〈ホルモン分泌〉	7
シクロスポリン	549
刺激ホルモン	7
自己免疫	254
― 機序	459
― 性視床下部下垂体炎	242
― 性多内分泌腺症候群1型	501, 612
― 性多内分泌腺症候群2型	614
脂質異常	580
思春期早発症	33, 82
―，家族性男性	303
―，続発性	306
―，体質性	187, 220, 308
―，特発性	299
―，部分型	307
視床下部	177
― 過誤腫	49
― 弓状核	572
視床下部－下垂体－性腺系	289
シスチンアミノペプチダーゼ	158
持続血糖モニター	555
疾患特異的成長曲線	21
シックデイ	533
ジヒドロテストステロン	334
脂肪組織リモデリング	575
脂肪毒性	537
重症関連コルチコステロイド障害	424
出産後無痛性甲状腺炎	467
出生前ステロイド	160
腫瘍	547
受容体	3
―，アルドステロン	371
―，核内	6
―，グルココルチコイド	371
―，甲状腺ホルモン	447, 469
―，バゾプレシン V_2	273
―，ビタミンD	511
―，Ca感知	486, 492, 592
―，FGF	488
―，G蛋白共役型	4
―，IGF-Ⅰ	197
―，TSH	446, 474
―，βアドレナリン	466

項目	ページ
小陰茎	92, 334
障害	
―，嗅覚	311
―，口渇中枢	271, 272
―，甲状腺ホルモン合成	449
―，重症関連コルチコステロイド	424
―，精子形成	374
―，成長	187, 204, 211, 380
―，性同一	347
―，性ホルモン合成	325
―，糖尿病神経	561
―，排卵	357
症候性低ナトリウム血症	282
常染色体顕性	24
― 低カルシウム血症1型	500
― 低カルシウム血症2型	500
― 低リン血症性くる病・骨軟化症	508
常染色体潜性	24
消退出血	87
小児2型糖尿病	539
小児がん経験者	327, 632
小児肥満症	579, 584
食事療法	539
女性アスリートの三徴	356
自立	643
自律性機能性結節	477
自律性機能性卵巣囊胞	305
白い爪	18
心因性多飲	266
神経内分泌腫瘍	567
腎髄質石灰化	599
新生児低血糖症	551
新生児糖尿病	176, 543
新生児マススクリーニング	161, 473
腎性糖尿	596, 602
腎性尿崩症	94, 273
シンチグラム	56
身長増加率	188
浸透圧性脱髄症候群	282
浸透圧センサー	264
心房性ナトリウム利尿ペプチド	590

す

項目	ページ
膵β細胞	521
膵炎	547
膵外傷・膵摘出術	547
膵癌	547
水酸化酵素欠損症	
―，11β	398
―，17α	395
―，21	161, 343, 382, 639
随時尿中メタネフリン分画	439
スクリーニング	164
ステロイドホルモン	4, 9
スフィンゴ脂質	380
スフィンゴシンリン酸リアーゼ活性低下症	380
スルホトランスフェラーゼ	141

せ

項目	ページ
正確度	39
生活の質	165
性決定	331
精細管周囲筋様細胞	332
精子形成障害	374
生殖能力	165
成人成長ホルモン分泌不全症	203
性腺	151
― 形成不全	324
性腺機能低下症	323
―，原発性	381
―，高ゴナドトロピン性	323
―，男性原発性	352
―，低ゴナドトロピン性	311, 321, 374
性染色体異常症	331, 352
精巣上体	334
精巣微石症	57
精巣容量	308
正中原基	443
成長	15
― 加速	296
― 曲線	18, 71
― 障害	187, 204, 211, 380
― 促進治療	205
― 軟骨帯	73
― 軟骨板	206
― の停止	457, 461
― ホルモン分泌不全性低身長症	201
― 率低下	460
精度	39
性同一障害	347
性同一性	151
精囊	334
性分化	151, 331
― 疾患	324, 331
性別違和	347, 364
性別決定	94
性別不合	364
性ホルモン	185
― 合成障害	325
― 補充療法	328
絶食試験	567
セレノシスチン	447
セレノプロテイン	472
線維芽細胞増殖因子23	109, 505
穿刺吸引細胞診	65, 476
腺腫様甲状腺腫	477
染色体	151
先端異骨症1	504
先端異骨症2	504
先端巨大症	251, 548
先天性	
― 高インスリン血症	563
― 脂肪萎縮性糖尿病	546
― 中枢性甲状腺機能低下症	456
― 風疹症候群	549
― 副腎過形成症	161, 306, 331, 382
― 副腎低形成症	378

そ

項目	ページ
早産児―過性低サイロキシン血症	169
創始者効果	24
相対的副腎不全	166
相同染色体の対合不全	333
早発	
― 陰毛	307
― 腋毛	307
― 月経	307
― 乳房	307
阻害型TSH受容体抗体	454
阻害型抗体	156
側鎖切断酵素	370
束状層	367
続発性思春期早発症	306
続発性無月経	88, 355
ソマトスタチノーマ	548
ソマトロピン	202

た

項目	ページ
第2, 3趾の合趾	18
体腔上皮	291
胎児精巣	331
胎児層	368
体質性思春期遅発症	187, 220, 308
胎児副腎	368
代謝症候群	583
代謝性アシドーシス	592
代謝性アルカローシス	597
体重増加不良	18
胎児卵巣	331
胎生皮質	140
大動脈縮窄症	348
大動脈二尖弁	348
タクロリムス水和物	549
脱水徴候	18
脱ヨウ素酵素	447
多尿	264
多囊胞性卵巣形態	360
多囊胞性卵巣症候群	409
多発性内分泌腫瘍	568
多発性内分泌腫瘍症	492
― 1型	605

索 引

項目	ページ
― 2 型	475
単一遺伝子異常糖尿病	543
単純男性型	382
男性化徴候	357
男性原発性性腺機能低下症	352

ち

項目	ページ
チアゾリジン薬	541
チアマゾール	122, 464
腟下部	334
腟上部	334
チトクロム P450	369
中枢性甲状腺機能低下症	456
中枢性尿崩症	49, 94
中枢性副腎不全	114
中毒性多結節性甲状腺腫	467
超音波	54
長期間作動性	11
張度	259
治療	
―，エストロゲン	350
―，成長促進	205
チロシンキナーゼドメイン	199
チロシン誘導体ホルモン	4

て

項目	ページ
低栄養	77, 623
低カリウム血症	597
低カルシウム血症	106, 133, 176, 489, 505
低カルシウム尿症	597
低血糖	15, 99, 131, 175, 567, 568
低血糖症	
―，ケトン性	568
―，新生児	551
低血糖性脳症	100
低ゴナドトロピン性性腺機能低下症	311, 321, 374
低出生体重児	576
低身長	71
― 症，成長ホルモン分泌不全性	201
― 症，特発性	220
―，家族性	187
―，SGA 性	31, 32
低浸透圧血症	278
低ナトリウム血症	263
―，症候性	282
―，希釈性	280
―，医原性	282
低ホスファターゼ症	515
低マグネシウム血症	133, 500, 597
低用量ピル	362
停留精巣	57, 331
低リン血症	490, 505, 596
― 性くる病	305

と

項目	ページ
データサイエンス	41
テストステロン	333, 345
デスモプレシン	285
テタニー	496
デヒドロエピアンドロステロン	141
転写因子	456
糖新生	99, 146
糖毒性	537
糖尿病	268
―，一過性新生児	32
―，緩徐進行型 1 型	527
―，劇症 1 型	527
―，小児 2 型	539
―，新生児	176, 543
―，先天性脂肪萎縮性	546
―，単一遺伝子異常	543
―，妊娠	152, 551
―，1 型	618, 639
―，1A 型	525
―，1B 型	529
―，2 型	534
― 神経障害	561
― 腎症	561
― 性ケトアシドーシス	116, 127
― 性昏睡	116
― 大血管症	562
― 網膜症	560
特異度	40
特発性思春期早発症	299
特発性低身長症	220
ドミナントネガティブ	24, 193
トランジション	637
トランスジェンダー	364
トリグリセリド	586

な

項目	ページ
内性器	151
内臓脂肪	584
― 症候群	583
内軟骨性骨化	206, 482
内部被ばく	459
ナトリウム利尿ペプチド	263
軟骨低形成症	206
軟骨内骨化	188
軟骨無形成症	206

に

項目	ページ
ニコチン酸	549
二次性 PHA	418
二次性徴	82, 297, 308
二次性肥満	80
二次性副腎皮質機能低下症	425
日内リズム	8
乳房腫大	308
ニューロン	177
尿アニオンギャップ	592
尿細管 P 再吸収閾値	111
尿細管 P 再吸収率	111
尿ステロイドプロフィール	143, 386
尿中ヨウ素測定	464
尿道下裂	331, 334
尿崩症	268
―，腎性	94, 273
―，中枢性	49, 94
妊娠一過性甲状腺中毒症	155
妊娠糖尿病	152, 551
認知バイアス	41
妊孕性温存療法	329

ね・の

項目	ページ
ネガティブフィードバック	6
ネフローゼ症候群	381
粘液水腫	461
粘膜神経腫	609
粘膜皮膚カンジダ症	612
脳性ナトリウム利尿ペプチド	280

は

項目	ページ
パークロレイト	51
― 放出試験	51
胚細胞性腫瘍	268
排卵障害	357
破骨細胞	483
バゾプレシナーゼ	158
バゾプレシン V_2 受容体	273
破綻出血	87
発育・発達・性発育	15
馬蹄腎	348
ハプロ不全	24
パラガングリオーマ	438
バリアント	33
晩期循環不全	172
晩期内分泌合併症	632
判別不明性器	331

ひ

項目	ページ
非アルコール性脂肪性肝炎	548
非アルコール性脂肪性肝疾患	581
非古典型 (21 水酸化酵素欠損症)	382
非触知精巣	57
ビタミン D	150, 487, 504
― 依存性くる病 1 型	511
― 依存性くる病 2 型	512
― 受容体	511
― -1α 水酸化酵素	511
ヒドロキシアパタイト	485
ヒドロコルチゾン	387
肥満	79, 252, 361, 535, 578
―，原発性	80
―，二次性	80

索　引

肥満関連遺伝子	573
肥満度	20
ピロリン酸	518

ふ

不応症	
―，アンドロゲン	334, 339
―，甲状腺ホルモン	469
―，ACTH	410
―，TSH	474
負荷試験	42
副甲状腺機能亢進症	492, 609, 496, 613, 618
副腎	
― アンドロゲン	371
― 機能低下症	386
― 出血	423
― 静脈サンプリング	64
― 不全	114
副腎皮質機能低下症	613, 618
―，後天性原発性	422
―，二次性	425
腹満	15
不正性器出血	88
不妊症	352
部分型思春期早発症	307
フルドロコルチゾン	387
プロインスリン	526
プロゲステロン	294
プロピルチオウラシル	122, 447, 464
プロラクチノーマ	245
分泌不全	
― 症，成人成長ホルモン	203
― 症，GH	188
―，GH	601
―，ゴナドトロピン	334

へ

ベイズ統計学	40
ヘテロプラスミー	29
ヘパトカイン	548
ペプチドホルモン	3, 9
ヘミ接合性変異	28
ヘモクロマトーシス	547
ペルオキシソーム病	415
片親性ダイソミー	24, 35
ペンドリン	446

ほ

傍糸球体装置	589
放射線被ばく	478
法律上の性	151
母系遺伝	29
ポジトロン断層撮影法	56
ホスホエタノールアミン	518
ホルモン	3

― 作用不全	325
翻訳後修飾	9

ま

膜性骨化	482
慢性	
― 炎症	575
― 肝炎	548
― 腎臓病に伴う骨・ミネラル代謝異常	514
― 肺疾患	166

み

見かけの鉱質コルチコイド過剰症候群	434
ミクロファルス	334
ミクロペニス	334
水・電解質代謝	259
水制限	282
― 試験	96
ミトコンドリア	
― 遺伝	24
― 遺伝子異常	545
― ゲノム	29
― 病	500
ミトタン	432
ミネラルコルチコイド	371
― 欠乏	116
脈動的（間欠性）	8
脈動的分泌	8

む

無顆粒球症	465
無機ヨウ素	122
― 薬	466
無機リン	109
無月経	88, 623
―，機能性	355
―，原発性	88, 355
―，続発性	88, 355
無排卵性出血	88

め

メタボリックシンドローム	583
メチラポン	432
メトホルミン	540
免疫関連有害事象	617
免疫チェックポイント阻害薬	14, 469, 549, 616
免疫チェックポイント薬	467

も

網状層	367
目標身長	183
モデリング	482
モノアミン類	10

や・ゆ

薬物療法	540
夜尿	265
― 症	284
有効浸透圧	279
輸精管	334

よ

羊水過多	597
陽性反応的中率	40
ヨウ素	469
― 過剰	454
翼状頸	348
予防的甲状腺全摘術	610

ら

ライター	30
ラテント癌	478
卵精巣性性分化疾患	354
卵巣	334
― 凍結保存	351
― の多嚢胞性腫大	357

り

リガンド	3
梨状窩瘻	463
リモデリング	482
療法	
―，運動	539
―，経皮的エタノール注入	467, 477
―，行動	581
―，食事	539
―，性ホルモン補充	328
―，妊孕性温存	329
―，薬物	540
―，SAP	531
―，^{131}I 内用	466
リンパ球減少	381
リンパ球性下垂体炎	254
リンパ浮腫	348

る・れ・ろ

ループ利尿薬	590
レプチン	572
― 抵抗性	576
濾紙血	164

欧　文

A

ABCC8	565
ACTH 単独欠損症	425
ACTH 不応症	410
Addison 病	422, 613
ADH1	500
ADH2	500

索 引

A

ADHR	508
adiposity rebound	577
adrenal insufficiency	114
adrenarche	293, 373
AIRE 遺伝子	612
AIS	339
Allan-Herndon-Dudley 症候群	471
AME（apparent mineralcorticoid excess）	434
AMH	333, 334, 335, 345
AMHR2	334
ANCA 関連血管炎	465
APS1	612
APS2	614
ataxia-telangiectasia	550
ATP 感受性 K チャネル	523, 564
autocrine	3
AVP（arginine vasopressin）	103, 264
AVP 負荷試験	96
axis	7

B

backdoor 経路	372, 382
Barakat 症候群	498
Bartter 症候群	590
Basedow 病	112
BMI	20, 577

C

C 細胞	443
C ペプチド	558
Ca 感知受容体	486, 492, 592
campomelic dysplasia	333
CBX2	333
CCS（childhood cancer survivors）	327, 632
CDKN1C	376
CGM	531
CHARGE 症候群	499
CIRCI（critical illness-related corticosteroid insufficiency）	124, 424, 626
CKD-MBD	514
CLD	166, 172
CNP	73
cold nodule	53
CPHD	234
CSII	531
CT	55, 488
Cushing 症候群	252, 306, 548
Cushing 病	427
CYP11A1	393
CYP11B1	398
CYP17A1	395
CYP19A1 異常症	343
CYP21A2	384

D

DAX1	141
de novo 変異	24
DHEA（dehydroepiandrosterone）	141
DHT（dihydroteststerone）	334
DIO3（type 3 deiodinase）	473
DMR（differentially methylated region）	31
DNA メチル化解析	34
DOHaD（developmental origins of health and disease）	535, 576
― 仮説	81
Down 症候群	23
DSD（diorders/differences of sex development）	92
dual energy X-ray absorptiometry	67
dual oxidase 2	447
Dubowitz 症候群	500
DUOX2 変異	452
DXA	174

E・F

endocrine	3
Fanconi 症候群	589, 595
FAT（female athlete triad）	356
FEK	149
FENa	149
FGF23（fibrinogen growth factor 23）	109, 149, 150, 305, 488
FGFR	488
FGFR3（fibroblast growth factor receptor 3）	206
FGF 受容体	488
FHA（functional hypothalamic amenorrhea）	355
FISH	34, 74
FOXL2	333
FSH	292
FTT（failure to thrive）	77

G

G 蛋白共役型受容体	4
GA/HbA1c 比	557
GAD 抗体	525
GADD45G	333
GCM2	481, 500
GEPNET	605
GH	183, 216
― 遺伝子	183
― 結合蛋白	184, 196
― 受容体異常症	194
GH 分泌不全	601
― 症	188
GH1	193
GHBP（GH binding protein）	196
GHRH	183
― 受容体遺伝子	192
Gitelman 症候群	590
GnRH	294
― ニューロンの発生	289
gonadarche	292
gonadoblastoma	341, 350
GR（glucocorticoid receptor）	371
GRA（glucocorticoid-remediable aldosteronism）	433
growth arrest	457, 461
growth spurt	296
Gs 蛋白	304

H

H.pylori 感染	550
HbA1c	557
hCG（human chorionic gonadotropin）	334
― 産生腫瘍	302
― 負荷試験	344
HDL	586
HDR 症候群	498
Hirschsprung 病	610
HLA 遺伝子	526
hot nodule	53
HPG 系	358
HRD 症候群	498
hungry bones 症候群	174

I

IA-2 抗体	525
ICP 成長モデル	181
IGF 結合蛋白	185
IGF-Ⅰ	185, 188
― 受容体	197
IGF-Ⅱ	185
IGF1R	197
IGSF1 異常症	457
immunometric assay	37
INSL3	334
insulin like-3	333
invisible pituitary stalk	48
iodothyronine deiodinases	472
IP（inorganic phosphate）	109
IPEX 症候群	550
IRMA	38
IRS4 異常症	457

K

K 排泄率	149
Kallmann 症候群	311
K_{ATP} チャネル	523
KCNJ11	565
Kenny-Caffey 症候群 1 型	498
Kenny-Caffey 症候群 2 型	499
Klinefelter 症候群	23, 303, 327

Klotho	488

L

Langer 型中間肢異形成	200
Langerhans 細胞組織球症	242
large deletion and conversion	384
lateralized ratio	65
LDL	586
Leri-Weill 異軟骨骨症	200
Leydig 細胞	332
LH	292, 357
LH/FSH	345
LHRH 負荷試験	309
Liddle 症候群	435
LMS 法	19, 20
Lowe 症候群	596

M

Madelung 変形	200, 350
MAP3K4	333
McCune-Albright 症候群	304
MCT8	448, 471
MEN1	249, 605
MEN2A	608
MEN2B	608
micro-conversion	384
micropenis	334
microphallus	334
MLPA	34
MMI embryopathy	157
MODY	543
MRI	55
MRKH（Mayer-Rokitansky-Küster-Hauser）症候群	343
Müller 管	334
MYRF 遺伝子	291

N

Na 排泄率	149
Na^+/I^- シンポーター	446
Na^+/K^+ ATPase	147
NDM（neonatal diabetes mellitus）	176
Nelson 症候群	432
NGS（next generation sequencing）	34
NIS 欠損症	51
NNT 遺伝子異常症	412
non-pitting edema	461
non-thyroidal illness	169
NR0B1 遺伝子	373
NR2F2 遺伝子	197
NR5A1	141, 332, 375
NTIS（nonthyroidal illness syndrome）	628

O・P

OCP	362
ODS（osmotic demyelination syndrome）	282
Oncofertility	329
P450c17α	395
P450scc	393
P450 酸化還元酵素欠損症	405
PA（primary aldosteronism）	433
paracrine	3
PCO	357
PCOM（polycystic ovary morphology）	360
PEA	518
peritubular myoid cell	332
PET	56
PGA1	612
PGA2	614
PHA Ⅰ型	418
PHA Ⅱ型	418
PHEX	509
PHP（pseudohypoparathyroidism）	496
PLP	518
PMDS（persistent Müllerian duct syndrome）	334
POMC 異常症	426
POR	405
Prader-Willi 症候群	214, 639
prepubertal dip	296
pseudo-Bartter 症候群	600
PTH	106, 149, 150, 486, 505
PTHrP	107, 108, 149
pubarche	293

Q・R

QCT	68
QT 延長	600
R-spondin 1	333
RASopathies	210
Rathke 囊	179
Rathke 囊胞	242
RCCX module	384
RET 遺伝子	608
RET 変異保有未発症者	610
RIA	37
ROC 解析	40
ROC 曲線	40
Rokitansky 症候群	343
RSPO1	346
RSW（renal salt wasting）	283
RUNX2	482

S

SAMD9 遺伝子	378
Sanjad-Sakati 症候群	498
SAP 療法	531
SARS-Covid-19	463
selectivity index	64
Sertoli 細胞	332
SGA	190, 361
― 性低身長	31, 32
SGLT2	602
SHOX	74, 200, 227, 348
SIAD（syndrome of inappropriate antidiuresis）	280
SIADH（syndrome of inappropriate secretion of antidiuretic hormone）	103
Silver-Russell 症候群	31, 185, 378
SIPTH	605
SOX3	500
SOX9	333, 482
SRIF	183
SRY	331, 345
StAR（steroidogenic acute regulatory protein）	370, 389
STAT5B	195
stiffman 症候群	550
SU 薬	541

T

Tanner 分類	17, 295
target height	183, 188
TART（testicular adrenal rest tumor）	409
TBL1X 異常症	457
TBX1	481
testicular microlithiasis	57
TG 変異	452
THOP	169
TmP/GFR	111
TNSALP	515
Tpit 異常症	426
TRAb	464
TRH 受容体（TRHR）異常症	457
TRα 遺伝子変異	470
TSBAb（thyroid stimulation blocking antibody）	156
TSHR	474
TSH 受容体	446, 474
TSH 不応症	474
TSH 不適切分泌症候群	253
TSHβ 異常症	457
tubular aggregate myopathy 2	499
Turner 症候群	23, 190, 204, 327, 331
TXNRD2 遺伝子異常症	413

V・W・X

VDDR1（vitamin D dependent rickets type 1）	511
VDDR2（vitamin D dependent rickets type 2）	512
VUS	33
Waterhouse-Friedrichsen 症候群	424

索引

WNT4	333, 346	
Wolff-Chaikoff 効果	469	
Wolff 管	334, 483	
Wolfram 症候群	265, 268, 545	
WT1	332	
X 連鎖性	24	
― 低リン血症性くる病・骨軟化症	509	
XLH（X-linked hypophsstemic rickets）	509	

数字・ギリシャ字・他

- $1,25(OH)_2D$ 　111
- 1 型糖尿病　618, 639
- 1A 型糖尿病　525
- 1B 型糖尿病　529
- 2 型糖尿病　534
- $3\beta HSDD$　401
- 3β 水酸化ステロイド脱水素酵素　141
- 3β 水酸化ステロイド脱水素酵素欠損症　401
- 3β 水酸化ステロイド脱水素酵素タイプⅡ　370
- 3 型脱ヨウ素酵素　473
- 5α 還元酵素異常症　334
- 5α 還元酵素欠損症　338
- 11-oxy C19（11-oxy-genated C19 ステロイド）　372
- 11β 水酸化酵素欠損症　398
- 11β 水酸化ステロイド脱水素酵素　434
- 11 水酸化酵素　370
- 17,20 リアーゼ　370
- ― 活性　141
- 17OHP　386
- 17α 水酸化酵素欠損症　395
- 17 水酸化酵素　370
- 18 水酸化酵素　370
- 21OHD（21-hydroxylase deficiency）　343, 639
- 21 水酸化酵素　370
- ― 欠損症　161, 343, 382, 639
- 22q11.2 欠失症候群　497
- 25OHD　487
- 25 位水酸化ビタミン D　505
- 25 水酸化ビタミン D　487
- 46,XY DSD　375
- ^{131}I 内用療法　466
- α グルコシダーゼ阻害薬　541
- β アドレナリン受容体　466
- β 遺伝子異常症　469
- β 酸化　100
- β 遮断薬　466
- β-catenin　333
- %TRP　111

- JCOPY 〈(社)出版者著作権管理機構 委託出版物〉
  本書の無断複写は著作権法上での例外を除き禁じられています．
  複写される場合は，そのつど事前に，(社)出版者著作権管理機構
  （電話 03-5244-5088，FAX03-5244-5089，e-mail：info@jcopy.or.jp）
  の許諾を得てください．
- 本書を無断で複製（複写・スキャン・デジタルデータ化を含みます）
  する行為は，著作権法上での限られた例外（「私的使用のための複
  製」など）を除き禁じられています．大学・病院・企業などにお
  いて内部的に業務上使用する目的で上記行為を行うことも，私的
  使用には該当せず違法です．また，私的使用のためであっても，
  代行業者等の第三者に依頼して上記行為を行うことは違法です．

小児内分泌学　改訂第3版　　　　　　　　　　　　　　ISBN978-4-7878-2472-1
2022年2月10日　改訂第3版第1刷発行

　　　　　　　　　　　　　　　　　　　2009年12月25日　初版第1刷発行
　　　　　　　　　　　　　　　　　　　2013年 2 月 8 日　初版第3刷発行
　　　　　　　　　　　　　　　　　　　2016年 8 月12日　改訂第2版第1刷発行
　　　　　　　　　　　　　　　　　　　2018年 5 月28日　改訂第2版第2刷発行

編　　集	一般社団法人　日本小児内分泌学会
発 行 者	藤実彰一
発 行 所	株式会社　診断と治療社
	〒100-0014　東京都千代田区永田町2-14-2　山王グランドビル4階
	TEL：03-3580-2750（編集）　03-3580-2770（営業）
	FAX：03-3580-2776
	E-mail：hen@shindan.co.jp（編集）
	eigyobu@shindan.co.jp（営業）
	URL：http://www.shindan.co.jp/
装　　丁	大嶋常夫
イラスト	小牧良次（イオジン）
印刷・製本	三報社印刷株式会社

© 一般社団法人　日本小児内分泌学会, 2022. Printed in Japan.　　　　　　　　　　［検印省略］
乱丁・落丁の場合はお取り替えいたします．